Die tödliche Utopie

Veröffentlichungen des
Instituts für Zeitgeschichte

Die tödliche Utopie

Bilder, Texte, Dokumente, Daten zum Dritten Reich

Herausgegeben von
Horst Möller, Volker Dahm und
Hartmut Mehringer unter
Mitarbeit von Albert A. Feiber

Obersalzberg - Orts- und Zeitgeschichte
Eine ständige Dokumentation des Instituts für Zeitgeschichte
in Berchtesgaden
Im Auftrag des Freistaats Bayern
Salzbergstraße 41, D-83471 Berchtesgaden
Tel.: ++49 (0) 86 52/94 79 60, Fax: ++49 (0) 86 52/94 79 69
E-mail: info@obersalzberg.de
Internet: http://www.obersalzberg.de

Text- und Bildband mit Exponatnachweis
Im Selbstverlag des Instituts für Zeitgeschichte, München – Berlin

Leonrodstraße 46 b, D-80636 München
E-mail: ifz@ifz-muenchen.de
Internet: http://www.ifz-muenchen.de

1. Auflage Oktober 1999
3. erweiterte und überarbeitete Auflage April 2001
4. Auflage März 2002: 31.–50. Tausend

Umschlaggestaltung, Layout und Satz:
paper-back gbr, Geisenhausener Str. 18, D-81379 München

Druck und Bindung:
BluePrint AG, Grafinger Straße 6, D-81671 München

Bestelladressen/orders to be sent to/adresses de commande:
Institut für Zeitgeschichte, Leonrodstraße 46 b, D-80636 München
Tel. ++49 (0)89 12 68 80
Fax ++49 (0)89 12 31 727
E-mail: katalog@obersalzberg.de
Internet: http://www.obersalzberg.de
ISBN 3-9807890-0-4

Fachbeirat

Prof. Dr. Dr. h.c. Horst Möller (Vorsitzender)	Direktor des Instituts für Zeitgeschichte, München – Berlin / Ludwig Maximilians-Universität München
Prof. Dr. Claus Grimm	Direktor des Hauses der Bayerischen Geschichte, Augsburg
Prof. Dr. Klaus Hildebrand	Rheinische Friedrich-Wilhelms-Universität zu Bonn
Prof. Dr. Hans Günter Hockerts	Ludwig-Maximilians-Universität München
Günther Hoffmann	Ministerialrat in der Obersten Baubehörde im Bayerischen Staatsministerium des Innern, München
Dr. habil. Hartmut Mehringer	Institut für Zeitgeschichte, München – Berlin
Dr. Andreas Nachama	Vorsitzender des Vorstands der Jüdischen Gemeinde zu Berlin (ehemaliger Direktor der Stiftung „Topographie des Terrors")
Dr. Michael Rupp	Direktor der Landeszentrale für politische Bildungsarbeit, München, für das Bayerische Staatsministerium für Unterricht und Kultus
Rudolf Schaupp	Erster Bürgermeister der Marktgemeinde Berchtesgaden
Martin Seidl	Landrat des Landkreises Berchtesgadener Land
Prof. Dr. Christoph Stölzl	Generaldirektor des Deutschen Historischen Museums, Berlin
Margot Wick	Ministerialdirigentin im Bayerischen Staatsministerium der Finanzen, München

(Funktionen zur Zeit der Mandatsausübung)

Planung und Ausführung

Staatliche Betreuung	Dr. Werner Böhme, Ltd. Ministerialrat Harald Brandl, Oberregierungsrat
Projektmanagement	Dr. Volker Dahm
Wissenschaftliche Konzeption und Leitung	Dr. Volker Dahm
Ständiger wissenschaftlicher Mitarbeiter	Albert A. Feiber M.A.
Zeitweilige wissenschaftliche Mitarbeiter	Hermann Graml Dr. Christian Hartmann Dr. Klaus A. Lankheit Dr. Dieter Pohl Dr. Jürgen Zarusky
Zeitweilige wissenschaftliche Hilfskräfte	Peter Gohle M.A. Thomas Schneider M.A.
Zeitweilige studentische Hilfskraft	Max Spindler
Assistenz und Sekretariat	Petra Mörtl M.A.
Praktikanten	Boris Goldberg M.A. Stephan Lehnstaedt Monika Schiller Christian Seidl M.A.
Archivarische Beratung	Dr. Werner Röder, Institut für Zeitgeschichte, München – Berlin

Ausstellungsfachliche Beratung	Dr. Johannes Erichsen, Haus der Bayerischen Geschichte, Augsburg
Baugeschichtliche Beratung	John Provan M.A., Kelkheim
Drehbuch Obersalzberg-Video	Ulrich Chaussy, München
Filmmusik	Roland Merz, Landshut
Innengestaltung und Möblierung	Claus + Forster, Architekten BDA, München
Graphische Gestaltung	Braun Engels Gestaltung, Ulm, Projektleitung: Roland Wagner, München
Lichtplanung	Ingenieurbüro Bamberger, Pfünz
Tafel- und Möbelbau	Hallschmid Objekteinrichtung und Möbelwerkstätte, Aufhausen Möbelschreinerei Wilhelm Bruckbauer, Rosenheim
Graphische Produktionen	Weila Bildtechnik Herbert Weißmann GmbH, München
Siebdruck	Oberndörfer Grafik GmbH, Berg
Medientechnik und Software	The Best of Multimedia GmbH, München/Heidelberg
Videoproduktion	Chronik Videoproduktion Georg Schmidbauer M.A., München
Audioproduktion	Deutsches Rundfunkarchiv, Frankfurt am Main – Berlin
Kartenherstellung	Kartographie Peckmann, Ramsau Kartographie Huber, München
Modelle	Max Hofmann Modellbau, Taufkirchen Leonardo Anschauungsmodelle, München
Buchbindearbeiten	Friederike Straub, München
Gebäudeplanung und Bauführung	Staatliches Hochbauamt Traunstein, Amtsleitung Baudirektor Matthias Ferwagner

Sponsoren und Leihgeber

Sponsoren	Archiv Ing.-Büro Dr. H. G. Carls, Würzburg-Estenfeld Argon Verlag, Berlin Chronos-Film GmbH, Kleinmachnow Gedenkstätte Deutscher Widerstand, Berlin S. Fischer Verlag, Frankfurt am Main Institut für Zeitgeschichte, München – Berlin Ordens- und Militariahandlung Ulrich Schneider, München Spiegel TV, Hamburg Stiftung Deutsches Rundfunkarchiv, Frankfurt am Main – Berlin
Leihgeber	Berchtesgadener Handwerkskunst, Berchtesgaden Fortbildungsinstitut der Bayerischen Polizei, Ainring Freistaat Bayern Fremdenverkehrsverband Berchtesgaden Gemeindearchiv Schönau am Königssee Institut für Zeitgeschichte, München – Berlin Marktarchiv Berchtesgaden Kurt und Stephan Lehnstaedt, Gröbenzell Museum Berlin-Karlshorst Ordens- und Militariahandlung Ulrich Schneider, München

Verwaltung und Betreuung

Trägerin	Berchtesgadener Landesstiftung
Fachliche Betreuung	Institut für Zeitgeschichte, München – Berlin

Der Fachbeirat, das Bayerische Staatsministerium der Finanzen und das Institut für Zeitgeschichte danken allen Archiven, Bibliotheken, Gedenkstätten und sonstigen Einrichtungen sowie allen Einzelpersonen, die mit Rat, Information, Leihgaben, Reproduktionsvorlagen und Zuwendungen zu dieser Dokumentation beigetragen haben.

Inhalt

Dokumentation

Die nationalsozialistische Diktatur (C) 76

Geleitwort

Wer die Vergangenheit kennt, kann die Zukunft verantwortungsvoll gestalten. In diesem Sinne will die Dokumentation „Obersalzberg – Orts- und Zeitgeschichte" die Erinnerung an den unheilvollsten Abschnitt unserer deutschen Geschichte wachhalten. Sie soll Aufforderung sein, auf der Basis unseres Grundgesetzes eine „wehrhafte Demokratie" mitzugestalten, damit im Herzen Europas menschenverachtende Diktaturen nie wieder entstehen können. Die Bayerische Staatsregierung hat in diesem Bewußtsein unmittelbar nach der Rückgabeentscheidung der amerikanischen Streitkräfte die Errichtung einer Dokumentationsstelle beschlossen, die unter wissenschaftlicher Leitung die Geschichte des Obersalzbergs aufarbeiten soll.

Der Obersalzberg war über Jahrhunderte bergbäuerliches Siedlungsgebiet, im ausgehenden 19. Jahrhundert wurde er zunehmend als „Ort der Sommerfrische" genutzt. In den Jahren der nationalsozialistischen Schreckensherrschaft mutierte der Obersalzberg zum „Führersperrgebiet" und wurde zum zweiten Regierungssitz Hitlers ausgebaut. Später nutzten die US-Streitkräfte den Berg als Erholungsgebiet. Der Freistaat Bayern kann seit der Rückgabe 1996 die tatsächliche Verfügungsgewalt über den Obersalzberg ausüben.

Die wechselvolle Geschichte des Obersalzbergs reicht also weit über die „braune Vergangenheit" hinaus. Dennoch steht die Zeit des Nationalsozialismus im Mittelpunkt des öffentlichen Interesses. Deshalb bildet dieser Zeitabschnitt zu Recht das Kernstück der Dokumentation. Den Besuchern der Ausstellung, insbesondere jüngeren Generationen, die NS-Diktatur und Zweiten Weltkrieg nicht mehr selbst miterlebt haben, soll nachvollziehbar werden, mit welchen „Verführungen" sich das NS-Terrorregime durchsetzen konnte, von welch menschenverachtender Ideologie das nationalsozialistische Weltbild geprägt war und welche abscheulichen Verbrechen durch die Nationalsozialisten verübt wurden, insbesondere Judenverfolgung und Völkermord. Aber auch dem Widerstand gegen das Naziregime ist ein eigenes Kapitel gewidmet.

Ausarbeitung und Umsetzung des Konzepts für die Dokumentation „Obersalzberg – Orts- und Zeitgeschichte" wurde dem für NS-Forschung international renommierten Institut für Zeitgeschichte übertragen. Ein Fachbeirat begleitete das Projekt fachlich-historisch, baulich und organisatorisch. Ihm gehörten international angesehene Historiker und Museumsdirektoren, Repräsentanten der Region Berchtesgaden sowie Vertreter bayerischer Staatsministerien an. Ergebnis ist eine höchst bemerkenswerte Ausstellung, der es eindrucksvoll gelingt, die Ortsgeschichte des Obersalzbergs mit der Zeitgeschichte zu verweben. Der Besucher wird umfassend über das wech-

◀ Teleobjektiv-Aufnahme des Berghofs nach 1936. ~ Bayerische Staatsbibliothek/Fotoarchiv Hoffmann, München (1)

selvolle Schicksal des Obersalzbergs und über die Hintergründe des verbrecherischen NS-Regimes informiert.

Ich begrüße es sehr, daß das Institut für Zeitgeschichte die Dokumentation weiterhin inhaltlich betreuen wird. Die fachliche Leitung liegt in den Händen eines Historikers. Erfreulicherweise konnte mit der Berchtesgadener Landesstiftung, die bereits das Kehlsteinhaus betreibt, eine bewährte örtliche Trägerin gewonnen werden.

Mein Dank gilt allen Beteiligten, die mit ihrem Einsatz dazu beigetragen haben, daß die Dokumentation am Obersalzberg in kurzer Zeit verwirklicht werden konnte. Neben den projektverantwortlichen Historikern des Instituts für Zeitgeschichte und den Mitgliedern des Fachbeirats ist hier nicht zuletzt auch die Staatsbauverwaltung zu nennen, der es gelungen ist, auf den Ruinenresten des ehemaligen Gästehauses „Hoher Göll“ ein lichtdurchflutetes Gebäude in der „Architektursprache“ der 90er Jahre zu errichten. Dieses Bauwerk steht in bewußtem Gegensatz zu den Bunkerkavernen, die auf Vorschlag des Fachbeirats in die Ausstellung einbezogen und aus Gründen der Authentizität weitgehend im Originalzustand belassen wurden. Gleichzeitig wird so auch baulich ein Bogen von der Vergangenheit in die Gegenwart geschlagen, der eindrucksvoll das zeitübergreifende Gesamtkonzept der Dokumentation verdeutlicht.

Prof. Dr. Kurt Faltlhauser
Bayerischer Staatsminister der Finanzen

Vorwort

Wenige Tage vor Kriegsende besetzten am Abend des 4. Mai 1945 amerikanische Einheiten den Obersalzberg bei Berchtesgaden. Dies war keineswegs eine unbedeutende territoriale Eroberung unter andern, sondern ein symbolkräftiger Akt: Die nationalsozialistische Diktatur vermochte es nicht mehr, den von einem idyllischen Ferienort zum zweiten Regierungssitz Hitlers umgeformten Berg zu verteidigen, das nationalsozialistische Regime ging ruhmlos in der selbstverursachten weltgeschichtlichen Katastrophe unter.

Als 1996, also nach mehr als fünfzig Jahren, die Amerikaner den Obersalzberg an den Freistaat Bayern zurückgaben, hatte sich die Welt fundamental verändert: Aus den ehemaligen Feinden waren längst Freunde geworden, die Teilung Deutschlands war beendet, das wiedervereinigte Deutschland ein fest in der europäisch-atlantischen Gemeinschaft verwurzelter Partner geworden: Das neue Deutschland gründete auf der in vierzig Jahren gewonnenen demokratisch-rechtsstaatlichen Stabilität der „alten" Bundesrepublik, nachdem die zweite deutsche Diktatur, die DDR, 1989 zusammengebrochen war.

Zum Lebensgesetz der Bundesrepublik Deutschland wurde seit 1949 der antitotalitäre Grundkonsens aller demokratischen Parteien und Richtungen: Wie kaum ein Staat zuvor entstand – und stand – die Bundesrepublik im Schatten der Katastrophe, die sie nicht verursacht hatte, aber deren Erbe sie nicht ausschlagen konnte und wollte, war es doch die Diktatur des nationalsozialistischen Deutschland gewesen, die diese Katastrophe im eigenen Land, in Europa und in der Welt herbeigeführt hatte. Anders als die DDR hat die Bundesrepublik von Beginn an diese Vergangenheit als einen Teil ihrer historisch definierten Identität begriffen und sich folglich permanent mit ihr auseinandergesetzt. Wissenschaft, Politik, Öffentlichkeit haben auf ihre Weise dazu beigetragen, das Bewußtsein für die nationalsozialistische Epoche der deutschen Geschichte wachzuhalten und zu schärfen.

In das Mahnmal- und Gedenkstättenprogramm der Regierungen konnte der Obersalzberg bisher nicht aufgenommen werden. Zwar hatte es hier keine Opfer gegeben, aber hier standen zwischen 1933 und 1945 die Domizile nationalsozialistischer Täter. Doch lag der ausschlaggebende Grund darin, daß deutsche Behörden bis 1995 keine Verfügungsgewalt über den größten Teil dieses Gebiets hatten. Sobald dies der Fall war, entschied die Bayerische Staatsregierung über ein Nutzungskonzept, zu dem von Beginn an die Errichtung einer Dokumentation über den Nationalsozialismus gehörte, mit dessen Hilfe die historisch-politische Bildung der Besucher gefördert werden sollte. Zugleich sollte damit einer verharmlosenden oder gar neonazistischen

Verherrlichung dieses ehemaligen Hitlersitzes entgegengewirkt werden.

Die Bayerische Staatsregierung und das federführende Bayerische Staatsministerium der Finanzen erteilten nach Klärung der Vorfragen dem seit fünfzig Jahren in der NS-Forschung Pionierarbeit leistenden Institut für Zeitgeschichte den Auftrag zur Erstellung der Konzeption. Sie wurde in einem eigens eingesetzten Fachbeirat, dem neben einschlägig ausgewiesenen Zeithistorikern und Ausstellungsfachleuten auch die Vertreter des Freistaats Bayern, des Landkreises Berchtesgadener Land und der Marktgemeinde Berchtesgaden angehörten, gründlich beraten, bevor die Realisierung in Angriff genommen wurde.

Die Dokumentation auf dem Obersalzberg hat das Ziel, eine längerfristig angelegte Ortsgeschichte, die sich nicht auf die nationalsozialistische Epoche beschränkt, mit einem deutlichen Schwerpunkt in der Zeitgeschichte zu verbinden. Die Zufälligkeit des Ortes wird dabei ebenso deutlich wie die von der nationalsozialistischen Diktatur agitatorisch benutzte Idylle, die Hitler in ebenso großartiger wie friedlicher Kulisse zeigt, während er und seine Funktionäre mit der Vorbereitung von Terror, Krieg und Massenmord beschäftigt waren. Ein schärferer Kontrast ist nicht denkbar. Dieses geradezu unglaubliche Spannungsverhältnis muß die Dokumentation durch die Wahl des Ortes und die Ausstellung selbst nutzen, zumal die Nationalsozialisten Bild und Inszenierungen für ihre äußerst effektive und moderne Propaganda virtuos einsetzten. Die bis heute entscheidende Frage lautet: Wie konnte es einem derartig fanatisierten und terroristischen System gelingen, zumindest zeitweilig die Zustimmung zwar keineswegs aller, aber doch großer Teile der Bevölkerung zu gewinnen, wie konnte es die kollektive Illusion eines „nationalen Aufbruchs" erzeugen, die weit über den Kreis der Parteigenossen hinauswirkte?

Aus der schweren Krise der Jahre nach dem Ersten Weltkrieg, der „Urkatastrophe" des Jahrhunderts (George F. Kennan) resultierte eine Fülle fundamentaler Probleme für Kultur, Wirtschaft, Gesellschaft und Politik, für die es keine einfachen Lösungen gab, die nationalsozialistische Agitation aber suggerierte dies und schien so den Millionen Verzweifelten Hoffnung zu geben. Doch schloß die von ihr propagierte „Volksgemeinschaft" all diejenigen aus, die nicht in ihre rassistische Ideologie paßten: zuerst durch Ausgrenzung und Diffamierung, dann durch Verfolgung und Vernichtung. In der zutiefst inhumanen Ideologie gab es nur Freunde oder Feinde, Feinde wurden nicht politisch bekämpft, sondern physisch vernichtet; zur Verführung trat die Gewalt.

Die Dokumentation versucht exemplarisch, die zentralen Erscheinungsformen der nationalsozialistischen Diktatur zu veranschaulichen. Insofern handelt es sich im zeitgeschichtlichen Teil trotz der vergleichsweise geringen Ausstellungsfläche um die erste umfassende

Dokumentation nationalsozialistischer Herrschaft in dieser Form, da sich alle anderen bisherigen Ausstellungen auf einzelne Aspekte der Diktatur beschränken. Hier jedoch werden Machtergreifung, die Akteure des Regimes, „Volksgemeinschaft", Terrorapparat, Judenverfolgung und Völkermord, Widerstand, Außenpolitik und Zweiter Weltkrieg gleichermaßen dokumentiert. Und was für die Ausstellung gilt, gilt auch für den hier vorgelegten Band: In wissenschaftlich fundierten, aber für ein nichtwissenschaftliches Publikum geschriebenen Beiträgen wird hier ein in dieser Form neuartiges Kompendium über die nationalsozialistische Diktatur präsentiert, das das Medium der Ausstellung für eine objektive Information und historisch-politische Aufklärung nutzt: Jeder Interessierte kann mit Hilfe dieses Buchs eine sichere Kenntnis über diese Epoche der deutschen Geschichte gewinnen.

Allen, die zur Vorbereitung der Dokumentation beigetragen haben, gilt der besondere Dank des Instituts und der Herausgeber, insbesondere den Mitgliedern des Fachbeirats, den Verantwortlichen im Bayerischen Staatsministerium der Finanzen und den Mitarbeitern. Ein ganz besonderes Verdienst kommt dem Projektleiter im Institut für Zeitgeschichte, Dr. Volker Dahm, zu. Dr. habil. Hartmut Mehringer hat sich nach Erfüllung seines Mandats im Fachbeirat um die termingerechte Fertigstellung der Dokumentation außerordentlich verdient gemacht.

München, im August 1999

Prof. Dr. Dr. h. c. Horst Möller
Direktor des Instituts für Zeitgeschichte

Volker Dahm

Einführung: Der Obersalzberg als historischer Ort und als Stätte historisch-politischer Bildung

Kaum eine deutsche Kulturlandschaft hat ihr Gesicht so oft und so gründlich verändert wie der Obersalzberg bei Berchtesgaden. Bis in die zweite Hälfte des 19. Jahrhunderts ein bergbäuerlich geprägtes Streudorf, in dem neben Bauern Salzbergleute, Salinenarbeiter und Handwerker lebten, wandelte sich der Ort mit dem Aufkommen des Fremdenverkehrs seit den siebziger Jahren zu einem neuzeitlichen Gebirgsdorf mit bewirtschafteten Wiesen, Bauernhäusern, Pensionen, Restaurationsbetrieben und Landhäusern wohlhabender Stadtbürger.

Das Jahr 1933 stellte auch in der Entwicklung des Obersalzbergs eine entscheidende Zäsur dar. Adolf Hitler, der neue Reichskanzler, war erstmals 1923 auf den Obersalzberg gekommen und hatte sich in der Folge immer wieder dorthin zurückgezogen. Bald nach der „Machtergreifung“ am 30. Januar 1933 erwarb er das Haus Wachenfeld, in dem er seit 1928 zusammen mit seiner Halbschwester Angela Raubal zur Miete gewohnt hatte. Innerhalb weniger Jahre veränderte der Berg erneut sein Gesicht – diesmal fast bis zur Unkenntlichkeit. Aus dem bescheidenen Haus Wachenfeld entstand der pompöse Berghof Adolf Hitlers, dessen Bild um die Welt ging und peinlicherweise noch heute auf Souvenirs aus Berchtesgaden Verwendung findet. Im Gefolge des „Führers“ siedelten sich auch Hermann Göring, Martin Bormann und Albert Speer, Hitlers Stararchitekt, mit eigenen Häusern auf dem Obersalzberg an. Im Laufe weniger Jahre wurde aus dem Feriendomizil der NS-Größen ein zweites Machtzentrum des Deutschen Reiches. Die meisten alten Gebäude wurden umgebaut oder abgerissen und durch Neubauten ersetzt.

Die bauliche Umgestaltung des Geländes war noch im Gang, als das Dritte Reich Adolf Hitlers bereits am Ende war. Am 25. April 1945, fünf Tage vor Hitlers Selbstmord und zwei Wochen vor der Kapitulation der deutschen Wehrmacht, griffen britische Bomberverbände den Obersalzberg an und verwandelten ihn in eine Wüste. Die dampfende, lehmige Masse mit den Ruinen der Häuser, die nach dem Abziehen der Rauchwolken sichtbar wurde, erschien wie ein Symbol für den Untergang des Deutschen Reiches und das von den alliierten Großbombern in Schutt und Asche gelegte Deutschland. Aber auch diese symbolische Metamorphose war nicht von Dauer. 1952 wurden die Ruinen des Berghofs, der Häuser Görings und Bormanns sowie der

SS-Kaserne gesprengt, die Freiflächen später neu aufgeforstet. Nichts sollte mehr an das „Führersperrgebiet“ und seine Population erinnern. Damit verschwand aber auch die topographische Eigenart und so die letzte natürliche Erinnerung an das alte Dorf.

Der Obersalzberg ist ein unmittelbar am östlichen Rand Berchtesgadens auf 900 bis 1000 Meter Höhe ansteigender Vorberg des Kehlsteins, der – 1834 Meter hoch – wiederum dem 2523 Meter hohen Felsmassiv des Hohen Göll vorgelagert ist. Wer zum erstenmal mit dem Auto von Berchtesgaden zum Obersalzberg hinauffährt, vermag sich kaum vorzustellen, daß er sich mitten durch das ehemalige „Führersperrgebiet“ bewegt. Die Bewaldung links und rechts der sich mit starker Steigung nach oben windenden Straße gibt kaum einmal den Blick auf das Gelände frei. Der Erstbesucher ist hier ohne ortskundigen Begleiter verloren. Dort, wo die Salzbergstraße endet, am Hintereck, befindet sich das Zentrum des heutigen Obersalzberg-Tourismus. Hier beginnt die Kehlsteinstraße, Deutschlands schönste Alpenstraße, die durch zahlreiche aus dem steilen Fels gehauene Tunnels und mit scharfen Kehren hinauf zum Kehlstein führt und immer wieder großartige Ausblicke auf die Berchtesgadener Bergwelt mit dem Watzmann im Zentrum eröffnet. Am Hintereck befinden sich Restaurants und Souvenirläden, die auf kaufwillige Kunden warten – nicht anders als an anderen touristischen Glanzpunkten in Bayern und anderswo.

Neben dem üblichen unspezifischen Souvenirkitsch und einigen seriösen Büchern und Informationsschriften werden dort bis heute auch Andenken mit NS-Motiven und in Hochglanzkarton gebundene Broschüren mit historischen Informationen angeboten, die in fachlicher Hinsicht ganz unzulänglich und politisch-pädagogisch sehr bedenklich sind. Von einigen allgemeinen Hinweisen mit Alibifunktion abgesehen, beschränken sie sich auf die Geschehnisse und Verhältnisse auf dem Obersalzberg selbst, stellen dabei das fast nur in Propagandafotos überlieferte Privatleben der NS-Größen und ihrer Entourage (also eine mit Wirkungsabsicht inszenierte Privatsphäre) in den Vordergrund und blenden auf diese Weise die gräßliche Gesamtwirklichkeit des Dritten Reiches aus; sie liefern so ein einseitiges, geschöntes, trivialisiertes Bild der nationalsozialistischen Diktatur. Zudem im Stile der Sensationspresse aufgemacht, spekulieren sie auf die unkritische, mitunter wohl voyeuristische historische Neugier der Besucher – wie zu hören ist, ein glänzendes Geschäft.

Dabei ist es schwer, sich ein klares, zutreffendes Bild von den Interessen und Motiven der Besucher zu machen, die zeitweise in Massen zum Obersalzberg strömen. An Schönwettertagen in der Hochsaison, von Mai bis Oktober, herrscht am Hintereck und am Kehlsteinhaus (ein Geschenk der Partei zum fünfzigsten Geburtstag des „Führers“, das Hitler aber wegen seiner Höhenangst mied) nicht weniger touristischer Betrieb als an anderen bayerischen Sehenswürdigkeiten. Die Menschen kommen aus aller Herren Länder – seit dem Zusammenbruch des Sowjetimperiums auch aus den Ländern im Osten, die unter der deutschen Besatzungsmacht besonders zu leiden hatten. Nur eine sehr kleine, aber höchst auffällige Minderheit (beileibe nicht nur deutscher Nationalität) dürfte zu den sogenannten Wallfahrern zu rechnen sein – alte unbelehrbare Menschen, die der Hitlermythos in einen undurchdringlichen Kokon der Führerverehrung eingesponnen hat, alte und junge Rechtsextremisten, die die Probleme der Gegenwart und vielfach die Krise ihrer persönlichen Existenz mit schon 1933 falschen Zielen und Methoden bekämpfen zu können glauben. Sicherlich gibt es auch eine Gruppe, die aus echtem historischen Interesse auf den Obersalzberg kommt, Studenten, Lehrer mit ihren Klassen u. a. Bei der großen Mehrheit aber handelt es sich um Touristen, wie man sie in der Saison überall findet, wo das Land schön ist, Menschen, die ihren Urlaub im Berchtesgadener Land verbringen und für die der Obersalzberg ebenso zum Pflichtprogramm gehört wie die Fahrt über den Königssee nach St. Bartholomä. Ihr historischer Kenntnisstand ist unterschiedlich, in der Mehrzahl der Fälle zweifellos ungenügend und nur bei einer Minderheit zureichend oder gut. Alles in allem ist eine immer von der historischen Authentizität des Ortes geweckte, aber strukturell diffuse historische Neugier zu konstatieren, die bisher überwiegend durch die genannten Broschüren befriedigt wurde.

Damit ist schon ein Grund dafür angesprochen, warum am Obersalzberg eine historische Dokumentation, nicht aber eine Gedenkstätte errichtet wurde, die Überzeugung nämlich, daß eine Gedenkstätte an dieser Stelle nichts bewirken könnte, ja wohl kaum zur Kenntnis genommen würde. Vielmehr ist es notwendig, die historische Neugier des hier anzutreffenden Massenpublikums aufzugreifen und den Menschen Gelegenheit zu geben, sich durch eine wissenschaftlich fundierte, aber möglichst gemeinverständliche und sowohl kognitive wie auch emotionale Zugänge anbietende Dokumentation über die Geschichte des Ortes und seine Verflechtung mit dem Nationalsozialismus zu informieren.

Für diese Entscheidung sprachen aber nicht nur die spezifischen Verhältnisse an diesem Ort, sondern auch allgemeine geschichtsdidaktische Gesichtspunkte. In der Diskussion über die angemessene museumspädagogische Behandlung des Nationalsozialismus wird seit einiger Zeit zwischen Opferorten und Täterorten unterschieden. Diese komplementären Kategorien sind zwar nicht unproblematisch, weil es zwar einen Täterort ohne Opfer, nicht aber Opferorte ohne Täter geben kann. Aber die Unterscheidung weist doch auf den richtigen Weg. Opferorte sind durch einen konkreten Opferbezug gekennzeichnet, durch das an den jeweiligen Ort gebundene, teils anonym gebliebene, großenteils aber auch gruppen- und individualbiographisch dokumentierte Leiden und Sterben von Menschen. An solchen Orten, an denen es auf dem mit dem Blut von Abermillionen unschuldiger Männer, Frauen und Kinder getränkten Boden Europas wahrlich nicht fehlt, soll man Gedenkstätten errichten. Allerdings sollte man sich auch dabei vor Übertreibungen hüten. Nicht jeder Stein einer möglichen Haft- oder Mordstätte, den unsere NS-Archäologie zutage fördert, rechtfertigt eine Gedenkstätte. Wenn die Nationalsozialisten, für die das „Lager" – nicht nur für ihre Opfer, sondern auch für sich selber – die dominante Lebensform war, allerorts Lager und Haftstätten jeder Größe und Art errichtet haben, dann darf diese Lagerlandschaft nicht im Spiegel einer Gedenkstättenlandschaft wiederauferstehen. Denn dies würde unvermeidlich zu einer unproduktiven, ja kontraproduktiven Ritualisierung des Gedenkens, zur Abstumpfung und vielfach zu einer affektiven Abwehrhaltung in der Bevölkerung führen. Wie uns das – immerhin durch individuelle Leiderfahrung emotional getragene – Friedhofsritual lehrt, kann kein Mensch unentwegt und überall trauern und gedenken. Auch der Mensch nach Auschwitz – und zwar sowohl der Nachfahre des Opfers wie der des Täters – hat das Recht, sich seines Lebens, seiner Familie, seiner Freunde, seiner Arbeit und seiner Freizeit zu erfreuen.

Der Täterort eignet sich um so weniger als Ort des Gedenkens und Trauerns, als dieses Trauern und Gedenken, dem der konkret faßbare Leidbezug fehlt, nur eine voluntaristische Aktion mit virtuellem Resultat sein könnte. Täterorte haben eine andere Qualität und daher auch eine andere pädagogische Funktion als Opferorte. Der Opferort spricht unser Gefühl an, erprobt unsere „Fähigkeit zu Trauern", appelliert an die moralische Instanz in uns, fordert kategorisch Pietät und begrenzt auf diese Weise die Möglichkeiten einer kognitiven Auseinandersetzung mit der Geschichte. Der Täterort weckt durch die ihm eigene historische Authentizität die menschliche Neugier, den Wissensdrang und gibt der verstandesmäßigen Annäherung an das historische Geschehen weit mehr Freiheit als der Opferort. Mit anderen Worten: Während der Opferort seiner Eigenart und Funktion nach in der Nachbarschaft von Kirche, Synagoge, Moschee und Friedhof steht, ist der Täterort als pädagogischer Ort in der Nähe von Schule und Hochschule angesiedelt. Seine Anziehungskraft für Menschen unterschiedlichster Herkunft und unterschiedlichsten Bildungsniveaus bietet eine zusätzliche Chance breitenwirksamer historisch-politischer Bildung, die im Interesse von Demokratie und Menschenrechten genutzt werden muß.

Der Obersalzberg ist ein reiner Täterort. Dort wurden Verbrechen größten Stils geplant, aber nicht begangen. Niemand wurde dort aus rassischen oder politischen Gründen getötet, gefoltert oder auch nur gefangengehalten. Daraus ergab sich nicht nur die grundlegende Entscheidung gegen eine Gedenkstätte und für eine historische Dokumentation, sondern auch die Perspektive der historischen Betrachtung und die Kontur des Informationsangebots. An diesem Ort war der Blick primär auf die Täter zu richten, aber – aus den schon genannten Gründen – nicht nur auf ihr Leben am Obersalzberg, sondern auf ihr ganzes Denken und Tun, auf ihre ideologischen Überzeugungen und Obsessionen und die daraus hervorgegangenen politischen Ziele – und auf deren Verwirklichung, die im Modus ständiger Eskalation schließlich im Völkermord, in der Verwüstung Europas, in der Teilung der Welt und nicht zuletzt in der Zerstörung des deutschen Nationalstaats mündete.

Allerdings konnte eine Gesamtdarstellung des Nationalsozialismus – wenn sie in Form einer Dokumentation oder Ausstellung überhaupt möglich sein sollte – im Rahmen dieses Projekts nicht realisiert werden. Es galt daher, sich auf die Regimephase des Nationalsozialismus zu beschränken und sich für bestimmte Bereiche und Aspekte von Herrschaftssystem und Herrschaftspraxis zu entscheiden. Der naheliegende Gedanke, Themen zu wählen, die unmittelbare, empirisch verifizierbare Bezüge zum Obersalzberg haben, erwies sich als nicht zielführend, weil die Realität der nationalsozialistischen Diktatur auf diese Weise nicht hinreichend erfaßt werden kann. Diese konzeptionelle Frage löste sich wiederum durch Besinnung auf die historische Eigenart des Ortes: Der Obersalzberg war nicht nur ein Täterort, sondern er war – nur mit der Reichshauptstadt und den Feldquartieren Hitlers im Krieg vergleichbar – ein Macht- und Regierungszentrum des Reiches, wo alle politischen Themen besprochen und verhandelt und in vielen Fällen auch entschieden wurden, auch wenn dies im Einzelfall nicht immer nachweisbar ist. Dieser Sachverhalt erlaubte es, die Auswahl der Themen allein unter Gesichtspunkten der historischen Bedeutung und pädagogischen Zweckmäßigkeit vorzunehmen. Allerdings wurde angestrebt, allgemeine Sachverhalte wo immer möglich mit Beispielen und historischen Materialien aus der Region zu verdeutlichen.

Die Dokumentation hat das Ziel, den Besucher wissenschaftlich fundiert über die Ereignisse und Zusammenhänge zu informieren und darüber hinaus Hilfen zum Verständnis des historischen Geschehens zu geben. Da der Rechtsextremismus von heute seine Anziehungskraft, besonders für Jugendliche, vor allem aus der Reaktivierung ideologischer Fiktionen und politischer Parolen des Nationalsozialismus bezieht, steht dabei die Grunderfahrung mit den totalitären Systemen dieses Jahrhunderts im Mittelpunkt: die Erfahrung, daß politische Utopien, die sich im Besitz der historischen Wahrheit glauben und eine diesseitige Lösung aller politischen und sozialen Probleme versprechen, nicht zur Befreiung des Menschen führen, sondern in Zerstörung und Barbarei enden. Der Gegensatz von quasi-religiösem Heilsversprechen und realem Inferno ist die jedermann leicht erfahrbare Entsprechung all jener strukturellen Widersprüche, durch die das nationalsozialistische Herrschaftssystem grundlegend charakterisiert ist. Wie von selbst enthüllt der Obersalzberg einen weiteren Wesenszug des NS-Herrschaftssystems: das Nebeneinander, ja die

Verschränkung von biederer Normalität und monströser Abnormität. Die heile Welt auf dem Obersalzberg, „Hitler wie du und ich", als „guter Nachbar", Kinder- und Naturfreund – dies waren auf Massenwirksamkeit bedachte Inszenierungen, die Abnormität und Kriminalität des Regimes zu verschleiern halfen und die Menschen ihre persönliche Lebenswirklichkeit wiedererkennen ließen. Die hatte sich trotz Gleichschaltung der Gesellschaft und Politisierung des Alltags in vieler Hinsicht nicht verändert. Daß das Leben, wenn man nicht zur Minderheit der Verfolgten gehörte, normal weiterging und daß auch die Staatsführung – wie nicht zuletzt die Obersalzberg-Propaganda suggerierte – normal zu sein schien, dies war eine wesentliche Voraussetzung für die Loyalität, welche die große Mehrheit der Deutschen Hitler über eine weite Strecke entgegenbrachte.

Hierzu trug ein anderes, die nationalsozialistische Herrschaft kennzeichnendes Phänomen entscheidend bei: das Ineinandergreifen von Verführung und Gewalt, von Faszination und Zwang als totalitäre Herrschaftstechnik. Während der Terror für nicht angepaßte oder als Volksfeinde definierte Minderheiten eine reale, lebensgefährliche Bedrohung darstellte, war er für die große Mehrheit der Bevölkerung eher abstrakter Natur. Die Massen, die Hitler zujubelten und bedingungslos folgten, taten dies nicht, weil sie dazu gezwungen wurden. Vielmehr sind sie der Faszination des Nationalsozialismus erlegen, seinen ideologischen Fiktionen und politischen Versprechungen ebenso wie der emotionalen Vergemeinschaftung in Aufmärschen und Massenversammlungen und der Flut suggestiver Parolen, Bilder und Rituale, mit der die deutsche Gesellschaft überzogen wurde.

All diese Antinomien erklären das Phänomen des Nationalsozialismus nicht erschöpfend, waren aber Bedingung seiner Erfolgsgeschichte. Würde nur die pathologisch-kriminelle Seite des Nationalsozialismus gezeigt – Terror, Verbrechen und Opfer –, könnte nur Verständnislosigkeit und Entsetzen bewirkt werden. Ziel historisch-politischer Bildung muß es aber sein, die totalitären Gefährdungen moderner Gesellschaften aufzuzeigen und sie dadurch gegen politische Extremismen jeder Art, alte oder neue, linke oder rechte, zu wappnen.

Dieser Leitgedanke bestimmte nicht nur Wahl und Anordnung der Hauptthemen, sondern auch den inhaltlichen Zuschnitt der kleineren Darstellungseinheiten. Sie sind als Informationseinheiten konzipiert, die dadurch wirken sollen, daß sie in einzelnen, aufeinander aufbauenden Schritten von der Normalität in den Wahnsinn, von der ideologischen Utopie zur realen europäischen Katastrophe, vom „schönen Schein" des Dritten Reiches in seine gräßliche Gesamtwirklichkeit und von den Tätern zu den Opfern führen. Am Ende sind nur noch Zerstörung, Tod und Leid sichtbar.

Teils durch glückliche Zufälle, teils durch Überlegungen, die sich diese Zufälle zunutze machten, wird dieser historische „Lehrpfad" aufs vortrefflichste durch das Ensemble der verschiedenen Baukörper der

Ausstellungsanlage unterstützt. Diese besteht aus einem leichten, lichten Pavillon mit zwei Ebenen, dem in die Dokumentation einbezogenen Teil der Bunkeranlage und einem langgestreckten Verbindungsgang, der Pavillon und Bunker verbindet. Der Weg des Besuchers führt von oben nach unten, von der Höhe des Obersalzbergs (Galerie) in die Niederungen des Dritten Reichs (Erdgeschoß) und dann in den Abgrund des Zweiten Weltkriegs (Bunkeranlage), sozusagen vom Himmel in die Hölle, und dann wieder ans Licht und in die Gegenwart, in eine grandiose Natur und in die Realität einer gewiß nicht idealen, aber rechtsstaatlich und demokratisch verfaßten Gesellschaft.

Pavillon der Dokumentation Obersalzberg, Südansicht, im Hintergrund der Untersberg (Aufnahme September 1999) ~ © Institut für Zeitgeschichte, München – Berlin/Berchtesgadener Landesstiftung; Foto: Baumann-Schicht, Bad Reichenhall (2) ▶

Verbindungsgang vom Pavillon zur Bunkeranlage (Aufnahme September 1999) ~ © Institut für Zeitgeschichte, München – Berlin/ Berchtesgadener Landesstiftung; Foto: Baumann-Schicht, Bad Reichenhall (3) ▶

Dokumentation

Ausschnitt aus dem Bild „Es lebe Deutschland" von K. Stauber (undatiert, wahrscheinlich vor 1933). ~ Bildgrundlage: Schwarzweiß-Postkarte aus der Sammlung Karl Stehle, München, digitale Kolorierung nach farbigen Abbildungen der unzugänglichen Plakatversion. (4) ▼

Prolog

▲ Links und rechts: Hitler zujubelnde Menschenmasse auf dem Deutschen Turn- und Sportfest 1938 in Breslau, nachträglich leicht koloriert, rechte Seite gespiegelt. ~ Bildgrundlage: Foto Bilderdienst Süddeutscher Verlag, München (5)

Karl Dietrich Bracher, 1976 (6) ▶

Extreme politische Konzeptionen, die als „Endlösung" für alle möglichen Probleme verheißen werden, dienen niemals humanen Zielen, sondern erniedrigen Menschen und ihre Werte zu bloßen Instrumenten eines destruktiven Machtwahns und eines barbarischen Regimes. Daß solche extremen Konzeptionen zum Scheitern verurteilt seien, woher sie kommen mögen, ist auch heute im Zeichen alter und neuer Extremismen die Hoffnung, die aus der Widerlegung und dem Untergang Hitlers gezogen werden kann.

◀ Von der deutschen Feldgendarmerie an den Balkonen des Gebäudes des Bezirkskomitees der KPdSU in Charkow/Ukraine am damaligen Dserschinskij-Platz (heute majdan Swobody) als „Partisanen" erhängte Zivilisten (November 1941; Text auf den Schildern: „Strafe für Bombenanschlag"). ~ Claus Hansmann, München (7)

◀ Deutscher Gefallener in Stalingrad. ~ Bilderdienst Süddeutscher Verlag, München (8)

▲ Nürnberg 1945. ~ Stadtarchiv Nürnberg (9)

KZ Bergen-Belsen/Niedersachsen nach der Befreiung (17. April 1945). ~ Imperial War Museum, London (10) ▶

Der Obersalzberg

Klaus A. Lankheit

Der Obersalzberg

Am Ostufer der Berchtesgadener Ache, gegenüber dem Markt Berchtesgaden erhebt sich der Salzberg, ein Vorberg des Kehlstein, seinerseits ein Vorberg des Hohen Göll. Salz wurde hier seit dem Mittelalter abgebaut – am Gollenbach nachweisbar seit 1193. 1517 begann der bergmännische Salzabbau am Salzberg, der bis heute andauert. Die „Gnotschaft" (Verwaltungseinheit) Berge, später Salzberg, war eine der Verwaltungseinheiten der Fürstpropstei Berchtesgaden. Auf dem Obersalzberg, einer „Gnotschafterbezirk" genannten Teileinheit, sind seit 1385 das Baumgartlehen und das Mooslehen, seit 1386 das Antenberglehen, seit 1471 das Obertallehen und seit 1536 das Brandstattlehen urkundlich nachweisbar.

Seit Anfang des 12. Jahrhunderts erschlossen Augustiner Chorherren das Gebiet um ihr Stift Berchtesgaden. Die Lage zwischen den mächtigeren Nachbarn Bayern und Salzburg führte oft zur mehr oder weniger starken Einflußnahme des einen oder des anderen. Die Selbständigkeit konnte Berchtesgaden jedoch sehr lange behaupten und seine Rechte auch ausbauen: 1491 wurde der Propst Reichsfürst, 1627 erhielt die Fürstpropstei die Reichsunmittelbarkeit. 1803 verlor die Fürstpropstei ihre Selbständigkeit wieder und fiel 1810 endgültig an das Königreich Bayern.

Die Bauern hatten bis zum Ende der Selbständigkeit der Fürstpropstei kein Eigentum an Grund und Boden. Die Leibeigenen des Stiftes mußten darüber hinaus Arbeits- sowie Wachdienste leisten und waren steuerpflichtig. Die Eheschließung der Untertanen mußte vom Stift bewilligt werden. Der Besitz an den Höfen konnte vererbt werden, seit Ende des 14. Jahrhunderts war auch Erbteilung möglich. In durchschnittlich nur sieben schneefreien Monaten wurde dem Boden das Lebensnotwendigste abgerungen.

Mitte des 17. Jahrhunderts waren in der gesamten Gnotschaft Salzberg 26 Bergknappen, 16 Gaderer, heute Schreiner genannt, zwölf Bauern, acht Karrner und Fuhrleute, sieben Schnitzer, sechs Drechsler, fünf Tagwerker, vier Schaffelmacher, drei Pfannhauser genannte Salinenarbeiter, zwei Faßbinder, ein Löffelmacher und ein Holzknecht mit ihren Familien ansässig. Die Rohstoffe Holz und Salz bestimmten neben der Landwirtschaft das Leben der Menschen.

Der im letzten Drittel des 19. Jahrhunderts aufkommende Tourismus bot den Menschen auf dem Obersalzberg erstmals die Möglichkeit, ihre Existenzgrundlage zu verbessern. 1872 wurde die erste Fremdenwohnung eingerichtet. Mit dem Erwerb des „Steinhauses" durch Mauritia („Moritz") Mayer im Jahre 1877 und der Einrichtung der „Pension Moritz" erhielt der Tourismus den entscheidenden Anschub. Der Obersalzberg wurde zur beliebten „Sommerfrische", prominente

◀ Luftaufnahme des Obersalzbergs vom 5. September 1933: Die erste Erweiterung des in der Bildmitte gelegenen Hauses „Wachenfeld" ist abgeschlossen, die großen Abriß- und Umbauaktionen haben noch nicht begonnen. ~ Strähle Luftbild, Schorndorf (11)

Gäste verstärkten die Anziehungskraft auf wohlhabende Stadtbürger aus ganz Deutschland. Zu diesen prominenten Gästen gehörten neben der Pianistin und Komponistin Clara Schumann auch die Schriftsteller Peter Rosegger, Ludwig Ganghofer und Richard Voß. Letzterer nahm Mauritia Mayer, die „Steinhausbäurin", wie sie sich selbst auch nannte, zum Vorbild für Judith Platter, eine der beiden Hauptfiguren seines 1911 erschienen populären Romans „Zwei Menschen", der in Südtirol spielt. Diesen Zusammenhang offenbarte Voß in seinen 1920 postum erschienenen Erinnerungen. Bis heute dürfte die Zahl der insgesamt verkauften Exemplare des Romans die Millionengrenze längst überschritten haben. Bruno Büchner, geschäftstüchtiger späterer Besitzer des inzwischen als „Gebirgskurhaus Obersalzberg" firmierenden Betriebs, gab dem Anwesen etwa 1933 – nach der weiblichen Hauptfigur des Romans – den Namen Platterhof.

Bereits 1882 lohnte sich wegen der steigenden Zahl der Gäste für Mauritia Mayer die Einrichtung einer Dépendance; sie wurde später zum Gästehaus des Berghofs auf dem Obersalzberg, auf dessen Resten heute das Gebäude der Dokumentation Obersalzberg steht. Durch den Erfolg angeregt, begannen immer mehr Einheimische mit der Vermietung von Zimmern. In den letzten anderthalb Jahrzehnten des 19. Jahrhunderts wurden der Alpengasthof Steiner und weitere Beherbergungsbetriebe eröffnet. Im Jahr 1888 erhielt Berchtesgaden Anschluß an das Eisenbahnnetz. Eine bessere Verkehrsanbindung des Obersalzbergs ließ jedoch noch lange auf sich warten: Bereits 1909 erwog man den Bau einer Drahtseilschwebebahn von Berchtesgaden auf den Obersalzberg, die Pläne wurden jedoch nicht umgesetzt. Wie ein weiteres unausgeführtes Bergbahnprojekt von 1927 zeigt, blieb der Obersalzberg als Ausflugs- und Urlaubsgebiet attraktiv, dem gesteigerten Fremdenverkehr wurde 1930 endlich mit der Einrichtung einer Buslinie Rechnung getragen.

Mit der Umwandlung der Pension Regina in ein Lungensanatorium für Kinder durch den Kinderarzt Richard Seitz 1920 begann die kurze Periode des Obersalzbergs als Kur- und Genesungsstätte. 1921 erhielt der Ort eine eigene Kapelle.

Einzelne Besucher waren vom Obersalzberg so angetan, daß sie sich eigene Häuser kauften oder bauten. Der Bau einer evangelischen Kirche in Berchtesgaden 1899, mitten in monokonfessionell-katholischer „Urlandschaft", macht den mit dem Tourismus verbundenen Strukturwandel deutlich. Zu Dauergästen wurden – mit ihren Familien – Carl von Linde, der Wegbereiter der Kühltechnik, und Arthur Eichengrün, ein Pionier der Kunststoffentwicklung und „Erfinder" des Aspirins, zwei für die internationale Spitzenstellung des Deutschen Reiches auf wissenschaftlich-technischen Gebiet repräsentative Erfinder und Unternehmer. Schon 1884 erwarb Carl von Linde ein Bauernhaus und baute sich 1888 die Villa Oberbaumgart. 1915 erwarb Arthur Eichengrün Haus Mitterwurf. 1916 ließ Kommerzienrat Otto

Winter aus Buxtehude Haus Wachenfeld, den späteren Berghof Hitlers, bauen. Edwin Bechstein, der Enkel des Gründers der C. Bechstein Pianofortefabrik GmbH Berlin, erwarb 1927 ein Haus auf dem ehemaligen Weißenlehen. Bechstein und seine Ehefrau Helene gehörten zu Hitlers engerem Bekanntenkreis und förderten seit den zwanziger Jahren seine politische Karriere.

Adolf Hitler kam erstmals im Mai 1923 auf den Obersalzberg. Er suchte dort den Schriftsteller Dietrich Eckart auf, damals Chefredakteur und finanzieller Sponsor des *Völkischen Beobachters* und eine der zentralen Figuren der frühen NSDAP; Eckart wurde wegen „Verunglimpfung des Reichspräsidenten" Friedrich Ebert mit Haftbefehl gesucht und hatte am Obersalzberg Unterschlupf gefunden. Er lebte hier unter dem Tarnnamen „Dr. Hofmann"; Hitler führte sich mit dem Decknamen „Herr Wolf" ein, den er schon 1919/20 als Reichswehrspitzel verwendet hatte. Mit kurzen Unterbrechungen hielt sich Hitler mehrere Wochen im Gebirgskurhaus Obersalzberg (der früheren Pension Moritz) auf.

Die NSDAP mit ihrem Vorsitzenden Hitler, dessen innerparteiliche Kompetenzen seit dem 29. Juli 1921 nahezu unumschränkt waren, stellte zu diesem Zeitpunkt nur eine von zahlreichen Parteien und Gruppierungen im rechten, „völkischen" Spektrum dar. Doch Hitlers lautstarke Propaganda und das rücksichtslos entschlossene Auftreten seiner Anhänger ließen die Partei binnen kurzem zu einem maßgeblichen Faktor der bayerischen Politik werden. Auch in Berchtesgaden hatte sich seine Anhängerschaft bereits formiert: Im Februar 1922 war hier eine Ortsgruppe der NSDAP gegründet worden, so daß Hitler auf ein begeisterungsfähiges Publikum traf, als er am 1. Juli 1923 öffentlich in Berchtesgaden im Gasthaus zur Krone und im Hotel Watzmann auftrat.

Das nicht verarbeitete Trauma der Kriegsniederlage, die Revolutionsfurcht und das bedrohliche Ausmaß der Inflation erreichten Ende 1923 ihren Höhepunkt. Die Zeit schien reif für einen politischen Umschwung. In der Gaststube von Bruno Büchner am Obersalzberg – so will es die Parteilegende wissen – wurden die Pläne für den Hitler-Putsch geschmiedet. Am Abend des 8. November 1923 stürmte Hitler mit schwer bewaffneten Anhängern eine politische Versammlung im Bürgerbräukeller in München, verkündete den Ausbruch der „nationalen Revolution" und die Absetzung der Reichsregierung. Hitler glaubte, damit die bayerische Regierung zur Unterstützung seines „Marsches auf Berlin" mitreißen zu können. Generalstaatskommissar Gustav von Kahr, der Kommandeur der bayerischen Reichswehr General Otto von Lossow und der Kommandeur der bayerischen Landespolizei Oberst Hans Ritter von Seisser befanden sich im Bürgerbräukeller zunächst in Hitlers Gewalt und erklärten sich – durchaus nicht ohne innere Sympathie – in dieser Situation zunächst mit Hitlers Plänen einverstanden. Nachdem Hitler sie freigelassen hatte, ergriffen sie jedoch aus Angst vor Hitlers Vabanque-Spiel noch in der Nacht Gegenmaßnahmen. Der Zug der Putschisten durch die Innenstadt zum Regierungsviertel am 9. November 1923 war der Versuch, das Unternehmen doch noch zu einem Erfolg zu machen. An der Feldherrnhalle verhinderte die Landespolizei den Weitermarsch mit Waffengewalt. Für 15 Putschisten und vier Polizisten sowie einen Passanten endete der Zusammenstoß mit dem Tod.

Hitler floh und wurde wenige Tage später verhaftet. Die Partei wurde verboten. Die inzwischen eingetretene spürbare Besserung der wirtschaftlichen Lage und die eindeutige Distanzierung der Reichswehrführung von den Putschisten stabilisierten die politische Lage rascher als erwartet. Mit dem Beginn der ruhigen Mittelphase der Weimarer Republik verloren die radikalen Flügelparteien vorübergehend an Bedeutung.

Vom 26. Februar bis 1. April 1924 fand der Hochverratsprozeß gegen Hitler vor dem Münchner Volksgericht statt. Hitler präsentierte sich als Führer des „nationalen Deutschland". Er wurde zu fünf Jahren Festungshaft – der mildesten Form von Freiheitsstrafe – verurteilt. Hitler verbüßte einen Teil seiner Strafe in Landsberg am Lech, doch bereits am 20. Dezember 1924 wurde er vorzeitig entlassen und der Rest der Strafe zur Bewährung ausgesetzt.

In der Haft verarbeitete Hitler seine Erfahrungen und legte sie in seiner programmatischen Schrift „Mein Kampf" nieder, deren ersten Band er in Landsberg seinem späteren „Stellvertreter" Rudolf Heß diktierte. Den zweiten Band verfaßte er im Sommer 1925 auf dem Obersalzberg – das Diktat nahm diesmal Max Amann auf, seit 1922 Direktor des Parteiverlags „Franz Eher Nachfolger GmbH". Die Reinerhaltung der deutschen Rasse und die Gewinnung von Lebensraum im Osten standen im Zentrum von Hitlers „Programm"-Schrift. Bereits bekannte Elemente deutschvölkischer Zielvorstellungen wurden mit einer neuen rassistisch-imperialistischen Zielprojektion zu einem scheinbar folgerichtig zusammenhängenden Ganzen verschmolzen.

Hitlers neue Strategie zur Machtergreifung beruhte auf dem Prinzip der „Legalität". Jede Provokation der Staatsmacht, die ein erneutes Verbot der „Bewegung" zur Folge haben konnte, sollte künftig vermieden werden. Das bedeutete jedoch nicht, daß die Partei nun aus innerer Überzeugung gesetzestreu und demokratisch-parlamentarischen Spielregeln verpflichtet gewesen wäre: Beschimpfungen der Regierung ebenso wie gewalttätiger Terror gegen politische Gegner gehörten weiter zu ihrem Repertoire.

Nach seiner Haftentlassung gründete Hitler die NSDAP völlig neu – zunächst nur als Regionalpartei in Bayern. Hitler sah sich selbst als Führer der Wiederauferstehung des deutschen Volkes aus der Schmach der Niederlage im Ersten Weltkrieg. Sein Absolutheitsanspruch stieß innerhalb des rechtsextremen Lagers zunächst auf Widerstand. Innerhalb weniger Jahre gelang es ihm jedoch, die NSDAP zur einzigen bedeutenden völkisch-nationalrevolutionären Kraft in Deutschland zu machen.

Mit der Dynamik ihrer Propaganda stellte die NSDAP alle anderen Parteien – mit Ausnahme vielleicht der KPD – weit in den Schatten. Propagandaaufmärsche, Plakataktionen, Pressemeldungen über tätliche Auseinandersetzungen oder Beleidigungsprozesse förderten ihren Bekanntheitsgrad. Sie verlangte volles Engagement ihrer Mitglieder und riß durch ihre Dynamik und ihre permanente öffentliche Präsenz viele Menschen mit. Uniformen, Abzeichen und Fahnen steigerten die propagandistische Wirkung der Parteiveranstaltungen in einer Gesellschaft, die bereits vor dem Ersten Weltkrieg vom Militarismus geprägt war und trotz des verlorenen Kriegs paramilitärische Inszenierungen als Reminiszenz an das vermeintlich goldene Zeitalter vor dem Krieg begrüßte. Die großen Summen, die die Parteiorganisation erforderte, wurden zum überwiegenden Teil durch Mitgliedsbeiträge, Eintrittsgelder und Straßensammlungen aufgebracht. Größere Einzelspenden lassen sich zwar nachweisen, fielen aber bis zu den großen Wahlerfolgen des Jahres 1932 kaum ins Gewicht. Hitlers persönliches Auftreten in zahlreichen Ortsgruppen während der „Kampfzeit" zwischen 1925 und 1933 band die Basis an seine Person.

Ab 15. Oktober 1928 mietete Hitler Haus Wachenfeld. Seine Halbschwester Angela Raubal (später Hammitzsch) zog dort ein und führte bis 1935 den Haushalt. Die Einnahmen aus dem Verkauf seines Buches „Mein Kampf" machten Hitler zum wohlhabenden Mann, so daß er sich um den Erwerb von Haus Wachenfeld bemühen konnte. Die Eigentümerin bot ihm schließlich am 17. September 1932 das Haus zum Kauf an. Am 26. Juni 1933, fast sechs Monate nach seiner Ernennung zum Reichskanzler, wurde Hitler notariell beglaubigter Besitzer von Haus Wachenfeld.

Die im Herbst 1929 einsetzende Wirtschaftskrise, die neben den Arbeitern vor allem auch kleinbürgerliche Selbständige, Angestellte und nicht zuletzt Bauern traf, erleichterte es der NSDAP, die Unzufriedenen zu sammeln. Mit ihrer unspezifischen Volksgemeinschaftsideologie, die eine Aussöhnung der Klassen zum Ziel erklärte, gelang es der Partei, weite Wählerkreise anzusprechen.

Obwohl die NSDAP bei der Neuwahl am 31. Juli 1932 mit 37,4 Prozent die meisten Stimmen erhielt, war Reichspräsident Paul von Hindenburg nicht bereit, Hitler das Kanzleramt zu übertragen, wohl aber, ihn in die Regierung aufzunehmen. Dies war Hitler jedoch nicht genug. Von den parteiinternen Schwierigkeiten unbeeindruckt, ging Hitler auf offenen Konfrontationskurs zur Regierung Franz von Papen. Hindenburg hatte sich zur erneuten Auflösung des Parlaments entschlossen, da die große Mehrheit der Abgeordneten die Unterstützung seines Kanzlers Papen verweigerte. Trotz eines spürbaren Stimmenrückgangs bei der Neuwahl vom 6. November 1932 blieb die NSDAP stärkste Partei im Reichstag. Auf Papen folgte General Kurt von Schleicher als Reichskanzler.

Schleicher konnte Hindenburg kein überzeugendes Konzept zur Bewältigung der Krise anbieten. Auf Initiative des früheren Reichskanzlers Papen bildete sich im Januar 1933 eine Interessenkoalition von *Deutschnationaler Volkspartei* (DNVP), NSDAP und *Stahlhelm*, die Hindenburg schließlich überredete, Adolf Hitler am 30. Januar 1933 zum Reichskanzler zu ernennen. Formal den parlamentarischen Regeln entsprechend, leitete dieser Schritt die Vernichtung der bereits stark erschütterten ersten deutschen Demokratie ein.

Neben der Reichskanzlei in Berlin wurde der Obersalzberg nach 1933 zu Hitlers zweitem und nach Beginn des Zweiten Weltkriegs – neben den Feld-Hauptquartieren – zu seinem dritten Regierungssitz. Der Obersalzberg war ein Ort, an dem das politische Geschehen mit dem privaten und gesellschaftlichen Leben der führenden Nationalsozialisten und ihres Gefolges verquickt war – ein Macht- und Regierungszentrum des Reiches, wo sämtliche politischen Themen be- und verhandelt und in vielen Fällen auch entschieden wurden, auch wenn dies im Einzelfall nicht immer konkret nachweisbar ist.

Durch die Ernennung Hitlers zum Reichskanzler trat auch sein Feriendomizil stark in den Blick seiner Anhänger. In einer geradezu idealen „deutschen" Landschaft, so schien es, ergab sich für jeden „Volksgenossen" die Möglichkeit der persönlichen Begegnung, ganz anders als im großstädtisch-anonymen Berlin. Stundenlang warteten Tausende von Enthusiasten und Neugierigen, um Hitler zu sehen. Diesem Ansturm war die vorhandene Infrastruktur nicht gewachsen. Strenge Straßenbenutzungsregelungen und Plakate mit Verhaltensmaßregeln waren erste untaugliche Versuche, der Massen Herr zu werden. Die ortsansässige Gastronomie erkannte sehr schnell, daß diese Art Gäste langfristig den Betrieb schädigten, denn Urlauber und Erholungssuchende fanden nun nicht mehr die erwartete Ruhe und blieben aus. Etwa gleichzeitig mit der Verdrängung der alteingesessenen Bewohner wurde auch mit der Eindämmung der unkontrollierten Besucherströme begonnen. Mit der Einrichtung des Führersperrbezirks wurden die Besuche bei Hitler kanalisiert und ritualisiert. Die Massen, die zum Obersalzberg kamen, wurden bereits damals als „Wallfahrer" und „Pilger" beschrieben: Ausdruck einer pseudoreligiösen Verehrung des „Führers".

Nachdem spontane Besuche unmöglich gemacht worden waren, wurden Abordnungen der NSDAP, ihrer Untergliederungen und anderer gesellschaftlicher Gruppen durch einen Empfang auf dem Berghof ausgezeichnet. Diese Besuche liefen in streng reglementierter Form ab, unterstützten aber weiterhin den Mythos des volksnahen „Führers".

Die Inszenierung des „Staatsmannes" Hitler sollte vor Kriegsbeginn die wiedergewonnene Weltgeltung demonstrieren, nach Kriegsausbruch die Diplomaten und Staatschefs verbündeter Staaten beeindrucken. Neben zahlreichen anderen ausländischen Gästen kamen im Jahre 1936 Admiral Nikolaus Horthy von Nagybánya, Reichsverweser des Königreiches Ungarn, David Lloyd George, britischer Premierminister zwischen 1916–1922, Paul, Prinzregent von Jugoslawien, Galeazzo Ciano Graf von Cortellazzo, italienischer Außenminister und Schwiegersohn Mussolinis auf den Berghof. Im Jahr 1937 folgten Harold Sidney Harmsworth, Viscount Rothermere, britischer Zeitungsverleger, von 1917 bis 1918 Luftfahrtminister, der ungarische Kriegsminister Wilhelm Röder, der spanische Botschafter Franco Antonio Marquez de Magaz, der Führer der indischen Moslems, Aga Khan, der Lordsiegelbewahrer und spätere britische Außenminister Edward Wood Viscount Halifax, und, von der deutschen Propaganda gnadenlos ausgebeutet, Edward VIII., Herzog von Windsor, von Januar bis Dezember 1936 König des Vereinigten Königreichs von Großbritannien und Nordirland, mit seiner Gemahlin Wallis Simpson.

1938/39 spiegelte sich die große europäische Politik sehr stark auch in den Besuchen auf dem Obersalzberg wider. Die Treffen Hitlers mit dem österreichischen Bundeskanzler Kurt von Schuschnigg, mit dem Führer der tschechoslowakischen Sudetendeutschen Partei, Konrad Henlein, mit Neville Chamberlain, dem britischen Premierminister, und mit dem polnischen Außenminister Oberst Józef Beck bereiteten den Weg des Reiches zur Ausdehnung zum „Großdeutschen Reich" mit zunächst diplomatischen Mitteln.

Nach Kriegsausbruch erschienen Verbündete und Vertreter befreundeter Staaten. Benito Mussolini war häufig zu Gast. Hitler suchte bei Johann Gigurtu, dem rumänischen Ministerpräsidenten, und seinem Außenminister Michael Manoilescu Unterstützung. Er empfing Bogdan Filoff, den bulgarischen Ministerpräsidenten und Józef Tiso, den slowakischen Staatspräsidenten, mit dem Ministerpräsidenten Vojtech (Adalbert) Tuka. König Boris III. von Bulgarien war ein ebenso umworbener Gesprächspartner wie der spanische Außenminister Ramón Serrano Súñer oder der japanische Botschafter Hiroshi Oshima. Aus den von Deutschland besetzten Staaten kamen der belgische König Leopold III., Pierre Laval, Ministerpräsident der Vichy-Regierung, Admiral François Darlan, Stellvertretender Ministerpräsident, Außen-, Innen- und Marineminister in Vichy-Frankreich sowie Vidkun Quisling, der Führer der norwegischen Nationalregierung.

Bereits 1932 hatte die Vermarktung einer vorgeblich authentischen Privatsphäre Hitlers mit dem Bildband „Hitler, wie in keiner kennt" von Heinrich Hoffmann begonnen. Zahlreiche Aufnahmen waren auf dem Obersalzberg oder in seiner Umgebung entstanden. Eine derartige Präsentation Hitlers lag im Sinne der Schaffung des „Führer"-Mythos und des „Führer"-Kults sowie im Interesse der Parteipropaganda: Wie kein anderer Ort bot der Obersalzberg die Voraussetzung, Hitler volksnah zu präsentieren. Idyllisch-Beschauliches bestimmte den Bildinhalt, kleinbürgerliche Tugenden wie Bescheidenheit, Freundlichkeit gegenüber Nachbarn, Kindern und Besuchern „aus dem Volk", die zu demonstrieren schienen, daß der tobende Redner, der rücksichtslose Verfechter der vermeintlichen Interessen des deutschen Volkes gegen innere und äußere Gegner für alle „Dazugehörenden" Fürsorglichkeit und Zuneigung empfand. Eine Vielzahl dieser Bilder zeigte Hitler in Verhandlungen mit Beratern oder beim Aktenstudium. Diese Bilder schienen zu beweisen, daß Hitler auch in seinen Ferien immer im „Dienst für Deutschland" stand.

Der erste Bildband Hoffmanns („Hitler, wie ihn keiner kennt") erreichte in mehreren Auflagen eine Verbreitung von etwa 400 000 Stück. Die Propagandainszenierung traf also auch auf einen vorhandenen Bedarf. Die Folgebände „Hitler in seinen Bergen" und „Hitler abseits vom Alltag" erreichten jeweils Auflagen von etwa 200 000 Exemplaren. Bis Kriegsausbruch bildeten propagandistische Absichten, Bedürfnisse der Bevölkerung und kommerzielle Interessen einen sich wechselseitig stimulierenden Kreislauf. Dabei entfernte sich das von der Propaganda vermittelte Bild immer weiter von der Realität: Die alten Bilder von den spontanen Massenbesuchen aus den Jahren 1933/34 wurden von der Propaganda erst dann massiv genutzt, als sie gar nicht mehr stattfanden. Die Fiktion des „Volkskanzlers" wurde so bis Kriegsende konserviert. Gleiches gilt für ein Foto von Hitler mit einem Nachbarn: Es wurde immer wieder verbreitet, obwohl dieser Nachbar längst vertrieben und sein Hof zerstört war.

Objekte der Propaganda – und gleichzeitig ein glänzendes Geschäft – waren neben den Bildbänden auch zahlreiche Postkarten, einerseits Aufnahmen von Haus Wachenfeld beziehungsweise vom Berghof, andererseits Fotos von Hitler mit wechselnder Staffage: Tiere, Kinder, Prominente oder, als Kombination verkaufsfördernder Elemente, Hitler vor der Erhabenheit der Bergwelt.

Nach der Machtergreifung bemächtigte sich auch die Presse zunehmend des Themas „Führer am Obersalzberg". Dienten anfangs Tagungen und Konferenzen der Partei- und Staatsprominenz in Berchtesgaden dazu, Hitler in diesem schönen Teil der Bergwelt zu präsentieren, so griff die Presse auch andere Elemente aus den Bildbänden von Heinrich Hoffmann auf, der de facto über ein Bildmonopol verfügte.

Das weitverbreitete Hobby des Sammelns von Zigarettenbildern wurde ebenfalls in den Dienst des Hitler-Mythos genommen. Bilder mit den Untertiteln „Der Führer und sein Lieblingshund", „In den Sommerferien auf dem Obersalzberg", „Kleiner Besuch beim Führer auf dem Obersalzberg" und „Führeraugen – Vateraugen" wurden zu begehrten Sammel- und Tauschobjekten. Das Bedürfnis nach klassischen Souvenirs wurde mit allerlei „Berghof"-Kitsch befriedigt. Volkstümlich aufgemachte Schriften über den Obersalzberg stellten Hitler in die Tradition der Sage vom Untersberg, nach der Kaiser Barbarossa in diesem Berg schlafend seine Auferstehung erwarte, und erhoben Hitler so in den Rang einer verklärten Sagengestalt.

Hitler suchte am Obersalzberg auch Entspannung und Geselligkeit. Der tägliche Spaziergang zum Teehaus auf dem Mooslahner Kopf war obligatorisch. Die Berichte all derjenigen, die Hitlers „Privatleben" miterlebten, atmen die Banalität der Wirklichkeit auf dem Obersalzberg. Gewissermaßen zum Inventar gehörte ein kleiner Kreis von Familienangehörigen, Freunden und Bekannten: Hitlers Lebensgefährtin Eva Braun und ihre Schwester Gretl mit Freundinnen, Görings zweite Ehefrau, die Schauspielerin Emmy Sonnemann, der Leibfotograf Heinrich Hoffmann, Baldur und Henriette von Schirach, Hoffmanns Tochter. Eva Braun, geboren am 6. Februar 1912 in München, lernte Hitler im Sommer 1929 im Fotohaus Heinrich Hoffmann kennen. Seit 1932 war sie inoffiziell und von der Öffentlichkeit abgeschirmt seine ständige Begleiterin. 1932 und 1935 unternahm sie aus Unzufriedenheit über diese Situation zwei Selbstmordversuche. Nach dem Wegzug von Hitlers Halbschwester Angela wurde sie Ende 1935 auf dem Berghof zur „Dame des Hauses". Gegenüber Parteifreunden stellte dies kein Problem dar, bei offiziellen Besuchern mußte sie sich jedoch zurückziehen. 1936 ließ Hitler ihr in München, nahe von Hoffmanns Haus, eine Villa bauen. Im privaten Testament Hitlers vom 2. Mai 1938 wurde Eva Braun mit einer lebenslangen Rente und der für sie erbauten Villa in München bedacht. Anfang April 1945 kam sie zu Hitler in den Bunker der Reichskanzlei, wo beide am 29. April 1945 getraut wurden. Am folgenden Tag begingen sie Selbstmord.

1933 ließ Hitler zunächst eine Garage und eine Veranda an das Haus Wachenfeld anbauen. In späteren Ausbaustufen verwandelte sich das kleine Haus Wachenfeld in den Berghof. Ab 1936 beeindruckte das versenkbare Panoramafenster viele Gäste. Filmvorführapparat sowie Kegelbahn und Bar im Keller dienten der Zerstreuung des „Führers" und seiner Entourage.

Nach dem Kauf von Haus Wachenfeld durch Hitler versuchte die NSDAP, den Obersalzberg zu einem Stützpunkt großen Stils auszubauen. Vom Juli 1933 bis zum Juli 1937 kaufte sie 54 Grundstücke auf, so daß sie rund 290 ha und Hitler selbst etwa 8 ha Grund besaßen. Die Forstverwaltung trat das Kehlsteinareal mit etwa 670 ha ab. Mit der Arrondierung des Besitzes war anfangs Rudolf Heß betraut, der diese Aufgabe an seinen Stabschef Martin Bormann abtrat. Zunächst wurden die Vorbesitzer so großzügig abgefunden, daß das Preisgefüge in der Umgebung sich veränderte. Der Gasthof „Zum Türken" wechselte durch politische Verfolgung den Besitzer: Eine abfällige Äußerung des Wirtes Karl Schuster, seit 1930 Parteigenosse, führte zu Boykott, Schutzhaft, zum Verkauf unter Wert und schließlich zur Vertreibung der ganzen Familie aus den Kreisen Berchtesgaden und Bad Reichenhall. Das Hotel „Zum Türken" wurde 1934 zum Wachlokal für Hitlers persönliche Leibwache aus dem Reichssicherheitsdienst (RSD) und im Jahr darauf für dessen spezielle Bedürfnisse umgebaut. Auch die Aufkaufsmethoden gegenüber politisch Unauffälligen oder Parteigängern änderten sich. Die „Verkaufsbereitschaft" wurde durch Ultimaten sowie durch Maßnahmen wie Behinderung des Zugangs und Beschädigung der Häuser beschleunigt. Der Platterhof – Besitzer Bruno Büchner war schon vor 1933 „Parteigenosse" – wurde 1936 von der Partei erworben, der Preis willkürlich festgesetzt. Andere Bewohner wurden mit der Androhung von KZ-Haft unter Druck gesetzt, einer tatsächlich für zwei Jahre und zwei Monate in Dachau inhaftiert.

Hermann Göring war der erste, der Hitler auf den Obersalzberg folgte, um sich jederzeit in dessen Nähe aufhalten zu können. 1934 wurde sein – an späteren Bauten gemessen – eher kleines Landhaus errichtet. Nach ihm siedelten sich Martin Bormann, der die Villa Seitz übernahm, und Albert Speer, Hitlers Leibarchitekt (später Rüstungsminister) am Obersalzberg an. Goebbels wohnte, wenn er sich auf dem Obersalzberg aufhielt, im Haus Bechstein.

Ab 1935 verwaltete Martin Bormann den Obersalzberg. Unter seiner Leitung begann 1937 der Bau der SS-Kaserne mit Wagenhalle und unterirdischem Schießstand sowie des Teehauses am Mooslahner Kopf. Eine große Theater- und Kinohalle für die Arbeiter entstand ebenfalls. Sie brach im März 1944 unter der Schneelast zusammen. Ein Gutshof mit Bienenzucht und Gewächshaus für Hitlers Ernährung wurde 1938 fertiggestellt. Albert Speer baute sich ein Atelierhaus.

Der Obersalzberg wurde aus Sicherheitsgründen zu einem dreiteiligen Sperrgebiet. Bezirk I umfaßte das innere Führergebiet um den Berghof. Bezirk II umschloß das Führergebiet vollständig. Bezirk III fügte im Krieg das gesamte Kehlsteinmassiv an das bestehende Sperrgebiet an – wohl aus Furcht vor Luftlandungen. Das gesamte Gebiet war mit einem zwei Meter hohen Drahtzaun umgeben.

Als Höhepunkt der Bautätigkeit gilt der 1937-1939 von Bormann organisierte Bau der hochalpinen Kehlsteinstraße und des Kehlsteinhauses auf dem Gipfel des Kehlstein. Seit Mitte der dreißiger Jahre bis Kriegsende blieb der Sperrbezirk auf dem Obersalzberg eine Großbaustelle. Irgendwo wurde immer erweitert, neu- oder umgebaut. Zu den größeren Bauten kamen noch zahlreiche temporäre Arbeiterbaracken sowie feste Wach- und Postenhäuser. Schwierige Bodenverhältnisse und ständige Änderungswünsche ließen die Baukosten in die Höhe steigen. Die gepflegte, luxuriöse Lebenshaltung auf dem Obersalzberg, Bewachung und Verwaltung erforderten immer mehr Personal. Um dieses Personal und die dazugehörigen Familien angemessen unterzubringen, wurden zunächst einige Wohnhäuser am Hintereck und später die Mustersiedlungen Klaushöhe (ab 1939) sowie Buchenhöhe (ab 1941) mit vollständiger Infrastruktur aufgebaut.

Die Baumaßnahmen beschränkten sich nicht nur auf das eigentliche Sperrgebiet: In Berchtesgaden und Umgebung wurden ein neuer Bahnhof errichtet, eine Dépendance der Reichskanzlei (in Bischofswiesen) eingerichtet und mit den modernsten Kommunikationsmitteln ausgestattet sowie der Flugplatz Ainring ausgebaut, in Strub entstand die Gebirgsjägerkaserne. Ein „Parteiforum“ von gigantischen Ausmaßen und Sportanlagen in olympischem Format blieben im Planungsstadium stecken.

Die Finanzierung der Bauten auf dem Obersalzberg stieß nie an Grenzen, da Martin Bormann Zugriff auf erhebliche Mittel hatte. Auch im Verlauf des Kriegs war die Materialbeschaffung für die Baustellen privilegiert. Die gesamten Vorhaben galten als kriegswichtig, hier gab es lange viel von dem, was im deutschen Wirtschaftsraum knapp geworden war. So verbrauchten die Baustellen etwa 1000 Liter Betriebsstoff im Monat. Interventionen anderer Dienststellen, die Bautätigkeit einzuschränken, blieben erfolglos. Gegen Ende des Kriegs gab es allerdings auch für den Obersalzberg nicht mehr alles, was angefordert wurde. Viel ging auf dem Transport durch Luftangriffe verloren.

Am Vormittag des 25. April 1945 griffen britische Bomberverbände das Obersalzberggebiet an. Nachdem die Flugabwehr von der ersten Welle im wesentlichen ausgeschaltet worden war, begann der Hauptangriff. Von den überirdischen Gebäuden lagen anschließend die meisten in Trümmern. Am Abend des 4. Mai 1945 besetzten Einheiten der amerikanischen 101. Airborne-Divison den Obersalzberg, nachdem zuvor Berchtesgaden kampflos übergeben worden war. Französische Truppen rückten wenige Stunden danach ein. Kurz vor dem Eintreffen der Sieger brannten die Ruinen des Berghofs und des Platterhofs, angezündet von abziehenden SS-Wachmannschaften. Die Zeit des Obersalzbergs als „zweiter Regierungssitz“ und als „Schauplatz der Weltgeschichte“ war beendet.

Der Berg (B 2)

Im 17. Jahrhundert lebten auf dem Salzberg einige Hundert Bergbauern, Bergleute, Salinenarbeiter, Schnitzer, Schreiner und Fuhrleute, 13 von 94 Anwesen lagen auf dem Obersalzberg. Das Baumgartlehen, das Mooslehen und das Antenberglehen existierten bereits Ende des 14. Jahrhunderts. Der Boden war nur sieben Monate im Jahr schneefrei und konnte daher die Bevölkerung nicht hinreichend ernähren. Berg, später Salzberg, zählte zu den acht „Gnotschaften“ (Verwaltungseinheiten) der Fürstpropstei Berchtesgaden. Anfang des 12. Jahrhunderts hatten Augustiner Chorherren das Stift Berchtesgaden gegründet. 1491 wurde es zur Fürstpropstei, die 1627 Reichsunmittelbarkeit erhielt. 1803 verlor sie ihre Selbständigkeit wieder und kam 1810 zum Königreich Bayern. Die Bewohner waren bis dahin persönlich unfrei, hatten kein Eigentum an Grund und Boden, mußten Hilfsdienste leisten und brauchten zur Heirat eine grundherrliche Erlaubnis.

Das Königreich Bayern ließ das neugewonnene Gebiet vermessen: Uraufnahme des Obersalzbergs von 1817. Die Familiennamen Renoth und Brandner (rechts Mitte) sind noch heute im Berchtesgadener Land vertreten. ~ Bayerisches Landesvermessungsamt, München (12) ▼

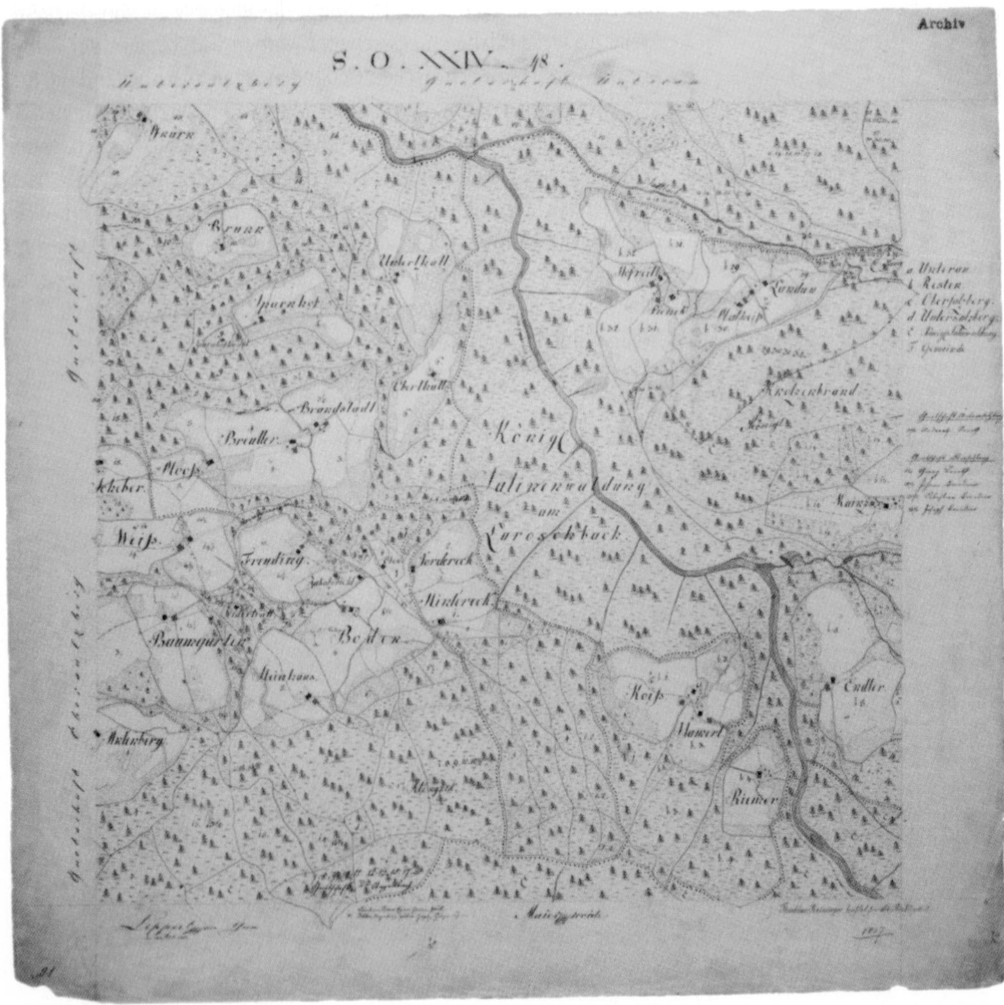

▲ Mauritia (genannt Moritz) Mayer (1833-1897) als Fünfundzwanzigjährige. Mit der Eröffnung der Pension Moritz begann die Erschließung des Obersalzbergs für den Tourismus. ~ Sammlung Karl Stehle, München (13)

Sommerfrische (B 3)

Die ersten Feriengäste kamen im Jahr 1872 auf den Obersalzberg. Mauritia Mayer erwarb 1877 das Steinhauslehen und eröffnete den ersten „Sommerfrische"-Betrieb, die Pension Moritz, nach deren Vorbild bald weitere Pensionen entstanden. Die Schriftsteller Peter Rosegger, Richard Voß, Ludwig Ganghofer und die Pianistin Clara Schumann waren hier zu Gast. Mit der Eröffnung des Kindersanatoriums wurde der Obersalzberg 1920 Höhenkurort. 1888 wurde Berchtesgaden an das Eisenbahnnetz angeschlossen. Auf eine gute Verbindung zum Obersalzberg mußten die Menschen jedoch lange warten. Erst ab 1930 führte im Sommer eine Autobuslinie von Berchtesgaden auf den Obersalzberg, die ab 1933 ganzjährig verkehrte. Manche Besucher waren vom Obersalzberg so angetan, daß sie sich Häuser kauften oder bauten.

„Mauritia Mayer, Steinhausbäurin". Die Anfänge des Tourismus (B 3.1)

Aus der Pension Moritz wurde nach dem Tod Mauritia Mayers das Gebirgskurhaus Obersalzberg. Etwa 1933 benannte es der neue Besitzer Bruno Büchner aufgrund der Popularität des Romans „Zwei Menschen" von Richard Voß nach der Hauptfigur Judith Platter in „Platterhof" um. ~ Sammlung John Provan, Kelkheim (14) ▶

◀ Im 1885 eröffneten Alpengasthof Steiner waren die Bäckerei und die Poststelle untergebracht. ~ Marktarchiv Berchtesgaden (15)

◀ Das Clubheim des *Gebrüder Arnoldschen Pensionsvereins* Dresden, 1882 erbaut als Dépendance der Pension Moritz (Haus Hoher Göll), wurde von Bormann zum Gästehaus umgebaut und beim Bombenangriff vom 25. April 1945 weitgehend zerstört. Die Ruinen wurden bis auf den Eingangsbereich abgetragen, auf den Fundamenten wurde 1997–1999 das Gebäude für die Dokumentation Obersalzberg errichtet. ~ Sammlung John Provan, Kelkheim (16)

◀ Kindersanatorium Dr. Seitz. ~ Privatbesitz Ulrich Chaussy, München (17)

„Auf den liebgewonnenen Obersalzberg zurück". Dauergäste (B 3.3)

Die Villa Oberbaumgart Carl von Lindes: Der Bau war 1888 abgeschlossen, 1936 wurde die Villa auf Anordnung Bormanns abgerissen. ~ Privatbesitz Hellmuth Schöner, Berchtesgaden (18) ▶

Familie Eichengrün mit kleinen Gästen (undatiert). Der Physiker und Chemiker Arthur Eichengrün (1867–1949), bedeutender Erfinder und Unternehmer, verlor seinen Betrieb 1938 durch „Arisierung", 1943–1945 war er inhaftiert, zuletzt im KZ Theresienstadt. ~ Privatbesitz Ulrich Chaussy, München (19) ▶

Die Villa Bechstein auf dem ehemaligen Weißenlehen wurde 1927 von Edwin Bechstein, dem Enkel des Gründers der C. Bechstein Pianofortefabrik GmbH Berlin, erworben. Bechstein und seine Ehefrau Helene gehörten zu Hitlers engerem Bekanntenkreis und förderten seit den 20er Jahren seine politische Karriere. ~ Sammlung John Provan, Kelkheim (20) ▶

„Adolf Hitlers Wahlheimat“ (B 4)

„Der Wolf ist da!“ Hitler kommt zum Obersalzberg (B 4.1)

Adolf Hitler kam erstmals im Mai 1923 auf den Obersalzberg, um den völkischen Schriftsteller Dietrich Eckart zu besuchen. Zur Tarnung nannte er sich „Herr Wolf“, wie schon 1919/20 als Spitzel der Reichswehr. Er war Führer der *Nationalsozialistischen Deutschen Arbeiterpartei* (NSDAP), einer von vielen völkisch-antisemitischen Gruppen. Die Parteilegende behauptete, daß während dieses mehrwöchigen Aufenthalts die Pläne für den Putschversuch im November 1923 entstanden. Am 1. Juli sprach Hitler vor der neuen NSDAP-Ortsgruppe Berchtesgaden. Im Juli und August 1925, nach dem gescheiterten Putsch, nach

▲ Der bekannte völkische Schriftsteller Dietrich Eckart (1868–1923), Förderer Hitlers und Chefredakteur sowie Sponsor des *Völkischen Beobachters*, wurde im Frühjahr 1923 wegen Verunglimpfung des Reichspräsidenten per Haftbefehl gesucht. Unter dem Tarnnamen „Dr. Hoffmann“ verbarg er sich im Gebirgskurhaus Obersalzberg, hielt aber seine politischen Verbindungen zur NSDAP und zu völkischen Kreisen aufrecht. ~ Bayerische Staatsbibliothek/Fotoarchiv Hoffmann, München (21)

Berchtesgadener Kammer-Lichtspiele Hotel „Watzmann“

Don Ramiro, der tote Hochzeitsgast.

Historischer Film nach der gleichnamigen Ballade von Heinrich Heine.

D'Salzburger Schrammeln Samstag Kurhotel-Restaurant Wittelsbach Sonntag Hotel-Restaurant Stiftskeller

Adolf Hitler spricht Sonntag, 1. Juli vormittags 10 Uhr über die Zukunft unseres Volkes im Hotel „Watzmann“.

Besuchen Sie Kolonnaden-Kasino — Kahlbaum-Diele

Schöne Aussicht Hotel-Pension Königshöhe Cafe-Restaurant Bad Reichenhall

Bekanntmachungen.

Ordentliche Generalversammlung

Junge Dame in weiß. Kleid

BAD REICHENHALL WEINHAUS TIROLER TOR

Fuhrwerksvisitation.

Allgäuer feinste Tafelbutter Emmenthaler-, Bier- u. Stangenkäse prima Rahmkäschen (Langua Gold) L. F. SCHUSTER

In Dr. Unblutigs Sprechstunde.

Flügel, Pianos

Junges Ehepaar

Kukirol-Fabrik Groß-Salze 719 bei Magdeburg

◀ *Berchtesgadener Anzeiger* vom 30. Juni 1923: Ankündigung von Hitlers erstem öffentlichen Auftritt in Berchtesgaden am 1. Juli 1923. (22)

Der Obersalzberg

NSDAP-Verbot und Festungshaft, zog Hitler sich erneut auf den Obersalzberg zurück. Im „Kampfhäusl" diktierte er den zweiten Band von „Mein Kampf". Die Abgeschiedenheit des Obersalzbergs nutzte Hitler später auch für Treffen mit dem engsten Führungskreis der NSDAP. Im Oktober 1926 und im Juni 1932 sprach er erneut in Berchtesgaden. Am 15. Oktober 1928 mietete er Haus Wachenfeld, 1933 erwarb er es und ließ es zum Berghof umbauen.

Der „Hitler-Putsch"

Am 8. November 1923 rief Hitler auf einer Kundgebung nationaler Verbände im Bürgerbräukeller in München die „nationale Revolution" aus und erklärte die bayerische Regierung, die Reichsregierung und den Reichspräsidenten Friedrich Ebert für abgesetzt. Die „Revolution" endete in einem Fiasko: Der Marsch der Putschisten zur Feldherrnhalle tags darauf wurde von der Landespolizei mit Gewalt aufgelöst: 4 Polizeibeamte, ein Passant und 15 Aufrührer fanden den Tod. Hitler wurde am 1. April 1924 zu fünf Jahren Festungshaft verurteilt, aber schon am 20. Dezember 1924 wieder entlassen. Die Propaganda stellte die Opfer als „Blutzeugen der Bewegung" ins Zentrum des NS-Märtyrerkults. Der Jahrestag des Putschversuchs wurde ab 1933 feierlich begangen.

„Hitler-Putsch": Barrikade vor dem ehemaligen Kriegsministerium in der Ludwigstraße, dahinter Heinrich Himmler (4.v.l.) mit „Kämpfern" der Organisation *Reichsflagge* am Abend des 8. November 1923. ~ Bayerische Staatsbibliothek/Fotoarchiv Hoffmann, München (23) ▼

„Ich muß ganz Ruhe haben". Der Obersalzberg als Refugium Hitlers nach der Haftentlassung (B 4.2)

◀ Hitler in Lederhose auf dem Obersalzberg (vermutlich nach der Entlassung aus der Haft in Landsberg/Lech). ~ Bayerische Staatsbibliothek/Fotoarchiv Hoffmann, München (24)

◀ Haus Wachenfeld vor dem Ausbau (vermutlich 1928, im Vordergrund der Sohn von Hitlers Leibfotografen Heinrich Hoffmann). Hitler mietete Haus Wachenfeld laut eigener Angabe im Jahr 1928 und kaufte es im Juni 1933 für 40 000 Goldmark. ~ Bayerische Staatsbibliothek/Fotoarchiv Hoffmann, München (25)

„Großdeutscher Tag" in Berchtesgaden

In der zweiten Hälfte der zwanziger Jahre machte Hitler aus der Splitterpartei NSDAP eine Massenbewegung. Er setzte hierzu neuartige Propagandamethoden ein: Aufmärsche, Massenversammlungen, ausgedehnte Wahlkampfreisen. Im Wahljahr 1932 sprach er auf rund 200 öffentlichen und 30 parteiinternen Kundgebungen vor nahezu einer Million Menschen. Am 10. Juli 1932 fand in Berchtesgaden ein „Großdeutscher Tag" statt, an dem auch die Salzburger SA teilnahm: Dies war eine Demonstration gegen die Eigenstaatlichkeit Österreichs.

Der „Großdeutsche Tag" in Berchtesgaden (10. Juli 1932). ~ Marktarchiv Berchtesgaden (26)
▼

„Machtergreifung" (B 5)

Am 30. Januar 1933 wurde Adolf Hitler von Reichspräsident Paul von Hindenburg zum Reichskanzler ernannt. Den Nährboden seines Aufstiegs bildeten: das nationale Trauma des verlorenen Kriegs, das Ende des Kaiserreichs, die harten Versailler Friedensbedingungen, Inflation, Weltwirtschaftkrise, Massenarbeitslosigkeit sowie der Durchbruch der Moderne in Kultur, Gesellschaft, Technik und Wirtschaft. Die tiefgreifende Sinn- und Wertkrise und kollektive Zukunftsängste, die hieraus folgten, trieben der NSDAP massenhaft Wähler zu. Nur durch Einbindung der Hitler-Partei in die politische Verantwortung glaubten die nationalkonservativen Kreise um Hindenburg, der Krise Herr werden zu können. Ziel war die Restaurierung eines autoritären und antiparlamentarischen Regiments.

Bei den Reichstagswahlen am 5. März 1933 verfehlte die NSDAP trotz Behinderung der Konkurrenten mit 43,9 % der Stimmen die absolute Mehrheit und mußte eine Koalition mit der *Deutschnationalen Volkspartei* und dem *Stahlhelm* eingehen. Außer Hitler gehörten dem neuen Kabinett nur drei Nationalsozialisten an: Wilhelm Frick (Reichsminister des Innern), Hermann Göring (Reichsminister ohne Geschäftsbereich) und Joseph Goebbels als Chef des neu geschaffenenen Reichspropagandaministeriums. Den Nationalsozialisten gelang es in kurzer Zeit, durch Terror und scheinlegale Maßnahmen ihre politischen Gegner und Partner auszuschalten und alle Schalthebel der Macht zu besetzen. Der Versuch der nationalkonservativen Kräfte, Hitler zu „zähmen", war gescheitert.

Am 21. März 1933 (Jahrestag der Eröffnung des ersten Deutschen Reichstags durch Bismarck) konstituierte sich der neue Reichstag feierlich in der Garnisonkirche in Potsdam: Reichskanzler Adolf Hitler (gegenüber sitzend Reichspräsident Paul von Hindenburg) bei seiner Ansprache während der feierlichen Eröffnung des neugewählten Reichstags in Anwesenheit zahlreicher kaiserlicher Offiziere sowie des Kronprinzen Wilhelm. Der „Tag von Potsdam" mit dem Händedruck zwischen dem „Gefreiten" Hitler und dem „Feldmarschall" Hindenburg sollte den Schulterschluß zwischen der neuen Bewegung und den alten Eliten symbolisieren. ~ Bayerische Staatsbibliothek/Fotoarchiv Hoffmann, München (28) ▶

Aufruf der neuen Regierung Hitler an das Volk (1. Februar 1933). ~ Bundesarchiv, Koblenz (27) ▼

Aufruf an das Deutsche Volk!

Das Elend unseres Volkes ist aber entsetzlich!

Ein Jahr Bolschewismus würde Deutschland vernichten!

rief uns Männer nationaler Parteien und Verbände der greise Führer des Weltkrieges auf,

zwei großen Vierjahresplänen

Rettung des deutschen Bauern zur Erhaltung der Ernährungs- und damit Lebensgrundlage der Nation.

Rettung des deutschen Arbeiters durch einen gewaltigen und umfassenden Angriff gegen die Arbeitslosigkeit.

Binnen 4 Jahren muß der deutsche Bauer der Verelendung endgültig entrissen sein.

Binnen 4 Jahren muß die Arbeitslosigkeit endgültig überwunden sein.

Wiedererringung der Freiheit unseres Volkes

eine entscheidende Tat … die Ueberwindung der kommunistischen Zersetzung Deutschlands.

Allein sie kann nicht die Arbeit des Wiederaufbaues der Genehmigung derer unterstellen, die den Zusammenbruch verschuldeten.

Denn wir wollen nicht kämpfen für uns, sondern für Deutschland!

Berlin, den 1. Februar 1933

Die Reichsregierung:

Adolf Hitler / von Papen / Freiherr von Neurath / Dr. Frick / Graf Schwerin von Krosigk / Dr. Hugenberg / Seldte / Dr. Gürtner / von Blomberg / von Eltz-Rübenach / Göring

„Sie wollen den Führer sehen". Wallfahrtsort Obersalzberg (B 6)

Nachdem Hitler zum Reichskanzler ernannt worden war, war es am Obersalzberg mit der Ruhe vorbei. Zu Tausenden strömten Hitlers Anhänger in das idyllische Dorf, um ihren „Führer" aus nächster Nähe zu sehen. Die Menschen warteten Stunden und Tage darauf, daß der „Führer" am Zaun erschien. Diese ungeregelte Wallfahrt wurde bald in geordnete Bahnen gelenkt. Besuche bei Hitler waren dann nur noch nach vorheriger Anmeldung möglich. Der Jubel wurde von der Partei organisiert. Mehr und mehr kamen auch prominente ausländische Gäste auf den Obersalzberg.

„Kindliche Begeisterung". Spontane Massenwallfahrten (B 6.1)

◄ Hitler begrüßt im Sommer 1934 jubelnde Anhänger vor dem Haus Wachenfeld. ~ Bayerische Staatsbibliothek/Fotoarchiv Hoffmann, München (29)

„Es ist der Führer!" Organisierte Massenwallfahrt für Volks- und Parteigenossen (B 6.2)

◄ Hitler-Jugend-Pimpfe auf dem Obersalzberg (1934/35). ~ Sammlung Karl Stehle, München (30)

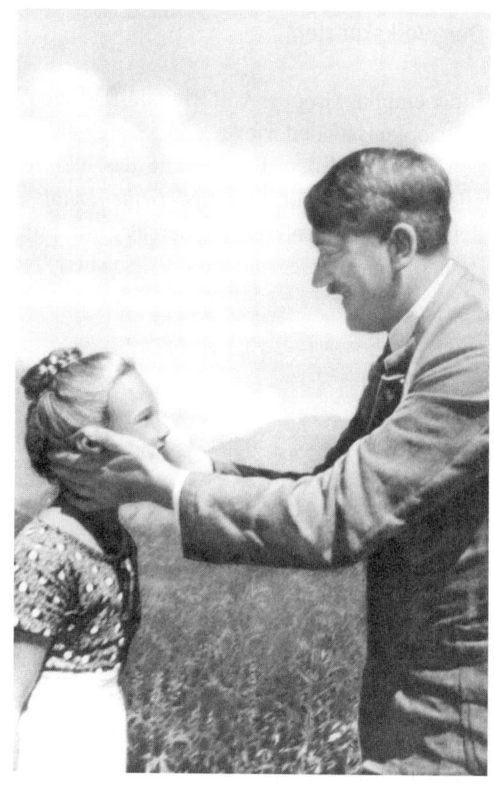

▲ Hitler und das „deutsche Mädel" Bernile (Sommer 1933). ~ Institut für Zeitgeschichte, München - Berlin (31, 32)

Bernile, das „deutsche Mädel"

Im Sommer 1933 fiel Hitler im „Wallfahrer"-Strom ein kleines blondes Mädchen auf: Bernile aus München. Hitler ließ Bernile in das abgesperrte Gelände kommen und posierte mit ihr für den Fotografen. Nachdem sich herausgestellt hatte, daß Bernile am gleichen Tag Geburtstag hatte wie der „Führer", entwickelte sich ein Briefwechsel, der bis 1938 reicht. Fotos von Hitler mit Bernile wurden von Heinrich Hoffmann vermarktet und gehörten zu den bekanntesten Bildern von Hitler mit Kindern. Schon im Dezember 1933 war der *Bayerischen Politischen Polizei* und Martin Bormann durch eine Denunziation bekannt, daß Berniles Großmutter Jüdin war. Da die Bilder Hitlers mit Bernile zu Heinrich Hoffmanns propagandistisch wirksamsten Aufnahmen gehörten, lehnte dieser die Forderung ab, die Fotos aus dem Verkehr zu ziehen, und warb weiter mit ihnen. Auch Hitler wußte, daß Bernile „Vierteljüdin" war. Der Briefwechsel zwischen „des Führers Kind Bernile" und seinem „Onkel Hitler" sowie die Besuche Berniles auf dem Berghof gingen dennoch weiter. Erst im Mai 1938 unterband, wie es scheint, die Führeradjutantur weitere Besuche des Kindes. Der Chef der Führerkanzlei Philipp Bouhler stoppte die weitere Verbreitung der Fotos.

Hitler empfing Gruppen von HJ und BDM und Abordnungen anderer Parteiorganisationen wie SA und SS, aber auch nicht parteigebundene Gruppen auf dem Berghof, um das Bild des „Volkskanzlers" zu pflegen. Ab 1934 führte die *NS-Gemeinschaft „Kraft durch Freude"* Reisen nach Berchtesgaden durch. Zum Programm gehörte der Besuch beim „Führer" auf dem Obersalzberg.

◄ Hitler empfängt eine Gruppe von NS-Jungbauern (1937). ~ Bilderdienst Süddeutscher Verlag, München (33)

„Hohe Gäste auf dem Obersalzberg". Die Inszenierung des Staatsmannes (B 6.3)

Nach der Umgestaltung von Haus Wachenfeld zum pompösen Berghof begann auch auf dem Obersalzberg die Inszenierung des „Staatsmannes" Hitler. Vor dem Krieg sollten die ausländischen Gäste die wieder-

◄ 17. Oktober 1936: Prinzregent Paul von Jugoslawien bei seinem ersten Besuch bei Hitler auf dem Berghof; links vorne Hermann Göring. ~ Bayerische Staatsbibliothek/Fotoarchiv Hoffmann, München (34)

gewonnene Weltgeltung des Deutschen Reichs demonstrieren. Während des Kriegs war der Obersalzberg die friedliche Kulisse für die Verhandlungen und Besprechungen Hitlers mit Vertretern der verbündeten und befreundeten Staaten.

5. Januar 1939: Besuch des polnischen Außenministers Oberst Józef Beck bei Hitler; rechts der Chef des Protokolls im Auswärtigen Amt, Gesandter Alexander von Dörnberg. ~ Bayerische Staatsbibliothek/Fotoarchiv Hoffmann, München (35) ▶

22. Oktober 1937: Hitler begrüßt Edward Albert, Herzog von Windsor, im Dezember 1936 als britischer König Edward VIII. abgedankt, mit Lady Windsor (Wallis W. Simpson). ~ Bayerische Staatsbibliothek/Fotoarchiv Hoffmann, München (36) ▶

◀ 17. Juni 1939: Khalid al Hud, Sondergesandter des Königs Abd al Aziz III. von Saudi-Arabien, trifft zu Besprechungen mit Hitler auf dem Berghof ein; rechts vorne Dolmetscher Paul Otto Schmidt. ~ Bayerische Staatsbibliothek/Fotoarchiv Hoffmann, München (37)

◀ 11. Mai 1941: Außenminister Joachim von Ribbentrop begrüßt den stellvertretenden Ministerpräsidenten, Außen-, Innen- und Marineminister der Vichy-Regierung, Admiral François Darlan, auf dem Berghof, dahinter Albert Bormann, Bruder Martin Bormanns und Leiter der *Privatkanzlei Adolf Hitler.* ~ Bayerische Staatsbibliothek/Fotoarchiv Hoffmann, München (38)

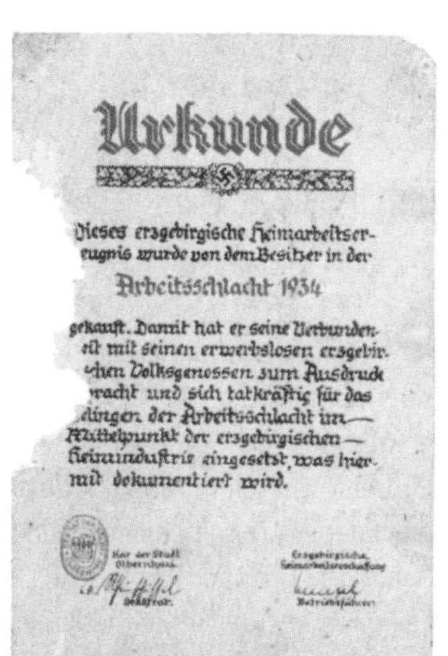

Urkunde

Dieses erzgebirgische Heimarbeitser-
zeugnis wurde von dem Besitzer in der
Arbeitsschlacht 1934
gekauft. Damit hat er seine Verbundenheit mit seinen erwerbslosen erzgebirgischen Volksgenossen zum Ausdruck
gebracht und sich tatkräftig für das
Gelingen der Arbeitsschlacht im
Mittelpunkt der erzgebirgischen
Heimindustrie eingesetzt, was hiermit dokumentiert wird.

▲ Aufkleber von der Rückseite des Wandbilds. ~ Freistaat Bayern (40)

„Hitler, wie ihn keiner kennt". Der Obersalzberg in der Propaganda (B 7)

Der Obersalzberg wurde von der NS-Propaganda meisterhaft genutzt, um Hitler jene Eigenschaften zu verleihen, die seine Herrschaft legitimieren sollten: Hitler als einsamer Seher, als großer Staatsmann und als Kanzler des Volkes.

Die Kulisse des Obersalzbergs eignete sich in besonderer Weise, ein Bild von Hitlers Privatleben zu erzeugen, das ihn fest mit dem Volk verbunden zeigte. Hitler als Mann aus dem Volk und für das Volk, als Mensch wie du und ich, der bescheiden und im Einklang mit der Natur lebte, voller Zuneigung und Fürsorglichkeit für die einfachen Menschen, für Kinder und Tiere. Dieses vor allem durch das vermeintlich unbestechliche Medium der Fotografie zu scheinbarer Echtheit gesteigerte Bild wurde durch die illustrierte Presse, durch Bücher, Bildbände und Zigarettenbilder-Alben millionenfach verbreitet. Der Handel mit Berghof-Souvenirs: Bildern, Stocknägeln, Porzellantellern u. ä. blühte.

Wandbild Haus Wachenfeld mit Blick auf den Untersberg. (Chromolitho unter Glas; Rahmen aus Holzperlen; undatiert, ca. 1934; 19,5 x 25,5 cm). ~ Leihgabe Freistaat Bayern (41) ▶

◀ 3. April 1943: König Boris III. von Bulgarien schreitet auf dem Berghof mit Hitler die Ehrenwache der SS-Leibstandarte ab. ~ Bayerische Staatsbibliothek/Fotoarchiv Hoffmann, München (39)

◀ „Das Schlafzimmer des Volkskanzlers" – Abbildung aus: Adolf Hitlers Wahlheimat. Zweiundzwanzig Zeichnungen von Karl Schuster-Winkelhof (Sohn des „Türkenwirts" Karl Schuster). (Kartoniert; Münchner Buchverlag, 1933; 17,7 x 24 x 1,1 cm). ~ Leihgabe Freistaat Bayern (42)

◀ Heinrich Hoffmann: Hitler abseits vom Alltag. 100 Bilddokumente aus der Umgebung des Führers (Pappeinband, Kunstdruckpapier, Zeitgeschichte-Verlag Berlin, 1937; 26,5 x 18 x 0,8cm). ~ Leihgabe Institut für Zeitgeschichte, München – Berlin (43)

◀ Heinrich Hoffmann: Hitler, wie ihn keiner kennt. 100 Bild-Dokumente aus dem Leben des Führers (Halbledereinband; überwiegend Kunstdruckpapier, Zeitgeschichte-Verlag und Vertriebs-Gesellschaft m.b.H. Berlin, 1932; 18,5 x 25,3 x 1,2 cm). ~ Leihgabe Institut für Zeitgeschichte, München – Berlin (44)

Der Fotograf des „Führers"

Heinrich Hoffmann (1885–1957) schloß sich Hitler bereits 1920 an und gehörte bis 1945 zu dessen engsten Vertrauten. Hoffmann konnte mit Unterstützung Hitlers die Bildberichterstattung über den „Führer" nahezu monopolisieren und erwarb mit der Verwertung der Rechte ein großes Vermögen. Er trug mit seinen Pressefotos und Büchern entscheidend zum offiziellen Hitlerbild bei. Neben „Hitler abseits vom Alltag" und „Hitler, wie ihn keiner kennt" gehörte vor allem „Hitler in seinen Bergen" (1935) zu den erfolgreichsten Bildbänden. Alle drei wurden mehrfach unverändert nachgedruckt und präsentierten bis in den Krieg ein Bild Hitlers und des Obersalzbergs, das mit der Realität des „Führer-Sperrgebiets" nichts zu tun hatte.

Der Führerkult als Werbestrategie

Das Sammeln und Tauschen von Bildern in Themenserien, die man über den Kauf von Zigaretten erhielt, war ein weit verbreitetes Hobby. Besonders gefragt waren Bilder von Hitler, z.B. „Der Führer und sein Lieblingshund" und „Führeraugen – Vateraugen". Zigarettenhersteller nutzten den Führerkult für Werbezwecke und verstärkten ihn damit.

Zigarettenbilder-Album: Adolf Hitler. Bilder aus dem Leben des Führers, herausgegeben vom Cigaretten-Bilderdienst Altona-Bahrenfeld (Halbleineneinband; Text vorgedruckt mit eingeklebten Fotos; Druck und Einband F. A. Brockhaus, 1936; 31 x 23,5 x 2 cm). ~ Leihgabe Institut für Zeitgeschichte, München - Berlin (45) ▼

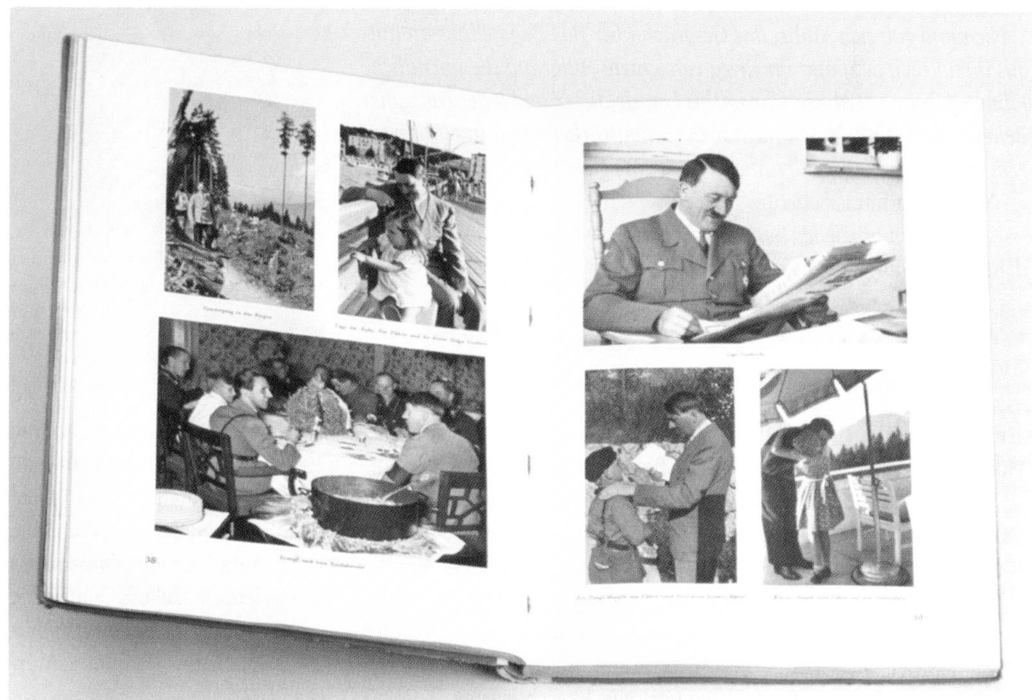

Eine „merkwürdige Leere" hinter den Kulissen (B 8)

Menschen aus der nächsten Umgebung Hitlers erlebten das tatsächliche Privatleben des „Führers":

„Die Idealisten und Optimisten, die sich den Berghof als eine Art schlagendes Herz des damaligen Deutschen Reiches vorstellten und sich vielleicht noch als höchste Seligkeit eine Einladung in das Haus des Führers erträumten, würden bei Erfüllung dieses Wunsches sehr bald ernüchtert und annähernd so gelangweilt gewesen sein, wie der sogenannte kleine Kreis Hitlers."

So erinnert sich Hitlers persönlicher Adjutant Julius Schaub nach dem Krieg.

Ähnlich die Beobachtungen von Albert Speer:

„Hitler erschien meist spät, gegen elf Uhr, in den unteren Räumen ... Seinen eigentlichen Tagesablauf leitete ein ausgedehntes Mittagessen ein ... Nicht lange nach dem Essen formierte sich der Zug zum Teehaus ... Hier an der Kaffeetafel verlor sich Hitler besonders gern in endlose Selbstgespräche ... Gelegentlich schlief Hitler über seinen Monologen ein, die Gesellschaft unterhielt sich dann im Flüsterton weiter und hoffte, daß er rechtzeitig zum Abendessen wieder aufwache ... Nach der Rückkehr zum Berghof pflegte Hitler sich sofort in seine oberen Räume zu begeben, während der Troß sich auflöste ... Zwei Stunden später traf man sich schon wieder zum Abendessen ... Mit den auch in Berlin üblichen Spielfilmen begann der zweite Teil des Abends ... Gelegentlich wurden die Filme besprochen ... Niemand gab sich Mühe, das Gespräch über das Bagatellniveau hinaus anzuheben ... Später im Krieg verzichtete Hitler auf die abendliche Filmvorführung ... Ab ein Uhr nachts konnte dieser und jener trotz aller Beherrschung ein Gähnen nicht mehr unterdrücken. Aber in eintöniger, ermüdender Leere ging der Abend noch eine gute Stunde weiter ..."

Wiederum Julius Schaub:

„Sobald ein offizieller Besuch auf dem Berghof eintraf, änderte sich dieser regelmäßige Ablauf. Alle privaten Gäste wurden verbannt."

▲ Hitler und Eva Braun (1940). ~ Bayerische Staatsbibliothek/Fotoarchiv Hoffmann, München (46)

Eva Braun

Hitler lernte Eva Braun (1912-1945) 1929 im Atelier von Heinrich Hoffmann kennen. Ab 1931 wurde die Beziehung enger, ab 1936 wohnte Eva Braun auf dem Berghof. Die Beziehung wurde gegenüber der Öffentlichkeit geheimgehalten, denn irdische Bedürfnisse paßten nicht in das Bild des selbst- und rastlos dem Volke dienenden Führers. Wenn ein offizieller Besuch am Berghof anstand, hatte die Dame des Hauses wie alle anderen privaten Gäste zu verschwinden. Am 30. April 1945 nahmen sich Hitler und Eva Braun im Bunker unter der Reichskanzlei das Leben, einen Tag nach der Eheschließung.

▲ Hitler mit Lesebrille (Anfang 1939) – inoffizielles Foto von Heinrich Hoffmann, das nicht veröffentlicht wurde, weil die Brille nicht in das von der Propaganda verbreitete makellose Führerbild paßte. ~ Bayerische Staatsbibliothek/Fotoarchiv Hoffmann, München (47)

Hitler mit Gefolge beim nachmittäglichen Spaziergang (Anfang Januar 1937): Neben Hitler Martin Bormann, dahinter Hitlers Leibarzt Dr. Theo Morell, Reichsjugendführer Baldur von Schirach, Schirachs Frau Henriette, geb. Hoffmann, Heinrich Hoffmann, Chefadjutant Wilhelm Brückner, ganz hinten vermutlich Staatsminister Hermann Esser und Reichsschatzmeister Franz-Xaver Schwarz. ~ Bayerische Staatsbibliothek/Fotoarchiv Hoffmann, München (48) ▶

Festtafel im Kehlsteinhaus bei der Hochzeit des SS-Brigadeführers Hermann Fegelein mit Eva Brauns Schwester Gretel am 3. Juni 1944. ~ Bayerische Staatsbibliothek/Fotoarchiv Hoffmann, München (49) ▶

Der „Schwager" des „Führers"

Hermann Fegelein (1906–1945), 1939/40 Kommandeur der in Polen an Massenmorden beteiligten SS-Kavallerie-Standarte, war 1941/42 Kommandeur der SS-Kavalleriebrigade, die in der Sowjetunion mehrere Zehntausend Juden, „Partisanen“ und „Saboteure“ ermordete. Nach Verwundung im Oktober 1943 SS-Verbindungsoffizier im Führerhauptquartier, hatte er Zugang zum innersten Kreis um Hitler. Am 27. April 1945 wurde er wegen eigenmächtigen Verlassens des Führer-Bunkers in Berlin arretiert und tags darauf auf Befehl Hitlers wegen „Verrats“ erschossen.

Seit 1931 ernährte sich Hitler vorwiegend vegetarisch. Mehlspeisen, Hülsenfrüchte, Gemüse- und Salatplatten, Kräutertees und Mineralwasser bestimmten seinen Speiseplan. Hitlers Entourage hingegen aß „gutbürgerlich“ und nahm auch alkoholische Getränke zu sich. Auf dem Berghof mußte man sich auch nicht einschränken, als die Versorgungslage während des Kriegs immer schlechter wurde. Dies blieb der Berchtesgadener Bevölkerung nicht verborgen. Bei Äußerungen des Unmuts drohte ein Verfahren vor dem Sondergericht München.

Speisekarte aus der Küche des Berghofs (LSS = Leinsamenschrot). ~ Bayerische Staatsbibliothek/ Fotoarchiv Hoffmann, München (50) ▼

Freitag, 4. Juni 1943
mittags:
Kirschsaft mit LSS
Gerstenschleimsuppe
Tomatentörtchen
Karotten, gedünstet
Kartoffelbrei
abends:
Orangensaft mit LSS
Gerstenauflauf
Kapernkunke
Knäckebrot, Butter
Eigelbpaste
Diätkäse mit Paprika

Samstag, 26. Juni 43
mittags:
Kirschsaft mit LSS
Dinkelsuppe
Römischer Griess
Blumenkohl
Salat
abends:
Orangensaft mit LSS
Tomatenkartoffeln
Salat
Knäcke u. Butter,
Quarkpaste

„Filiale von Berlin." Ein zweites Machtzentrum entsteht (B 9)

Aus dem Haus Wachenfeld entstand nach Entwürfen Hitlers ab 1933 der Berghof. Er wurde am 8. Juli 1936 eingeweiht. Das ehemalige Feriendomizil Obersalzberg verwandelte sich in ein zweites Machtzentrum. Es wurde zum „Führersperrgebiet“. Martin Bormann, Stabschef bei Rudolf Heß und Verwalter des „Führervermögens“, leitete den Ausbau des Obersalzberg. Die bisherigen Bewohner mußten ihre Häuser an die NSDAP verkaufen – wer sich widersetzte, wurde von Bormann unter Druck gesetzt. Zum Ausbau des Obersalzbergs kamen Baumaßnahmen in der Region. Am 25. April 1945 griffen britische Bomberverbände den Obersalzberg an und zerstörten die meisten Gebäude.

„Ein einzigartiger Herrensitz auf dem Berge". Der Umbau von Haus Wachenfeld zum Berghof (B 9.1)

▲ Teleobjektiv-Aufnahme von Haus Wachenfeld im Spätsommer 1934 mit neu erstellten Nebengebäuden. ~ Bayerische Staatsbibliothek/Fotoarchiv Hoffmann, München (51)

Teleobjektiv-Aufnahme des Berghofs nach 1936. Haus Wachenfeld ist rechts in den neuen Haupttrakt integriert. ~ Bayerische Staatsbibliothek/Fotoarchiv Hoffmann, München (52) ▶

„Ich ziehe heute wehmütigen Herzens fort“. Die Vertreibung der Anwohner (B 9.2)

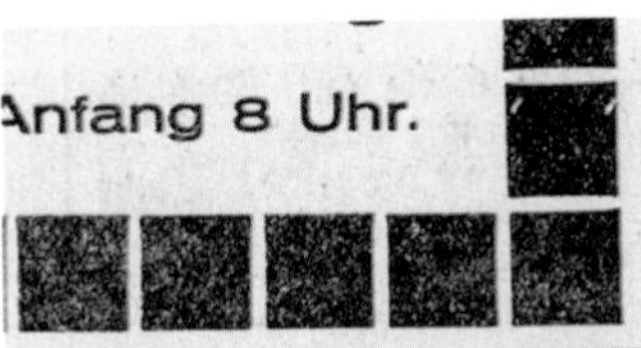

Billig zu verkaufen:
1 Nähmaschine, 1 Guitarre, 1 Zentrifuge, 1 Futterschneidmaschine, 1 Kinderwagen, 1 Halskette b. Hochmayr, Bahnhofstr

Bekanntmachung.

In letzter Zeit werden hier und in der Umgebung über die Angelegenheit „Karl Schuster zum Türken“ unwahre Behauptungen und Gerüchte verbreitet, die völlig aus der Luft gegriffen sind. Der Fall Schuster ist abgeschlossen. Wir warnen die Verbreiter derartiger Gerüchte und müßten solche Personen als staatsfeindlich bezeichnen, sodaß diese Schädlinge ins Konzentrationslager nach Dachau verbracht werden müßten.

Der politische Leiter der Ortsgruppe Berchtesgaden
Brehm.

Dr. med. Richard Seitz
Facharzt für Kinderkrankheiten

Anzeige der NSDAP-Ortsgruppe Berchtesgaden im *Berchtesgadener Anzeiger* (27. Januar 1934): Karl Schuster, Besitzer von Gasthof und Hotel „Zum Türken“, war Nachbar Hitlers und stand lange in freundschaftlichem Verhältnis zu ihm. Schon 1930 trat er in die NSDAP ein. Nahe Hitlers Berghof gelegen, wurde der Gasthof rasch zum Stammlokal von Hitlers SA- und SS-Wachen. Als Schuster einmal, im August 1933, mit diesen lärmenden und angetrunkenen Gästen in Streit geriet und sich abfällig über die neuen Zustände äußerte, kam es zum Konflikt. Schuster wurde zwei Wochen in Schutzhaft genommen, die NSDAP-Ortsgruppe blockierte den Zugang zum „Türken“. Bald darauf gab Schuster auf und verkaufte an Martin Bormann. (53)

Nationalsozialistische Deutsche Arbeiterpartei

Gauleitung München-Oberbayern

Bayer. Bezirksamt Berchtesgaden 22-JUL. 1936 Nr. 4492

Kreisleitung
Berchtesgaden-Laufen der N.S.D.A.P.
Geschäftsstelle Berchtesgaden Rathaus II. Stck.
Fernruf Berchtesgaden Nummer 116

Parteiverkehr 9—12 und 15—18 Uhr.

Nr. 1498/4

Berchtesgaden (Oberbayern), den 22. Juli 1936

An das
Bezirksamt,
Berchtesgaden

Betr.: Bruno Büchner, Obersalzberg, Ihr Schr.Nr.4492.

Bruno Büchner, geb. 28.6.1871 wurde durch Gauleiter-Stellvertreter Pg. Otto Nippold

1. wegen Verstoßes gegen das Gaststätten - Gesetz,
2. wegen unsozialen Handelns,
3. wegen Benützung des Namens des Führers zu Reklamezwecken,
4. wegen Preistreibereien während der Anwesenheit des Führers

durch einstweilige Verfügung aus der Nationalsozialistischen Deutschen Arbeiterpartei ausgeschlossen.
Gegen Frau Elisabeth Büchner läuft gegenwärtig ein Ausschlußverfahren aus der NS - Frauenschaft.

Heil Hitler!
Kreisleiter

◄ Parteiausschluß Bruno Büchner vom 22. Juli 1936. ~ Staatsarchiv München. – Bruno Büchner, Besitzer des Platterhofs, Parteigenosse ab 1932, hatte Hitler seit 1925 mehrfach beherbergt. Dies nützte ihm nichts, als Bormann sein Auge auf den „Platterhof“ warf, um die zahlreichen Besucher Hitlers angemessen und kostengünstig unterbringen zu können. Zunächst wollte Büchner nicht verkaufen, später war der Partei sein Preis zu hoch. Als ihm die Parteimitgliedschaft entzogen wurde, gab Büchner auf und verkaufte im Juli 1936. (54)

Hitlers „williger Vollstrecker"

„Um die von mir gewünschte Gestaltung des Obersalzbergs durchführen zu können, mußte ich alle alten Häuser ... abbrechen lassen; insgesamt waren es wohl über fünfzig. Die Abbrüche wurden mit möglichster Beschleunigung durchgeführt, um dem Führer den häßlichen Anblick der Abbrüche zu ersparen." (Brief Martin Bormanns an Dr. Friedrich Wolffhardt vom 27. Dezember 1941, National Archives, Washington, Suitland Reference Branch, Maryland, zit. nach Chaussy S. 99). ~ Christoph Püschner, Hiddenhausen (55) ▶

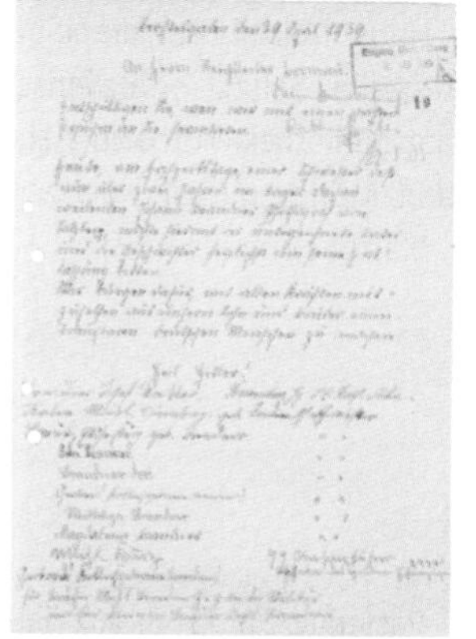

▲ Gesuch der Familie Brandner an Bormann um Freilassung von Johann Brandner aus dem KZ Dachau (29. 4. 1939). ~ Bundesarchiv, Berlin. – Johann Brandner betrieb seit 1936 einen Fotokiosk am Obersalzberg. Als er ihn verkaufen sollte, wandte er sich unmittelbar an Hitler und forderte eine hohe Entschädigung für Geschäft und Labor. Noch in der folgenden Nacht wurde er festgenommen. Von März 1937 bis Mai 1939 war er in KZ-Haft in Dachau. Ab Kriegsmitte Soldat, fiel er im Januar 1945 (56) ▶

Berchtesgaden den 29. April 1939
An Herrn Reichsleiter Bormann.

Herrn Standartenf.

Entschuldigen Sie, wenn wir mit einem großen
Ersuchen an Sie herantreten. *Rattenhuber*

[Paraphe] MB [Martin Bormann] 5.5.

Heute, am Hochzeitstage, einer Schwester des nun über zwei Jahre im Lager Dachau weilenden Johann Brandner Photograf von Salzberg, möchte hiermit der unterzeichnende Vater und die Geschwister herzlichst um seine Entlassung bitten.
Wir bürgen dafür, mit allen Kräften mitzuhelfen aus unserem Sohn und Bruder einen brauchbaren deutschen Menschen zu machen.

Heil Hitler!

Brandner Josef Roeslau,	Brandner Gg S.S. Rotf. Sohn	
Barbara Meisl, Dürnberg geb. Brandner		Geschwister
Braut, Elise Kurz geb. Brandner	"	"
Anton Brandner	"	"
Brandner Dori	"	"
Gertraud Koller, (geborene Brandner)	"	"
Walburga Brandner	"	"
Magdalena Brandner	"	"
Michl Kurz		SS Oberscharführer

Inhaber des goldenen Ehrenzeichens 2939

Gertraud Koller (geborene Brandner)
für Bruder Michl Brandner z.z. bei dem Militär
und für seinen Bruder Sepl Brandner

◀ Haus Hermann Görings auf dem Obersalzberg (Baubeginn 1934). ~ Stadtarchiv München (57)

◀ Haus Martin Bormanns (die alte Villa Seitz). ~ Bayerische Staatsbibliothek/Fotoarchiv Hoffmann, München (58)

◀ Im April 1937 begann der Bau der SS-Kaserne mit Mannschaftsgebäude, Turnhalle, Dienstwagenhalle und Wirtschaftsgebäude. ~ Sammlung John Provan, Kelkheim (59)

Hitlers Leibwache

Für Hitlers Sicherheit sorgte das „SS-Begleitkommando“ unter Johann Rattenhuber aus der SS-Leibstandarte – ab 1934 zusammen mit der Dienststelle I des neu gebildeten „Reichssicherheitsdiensts“ (RSD). Die RSD-Zentrale am Obersalzberg war der ehemalige Gasthof „Zum Türken". Zu den Sicherheitsmaßnahmen für Hitler gehörten u.a.: Alarmknöpfe in allen Räumen, chemische Analyse der Nahrungsmittel, Röntgenkontrolle von Post und gereinigter Wäsche.

Der ehemalige Gasthof „Zum Türken" – RSD-Quartier am Obersalzberg. ~ Privatbesitz Ulrich Chaussy, München (60) ▶

Lebensmittel für Hitler

Zur Versorgung des Obersalzberg ließ Martin Bormann auf dem Weißenlehen einen Gutshof bauen, der als Musterbetrieb dienen sollte. Klima und Bodenverhältnisse ließen keinen Ackerbau, sondern nur Viehzucht zu. Futtermittel für die über 200 Schweine, Rinder und Pferde mußten zugekauft werden. In einem Gewächshaus am Hintereck wurde Gemüse gezogen, es gab auch eine Imkerei. Der Betrieb war mit Ausnahme der Mostkelterei stark defizitär.

Wohnhaus und Stallungen des 1938 errichteten Gutshofs Obersalzberg. ~ Christoph Püschner, Hiddenhausen (61) ▶

Werbepostkarten: Nach 1936 wurde der Platterhof zu einem Hotel mit etwa 150 Betten umgebaut. „Verdiente Volksgenossen" sollten hier für den symbolischen Übernachtungspreis von einer Mark einige Tage in der Nähe des Führers verbringen können. Im Krieg wurde das Hotel Teil des Standortlazaretts Berchtesgaden. ~ Institut für Zeitgeschichte, München - Berlin (62-65)

Bau der Kehlsteinstraße. ~ ▶ Privatbesitz Siegfried Hafner, Piding/Foto: Anton Hafner (66, 67) ▶

Das Kehlsteinhaus. ~ Bayerische Staatsbibliothek/Fotoarchiv Hoffmann, München (68) ▼

Das Kehlsteinhaus

Zu Hitlers 50. Geburtstag (1939) ließ Bormann auf dem 1834 m hohen Kehlstein ein Gipfelhaus errichten. Der Bau der hochalpinen Zufahrtsstraße war eine technische Spitzenleistung, die auch dem Landschaftsschutz Rechnung trug. Sie endet in 1700 m Höhe. Die letzten 134 m überwindet ein im Kehlsteinhaus endender Lift im Inneren des Berges. Der Marmor für den Kamin in der Halle des Hauses wurde von Mussolini gestiftet. „Traum oder Wirklichkeit?": In diese Frage faßt André François-Poncet, damals französischer Botschafter, die Erinnerung an seinen Besuch im Kehlsteinhaus.

▲ Der Obersalzberg. Tuschezeichnung auf Pergament von Franz Weiss (1941) ~ Institut für Zeitgeschichte, München - Berlin (69)

Die Arbeiter am Obersalzberg

Um den zunehmenden Mangel an Arbeitskräften zu beheben, wurden verstärkt seit 1938/39 ausländische Arbeiter angeworben. Sie kamen vorwiegend in der Landwirtschaft, in der Rüstungsindustrie und in handarbeitsintensiven Betrieben zum Einsatz. Beschränkte man sich zunächst auf „Freiwillige", so ging man mit Kriegsverlauf infolge des massiv ansteigenden Arbeitskräftebedarfs und weitgehender Erfolglosigkeit der Anwerbung von Freiwilligen zur Zwangsrekrutierung über.

Beim Ausbau des Obersalzbergs wurden bis zu 6000 Arbeiter beschäftigt – vor Kriegsbeginn hauptsächlich Deutsche, später vor allem tschechische und italienische Facharbeiter, zu keiner Zeit Zwangsarbeiter. Sie wohnten in Baracken und waren strikter Arbeitsdisziplin unterworfen. Bei Verstößen gab es abgestufte Strafen: Geldbußen, Entzug von Lebensmittel- und Raucherkarten, auch

Arrest. In der Freizeit unterlagen sie den in offenen Arbeiterlagern damals üblichen Beschränkungen. Es gab eine Theaterhalle, die Hitler persönlich am 20. Mai 1937 eingeweiht hatte.

Das Bauarbeiterlager auf der Ligeret-Alm. ~ Privatbesitz Gerda Hadwiger, Murnau (70) ▶

Das Fremdarbeiter-Bordell in Unterau

„Rassen"- und sicherheitspolitische Bedenken gegen eine Durchmischung der „deutschen Volksgemeinschaft" mit „Fremdvölkischen" wurden zurückgestellt, die Fremdarbeiter jedoch intensiv von der Polizei überwacht und von der einheimischen Bevölkerung weitgehend separiert. Um Beziehungen zwischen „fremdvölkischen" Arbeitern und deutschen Frauen vorzubeugen, wurden seit 1940 auf Anordnung Hitlers im ganzen Reichsgebiet Bordelle eingerichtet. Prostituierte in diesen Bordellen wurden eigens im Ausland angeworben oder aus Ostarbeiterinnen rekrutiert, die sich mehr oder minder freiwillig für diese Tätigkeit meldeten. Träger der Bordelle war die *Deutsche Arbeitsfront* unter Mitwirkung zentraler Dienststellen von Partei und Staat; die Gesamtplanung lag in den Händen des *Reichskriminalpolizeiamts*.
In Unterau richtete die *Kriminalpolizeileitstelle München* Ende 1942 ein Bordell ein: die sogenannte B-Baracke. Die darin tätigen Frauen aus Polen, Frankreich und der Sowjetunion waren in Bezug auf Nahrungsmittel und Kleidung im Vergleich zu anderen Fremdarbeitern besser gestellt und erhielten regelmäßige ärztliche Untersuchungen. Deutschen Arbeitern war der Zutritt verboten.

Die „B-Baracke“ wurde durch den Bombenangriff am 25. April 1945 schwer beschädigt. Die Prostituierten überführte man nach München. In den nicht zerstörten Räumen fanden Bombengeschädigte aus Berchtesgaden Unterkunft.

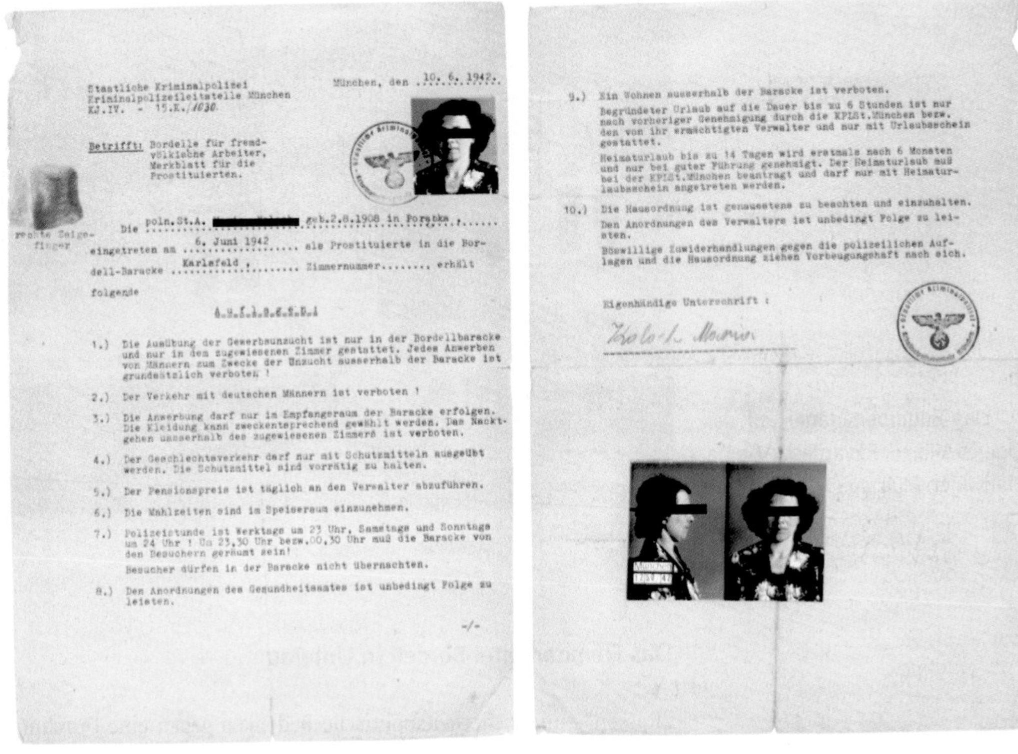

Staatliche Kriminalpolizei
Kriminalpolizeileitstelle München
KJ.IV. - 15.K./1030.

München, den 10. 6. 1942.

Betrifft: Bordelle für fremdvölkische Arbeiter, Merkblatt für die Prostituierten.

rechte Zeigefinger

Die poln.St.A. geb.2.8.1908 in Porabka, eingetreten am 6. Juni 1942 als Prostituierte in die Bordell-Baracke Karlsfeld, Zimmernummer........ erhält folgende

A u f l a g e n :

1.) Die Ausübung der Gewerbsunzucht ist nur in der Bordellbaracke und nur in dem zugewiesenen Zimmer gestattet. Jedes Anwerben von Männern zum Zwecke der Unzucht ausserhalb der Baracke ist grundsätzlich verboten !

2.) Der Verkehr mit deutschen Männern ist verboten !

3.) Die Anwerbung darf nur im Empfangsraum der Baracke erfolgen. Die Kleidung kann zweckentsprechend gewählt werden. Das Nacktgehen ausserhalb des zugewiesenen Zimmers ist verboten.

4.) Der Geschlechtsverkehr darf nur mit Schutzmitteln ausgeübt werden. Die Schutzmittel sind vorrätig zu halten.

5.) Der Pensionspreis ist täglich an den Verwalter abzuführen.

6.) Die Mahlzeiten sind im Speiseraum einzunehmen.

7.) Polizeistunde ist Werktags um 23 Uhr, Samstags und Sonntags um 24 Uhr ! Um 23,30 Uhr bezw. 00,30 Uhr muß die Baracke von den Besuchern geräumt sein!
Besucher dürfen in der Baracke nicht übernachten.

8.) Den Anordnungen des Gesundheitsamtes ist unbedingt Folge zu leisten.

-/-

9.) Ein Wohnen ausserhalb der Baracke ist verboten.
Begründeter Urlaub auf die Dauer bis zu 6 Stunden ist nur nach vorheriger Genehmigung durch die KPLSt.München bezw. den von ihr ermächtigten Verwalter und nur mit Urlaubsschein gestattet.
Heimaturlaub bis zu 14 Tagen wird erstmals nach 6 Monaten und nur bei guter Führung genehmigt. Der Heimaturlaub muß bei der KPLSt.München beantragt und darf nur mit Heimaturlaubsschein angetreten werden.

10.) Die Hausordnung ist genauestens zu beachten und einzuhalten.
Den Anordnungen des Verwalters ist unbedingt Folge zu leisten.
Böswillige Zuwiderhandlungen gegen die polizeilichen Auflagen und die Hausordnung ziehen Vorbeugungshaft nach sich.

Eigenhändige Unterschrift :

▲ Auflagen der *Kriminalpolizeileitstelle München* für die Ausübung der Prostitution in der „B-Baracke“ in Unterau. ~ Staatsarchiv München (71)

Durchdringung der Region (B 9.4)

Volle Funktionsfähigkeit als zweites Machtzentrum des Dritten Reichs erhielt der Obersalzberg durch den Bau einer Außenstelle der Reichskanzlei. Diese wurde ab September 1936 in Bischofswiesen nahe Berchtesgaden errichtet. Hier residierte Hans Heinrich Lammers, Reichsminister und Chef der Reichskanzlei, wenn Hitler vom Berghof aus regierte. Der „Regierungsflughafen Reichenhall-Berchtesgaden“ in Ainring, auf dem auch große Verkehrsflugzeuge landen konnten, wurde im Oktober 1934 eingeweiht. Aus Kriegsgründen nicht mehr realisierte Ausbaupläne sahen die Errichtung eines Parteiforums, eines Hotels der Organisation „Kraft durch Freude“ und von Sportanlagen in olympischen Dimensionen vor.

Reichskanzlei, Dienststelle Bischofswiesen (September 1937). ~ Bayerische Staatsbibliothek/Fotoarchiv Hoffmann, München (72) ▶

„Regierungsflughafen Reichenhall-Berchtesgaden" bzw. „Gebirgsflughafen Ainring". ~ Privatbesitz Fredric Müller-Romminger, Bad Reichenhall (73) ▶

Die 1938 gebaute BDM-Sportschule wird heute als Altersheim genutzt. ~ Privatbesitz Fredric Müller-Romminger, Bad Reichenhall (74) ▶

Die nationalsozialistische Diktatur

Hans Günter Hockerts

Führermythos und Führerkult

Raffinierte Image-Kampagnen sind heute, in pluralistischen Gesellschaften und liberalen Demokratien, eine durchaus vertraute Erscheinung. Man denke an die Medienstars der Unterhaltungsbranche; aber auch Politikern gelingt es hin und wieder, die Gunst begeisterter Massen zu gewinnen, von zahlreichen Anhängern sogar wie ein Idol verehrt zu werden. Der Kult, der im Dritten Reich um die Person Adolf Hitlers getrieben wurde, unterscheidet sich jedoch grundlegend von den Public Relations in Gesellschaften mit frei konkurrierenden Kräften. Zunächst sticht ein quantitativer Unterschied ins Auge: Der Hitlerkult war im nationalsozialistischen Deutschland allgegenwärtig. Er überragte alle anderen Herrschaftsbeziehungen und erfüllte die gesamte politische Sphäre. Daher konnte sich kaum irgend jemand der „Droge des Führer-Mythos"[1] auf die Dauer ganz entziehen.

Das exzessive Ausmaß des Hitlerkultes verweist zugleich auf einen tiefgreifenden Unterschied in der Qualität der politischen Ordnung. Denn der Kult um den „Führer" begründete eine Herrschaftsordnung eigener Art. Hitlers Regime beraubte die Gesellschaft ihrer Fähigkeit zur freien Selbstorganisation, unterdrückte Interessenpluralität und öffentliche Konfliktaustragung, sprengte rechtsstaatliche Grenzen und Kontrollen und setzte die Geltung der allgemeinen Grund- und Menschenrechte außer Kraft. Konsens und Legitimität konnte und wollte ein solches Regime nicht im Rahmen demokratischer Institutionen und Verfahren gewinnen. Um so mehr rückte der Nationalsozialismus eine andere Form der Konsensbildung in das Zentrum des politischen Prozesses: die Mobilisierung gemeinschaftlicher Erlebnisse und Gefühle, die eine Identität von Führung und Volk suggerierten. In diesem Zusammenhang gewinnen die Stichworte „Mythos" und „Kult" eine hohe Bedeutung. Sie bezeichnen Triebkräfte der emotionalen Vergemeinschaftung, auf der die Akklamation der Führerherrschaft großenteils beruhte. Die katastrophalen Folgen des Führermythos reichen vom Verlust politischer Freiheitsrechte über die Entgrenzung der Führerherrschaft, der jedermann in Wunsch- oder Zwangsbindung, jedenfalls unkontrollierbar unterworfen war, bis hin zur Eskalation der Gewalt und zum Zusammenbruch der Zivilisation.

◀ Plakat, vermutlich zur Volksabstimmung vom 19. August 1934 (nach dem Tod Hindenburgs) über die Zusammenlegung des Reichspräsidenten- und des Reichskanzler-Amts in der Person des „Führers und Reichskanzlers" Adolf Hitler. ~ Stadtmuseum München (75)

„Mythos" und „Kult" im Dritten Reich

„Politische Mythen versichern der Gemeinschaft, der sie gelten, daß das, was geschehen ist, geschehen mußte, daß die Ereignisse nicht zufällig, sondern notwendig vonstatten gingen und daß sie mehr

[1] Kershaw, Hitler-Mythos, S. 69

waren und sind als bloße Ereignisse, sondern ihnen eine heilsgeschichtliche Dimension eigen ist"[2]. Solche Mythen dienen somit der Sinnstiftung. Sie entwerfen ein Bild der Welt, des Woher und Wohin, in dem die wahre Ordnung der Dinge durch alle Zufälle und Irritationen des Lebens hindurch jederzeit sichtbar ist. Als erzählte Ursprungslegenden binden Mythen die Gegenwart an einen fernen, aber mächtigen Ursprung. Dieser gleicht einem Quellbereich der Wahrheit, aus dem sich die Orientierung an letzten Werten und somit Gewißheit schöpfen läßt.

Der „schöne Schein des Dritten Reiches“[3] zeigt Züge eines solchen mythischen Heilsmodells. Die Weise, wie Hitler und seine Vasallen von Blut und Rasse sprachen, von Volk und Reich, von Vorsehung, Opfer, Tod und Auferstehung, klang so, als sei die braune Bewegung im Besitz einer tiefen Wahrheit, als sei sie eingeweiht in die eigentlichen Zwecke der Geschichte und den Schicksalslauf der deutschen Nation. Der braune Mythos tat so, als enthülle sich ihm im großen Zusammenhang, was das moderne Weltverständnis, rational entzaubert und funktional differenziert, nicht mehr zusammenbringt.

Zwar gab der braune Mythos nur vage Auskunft, wenn vom „arteigenen Wesen“ des Volkstums die Rede war, von der Verbundenheit der „Schicksals- und Blutsgemeinschaft“ als oberstem Sinnprinzip, von drohendem Verderben und rettender Erlösung, von der Wiedergeburt nationaler Stärke und Größe und der Verheißung wahrer Volksgemeinschaft. Aber die weitgehende Unbestimmtheit, zu der jede Mythisierung neigt, steigerte die Reichweite der Integration. Denn so wurden unterschiedliche Erwartungen, Sehnsüchte und Ressentiments gebündelt. Verschiedene Ausdeutungswünsche mit einem relativ großen Einzugsbereich spezifischer Interessen und partikularer Ziele wurden angeregt und einbezogen, sofern die aggressiven Feindbilder und demagogischen Techniken der NS-Bewegung keine hinreichend hohen Hemmschwellen bildeten.

Die Führerherrschaft umgab sich mit einem Mythos, der „nationale Erlösung“ versprach und dafür absolute Verbindlichkeit in Anspruch nahm. Somit gehört der Nationalsozialismus in die Reihe der totalitären Bewegungen des 20. Jahrhunderts, die – so unterschiedlich sie sonst sein mochten – eines gemeinsam hatten: Sie suchten eine grundlegende Entwicklungsrichtung der modernen Welt rückgängig zu machen, die mit der Trennung von weltlicher und geistlicher Herrschaft begonnen hatte und dann immer weiter führte auf dem Weg der Scheidung von politischer Herrschaft einerseits, der Kompetenz für Wertbestimmung und Sinndeutung des Lebens andererseits. Die Differenz von Herrschaft und Heil hatte Freiheitsräume eröffnet, denen die pluralistische Gesellschaft ihre Entstehung und die moderne Welt ihre Dynamik verdankt. Diese Dynamik wirkte freilich zwiespältig. Sie trieb auch Spannungen und Konflikte hervor, indem sie immer weitere Lebensbereiche umwälzte, funktional differenzierte und mit jeweils eigener Funktionslogik auseinanderdriften ließ.

[2] Münkler, Politische Mythen, S. 22

[3] Reichel, Der schöne Schein des Dritten Reiches

Die Konflikte verschärften sich dramatisch in den zwanziger Jahren, den „Krisenjahren der Moderne“[4] in Deutschland. In der Endphase der Weimarer Republik empfanden große Teile der Bevölkerung die wirtschaftlichen Verhältnisse als desolat, die parlamentarisch-demokratische Ordnung als schlechterdings unfähig und die gesellschaftliche Wirklichkeit als „hochgradig desintegrativ”[5]. Es wirft ein bezeichnendes Licht auf den Zustand der politischen Kultur, daß in dieser Situation gefühlsbetonte, mythische Weltbilder nicht nur propagandistisch angeboten, sondern auch von großen Kreisen der Bevölkerung akzeptiert, wenn nicht gar ersehnt wurden. Der „Hunger nach Ganzheit”, gespeist aus „Angst vor Modernität“[6], förderte die Empfänglichkeit für eine radikale Alternative, die an die Stelle konfliktreicher Differenzierungen eine umfassende, einheitliche Lebensordnung zu setzen versprach. Damit wuchs die Bereitschaft, sich einer „starken Führung“ mit Heilsversprechen unterzuordnen.

So „modern“ der Nationalsozialismus in mancher Hinsicht auftrat, vor allem im Hinblick auf Technologie und Technokratie, so antimodern war der Versuch, Herrschaft und Heil in eine mythisierende Verbindung zu bringen. Quasi religiös aufgeladen, kann der braune Mythos auch zur Spezies der „politischen Religionen“ gerechnet werden, die im 20. Jahrhundert eine neue Art „ganzheitlicher“ Rechtgläubigkeit schufen und dabei in Rivalität zur christlichen Religion traten. Selbst eine Heilsbewegung, suchte der Nationalsozialismus das Christentum teils zu assimilieren, teils zu liquidieren und auf lange Sicht ganz zu ersetzen.

Um anschaulich, faßbar und wirksam zu werden, brauchte die NS-Mythologie kultische Ausdrucksformen. So entstand der „braune Kult“[7] in Gestalt von Bauten und Bildern, Zeichen und rituellen Bräuchen, in denen sich feierliche Handlungsabläufe nach festen Regeln wiederholten. „Kult“ hat eine doppelte Bedeutung. Im engeren Sinne ist die religiöse Verehrung einer Gottheit durch eine Gemeinschaft von Gläubigen gemeint. Ein solcher Kult ist an feste und heilige Orte und Zeiten gebunden. Viele Elemente des braunen Kults zielten geradenwegs auf eine solche Sakralisierung der Führerherrschaft. Dies wird am herausragenden Beispiel des Kults um die „Märtyrer der Bewegung“ noch zu zeigen sein.

Unabhängig vom ursprünglich religiösen Wortgebrauch bezeichnet „Kult“ im weiteren Sinne alle Formen gesteigerter oder übersteigerter Verehrung. In der Selbstinszenierung des Dritten Reiches verband sich beides: die Konstruktion einer sakralen Sphäre und der Einsatz profaner Stimmungstechniken zur Herstellung von Massenbegeisterung. Vieles von dem, was die historische Forschung als die eigentümliche „Ästhetisierung der Politik“ im Nationalsozialismus herausgearbeitet hat – unter Stichworten wie: suggestive Macht der Bilder und Gefühle, „ästhetische Faszination des Faschismus“ oder „Dekoration der

4 Peukert, Die Weimarer Republik.

5 Broszat, Einführung, in: Kershaw, Hitler-Mythos, S.14.

6 Gay, Republik der Außenseiter, S.99ff.

7 Gamm, Der braune Kult.

Gewalt" – gehört in diesen Zusammenhang. Im fließenden Übergang zum quasi-religiösen Ritual bemühte der braune Kult sich unablässig um die theatralisch-ästhetische Inszenierung von erhebenden, nichtalltäglichen Massenerlebnissen.

Bei der Wahl der Formelemente bediente sich der braune Kult im Repertoire sehr verschiedener Traditionen. Massenaufmarsch und Gedenkumzug, Chöre und Musik, Appell und Gelöbnis, Fahnen, Fackeln, Feuerschalen – was immer Wirkung versprach, verleibte er sich ein. So entstand ein Ritualgemisch, das Anleihen bei der christlichen Liturgie mit militärischen und folkloristischen Traditionen verband; dazu kamen Übernahmen aus dem Formenkreis der Jugendbewegung, der Opern-Dramaturgie (Richard Wagner), auch der Bühnenwelt der amerikanischen Revue, ferner Anleihen beim Formenkanon der griechischen Antike. Besonders eng verband sich der NS-Kult mit jener Traditionslinie nationaler Gedenk- und Feiertage, die – wie der „Sedanstag" – im Zeitalter der „Nationalisierung der Massen" zur Verherrlichung von Kampf, Krieg und Heldentod entstanden war. Aber man griff auch zurück auf die vielfach pompöse Festkultur der Arbeiterbewegung und das Propaganda-Arsenal der politischen Linken. Die Anverwandlung des 1. Mai als Feiertag der „nationalen Arbeit" ist dafür das deutlichste Beispiel.

Die Person des „Führers"

„Heil Hitler": Schon der obligatorische Alltagsgruß verdeutlicht die zentrale Rolle, die Adolf Hitler im mythischen und kultischen Gesamtrepertoire des Dritten Reiches einnahm. Gestützt auf den Führergrundsatz, einen der wenigen fest umrissenen Kerne der NS-Ideologie, bildete „der Führer" sowohl den Dreh- und Angelpunkt des Herrschaftssystems als auch den Mittelpunkt der NS-Mythologie. Die Regie des öffentlichen Lebens überschlug sich darin, ihn als den obersten Verkünder des braunen Mythos zu feiern, als Inkarnation des Heilbringers, als messianische Gestalt, deren Mission die Errettung Deutschlands sei.

Führermythos und Führerkult erwiesen sich, bevor sie in der letzten Kriegsphase verfielen, als starke Integrationsklammern des Dritten Reiches. Sie sicherten dem Führer Gefolgschaft, der Diktatur Loyalität, und sie vermochten sogar die Kritik an offensichtlichen Mißständen weitgehend zu kompensieren („Wenn das der Führer wüßte ..."). Wie ist diese Wirkungsmacht zu erklären? Gewiß großenteils mit der Wucht der konzentrischen Propaganda. Das Kontrollmonopol der öffentlichen Meinung in Händen, schuf das Regime in wirkungsvoller Mischung ein Hitlerbild, nicht zuletzt im Medium der

Fotografie[8], das die Illusion einer vollständigen Identität von Volk und Führer verbreitete und mit dieser Botschaft die emotionalen Grundlagen des Denkens vieler „Volksgenossen" erreichte. Doch war der Nimbus des „Führers" nicht allein künstlich von oben geschaffen, er war auch ein „gesellschaftliches Produkt", getragen von „Erwartungen, Ressentiments und Sehnsüchten breiter Volksschichten"[9]. Eine ganz ungewöhnliche Serie von Erfolgen, vor allem in der Außenpolitik, dann auch in den „Blitzkriegen", nährte das gläubige Vertrauen auf das Genie des Führers.

Eine besonders aufschlußreiche Erklärung der Stellung Hitlers und der Bedeutung des Führerkults im NS-Regime bietet das Modell der „charismatischen Herrschaft"[10]. Dieser Herrschaftstyp beruht auf dem Glauben an die außeralltäglichen Fähigkeiten einer Person und auf der sich daraus ergebenden Fügsamkeit gegenüber ihren Befehlen. Es bedarf zahlreicher Voraussetzungen, damit ein solcher Herrschaftstyp entstehen und sich gesellschaftlich durchsetzen kann. Wichtige Vorbedingungen liegen in der Wahrnehmung bedrohlicher, existentieller Krisensituationen, im Auftreten einer Person, die charismatischen Anspruch erhebt und verheißt, die Krise zu überwinden, sowie in der sozial und kulturell bestimmten Bereitschaft einer hinreichend großen „Gefolgschaft", diesen Anspruch anzuerkennen. Der springende Punkt liegt darin, daß es dem Charismatiker gelingen kann, seine Führungsposition auf eine neue Struktur sozialer Beziehungen aufzubauen, die ihn unabhängig macht von herkömmlichen Institutionen und Kontrollen, ihm vielmehr außerordentlich große Handlungsspielräume eröffnet. Im nationalsozialistischen Deutschland sind die Hauptmerkmale charismatischer Herrschaftsbeziehungen deutlich ausgeprägt. Der Führermythos erhielt in diesem Zusammenhang eine doppelte Bedeutung: Er rückte die Person Adolf Hitlers nicht nur ins Zentrum der kultischen Verehrung, sondern auch ins Zentrum der realen Macht, wobei die Führergewalt sich aus verfahrensmäßigen Bindungen und institutionellen Begrenzungen mehr und mehr löste.

Die Inszenierung des Hitler-Kults

Die Inszenierung des Führerkults zeigt eine Vielzahl von Facetten. Nicht immer erschien Hitler als „einer, der über das Maß des Irdischen bereits hinausgewachsen ist"[11]. Der Kult um den Obersalzberg zum Beispiel fügte dem Hitlerbild betont gemüthafte, friedlich-beschauliche Werte hinzu. So zeigten unzählige Fotos den „Führer" vor der Kulisse der Bergwelt als Kinder-, Tier- und Heimatfreund, ausgestattet mit allen Attributen der Volks- und Naturnähe. Propagandistisch

[8] Herz, Hoffmann & Hitler, S.13ff.: Die artifizielle NS-Fotopropaganda bestimmt noch heute das visuelle Hitlerbild.

[9] Kershaw, Hitler-Mythos, S. 16f.; Geyer, Verkehrte Welt, bes. S. 309–315.

[10] Lepsius, Modell der charismatischen Herrschaft.

[11] *Völkischer Beobachter* Nr. 314, 10.11.1935.

wurde so der Anschein einer privaten Idylle erweckt und genutzt, zugleich aber auch wieder mit heroischen Elementen aufgeladen: Der Obersalzberg figurierte dann als Rückzugsort des genialen Schöpfers in wolkenverhangener „Bergeinsamkeit". Für eine pseudoreligiöse Beimischung sorgten die Besucherströme, die von der Wort- und Bildpropaganda zu „Wallfahrern" stilisiert wurden – so wie der Obersalzberg zum „Wallfahrtsort".

Die stärkste Ritualisierung erhielt der Führerkult in einer Abfolge jährlich wiederkehrender Feste und Feiern, für die sich die Bezeichnung „NS-Feierjahr" einbürgerte. Es begann am 30. Januar mit dem „Tag der Machtergreifung". Auf die Parteigründungsfeier am 24. Februar folgten im März der zum „Heldengedenktag" umstilisierte Volkstrauertag und die „Verpflichtung der Jugend", sodann „Führers Geburtstag" am 20. April und der in die braune Regie übernommene Feiertag des 1. Mai. Über den Muttertag und die Sommersonnenwende führte das Feierjahr dann Anfang September zur gigantischen Schaustellung des Reichsparteitags, der Unterwerfungsrituale der „Volksgemeinschaft" mit einer Liturgie der mythischen Heilsgeschichte verband; weiter zum Erntedankfest Anfang Oktober, von da zum Gedenktag für die „Gefallenen der Bewegung" am 9. November. Weihnachten, das auf verschiedene Weise „arteigen" umgedeutet wurde, schloß das Feierjahr ab.

Offensichtlich ahmte man hier den kirchlichen Feiertagskalender nach, um ihn zu überlagern und auf längere Sicht zu ersetzen. Ähnlich verfuhr die braune Regie mit anderen Gedenk- und Festtagen, an denen die deutsche Gesellschaft bisher im Spannungsfeld kultureller Sonder- oder Gegentraditionen auseinandergetreten war. Sie wurden entweder assimiliert (wie der Erntedank der Bauern oder der 1. Mai der Arbeiter) oder unterdrückt (wie der 9. November als roter Revolutionstag oder der 11. August als Weimarer Verfassungstag). Im NS-Feierjahr wird also der Versuch sichtbar, die politische Gleichschaltung der Gesellschaft mit kulturellen Mitteln fortzusetzen: Statt der vielfach gespaltenen Feierkultur der Weimarer Zeit sollte ein volksgemeinschaftlicher Festkreis den Jahreslauf gliedern und mit den Sinngehalten des braunen Mythos füllen.

Jeder Teil dieses politisch-kultischen Jahresfestkreises wurde im ganzen Land gefeiert, und er beherrschte auch die Massenmedien reichsweit. Dabei kam in der Regel einer zentralen Veranstaltung an einer bestimmten Stätte – wie dem Bückeberg beim Erntedank und Nürnberg beim Reichsparteitag – Leitfunktion zu. Sie erhielt ihre besondere Weihe durch die persönliche Teilnahme des „Führers", während Hitler in der Fülle der lokalen und regionalen Feiern auf symbolische Weise allgegenwärtig war. Der Stadt München kam diese herausgehobene Funktion am 9. November zu – dem kultischen Höhepunkt des Führermythos.

Hans Günter Hockerts

Der „9. November"

9. November 1923: Eine Gewehrsalve der bayerischen Landespolizei beendet den Hitler-Putsch an der Feldherrnhalle. Vier Polizisten, dreizehn Putschisten und ein unbeteiligter Passant bleiben tot liegen. In panikartiger Flucht läuft der Zug der Hitler-Anhänger auseinander. Zwei weitere Putschisten kommen bei der von Ernst Röhm angeführten Besetzung des Wehrbereichskommandos an der Ecke Schönfeldstraße/Ludwigstraße ums Leben.

Den Tod dieser Sechzehn machte Hitler zum Mysterium. Er stilisierte den 9. November zum weihevollsten Tag und die Feldherrnhalle zum heiligsten Ort des braunen Kults. Während Ernst Röhm noch lange ganz nüchtern vom damaligen „Mißerfolg" sprach, deutete Hitler den Fehlschlag des 9. November 1923 unverzüglich zum Sieg um. Er rückte den „Opfertod" der 16 „Blutzeugen der Bewegung" wie ein „Passionsspiel"[12] in das Zentrum der nationalsozialistischen Heilsgeschichte. An keinem anderen Feiertag traten die Züge einer „politischen Religion" so deutlich hervor: Der 9. November wurde zum Angelpunkt einer Auferstehungs- und Erlösungsdramaturgie, deren Stoff die deutsche Geschichte war.

Das Ritual des 9. November wurde seit 1933 ausgefeilt und erreichte 1935 eine dramaturgische Perfektion, die das Modell der kommenden Jahre bildete[13]. Die Feier begann am Vorabend mit einer Gedenkrede, die Hitler im Bürgerbräukeller vor den „Alten Kämpfern" hielt. Die Rede war ganz auf die Mythisierung der „Kampfzeit" gestimmt und verhieß den 16 Toten den Einzug in „die deutsche Unsterblichkeit". Um Mitternacht fuhr der „Führer" durch das Siegestor über die von Feuerpylonen erhellte Ludwigstraße zur Feldherrnhalle, die mit blutrotem Tuch ausgeschlagen war. Umgeben von lodernden Feuerschalen waren dort die Toten des Putschs in 16 Sarkophagen aufgebahrt; Tage zuvor hatte man sie in verschiedenen Münchener Friedhöfen exhumiert. Stumm verweilte Hitler, dann konnte die Münchener Bevölkerung den Toten ihre Reverenz erweisen.

Am nächsten Tag ertönte gegen 12 Uhr mittags vor dem Bürgerbräu das Kommando Görings, des obersten SA-Führers von 1923: „Zug der Alten Kämpfer, im Gleichschritt, marsch!". An der Spitze des Schweigemarschs, der sich nun in Bewegung setzte, ging Julius Streicher. Das entsprach nicht der Realität von 1923, honorierte vielmehr den energischen Einsatz, mit dem Streicher damals organisatorische Aufgaben übernommen und die Propaganda in der Münchner Innenstadt geleitet hatte. Es folgten drei Männer mit der „Blutfahne", jener angeblich vom Blut eines Putschisten durchtränkten Hakenkreuzfahne, die seit dem Reichsparteitag der NSDAP von 1926 wie eine Reliquie verehrt wurde. Der *Völkische Beobachter* nannte sie ein „heiliges Tuch, das Hunderten und Tausenden neuer Fahnen und Standar-

[12] Gamm, Der braune Kult, S. 147.

[13] Zitate aus *Völkischer Beobachter* Nr. 314 und 315 (10. und 11.11.1935).

ten die Weihe gegeben hat". An die Reihen der „Alten Kämpfer" – Hitler in der Mitte der vordersten – schlossen sich Gruppen von NS-„Hoheitsträgern" sowie Marschblöcke von Gliederungen der Partei an, deren Zusammensetzung im Laufe der Jahre variierte.

Wie ein Widerpart zur großen Tradition der Münchener Fronleichnamsprozessionen wiederholte der braune Gedenkzug den Weg des 9. November 1923. Er führte vorbei an dunkelrot verkleideten Pylonen, deren jede in goldenen Lettern den Namen eines „Gefallenen der Bewegung" trug. Lautsprecher übertrugen Trommelwirbel und Horst-Wessel-Lied. Wenn Hitler die Höhe einer Pylone erreichte, erscholl mit dumpfer (Lautsprecher-) Stimme der Name des dort verzeichneten „Märtyrers"[14]. Zehntausende säumten den Weg; in München ruhte die Arbeit. Als die Spitze des Zuges die Feldherrnhalle erreichte, schoß die Artillerie des Heeres vom Hofgarten her 16 Salven; symbolisch vergegenwärtigten sie die tödlichen Schüsse von 1923. Dann senkte sich Stille herab, Hitler trat hervor und legte am Mahnmal einen Kranz nieder. „Uns sind Altar die Stufen der Feldherrnhalle", schrieb der *Völkische Beobachter*.

Hier hatte die Feiertagsregie 1933 geendet. 1935 kam eine räumliche und symbolische Ausweitung hinzu. Die 16 Sarkophage mit sich führend, bewegte sich der Zug über die Brienner Straße zu den Ehrentempeln des Königsplatzes, die künftig – als zweiter zentraler Ort des Novemberkults – die Sphäre der „Auferstehung" symbolisierten. Auf dem Weg dorthin erklang das Deutschlandlied, „erst leise und verhalten, dann immer lauter und mächtiger, festlich und freudig". Es folgte das Zeremoniell des „Letzten Appells": Gauleiter Wagner verlas, während die Toten in den Ehrentempeln die „Ewige Wache" bezogen, ihre Namen; stellvertretend antworteten Tausende das „Hier der Wiedererstandenen". Noch einmal erklang das Deutschlandlied. Dann trat Hitler in die Tempel, „um seine toten Kameraden mit dem Kranz der Unsterblichkeit zu schmücken". – All das wurde von einem Programm umrahmt, zu dem die Vereidigung von Hitlerjungen, BDM-Mädchen und SS-Mitgliedern gehörte. Im Hof des früheren Wehrbereichskommandos enthüllte Himmler eine Gedenktafel für die dort Gefallenen. Darauf stand: „Durch Euer Blut lebt Deutschland!". In den folgenden Jahren lief die Feier, die Umbettung durch einen symbolischen Teil des Gedenkzugs ersetzend, nach diesem Muster ab; sie wurde 1943 reduziert und im Bombenkrieg des Jahres 1944 eingestellt.

Die Mythisierung der deutschen Geschichte

Die nationalsozialistische Mythisierung der gesamten deutschen Geschichte und die damit verbundene politische Wirkungsabsicht tre-

[14] Baird, To die for Germany, S. 60.

ten besonders deutlich am Beispiel des Festzugs „Zweitausend Jahre Deutsche Kultur“ hervor. Aus Anlaß der Eröffnung des „Hauses der Deutschen Kunst“ bewegte sich dieser Festzug 1937 in größter Prachtentfaltung durch die Straßen Münchens, konzipiert als Muster für eine alljährliche Wiederholung (bis 1939). Den über 3 000 Meter langen Zug führte eine Spitzengruppe an: Fanfarenbläser und Paukenschläger sowie Reiter in goldener Rüstung, die Hakenkreuzfahnen und „Siegeszeichen der Bewegung“ (wie die Plaketten der vier bisherigen Reichsparteitage) trugen. Es folgten, von historisch kostümierten Gruppen zu Fuß und zu Pferde begleitet, prunkvoll gestaltete Festwagen. Sie stellten verschiedene Kulturepochen von der germanischen bis zur „neuen Zeit“ symbolhaft dar. Im ganzen umfaßte die Komparserie 450 Reiter und 3212 historisch Kostümierte. Die Schlußgruppe demonstrierte (para-)militärische Macht: Hier marschierten Bataillone der Wehrmacht und der SS, dazu Marschblöcke der SA und der politischen Leiter der NSDAP.

Der Verlauf des Festzugs bezog die Architektur der Innenstadt wie eine Kulisse ein. Die 7 km lange Wegstrecke war in ein Meer von Fahnen, Girlanden und farblich abgestimmten Stoffbahnen getaucht. Unter Triumphbögen hindurch und an Tribünen vorbei führte der Zug über Straßen und Stätten, die – wie es im Programmheft hieß – durch „den Opfergang der nationalsozialistischen Kämpfer und Sieger für immer geweiht“ seien[15]. Der Zug führte Modelle der „Monumentalbauten des Führers“ mit sich und berührte die an der Prinzregentenstraße und auf dem Königsplatz bereits realisierten Bauten. An Hitlers mit einem Baldachin überspannter Ehrentribüne zog der Zug in der Nähe der Feldherrnhalle vorbei.

Die Symbolwelt des Festzugs verschmolz den Nationalsozialismus mit Mythen und Heroen der Vergangenheit und verherrlichte ihn als den Vollender der deutschen Geschichte. Szenische Reizmittel warben für rassische Leitbilder (z.B. in Gestalt germanischer Krieger) und für die Bereitschaft zu „Opfer, Glaube und Treue“ (wie eine Kostümgruppe hieß). In der „Die Neue Zeit“ glorifizierenden Hauptgruppe verdichteten sich die unmittelbar politischen Bezüge. So feierten einzelne szenische Bilder außenpolitische Erfolge wie die „Heimkehr der Saar“ (in den folgenden Jahren auch die Eingliederung Österreichs und des Sudetenlands). Ein für zehn Pfennige verteiltes Programmheft gab den zum Zuschauen mobilisierten Massen außerdem Interpretationshilfen. Das Vorwort hob hervor, daß sich im Festzug die Einheit des Volkes als „Bluts- und Kulturgemeinschaft“ zeige. Der Vorspann zu „Die Neue Zeit“ benannte die Kehrseite mit aller Deutlichkeit: „Ausgebürgert aus allen Rechten wurden die artfremden Nutzer und die sturen Verneiner des Neuen“.

[15] Schuster, „Kunststadt" München, S.88.

„Erlösung" und Gewalt

Führermythos und Führerkult sind keine unschuldigen Formen politischer Kultur. Wer den so auffälligen Hang des Nationalsozialismus zur mythischen Überhöhung und ästhetischen Inszenierung des politischen Lebens ins Auge faßt, kann die Kehrseiten nicht übersehen. Hierzu gehört die Entfesselung der Gewalt und der Terrorapparate. Die Führerherrschaft maßte sich an, zwischen gegensätzlichen Ideen, Werten und Interessen endgültig – und das hieß in der Konsequenz auch mörderisch – zu entscheiden. Sie sprengte alle rechtsstaatlichen Grenzen und Kontrollen und legte gerade deshalb gesteigerten Wert darauf, mit einer Art höherer Legitimation in Erscheinung zu treten: Die mythische Beschwörung der „nationalen Erlösung" und des politischen „Heilbringers" stellte der Gewaltentfesselung gleichsam eine Gewaltabsolution zur Seite. Ganz allgemein gilt außerdem, daß der mit ästhetischen Mitteln bewirkte „schöne Schein des Dritten Reiches" dessen häßliche Seiten überdecken half.

Mit der gewaltsamen Unterdrückung von Gegensätzen hängt eine weitere Grundtatsache zusammen. Führermythos und Führerkult wirkten wie Hebel, mit denen sich jene institutionellen Ordnungen und kulturellen Werte zertrümmern ließen, die für demokratische Gesellschaften unentbehrlich sind. In Gesellschaften mit frei konkurrierenden Kräften bilden sich Legitimität und Konsens weitgehend über Institutionen und Verfahren, die Konflikte legitimieren, indem sie die Formen ihrer friedlichen Austragung regeln; und diese Regelungen wurzeln letztlich in kulturellen Wertbezügen, vor allem der Idee der Menschen- und Bürgerrechte. Das NS-Regime hat eben diese beiden Prinzipien zerstört: Die politische Ordnung sah keinerlei Institutionen und Verfahren vor, mit denen Gegensätze friedlich ausgetragen werden konnten, und die völkisch-biologistisch aufgeladene Rassenideologie unterlief die Idee der allgemeinen Menschenrechte. „Ausgebürgert aus allen Rechten wurden die artfremden Nutzer und die sturen Verneiner des Neuen", so pries der Festzug „Zweitausend Jahre Deutsche Kultur" im Jahre 1937 die Folgen dieses Wegbrechens institutioneller Sicherungen und des Glaubens an das Charisma des „Führers". In die geschichtliche Erfahrung des 20. Jahrhunderts haben sich weitere Folgen eingebrannt: Angriffskrieg, Völkermord und der Zusammenbruch der Zivilisation im nationalsozialistischen Herrschaftsbereich.

Der „Führer" (C 1)

Hitler war die zentrale Gestalt des Nationalsozialismus. Ohne ihn ist die nationalsozialistische Diktatur in ihrer historischen Form undenkbar. Nicht die NSDAP, sondern Hitler war es, der die Menschen mobilisierte und ihr Denken beherrschte. Aber es war der nationalsozialistische Partei- und Staatsapparat, der die Begeisterung vieler Menschen für Hitler mit allen Mitteln der modernen Propaganda- und Stimmungstechnik zu kulthafter Verehrung steigerte. Die Propaganda zeichnete Hitler als messianische Gestalt, als Heilsbringer, gleichsam als überirdische Erscheinung. Sie zeigte ihn aber auch in einer irdischen Rolle: als Menschen wie Du und ich, als Mann aus dem Volk.

Durch diese gleichzeitige Zuschreibung unvereinbarer Eigenschaften wurde der Hitler-Mythos begründet – das Trugbild eines Supermannes, der jeder Aufgabe gewachsen und in allem der Größte war: der größte Deutsche aller Zeiten, der größte Staatsmann aller Zeiten, der größte Feldherr aller Zeiten, der erste Künstler und Bauherr der Nation ... Der den Mythos zelebrierende Kult um Hitler erfüllte die ganze politische Sphäre. Deshalb konnte sich kaum jemand der Droge des „Hitler-Mythos“ auf die Dauer ganz entziehen.

ADOLF HITLER

20. April 1889 – 30. April 1945
Kunstmaler, Berufspolitiker

- 1919 Eintritt in die Deutsche Arbeiterpartei
- 1921 Wahl zum Vorsitzenden der NSDAP
- 1923 gescheiterter Putsch gegen die Reichsregierung
- 1924 Festungshaft in Landsberg/Lech
- 1924 Aufgabe der österreichischen Staatsbürgerschaft, staatenlos
- 1925 Neugründung der NSDAP
- 1925 „Mein Kampf", Band 1
- 1927 „Mein Kampf", Band 2
- 1932 deutscher Staatsbürger
- 1933 Reichskanzler
- 1934 „Führer und Reichskanzler“
- 1938 Oberster Befehlshaber der Wehrmacht
- 1941 Oberbefehlshaber des Heeres
- 1945 Selbstmord

▲ Adolf Hitler. ~ Bundesarchiv, Koblenz (76)

Zentrale Gestalt des Nationalsozialismus, ohne die die nationalsozialistische Diktatur in ihrer historischen Form undenkbar ist. Hitler „teilte und herrschte“ – entschied nicht alles und sogar vieles nicht, konnte aber alles entscheiden, was er entscheiden wollte. Interessierte sich primär für die Außen- und „Rassen"-Politik und die Kriegführung. Hauptverantwortlicher für die Massenverbrechen, für Eroberungs-, Vernichtungskrieg und Völkermord. Starb am 30. April 1945 im Bunker der Reichskanzlei gemeinsam mit Eva Braun durch Selbstmord.

◄ Rundfunkgerät „VE 301 W" („Volksempfänger", Gehäuse Bakelit; textiles Material; Marke Nora; ca. 1933/34; 39 x 28 x 16 cm). ~ Leihgabe Freistaat Bayern. – Der Volksempfänger wurde nach standardisierten Vorgaben von 28 deutschen Radioherstellern gefertigt. Das hier gezeigte Gerät stammt von der in jüdischem Besitz befindlichen Firma Aron – der Markenname NORA ist ein Anagramm des Firmennamens. Die Firma Aron, viertgrößter deutscher Radiohersteller, ging 1933/34 im Siemens-Konzern auf. (77)

Der Volksempfänger

Der Volksempfänger brachte das Wort des „Führers" ins Haus. Alle wichtigen Reden Hitlers wurden übertragen; in Betrieben war Gemeinschaftsempfang üblich. Der Rundfunk war ein neues Massenmedium, dessen sich die Nationalsozialisten virtuos bedienten, um Einstellung und Stimmung der Bevölkerung zu steuern. Regelmäßige Radiosendungen gab es in Deutschland seit 1923. Ein Radio war jedoch ein Luxusgut, das sich nur wenige leisten konnten. Sofort nach der Machtergreifung gaben die Nationalsozialisten die Entwicklung eines für jedermann erschwinglichen Radiogeräts in Auftrag. Der Modelltyp VE 301 verweist auf den 30. 1. 1933, den Tag der „Machtergreifung" Hitlers.

◄◄Propaganda für den Volksempfänger: Plakat zur Rundfunkausstellung 1936 in Berlin. ~ Bundesarchiv, Koblenz (78)

◄ Plakat, vermutlich zur Volksabstimmung vom 19. August 1934 (nach dem Tod Hindenburgs) über die Zusammenlegung des Reichspräsidenten- und des Reichskanzler-Amts in der Person des „Führers und Reichskanzlers" Adolf Hitler. ~ Stadtmuseum München (79)

Akteure des Regimes (C 2)

▲ Heinrich Himmler. ~ Bayerische Staatsbibliothek/Fotoarchiv Hoffmann, München (80)

HEINRICH HIMMLER

7. Oktober 1900 – 23. Mai 1945

- Diplomlandwirt
- 1929 Reichsführer SS in der NSDAP
- 1933 Kommandeur der Bayerischen Politischen Polizei
- 1934 Inspekteur der preußischen Geheimen Staatspolizei und Politischer Polizeikommandeur der Länder
- 1936 Chef der Deutschen Polizei
- 1939 Reichskommissar für die Festigung des deutschen Volkstums
- 1943 Reichsminister des Innern
- 1944 Befehlshaber des Ersatzheeres
- 1945 Parteiausschluß und Entlassung aus allen Ämtern durch Hitler
- 1945 Selbstmord

Nach Hitler der Hauptverantwortliche für die nationalsozialistischen Gewaltverbrechen, für Vernichtungskrieg und Völkermord. Vereinte die Fähigkeit zu Verbrechen größten Stils mit organisatorischer Begabung und Verschrobenheit. Übernahm zahlreiche Ämter und Funktionen. Vergiftete sich im Mai 1945 in einem britischen Gefangenenlager.

▲ Joseph Goebbels. ~ Bayerische Staatsbibliothek/Fotoarchiv Hoffmann, München (81)

JOSEPH GOEBBELS

29. Oktober 1897 – 1. Mai 1945

- Germanist, Publizist, Dr. phil.
- 1926 Gauleiter der NSDAP in Berlin
- 1930 Reichspropagandaleiter der NSDAP
- 1933 Reichsminister für Volksaufklärung und Propaganda
- 1933 Präsident der Reichskulturkammer
- 1944 Reichsbevollmächtigter für den totalen Kriegseinsatz
- 1945 Selbstmord

Intellektueller Nationalsozialist, der Hitler bis zuletzt gläubig ergeben war. Glänzender Redner und Propagandatechniker. Verstand es mit rhetorisch-demagogischem Talent, agitatorischen Einfällen und suggestiven Inszenierungen, die Massen zu lenken und war einer der wirksamsten Förderer des Führerkults. Organisierte den Boykott jüdischer Geschäfte am 1. April 1933 und den Judenpogrom vom 9. November 1938 („Reichskristallnacht"). Ließ nach dem Freitod Hitlers seine sechs Kinder vergiften und beging dann mit seiner Frau Magda Selbstmord.

HERMANN GÖRING

12. Januar 1893 – 15. Oktober 1946

- Berufsoffizier
- Reichsmarschall
- 1923 Oberster SA-Führer
- 1932 Reichstagspräsident
- 1933 Preußischer Ministerpräsident
- 1933 Reichsminister der Luftfahrt
- 1934 Reichsforst-, Reichsjägermeister
- 1935 Oberbefehlshaber der Luftwaffe
- 1936 Beauftragter für die Durchführung des Vierjahresplans
- 1938 Beauftragter zur Regelung der „Judenfrage"
- 1945 Parteiausschluß und Entlassung aus allen Ämtern durch Hitler
- 1946 Selbstmord

Gesellschaftlich einflußreicher Vertreter der technik- und industrieorientierten Richtung im Nationalsozialismus. War ab 1936 unumschränkter Herr über die deutsche Wirtschaft, geriet aber im Krieg in den Schatten von Rüstungsminister Speer und verlor als Oberbefehlshaber der Luftwaffe zunehmend an Einfluß. Vereinigte zahllose Ämter auf sich. War an der Organisation fast aller NS-Gewaltverbrechen beteiligt. Wurde im Nürnberger Prozeß gegen die Hauptkriegsverbrecher zum Tode verurteilt. Kam der Hinrichtung mit dem Strang durch Selbstmord mit Gift zuvor.

▲ Hermann Göring. ~ Bayerische Staatsbibliothek/Fotoarchiv Hoffmann, München (82)

MARTIN BORMANN

17. Juni 1900 – 1./2. Mai 1945

- Gutsverwalter
- Leiter der SA-Versicherung, später Hilfskasse der NSDAP
- 1933 Verwalter des Führer-Vermögens
- 1933 Stabsleiter des „Stellvertreters des Führers" Rudolf Heß
- 1941 Leiter der Partei-Kanzlei der NSDAP
- 1943 „Sekretär des Führers"
- 1945 Tod in Berlin

Serviler, Hitler bis zuletzt treu ergebener Parteifunktionär ohne eigenes politisches Profil, aber mit Karriereehrgeiz und großer Durchsetzungskraft. Immens fleißiger Organisator und Verwalter mit nie versagendem Gedächtnis, Hitlers „lebender Aktenschrank". Regelte im Krieg den Zugang zu Hitler und wurde dadurch de facto zu einem der mächtigsten Männer des Dritten Reichs. Versuchte nach Hitlers Selbstmord den Ausbruch aus Berlin und kam dabei um. Wurde im Nürnberger Prozeß gegen die Hauptkriegsverbrecher in Abwesenheit zum Tod verurteilt.

▲ Martin Bormann. ~ Bayerische Staatsbibliothek/Fotoarchiv Hoffmann, München (83)

▲ Robert Ley. ~ Bayerische Staatsbibliothek/Fotoarchiv Hoffmann, München (84)

ROBERT LEY

15. Februar 1890 – 25. Oktober 1945

- Chemiker, Dr.
- 1925 Gauleiter der NSDAP Rheinland-Süd
- 1932 Reichsorganisationsleiter der NSDAP
- 1933 Leiter der Deutschen Arbeitsfront (DAF)
- 1940 Reichskommissar für den sozialen Wohnungsbau
- 1942 Reichswohnungskommissar
- 1945 Selbstmord

Sorgte durch die von ihm geleitete DAF für die Integration der Arbeiterschaft in den NS-Staat, für Arbeitsdisziplin und „sozialen Frieden“ in den Betrieben. Tat sich im Krieg, auch um seine schwächer werdende Position zu halten, durch brutale antisemitische Hetze hervor. Wurde in Nürnberg als Hauptkriegsverbrecher angeklagt. Erhängte sich vor Prozeßbeginn in seiner Zelle.

▲ Baldur von Schirach. ~ Bundesarchiv, Koblenz (85)

BALDUR VON SCHIRACH

9. Mai 1907 – 8. August 1974

- Studium der Kunstgeschichte und Germanistik
- 1931 Reichsjugendführer der NSDAP
- 1933 Jugendführer des Deutschen Reichs
- 1940 Gauleiter und Reichsstatthalter in Wien
- 1946 Verurteilung

Sah seine Aufgabe darin, die deutsche Jugend zum bedingungslosen Gehorsam gegenüber Hitler zu erziehen. Organisierte die Deportation der Wiener Juden. Wurde im Nürnberger Prozeß gegen die Hauptkriegsverbrecher zu 20 Jahren Haft verurteilt.

REINHARD HEYDRICH

▲ Reinhard Heydrich. ~ Bayerische Staatsbibliothek/Fotoarchiv Hoffmann, München (86)

7. März 1904 – 4. Juni 1942

- Oberleutnant zur See
- SS-Obergruppenführer
- 1932 Chef des Sicherheitsdienstes des Reichsführers SS (SD)
- 1934 Leiter des preußischen Geheimen Staatspolizeiamts (Gestapa)
- 1936 Chef der Sicherheitspolizei (Gestapo, Kripo) und des SD
- 1939 Leiter des Reichssicherheitshauptamts
- 1941 Stellvertretender Reichsprotektor in Böhmen und Mähren
- 1942 Tod nach Attentat

Leiter des nationalsozialistischen Überwachungs- und Verfolgungsapparats. Zentraler Planer der Menschenvernichtung, insbesondere der „Endlösung der Judenfrage". Erlag den Folgen eines Attentats tschechischer Widerstandskämpfer in Prag.

JOACHIM VON RIBBENTROP

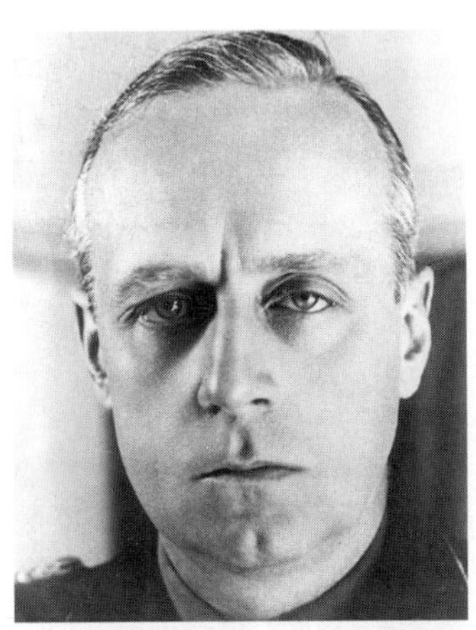

▲ Joachim von Ribbentrop. ~ Bayerische Staatsbibliothek/Fotoarchiv Hoffmann, München (87)

30. April 1893 – 16. Oktober 1946

- Spirituosenhändler
- Oberleutnant
- SS-Obergruppenführer
- 1934 Abrüstungsbeauftragter des Deutschen Reichs
- 1935 Beauftragter für außenpolitische Fragen (Dienststelle Ribbentrop)
- 1936 deutscher Botschafter in London
- 1938 Reichsaußenminister
- 1946 Hinrichtung

Gehilfe Hitlers in der Außenpolitik mit geringem Einfluß. Stellte den diplomatischen Apparat des Auswärtigen Amtes in den Dienst der Deportation von Juden. Wurde im Nürnberger Prozeß gegen die Hauptkriegsverbrecher 1946 zum Tode verurteilt.

RUDOLF HESS

26. April 1894 – 17. August 1987

- Studium der Volkswirtschaft und Geopolitik
- 1924 wegen Teilnahme am „Hitler-Putsch“ Festungshaft in Landsberg/Lech
- 1925 Privatsekretär Hitlers
- 1932 Vorsitzender der Politischen Zentralkommission der NSDAP
- 1933 „Stellvertreter des Führers“
- 1933 Reichsminister ohne Geschäftsbereich
- 1941 Flug nach Schottland
- 1946 Verurteilung

▲ Rudolf Heß. ~ Bayerische Staatsbibliothek/Fotoarchiv Hoffmann, München (88)

Hatte maßgeblichen Anteil an der Durchsetzung des Führerprinzips in der NSDAP und an der Schaffung des Führerkults. Drängte Hitler 1934 zur gewaltsamen Entmachtung der SA („Röhm-Putsch“). Flog 1941 im Vorfeld des Angriffs auf die Sowjetunion wahrscheinlich aus eigener Initiative nach Schottland – wohl um Friedensverhandlungen mit Großbritannien anzubahnen. Bis Kriegsende in britischer Gefangenschaft. Wurde im Nürnberger Prozeß gegen die Hauptkriegsverbrecher zu lebenslänglicher Haft verurteilt, starb 1987 durch Selbstmord.

ALBERT SPEER

19. März 1905 – 1. September 1981

- Architekt, Prof.
- 1937 Generalinspekteur für die Reichshauptstadt
- 1942 Leiter des Hauptamts Technik der NSDAP
- 1942 Generalinspekteur für das Straßenwesen
- 1942 Generalinspekteur für Wasser und Energie
- 1942 Reichsminister für Bewaffung und Munition
- 1943 Reichsminister für Rüstung und Kriegsproduktion
- 1946 Verurteilung

▲ Albert Speer. ~ Bayerische Staatsbibliothek/Fotoarchiv Hoffmann, München (89)

Stararchitekt Hitlers, NS-Technokrat mit monopolistischen Befugnissen. Stellte die Rüstungsindustrie mit großem Erfolg auf die totale Kriegsproduktion um und setzte dabei bedenkenlos KZ-Häftlinge und Zwangsarbeiter ein. Wurde im Nürnberger Prozeß gegen die Hauptkriegsverbrecher zu 20 Jahren Haft verurteilt.

▲ Wilhelm Frick. ~ Bayerische Staatsbibliothek/Fotoarchiv Hoffmann, München (90)

WILHELM FRICK

12. März 1877 – 16. Oktober 1946

- Jurist und Verwaltungsbeamter, Dr. jur.
- 1928 Fraktionsvorsitzender der NSDAP im Reichstag
- 1932 Innen- und Volksbildungsminister in Thüringen
- 1933 Reichsminister des Innern
- 1943 Reichsprotektor in Böhmen und Mähren
- 1946 Hinrichtung

War als Reichsinnenminister maßgeblich an der Rassengesetzgebung und der Umformung des Rechtsstaats in ein Instrument der Führerexekutive beteiligt. Wurde im Nürnberger Prozeß gegen die Hauptkriegsverbrecher zum Tode verurteilt.

▲ Wilhelm Keitel. ~ Bayerische Staatsbibliothek/Fotoarchiv Hoffmann, München (91)

WILHELM KEITEL

22. September 1882 – 16. Oktober 1946

- Berufsoffizier
- Generalfeldmarschall
- 1935 Chef des Wehrmachtsamts im Reichskriegsministerium
- 1938 Chef des Oberkommandos der Wehrmacht (OKW)
- 1946 Hinrichtung

Serviler, Hitler blind ergebener Militär. Prägte für Hitler den Ausdruck „größter Feldherr aller Zeiten" („Gröfaz"), wurde im Offizierskorps spöttisch „Lakaitel" genannt. War maßgeblich für die Beteiligung der Wehrmacht an NS-Gewalt- und Kriegsverbrechen verantwortlich. Trug zu den strategischen und taktischen Fehlern Hitlers bei. Wurde im Nürnberger Prozeß gegen die Hauptkriegsverbrecher zum Tode verurteilt.

Volker Dahm

Die nationalsozialistische Volksgemeinschaft und ihre Organisationen

Die Volksgemeinschaftsideologie bildete ein Kernstück der nationalsozialistischen Weltanschauung. Sie war ein zentraler Mythos des Dritten Reichs und neben dem Hitler-Mythos das wirkungsvollste Mittel nationalsozialistischer Propaganda- und Integrationstechnik. Nicht ohne Grund vertrauten die Nationalsozialisten auf die Verführungskraft der Idee, konnten sie damit doch an aktuelle Stimmungen und emotionale Bedürfnisse anknüpfen, die in der deutschen Bevölkerung in den letzten Jahren der Weimarer Republik weit verbreitet waren. In den Materialschlachten des Ersten Weltkriegs waren Menschen unterschiedlichsten Standes zu Gemeinschaften zusammengerückt, die als wahre Volksgemeinschaft empfunden wurden. Das Erlebnis der Frontgemeinschaft wirkte in Gemeinschaftsmythen und Gemeinschaftsbildungen fort, die in der Weimarer Gesellschaft vielfach virulent waren – im politischen Spektrum von rechts bis links, in Freikorps und völkischen Gruppen, bei Lebensreformern, in der Jugendbewegung, der Arbeiterjugend. Einer Gesellschaft, die des parlamentarischen und publizistischen Streits überdrüssig war, unter den Phänomenen der Modernisierung litt und aufgrund der wirtschaftlichen und politischen Lage scheinbar keine Perspektive hatte, schien sich in einer Volksgemeinschaft, die in allem das Gegenteil der bestehenden Gesellschaft sein würde, eine verlockende gesellschaftspolitische Alternative zu bieten. Die Nationalsozialisten verstanden es, unter unablässiger Beschwörung des Fronterlebnisses (das als Produkt einer existentiellen Extremsituation zur Lösung der Probleme einer Friedensgesellschaft untauglich war), diese Bedürfnisse für sich zu nutzen. Tatsächlich sind in den letzten Jahren der Republik die Menschen in großer Zahl, darunter sehr viele junge, der Volksgemeinschaftspropaganda des Nationalsozialismus erlegen, obwohl dieser eine ganz andere Gemeinschaftsidee hatte als zum Beispiel Wandervögel und Lebensreformer.

Die „Bluts- und Schicksalsgemeinschaft"

Was der Nationalsozialismus unter Volksgemeinschaft verstand, hat keiner anschaulicher zum Ausdruck gebracht als Adolf Hitler selbst: „Über Klassen und Stände, Berufe und Konfessionen und alle übrige Wirrnis des Lebens hinweg erhebt sich die soziale Einheit der deutschen Menschen ohne Ansehen des Standes und der Herkunft, im Blute fundiert, durch ein tausendjähriges Leben zusammengefügt, durch das Schicksal auf Gedeih und Verderb verbunden."[1] Hitler hat dieses Kernstück seiner Weltanschauung in seinen Reden und Schriften mit gewissen Variationen immer wieder zur Sprache gebracht. In seinem autodidaktisch erworbenen Geschichtsbild war die Geschichte des deutschen Volkes ein unaufhörlicher, mühseliger, immer wieder gestörter Prozeß der „Volkwerdung". In germanischer Zeit in Stämme und Sippen gespalten, sei das Volk vorübergehend durch Hermann den Cherusker gesammelt worden, um dann wieder auseinanderzufallen. Der Staats- und Volkskörper, den Karl der Große geschaffen habe, sei zuerst durch Dynastien und dann zusätzlich durch die Konfessionen gespalten worden. Mit der Gründung des preußischen Staates habe ein neuer Einigungsprozeß eingesetzt, der 1871 zum Deutschen Reich geführt habe. Dieses aber sei 1918 zugrunde gegangen, weil an die Stelle der Stämme, Sippen, Dynastien und Konfessionen die Parteien und Klassenorganisationen getreten seien. In der durch Ausdifferenzierung unterschiedlicher Wertvorstellungen und sozialer Interessen entstandenen modernen, pluralistischen Gesellschaft sah er eine tödliche Gefahr für das deutsche Volk, aus der nur der gewaltsame Kampf um die Volkseinheit führen könne. Und nur der Nationalsozialismus sei bereit und fähig, diesen Kampf zu führen.

Diese Art der Betrachtung setzte die Annahme einer alle deutschen Menschen verbindenden Gemeinsamkeit voraus: gemeinsames Erbgut oder – wie man damals sagte – „gemeinsames Blut". Das deutsche Volk war in Hitlers Augen keine Gesellschaft von Individuen, die aufgrund historischer Entwicklungen Nation und Staat bildeten, sondern ein durch biologische Faktoren gebildeter Personenverband – eine „Blutsgemeinschaft". Zwar wußten auch die Nationalsozialisten um die Irrungen und Wirrungen der Geschichte und die damit verbundenen ethnischen Assimilationsprozesse, jedoch waren sie fest davon überzeugt, daß der „Erbstrom des Volkes" stark genug gewesen sei, um wenigstens einen einheitlichen „Rassekern" zu erhalten. Dieser „Rassekern" sollte durch „Rassenhygiene" und andere „erbbiologische" Maßnahmen geschützt und durch „Aufartung" oder „Aufnordung" gestärkt und veredelt werden. Die „Blutsgemeinschaft" der Deutschen war – das liegt in der Logik dieses Denkens – kein Verband, dem man freiwillig angehörte und aus dem man austreten konnte, sie war eine Schicksalsgemeinschaft, weil man durch ein uner-

1 Rede am Heldengedenktag 1940, Domarus, Hitler, Bd. 3, S. 1497.

gründliches Schicksal in sie hineingeboren war. Man konnte nur mit ihr gedeihen oder mit ihr verderben. Sie war gemäß dieser Logik nicht mit dem deutschen Staatsvolk identisch, sondern umfaßte auch Volks- und Auslandsdeutsche, die in geschlossenen Siedlungsgebieten oder verstreut in aller Welt lebten.

„Blut" und „Rasse"

Vordergründig betrachtet, unterschieden sich solche Auffassungen wenig von den Überzeugungen anderer völkischer Gruppierungen. Tatsächlich aber haben die Nationalsozialisten das völkische Denken um mehrere Dimensionen erweitert und es dadurch politisch so gefährlich gemacht. Zum einen war der nationalsozialistische Volksgedanke „unitaristisch“: Er zielte auf eine vollkommene Geschlossenheit des Volkes, während die bürgerlich-völkischen Gruppierungen vielfach in einem regionalistischen „Stammesdenken“ befangen blieben, sich durch Abgrenzung von Volksgruppen definierten und an Nation und „Rasse“ oft nur zweitrangig oder gar nicht interessiert waren. Der Nationalsozialismus dagegen – das ist das zweite Merkmal – verband das völkische Denken mit dem von den biologischen Naturwissenschaften inspirierten „Rassendenken“. Danach war die deutsche „Blutsgemeinschaft“ Teil einer Rasse, die mit einem aus den Sprachwissenschaften entlehnten Begriff als „arische“ oder auch als „nordische“ oder „nordisch-germanische“ Rasse bezeichnet wurde. Hinzu kam, drittens, daß der Nationalsozialismus die – in menschlicher Sicht – brutalen Gesetze der nichtmenschlichen Natur auf die menschliche Gesellschaft übertrug. Man behauptete, daß der Mensch nicht nur in den natürlichen Kreislauf des Lebens und Sterbens eingebunden, sondern auch einem unablässigen Überlebenskampf unterworfen sei, in dem das „Starke“ das „Schwache“ und das „Gesunde“ das „Kranke“ bekämpfe. „Auslese“ und „Ausmerzung“ seien auch Bedingung menschlichen Daseins („Sozialdarwinismus“). Der Kampf als Grundprinzip der menschlichen Existenz fand nach dieser Auffassung sowohl innerhalb der Völker und Rassen wie auch und vor allem zwischen ihnen statt. Die schwachen Völker verschwänden von der Erde, die starken setzten sich durch und seien deshalb auch bevorrechtigt, ihre Interessen auf Kosten der anderen wahrzunehmen. Die höchstwertige Rasse sei die „arische“, innerhalb derer wiederum die Deutschen das höchstwertige und deshalb zur Führung berechtigte Volk darstellten. Diese Auffassung der menschlichen Gesellschaft negierte alle humanistischen Werte der christlich-abendländischen Zivilisation, die von den Nationalsozialisten ausdrücklich als naturwidrige „Entartungs“-Phänomene diffamiert wurden.

Volksgemeinschaft, wie sie die Nationalsozialisten verstanden, war in keiner Weise romantisch, sondern rassistisch. Nach der „Machtergreifung" hatte sie sowohl „rassenpolitische" wie auch sehr erhebliche gesellschaftspolitische Konsequenzen.

Ausschaltung der politischen Parteien

Hitler war sich darüber im klaren, daß keine der Spaltungen des deutschen Volkes, die er im historischen Rückblick zu erkennen glaubte, wirklich überwunden war. Doch sah er das Grundübel der modernen „Zerreißung" von Volk und Nation in der Tätigkeit der politischen Parteien, der Gewerkschaften und der gewerkschaftsähnlichen Interessenverbände. Da sie seinem Machtstreben ohnehin im Wege standen, hatte ihre Beseitigung absolute Priorität.

Unmittelbar nach dem Reichstagsbrand setzte die Verfolgung der KPD ein. Gestützt auf die sogenannte Reichstagsbrandverordnung (28. Februar 1933) wurden kommunistische Funktionäre und Abgeordnete in großer Zahl verhaftet, die Parteibüros und Parteizeitungen geschlossen, das Parteivermögen beschlagnahmt. Zahlreiche Kommunisten gingen ins Exil oder in den Untergrund. Ein formelles Verbot erübrigte sich. Dagegen wurde die SPD, die zunächst glimpflicher davonkam, am 22. Juni 1933 verboten. Die bürgerlichen Parteien, die durch hohe Verluste bei der Wahl vom 5. März 1933 in die Defensive gerieten und sich dann durch ihre Zustimmung zum Ermächtigungsgesetz vom 23. März 1933 selbst überflüssig machten, lösten sich nach und nach von selbst auf, zumal ihre Mitglieder scharenweise zur NSDAP überliefen. Schon im Sommer 1933 gab es nur noch die NSDAP, die den Anspruch erhob, das ganze Volk zu vertreten. Durch das „Gesetz gegen die Neubildung von Parteien" vom 14. Juli 1933 wurde das Deutsche Reich auch formell zum Einparteien-Staat. Zur Reichstagswahl am 12. November 1933, also weniger als ein Jahr nach Bildung des Kabinetts Hitler, trat nur noch die NSDAP an.

Die NSDAP

In der Weimarer Zeit hatte die NSDAP im Grunde nur eine Aufgabe gehabt: die Republik zu bekämpfen und für Hitler die Macht zu erobern. Nachdem dies gelungen war, wurden alle wichtigen Funktionen im Staat mit Nationalsozialisten besetzt. Damit stellte sich das Problem des Dualismus von Staat und Partei, wie er für alle totalitären Systeme typisch ist. Obwohl dies in der Selbstdarstellung des Regimes ganz anders klang, wurde dieser Dualismus – die weitgehend der Partei überlassenen Bereiche der inneren Sicherheit und der Jugendpolitik ausgenommen – zugunsten des Staates und gegen die Partei entschieden: klar erkenntlich und definitiv durch die physische „Liquidierung" der SA-Führung im Juni 1934. In der Praxis bildete sich folgende Aufgabenverteilung heraus: Aufgabe der Staates war die Verwaltung, Aufgabe der Partei die „Menschenführung". „Menschenführung" bedeutete: Propagierung der nationalsozialistischen Ideologie, politische Überwachung und Indoktrinierung der Bevölkerung auf lokaler Ebene, propagandistische Bekämpfung von „Volksfeinden", Betreuung der Bevölkerung in ihren Wohngebieten in der Funktion eines „Kummerkastens" der Nation, Durchsetzung der Entscheidungen der Staatsführung an der Basis. Eine mit immensem Verwaltungsaufwand verbundene Einzelaufgabe war die Abgabe von „Politischen Beurteilungen" über „Volksgenossen"; die Ausstellung erfolgte in der Regel durch die Ortsgruppe, wo politische Einstellung und Lebenswandel der Betroffenen bekannt waren oder leicht durch Befragen der Nachbarn in Erfahrung gebracht werden konnten. Die Attestierung der „politischen Zuverlässigkeit" durch die Partei war Voraussetzung für alle öffentlichen Tätigkeiten, zum Teil auch für zivile Berufe und für viele staatliche Leistungen.

Erst nach 1933 kam es zur vollen Ausbildung der inneren Organisation der Partei. Grundlegendes Organisationsprinzip war das Führerprinzip. An der Spitze stand der „Führer", der sich ab 1934 mit Rudolf Heß einen nur für Parteiangelegenheiten zuständigen Stellvertreter zur Seite stellte. Neben dem *Stellvertreter des Führers*, so die Behördenbezeichnung (ab 1941 *Partei-Kanzlei der NSDAP*), gab es eine Reihe von Reichsleitungsämtern. Diese Reichsleitung darf man sich nicht als eine Art Parteiregierung vorstellen. Denn zum einen sind diese Ämter nicht nach dem Prinzip einer sachgemäßen, systematischen Ressortverteilung entstanden, sondern aufgrund aktueller Notwendigkeiten oder persönlicher Ambitionen, zum anderen waren die „Reichsleiter" in aller Regel machtpolitisch ungleich stark und im ganzen viel schwächer als die Hitler direkt unterstellten Gauleiter. Die Gaue bildeten die obersten räumlichen, Hoheitsgebiete genannten Gliederungen der Partei – bei stärkerer territorialer Differenzierung im Behördenaufbau den Ländern entsprechend. Ein Gau setzte sich aus mehreren Kreisen zusammen, die in etwa den Land- und Stadtkreisen entsprachen, darunter standen die „Ortsgruppen", die je nach Größe in „Zellen" geteilt sein konnten; kleinstes „Hoheitsgebiet" war immer der „Block", der 40–60 Haushalte umfaßte, unterster „Hoheitsträger" der Blockleiter. Die nicht mit der Struktur der Reichsleitungsämter übereinstimmende fachliche Organisation war bis hinunter zur Ortsgruppe voll ausgebildet.

Neben dieser politischen Organisation, deren „Amtsträger" die Bezeichnung „Politische Leiter" führten, existierten die der Partei angeschlossenen bzw. von ihr „betreuten" – d. h. ohne institutionelle

Anbindung gesteuerten – Verbände: die *Deutsche Arbeitsfront* (DAF) die *Nationalsozialistische Volkswohlfahrt* (NSV), die *Nationalsozialistische Kriegsopferversorgung* (NSKOV), der *Reichsbund der Deutschen Beamten* (RDB), der *Nationalsozialistische Deutsche Ärztebund* (NSDÄB), der *NS-Lehrerbund* (NSLB), der *Nationalsozialistische Bund Deutscher Technik* (NSBDT), die *NS-Frauenschaft* (NSF), der *NS-Rechtswahrerbund* (NSRB), der *NS-Reichsbund für Leibesübungen* (NSRL, betreuter Verband, ab 1938) der *NS-Altherrenbund* (betreuter Verband, ab 1940), der *NS-Reichskriegerbund* (vormals *Kyffhäuserbund*, betreuter Verband, ab 1938) und der *Reichsbund der Kinderreichen* (RdK, betreuter Verband) bzw. später *Reichsbund Deutsche Familie* (RDF, betreuter Verband). Die angeschlossenen Verbände wurden durch Reichsleitungsämter geführt und waren auf der Gau-, Kreis- und Ortsgruppenebene durch eigene Dienststellen in die Parteiorganisation eingebunden. Der *Nationalsozialistische Deutsche Studentenbund* (NSDStB) und der *Nationalsozialistische Deutsche Dozentenbund* (NSDDB) waren ursprünglich angeschlossene Verbände und wurden später zu Gliederungen erhoben, blieben aber organisatorisch Teil der Politischen Organisation. Hingegen standen fünf Gliederungen, die Hitler direkt unterstellt waren, mit eigener, von den Hoheitsgebieten der Partei abweichender Gebietsgliederung außerhalb der Parteiorganisation: Die *Sturmabteilung der NSDAP* (SA), die *Schutzstaffel(n) der NSDAP* (SS), die *Hitler-Jugend* (HJ), das *Nationalsozialistische Kraftfahr-Korps* (NSKK) und das *NS-Fliegerkorps* (NSFK).

Voraussetzung für die Aufnahme in die NSDAP war neben verbürgter nationalsozialistischer Gesinnung und einwandfreiem Lebenswandel (eine vielfach durchbrochene Norm) der Nachweis der „arischen" Abstammung bis zurück zu den im Jahre 1800 lebenden Vorfahren („Großer Abstammungsnachweis"). Bei den Gliederungen galten zum Teil noch schärfere Bestimmungen, während es bei den angeschlossenen Verbänden reichte, wenn die Großelterngeneration „arisch" war. Die Mitgliedschaft war freiwillig, aber vielfach nicht zu umgehen, wenn man Karriere machen wollte. Infolge der Massenbeitritte nach der „Machtergreifung" war ein ordnungsgemäßes Aufnahmeverfahren nicht mehr durchführbar. Um Opportunisten (Spottname „Märzgefallene") von der Partei fernzuhalten, verhängte der für die Mitgliederverwaltung zuständige Reichsschatzmeister am 1. Mai 1933 eine strikte Aufnahmesperre, die erst 1937 teilweise gelockert wurde. Allein daraus erhellt, daß die Parteiführung nicht daran interessiert war, so viele „Volksgenossen" wie möglich in der Partei zu sammeln. Die NSDAP sollte eine „Auslese des Volkes" bilden, nur die weltanschaulich und charakterlich geeignetsten „Volksgenossen" aufnehmen. Sie verstand sich als Elite und „Hüterin der Volksgemeinschaft", nicht aber als deren organisatorische Verkörperung.

Volker Dahm

Ausschaltung der Gewerkschaften und Interessenverbände

Über das Vorgehen gegen die Gewerkschaften herrschte in der nationalsozialistischen Führung anfänglich noch eine gewisse Unsicherheit, weil von diesen gut organisierten Massenorganisationen am ehesten erfolgreicher Widerstand zu erwarten war; auch verfügte man über kein schlüssiges und in der Partei unumstrittenes Konzept über die Rolle von Arbeitnehmervertretungen im nationalsozialistischen Staat. Die Gewerkschaften ihrerseits hatten, weil klare Vorstellungen der Reichsregierung zur Neugestaltung der Wirtschaft und des Arbeitslebens nicht erkennbar waren, die Hoffnung, in irgendeiner Form weiter existieren zu können, und hielten sich an einen strikten Legalitätskurs, der fast an Unterwerfung grenzte. Während eines Aufenthalts auf dem Obersalzberg entschloß sich Hitler dann im Beisein von Goebbels, die Gewerkschaften nicht, wie vom linken Flügel der Partei gewünscht, durch Auswechslung der Führung in eine nationalsozialistische Einheitsgewerkschaft umzuwandeln, sondern sie völlig zu zerschlagen.

Zu diesem Zweck wurde ein „Aktionskomitee zum Schutze der deutschen Arbeit“ gebildet, das unter der Leitung von Robert Ley, dem Stabsleiter der „Politischen Organisation der NSDAP“, die handstreichartige Ausschaltung der Gewerkschaften vorbereitete. Die Aktion wurde mit einem in der Reichspropagandaleitung (RPL) der NSDAP erdachten propagandistischen Coup erster Güte verbunden. Am 10. April 1933 wurde der 1. Mai, der traditionelle, durch die II. Internationale begründete, aber nie amtlich anerkannte Feiertag der Arbeiter durch ein Reichsgesetz unter der Bezeichnung „Tag der nationalen Arbeit“ zum Nationalfeiertag mit allgemeiner Arbeitsruhe bei voller Lohnzahlung erhoben. Diese Maßnahme machte auf die Arbeiterschaft enormen Eindruck. Die Feierlichkeiten in Berlin inszenierte Goebbels als nationalsozialistische Großveranstaltung. Über eineinhalb Millionen Menschen, darunter ganze Belegschaften mit ihren Chefs in Reih und Glied, zogen durch die Stadt. Auf der abendlichen Hauptkundgebung proklamierte Hitler in einer langen, ebenso phrasenreichen wie substanzlosen Rede programmatisch das Ende aller Klassenunterschiede und die Volksgemeinschaft der „Arbeiter der Stirn und der Faust“.

Was dann folgen sollte, wurde noch verheimlicht, lag aber ganz in der Logik dieser Proklamation. Schon am nächsten Morgen, pünktlich um 10 Uhr, wurden im ganzen Reich die gewerkschaftlichen Einrichtungen, Büros, Banken und Zeitungsredaktionen von SA- und SS-Hilfspolizei besetzt. Die Funktionäre wurden in „Schutzhaft“

genommen und in Konzentrationslager gebracht. An ihre Stelle traten als „kommissarische Beauftragte" Funktionäre der *Nationalsozialistischen Betriebszellen-Organisation* (NSBO). Als Auffangorganisation wurde kurzfristig die *Deutsche Arbeitsfront* (DAF) gebildet, deren Leitung Robert Ley übernahm. Das gesamte Gewerkschaftsvermögen (Bar- und Anlagevermögen, Immobilien, Banken, Versicherungen, Siedlungsgesellschaften und Wohnungsgenossenschaften) wurde durch eine auf die Reichstagsbrandverordnung gestützte staatsanwaltliche Anordnung beschlagnahmt und auf den Leiter der DAF übertragen. Die Aktion erstreckte sich zunächst nur auf die im *Allgemeinen Deutschen Gewerkschaftsbund* (ADGB) und im *Allgemeinen Freien Angestelltenbund* (Afa) zusammengefaßten Arbeitergewerkschaften und Angestelltenverbände. Doch wurden auch die christlichen Gewerkschaften und die nationalliberalen „Hirsch-Dunckerschen" Gewerkvereine schon am 18. Mai unter die Führung der NSBO gestellt und bis 24. Juni 1933 in die DAF eingegliedert.

Organisierte Volksgemeinschaft

Es lag in der Konsequenz des „Volksgemeinschaftsgedankens", daß nicht nur die Existenz von Parteien, „Klassen" und „Ständen", sondern auch die berufliche Differenzierung der Bevölkerung als eine Form der inneren „Zerrissenheit" begriffen wurde. Deshalb wurde anfänglich ein berufsständischer Aufbau der Wirtschaft erwogen. Der Grundgedanke dieses Modells, das eine von vielen Varianten der seit der Kaiserzeit diskutierten und im faschistischen Italien verwirklichten ständischen Ordnungsvorstellungen darstellte („Ständestaat"), war, alle auf einem bestimmten wirtschaftlichen Gebiet tätigen Menschen in Organisationen (z. B. „Kammern") zusammenzuschließen, die als „Berufsstände" Säulen des Staates oder als „Berufsgemeinschaften" Teilgemeinschaften der „Volksgemeinschaft" bilden sollten. Diese Organisationen sollten an die Stelle der Tarifparteien treten und alle zwischen diesen zu regelnden Fragen, also etwa die Höhe der Löhne, „wirtschaftsfriedlich" und im Gesamtinteresse der Gemeinschaft entscheiden. Mit anderen Worten: Widersprüchliche Einzel- und Gruppeninteressen sollten nicht mehr wie in pluralistischen Gesellschaften in sozialen Kämpfen und durch Sozialverträge ausgeglichen werden, sondern durch gemeinschaftsorientierte Selbstregulierung.

Wegen der verheerenden Auswirkungen, die ein derartiger Umbau eines komplexen ökonomischen Systems auf die ohnehin in größten Schwierigkeiten befindliche deutsche Wirtschaft haben mußte, wurden diese Pläne schnell ad acta gelegt. In mehr oder weniger rudimentärer Form wirkten sie in drei neuen Massenorganisationen nach: in der *Deutschen Arbeitsfront*, in der *Reichskulturkammer* (RKK) und im *Reichsnährstand* (RN). In der DAF wurden alle Arbeitnehmer und Arbeitgeber der gewerblichen Wirtschaft zusammengeschlossen, in der RKK alle in künstlerischen, kulturellen und kulturwirtschaftlichen Berufen tätigen Menschen, im RN die Berufstätigen in Landwirtschaft und Landhandel. Bei allen Unterschieden war diesen drei Organisationen das Ziel gemein, die Interessen der in ihnen zusammengefaßten Individuen und Gruppen auf einheitliche, von der Staatsführung definierte Ziele auszurichten und alle vermeintlich leistungshemmenden Gegensätze und Konflikte zu beseitigen. Von der eigentlichen Aufgabe einer berufsständischen Organisation, der Gestaltung des Lohntarifs, waren sie ausgeschlossen; die Tarifhoheit war durch Reichsgesetz vom 19. Mai 1933 auf die *Treuhänder der Arbeit*, neue Gebietsbehörden, übertragen worden.

Die Deutsche Arbeitsfront

Innerhalb der DAF wurden die alten Arbeitergewerkschaften in 14 Einheitsverbänden zusammengefaßt, die zusammen den *Gesamtverband der Deutschen Arbeiter* bildeten. Diesem stand die *Nationalsozialistische*, später *Deutsche Angestelltenschaft* gegenüber, die neun Einheitsverbände umfaßte. In der Folge war die DAF bestrebt, Verbände aller Art, wenn sie sich nur in irgendeiner Weise mit der Vertretung oder Pflege berufsgruppenspezifischer Interessen befaßten, als gewerkschaftsähnliche Organisationen unter ihre Kontrolle zu bringen. In einer bis ins Jahr 1934 hineinreichenden „Anschlußbewegung" (DAF-Begriff) wurden zahllose Spezial-, Klein- und Kleinstverbände, vom *Club der Geflügelzüchter* über den *Kapitänsbund der Hamburg-Südamerikalinie* bis zum *Verein Pommerscher Brennereiverwalter* von der DAF übernommen.

Der organisatorische Aufbau der DAF war hauptsächlich infolge der längere Zeit herrschenden Unsicherheit über ihre tatsächlichen Aufgaben mehrfachen Änderungen unterworfen. Entscheidenden Einfluß hatte das „Gesetz zur Ordnung der nationalen Arbeit" (Arbeitsordnungsgesetz) vom 20. Januar 1934. Es stärkte die Stellung des Unternehmers, indem es ihn als „Führer des Betriebs" über die „Gefolgschaft" der Arbeiter und Angestellten stellte, und es schwächte die Stellung der Arbeitnehmer zusätzlich dadurch, daß es den gewerkschaftlich gestützten Betriebsrat durch einen von der DAF gesteuerten Vertrauensrat ersetzte, der keinerlei innerbetriebliche Rechte besaß. Die Gefolgschaft wurde zur „Treue" gegenüber dem Betriebsführer und dieser im Gegenzug zur Fürsorge für die Gefolgschaft verpflichtet. Beide aber wurden als eine den „Betriebszwecken" und dem „gemeinen Nutzen von Volk und Staat" dienende Betriebsgemeinschaft in allen Fragen der Betriebsordnung, des Lohntarifs und der Arbeitsverhältnisse sehr weitgehenden Anordnungs- und Eingriffsrechten der *Treuhänder der Arbeit* unterworfen, die jetzt als nachgeordnete Behörden des Reichsarbeitsministers endgültig an die Stelle der früheren Tarifparteien traten.

Der Tatsache Rechnung tragend, daß sie durch dieses Gesetz endgültig als gewerkschaftsähnliche Ersatzorganisation ausgespielt hatte, verkündete die DAF am 25. Januar 1934 ihre grundsätzliche Umorganisation. Die noch stark an das Gewerkschaftsprinzip erinnernden Verbände wurden aufgelöst, ihre Mitglieder „betriebsorganisch", d. h. nach Wirtschaftszweigen in sogenannten Betriebsgruppen zusammengefaßt, aus denen dann die „Reichsbetriebsgemeinschaften" wurden. Zugleich wurde die politische Organisation um- und ausgebaut. Am Ende entsprach die Struktur der DAF ganz derjenigen der NSDAP, mit der sie durch Ämter- und Personalunionen eng verknüpft war. Leiter der DAF war der Reichsorganisationsleiter der NSDAP – bis 1945 Robert Ley. Ihm unterstand ein Zentralbüro, das in eine Reihe von Abteilungen, sogenannte Hauptarbeitsgebiete (später Ämter), gegliedert war, die zum Teil mit den entsprechenden Ämtern in der Reichsorganisationsleitung identisch waren. Diesen Reichsdienststellen waren entsprechende Ämter auf der Gauebene nachgeordnet, diesen „Gauwaltungen" wiederum Kreis- und Ortswaltungen. Die unterste Ebene bildete der DAF-Straßenblock, der ca. 40–60 Haushalte umfaßte. Entsprechend war die Betriebsorganisation gegliedert. Die Betriebe der verschiedenen Branchen waren in den Reichsbetriebsgemeinschaften zusammengefaßt bzw. ab 1938 Fachämtern zugeordnet. Entsprechende Ämter gab es auf Gau- und Kreisebene. Die unterste Ebene bildeten die einzelnen Betriebsgemeinschaften, die bei Großbetrieben noch in Betriebszellen und Betriebsblöcke unterteilt wurden.

Im Sinne der Volksgemeinschaftsideologie gehörten der DAF Arbeitnehmer und Unternehmer an. Die Mitgliedschaft war im Prinzip freiwillig. Wer sich aber dem Eingliederungsverlangen der DAF entzog, mußte mit sozialer Isolierung im Betrieb und in der Freizeit und auch mit beruflichen Nachteilen rechnen. Dies und die sozialen Betreuungsleistungen der DAF erzeugten eine hohe Anschlußbereitschaft, die die Arbeitsfront zur größten nationalen Arbeiterorganisation der Welt mit 25 Millionen Mitgliedern und 40 000 Funktionären werden ließ. Aus dem Freiwilligkeitsprinzip folgte, daß es keinen Rechtsanspruch auf Mitgliedschaft gab. Die DAF konnte unerwünschte Mitglieder ohne Angabe von Gründen ausschließen. Grundsätzlich nicht aufgenommen wurden „Nichtarier", Mitglieder konfessioneller Arbeiter- und Gesellenvereine sowie später „Fremdarbeiter", soweit sie nicht aus einem „befreundeten" Land kamen. Die Mitgliedsbeiträge waren nach dem Einkommen gestaffelt und wurden wie Steuern vom Lohn abgezogen.

So unklar die Aufgaben der DAF anfänglich waren, so ungeklärt blieb zunächst auch ihr organisatorischer Status. Die DAF war weder eine Parteigliederung noch ein der Partei angeschlossener Verband, sie war keine Körperschaft des öffentlichen Rechts (wie *Reichsnährstand* und *Reichskulturkammer*) und kein eingetragener Verein (wie die angeschlossenen Verbände der NSDAP). Erst als ihre organisatorische Entwicklung zu einem gewissen Abschluß gekommen war, erhielt sie durch eine Verordnung Hitlers vom 24. Oktober 1934 den Status einer Gliederung der NSDAP, wurde aber dann durch eine Verordnung zum „Gesetz zur Sicherung der Einheit von Partei und Staat" vom 29. März 1935 zu einem der NSDAP „angeschlossenen Verband" herabgestuft. Die DAF war damit nicht mehr als eine von mehreren Berufsorganisationen der NSDAP, allerdings die mit Abstand größte und die einzige, in der Unternehmer und Arbeitnehmer zugleich vertreten waren.

In seiner Verordnung vom 24. Oktober 1934 bestimmte Hitler auch Funktion und Aufgaben der DAF. Die Arbeitsfront sei die „Organisation der schaffenden Deutschen der Stirn und der Faust". Ihr Ziel sei die „Bildung einer wirklichen Volks- und Leistungsgemeinschaft aller Deutschen". Sie habe „dafür zu sorgen, daß jeder einzelne seinen Platz im wirtschaftlichen Leben der Nation in der geistigen und körperlichen Verfassung einnehmen kann, die ihn zur höchsten Leistung befähigt und damit den größten Nutzen für die Volksgemeinschaft gewährleistet". Es sei Aufgabe der DAF, „den Arbeitsfrieden dadurch zu sichern, daß bei den Betriebsführern das Verständnis für die berechtigten Ansprüche ihrer Gefolgschaft, bei den Gefolgschaften das Verständnis für die Lage und die Möglichkeiten ihres Betriebes geschaffen wird"[2]. Diese Bestimmungen sprechen eine klare Sprache. Die arbeitende Bevölkerung weltanschaulich zu indoktrinieren und in das System zu integrieren, alle die Produktivität der Wirtschaft hemmenden Gruppeninteressen auszuschalten sowie den Leistungswillen und die Leistungsfähigkeit des einzelnen aufs äußerste zu steigern – das waren die Grundaufgaben, die die DAF zugewiesen bekam. Daraus lassen sich alle ihre Einzelaktivitäten ableiten.

Unter Führung des Amtes *Soziale Selbstverantwortung* bemühten sich die DAF-Obmänner in Zusammenarbeit mit den (gemäß Arbeitsordnungsgesetz) nur mit DAF-Mitgliedern besetzten betrieblichen Vertrauensräten, innerbetriebliche Streitigkeiten auf betrieblicher oder überbetrieblicher Ebene auszuräumen. Dadurch sollten, so die Doktrin, Eingriffe der *Treuhänder der Arbeit*, also des Staates, auf ein Mindestmaß reduziert werden. Hauptaufgabe der Betriebsobmänner aber war es, die Betriebsloyalität der Mitarbeiter zu sichern und die Arbeitsdisziplin zu überwachen. Durch ein Netz von Rechtsberatungsstellen wurden die Mitglieder in allen arbeits- und sozialversicherungsrechtlichen Fragen betreut. Das *Jugendamt* unterstützte die Berufsausbildung durch Einrichtung von „Übungskameradschaften" in allen Berufsarten und organisierte zur Weckung des Leistungswillens der Jugend den jährlichen Reichsberufswettkampf. Das *Amt für Berufserziehung und Betriebsführung* widmete sich der fachlichen

2 Organisationsbuch der NSDAP, 1937, S. 185–187.

Aus- und Weiterbildung der Mitglieder. Die Haushalts- und Finanzabteilung hatte nicht nur die Mitgliedsbeiträge einzuziehen, sondern auch die riesigen Vermögenswerte und die gemeinnützigen Wirtschaftsbetriebe, die der DAF durch die Eingliederung der Gewerkschaften und Verbände zugefallen waren, zu verwalten. Mit der Übernahme des Vermögens war die DAF auch in die Verbindlichkeiten der früheren Gewerkschaften und Verbände eingetreten. Und dazu gehörten nicht nur regelrechte Schulden, sondern auch Ansprüche auf Sozialleistungen, die die Mitglieder dort durch Zahlung von Beiträgen erworben hatten. Die DAF übernahm nicht nur diese Verpflichtungen, sondern führte auch das ihnen zugrunde liegende Solidaritätsprinzip in einem eigenen Unterstützungswesen fort. Sie gewährte Kranken- und Invalidenunterstützung, Sterbegeld, Heiratsbeihilfen u. a. m. Um die Gesundheit der Mitglieder kümmerte sich das *Amt Volksgesundheit* insbesondere durch Aufklärung und Anleitung zu „gesundheitlicher Lebensgestaltung". Das *Heimstättenamt*, in dem die gewerkschaftlichen Wohnungsbaugesellschaften aufgegangen waren, befaßte sich mit allen Fragen der nichtbäuerlichen Siedlung, nahm beratend auf die Siedlungsbauten von Städten und Gemeinden Einfluß, wirkte an der Siedlerauswahl mit und baute selbst durch die ihm angeschlossenen Baugesellschaften als vorbildlich geltende Arbeitersiedlungen. Das *Heimstättenamt* diente den Interessen des Regimes in besonderer Weise, weil es reale Bedürfnisse der Menschen ansprach und befriedigte.

Die NS-Gemeinschaft „Kraft durch Freude"

Verstärkt gilt dies für das unter dem Namen „Kraft durch Freude" (KdF) bekannteste aller DAF-Ämter. Im Grunde war die *NS-Gemeinschaft „Kraft durch Freude"*, so der offizielle Name, eine eigene Großorganisation innerhalb der DAF. In dem 1937 erreichten Entwicklungsstadium umfaßte die Freizeitorganisation neben der Amtsleitung mit vier Abteilungen sechs Ämter mit zusammen 32 Abteilungen – das *Amt Feierabend*, das *Amt Reisen, Wandern und Urlaub*, das *Sportamt*, das *Amt für Schönheit der Arbeit*, das *Amt Deutsches Volksbildungswerk* und das *Amt Wehrmachtheime*: *Schönheit der Arbeit* bemühte sich um gesündere und schönere Arbeitsplätze. Das Volksbildungswerk, in dem die öffentlichen Volkshochschulen und die meisten privaten Einrichtungen der Erwachsenenbildung aufgegangen waren, vermittelte in unzähligen Vorträgen, Kursen, Führungen und Besichtigungen Wissen und Bildung mit Ausrichtung auf das Bildungsniveau des Arbeiters. Das *Amt Feierabend* brach gezielt das

Bildungsprivileg des Bürgertums und führte Millionen von Menschen, die Geldmangel oder Schwellenängste bisher ferngehalten hatten, zu erschwinglichen Preisen in die deutschen Theater und Konzertsäle. Es brachte aber nicht nur die Menschen in die Tempel der Kunst, sondern auch die Kunst an die Arbeitsplätze der Menschen. Es gab Konzerte in Betrieben und sogenannte Fabrikausstellungen in großer Zahl. Mit gleicher Vehemenz durchbrach das Urlaubsamt ein anderes Privileg besserer Kreise: Urlaubs- und Bildungsreisen, überwiegend innerhalb Deutschlands, aber auch ins Ausland, ja sogar Seereisen wurden durch KdF zu einem für breite Bevölkerungsschichten erschwinglichen Gut. Und noch ein anderes Privileg begüterter Menschen sollte aufgelöst werden: der Besitz eines Kraftwagens. Aus Kriegsgründen kam der KdF-Wagen (der „Volkswagen") jedoch nicht mehr zur Auslieferung.

Zweifellos hat die *NS-Gemeinschaft „Kraft durch Freude"* bedeutende sozialreformerische Leistungen erbracht und dadurch zur Modernisierung Deutschlands beigetragen. Sie tat dies aber nicht in erster Linie für die Menschen. In einem 1940 erschienenen Buch über die DAF schrieb ein DAF-Autor: „Wir schickten unsere Arbeiter nicht auf eigenen Schiffen auf Urlaub oder bauten ihnen gewaltige Seebäder, weil uns das Spaß machte, oder zumindest dem einzelnen, der von diesen Einrichtungen Gebrauch machen kann. Wir taten das nur, um die Arbeitskraft des einzelnen zu erhalten und um ihn gestärkt und neu ausgerichtet an seinen Arbeitsplatz zurückkehren zu lassen. KdF überholt gewissermaßen jede Arbeitskraft von Zeit zu Zeit, genau so wie man den Motor eines Kraftwagens nach einer gewissen gelaufenen Kilometerzahl überholen muß"[3] Dies war zynisch formuliert, aber keineswegs ein zynisches Prinzip, wie man meinen möchte. Dem arbeitenden Menschen die Möglichkeit zur seelischen und körperlichen Regeneration zu geben, um ihn wieder leistungswillig und leistungsfähig zu machen, ist ein Prinzip moderner Leistungsgesellschaften, das auch dem Urlaubsanspruch unserer Tage zugrunde liegt. Allerdings dienten die modernisierenden Maßnahmen im Nationalsozialismus immer der Stärkung eines in vieler Hinsicht antimodernen, verbrecherischen Regimes und der Vorbereitung auf den Raum- und Rassenkrieg und erhielten dadurch jene für den Nationalsozialismus auch insgesamt charakteristische Ambivalenz und Gebrochenheit.

Da Arbeitnehmer und Arbeitgeber der DAF als persönliche Mitglieder angehörten und keine Vertretungsorgane existierten, gab es zunächst keine Möglichkeit, auf überbetrieblicher Ebene den der DAF in der genannten Verordnung Hitlers zugewiesenen Auftrag des Interessenausgleichs vorzunehmen. Dieser Konstruktionsfehler sollte durch zwei Maßnahmen beseitigt werden: Erstens trat die *Organisation der gewerblichen Wirtschaft* im März 1935 korporativ in die DAF ein, zweitens wurden auf allen Ebenen gemeinsame Gremien beider Organisationen eingerichtet – auf Reichsebene war dies der *Reichsarbeits- und Reichswirtschaftsrat in der Deutschen Arbeitsfront.*

3 Starcke, Die Deutsche Arbeitsfront, 1940, S. 10–11.

Die Hauptaufgaben der Arbeits- und Wirtschaftsräte waren „die Aussprache über gemeinsame wirtschaftliche und sozialpolitische Fragen, die Herstellung einer vertrauensvollen Zusammenarbeit aller Gliederungen der DAF und die Entgegennahme von Kundgebungen der Regierung wie auch der Leitung der DAF“.[4] Deutlicher läßt sich kaum sagen, daß hier nur Diskussionsgremien ohne sachliche Funktion und ohne Entscheidungsbefugnisse installiert wurden, durch die die nach wie vor bestehende Spaltung der Gesellschaft in wirtschaftliche Interessengruppen ideologisch bemäntelt wurde.

„Sichtbarer Ausdruck der Volksgemeinschaft“, wie Hitler meinte, war die Arbeitsfront aber auch deshalb nicht, weil sie nur Angehörige der gewerblichen Wirtschaft und der freien Berufe erfassen durfte. Personen, die hoheitliche Befugnisse ausübten, also Beamten, Angestellten im öffentlichen Dienst und Berufssoldaten, blieb die Mitgliedschaft verwehrt. Hinzu kam, daß im Laufe des Machtverteilungskampfes eine große Zahl von Berufsverbänden nicht in die DAF eingegliedert, sondern in die Verfügungsgewalt anderer Instanzen geraten war. Hierzu gehörten zwei staatlich kontrollierte Großorganisationen, die sich aus gewerblichen und landwirtschaftlichen Berufsverbänden zusammensetzten: *Reichskulturkammer* und *Reichsnährstand.*

Die Reichskulturkammer

Der Gründung der RKK durch Reichsgesetz vom 22. September 1933 gingen schwere Auseinandersetzungen zwischen der DAF und dem neuen *Reichsministerium für Volksaufklärung und Propaganda* voraus, welches nicht nur für die politische Propaganda, sondern auch für die Kulturpolitik des Reiches zuständig war. Dort war der Plan gefaßt worden, den kulturpolitischen Fachabteilungen die auf ihrem Gebiet tätigen Berufsverbände zu unterstellen. Das Ministerium war deshalb im Frühjahr 1933 in hektischer Weise bemüht, diese Verbände unter seine Kontrolle zu bringen. Das gleiche Ziel aber verfolgte naturgemäß auch die DAF. Die Sorge, bereits gleichgeschaltete Verbände an die DAF zu verlieren, und die Vorstellung, dort könnten überhaupt konkurrierende Verbände entstehen, veranlaßte Goebbels, Robert Ley bei Hitler als einen offensichtlich noch dem marxistischen Klassendenken verhafteten Anhänger des Gewerkschaftsgedankens zu denunzieren. Er, Goebbels, benötige alle diese Verbände zur Durchführung der ihm zugewiesenen Aufgaben und habe die Absicht, diese nicht gewerkschaftlich, sondern berufsständisch zu organisieren. Zu diesem Zweck solle eine *Reichskulturkammer* gegründet werden. Von Hitler gedeckt, gelang es Goebbels das RKK-Gesetz durchzusetzen, obwohl dies eine organisatorische Absonderung der kulturwirtschaftlichen Betriebe

4 Organisationsbuch der NSDAP, 1937, S. 474.

(Verlage, Buchhandlungen, Konzertagenturen, Privatbühnen usw.) von der gewerblichen Wirtschaft zur Folge hatte und deshalb auf erhebliche Widerstände des Reichswirtschaftsministers stieß.

Die RKK bestand aus Fachkammern für Film, Rundfunk (bis 1939), Musik, Theater, bildende Künste, Presse und Schrifttum. Die *Reichsschrifttumskammer* (RSK) z. B. umfaßte alle Schriftsteller, Verleger, Buchhändler und Bibliothekare (mit Ausnahme der wissenschaftlichen). Der Aufbau der einzelnen Kammern erfolgte durch korporative Eingliederung der alten und neu formierter Verbände. Im Laufe der Jahre wurden diese zum Teil in Abteilungen der Fachkammern umgewandelt, die wiederum in Fachschaften gegliedert wurden; die Mitglieder wurden dadurch zu „unmittelbaren" Mitgliedern der Kammern. Die Kammern wurden jeweils von Präsidenten geleitet, die Propagandaminister Goebbels in seiner Eigenschaft als Präsident der Reichskulturkammer unterstellt waren. Fachlich arbeiteten die Kammern unter der Leitung der entsprechenden Fachabteilung des Propagandaministeriums. Regional waren die *Reichskulturkammer* in Landeskulturwaltungen und die Fachkammern in Landesleitungen als unterste Instanz gegliedert.

Die Kammern waren im Gegensatz zur DAF gesetzliche Zwangsorganisationen. Nur wer der für ihn zuständigen Kammer angehörte, durfte künstlerisch, kulturell oder kulturwirtschaftlich tätig sein. Nichtaufnahme oder Kammerausschluß – worüber der Präsident zu entscheiden hatte – bedeuteten Berufsverbot. Die RKK hatte zur Aufgabe, zwischen den Interessen der in ihr vertretenen Berufsgruppen ausgleichend zu wirken, die deutsche Kultur zum „Wohle von Volk und Nation" zu fördern und „schädliche" Kräfte zu bekämpfen. Hierzu hatte sie ungeeignete und unzuverlässige Personen mit dem Mittel des Berufsverbots vom Kulturleben fernzuhalten oder aus diesem auszuschalten. Dies betraf alle, die den Normen der „Volksgemeinschaft" nicht genügten. Des weiteren sollten die Kammern ihre Mitglieder fachlich und sozial betreuen. In den ersten Jahren waren diese auch mit der Überwachung und propagandistischen Förderung der kulturellen Produktion befaßt, jedoch gingen diese im engeren Sinne kulturpolitischen Aufgaben mehr und mehr auf die entsprechenden Fachabteilungen des Propagandaministeriums über, zur Gänze und formell im Frühjahr 1938. Danach hatten sich die Kammern nur noch mit ihren Mitgliedern zu beschäftigen.

Mit Rücksicht auf die volkswirtschaftlichen Notwendigkeiten des Jahres 1933 enthielt das RKK-Gesetz keinen Arierparagraphen, so daß auch Juden und andere „rassisch ungeeignete" Personen in die Kammern aufgenommen wurden. Die „rassische" Reinigung, die auch eine kleine Zahl von „Zigeunern" betraf, setzte Anfang 1935 ein und war gegen Ende 1938 abgeschlossen. Ihr fielen Tausende zum Opfer, von denen viele mangels anderer Erwerbsmöglichkeiten in Not und Elend gestürzt wurden. Gegenüber politisch „unzuverlässigen"

Mitgliedern, die 1933/34 infolge des korporativen Eingliederungsverfahrens in die Kammern gelangt waren, zeigte man sich duldsamer. Wer in den Jahren seit 1933 weder mit seiner geistigen Produktion noch in seiner Lebensführung Anlaß zu Beanstandungen gegeben hatte, konnte in der Regel Mitglied bleiben.

Nachdem die Auseinandersetzungen zwischen Goebbels und Ley beigelegt waren, wurde die RKK aufgrund einer Vereinbarung beider am 12. Februar 1934 zum korporativen Mitglied der DAF erklärt, ohne daß der Status der Mitglieder innerhalb der Arbeitsfront im einzelnen bestimmt wurde. Hierüber wurden immer wieder Verhandlungen geführt, doch kam es nie zu einer Einigung, Die Mitglieder der RKK hatten deshalb gegenüber der Arbeitsfront nur das Minimalrecht, deren Rechtsberatungsstellen in Anspruch zu nehmen. Eine besondere Härte bedeutete dies für die 1934 von der DAF in die Kulturkammer umgegliederten Angestellten kulturwirtschaftlicher Betriebe, die in den früheren Angestelltenverbänden soziale Anwartschaften erworben hatten. Wollten sie diese in Anspruch nehmen, mußten sie zusätzlich Einzelmitglied der DAF werden. Der Ausschluß aller RKK-Mitglieder von den Freizeitveranstaltungen von KdF war ein Quell ständiger Unzufriedenheit.

Die RKK war die Einrichtung des Dritten Reichs, die einer echten berufsständischen Organisation und damit auch einer ernstgemeinten Volksgemeinschafts-Organisation am nächsten kam. In ihr waren Unternehmer und Angestellte durch ihre jeweiligen Verbands- und Fachschaftsleitungen gleichberechtigt vertreten. Wo es gegensätzliche Interessen zwischen den verschiedenen Berufsgruppen gab, suchten die beteiligten Verbänden und Fachschaften durch Verhandlungen zu einem Ausgleich zu kommen. Diese Verhandlungen standen unter einem von der Kammerleitung nichtöffentlich ausgeübten Einigungszwang und unterschieden sich ansonsten kaum von denen der früheren Interessenverbände.

Der Reichsnährstand

Im Reichsnährstand, der durch ein von Hitler auf dem Obersalzberg genehmigtes Reichsgesetz vom 19. März 1933 gegründet wurde, faßte man alle in der Landwirtschaft tätigen Personen – Eigentümer, Pächter, mitarbeitende Familienangehörige und Arbeitnehmer – zusammen, außerdem die an der Verarbeitung landwirtschaftlicher Erzeugnisse und am Handel mit Nahrungsmitteln beteiligten Betriebe sowie die in die Zehntausende gehenden Agrargenossenschaften. Nach dem üblichen Muster wurden hierzu Hunderte von Interessenverbänden und sonstigen Einrichtungen aufgelöst, darunter auch die öffentlich-rechtlichen Landwirtschaftskammern.

In der Aufgabenstellung des RN verband sich die „Blut- und Boden"-Ideologie mit rationalen Zielen. Um das „Bauerntum als Blutquelle des Volkes" wirtschaftlich zu sichern und so auch die Ernährung des Volkes auf Dauer zu gewährleisten, hatte er das „Gemeinwohl" gegen wirtschaftliche Sonderinteressen durchzusetzen, Gruppenkonflikte zu bereinigen und den Agrarmarkt der „kapitalistischen Spekulation" zu entziehen. Dies sollte durch eine zwangswirtschaftliche Marktordnung mit verordneten Preisen, Erzeugungsmengen und Handelsspannen bewirkt werden. Durch Steigerung der Produktion („Erzeugungsschlacht") sollte als ideologisches Endziel, zunächst aber auch aus kriegswirtschaftlichen Gründen, die ernährungswirtschaftliche Autarkie erreicht werden. Weitere Aufgaben des RN waren der Kampf gegen die Landflucht und die Bildung neuen Bauerntums im Sinne der „Blut- und Boden"-Ideologie.

An der Spitze des *Reichsnährstands* stand – bis 1942 in Personalunion mit dem Reichsernährungsminister (Richard Walther Darré) – der Reichsbauernführer mit einem Reichsbauernrat, einem Stabsamt und einem Verwaltungsamt. Innerhalb des Verwaltungsamts bearbeitete Abteilung 1 („Der Mensch") die Aufgaben der früheren landwirtschaftlichen Interessenverbände, besonders Fragen des Verhältnisses zwischen „Betriebsführer" und „Gefolgschaft", Pächter und Verpächter, aber auch die Gebiete Ausbildung und Siedlungswesen, und widmete sich darüber hinaus der Pflege bäuerlicher Kultur und Sitte. Die früher von den Landwirtschaftskammern wahrgenommenen fachlichen und betrieblichen Angelegenheiten wurden in Abteilung 2 („Der Hof") bearbeitet. Abteilung 3 („Der Markt") war für alle marktregelnden Aufgaben zuständig. Regional war der Nährstand mit entsprechenden Ämtern in Landesbauernschaften gegliedert (1938: 22), die jeweils von einem Landesbauernführer geführt wurden. Darunter gab es noch Kreis- und Ortsbauernführer.

Juden und Ausländern wurde durch das „Reichserbhofgesetz" vom 29. September 1933 jede bäuerliche Betätigung verwehrt. Aus dem Landhandel (der Viehhandel war in bestimmten Gebieten eine jüdische Domäne) und dem Verarbeitungsgewerbe wurden sie bis 1938 sukzessive verdrängt.

Um die Spaltung der „Volksgemeinschaft" zu verschleiern, wurde der *Reichsnährstand* wie die RKK 1935 korporatives Mitglied der DAF und bildete dort zunächst die „Reichsbetriebsgemeinschaft 14"; die Organe des Nährstands traten in die Selbstverwaltungsorgane der DAF (Arbeitskammern und Wirtschaftsräte) ein. Das bedeutete keineswegs, daß die DAF Einfluß auf den *Reichsnährstand* nehmen konnte, sondern umgekehrt, daß der machtpolitisch einflußreichere Nährstand die Aufgaben der DAF in seinem Bereich selbst wahrnahm bzw. diese davon abhielt, dort überhaupt tätig zu werden. Vermutlich 1938, als die Betriebsgemeinschaften in Fachämter umgewandelt wurden, wurde die „Reichsbetriebsgemeinschaft 14" zu einer „Verbindungsstelle" zwischen DAF und RN herabgestuft. Mitglieder des Nährstands, die in den Genuß der DAF-Betreuungsleistungen kommen wollten, mußten hierfür ein besonderes Entgelt entrichten.

Die Leitungen von Nährstand und Kulturkammer verfügten über erhebliche Macht- und Strafbefugnisse, mit denen sie in die berufliche und betriebliche Tätigkeit der Mitglieder (Berufsverbot, Schließung von Betrieben, Ordnungsstrafen bei standeswidrigem Verhalten usw.) eingreifen konnten. Dies entspricht durchaus den Modellen berufsständischer Selbstverwaltung. Beide aber waren als staatliche Hilfseinrichtungen nur im Verwaltungsalltag autonom. Von oben wurden sie durch die übergeordneten Ministerien gesteuert, horizontal durch die *Treuhänder der Arbeit* eingeschränkt, die alle den Lohntarif, die Arbeitsbedingungen und das Arbeitsverhältnis betreffenden Fragen regelten. Weitere Begrenzungen des Selbstverwaltungsgedankens ergaben sich dadurch, daß sie in einer nicht berufsständisch organisierten Gesamtgesellschaft operierten. Am gravierendsten wirkte sich dabei aus, daß ihnen von der regulären Justiz im Gegensatz zu anderen Organisationen wie NSDAP, SS, Wehrmacht und Polizei keine eigene Gerichtsbarkeit zugestanden wurde. Sie konnten ihre Mitglieder nur beraten, gegebenenfalls zwischen ihnen vermitteln oder sie (nur die DAF) vor Gericht vertreten – Entscheidungen mit Urteilskraft standen ihnen aber weder im Bereich des allgemeinen Zivil- noch gar des Strafrechts zu. Sie erhoben zwar den Anspruch, die früheren Klassenorganisationen und Interessenverbände in sich aufzuheben – Teilgemeinschaften einer sich selbst regulierenden Volksgemeinschaft waren sie nicht. Dies gilt auch für die DAF, die in organisatorischer Hinsicht nur zum Scheine dem „Volksgemeinschafts"-Prinzip entsprach. Von diesen doktrinären „Volksgemeinschafts"-Organisationen sind typologisch jene Massenorganisationen zu unterscheiden, die keinerlei ökonomische Implikationen hatten.

Die Nationalsozialistische Volkswohlfahrt

Öffentliche Fürsorge und Wohlfahrt waren in Deutschland traditionell Aufgabe der staatlichen und kommunalen Wohlfahrtsämter, der Kirchen (*Caritas, Innere Mission*), der Gewerkschaften (*Arbeiterwohlfahrt*) sowie überkonfessioneller Einrichtungen, des *Paritätischen Wohlfahrtsverbands* und der deutschen Sektion des *Internationalen Roten Kreuzes*. So wenig wie andere Parteien verfügte auch die NSDAP in ihrer „Kampfzeit" über eigene Fürsorgestellen, wenn man von der parteiinternen SA-Hilfskasse absieht. Die organisatorischen Anfänge der *Nationalsozialistischen Volkswohlfahrt* (NSV) sind auf den April

1932 zu datieren, als sich einige Mitglieder unter diesem Organisationsnamen zusammenschlossen. Am 3. Mai 1933 wurde die NSV durch eine Verfügung Hitlers zur parteiamtlichen Wohlfahrtsorganisation erhoben. Ende 1934 wurde das *Hauptamt für Volkswohlfahrt* eingerichtet, dessen Leitung Erich Hilgenfeldt im Rang eines Reichsleiters der NSDAP übernahm. Die NSV war ein der Partei angeschlossener Verband und von der Spitze bis ganz unten wie diese aufgebaut. Sie verzeichnete eine rasante Entwicklung: Anfang 1933 nur einige Hundert Mitglieder zählend, stieg deren Zahl bis Dezember 1934 auf 3 721 000 an. Zu dieser Entwicklung trug bei, daß die Organisationen des *Paritätischen Wohlfahrtsverbands* und der *Arbeiterwohlfahrt* schon 1933 in der NSV aufgelöst wurden. Dagegen blieben der *Caritasverband*, die *Innere Mission* und das *Deutsche Rote Kreuz* erhalten; sie wurden aber durch eine unter der Kontrolle des *Hauptamts für Volkswohlfahrt* stehende *Reichsarbeitsgemeinschaft der Verbände der freien Wohlfahrtspflege* gesteuert und aus bestimmten Gebieten der Fürsorge verdrängt. Mit den staatlichen und kommunalen Fürsorgeämtern, die für die gesetzliche Mindestversorgung zuständig waren, war die NSV vielfach durch Personalunionen (Wahrnehmung sowohl des Staatsamts wie des Parteiamts durch ein- und dieselbe Person) verbunden. 1938 war die NSV mit fast 11 Millionen Mitgliedern und einer Million ehrenamtlichen Helfern die größte nationale Wohlfahrtsorganisation der Welt; der enorme Zulauf ist nicht zuletzt darauf zurückzuführen, daß die Mitgliedschaft in der NSV damals in der Sicht der Bevölkerung die am wenigsten kompromittierende und zeitraubende Möglichkeit war, seine politische Linientreue unter Beweis zu stellen.

Die Bezeichnung „Volkswohlfahrt" war programmatisch gemeint: Auch die NSV war, vielleicht stärker noch als andere Organisationen, von der biologistischen nationalsozialistischen Volksideologie durchdrungen. Da diese mit der Ideologie des Kampfes, der Ausmerzung des Schwachen durch das Starke, verbunden war, erscheint die Existenz nationalsozialistischer Fürsorge auf den ersten Blick paradox. Tatsächlich ging es der NSV – im Gegensatz zur Fürsorge christlicher oder philanthropischer Provenienz – nicht darum, dem hilfsbedürftigen Individuum zu helfen, sondern vielmehr um die Stärkung des „Volkskörpers" und der „Volksgemeinschaft" durch Wiederherstellung der vollen Leistungsfähigkeit an und für sich nützlicher und „wertvoller" Menschen, die ohne eigene Schuld vorübergehend in Not geraten waren. Hilfe wurde, so jedenfalls die Doktrin, immer nur als „Hilfe zur Selbsthilfe" gewährt – ein gesellschaftspolitisch durchaus vernünftiges, auch von der katholischen Soziallehre vertretenes Prinzip (Subsidiaritätsprinzip), das wieder einmal die Gebrochenheit nationalsozialistischer Reformtätigkeit veranschaulicht. Denn auf der anderen Seite verstand sich die NSV als ein Instrument der „Rassenhygiene" und biologischen „Erbpflege". Ihre Sorge sollte nur dem „Erbtüchtigen" gelten. Für ihn sollte eine „durchgreifende" Hilfe eintreten, während „Minderwertige“ nur mit dem „Notwendigsten“ zu versorgen waren. Da die Unterstützung „Minderwertiger“ in völkisch-biologischer Sicht unzweckmäßig, ja unerwünscht war, konnte diese nur aufgrund des Barmherzigkeitsprinzips durch „kirchliche Liebestätigkeit“, also durch die kirchlichen Wohlfahrtseinrichtungen, erfolgen. Umgekehrt waren diese gehalten, „erbtüchtige“, „wertvolle“ Menschen zur Betreuung an die NSV zu überweisen. Unverbesserliche „Asoziale“, unheilbare „Trinker“ und notorische Rückfallstraftäter, sollten überhaupt nicht versorgt, sondern „verwahrt werden“.

Im Zentrum der Hilfe stand die Familie, die der Nationalsozialismus als „Urzelle von Staat und Volk“ betrachtete. Der „erbtüchtigen“ und „gebärfähigen“ Frau wurde es geradezu zur Pflicht gemacht, den Bestand des Volkes durch Kinderreichtum zu sichern. Ab 1938 wurden Frauen, die ihrer „Mutterpflicht“ entsprechend nachgekommen waren, mit dem „Ehrenkreuz der deutschen Mutter“ geehrt und dadurch dem deutschen Soldaten (1934 Stiftung des „Ehrenkreuzes für Frontkämpfer, Kriegsteilnehmer und Kriegshinterbliebene“) gleichgestellt: für vier bis fünf Kinder gab es das bronzene, für sechs oder sieben das silberne und für acht und mehr das goldene Mutterkreuz. Der Steigerung der Geburtenrate dienten aber auch ganz normale, durchaus moderne bevölkerungspolitische Maßnahmen, namentlich das sogenannte Ehestandsdarlehen, durch das die Familiengründung erleichtert wurde. Für die sich vor allem auf die werdenden Mütter konzentrierende Familienhilfe war das bekannte *Hilfswerk Mutter und Kind* zuständig, das 1934 zur Erhaltung des „völkischen Bestands“ geschaffen wurde.

Noch bekannter als das *Hilfswerk Mutter und Kind* dürfte das *Winterhilfswerk* (WHW) sein, das – 1933 von den freien Wohlfahrtsverbänden auf die NSV übertragen – der Bekämpfung der durch die jährliche Winterarbeitslosigkeit hervorgerufenen Not diente. Die Geld- und Sachmittel des WHW wurden durch Haus- und Straßensammlungen, Sammlungen bei öffentlichen Veranstaltungen, Spenden von Industrie, Gewerbe und Handel, den berühmten „Eintopfsonntag“, die *Winterhilfswerk-Lotterie*, aber auch durch Zwangsabzüge von Lohn und Gehalt aufgebracht. Ab 1937 durfte für wohlfahrtspflegerische Zwecke im Winter nur noch durch das WHW gesammelt werden. Ideologische Aufgabe des WHW war es, dem Hilfsbedürftigen ebenso wie dem Helfenden zu zeigen, daß jeder ein Teil des Ganzen war, für das der Grundsatz „alle für einen, einer für alle“ galt, und dadurch den „Gemeinschaftsgedanken“ im Volk zu verankern. Neben den beiden genannten großen Hilfswerken unterhielt die NSV noch das *Hilfswerk für deutsche bildende Kunst* (Veranstaltung von Ausstellungen notleidender Künstler), das *Tuberkulose-Hilfswerk* und das *Ernährungshilfswerk*: letzteres sammelte Lebensmittel und Küchenabfälle, die im Rahmen des „Vierjahresplans“ als Schweinefutter verwertet wurden, um jährlich eine Million Schweine zusätzlich mästen zu können. Sonderaufgaben waren – mit den genannten Einschränkungen – die Gesundheitsfürsorge, die Wandererfürsorge (für Wanderarbeiter ohne festen Wohnsitz), die Straffälligenbetreuung und die „Trinkerfürsorge" sowie das Jugenderholungswerk. Letzteres ging auf das *Vaterländische Hilfswerk „Stadtkinder aufs Land"* von 1917/18 zurück und entwickelte sich zur bekannten „Kinderlandverschickung" weiter, die im Krieg zu einer zentralen Aufgabe der NSV wurde. Auch davon sollten „Erbkranke", „Unerziehbare" und „Schwererziehbare" ausgeschlossen werden.

War die DAF dafür zuständig, aus den gesunden und normal leistungsfähigen Menschen die größtmögliche Leistung herauszuholen, so tat dies die NSV im Bereich der Schwachen und Hilfsbedürftigen. Sie sollte wie ein Filter wirken, der das noch „Verwertbare" vom „unbrauchbaren Bodensatz" trennte. Auch die NSV stand mit ihrem völkischen Leistungsethos im Dienste der Kriegsvorbereitung. Sie sollte „stark machen zum Einsatz von Gut und Blut für Volk und Vaterland".[5] Wie kaum eine andere nationalsozialistische Organisation hat die NSV Elemente fortschrittlicher Sozialpolitik mit menschenverachtender Gesinnung und Praxis vermischt. Mit ihrer riesigen Zahl ehrenamtlicher Helfer und ihren beruflichen Mitarbeitern, darunter die in der Gesundheitsvorsorge tätigen NS-Schwestern, erreichte die NSV jeden Haushalt und trug gezielt und mit Erfolg zur politischen Überwachung und ideologischen Indoktrinierung der Bevölkerung bei. Denn trotz der hochgradigen Akzeptanz, die das Regime aus heutiger Sicht lange Zeit hatte, und entgegen aller öffentlichen Bekundung der Einheit von Volk und Staat blieb das Regime gegenüber der Bevölkerung skeptisch. Hitler jedenfalls war der Überzeugung, daß mit den im Kaiserreich und in der Weimarer Republik groß gewordenen Menschen keine wirklich nationalsozialistische Gesellschaft aufzubauen sei. Er setzte auf die Jugend, die nichts anderes als den Nationalsozialismus kannte. Sie hatte zwei „Schulen der Nation" zu durchlaufen: Die *Hitler-Jugend* und den *Reichsarbeitsdienst.*

Die Hitler-Jugend

Keimzelle der *Hitler-Jugend* (HJ) war der 1922 in München gegründete *Jugendbund der NSDAP.* Nach Neugründung der NSDAP wurde 1926 die *Hitler-Jugend. Bund deutscher Arbeiterjugend* gegründet. 1929 trat neben die HJ der *Nationalsozialistische Schülerbund.* 1930 entstand das *Deutsche Jungvolk* sowie aus schon länger bestehenden Organisationen für die weibliche Jugend der *Bund Deutscher Mädel* (BDM), der im Juli 1932 in die HJ integriert wurde. Anfangs der SA angegliedert, wurde die HJ 1932 vorläufig und 1935 endgültig zur selbständigen Parteiorganisation, deren Führung bei der Reichsleitung der NSDAP

[5] Althaus, Nationalsozialistische Volkswohlfahrt, 1939, S. 18.

angesiedelt war. Baldur von Schirach, der Führer des *Nationalsozialistischen Deutschen Studentenbunds* (NSDStB), wurde zum *Reichsjugendführer der NSDAP* (RJF) ernannt. Ursprünglich eine unbedeutende Parteijugendorganisation, stiegen ab 1931 die Mitgliederzahlen der HJ rasch an: Ende 1932 hatte sie bereits über 100 000 Mitglieder. Beim „Reichsjugendtag" in Potsdam am 1./2. Oktober 1932 marschierten Zehntausende von Jugendlichen über sieben Stunden lang am „Führer" Adolf Hitler vorbei. Die HJ war jetzt ein nicht mehr zu übersehender Faktor innerhalb der deutschen Jugendbewegung und wurde im Oktober 1932 in den *Reichsausschuß der deutschen Jugendverbände* aufgenommen.

Am 5. April 1933 besetzte die HJ dessen Zentrale. Die konkurrierenden politischen und bündischen Jugendorganisationen wurden verboten bzw. in die HJ überführt. Lediglich die konfessionellen Jugendorganisationen blieben zunächst noch bestehen; die evangelische Jugend gliederte sich allerdings bereits Ende 1933 in die HJ ein. Am 17. Juni 1933 wurde Baldur von Schirach zum *Jugendführer des Deutschen Reichs* im Reichsinnenministerium ernannt, dem auch die Jugendarbeit außerhalb der HJ unterstellt war. Das Parteiamt des *Reichsjugendführers der NSDAP* wurde so in Personalunion mit dem Staatsamt des *Jugendführers des Deutschen Reichs* verbunden, was durch das „Gesetz über die Hitlerjugend" vom 1. Dezember 1936 endgültig sanktioniert wurde. Die *Reichsjugendführung* (RJF) war damit als *Oberste Reichsbehörde* zugleich staatliches Organ der Jugendpolitik wie *Reichsleitung der HJ*. Die HJ war eine selbständige Parteiorganisation mit eigener Gebietsgliederung und nur in finanzieller Hinsicht von der NSDAP abhängig.

Die Zuständigkeit der HJ erstreckte sich auf die „gesamte deutsche Jugend" außerhalb von „Elternhaus und Schule", die in der HJ „körperlich, geistig und sittlich im Geiste des Nationalsozialismus zum Dienst am Volk und zur Volksgemeinschaft" zu erziehen sei. Im Sinne der Volksgemeinschaftsideologie ebnete sie die für das frühere Jugendverbandswesen so charakteristischen sozialen, konfessionellen, politischen und ideologischen Unterschiede ein und unterschied nur noch nach Alter und Geschlecht. Dementsprechend bestand sie aus fünf organisatorischen Säulen: dem *Deutschen Jungvolk* (DJ) für 10–14jährige Jungen, der *Hitler-Jugend* (HJ) für 14–18jährige Jungen, den *Jungmädel* (JM) für 10–14jährige Mädchen, dem *Bund Deutscher Mädel* (BDM) für 14–18jährige Mädchen sowie dem zusätzlich für Mädchen von 18–21 Jahren geschaffenen *BDM-Werk „Glaube und Schönheit"*. HJ und BDM gliederten sich von unten nach oben wie folgt: *Kameradschaft* (HJ) bzw. *Mädelschaft* (BDM), *Schar* bzw. *Mädelschar, Gefolgschaft* bzw. *Mädelgruppe*, *Stamm* bzw. *Mädelring, Bann* bzw. *Untergau* und schließlich als größte territoriale Einheit und oberste Führungsinstanz unterhalb des *Reichsjugendführung Gebiet* bzw. *Obergau*. Entsprechend war die Gliederung beim DJ und den JM

[6] Reichsgesetzblatt I 1936, S. 933

mit abweichenden Bezeichnungen. 1939 gab es 36 Gebiete bzw. Obergaue, zu denen noch ein „Reichsbann Seefahrt", ein „Reichsbann Binnenschiffahrt", ein „Reichsbann B" (Blinde) und ein „Reichsbann G" (Gehörgeschädigte) kamen, die der Reichsjugendführung direkt unterstellt waren. Die Gebiete bzw. Obergaue wurden, ohne daß dies eine praktische Bedeutung gehabt hätte, zu fünf *Obergebieten* (HJ) bzw. *Gauverbänden* (BDM) mit je etwa 750 000 Jugendlichen zusammengefaßt. Innerhalb der HJ gab es spezielle Gliederungen wie die Marine-, Motor-, Flieger-, Reiter-, Nachrichten-, Feuerwehr- und Feldscher-HJ (Sanitäter), Spielscharen, Musik-, Spielmanns- und Fanfarenzüge sowie den Streifendienst, der sich – besonders im Krieg – zu einer Art Jugendpolizei entwickelte.

Obwohl in ihrem Erziehungsauftrag eindeutig parteilich definiert, nahm die HJ für sich in Anspruch, die deutsche Jugendbewegung fortzuführen und zu vollenden. Der HJ-Grundsatz „Jugend wird durch Jugend geführt" verschleierte aber nur die zentrale Lenkung und Gestaltung des „Jugenddienstes". Zwar waren die Führer der unteren Einheiten der HJ im Schnitt nur um wenige Jahre älter als ihre Untergebenen, doch waren in den höheren, beruflich ausgeübten Diensträngen durchwegs Erwachsene als Jugendführer tätig. So lag das Durchschnittsalter der Gebiets- und Obergebietsführer 1938 bei 30 Jahren. Die HJ entwickelte sich zunehmend zu einem hocheffizienten System der Erfassung und Beeinflussung der Jugend und wurde zu einem der „wesentlichen Mittel zur Herrschaftserhaltung des NS-Regimes"[7]. Ungeachtet ihres Auftrags zur „Gleichschaltung" und „Ausrichtung" der Jugend auf die ideologischen und imperialistischen Ziele des Regimes bot sie jedoch zugleich – das gilt nicht zuletzt für den BDM in katholisch-agrarischen Regionen mit stark patriarchalisch geprägten Familienstrukturen – für zahlreiche Jugendliche die Möglichkeit, sich der häuslichen Enge zu entziehen und neue Lebenserfahrungen zu machen.

Der Alltag der HJ-Mitglieder war vor 1939 von den regelmäßigen „Heimnachmittagen" bzw. „-abenden" und spezifisch „jugendbewegten" Aktivitäten wie Sport, Wanderungen, Fahrten und Zeltlagern geprägt. Bei der männlichen HJ besaß die sportliche Ertüchtigung von Anfang an einen starken wehrsportlichen Akzent, während die weibliche Jugend zielbewußt auf den Sanitätsdienst vorbereitet wurde. Schon in der Friedenszeit kamen allerdings pseudomilitärische Rituale wie regelmäßige Appelle und Aufmärsche hinzu. Die HJ wurde darüber hinaus in „Gemeinschaftsaufgaben" wie Sammlungen für das *Winterhilfswerk*, Altmaterialsammlungen, z. T. auch Ernteeinsatz eingebunden. All diese von der Jugend weithin bereitwillig angenommenen Angebote und Dienstpflichten waren verbunden mit ideologischer Indoktrination durch regelmäßige „weltanschauliche Schulung".

1939 wurde durch die „Zweite Durchführungsverordnung zum HJ-Gesetz" die allgemeine Jugenddienstpflicht eingeführt. Damit wurde

[7] Klönne, Hitlerjugend, S. 98.

die HJ von der Partei- zur Staatsjugend. Die Mitgliedschaft in der *Stamm-HJ* als Gliederung der NSDAP blieb freiwillig und war an bestimmte Voraussetzungen gebunden; sie bildete das natürliche Nachwuchsreservoir für die NSDAP und ihre Gliederungen, insbesondere die SS.

Der wenig später ausgebrochene Krieg bedeutete eine tiefe Zäsur in der Entwicklung der HJ: Das Führerkorps meldete sich nahezu geschlossen an die Front. Zehntausende von HJ-Führern mußten schnell durch andere ersetzt werden, die naturgemäß jünger, weniger erfahren und schlechter ausgebildet waren. Der 1940 als Nachfolger Schirachs eingesetzte Reichsjugendführer Artur Axmann trat mit dem Anspruch an, HJ und BDM für den „Endsieg" zu mobilisieren. Die HJ wurde im Krieg zunehmend zu einem „multivariabel einsetzbaren Faktor", der von zahlreichen Dienststellen – von Gemeinden, Staat, Partei und Wehrmacht – in Anspruch genommen wurde. Die Palette der von der HJ – Ergebnis ihrer langjährigen Indoktrinierung – „freudig" ausgeführten Tätigkeiten reichte vom Heilkräutersammeln bis zum Kampfeinsatz im Krieg: Osteinsatz, Landdienst, Ernteeinsatz, Kinderlandverschickung, Sammlungen, Arbeit in Rüstungsbetrieben, Luftschutzdienst, hauswirtschaftliche und soziale Hilfsdienste, Einsätze bei Bahn, Post und anderen Behörden, in der Verwundetenbetreuung und in der Friedhofspflege sowie militärische Hilfsdienste (Flakhelfer, Volkssturm)[8]. Im Frühjahr 1943 wurde aus Waffen-SS-Offizieren, früheren HJ-Führern und Absolventen von Wehrertüchtigungslagern die Hitler-Jugend-Panzergrenadierdivision gebildet, die ab Herbst den Namen *12. SS-Panzerdivision Hitler-Jugend* trug. Unzureichend ausgebildet, ohne Kampferfahrung und mit großteils blutjungen Soldaten wurde sie im Sommer 1944 in der Normandie weitgehend aufgerieben.

Insbesondere die Kriegsverhältnisse verhinderten, daß die HJ ihrem Anspruch, Staatsjugend zu sein, je gerecht werden konnte. Zwar erhöhte sich die Mitgliederzahl von ca. zwei Millionen im Jahr 1933 auf rund acht Millionen 1939, zu einer vollständigen Erfassung der Jugend ist es aber nie gekommen. Außerhalb wie innerhalb der HJ begann die Jugend in der zweiten Kriegshälfte, gegen die ständig zunehmenden Arbeits- und Disziplinanforderungen aufzubegehren. Ernst Kaltenbrunner sprach in einem RSHA-Runderlaß über die „Jugendopposition" vom 25. Oktober 1944 von „zum Teil kriminell-asoziale[n] oder politisch-oppositionelle[n] Bestrebungen", von „Ablehnung oder Interesselosigkeit gegenüber den Pflichten innerhalb der Volksgemeinschaft", von „Cliquen mit kriminell-asozialer Einstellung", „Cliquen mit politisch-oppositioneller" und „Cliquen mit liberal-individualistischer Einstellung"[9]. Offenbar verlor die Volksgemeinschaftsideologie durch die Kriegsverhältnisse in Teilen der Jugend, auf die Hitler alles setzte, ihre Überzeugungskraft.

8 Buddrus, „Die Kriegsjugend Adolf Hitlers", (Manuskript).

9 Zit. nach Klönne, Jugendprotest, S. 618f.

Volker Dahm

Der Reichsarbeitsdienst

Der nationalsozialistische *Reichsarbeitsdienst* (RAD) ging aus dem *Freiwilligen Arbeitsdienst* hervor, der von der Regierung Brüning durch Notverordnung vom 23. Juli 1931 eingeführt worden war. Dieser wiederum hatte Vorläufer in entsprechenden Initiativen der letzten Jahre des Ersten Weltkriegs und der zwanziger Jahre, zum Beispiel den *Vaterländischen Hilfsdienst 1916/17* oder den Arbeitsdienst der Artamanen (ca. 1924), die durch freiwillige Arbeitsleistung die „fremdstämmigen" Landarbeiter verdrängen wollten, sowie in verschiedenen privaten Arbeitsdienstinitiativen des Jahres 1930. Am 31. März 1933 bestimmte Hitler den verabschiedeten Oberst Konstantin Hierl zum *Reichskommissar für den Freiwilligen Arbeitsdienst* im Rang eines Staatssekretärs im Reichsarbeitsministerium. Mit Reichsgesetz vom 26. Juni 1935 wurde die allgemeine Arbeitsdienstpflicht eingeführt; Hierl wurde jetzt als *Reichsarbeitsführer* dem Reichsinnenminister unterstellt und mit der vollen Befehlsgewalt für den *Reichsarbeitsdienst* ausgestattet. Nach der Übernahme des Reichsinnenministeriums durch Heinrich Himmler wurde der RAD 1943 zu einer Obersten Reichsbehörde verselbständigt, die Hitler unmittelbar unterstand; Hierl erhielt Rang und Befugnisse eines Reichsministers.

Das RAD-Gesetz verpflichtete „alle jungen Deutschen beiderlei Geschlechts", „ihrem Volk im Reichsarbeitsdienst zu dienen", der als „Ehrendienst am deutschen Volke" bezeichnet wurde.[10] Aus organisatorischen und finanziellen Gründen wurde auf eine gesetzliche Regelung des weiblichen Arbeitsdienstes vorläufig verzichtet; nur Studentinnen waren wie schon seit 1934 zu einem halbjährigen Arbeitsdienst verpflichtet. Für die anderen jungen Frauen bestand weiterhin die Möglichkeit am *Freiwilligen Arbeitsdienst* teilzunehmen. Die Arbeitsdienstpflicht für die „männliche Jugend" betrug ein halbes Jahr und war im Alter von 18 bis 25 Jahren abzuleisten. Hierl teilte den Arbeitsdienst in 35 „Arbeitsgaue" ein, die sich je nach Umfang der Arbeitsaufgaben auf sechs bis neun „Arbeitsdienstgruppen" stützten, denen wiederum fünf bis acht „Arbeitsdienstabteilungen", die eigentlichen Arbeitsmannschaften, unterstanden. Der Arbeitsdienst hatte im Juni 1935 eine Stärke von 200 000 Mann, die bis Oktober 1939 auf 300 000 gebracht werden sollte. Zum 1. April 1936 wurde der freiwillige weibliche Arbeitsdienst dem *Reichsarbeitsführer* unterstellt, seine eigene Reichsleitung aufgehoben und durch Sachbearbeiterinnen für den weiblichen Arbeitsdienst in den Ämtern der Reichsleitung ersetzt. Im übrigen blieb die Gliederung des weiblichen Arbeitsdienstes erhalten. Die Dienstzeit betrug ein halbes Jahr. Am 1. April 1936 soll die Zahl der freiwilligen „Arbeitsmaiden", so der damals übliche Ausdruck, 10 000 betragen haben. Am 4. September 1939, drei Tage nach Kriegsbeginn, wurde der Arbeitsdienst für

10 Reichsgesetzblatt I 1933, S. 769.

Frauen durch Verordnung obligatorisch; anders als bei den Männern, die nach Ableistung der halbjährigen Dienstpflicht in der Regel in die Wehrmacht einrückten, betrug die Dienstzeit ein volles Jahr. „Nichtarier" und Vorbestrafte waren vom „Ehrendienst der deutschen Jugend" ausgeschlossen.

War der Arbeitsdienst ursprünglich ein Instrument im Kampf gegen die Massenarbeitslosigkeit gewesen, so schaltete Hierl die konfessionellen und sonstigen Träger des Arbeitsdienstes (auch die NSDAP) aus und wandelte den Arbeitsdienst nach dem Willen Hitlers in eine Einrichtung der nationalsozialistischen Erziehung und der Kriegsvorbereitung um. Leitbild war der „Blut- und Boden"-Topos: „Arbeit am deutschen Menschen" und „Arbeit am deutschen Boden" lautete die Aufgabe. Der Arbeitsdienst sollte eine „Schule der Volksgemeinschaft" sein. Durch harte Arbeit und das erzwungene Gemeinschaftsleben, auch in der Freizeit, sollten „Standesdünkel" und Klassenhaß gebrochen werden. In dieser Absicht wurde die Handarbeit nicht nur praktisch, sondern auch ideologisch in den Mittelpunkt gestellt und glorifiziert, der Spaten zum Symbol des RAD erhoben. „Ordnungsübungen", zum Beispiel das perfekte Falten eines Bettuchs, sollten zu Ordnungsliebe, Sauberkeit, Pünktlichkeit und Gewissenhaftigkeit erziehen, das strenge Lagerreglement zu Disziplin und Gehorsam. Leibesübungen hatten körperliche Robustheit, Mut- und Charakterschulung zum Ziel. Das Ausbildungsprogramm umfaßte die arbeitstechnische Unterweisung, paramilitärische Übungen und die staatspolitische Schulung; letztere litt indessen am Mangel an qualifizierten Arbeitsdienstführern.

Der „Arbeitsdienst männliche Jugend" wurde hauptsächlich zur Bodenkultivierung, bei Forstarbeiten, im Wege- und Autobahnbau, bei Erntenotständen und Naturkatastrophen eingesetzt. Im „Arbeitsdienst weibliche Jugend" wurden „soldatische" Formen der Erziehung und Ausbildung vermieden, um nicht ein dem nationalsozialistischen Frauenbild widersprechendes „Amazonenkorps" heranzuziehen. Erziehung zur Kameradschaft, Treue, Gemeinschaft, frauengemäße körperliche Ertüchtigung, staatspolitischer Unterricht und Erwerb praktischer Fähigkeiten für Haus, Hof und Garten standen im Mittelpunkt. Die Arbeitsmaiden wurden vorwiegend als Haushaltshilfen (besonders in kinderreichen Familien) und als Erntehelferinnen eingesetzt. Mit dem Fortschreiten des Krieges wurden sie mehr und mehr in Rüstungsbetriebe geschickt. Bei den Männern dominierte jetzt die militärische Ausbildung. Bewaffnete RAD-Einheiten folgten der vorrückenden Front und führten unter dem Kommando der Wehrmacht Pionierarbeiten durch. In der Endphase kam es auch zu Kampfeinsätzen, insbesondere im Rahmen des „Volkssturms". Nicht selten wurden RAD-Abteilungen in Flak-Batterien umgewandelt.

Volker Dahm

Die Opfer der „Volksgemeinschaft"

Gedanklich gründete sich die nationalsozialistische Volksgemeinschaft auf unbeweisbare Behauptungen: die Behauptung, daß die Deutschen ein durch gemeinsames Erbgut verbundener Personenverband seien, und das Postulat von der einzigartigen Hochwertigkeit des deutschen Volkes und der „Rasse", zu der es gehörte. In der Realität konstituierte sie sich negativ durch Ausgrenzung aller Minderheiten, die den von der nationalsozialistischen Führung definierten politischen, rassischen, ethischen und moralischen Normen sowie ihren Leistungsansprüchen nicht genügten: Politische und konfessionelle Gegner und Emigranten, derer man habhaft geworden war, wurden in Konzentrationslager gesperrt und in einer Reihe von Fällen ermordet. Tatsächlich oder nur nach nationalsozialistischer Auffassung an Erbkrankheiten leidende Menschen wurden sterilisiert und damit des elementaren Menschenrechts der Fortpflanzung beraubt, darunter auch sogenannte Asoziale, denen man ein „minderwertiges", aus dem „Erbstrom" auszuscheidendes Erbgut attestierte. Alkoholiker, Obdachlose, „Arbeitsscheue", Landstreicher, Bettler usw. galten als „Sozialballast" und wurden im KZ „gelagert". Auch Schwerkriminelle, sogenannte Berufsverbrecher, ereilte dieses Schicksal, auch wenn sie ihre Strafen bereits verbüßt hatten. Die Angehörigen der Glaubensgemeinschaft „Zeugen Jehovas" wurden mit besonderer Härte verfolgt, von den Gerichten zu Strafhaft verurteilt und nach Strafverbüßung ins KZ verbracht, wo viele von ihnen zugrunde gingen; ähnlich erging es der männlichen homosexuellen Minderheit. Die Sinti und Roma („Zigeuner") wurden zunächst als „Asoziale" und dann als „rassische Minderheit" verfolgt. Die größte Opfergruppe stellten die ca. 500 000 im Reichsgebiet lebenden Juden dar, die völlig an das Deutschtum assimiliert waren und sich – von Ausnahmen abgesehen – als national gesinnte Deutsche jüdischer Konfession begriffen. Juden sowie Sinti und Roma wurden schließlich Opfer des vorsätzlichen Völkermords. Der „inner-rassischen" Reinigung fielen geistig und körperlich Behinderte in großer Zahl zum Opfer. Der wirtschaftliche, technische und soziale Fortschritt, der den Mitgliedern der Volksgemeinschaft vorübergehend zugute kam, hatte den Preis der Verfolgung, Erniedrigung, Einkerkerung und Ermordung der Ausgegrenzten. Die nationalsozialistische Volksgemeinschaft und Auschwitz waren zwei Seiten derselben Medaille.

Funktion der „Volksgemeinschaft"

Die „Volksgemeinschaft" war nicht nur in ihrer „rassenpolitischen" und eugenischen Dimension, sondern auch in gesellschaftspolitischer Hinsicht in hohem Maße ideologisch, indem sie die in menschlichen Gesellschaften jeder Ordnung bestehenden Gegensätze, Widersprüche und Unterschiede und die daraus notwendigerweise entspringenden Konflikte für viele verdeckte. An die Stelle öffentlich kontrollierter Institutionen und rationaler Verfahren, durch die in pluralistischen Gesellschaften Konflikte gelöst und Konsens hergestellt werden, trat im Staat Hitlers eine rein emotionale Vergemeinschaftung. Die Feiern zum 1. Mai 1933 bildeten das erste in der „unabsehbaren Reihe betäubender Massenfeste"[11]. Höhepunkt des nationalsozialistischen „Feierjahrs" waren jeweils die Massenaufmärsche beim Reichsparteitag in Nürnberg. Auf dem Reichsparteitag 1936 strahlten 130 in Zwölfmeter-Abständen rings um das riesige Zeppelinfeld aufgestellte Flakscheinwerfer hoch hinauf in den nächtlichen Himmel, wo sich die Strahlenbündel allmählich zu einer Kuppel aus Licht vereinigten. Wie eine gigantisch große Kirche vereinte dieser „Lichtdom" die riesige, in Reih und Glied angetretene Menschenmasse zu einer Gemeinde, die zu ihrem „Führer" wie zu einem Priester hinaufsah. Das Individuum schien ausgelöscht, alle sozialen, konfessionellen und regionalen Unterschiede waren scheinbar verschwunden.

Natürlich ließen sich durch solche „Führer-Volk"-Inszenierungen weder die Probleme des einzelnen noch die von Staat und Gesellschaft lösen. Diese Aufgabe – in der Demokratie Sache der Parlamente und Sozialpartner – wurde in der Realität des Dritten Reiches in die Partei- und Staatsbürokratie verlagert. Dort wurde nicht minder, meistens sogar um ein Vielfaches heftiger gestritten, als in den von den Nationalsozialisten als „Quasselbuden" diffamierten Parlamenten. Das Volk hatte an diesen Auseinandersetzungen und an dieser Form der Willensbildung und Entscheidungsfindung keinen Anteil. Nach der Doktrin der „Volksgemeinschaft", daß Gemeinnutz vor Eigennutz gehe, hatte der einzelne seine persönlichen Interessen denen der Gemeinschaft unterzuordnen. Über die Interessen dieser Gemeinschaft aber entschied immer der „Führer", der den Anspruch erhob, kraft seiner geschichtlichen Sendung den wahren Volkswillen zu kennen und zu vollziehen. Der Mythos Volksgemeinschaft wurde so zu einem Instrument zur Durchsetzung der weltanschaulichen und politischen Ziele des Nationalsozialismus. Dabei ging es vorrangig um die Steigerung des materiellen und psychischen Leistungspotentials der Nation, um den geplanten Raumkrieg mit Erfolg führen zu können.

So unglaublich es klingt: Die Nationalsozialisten waren felsenfest davon überzeugt, daß ihr Volks- und Rassengedanke *der* „moderne" Gedanke des 20. Jahrhunderts, ja der fortschrittlichste und letztgültige

11 Bracher, Machtergreifung, S. 182.

in der Menschheitsgeschichte überhaupt war. Jedes andere politische Denken, besonders auch Liberalismus und Parlamentarismus, wurde als überholt oder sogar reaktionär eingestuft. Damit stellt sich die Frage nach den geistigen Beziehungen des Nationalsozialismus zu den emanzipatorischen Bewegungen in der neueren Geschichte. Dieses Verhältnis ist durch eine merkwürdige Zweideutigkeit charakterisiert: Indem er die menschliche Gesellschaft auf biologische Tatbestände reduzierte, war der Nationalsozialismus ein Produkt des Materialismus des 19. Jahrhunderts. Er war insofern eine Variante im Spektrum der langfristigen Konsequenzen der „Entzauberung" und „Entdogmatisierung" der Welt durch die Naturforscher und Entdecker seit dem 14. Jahrhundert und die Aufklärung des 17. und 18. Jahrhunderts. Auf der anderen Seite setzte er mit der narzißtischen Vergötzung von Volk und „Rasse" neuerlich ein Dogma in die Welt und baute es zu einem hermetischen Denkgebäude aus, dem jede metaphysische Rechtfertigung und damit auch die sittlichen Fesseln fehlten, welche die alten Dogmen den Menschen angelegt hatten. Die dogmatische Überzeugung, nichts anderes zu tun, als „ewige" Natur- und Geschichtsgesetze zu vollstrecken, befähigte die Nationalsozialisten, die schrecklichsten Verbrechen der Menschheitsgeschichte zu begehen, ohne die Spur eines schlechten Gewissens zu empfinden, ja in dem Gefühl, hochidealistische Heldentaten zu vollbringen. Daß antidemokratische und kriminelle Cliquen die Macht an sich reißen, kann fast immer und überall geschehen. Nicht Hitlers Machtergreifung, sondern die damit verbundene politische Herrschaft eines alle human-ethischen Bezüge entbehrenden Dogmas ist der tiefere Grund dafür, daß das hochentwickelte Europa des 20. Jahrhunderts – menschheitsgeschichtlich am Vorabend der ersten Mondfahrt – einer atavistischen Orgie der Zerstörung und Vernichtung anheim fiel.

Die nationalsozialistische Volksgemeinschaft (C 3)

Der Hitler-Mythos war ein zentraler Mythos des Dritten Reichs. Ein zweiter war die Idee der Volksgemeinschaft. Beide waren ideell und funktional aufeinander bezogen. Der Mythisierung Hitlers zum omnipotenten „Führer" entsprach die Mythisierung des Volkes zu einer Bluts-, Schicksals- und Willensgemeinschaft, die auf dem nach nationalsozialistischer Auffassung „modernen" Rassendenken beruhte. Danach waren die Deutschen nicht eine Summe von Individuen, die aufgrund historischer Entwicklungen Nation und Staat bildeten, sondern ein biologischer Personenverband, der durch das „Bluterbe" der

Ahnen verklammert und innerlich geeint war. Zu einem geschlossenen Volk aber waren die Deutschen nach Hitlers Ansicht nie geworden. Hierzu sollten Klassen-, Stände- und Gruppeninteressen beseitigt und die Rechte des einzelnen den Interessen von Volk und Nation untergeordnet werden. Über diese Interessen entschied nicht das Volk selbst, sondern der „Führer“. Er erhob den Anspruch, kraft seiner geschichtlichen Sendung den Volkswillen zu verkörpern und zu vollziehen. In Hitlers Denken war die „Volksgemeinschaft“ auch eine Leistungsgemeinschaft im Dienst seiner imperialistischen Zielsetzungen. Nur wer zu ihr gehörte, sollte Anteil am wirtschaftlichen und sozialen Fortschritt haben.

VON DER
Schicksalsgemeinschaft
ZUR
Volksgemeinschaft
VON DER
Volksgemeinschaft
ZUR
Leistungsgemeinschaft
VON DER
Leistungsgemeinschaft
ZUR
Betriebsgemeinschaft
VON DER
Betriebsgemeinschaft
ZUM Vertrauensrat
Das ist ein Weg und ein Ziel.
Alle wählen die
Vertrauensräte
DER DEUTSCHEN
ARBEITSFRONT
VERANTWORTLICH: KLAUS SELZNER
6

◀ Plakatserie der *Deutschen Arbeitsfront* zu den Vertrauensräte-Wahlen 1934. ~ Deutsches Historisches Museum, Berlin (92–96) ▶

Schickſalsgemeinſchaft
begleitet ein Volk von
ſeinem Entſtehen bis zu
ſeinem Vergehen.
Unſer Führer
ADOLF HITLER
wendete das Schickſal
des deutſchen Volkes zum
Guten, damit widerlegte
er die Irrlehren der internationalen Klaſſenkämpfer
aller Art.
Aus dem Wiſſen um die
Schickſalsgemeinſchaft
wurde notwendig die ...
Volksgemeinſchaft

2 VERANTWORTLICH: KLAUS SELZNER

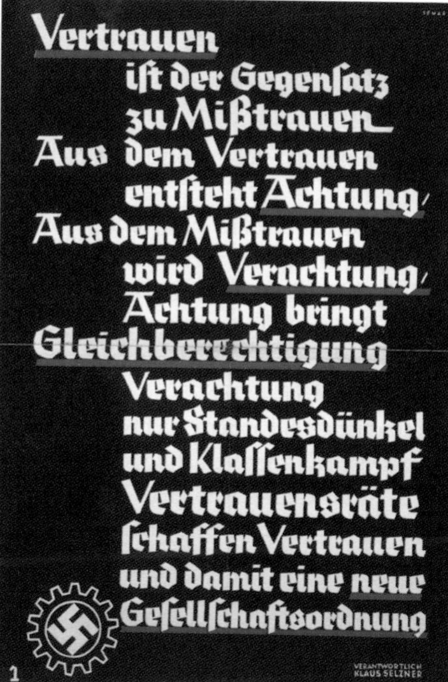

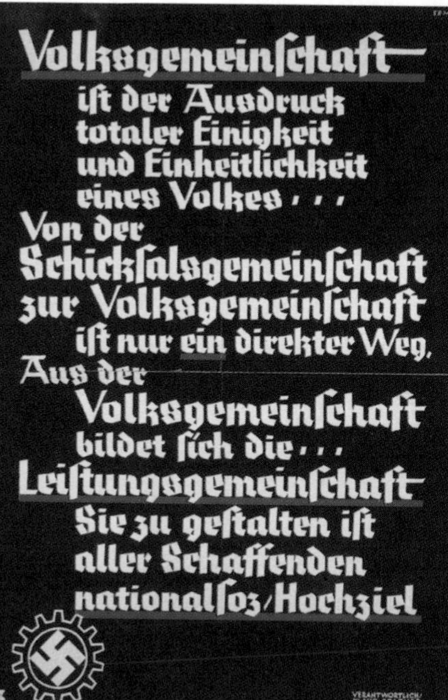

Leiſtungsgemeinſchaft
fördert den Ertrag der
Produktion. Aus dem
Ertrag wird jegliche
ſoziale Forderung erſt
erfüllbar.
Die
Leiſtungsgemeinſchaft
eines Volkes wird ge-
fördert durch die ...
Betriebsgemeinſchaft.
Millionen Betriebsgemein-
ſchaften arbeiten an
der Steigerung der
Leiſtung

4 VERANTWORTLICH: KLAUS SELZNER

Die Inszenierung der „Volksgemeinschaft" (C 3.1)

Der „Lichtdom" erhöhte die „Führer"-Volk-Beziehung in die Sphäre des Sakralen. Im gleichsam heiligen Raum erhob sich der Führer über das Volk: Eine riesige, streng geordnete Menschenmasse, in der das Individuum zum unkenntlichen Teil des Ganzen wurde und alle persönlichen, sozialen, regionalen und konfessionellen Gegensätze verschwunden schienen. Diese Form der Vergemeinschaftung aber war rein emotional und änderte nichts an den tatsächlichen individuellen und gesellschaftlichen Verhältnissen, sondern deckte die Unterschiede und Gegensätze zu – wenn nicht auf Dauer, so doch für Stunden und Tage. Deshalb überzogen die Nationalsozialisten die Nation mit einer dichten Folge neuer, nationalsozialistischer Feiern und Massenfeste,

„Lichtdom" auf dem Reichsparteitag in Nürnberg 1936: Erzeugt durch 130 in Zwölfmeter-Abständen rings um das Zeppelinfeld aufgestellte Flakscheinwerfer, deren scharf umrissene Strahlen in einer Höhe von mehreren Kilometern zu einer leuchtenden Kuppel zusammenflossen. ~ Privatbesitz Rudolf Herz, München (97) ▼

die die Sinne stimulierten und den Verstand lähmten. Sie vermittelten ein intensives, oft euphorisches Gemeinschaftserlebnis und stärkten den Glauben an den „Führer", der persönlich oder symbolisch immer gegenwärtig war.

Die Deutschen von damals waren für beides sehr empfänglich – nicht weil sie anders waren als andere, sondern auf Grund ihrer besonderen historischen Lage. Die Mehrzahl von ihnen hatte ihre politische Sozialisation noch im Kaiserreich erfahren, und ihre Erfahrungen mit der pluralistischen Gesellschaft und der parlamentarischen Demokratie der Weimarer Republik waren überwiegend negativ gewesen. Hitler bot ihnen eine scheinbar aussichtsreiche Perspektive: einfache, unumstrittene Werte, eine überschaubare und konfliktfreie Ordnung und die schnelle Lösung aller Probleme durch einen starken Mann.

2 Reichsparteitagsabzeichen. (Metall, geprägt; 1934, 1936; Durchmesser 3,9 cm). ~ Leihgaben Institut für Zeitgeschichte, München - Berlin (98, 99) ▶

Soziale und politische Gleichschaltung (C 3.2)

Die Verwirklichung der nationalsozialistischen Volksgemeinschaft erschöpfte sich nicht in betäubenden Festen und Ritualen. Als „revolutionäres" Gegenmodell zur pluralistischen Gesellschaft und parlamentarischen Demokratie zielte sie auf die Vernichtung dieser Ordnung. Um die „Zerreißung" des Volkes aufzuheben, waren alle Organisationen zu zerstören, die Ausdruck und Träger dieser „Zerreißung" waren. Schon im ersten Halbjahr der NS-Herrschaft wurden die politischen Parteien durch Polizeimaßnahmen zerschlagen, verboten oder zur Selbstauflösung getrieben. Gewerkschaften und Berufsverbände wurden aufgelöst. Parlamente und Tarifparteien, in der Demokratie Institutionen der Willensbildung, der Kontrolle und des Interessenausgleichs, wurden damit eliminiert und durch eine scheinbar unmittelbare „Führer"-Volk-Beziehung ersetzt. An die Stelle der republikanischen Organisationen und Verbände traten neue, nationalsozialistische Großorganisationen, durch die der Führerwille herrschen sollte. Der 1. Mai wurde in propagandistischer Absicht als „Tag der nationalen Arbeit" zum bezahlten arbeitsfreien Feiertag.

▲ Besetzung des Gewerkschaftshauses in der Pestalozzistraße in München (9. März 1933). ~ Stadtarchiv München (100)

◀ Postkarte zum 1. Mai: Die „Arbeiter der Stirn und der Faust" vereinen sich unter dem Patronat des „Führers" (Poststempel 1938). ~ Sammlung Karl Stehle, München (101)

Reichsgesetzblatt I 1933 (S. 479) (102) ▶

Gesetz gegen die Neubildung von Parteien.
Vom 14. Juli 1933.

Die Reichsregierung hat das folgende Gesetz beschlossen, das hiermit verkündet wird:

§ 1

In Deutschland besteht als einzige politische Partei die Nationalsozialistische Deutsche Arbeiterpartei.

§ 2

Wer es unternimmt, den organisatorischen Zusammenhalt einer anderen politischen Partei aufrechtzuerhalten oder eine neue politische Partei zu bilden, wird, sofern nicht die Tat nach anderen Vorschriften mit einer höheren Strafe bedroht ist, mit Zuchthaus bis zu drei Jahren oder mit Gefängnis von sechs Monaten bis zu drei Jahren bestraft.

Berlin, den 14. Juli 1933.

Der Reichskanzler
Adolf Hitler

Der Reichsminister des Innern
Frick

Der Reichsminister der Justiz
Dr. Gürtner

Durch das „Gesetz gegen die Neubildung von Parteien“ vom 14.Juli 1933 wurde Deutschland auch formell zum Einparteien-Staat: Hatten an der Reichstagswahl vom 5.März 1933 noch zehn Parteien teilgenommen, so stand bei der Neuwahl am 12.November 1933 nur noch die NSDAP zur Wahl.

Reichstagswahl

Wahlkreis Franken

1	**Nationalsozialistische Deutsche Arbeiter-Partei (Hitlerbewegung)** Hitler — Dr. Frick — Göring — von Epp	1	○
2	**Sozialdemokratische Partei Deutschlands** Vogel — Dill — Puchta — Goldmann	2	○
3	**Kommunistische Partei Deutschlands** Thälmann — Meyer — Hausladen — Putz	3	○
5	**Kampffront Schwarz-weiß-rot** Dr. Hugenberg — Dr. Lent — von Thüngen — Keppler	5	○
6	**Bayerische Volkspartei** Leicht — Herbert — Troßmann — Korbacher	6	○
7	**Deutsche Volkspartei** Dr. Zapf — Haas — Dr. Raithel — Schneider	7	○
8	**Christlich-sozialer Volksdienst (Evangelische Bewegung)** D. Strathmann Behrens — Alt — D. Müller	8	○
9	**Deutsche Staatspartei** Dr. Luppe — Romelsch — Urlaub — Scharner	9	○
10	**Bayer. Bauern- und Mittelstandsbund** Kemmer - Enzenberger — Linsner — Geiger	10	○

Reichstagswahl

Wahlkreis Franken

Nationalsozialistische Deutsche Arbeiterpartei
(Hitlerbewegung)

Adolf Hitler

Rudolf Heß	**Wilhelm Frick**	**Hermann Göring**
Joseph Goebbels	**Ernst Röhm**	**Walther Darré**
Franz Seldte	**Franz von Papen**	**Alfred Hugenberg**

○

◄ Stimmscheine für die Reichstagswahlen am 5. März und 12. November 1933. ~ Stadtarchiv Nürnberg/Stürmer-Archiv (103, 104)

„Hüterin der Volksgemeinschaft“: Die NSDAP (C 3.3)

Die NSDAP hatte vor 1933 nur eine Aufgabe: die Weimarer Republik zu bekämpfen und für Hitler die Macht zu erobern. Nach der „Machtergreifung“ am 30. Januar 1933 fielen ihr folgende Aufgaben bzw. Funktionen zu:

- Propagierung der nationalsozialistischen Ideologie
- Politische Überwachung und Indoktrinierung der Bevölkerung auf lokaler Ebene
- Propagandistische Bekämpfung von „Volksfeinden“
- Durchsetzung der Entscheidungen der Staatsführung an der Basis
- „Kummerkasten“ der Nation

Die NSDAP sollte die „Auslese des Volkes“ sein. Ihr gehörte deshalb nie mehr als rund ein Zehntel der Bevölkerung an. Die Mitgliedschaft war freiwillig, aber vielfach Voraussetzung einer beruflichen Karriere. Bedingung für die Aufnahme war u. a. der Nachweis der „arischen Abstammung“ bis zurück zu den im Jahre 1800 lebenden Vorfahren („Großer Abstammungsnachweis“).

Haustafel der NSDAP (Blech, emailliert; nach 1933; 80 x 65 cm). ~ Leihgabe Fortbildungsinstitut der Bayerischen Polizei, Ainring. - Die Haustafel wurde in jedem Mietshaus im Flur parterre, in Siedlungen und Dörfern an markanten Stellen angebracht. Sie wurde vom Blockleiter verwaltet. (105) ▼

Hier spricht die NSDAP
Nationalsozialistische Deutsche Arbeiterpartei
Volksgenossen!
Braucht Ihr
Rat und Hilfe
so wendet Euch an die NSDAP
NSDAP:
Blockleiter der NSDAP:
DAF.-KdF:
NSV:
Blockwalter:
Blockwalter:
Mitteilungen
NSDAP:
Angeschlossene Verbände der NSDAP:
DAF. N.S.Gem. „Kraft durch Freude“

Plakat (undatiert). ~ Bundesarchiv, Koblenz (106) ▼

Die NSDAP war hierarchisch in Reichsleitungsämter, Gaue, Kreise und Ortsgruppen gegliedert. Auf jeder dieser Ebenen bestanden die gleichen Fachämter. Die Hitler direkt unterstellten Parteigliederungen (SS, HJ, SA, NSKK, NSFK) standen mit eigener Gebiets- und Fachorganisation neben der Partei.

NSDAP-Ortsgruppe. ~ Organisationsbuch der NSDAP (1937). – Die Ortsgruppe stützte sich auf Zellen und Blocks. (107) ▼

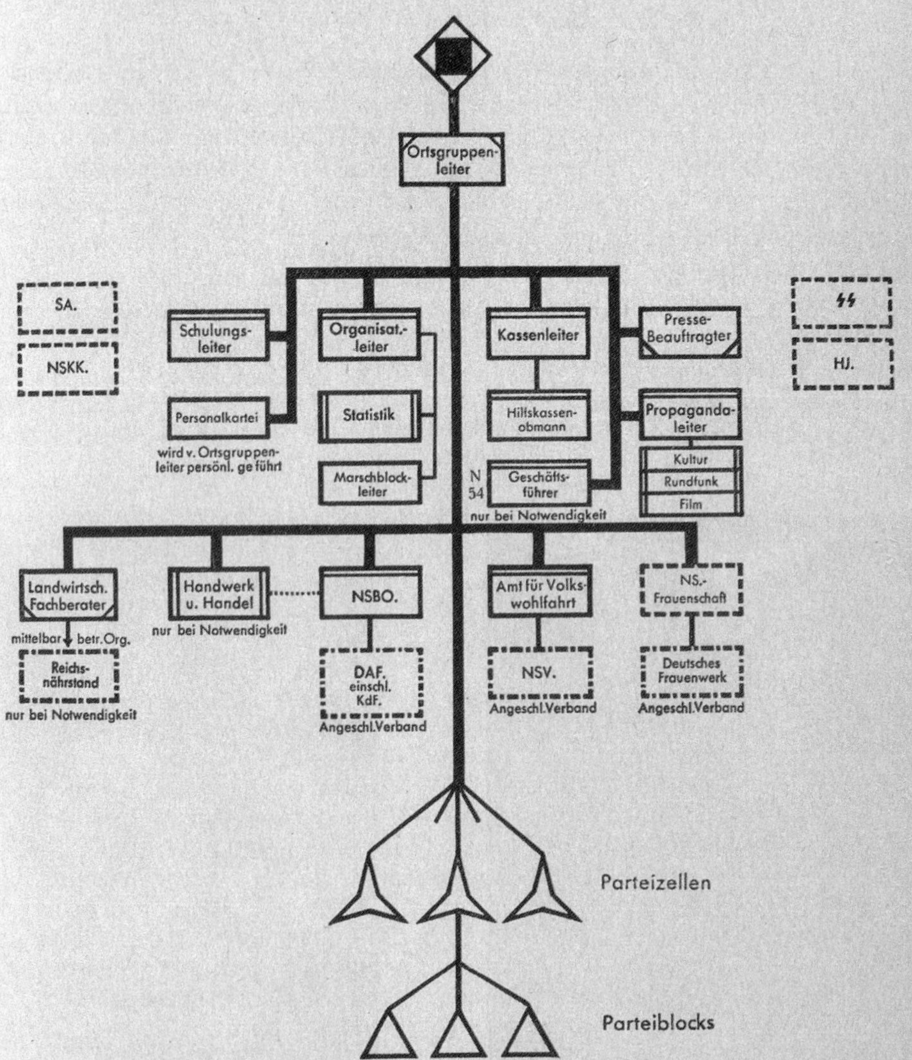

Die „Blutsgemeinschaft“ (C 3.4)

Das Konstrukt der „Blutsgemeinschaft“ beruhte auf der Fiktion, im Erbgut der Deutschen habe sich trotz historischer Assimilationsprozesse ein einheitlicher „Rassenkern“ erhalten. Dieser „Rassenkern“ sollte durch „Rassenhygiene“ und „erbbiologische“ Maßnahmen geschützt und „veredelt“ werden („Aufartung“, „Aufnordung“). Das Ziel war ein germanisch-deutscher Rassetypus, von dem zwei Varianten propagiert wurden: ein bäuerliches und ein „nordisch“-heroisches Ideal. Auch moderne bevölkerungspolitische Maßnahmen dienten der Stärkung der „Blutsgemeinschaft“, so die Ehe- und Familienförderung. Die Verehrung der Mutter, die zum ethischen Bestand der christlich-abendländischen Zivilisation gehört, erfuhr im Mutterkult des Dritten Reichs eine extreme zweckhafte Übersteigerung. Als biologisch definierter Personenverband war die „Blutsgemeinschaft“ nicht mit dem Staatsvolk identisch, sondern erstreckte sich weit über die Grenzen Deutschlands hinaus. Als hochwertige „Herrenrasse“ wurde sie über andere, angeblich „minderwertige“ Rassen gestellt. Der Blutgemeinschaftsgedanke wurde dadurch zur entscheidenden ideologischen Triebkraft des nationalsozialistischen Eroberungs- und Vernichtungskriegs.

„Rassenkundlicher“ Unterricht in einem Schulungslager für Schulhelferinnen in Nürtingen/Württemberg (1943). ~ Deutsches Historisches Museum, Berlin; Foto: Liselotte Orgel-Köhne (108) ▶

Mutterkreuz (v.l.n.r.) in Bronze, Silber und Gold (Metall, emailliert; textiles Band; 1938; 4,2 x 3,5 cm). ~ Leihgaben Institut für Zeitgeschichte, München - Berlin. - Das „Ehrenkreuz der Deutschen Mutter“ sollte die Mutter dem Frontsoldaten gleichstellen. Es wurde ab 1938 an kinderreiche Mütter verliehen: in Bronze für vier oder fünf Kinder, in Silber für sechs oder sieben, in Gold für acht und mehr. Drei Millionen Mütter wurden 1939 mit dem Mutterkreuz geehrt. (109–111) ▶

Die organisierte „Volksgemeinschaft" (C 3.5)

Im Sinne des Volksgemeinschaftsgedankens wurde das vielschichtige Verbands- und Vereinswesen der Weimarer Republik in ein System nationalsozialistischer Einheitsorganisationen umgewandelt.

Arbeitnehmer und Arbeitgeber, Selbständige und Freiberufler wurden in drei neuen Organisationen zusammengeschlossen. Dies waren:

Deutsche Arbeitsfront (gewerbliche Wirtschaft),
Reichsnährstand (Landwirtschaft) und
Reichskulturkammer (kulturelle Berufe).

Bei allen Unterschieden war ihnen das Ziel gemein, die Interessen der in ihnen zusammengefaßten Gruppen und Individuen auf einheitliche, von der Staatsführung definierte Ziele auszurichten und alle Gegensätze und Konflikte als vermeintlich leistungshemmend zu beseitigen. Von der Gestaltung des Lohntarifs und der Arbeitsbedingungen waren sie ausgeschlossen. Die Tarifhoheit war schon vor ihrer Gründung auf eine neugebildete staatliche Behörde, die *Treuhänder der Arbeit*, übertragen worden.

„Arbeits- und Leistungsgemeinschaft". Die Deutsche Arbeitsfront (C 3.5.1)

Die *Deutsche Arbeitsfront* (DAF) war mit ca. 25 Millionen Mitgliedern (1942) die größte Massenorganisation des Dritten Reichs. Sie sollte in den Betrieben das Führerprinzip („Betriebsführer" und „Gefolgschaft") durchsetzen, Betriebsloyalität und Arbeitsdisziplin sichern sowie Arbeitswillen und Leistungsfähigkeit steigern. Die DAF entfaltete eine Vielzahl inner- und überbetrieblicher Tätigkeiten. Dazu gehörten:

die weltanschauliche Schulung,
die berufsfachliche Weiterbildung,
die rechtliche Beratung der Arbeitnehmer,
die Gestaltung ihrer Freizeit,
der soziale Wohnungsbau.

Die DAF verfolgte damit mehrere Ziele: Den Lebensstandard der breiten Massen zu erhöhen, dadurch die sozialpolitische Überlegenheit des Regimes unter Beweis zu stellen und die Menschen auf diese Weise für das Regime einzunehmen, vor allem aber: die Wirtschaft und die Menschen für den geplanten Krieg zu rüsten. „Nichtarier" waren ab 1934 von der Mitgliedschaft in der DAF und damit auch von ihren Leistungen ausgeschlossen.

Der Aufbau der Deutschen Arbeitsfront

Die *Deutsche Arbeitsfront* (DAF) war ein der NSDAP angeschlossener Verband. Sie unterstand dem Reichsorganisationsleiter der Partei und war wie diese in Reichsämter, Gau-, Kreis- und Ortswaltungen gegliedert. Die unterste Ebene bildeten die Betriebs- und Blockwarte. Die Mitgliedschaft in der DAF war freiwillig, aber nicht zu umgehen, wenn man nicht als politisch unzuverlässig gelten und soziale Nachteile in Kauf nehmen wollte.

Zeitgenössische Darstellung (1940) der Organisation und Tätigkeitsgebiete der *Deutschen Arbeitsfront.* ~ Max Eichler: Du bist sofort im Bilde (1940) (112) ▼

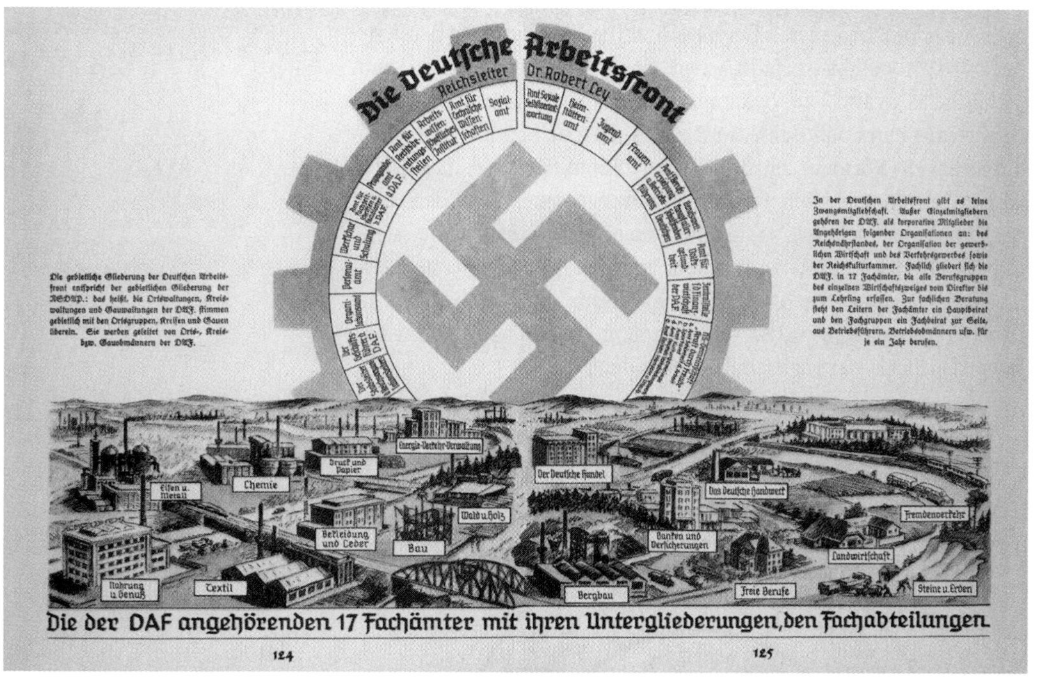

Das Siedlungswerk

Als Nachfolgeorganisation der aufgelösten Gewerkschaften übernahm die DAF auch deren Wohnungsgenossenschaften und Siedlungen. Das *Heimstättenamt* führte diese Tätigkeit weiter und erbaute eine Reihe als vorbildlich geltender städtischer Siedlungen.

DAF-Siedlung an der Sudetenlandstraße in Rosenheim, heute Siedlung Küpferling, erbaut 1940 von der Bayerischen Heimstätte GmbH mit erheblicher Eigenleistung der Siedler. ~ Privatbesitz Alfred Mühlberger, Rosenheim (113) ▶

„Gemeinschaft mitten im Volk". Die Reichskulturkammer (C 3.5.2)

In der *Reichskulturkammer* (RKK) wurden alle in kulturellen und künstlerischen Berufen und kulturwirtschaftlichen Betrieben tätigen Menschen zusammengeschlossen. Hierzu wurden durch das RKK-Gesetz vom 22. September 1933 sieben Fachkammern geschaffen: für Schrifttum, Presse, Rundfunk, Theater, Musik, Film und bildende Künste. Die Fachkammern waren Zwangsorganisationen: Mitgliedschaft war Voraussetzung für die Berufsausübung, Nichtaufnahme oder Ausschluß bedeuteten Berufsverbot. Die RKK hatte die deutsche Kultur nach nationalsozialistischen Grundsätzen zu fördern und „schädliche Kräfte" zu bekämpfen. Dies geschah primär durch Formierung eines politisch zuverlässigen, „rassisch reinen" und nach bürgerlichen Normen „ehrbaren" Berufsstands. Über „politische Sünden" der Vergangenheit wurde oft hinweggesehen, über den „rassischen Makel" nie. „Voll"- und „Halbjuden", mit „Juden" verheiratete „Deutschblütige", Sinti und Roma wurden gnadenlos aus den Kammern ausgestoßen und damit meist um ihre wirtschaftliche Existenz gebracht. Die RKK unterstand dem Propagandaminister. Joseph Goebbels war zugleich RKK-Präsident.

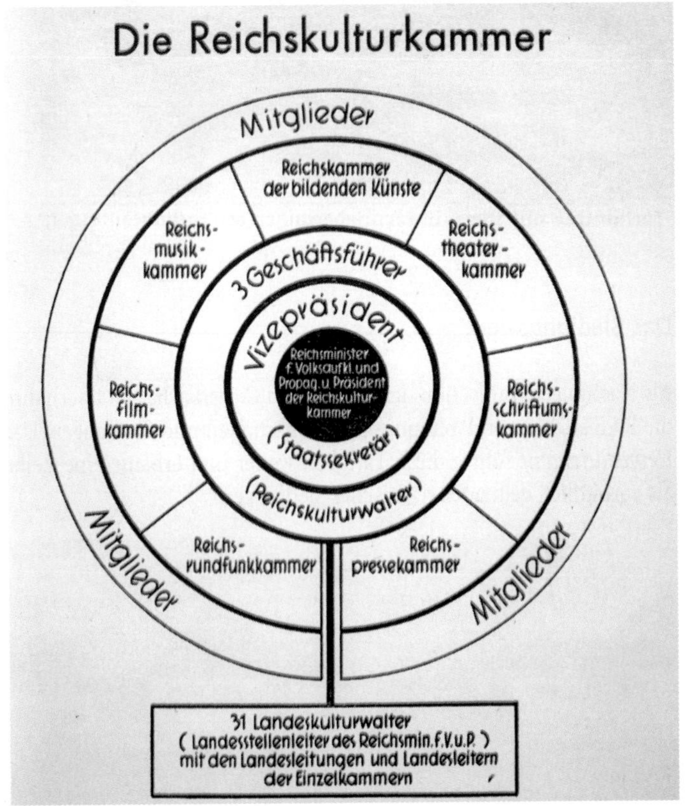

◀ Handbuch der Reichskulturkammer (1937). (114)

Festansprache von Joseph Goebbels auf der gemeinsamen Jahrestagung von RKK und *NS-Gemeinschaft „Kraft durch Freude"* anläßlich des dreijährigen Bestehens beider Organisationen in der Berliner Philharmonie (27. November 1936). ~ Bilderdienst Süddeutscher Verlag, München/Foto: Hoffmann (115) ▶

Ausschluß des Schriftstellers Alfred Mombert aus der *Reichsschrifttumskammer* wegen „nichtarischer" Abstammung. Der Ausschluß bedeutete Berufsverbot. ~ Bundesarchiv/Berlin Document Center (116) ▶

Der Präsident der
Reichsschrifttumskammer

Berlin W 8, den 18.10.1935
Leipziger Str. 19
A 1 Jäger 3043/44

Sch. 239.
Li/Ko.

Herrn
Dr. Alfred Mombert,
Heidelberg
Klingenteich 6

Da Sie lt. den in Ihrem Fragebogen vom 29. Dezember 1933 gemachten Angaben nichtarischer Abstammung sind, sehe ich mich genötigt, Sie gemäss § 10 der ersten Durchführungsverordnung zum Reichskulturkammergesetz vom 1. November 1933 (R.G.Bl. I, S. 797) aus der Reichsschrifttumskammer auszuschliessen.

Vorsorglich mache ich darauf aufmerksam, dass Ihnen durch diesen Ausschluss eine weitere Veröffentlichung schriftstellerischer Arbeiten innerhalb des Zuständigkeitsbereichs der Reichsschrifttumskammer nicht mehr gestattet ist. Im Falle einer Zuwiderhandlung gegen diesen meinen Entscheid werde ich von der mir aus dem Reichskulturkammergesetz zustehenden Strafvollmacht Gebrauch machen.

Zur Abwicklung der bestehenden Verträge und Verpflichtungen gebe ich Ihnen eine Frist bis zum 1. Dezember ds.Js.

Mein Ausschluss - Antrag ist durch die Beschwerdeinstanz unter Aktenzeichen 189/6091 genehmigt worden. Ein Einspruch hiergegen ist daher nicht angebracht.

Im Auftrage
für die Richtigkeit: gez. Dr. Suchenwirth.

Herrn
Dr. Alfred Mombert,
Heidelberg
Klingenteich 6

„Entartete Musik“ ist ein von „entarteter Kunst“ abgeleiteter Kunstbegriff. Der Begriff „entartete Kunst“ wurde 1893 von Max Nordau in die Kunstkritik eingeführt und von den Nationalsozialisten in den späten zwanziger Jahren zur Diffamierung der modernen Kunstrichtungen übernommen. Nach 1933 wurden ihre Vertreter als „Kulturbolschewisten“ geächtet, mit Arbeitsverboten belegt, ihre Arbeiten aus den öffentlichen, ab 1938 auch aus privaten Sammlungen entfernt. 1937 wurde in München die Ausstellung „Entartete Kunst“ eröffnet, die Adolf Ziegler, Präsident der Kunstkammer, auf Wunsch Hitlers aus den ausgesonderten Werken zusammengestellt hatte. Sie sollte das Fanal für die endgültige „Ausmerzung“ der künstlerischen Moderne bilden und hatte täglich 20 000 Besucher, darunter wohl nicht wenige, die die verfemten Bilder noch einmal sehen wollten.

◀ Broschüre „Entartete Musik" (1939) von Hans Severus Ziegler. ~ Deutsches Historisches Museum, Berlin (117)

„Blut und Boden". Der Reichsnährstand (C 3.5.3)

Das von Hitler auf dem Obersalzberg genehmigte Reichsnährstandsgesetz vom 13. September 1933 faßte die Ernährungswirtschaft in einer monopolistischen Zwangsorganisation zusammen, die dem Reichsernährungsminister unterstellt war. Der Organisationszwang des *Reichsnährstands* (RN) erstreckte sich auf die eigentliche Landwirtschaft (Eigentümer, Pächter, Familienangehörige, Arbeiter), auf Agrargenossenschaften (1934: ca. 42 000), Landhandel und verarbeitendes Gewerbe. In der Aufgabenstellung des RN verband sich die „Blut- und Boden"-Ideologie mit rationaler Zwecksetzung: Um das „Bauerntum als Blutquelle des Volkes" zu erhalten und damit auch die Ernährung des Volkes dauerhaft zu gewährleisten, hatte er das „Gemeinwohl" gegen wirtschaftliche Sonderinteressen durchzusetzen, Konflikte auszuschalten und den Agrarmarkt der „kapitalistischen Spekulation" zu entziehen. Dies geschah durch eine zwangswirtschaftliche Marktordnung mit verordneten Preisen, Erzeugermengen und Handelsspannen.

An der Spitze stand der Reichsbauernführer. Hierarchisch gliederte sich der RN in Landes-, Kreis- und Ortsbauernschaften, fachlich in die Abteilungen „Der Mensch", „Der Hof", „Der Markt". Juden und Ausländern war durch das Reichserbhofgesetz vom 29. September 1933 jede bäuerliche Betätigung verwehrt, aus dem Landhandel und dem verarbeitenden Gewerbe wurden die Juden bis 1938 sukzessive verdrängt.

Gemälde von Erich Erler: „Blut und Boden". ~ Mortimer G. Davidson: Kunst in Deutschland 1933–1945, Malerei I. Grabert-Verlag, Tübingen (1991) (118) ▶

◄ Erntedankfest unter dem Hakenkreuz. Das kirchliche Fest wurde von den Nationalsozialisten im Sinne der Blut- und Bodenideologie umgestaltet und diente der Propagierung des „Bauerntums als Blutquelle des Volkes". ~ Bilderdienst Süddeutscher Verlag, München (119)

Die „Erzeugungsschlacht"

Durch Steigerung der Produktion in der „Erzeugungsschlacht" sollte als ideologisches Endziel, aber auch aus kriegswirtschaftlichen Gründen, die ernährungswirtschaftliche Autarkie erreicht werden. Weitere Aufgaben des RN waren der Kampf gegen die Landflucht und die „Bildung neuen Bauerntums" im Sinne der Blut- und Boden-Ideologie.

◄ Reichsbauernführer und Reichsernährungsminister R. Walther Darré bei einer Ansprache zum Abschluß des Reichsbauerntages in Goslar (27. November 1938). ~ Ullstein Bilderdienst, Berlin (120)

„Kraft durch Freude". Stärkung des Arbeitswillens und der Leistungsfähigkeit (C 3.6)

Die *NS-Gemeinschaft „Kraft durch Freude"* (KdF) war eine Teilorganisation der DAF. Ihre Aufgabe war es, Leistungswillen und Arbeitskraft der Arbeitnehmer durch Förderung der Lebens- und Arbeitsfreude, der Gesundheit und körperlichen Leistungsfähigkeit und des Gemeinschaftsgeistes zu stärken, um das materielle und psychische Leistungspotential der Nation und damit die Produktivität der Wirtschaft zu steigern. Die Leistungen von KdF erstreckten sich auf die Gestaltung von „Arbeitsumwelt" und Freizeit. Sie wurden von vielen Menschen konkret als sozialer Fortschritt erfahren und trugen zur Attraktivität des Nationalsozialismus erheblich bei; preislich auf die Geldbörse des kleinen Mannes abgestimmt, wurden bisherige Luxusgüter für viele erschwinglich und damit der Massenkultur und modernen Freizeitgewohnheiten der Weg gebahnt. Die düstere Kehrseite dieses Modernisierungsschubs war seine Funktionalisierung für die rassistischen und imperialistischen Ziele des Regimes.

Wettkampf-Betriebssportgruppe der Junkers-Flugzeug- und Motorenwerke Dessau (1941). ~ Bilderdienst Süddeutscher Verlag, München/Foto: Schwahn (121) ▶

Plakat: Werbung für KdF-Reisen (nach 1933). ~ Bayerisches Hauptstaatsarchiv, München (122) ▶

Werbeplakat (nach 1935). ~ Deutsches Historisches Museum, Berlin (123) ▶▶

KdF bewegte Millionen:

Jahr	Kulturelle Veranstaltungen	Teilnehmer	Reisen und Wanderungen	Teilnehmer	Sportliche Veranstaltungen	Teilnehmer
1935	69 135	23 745 116	25 921	5 737 867	114 453	3 007 145
1937	116 994	38 435 663	82 551	9 657 500	501 613	9 564 771
1939	223 876	60 942 359	76 106	7 287 715	1 017 243	20 895 402

◀ © Institut für Zeitgeschichte, München – Berlin 1998. Nach: Anatol von Hübbenet: Die NS-Gemeinschaft „Kraft durch Freude". In: Das Dritte Reich im Aufbau. Bd. 6 (1942) (124)

Hitlers Auftrag an Ley vom 27. November 1933:

Sorgen Sie mir dafür, daß das Volk seine Nerven behält, denn nur mit einem nervenstarken Volk kann man Politik machen!

◀ Zitiert nach: Anatol von Hübbenet: Die NS-Gemeinschaft „Kraft durch Freude". In: Das Dritte Reich im Aufbau. Bd. 6 (1942) (125)

Die KdF-Ämter

KdF gliederte sich in „Ämter“: Das *Amt Schönheit der Arbeit* bemühte sich um moderne und gesunde Betriebseinrichtungen. Das *Sportamt* propagierte die „körperliche Ertüchtigung“ und organisierte einen das gesamte Reichsgebiet und nahezu alle Sportarten umfassenden Übungsbetrieb, Sporturlaube und den Betriebssport. Das *Amt Reisen, Wandern und Urlaub* bot organisierte Urlaubsreisen und geführte Wanderungen, primär in Deutschland, aber auch Seereisen auf KdF-Schiffen. Das *Amt Feierabend* verschaffte durch eigene Bühnen und KdF-Abonnements Zugang zu Schauspiel, Oper, Konzert und Unterhaltungskunst und förderte das „völkische Brauchtum“. Das *Deutsche Volksbildungswerk* organisierte und monopolisierte die Erwachsenenbildung.

◀ Werbeprospekt für den KdF-Wagen. ~ Institut für Zeitgeschichte, München – Berlin. – Sogar das Autofahren, absolutes Privileg reicher Leute, sollte nach Hitlers Willen zum Lebensstandard des Durchschnittsbürgers gehören. Der KdF-Wagen, nach 1945 unter dem Namen Volkswagen (im Volksmund „Käfer") gebaut, konnte wie ein Eigenheim durch Ansparen erworben werden. Da die gesamte Produktion von der Wehrmacht gebraucht wurde, kam es nicht mehr zur Auslieferung an Privatkunden. (126)

„Gut und Blut für Volk und Vaterland". Die Nationalsozialistische Volkswohlfahrt (C 3.7)

Die 1932 gegründete *Nationalsozialistische Volkswohlfahrt* (NSV) entwickelte sich innerhalb weniger Jahre zur größten nationalen Wohlfahrtsorganisation der Welt mit ca. acht Millionen Mitgliedern im Jahre 1938. Christliche Wohlfahrtsverbände (*Innere Mission, Caritas*) und das *Deutsche Rote Kreuz* wurden zugunsten der NSV zurückgedrängt. Die staatlichen Wohlfahrtsämter waren vielfach durch Personalunionen mit der NSV verbunden. Der Kampfideologie des Nationalsozialismus war der Gedanke, für „Schwache" zu sorgen, fremd: Die NSV hatte nicht die Not gescheiterter Individuen zu lindern, sie sollte durch Unterstützung des Bedürftigen vor allem die „Volksgemeinschaft" stärken. Unterstützt wurde nur, wer unverschuldet in eine „vorübergehende" Not geraten war: Er erhielt „Hilfe zur Selbsthilfe" – ein gesellschaftspolitisch vernünftiges Prinzip. „Nichtarier" und andere als „erbbiologisch minderwertig" betrachtete Personen wurden nicht bzw. nur eingeschränkt betreut. Der NSV ging es nicht nur um materielle Hilfeleistung, sondern auch und vor allem um die Erziehung der Schwachen zu „nützlichen und leistungswilligen" Gliedern des „Volksganzen". Auch die NSV diente der Kriegsvorbereitung: Sie sollte die Menschen „stark machen zum Einsatz von Gut und Blut für Volk und Vaterland".

▲ Erich Hilgenfeldt, Leiter der NSV (undatiert). ~ Bayerische Staatsbibliothek/Fotoarchiv Hoffmann, München (127)

Werbeplakat der *Nationalsozialistischen Volkswohlfahrt* (nach 1933). ~ Stadtmuseum München (128) ▶

◀ „Eintopfsonntag" auf dem Obersalzberg (Januar 1935): Propagandafoto mit Hitler, hinten links Hitlers Adjutant Wilhelm Brückner. ~ Bayerische Staatsbibliothek/Fotoarchiv Hoffmann, München (129)

Das Winterhilfswerk

Das *Winterhilfswerk* (WHW), 1933 von den freien Wohlfahrtsverbänden auf die NSV übertragen, diente der Bekämpfung der durch die jährliche Winterarbeitslosigkeit hervorgerufenen Not. Es erwarb seine Mittel durch Zwangsabgaben, Straßen- und Haussammlungen, Spenden, den monatlichen „Eintopfsonntag" und die WHW-Lotterie.

▲ Plakat: Spendenaufruf für das *Hilfswerk Mutter und Kind.* ~ Institut für Zeitgeschichte, München - Berlin. - Das *Hilfswerk Mutter und Kind* unterstützte gezielt „erbtüchtige" Frauen und ihre Familien zur Förderung des Kinderreichtums. (130)

◀ Winterhilfswerk 1935/36: Straßensammlung in München mit dem Elephanten Assam vom Zirkus Krone, links daneben Carl Krone. ~ Stadtarchiv München (131)

Volksgemeinschaft

Erziehungsgemeinschaften (C 3.8)

Adolf Hitler am 2. Dezember 1938 in Reichenberg/Sudetenland. ~ Text nach Tondokument der Stiftung Deutsches Rundfunkarchiv, Frankfurt/M.-Berlin (132) ▶

Diese Jugend, die lernt ja nichts anderes als deutsch denken, deutsch handeln. Und wenn nun dieser Knabe und dieses Mädchen mit ihren zehn Jahren in unsere Organisationen hineinkommen und dort nun so oft zum ersten Mal überhaupt eine frische Luft bekommen und fühlen, dann kommen sie vier Jahre später vom Jungvolk in die Hitlerjugend, und dort behalten wir sie wieder vier Jahre, und dann geben wir sie erst recht nicht zurück in die Hände unserer alten Klassen- und Standeserzeuger, sondern dann nehmen wir sie sofort in die Partei und in die Arbeitsfront, in die SA oder in die SS, in das NSKK usw. Und wenn sie dort zwei Jahre oder anderthalb Jahre sind und noch nicht ganze Nationalsozialisten geworden sein sollten, dann kommen sie in den Arbeitsdienst und werden dort wieder sechs und sieben Monate geschliffen, alle mit einem Symbol, dem deutschen Spaten. Und was dann nach sechs oder sieben Monaten noch an Klassenbewußtsein oder Standesdünkel da oder da noch vorhanden sein sollte, das übernimmt dann die Wehrmacht zur weiteren Behandlung auf zwei Jahre. Und wenn sie dann nach zwei oder drei oder vier Jahren zurückkehren, dann nehmen wir sie, damit sie auf keinen Fall rückfällig werden, sofort wieder in SA, SS usw. Und sie werden nicht mehr frei ihr ganzes Leben. Und sie sind glücklich dabei.

Der Weg des „gleichgeschalteten" Staatsbürgers

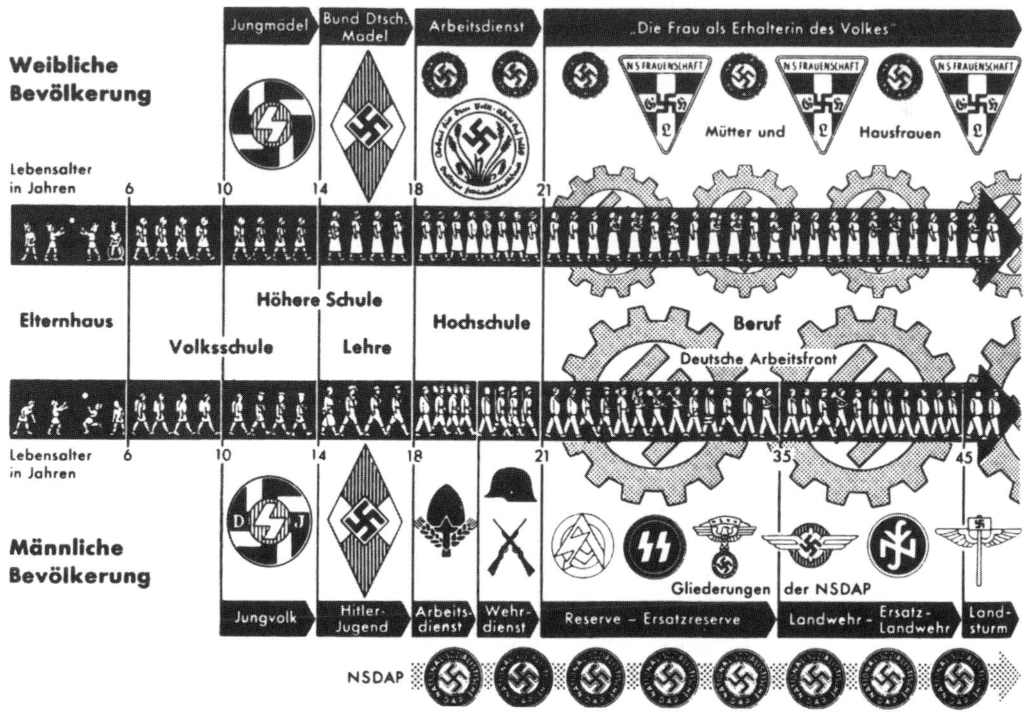

„Gehorsam bis in den Tod". Die Hitler-Jugend (C 3.8.1)

Als einzige Organisation des Dritten Reichs trug die *Hitler-Jugend* (HJ) den Namen Hitlers. Sie war eine ihm unmittelbar unterstellte Gliederung der NSDAP. Offiziell Teil eines dreigliedrigen Erziehungssystems, trat die HJ in Wahrheit in Konkurrenz zu Elternhaus und Schule. In ihr sollte die deutsche Jugend von Kindheit an zum bedingungslosen „Glauben" an den „Führer" erzogen werden. Zur ideologischen Indoktrination kam die Erziehung zu körperlicher „Härte", Gehorsam, Disziplin und Kampfeswillen. Erlebnisfahrten, Lagerleben und Rituale sollten Motivation und Gemeinschaftsgeist stärken. Dazu hatte die HJ die Aufgabe, den Führernachwuchs der NSDAP und ihrer Teilorganisationen heranzubilden.

Die HJ ebnete die ideologischen, politischen, konfessionellen, sozialen und regionalen Differenzierungen des bisherigen Jugendverbandswesens ein. Sie unterschied nur noch nach Alter und Geschlecht. Die Mitgliedschaft war zunächst freiwillig, aber nur um den Preis sozialer Isolierung und politischer Verdächtigung zu umgehen. 1939 wurde die HJ Zwangsorganisation und damit „Staatsjugend" des Dritten Reichs. Mitglieder konnten nur Jugendliche werden, die „arisch" und „erbgesund" waren.

Die HJ bestand aus:

Deutsches Jungvolk (DJ):	10-14jährige Jungen
Hitler-Jugend (HJ):	14-18jährige Jungen
Jungmädel (JM):	10-14jährige Mädchen
Bund Deutscher Mädel (BDM):	14-21jährige Mädchen

Der *Reichsjugendführer der NSDAP* war zugleich *Jugendführer des Deutschen Reichs* und damit als Oberste Reichsbehörde für die gesamte Jugendpolitik zuständig.

▲ Plakat (1934). ~ Institut für Zeitgeschichte, München - Berlin (134)

◄ V.l.n.r.: Reichsjugendführer Baldur von Schirach, Schirachs Nachfolger (ab 1940) Artur Axmann sowie Walter Kaul (Hauptmann a. D. und als HJ-Stabsleiter Stellvertreter des Reichsjugendführers) bei einer Jugendkundgebung im Berliner Sportpalast (1933). ~ Bundesarchiv, Koblenz (135)

Werbeplakat der *Hitler-Jugend/Bund Deutscher Mädel* (um 1940). ~ Deutsches Historisches Museum, Berlin (136) ▶

Werbeplakat der Hitler-Jugend (um 1940). ~ Deutsches Historisches Museum, Berlin (137) ▶▶

BDM-Maiden bei einem Aufmarsch der HJ an der Rheinbrücke in Köln am 15. Oktober 1933. ~ Bildarchiv Preußischer Kulturbesitz, Berlin/Foto: Friedrich Seidenstücker (138) ▶

HJ-Zeltlager: Lager-Romantik (1939). ~ Bildarchiv Preußischer Kulturbesitz, Berlin (139) ▶

Die „Kriegsjugend Adolf Hitlers"

Im Krieg wurde die Jugendarbeit ganz auf den zivilen und militärischen Kriegseinsatz ausgerichtet. Die HJ-Führung meldete sich nahezu geschlossen an die Front. Paramilitärische Sondereinheiten (Marine-, Flieger-, Motor-, Nachrichten-HJ) gab es schon vor Kriegsbeginn. Aus 20 000 Freiwilligen im Alter von 16–18 Jahren wurde die SS-Panzerdivision *Hitlerjugend* gebildet, eine regelrecht auf den Feind abgerichtete, fanatisch kämpfende „Eliteeinheit". Von den Amerikanern wurde sie – mitleidig oder spöttisch – „Baby-Division" genannt. Im Juni 1944 wurde sie an die Invasionsfront im Westen geworfen, wo sie schwerste Verluste erlitt.

▲ Anwerbung von Hitlerjungen für die Waffen-SS (nach 1939). ~ Deutsches Historisches Museum, Berlin (140)

„Durch eure Schule wird die ganze Nation gehen". Der Reichsarbeitsdienst (C 3.8.2)

Der *Reichsarbeitsdienst* (RAD) ging aus dem *Freiwilligen Arbeitsdienst* hervor, der 1931 zur Bekämpfung der Massenarbeitslosigkeit geschaffen worden war.

Das RAD-Gesetz vom 26. Juni 1935 führte eine halbjährige Dienstpflicht ein, die zwischen dem 18. und 25. Lebensjahr abzuleisten war. Reichsarbeitsführer Konstantin Hierl wandelte den Arbeitsdienst in eine nationalsozialistische Erziehungseinrichtung um. Die in Lagern kasernierten „Arbeitsmänner" sollten zu „Treue", „Gehorsam" und „Kameradschaft" erzogen und ideologisch geschult werden. Ordnungsübungen und militärischer Drill hatten Disziplin und körperliche Härte zum Ziel. Durch harte Arbeit und das erzwungene Gemeinschaftsleben sollten „Standesdünkel" und „Klassenhaß" gebrochen werden. Arbeit galt als „Dienst am Volk", „Handarbeit" wurde glorifiziert, der Spaten deshalb zum Symbol des RAD erhoben. Bei den militärischen Übungen ersetzte er das Gewehr. Auch die weibliche Jugend unterlag der Arbeitsdienstpflicht. Dem nationalsozialistischen Frauenbild entsprechend, wurden „soldatische Formen der Erziehung" vermieden, die „Arbeitsmaiden" vorwiegend als Haushaltshilfen und Erntehelferinnen eingesetzt. „Nichtarier", mit solchen Verheiratete und Vorbestrafte waren vom „Ehrendienst der deutschen Jugend" ausgeschlossen.

▲ Morgenappell des Reichsarbeitsdiensts (1938). ~ Bilderdienst Süddeutscher Verlag, München (141)

Reichsarbeitsführer Konstantin Hierl (1875–1955) mit Arbeitsmann (undatiert). ~ Bayerische Staatsbibliothek/Fotoarchiv Hoffmann, München (142) ▶

Kriegseinsatz des Reichsarbeitsdiensts

Der männliche Arbeitsdienst hatte eine jährliche Stärke von 200 000 (1935) bzw. 300 000 (1939). Er wurde zu Bodenkultivierung und Forstarbeiten, bei „Erntenotständen" und Naturkatastrophen, im Wege- und Autobahnbau eingesetzt. Bei der „weiblichen Jugend" war der Arbeitsdienst zunächst nur für Abiturientinnen Pflicht, ab dem Kriegsjahr 1939 für alle Mädchen. Die Arbeitsdienstpflicht diente nicht zuletzt der Vorbereitung auf den Krieg: Bewaffnete RAD-Einheiten folgten der vorrückenden Front und übernahmen unter dem Kommando der Wehrmacht Pionier-Aufgaben, zuletzt auch Kampfeinsätze.

Hans Looks und Hans Fischer: Arbeitsmänner zwischen Bug und Wolga. Erlebnisberichte und Bilder vom Einsatz des jüngsten Jahrgangs an der Ostfront (Umschlag kartoniert; Zentralverlag der NSDAP. Franz Eher Nachf. G.m.b.H. Berlin, 1942; 26,6 x 19,2 x 1 cm). ~ Institut für Zeitgeschichte, München - Berlin (143) ▶

Ausgestoßen, abgesondert, ermordet. Die Opfer der Volksgemeinschaft (C 3.9)

Häftlingskategorien

Wer den rassischen, politischen und moralischen Normen sowie den Leistungsansprüchen der „Volksgemeinschaft" nicht genügte, wurde ausgestoßen, abgesondert, ermordet: politische und konfessionelle Gegner, Emigranten, „Berufsverbrecher", Zeugen Jehovas, Homosexuelle, „Asoziale" („Landstreicher", „Arbeitsscheue" und andere als „Sozialballast" betrachtete Existenzen), „Rassenschänder", Sinti und Roma, Juden.
Waren die KZ zunächst für politische Häftlinge bestimmt, so befanden sich diese ab Mitte der dreißiger Jahre unter den Gefangenen in der Minderheit. Die Häftlinge in den Konzentrationslagern waren nach den unterschiedlichen Kategorien durch Dreiecke („Winkel") in verschiedenen Farben an der Kleidung gekennzeichnet.

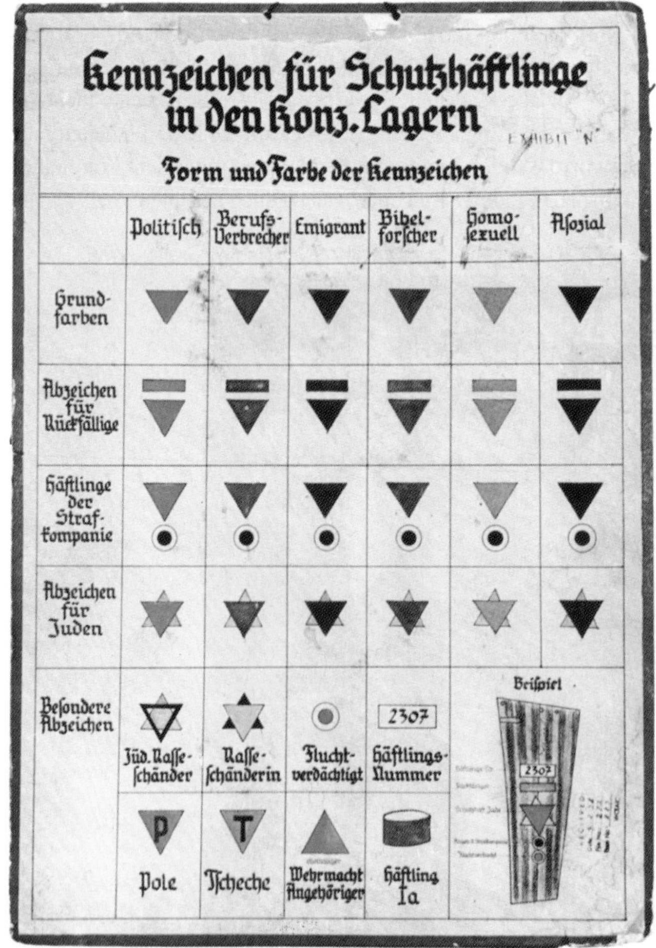

◀ Tafel mit den Kennzeichen („Winkeln") der KZ-Häftlinge (Stand 1940/41). ~ Archiv der KZ-Gedenkstätte Dachau (144)

Volker Dahm

Der Terrorapparat
Institutionelle Entwicklung, Ideologie, Aktionsfelder

Als die SS, die Schutzstaffel(n) der NSDAP, im Jahre 1925 nach Aufhebung des NSDAP-Verbots neu entstand, konnte niemand ahnen, daß sie einmal zur mächtigsten Organisation in einem nationalsozialistischen Staat, ja zum „Schrecken Europas“[1] werden sollte. Vom *Internationalen Militärgerichtshof* in Nürnberg im Prozeß gegen die Hauptkriegsverbrecher 1946 zur „verbrecherischen Organisation“ erklärt, galt sie nach dem Krieg als das Böse schlechthin, als jene Organisation, der neben Hitler, Himmler, Göring und Goebbels persönlich die Hauptverantwortung an den Massenverbrechen des nationalsozialistischen Regimes anzulasten sei. Daß diese Schuldzuweisung für die deutsche Nachkriegsgesellschaft eine Alibifunktion hatte, ist von der neueren zeitgeschichtlichen Forschung nachdrücklich unter Beweis gestellt worden: Tatsächlich waren nicht nur die SS, sondern auch Polizei, Wehrmacht und viele Behörden der Zivilverwaltung an den Massenverbrechen beteiligt.

Aufstieg und Selbstverständnis der SS

Aus einer vor 1923 von Hitler zu seinem persönlichen Schutz gebildeten Stabswache („Stoßtrupp Hitler“) hervorgegangen, entwickelte sich die SS zunächst zu einer Sonderformation der SA, die als eine Art Parteipolizei Veranstaltungen der NSDAP und der SA absicherte und die führenden Nationalsozialisten schützte. 1929 erhielten die Schutzstaffeln einen neuen Führer: Heinrich Himmler. Noch immer eine Nebenorganisation der SA, begann die SS unter Himmler ihre innerparteilichen Sicherungsdienste zu professionalisieren. Im Herbst 1931 richtete Himmler in München einen Abwehr- und Informationsdienst ein, den sogenannten Ic Dienst unter Reinhard Heydrich, der 1932 in *Sicherheitsdienst des Reichsführers SS* (SD) umbenannt und 1934 zum einzigen Nachrichtendienst der NSDAP erhoben wurde. 1929, als Himmler die Führung übernahm, nur 200 Mann umfassend, hatte die SS schon 1932 eine Stärke von ca. 50 000 Mann.

Im Gegensatz zur SA, die in der Tradition der Wehrverbände stand, sollte die SS nach Himmlers Willen eine den „germanischen“ Ursprüngen verpflichtete Führungselite sein, ein Orden ausgewählter Männer, die nach Abstammung, Wuchs, Gestalt und Gesichtsschnitt

[1] Thamer, Verführung und Gewalt, S. 365.

dem nordischen Rassetypus entsprachen und in ihrem Lebensstil das heroische Ideal verkörperten, das als Gegenbild zu den angeblichen Degenerationserscheinungen der christlich-abendländischen Zivilisation verstanden wurde. Für Begutachtung der SS-Bewerber und „rassische" Personalführung wurde ein eigenes Amt geschaffen, das *Rasse- und Siedlungshauptamt der SS*, doch prüfte Himmler am liebsten selbst Paßbilder mit der Lupe, so wenig er selbst – nur mittelgroß, dunkelhaarig und kurzsichtig – den idealen Anforderungen entsprach. SS-Unterführer hatten ihre „arische Abstammung" bis zurück zu den im Jahre 1800 lebenden Vorfahren nachzuweisen, SS-Führer sogar bis zu den Vorfahren im Jahre 1750. Die SS-Männer und ihre Frauen waren gehalten, sich von konfessionellen Bindungen zu lösen und ihre Lebensführung nicht an den christlichen, sondern den „arteigenen" weltanschaulichen Grundlagen auszurichten. So wie ihr Reichsführer SS seinem „Führer" Adolf Hitler bedingungslos ergeben war, sollten sie auch ihm und den von ihm eingesetzten, in den sogenannten Junkerschulen ausgebildeten Führern bedingungslos gehorsam sein. „Unsere Ehre heißt Treue" und „gehorsam bis in den Tod" lauteten die SS-Formeln der absoluten Unterwerfung unter den „Führerwillen".

Nach außen ein reiner Männerorden, verstand sich die SS doch als ein Verband hochwertiger Sippen. SS-Männer mußten bis zu einem bestimmten Alter eine Familie gründen. Verlobung und Eheschließung bedurften der Genehmigung des Reichsführers. Sie sollte nur erteilt werden, wenn die Verlobte „rassisch einwandfrei", „erbgesund" und „gebärfähig", kinderlieb, kameradschaftlich und nicht herrschsüchtig, sparsam und nicht verschwenderisch, häuslich und nicht „flatterhaft" oder gar „putzsüchtig" war (d.h. sich gerne schminkte und schmückte). Der Ahnenkult der SS drückte sich nicht nur in einer SS-eigenen Vorgeschichtsforschung durch die Studiengesellschaft „Ahnenerbe" aus, sondern auch in pseudoreligiösen Ritualen, Weihefeiern und Kultgegenständen (Julleuchter, Totenkopfring, Ehrendolch). Sie sollten die mystischen Bedürfnisse der der Religion entfremdeten Ordensmitglieder befriedigen und zugleich den Orden mit magischen Kräften zusammenhalten.

Der elitäre und in seinen Ritualen und Kulten esoterische Charakter der SS wurde von vielen belächelt, verlieh ihr aber andererseits eine besondere Anziehungskraft in den „besseren" Kreisen. Zur SS stießen Freikorpsführer und Reichswehroffziere, die nur das Kriegshandwerk kannten, wie der später wegen seiner Brutalität so gefürchtete Erich von dem Bach-Zelewski, dann Freiberufler, die in der Wirtschaftskrise ihre Existenz verloren hatten, schließlich auch Vertreter der Hocharistokratie wie die Prinzen Christoph und Wilhelm von Hessen und der Erbprinz Josias zu Waldeck und Pyrmont und in großer Zahl junge Akademiker aus bürgerlichen Familien, darunter zahlreiche examinierte Juristen, für die es zu dieser Zeit schwer war, eine Anstellung zu finden und die mit Recht auf große Karrierechancen in der schnell wachsenden neuen Organisation setzten.

Schon 1933 wurde der Grundstein für die bewaffneten Verbände der SS gelegt. Diese gingen neuerlich, wie schon die SS selbst, aus einer Stabswache Hitlers hervor, die am 17. März 1933 aus 120 ausgesuchten SS-Männern gebildet wurde, um die bisher den Reichskanzler schützende Reichswehrkompanie abzulösen. Diese von SS-Gruppenführer Sepp Dietrich geführte Stabswache erhielt noch im gleichen Jahr den Namen, unter dem sie bekannt und im Krieg als fanatisch kämpfende SS-Division gefürchtet war: „Leibstandarte Adolf Hitler". Am 9. November 1933 vor der Münchener Feldherrnhalle auf Hitler persönlich vereidigt, stellte die Leibstandarte eine Privattruppe Hitlers dar, die weder an den Staat noch an die Partei angebunden und damit jeder institutionellen Kontrolle entzogen war. Neben der Leibstandarte wurden im Laufe des Jahres auf Initiative einzelner SD-Oberabschnittsführer an verschiedenen Orten sogenannte Politische Bereitschaften gebildet, die ebenfalls bewaffnet waren. Ihre erste Bewährungsprobe als führertreue Elitetruppe erhielt und nutzte die SS bei der Liquidierung der SA-Führung um Ernst Röhm am 30. Juni 1934. Zum Dank für die „Schützenhilfe" löste Hitler die SS aus dem Verbund mit der SA und erhob sie zu einer Gliederung der NSDAP. Als solche war sie nicht irgendeinem Reichsleitungsamt der Partei, sondern ihm persönlich unterstellt. Damit war die Grundlage für den machtpolitischen Aufstieg der SS geschaffen.

Die Eroberung der politischen Polizei

In welche Richtung die Ambitionen der SS-Führung gingen, war schon bald nach der Machtergreifung deutlich geworden. Am 9. März 1933 hatte Ritter von Epp als Reichskommissar die Geschäfte der sich der Gleichschaltung widersetzenden bayerischen Landesregierung übernommen und Heinrich Himmler noch am gleichen Tage zum kommissarischen Polizeipräsidenten von München ernannt. Himmler baute diese Position mit Unterstützung des kommissarischen Innenministers, NSDAP-Gauleiter Adolf Wagner, in mehreren Schritten zielbewußt aus. Die politischen Polizeiabteilungen ganz Bayerns wurden aus den allgemeinen Polizeiverwaltungen herausgelöst und unter der Bezeichnung *Bayerische Politische Polizei* einer neu geschaffenen Dienststelle im Innenministerium unterstellt, welche die Bezeichnung *Der Politische Polizeikommandeur Bayerns* führte und von Himmler geleitet wurde. In seiner Funktion als *Politischer Polizeikommandeur* unterstanden Himmler auch alle Formationen der „politischen Hilfspolizei", also SA- und SS-Einheiten, und die Konzentrationslager Dachau und Taufkirchen. Von der bayerischen Machtposition ausgehend, eroberte Himmler im Winter 1933/34 nach und nach die Leitung der politischen

Polizeien aller deutschen Länder mit Ausnahme zunächst des kleinen Schaumburg-Lippe und des großen Preußen, indem er sich von den nationalsozialistischen oder gleichgeschalteten Regierungen zum *Politischen Polizeikommandeur* ernennen ließ.

Unabhängig hiervon, aber mit ganz ähnlichen verwaltungsorganisatorischen Tendenzen erfolgte die Neuformierung der politischen Polizei in Preußen, dem größten, fast zwei Drittel des Reichsgebiets einnehmenden deutschen Flächenstaat, wo mit dem Ministerpräsidenten Hermann Göring ein anderer NS-Fürst das Sagen hatte. Die preußische politische Polizei war in der Endphase der Republik von der Abteilung I des Berliner Polizeipräsidiums geführt worden. Noch in seiner Funktion als kommissarischer Innenminister hatte Göring mit der politischen Säuberung des Beamtenapparats begonnen, die naturgemäß auch die Polizei betraf. Sofort nach seiner Ernennung zum Ministerpräsidenten Mitte April 1933 wurde die politische Abteilung sowohl räumlich wie auch organisatorisch aus dem Polizeipräsidium herausgelöst. Rechtsform erhielt diese Maßnahme dann durch das „Gesetz über die Geheime Staatspolizei" vom 26. April 1933, durch das eine neue, dem Innenminister unmittelbar unterstellte Sonderbehörde, das *Geheime Staatspolizeiamt* (Gestapa), geschaffen wurde. Dieses wurde auf der Ebene der Regierungsbezirke durch Staatspolizeistellen vertreten, die mit den bisherigen politischen Polizeiabteilungen identisch und weiterhin den Regierungspräsidenten zugeordnet waren. Die Leitung des Gestapa übernahm Rudolf Diels, ein Vertrauensmann Görings.

Als das Reich die Zusammenlegung der preußischen Ministerien mit den jeweils entsprechenden Reichsministerien plante, beschloß die preußische Regierung am 30. November 1933 ein zweites Gestapogesetz, um das Gestapa dem Zugriff des Reichsinnenministers zu entziehen. Durch dieses Gesetz wurde die Gestapo aus der inneren Verwaltung herausgelöst und direkt dem Ministerpräsidenten unterstellt – eine in der deutschen Verwaltungsgeschichte beispiellose Maßnahme. *Chef der Geheimen Staatspolizei*, wie die neue Bezeichnung lautete, war der Ministerpräsident selbst. Die laufenden Geschäfte wurden von einem *Inspekteur der Geheimen Staatspolizei* als Leiter des Gestapa geführt; in diese Position rückte wiederum Rudolf Diels ein. Mit Beginn des Rechnungsjahres 1934 wurden die Staatspolizeistellen (Stapostellen) von den Bezirksregierungen abgekoppelt. Damit bildete die politische Polizei einen selbständigen Zweig der preußischen inneren Verwaltung.

Im ausgehenden Winter 1934 war das Deutsche Reich in politisch-polizeilicher Hinsicht – von den eigenstaatlichen Enklaven in Preußen und den preußischen Exklaven abgesehen – in zwei Territorien geteilt: ein südliches, in dem Himmler die politische Polizei befehligte, und ein nördliches, in dem Göring Chef war. Mit im Spiel war aber auch noch Reichsinnenminister Wilhelm Frick, der in dieser Phase am

Aufbau einer zentralistischen Reichsverwaltung arbeitete. Die Gleichschaltung der Länder war ja im wesentlichen ein politischer Akt gewesen und hatte an den Verwaltungsstrukturen kaum etwas geändert. In einem zweiten Schritt wurden nun die Länderbehörden entmachtet und zu Mittelbehörden des Reiches degradiert. Als Verwaltungstraditionalist, den man mit Recht einen „Legalisten des Unrechtsstaats" genannt hat[2], war Frick bestrebt, die Einheit der inneren Verwaltung zu erhalten bzw. wiederherzustellen. Aus beiden Bestrebungen ergab sich logisch die Zielvorstellung einer politischen Reichspolizei, die Teil der inneren Verwaltung sein und in der Ministerialinstanz durch den Reichsinnenminister beaufsichtigt werden sollte. Doch hatte Frick in dem Kräftedreieck mit Himmler und Göring die schlechtesten Karten, weil sich in Machtkonflikten auf diesem Niveau stets nur der durchsetzen konnte, der die Unterstützung Hitlers fand. Hitler aber nahm in aller Regel für die Bewegung Stellung und gegen die ihm verhaßte Beamtenbürokratie, die Frick repräsentierte. Himmler wiederum war Göring überlegen, da er die SS als Hilfspolizei einsetzen konnte und über eigene Konzentrationslager verfügte, während Göring in dieser Beziehung von der weit weniger gefügigen SA abhängig war. Als nun Hitler und Göring im Frühjahr 1934 die Entmachtung der widerborstigen, den langfristigen Plänen im Wege stehenden SA-Führung planten, verschoben sich die Kräfte endgültig zugunsten von Himmler, dessen SS für die geplante Aktion gebraucht wurde. Ein Machtwort Hitlers mag ein übriges dazu getan haben, daß Göring kampflos das Feld räumte, als Himmler kam.

Von der Gestapo zur Reichspolizei

Im April 1934 verlegte Himmler seinen Dienstsitz von München nach Berlin. Am 20. April übernahm er von Diels die Funktion des *Inspekteurs der Geheimen Staatspolizei* und wertete diese sogleich auf, indem er sich zusätzlich *Stellvertretender Chef der Gestapo* nannte. Reinhard Heydrich setzte er als Leiter des *Geheimen Staatspolizeiamtes* ein. Diels und eine Reihe anderer Gestapa-Mitarbeiter mußten gehen, weil Himmler und Heydrich aus München ihre eigenen Leute mitgebracht hatten, Beamte der *Bayerischen Politischen Polizei* wie Joseph Meisinger, Franz Josef Huber und den bis heute als Gestapo-Müller berüchtigten Heinrich Müller, die später Spitzenstellungen im Sicherheitsapparat einnehmen sollten. Göring war gemäß dem zweiten Gestapo-Gesetz weiterhin Chef der Gestapo, doch war er dies nur der Form nach. Himmler hingegen hatte jetzt alle politischen Länderpolizeien in der Hand (das kleine Schaumburg-Lippe unterstellte seine politische Polizei am 2. Juni). Zur Ausübung seiner Kommandogewalt bediente er sich des Apparats des Gestapa. Da dieses aber als preußische

2 Neliba, Wilhelm Frick.

Behörde nicht in andere Länder hineinregieren konnte, wurde am 2. Mai 1934 zusätzlich ein *Zentralbüro des Politischen Polizeikommandeurs der Länder* geschaffen. Hier vereinigte Himmler seine Länderkompetenzen, zwei Jahre vor der formellen Gründung der Reichspolizei, zu einer faktischen Reichskompetenz. Im Grunde war der *Politische Polizeikommandeur der Länder* nicht mehr als ein Titel, den das Gestapa in allen außerpreußischen Angelegenheiten benutzte, während es innerpreußisch als Gestapa in Erscheinung trat. Nicht der Form, aber der Sache nach fungierte das Gestapa also schon seit Mai 1934 als Oberste Reichsbehörde. Göring trug der Entwicklung Rechnung, indem er im November 1934 alle ministeriellen Polizeikompetenzen, die er sich noch vorbehalten hatte, an das Gestapa abgab und Himmler die alleinige Verantwortung überließ.

Himmlers Ambitionen aber reichten weiter. Er wollte eine politische Reichspolizei, die die Hilfskonstruktion des *Politischen Polizeikommandeurs* überflüssig machte, und er strebte nach dem Kommando auch über die Kriminalpolizei (Kripo) und die Ordnungspolizei (uniformierte Polizei), die nach wie vor der Aufsicht des Reichsinnenministers unterstanden, also nach der Herrschaft über die ganze deutsche Polizei. Das gleiche Ziel wurde aber nach wie vor von Frick verfolgt. Mitte 1935 wurde Frick bei Hitler wegen der „Eingliederung der Geheimen Staatspolizei in den Gesamtrahmen der Polizei und damit des Reichs- und preußischen Innenministeriums“[3] vorstellig. Indem er aber seinen Vorstoß damit begründete, daß die Polizeigewalt durch die Zersplitterung erheblich geschwächt und der Fülle neuer Aufgaben nicht mehr gewachsen sei, leistete er nur dem Konkurrenten Schützenhilfe. Himmler reagierte sofort und setzte sich nach einem Vortrag bei Hitler gegen den Konkurrenten durch.

Institutionelle Konsequenzen aber hatte dies erst ein halbes Jahr später, als ein „Führererlaß“ zur „einheitlichen Zusammenfassung der polizeilichen Aufgaben im Reich“ (17. Juni 1936) herauskam. Darin wurde der Reichsführer-SS Heinrich Himmler zum *Chef der deutschen Polizei* ernannt und in dieser Funktion dem *Reichs- und Preußischen Minister des Inneren* unmittelbar und persönlich unterstellt. Er führte die Dienstbezeichnung *Der Reichsführer SS und Chef der deutschen Polizei im Reichsministerium des Innern.* Der Text stellte einen Kompromiß dar, der in schwierigen Verhandlungen zwischen dem Reichsinnenministerium und der SS-Führung gefunden worden war. Was wie ein großer Sieg Fricks aussah, war in Wirklichkeit seine fast vollständige Niederlage. Frick war nicht nur in seinem Bemühen gescheitert, die politische Polizei wieder in die innere Verwaltung einzugliedern, er hatte im Gegenteil die Führung der Kriminalpolizei und der Ordnungspolizei (Orpo) an Himmler abgegeben und sie damit auf Reichsebene de facto aus der inneren Verwaltung herausgelöst.

Denn Himmler dachte, von Hitler gedeckt, keinen Augenblick daran, sich Frick in irgendeiner Weise zu unterstellen. Er bezog im

3 Tuchel/Schattenfroh, Zentrale des Terrors, S. 89.

Innenministerium nicht einmal ein Büro, sondern ließ seine Amtsgeschäfte als *Chef der deutschen Polizei* in seinem Persönlichen Stab erledigen, wo er zwei Polizeiadjutanten beschäftigte. Das Reichsinnenministerium bestätigte wenig später selbst, daß Himmler in polizeilichen Belangen Frick nicht nur in dessen Abwesenheit vertrat, sondern sein „ständiger Vertreter" war. Praktisch bedeutete also die Einfügung des *RFSS und Chefs der deutschen Polizei* in das Reichsinnenministerium nicht, daß Frick über die Polizei verfügen konnte, sondern umgekehrt Himmler über Rechte des Ministers. In einem wichtigen Punkt hatten aber auch Himmler und Heydrich zurückstecken müssen, denn es war ihnen nicht gelungen, die Polizeiorganisation auf allen Ebenen aus der inneren Verwaltung zu lösen.

Gleichwohl markierte der Führererlaß vom 17. Juni 1936 einen tiefen Einschnitt nicht nur in die Polizeiverfassung, sondern in die ganze innere Verfassung Deutschlands mit weitreichenden Konsequenzen für die weitere Entwicklung der Polizeigewalt sowie das Verhältnis von Polizei und Gesellschaft. Die durch den Erlaß vollzogene institutionelle Verklammerung von SS und Polizei bedeutete, daß der Staat seine Polizei an die SS auslieferte, also sein Gewaltmonopol auf die Privatarmee des Führers einer politischen Partei übertrug. Dieser schon früh erkannte Prozeß der „Entstaatlichung" der Polizei[4] vollzog sich vor dem Hintergrund einer noch anderen, grundsätzlicheren Deformation der Verfassung, nämlich der fortschreitenden Zersetzung der Rechtsetzung des Reiches durch Hitler selbst. Der „Führer" vereinigte nach dem Tode Hindenburgs drei Ämter in seiner Person: das Amt des Reichskanzlers, das Amt des Reichspräsidenten und das Amt des Führers der nationalsozialistischen Bewegung, also zwei staatliche Ämter und ein Parteiamt. Indem Hitler zwischen diesen Ämtern immer weniger unterschied und je länger, desto mehr auch im staatlichen Raum als „Führer" agierte, entzog er sich zunehmend den Normen staatlichen Handelns. Denn das Amt des „Führers" entbehrte jeder verfassungsmäßigen Legitimation und Normierung und bezog seine Rechtfertigung aus bloßen Postulaten: Hitler sei der größte Deutscher aller Zeiten, er sei das politische Genie der Epoche, er allein wisse um die Entwicklungsgesetze der Geschichte und vollziehe eine historische Sendung usw. Indem nun die Polizeigewalt auf eine Parteigliederung übertragen wurde, die nur zum Schein als Staatsbehörde fungierte, in Wirklichkeit aber dem Führer bedingungslos ergeben war, wurde die Polizei zum Werkzeug und ihre Führung zu einem Teil der außernormativen, d. h. weder an Rechts- noch Verfahrensnormen, ja nicht einmal an Gesetze gebundenen Führergewalt.

Die institutionelle Verklammerung von SS und Polizei war für Himmler freilich nur ein Etappenziel, wenn auch das wichtigste. Denn wie Hitler selbst seine drei Ämter zu einem einzigen verschmolz, so verstand auch Himmler seinen neuen Auftrag nicht als Wahrnehmung zweier Ämter, eines Parteiamts und eines Staatsamts, die er nebenein-

4 Ernst Fraenkel, The Dual State (1941).

ander (in Personalunion) ausübte, sondern als Realunion: Er war nicht *Reichsführer SS* und *Chef der deutschen Polizei*, sondern er war beides in einem. Doch war beides nicht gleichwertig miteinander verbunden, denn in Himmlers Denken wölbte sich der Parteiauftrag über den staatlichen, um ihn langsam, aber sicher zu ersticken. Langfristig strebte Himmler die völlige Verschmelzung von SS und Polizei an. Diesem Ziel diente vor allem die Infiltration aller Polizeibehörden mit SS-Angehörigen, wie sie bei der Gestapo schon lange im Gange war. Umgekehrt wurden fachlich qualifizierte Beamte, die nicht der SS angehörten, unter Herabstufung der SS-spezifischen Eignungsanforderungen – wo nötig, auch mit gewissem Druck – zum Eintritt in die SS veranlaßt. Dabei erhielten sie im Wege der „Dienstgradangleichung" die ihren Polizeirängen entsprechenden SS-Ränge. Aus einem Hauptwachtmeister der Polizei wurde so gleichzeitig ein Scharführer der SS, aus einem Major ein Sturmbannführer, aus einem General der Polizei ein Obergruppenführer. Zudem waren alle Polizisten, die SS-Mitglieder waren – mit Ausnahme der uniformierten – verpflichtet, die SS-Uniform als Dienstkleidung zu tragen. Auf diese Weise entstand in der Bevölkerung der Eindruck, daß SS und Polizei ein- und dasselbe seien, und das war durchaus beabsichtigt: Diese Identität war das Ziel.

Die „Entstaatlichung" der Polizei war die eine, heftig umkämpfte Wirkung des Führererlasses vom 17. Juni 1936; ihre „Verreichlichung", d. h. die Übertragung der Polizeihoheit von den Ländern auf das Reich (die bei der Politischen Polizei de facto schon vollzogen war), die andere, unumstrittene. Beides machte eine Neuorganisation der Polizeiführungsämter notwendig. Die politische Polizei, die ab jetzt im ganzen Reich *Geheime Staatspolizei* hieß, und die Kriminalpolizei wurden zur *Sicherheitspolizei* (Sipo) zusammengefaßt. Diese wurde von Heydrich als *Chef der Sicherheitspolizei* geleitet. Neben der Sicherheitspolizei stand gleichrangig die Ordnungspolizei, in der Himmler die Schutzpolizei, die Gemeindepolizei und die Gendarmerie zusammenfaßte (1941 kamen dann noch die Feuerschutzpolizei und die Technische Nothilfe als hilfspolizeiliche Formationen dazu). Zum *Chef der Ordnungspolizei* wurde der bisherige Leiter der Polizeiabteilung des Reichsinnenministeriums, Kurt Daluege, mit dem Rang eines „Generals der Polizei" eingesetzt (1943 „geschäftsführend" von dem SS-Obergruppenführer und General der Polizei Alfred Wünnenberg abgelöst).

Durch den Führererlaß vom 17. Juni 1936 war zwar eine vom RFSS befehligte Reichspolizei geschaffen worden, doch war die heikle und schwierige Frage der Unterstellung und Organisation der Länderpolizeien ausgeklammert worden. Bei der Ordnungspolizei blieb alles beim alten: die Orpo-Verwaltungen der mittleren und unteren Ebene blieben Teil der dem Reichsinnenminister nachgeordneten Innenverwaltungen, also etwa der für bestimmte Regionen zuständigen Polizeipräsidien. Etwas anders verhielt es sich bei der Kriminalpolizei. Zwar konnte das Innenministerium auch hier die von Himmler und Heydrich betriebene oder mindestens gewünschte organisatorische Ausgliederung aus den Innenverwaltungen der Länder verhindern, doch wurden diese Behörden durch Runderlaß vom 20. September 1936 der fachlichen Leitung des *Preußischen Landeskriminalpolizeiamts* (ab 1937 *Reichskriminalpolizeiamt*) unterstellt und nach dem Muster der in *Gestapo-Leitstellen* und *Gestapostellen* gegliederten Gestapo in *Kriminalpolizei-Leitstellen* und *Kriminalpolizeistellen* umbenannt.

Hinzu kam, daß Himmler die Stapo- und Kripoleitstellen ab Dezember 1937 durch Einsetzung sogenannter *Inspekteure der Sicherheitspolizei* (IdS) miteinander zu verbinden suchte. Die IdS waren eigentlich eine Schöpfung des Reichsinnenministers, der fälschlicherweise davon ausging, mit Hilfe der IdS Gestapo und Kripo in den Ländern bzw. Provinzen kontrollieren zu können. Der Aufgabenbereich der IdS war vage umschrieben, enthielt aber die aufschlußreiche Bestimmung, daß die IdS für eine „Angleichung" der Organisation der Behörden der Kripo und der Gestapo zu sorgen hätten. Dies und die Tatsache, daß die IdS immer SD-Führer, zum Teil aber auch Leiter der Gestapo-Leitstellen waren, zeigen an, um was es Himmler eigentlich ging: Die Kripoleitstellen und Kripostellen unter die Kontrolle von SD und Gestapo zu bringen. Tatsächlich gingen die IdS oft erheblich über ihre auf Leitaufgaben begrenzten Befugnisse hinaus, agierten wie die Chefs der Kripoleitstellen und drückten deren eigentliche Vorgesetzte, die Polizeipräsidenten regelrecht an die Wand. Parallel zu den IdS wurden auch „Inspekteure der Ordnungspolizei" (IdO) installiert.

Himmler ging noch einen Schritt weiter. Ebenfalls ab 1937 setzte er in den Wehrkreisen (Regionalgliederung der Wehrmacht) nach und nach *Höhere SS- und Polizeiführer* (HSSPF) ein, um sämtliche SS-Zweige auf der Ebene der SS-Oberabschnitte miteinander zu verklammern. Aufgabe der HSSPF war es, im Falle der Mobilmachung alle dem *RFSS und Chef der Deutschen Polizei* unterstehenden Kräfte, also alle SS- und Polizeikräfte, befehlsmäßig zu führen und einzusetzen. Dies und der Zuschnitt ihrer Zuständigkeit auf die Wehrkreise verdeutlichen, daß ihre Einsetzung im Zusammenhang mit den Kriegsvorbereitungen des Reiches stand, die etwa bei der Gestapo zur Anlage von Verhaftungs- und Fahndungslisten („A-Kartei", usw.) führten. Im weiteren Verlauf wurde in die Zuständigkeit der IdS auch der SD einbezogen, so daß die IdS ab September 1939 die Amtsbezeichnung *Inspekteure der Sicherheitspolizei und des SD* trugen. Die innere Logik der auf den ersten Blick verwirrenden doppelten Führungsstruktur lag in der einfachen Absicht, die Funktionen, die Himmler und Heydrich an der Spitze in sich vereinigten, nach unten zu übertragen. Der Funktion Heydrichs als *Chef der Sicherheitspolizei und des SD* entsprachen die IdS, während Himmler als *RFSS und Chef der deutschen Polizei* durch die HSSPF vertreten wurde. Die HSSPF führten aber bis Kriegsbeginn ein Schattendasein.

Der Sicherheitsdienst des RFSS (SD)

Mit ihrem Umzug nach Berlin im April 1934 hatten Himmler und Heydrich auch die Zentrale des SD nach Berlin verlegt. An der Spitze des SD stand das *SD-Hauptamt*, das nach außen meistens als „Sicherheitshauptamt des Reichsführers SS" firmierte, und deswegen bis heute immer wieder mit dem *Hauptamt Sicherheitspolizei* (durch das Gestapo und das Reichskriminalpolizeiamt selbst vertretene Ministerialinstanz dieser beiden Polizeiämter) und dem späteren *Reichssicherheitshauptamt* verwechselt wird. Regional war der SD wie die SS im ganzen in Oberabschnitte und Abschnitte (später Hauptaußenstellen und Außenstellen) gegliedert. So wie Ernst Röhm die SA als nationalsozialistisches Volksheer an die Stelle der Reichswehr setzen wollte, so wollte Heydrich aus dem SD eine nationalsozialistische Geheimpolizei machen. Die Übernahme der alten Polizei durch die SS machte diese Zielsetzung hinfällig, den SD aber nicht überflüssig. Denn neben den geheimpolizeilichen Funktionen im engeren Sinne, der Überwachung der Bevölkerung und der polizeilichen Exekutive, gab es auch nachrichtendienstliche Aufgaben allgemeinerer Art, die bei der durch die expandierenden Exekutivfunktionen mehr und mehr überlasteten Gestapo leicht zu kurz kamen. Dazu gehörten grundsätzliche, nicht von operativen Zwecken beengte Analysen der als gegnerisch eingestuften Organisationen und weltanschaulichen Strömungen, aber auch die Ausforschung von Volksmeinung und Volksstimmung in den verschiedenen gesellschaftlichen Bereichen. Die Ergebnisse dieser Recherchen und Analysen schlugen sich dann in „Leitheften" und Sonderberichten zu bestimmten Themen oder Organisationen und in den allgemein bekannt gewordenen „Meldungen aus dem Reich" nieder. Gerade diese mehr theoretisch-analytische als praktische Ausrichtung des SD, führte – neben der sogar für Heydrich selbst bezeugten Lust an konspirativer Tätigkeit – vor allem Akademiker in den SD, die dieses Profil weiter verstärkten, so daß der SD nach einigen Jahren so etwas wie die gesellschaftswissenschaftliche Abteilung der SS war. Diese intellektuellen Nationalsozialisten waren allerdings keine Technokraten, sie verstanden sich vielmehr als Vorkämpfer der nationalsozialistischen Weltanschauung und sorgten so für eine hochgradige Ideologisierung der eigenen Organisation und der Polizei.

In den ersten Jahren freilich herrschte bei SD und Gestapo noch reichlich Unklarheit über die Abgrenzung ihrer Aufgaben. Der SD maßte sich exekutivpolizeiliche Funktionen an, die Gestapo bearbeitete auch allgemeine Fragen, es kam zu konkurrierenden Ermittlungen mit widersprüchlichen Ergebnissen. Diese Verhältnisse wurden erst durch den sogenannten Funktionstrennungserlaß Himmlers vom 1. Juli 1937 bereinigt. Danach war der SD für die allgemeine und grundsätzliche nachrichtendienstliche Bearbeitung aller Sachgebiete zuständig, während der Gestapo alle Einzelfälle, in denen polizeiliche Vollzugsmaßnahmen in Frage kamen, vorbehalten waren. Von dieser Grundsatzregelung ausgenommen waren die Sachgebiete Marxismus, Landesverrat und Emigranten, die weiterhin auch in allgemeiner und grundsätzlicher Hinsicht von der Gestapo bearbeitet wurden. Der SD wurde durch diesen Erlaß eindeutig auf Hilfsfunktionen für Behörden, Partei und Gestapo beschränkt. Dieser Aufgabenstellung gemäß verfügte das SD-Hauptamt über eine Abteilung „Gegnerforschung" mit Referaten für Juden, Kirchen, Freimaurer u. a. sowie eine Abteilung „Deutsche Lebensgebiete", die auf Grund der von einem Heer von Informanten gelieferten Einzelmeldungen die politischen Lageberichte erstellte.

Selbstverständnis und Feindbild der Polizei

Die Verselbständigung der Gestapo – und in ihrem Sog bis zu einem gewissen Grade auch der Kriminalpolizei – und die damit verbundene bzw. bezweckte Ablösung von den tradierten Verwaltungsnormen hatten gravierende Folgen für das Selbstverständnis der Polizei, für die Definition der polizeilichen Aufgaben, die inneren Arbeitsmethoden und die operative Praxis. Schon im Polizeiterror der Machtergreifungsphase vollzog sich eine qualitative Veränderung der polizeilichen Funktion. Denn die Verfolgung, Verhaftung, Internierung, in einzelnen Fällen auch Tötung von Kommunisten, Sozialdemokraten, Gewerkschaftern, Linksintellektuellen und bestimmter Konservativer diente ja nicht der Bestrafung gesetzwidrigen Verhaltens, sondern – neben der Befriedigung politischer Rachegelüste – der Ausschaltung oppositioneller Kräfte. Die Polizei wandelte sich schon in diesem Stadium von einem defensiven zu einem präventiv tätigen Staatsschutzorgan und je länger, desto deutlicher zu einer offensiv operierenden Weltanschauungsexekutive. Ihr wichtigstes Instrument war die sogenannte Schutzhaft. „Verfassungsmäßige" Grundlage der Schutzhaft war die sogenannte Reichstagsbrandverordnung vom 28. Februar 1933 (Verordnung des Reichspräsidenten zum Schutz von Volk und Staat), die alle in der Verfassung garantierten Freiheitsrechte außer Kraft setzte. Die Schutzhaft wurde teils in Justizhaftanstalten und Polizeigefängnissen, überwiegend aber in den Konzentrationslagern vollzogen. Vor 1933 an enge zeitliche und formale Schranken gebunden, konnte die Schutzhaft jetzt nach Belieben der Polizei eingesetzt werden und auch beliebig lange dauern. Da es gegen die Schutzhaft kein Rechtsmittel gab, war der einzelne der Willkür der Polizei wehrlos ausgeliefert.

Damit wurden alle rechtsstaatlichen Einschränkungen der Polizeigewalt durch Polizeigesetze – zum Beispiel das preußische Polizeiverwaltungsgesetz – hinfällig. Himmler und Heydrich betrachteten diese Gesetze ohnehin als rechtsstaatlichen Unfug. Denn sie leiteten ihre Tätigkeit nicht aus irgendwelchen Gesetzen ab, sondern aus der Führergewalt und einem imaginären „Lebensrecht" des deutschen Volkes. Da es das Wesen der Führergewalt war, nicht durch formale Schranken wie Gesetze gebunden zu sein, durfte auch die Polizei, die den Willen der Staatsführung zu vollziehen hatte, nicht durch solche Schranken gehemmt werden. Ihre Befugnisse mußten nach Auffassung Himmlers aber auch deshalb unbegrenzt sein, weil das Lebensrecht des Volkes immer neu und immer anders bedroht war und deshalb durch Gesetze, die auf Dauerhaftigkeit angelegt waren, nicht hinreichend geschützt werden konnte. In seiner Vorstellung unterlag die Polizei den gleichen Notwendigkeiten wie eine im Krieg operierende Armee. So wie die kämpfende Truppe ihre Aktionen nach Maßgabe der feindlichen Operationen immer wieder neu zu planen hatte, so mußte auch die Polizei fähig sein, auf die – oft unvorhersehbaren – Veränderungen in der Gesellschaft flexibel zu reagieren. Mit anderen Worten: Die Polizei definierte die staatspolizeilich relevanten Tatbestände, Täter und Tätergruppen selbst, und sie bezog sich dabei auf einen politischen „Gesamtauftrag", der gesetzliche Grundlagen für die einzelnen Maßnahmen überflüssig machte. Staatspolizeiliche Anordnungen waren daher auch dann rechtsgültig, wenn sie sich nicht auf ein Gesetz oder eine Verordnung stützten.

Der übergesetzliche Status der Polizei zeigte sich auch in ihrem Verhältnis zur Justiz. Schutzhaft, die ja keine Strafe war, sondern eigentlich der Prävention und Absonderung diente, verhängte sie in eigener Zuständigkeit, und in den Konzentrationslagern hatte die Justiz nichts zu suchen. Indem die Polizei Menschen über Monate und Jahre ins KZ sperrte, setzte sie sich, wann immer ihr das notwendig schien, an die Stelle des Richters und des Justizvollzugs. Diese Polizeijustiz war der regulären Justiz hoch überlegen, weil es ja die Polizei war, die darüber entschied, ob ein Gefangener überhaupt der Justiz übergeben und ein regelrechtes Verfahren eingeleitet wurde. Es war nicht ungewöhnlich, daß Menschen nach Verbüßung ihrer Strafe in einer Justizvollzugsanstalt sofort wieder ins KZ eingeliefert wurden, weil die Polizei mit dem Strafmaß unzufrieden war oder weil sie den Betroffenen nach wie vor für „gemeingefährlich" oder nicht „gemeinschaftsfähig" hielt. Manche Richter haben – vor allem gegen Juden, Polen und „Zigeuner" – drakonische, in keinem Verhältnis zur Schwere der Tat stehende Strafen verhängt, nur um diese Menschen möglichst lange in der Justizvollzugsanstalt verwahren zu können, wo das Leben auch nicht angenehm, aber viel weniger gefährdet war als in den Konzentrationslagern. Von der Justiz unbehindert, übernahm die Polizei ab 1939 auch noch das Amt des Henkers, als Heydrich die Gestapostellen zwecks Vollzug der von ihm selbst herausgegebenen „Grundsätze der inneren Staatssicherheit während des Krieges" (3. September 1939) anwies, bestimmte Straftäter sofort zu exekutieren und damit die „Sonderbehandlung" einführte, d. h. die administrativ verordnete Gefangenentötung. Im Dezember 1941 wurden alle Polen und Juden, die in den eingegliederten Ostgebieten lebten oder am 1. September 1939 im Gebiet des ehemaligen polnischen Staates ansässig gewesen waren, einem drakonischen Sonderstrafrecht unterworfen, das die Verteidigungsfähigkeit der Beklagten auf Null reduzierte und selbst für Bagatelldelikte die Todesstrafe vorsah; verhandelt wurde in der Regel vor dem Sondergericht. Selbst dieses Sonderstrafrecht erschien den Verfolgern noch als zu mild: 1943 wurde die strafrechtliche Hoheit über die Juden formell auf die Polizei übertragen. In der „Dreizehnten Verordnung zum Reichsbürgergesetz“ stand der lapidare Satz: „Strafbare Handlungen von Juden werden durch die Polizei geahndet.“[5] Auch die Zwangsarbeiter unterlagen dieser Polizeijustiz.

Aus den unbegrenzten Befugnissen der politischen Polizei ergab sich ein dritter für die Entwicklung der Polizeigewalt charakteristischer Aspekt. Wenn der Polizei ein gesetzlicher Auftrag fehlte, der ihre Aufgaben und Pflichten definierte, dann konnte sie auch nie an den Punkt gelangen, an dem sie ihre Pflicht erfüllt hatte. Dieser Mechanismus führte in Verbindung mit der paranoiden Gegnerfixierung, die schon für die NSDAP der „Kampfzeit“ charakteristisch war, zu einer andauernden Ausweitung der Sicherheitsbedürfnisse und einer ständigen Eskalation und Ausdifferenzierung der Gegnervorstellungen. Die Polizei verstand sich mehr und mehr als „Hüterin der Volksgemeinschaft“, die alle jene in Verwahrung zu nehmen hatte, die nicht zu dieser Volksgemeinschaft gehören wollten oder sollten. Zu diesem Zweck wurde unter dem Vorwand der vorbeugenden Verbrechensbekämpfung die Schutzhaft unter dem Begriff „Vorbeugehaft“ auch auf den Bereich der Kriminalpolizei ausgedehnt. Zunehmend wurde das polizeiliche Feindbild auch dadurch bestimmt, daß der Nationalsozialismus nicht nur über die Menschen herrschen wollte, sondern auch in ihnen. Bald war die Gestapo eine Gesinnungspolizei, der im Grunde jeder verdächtig war, der nicht nationalsozialistisch dachte. In den Bannkreis von Observation und Verfolgung gerieten Ariosophen, Theosophen, Anthroposophen und ähnliche Gruppen, weil ihr Weltbild nicht dem des Nationalsozialismus entsprach. Nur der Bestand der geistigen Hauptkonkurrenten, der beiden großen Kirchen, wurde zunächst nicht grundsätzlich in Frage gestellt, weil man wegen der im Krieg unerläßlichen inneren Geschlossenheit die Anzettelung eines Glaubenskriegs scheute; wohl aber wurden die Kirchen beobachtet, „unbotmäßige“ Pfarrer und – in den besetzten Ostgebieten – auch die Kirche als Institution verfolgt. Die innere Organisation des Gestapoamts im späteren *Reichssicherheitshauptamt* im Jahre 1941 zeigt das ganze Spektrum der Feindprojektion. Es hatte folgende politische Referate: Kommunismus, Marxismus und Nebenorganisationen; Reaktion, Opposition, Legitimismus, Emigranten; Politischer Katholizismus; Politischer Protestantismus, Sekten; sonstige Kirchenangelegenheiten, Freimaurer; Judenangelegenheiten. Andere Gruppen wie Homosexuelle, „Zigeuner“ und Obdachlose fielen in die Zuständigkeit des *Reichskriminalpolizeiamts.*

[5] Reichsgesetzblatt I 1943, S. 372.

Der Gestapo-Mythos

All dies scheint das Klischee von den Dunkelmännern in den schwarzen Ledermänteln zu bestätigen, die Vorstellung, daß die Gestapo eine omnipotente, allwissende und allgegenwärtige Geheimorganisation war („sieht alles, hört alles, weiß alles"), die jede Regung in der Gesellschaft unter Kontrolle hatte und deren Willkür die Bevölkerung schutzlos ausgeliefert war. Dieses von der Gestapo selbst aus guten Gründen planmäßig in die Welt gesetzte, von der zeitgeschichtlichen Forschung unkritisch übernommene und im Zusammenwirken von Publizistik und Filmindustrie verfestigte Bild hatte in der bundesdeutschen Nachkriegsgesellschaft eine wichtige Funktion: Es konnte scheinbar schlüssig erklären, weshalb es keinen Massenwiderstand gegen Hitler gegeben hat, und entlastete so die Aufbaugenerationen von moralischer Schuld. Die sozialgeschichtlich orientierte Forschung der letzten Jahrzehnte hat aber die Bedeutung von Terror und Zwang für die Stabilität und Aktionsfähigkeit des nationalsozialistischen Regimes erheblich relativiert. Herrschaft und Gesellschaft im Dritten Reich waren durch ein kompliziertes Geflecht aus grundsätzlicher Zustimmung und partieller Ablehnung verbunden, das sich in den verschiedenen gesellschaftlichen Milieus und in den verschiedenen Stadien der Entwicklung unterschiedlich darstellt. Mindestens in den letzten Jahren vor dem Krieg und im Krieg bis zur Katastrophe von Stalingrad 1942/43 konnte sich das Regime der grundsätzlichen Loyalität der großen Mehrheit der Bevölkerung sicher sein. Damit mußte aber auch die Frage nach Funktion und Bedeutung der Gestapo neu gestellt werden.

Die neuere Forschung ist bemüht, im Bild der Gestapo Mythos und Realität zu trennen, ohne die Brutalität des Konzentrationslager-Regimes zu verharmlosen und die führende Rolle der Gestapo bei den Ausrottungsmaßnahmen ab 1939 im geringsten zu relativieren. Ein wichtiges Ergebnis der Untersuchungen ist, daß die Herauslösung der politischen Polizei aus der inneren Verwaltung *zunächst* wenig an ihren Arbeitsmethoden geändert hat. Polizeiarbeit war und blieb im Alltag den Formen und Techniken geordneter Staatsverwaltung verpflichtet und war deshalb in hohem Maße durch bürokratische Tätigkeiten gekennzeichnet. Saubere Aktenführung und die Anlage immer neuer Karteien (jede Gestapostelle führte mindestens zwölf verschiedene Karteien) zur Erfassung der mit der Erweiterung des Feindbildes sich rapide vermehrenden gegnerischen Subjekte, die Abgabe „politischer Beurteilungen" von „Volksgenossen" für andere Dienststellen von Partei und Staat, das Verfassen von Tagesmeldungen, Lage- und Stimmungsberichten für die vorgesetzten Behörden bestimmten den Büroalltag. Dagegen haben verschärfte Verhörmethoden, also körperliche Mißhandlung oder gar Folter, vor dem Krieg eine eher geringe Rolle gespielt. Die meisten Gestapobeamten, fast alle älteren in den gehobenen Positionen, hatten ihr Handwerk im praktischen Polizeidienst der Weimarer Republik gelernt (in Preußen wurden 1933 75 Prozent der Beamten aus der staatlichen Polizeiverwaltung übernommen) und waren vernehmungstechnisch so versiert, daß sich das „verschärfte Verhör" meist erübrigte. Dabei gab es aber offensichtlich Unterschiede zwischen den einzelnen Stapostellen, ja sogar innerhalb ein- und derselben Stelle. Es gab Polizisten, die als Prügler berüchtigt waren, und es gab andere, die solche Methoden grundsätzlich ablehnten. Im Laufe des Kriegs änderten sich die Verhältnisse allerdings grundlegend.

Ein anderer Teil des Mythos betrifft die personelle Stärke der Gestapo, die viel geringer war als seinerzeit geglaubt und lange Zeit angenommen wurde. Für das Jahr 1935 wurde inzwischen für das ganze Reich eine Personalstärke von 4200 Mitarbeitern inklusive Bürokräften glaubhaft gemacht. Für 1937 werden 7000 Mitarbeiter geschätzt. Bis 1944 stieg die Zahl auf etwas mehr als 31000 an[6] – in Beziehung zum staatspolizeilichen Aktionsraum („Altreich", eingegliederte und besetzte Gebiete, also zeitweise fast ganz Europa) eine sehr geringe Zahl. Nimmt man noch hinzu, daß die Gestapo über keines der technischen Hilfsmittel verfügte, die heute in einer Polizeibehörde selbstverständlich sind, also weder über vernetzte Computer noch Telefaxgeräte, ja noch nicht einmal über Kopiergeräte, dann ist klar, daß sie gar nicht in der Lage sein konnte, die in ihrem jeweiligen Zuständigkeitsbereich lebenden Menschen rund um die Uhr zu überwachen, auch nicht die ca. 80 Millionen Menschen, die 1939 im „Großdeutschen Reich („Altreich" und eingegliederte Gebiete) lebten.

Dabei darf aber nicht übersehen werden, daß die Gestapo im Unterschied zu einer demokratischen Polizei nicht in einer offenen, sondern in einer gleichgeschalteten Gesellschaft operierte. Neben der Polizei gab es noch eine Reihe anderer Überwachungsapparate, die im Gegensatz zur Gestapo flächendeckend präsent waren und deren unterste Organisationseinheiten am Arbeitsplatz oder bei den Haushalten angesiedelt waren. Hier ist zuerst der mit der Gestapo durch gemeinsame Leitung verbundene SD mit seiner Gebietsgliederung und einem in die Zehntausende gehenden Heer von Informanten (V-Leute) zu nennen, dann die NSDAP, deren Organisationshierarchie bis hinab zum Blockwart reichte, desgleichen die *Deutsche Arbeitsfront* mit ihren Betriebsblocks, Betriebszellen, Straßenblocks und Straßenzellen und etwa auch die *Nationalsozialistische Volkswohlfahrt*, deren Blocks 40 bis 60 Haushalte umfaßten und deren Schwestern und Sammler noch den abgelegensten Einödhof erreichten. Die Gestapo ermittelte selten selbst am Ort des Geschehens, sondern bediente sich dazu routinemäßig der Kreispolizeibehörden sowie der Schutzpolizeireviere und Gendarmerieposten, aber auch der Bürgermeister, Kreis- und Ortsgruppenleiter und anderer lokaler Amtsträger der Partei und verlieh ihnen damit – fallweise – polizeiliche Befugnisse. Aus den genannten und anderen gleichgeschalteten Organisationen und Verbän-

6 Kohlhaas, Mitarbeiter der regionalen Staatspolizeistellen, S. 221.

den, aber auch aus der Ordnungspolizei, der Reichsbahn, der Reichspost und den Gesundheitsämtern strömten unablässig Anzeigen und Hinweise in die Gestapoämter – die amtliche Denunziation war gang und gäbe, sie war sozusagen „ein zentraler Bestandteil der inneren Verfassung des Dritten Reichs“[7].

Hinzu kam dann noch die in ihrem Ausmaß lange Zeit völlig unterschätzte private Denunziation, deren Gegenstand überwiegend Verdachtsmomente und Tatbestände des Alltagsdissenses aufgrund der „Heimtücke“-Gesetzgebung und „Rassendelikte“ nach dem „Blutschutzgesetz“ waren. Die Denunziation aus der Bevölkerung im Reich war „quantitativ wie qualitativ“ die „wichtigste Ressource staatspolizeilichen Wissens“[8]. Die Gestapo hatte weit mehr freiwillige Helfer, als ihr überhaupt lieb sein konnte, denn sie mußte die über sie hereinbrechende Flut von Denunziationen ja verarbeiten. Auch wenn dabei vielfach ganz persönliche Motive im Spiel waren, ist diese Denunziationsbereitschaft doch ein zusätzlicher deutlicher Indikator für den Grundkonsens, der zwischen den Herrschenden und der großen Mehrheit der Bevölkerung über eine weite Strecke bestand. Eine Gesellschaft, die sich, wie mit einer gewissen Überspitzung gesagt wurde, selbst überwachte[9], aber war weit weniger Objekt als vielmehr Komplize der staatspolizeilichen Verfolgung. Erinnern wir uns der polizeilichen Feindprojektionen, dann wird vollkommen einsichtig, was die Gestapo im Kern gewesen ist: Nicht in erster Linie ein Instrument zur Überwachung und Unterdrückung der Mehrheit, sondern ein Instrument zur Ausschaltung der politischen Opposition und zur Verfolgung, Absonderung und schließlich auch physischen Vernichtung sozial und rassisch definierter Minderheiten.

Die Konzentrationslager 1933–1939

Wie vieles, was als nationalsozialistisch gilt oder im Dritten Reich als typisch nationalsozialistisch propagiert wurde, waren auch die Konzentrationslager (KZ, KL) keine Erfindung der Nationalsozialisten. Es gab unrühmliche historische Vorbilder und gleichzeitige Entsprechungen, die nicht weniger unmenschlich waren. Wenn das Konzentrationslager trotzdem bei den meisten Menschen die erste Assoziation ist, wenn die Rede auf den Nationalsozialismus kommt, so liegt dies wohl hauptsächlich an zwei Umständen: Erstens an dem hohen Stellenwert, den die Nationalsozialisten dem KZ bei der Verwirklichung ihrer rassistischen Gesellschaftsutopie gaben, und zweitens an der beispiellosen Entwicklung, die das nationalsozialistische Lagersystem nahm. Waren die Lager anfänglich Stätten schwerster Haft, so mutierten sie unter den Bedingungen des totalen Raum- und Rassenkriegs in drei neue Arten: Zwangsarbeitslager, in denen ein Leben

7 Paul/Mallmann, Auf dem Wege zu einer Sozialgeschichte des Terrors, S. 11.

8 Mallmann/Paul, Gestapo, S. 107.

9 Gellately, Gestapo und deutsche Gesellschaft, 1993.

wenig galt, Zwangsarbeitslager für Juden, die der Vernichtung durch Arbeit dienten, und sogenannte Vernichtungslager, die man – weil dort kein Mensch „gelagert“ werden sollte – besser Vernichtungsanlagen oder Schlachthäuser für Menschen nennen würde.

Die ersten KZ entstanden im Zuge der unmittelbar nach dem Reichstagsbrand am 28. Februar 1933 einsetzenden Jagd auf die politischen Gegner des Nationalsozialismus, vor allem Kommunisten, oder auch führende Sozialdemokraten und Gewerkschafter. Einesteils wegen der Überfüllung der regulären Justizvollzugsanstalten, andererseits um ungehindert durch Anstaltsordnungen (die immer Schutzbestimmungen für die Häftlinge enthielten) Rache nehmen zu können, wurden von den verschiedenen an der Verfolgung beteiligten Organisationen überall im Reich Lager errichtet. Es gab SS-Lager wie das berüchtigte Columbia-Haus in Berlin oder das KZ Dachau, SA-Lager wie Oranienburg nordöstlich von Berlin, Haftlager der staatlichen Justizverwaltung wie die „Moorlager“ im niedersächsischen Emsland und mit dem KZ Fuhlsbüttel („Kola-Fu“) sogar eine Art Privat-KZ des Hamburger Gauleiters Kaufmann. Insgesamt handelte es sich um ca. 70 solcher Haftstätten.

Nachdem die SS die Herrschaft über die politische Polizei gewonnen hatte, ging sie daran, sich diese „wilden KZ“ einzuverleiben, sie sodann zu wenigen großen Lagern zusammenzufassen und intern neu zu organisieren. Vorbild dafür war das am 22. März 1933 in der Nähe der nordwestlich von München gelegenen Stadt Dachau eingerichtete KZ. Dorthin verschleppte die von Himmler befehligte SS-Hilfspolizei ihre Opfer. Im Juni 1933 setzte Himmler den SS-Oberführer Theodor Eicke als Lagerleiter ein. Ein Jahr später ernannte er ihn zum *Inspekteur der Konzentrationslager und Führer der SS-Wachverbände*. Eicke ließ bis 1939 fünf neue Großlager errichten: Sachsenhausen (ca. 25 km nordöstlich von Berlin; Juli 1936), Buchenwald (auf dem Ettersberg über Weimar; Juli 1937), Flossenbürg (bei Weiden in der Oberpfalz; Mai 1938), Mauthausen (etwa 20 km östlich von Linz in Oberösterreich; August 1938) und das Frauen-KZ Ravensbrück (bei Fürstenberg in Brandenburg; 15. Mai 1939).

Obwohl diese KZ staatliche Einrichtungen waren, lagen nicht nur die oberste Leitung bei Eicke, sondern auch die Lagerleitung (Kommandantur) und die interne Lageraufsicht vollständig in den Händen der SS; das Personal wurde vorwiegend aus den aufgelösten wilden KZ und der „Allgemeinen SS“ (die nichtberufliche SS, ihr weltanschaulicher Kern) rekrutiert. Dies gilt auch für die besonderen Wachmannschaften, die für die Außenbewachung der Lager eingesetzt wurden. Nach dem Vorbild der Wachmannschaft von Dachau, die sich selbst den Namen „Totenkopfverband“ zugelegt hatte, führten ab März 1936 alle KZ-Wachmannschaften die Bezeichnung „Totenkopfverbände“. Bis 1938 wurden sie in vier Standarten zusammengefaßt, deren Standorte die KZ Dachau, Sachsenhausen, Buchenwald und Mauthausen waren und die dementsprechend die Namen „Oberbayern", „Brandenburg", „Thüringen" und „Ostmark" trugen. Noch vor Kriegsbeginn wurden die Totenkopfstandarten durch eine in Ergänzungseinheiten ausgebildete „Polizeiverstärkung" erweitert und nach Kriegsbeginn mit der SS-Verfügungstruppe (ehemalige „Politische Bereitschaften" und „Leibstandarte") zur Waffen-SS zusammengefaßt.

In den von Eicke befehligten Lagern herrschten härteste Lebensbedingungen. Zwar wurden persönlich motivierte gewalttätige Ausschreitungen, wie sie in den wilden Lagern der Anfangsphase an der Tagesordnung waren, weitgehend abgestellt, doch wurde der Terror gegen die Häftlinge nur in geordnete Bahnen gelenkt. Die verschiedenen Häftlingsgruppen wurden durch farbige Dreiecke, die bekannten „Winkel", auf der einheitlichen, gestreiften Kleidung unterschieden. Es gab den roten Winkel für politische Häftlinge, den rosa Winkel für Homosexuelle, den lila Winkel für die „Zeugen Jehovas", den schwarzen für sogenannte Asoziale, den grünen für Kriminelle, den blauen für Emigranten, kurzzeitig auch den braunen Winkel für „Zigeuner". Ein KZ-Kennzeichen in der Parteifarbe – dieser faux pas wurde schnell beseitigt. Die „Zigeuner" wurden vorübergehend zu den „Asozialen" gerechnet und später als „rassische" Gruppe mit einem „Z" gekennzeichnet. Wer Jude war, mußte zusätzlich ein gelbes Dreieck tragen, das so über den Grundwinkel gelegt wurde, daß ein Davidstern entstand. In jedem Lager wurde als „politische Abteilung" eine Außenstelle der Gestapo errichtet, die die Häftlingsdossiers führte und Vernehmungen durchführte. Die von Eicke erlassene „Disziplinar- und Strafordnung" schrieb vor, daß die Gefangenen mit unpersönlicher und disziplinierter, aber äußerster Härte zu behandeln seien. Ein abgestuftes System von Strafen enthielt auch die vor den angetretenen Mithäftlingen zu vollziehende Prügelstrafe und reichte bis zur Todesstrafe. Die Angehörigen der Lageraufsicht wurden zu absoluter Mitleidslosigkeit, absoluter Härte und absolutem Gehorsam erzogen und auf den Häftling wie auf einen Feind abgerichtet. In den Lagern herrschte schon jetzt der Krieg, der später ganz Europa überrollen sollte. Ständig mit dem Feind in personifizierter Form konfrontiert, im übrigen kaserniert und dadurch von störenden Informationen und Meinungen abgeschirmt, entwickelte das SS-Personal jenes innere Agressionspotential, das die Männer (später auch Frauen) dann zu willigen Mordgehilfen machte. Obwohl den Aufsehern die Mißhandlung, ja sogar das bloße Berühren von Häftlingen verboten war, waren vor allem in den Kriegsjahren Folterung und Mord etwas Alltägliches. Das lagerinterne Herrschaftssystem wurde durch eine von der SS parallel zur Lageraufsicht eingesetzte Häftlingsselbstverwaltung perfektioniert: Lagerälteste, Blockälteste, Schreiber, Helfer in Küche und Krankenbaracke, Kapos und Vorarbeiter in den Arbeitskommandos hatten die Befehle der SS durchzusetzen. Um diese Funktionen, die persönliche Vorteile brachten, kam es vor allem zwischen den „Politischen" und den Kriminellen zu erbitterten Auseinandersetzungen. Lebensbedingungen, Unterbringung, Hygiene, Ernährung und ärztliche Versorgung waren durchwegs unzureichend und menschenunwürdig.

Polizeiliche Aufgaben und Aktionen bis Kriegsbeginn

Im ersten Jahr der nationalsozialistischen Herrschaft wurden ca. 100 000 Menschen in die wilden Konzentrationslager verschleppt; der Höchststand lag bei ca. 50 000 im April 1933. Das politische Spektrum der Verfolgung reichte von ganz links bis ganz rechts, im Zentrum aber standen Kommunisten, prominente Sozialdemokraten und Gewerkschafter sowie Funktionäre anderer sozialistischer Gruppierungen. Nach den ersten Verhaftungswellen verlagerte sich der Schwerpunkt der Verfolgung auf die Enttarnung und Zerschlagung der im Untergrund operierenden kommunistischen und sozialistischen Apparate. Eine zweite, arbeitsintensive Aufgabe kam auf die politische Polizei von Anfang an durch die sogenannte Heimtücke-Verordnung vom 21. März 1933 bzw. das spätere „Heimtücke-Gesetz" („Gesetz gegen heimtückische Angriffe auf Staat und Partei und zum Schutz der Parteiuniformen", 20. Dezember 1934) zu. Nachdem die „Reichstagsbrandverordnung" vom 28. Februar 1933 die Möglichkeit geschaffen hatte, jede organisierte politische Opposition zu unterdrücken, wurden durch die Heimtücke-Bestimmungen auch alle regimekritischen oder auch nur abfälligen Äußerungen über Männer von Staat und Partei im privaten Kreis unter Strafe gestellt. Dadurch wurde dem Denunziantentum Tür und Tor geöffnet und der Polizei die Verfolgung des sogenannten Alltagsdissenses ermöglicht.

Bereits 1933 setzte die Überwachung und Verfolgung von Sekten ein. Am härtesten traf dies die *Ernsten Bibelforscher* („Zeugen Jehovas"), die als Teil einer weltumspannenden Organisation und wegen ihres radikalen Pazifismus (Verweigerung des Militärdienstes, strafrechtlich ein Verstoß gegen das Wehrgesetz) verfolgt wurden. 1935 wurde die Glaubensgemeinschaft endgültig verboten, viele ihrer Mitglieder (1933: 25 000–30 000) wurden vor Gericht gestellt (ca. 250 zum Tode verurteilt und hingerichtet), 2 250–2 500 nach Verbüßung ihrer Haftstrafe in Konzentrationslager eingewiesen, wo ca. 700–800 starben (weitere 200–300 in Justiz- und Gestapohaft). 1935 erfolgte auch das Verbot der *Theosophischen Gesellschaft* und der *Deutschen Anthroposophischen Gesellschaft,* deren Mitglieder aber im Gegensatz zu den „Zeugen Jehovas" in der Regel keine individuelle Verfolgung zu gewärtigen hatten. Schon 1934 begann die politische Polizei, die nationalsozialistische Rassenideologie in polizeiliche Aufgaben und Maßnahmen umzusetzen. In Übereinstimmung mit konzeptionellen

Überlegungen im „Judenreferat" des SD-Hauptamts, die „Judenfrage" durch eine möglichst schnelle und umfassende Auswanderung der Juden zu lösen, war die Gestapo bemüht, über die bloße politische Überwachung der jüdischen Organisationen und Veranstaltungen hinaus einerseits assimilatorische Tendenzen zu bekämpfen und andererseits zionistische und andere nationaljüdische Bestrebungen zu fördern. Dementsprechend waren der *Verband nationaldeutscher Juden* (VNJ) und der *Reichsbund jüdischer Frontsoldaten* (RjB) – die VNJler wären gerne in die NSDAP eingetreten, und beide Verbände kämpften gegen den Ausschluß der Juden von der allgemeinen Wehrpflicht – die ersten jüdischen Organisationen die, 1935, polizeilich verboten wurden. Andererseits wurde zum Beispiel die zionistische Jugend von dem für Jugendgruppen außerhalb der HJ geltenden Uniformierungsverbot ausgenommen. Zu einer zentralen Kompetenz der politischen Polizei wurde die Durchsetzung der Rassenideologie dann durch das „Blutschutzgesetz"; besonders auf diesem Sektor ermittelte die politische Polizei praktisch ausschließlich aufgrund von amtlichen und privaten Denunziationen.

„Schutzhaft" erlaubte eine zeitlich unbefristete Inhaftierung. Dies bedeutet aber nicht, wie viele meinen, daß der langjährige Zwangsaufenthalt im KZ die Regel war. Menschen, die viele Jahre oder sogar von 1933 bis 1945 im KZ waren, bilden die bekannten Ausnahmen. Tatsächlich betrachtete die Gestapo die Konzentrationslager bis etwa 1938/39, wenn auch nicht in jedem Einzelfall, als „Besserungsanstalten", weshalb eine vierteljährliche Überprüfung der Verwahrungsgründe vorgeschrieben war und mit immensem bürokratischen Aufwand auch durchgeführt wurde. Dementsprechend ging die Zahl der KZ-Häftlinge von 50 000 im April 1933 (Höchststand) auf ca. 27 000 im Juli, 22 000 im Oktober gleichen Jahres, 9 000 im April 1934 zurück und sank bis Ende 1934 auf 3 000, um dann bis Mitte 1935 wieder auf ca. 4 700 anzusteigen[10].

Es waren offenbar nicht zuletzt diese niedrigen Belegungsziffern, die das ganze KZ-System überflüssig erscheinen ließen, die Himmler und Heydrich veranlaßten, nach neuen Opfergruppen Ausschau zu halten. Im Juni 1935 wiesen sie die Stapostellen an, alle aus Strafhaft zur Entlassung kommenden und darüber hinaus alle als „heimliche Hetzer" verdächtigen KP-Funktionäre in die KZ einzuliefern. Schon bald nach Verkündung der „Nürnberger Gesetze" (September 1935) erfolgte durch Himmler eine weitere Ausweitung des Gegnerspektrums bzw. der staatspolizeilich relevanten Tatbestände, als er Hitler, im Oktober, auf das Problem der Abtreibungen und die „Asozialen"-Problematik hinwies. Frauen, die einen Schwangerschaftsabbruch durchführen ließen, waren in der Folge nicht nur der Bestrafung gemäß Strafgesetzbuch unterworfen, sondern auch durch nachfolgende KZ-Haft bedroht.

Folgenreicher war allerdings die Einbeziehung der sogenannten Asozialen, im NS-Deutsch „Gemeinschaftsfremde" genannt, weil der

[10] Vgl. die Statistik des Instituts für Zeitgeschichte, S. 251.

Terminus unbegrenzt auslegbar war und die kleinste Abweichung von den Normen der „Volksgemeinschaft" polizeiliche Vorbeugehaft im KZ nach sich ziehen konnte, die in diesen nicht politischen Fällen meist von der Kriminalpolizei verhängt wurde. Lediglich die Enttarnung und Überwachung der Homosexuellen, die innerhalb des „Asozialen"-Spektrums als eigene Gruppe betrachtet und besonders gekennzeichnet wurden, war längere Zeit Aufgabe der Gestapo, weil Himmler in der Homosexualität eine Gefahr für die Fortpflanzungsfähigkeit und damit für den Bestand des deutschen Volkes sah. Indessen kann von einem „Schwulen-Holocaust", von dem immer wieder die Rede war, nicht gesprochen werden. Lediglich ein kleinerer Teil dieser Gruppe geriet in die Mühlen von Gestapo bzw. Kripo. Neuere Berechnungen sprechen von 100 000 nach § 175 des Strafgesetzbuches verurteilten Justizgefangenen und 5 000 bis 10 000 KZ-Häftlingen[11], von denen viele umkamen. Auch in diesem Bereich wurde die Polizei fast ausschließlich aufgrund von Denunziationen aktiv.

Im Frühjahr 1937 ordnete Himmler die Verhaftung und KZ-Einweisung von 2 000 auf freiem Fuß befindlichen Sittlichkeits-, „Berufs"- und „Gewohnheits"-Verbrechern an. Ab Mitte Dezember 1937 konnten als „asozial" eingestufte Personen auch dann, wenn sie nicht vorbestraft waren, festgenommen und in die KZ verbracht werden. Ein Jahr später erfolgte die Aktion „Arbeitsscheu Reich". Aufgrund einer Verfügung Himmlers vom 26. Januar 1938 wurden in zwei Verhaftungswellen (Februar und Juni) ca. 10 000 Personen – Arbeits- und Obdachlose, Bettler, Landstreicher, Zuhälter, vielfach vorbestrafte Kleinkriminelle, als Unterstützungsbetrüger eingestufte Fürsorgebezieher, vorbestrafte männliche Juden und erstmals in großer Zahl auch „Zigeuner" – im ganzen Reich verhaftet und in Konzentrationslager gesperrt. Wiederum dürfte es nicht zuletzt darum gegangen sein, die nach wie vor unterbelegten KZ wieder zu füllen. Außerdem benötigte Himmler Arbeitskräfte für die Steinbrüche in Flossenbürg und die Werkstätten in Dachau, und schließlich sollte das äußere Erscheinungsbild der „Volksgemeinschaft" von diesem „Sozialballast" gereinigt werden. Durch die genannten Maßnahmen stieg die Zahl der KZ-Insassen von 4 800 im Herbst 1936 über 7 500 im September 1937 auf 24 000 im Oktober 1938 an. All dies geschah im Namen und zum Schutze der nationalsozialistischen Volksgemeinschaft. Tatsächlich wurden damit aber nur längst überwundene Tatbestände der Strafverfolgungspraxis der frühen Neuzeit wieder auf die polizeiliche Tagesordnung gesetzt. Ein solcher Rückfall in finstere Zeiten vollzog sich auch im Bereich der Strafjustiz.

11 Jellonnek, Staatspolizeiliche Fahndungs- und Ermittlungsmethoden gegen Homosexuelle, S. 346f.

Politische Justiz

Anders als die politische Polizei wurde die Justiz oder die für politische Delikte zuständige Strafjustiz nicht von der staatlichen Verwaltung abgekoppelt, aber sie gab im Rahmen der traditionellen Verwaltungsstruktur unter dem politischen und weltanschaulichen Druck der Nationalsozialisten nach und nach rechtstaatliche Positionen preis und wandelte sich in bestimmten Bereichen zu einem Instrument der politischen Verfolgung und des Terrors, das der Staatspolizei nur wenig nachstand. Hierzu trug entscheidend bei, daß der Justizapparat in geeigneter Weise umgebaut bzw. ergänzt und mit einem neuen, nationalsozialistischen Strafrecht ausgestattet wurde.

Am gleichen Tag, an dem die „Heimtückeverordnung" herausgegeben wurde, am 21. März 1933, wurde durch Verordnung bei den Oberlandesgerichten je ein Sondergericht gebildet. In die Zuständigkeit der Sondergerichte fielen sämtliche in der „Heimtückeverordnung" und der „Reichstagsbrandverordnung" bezeichneten Verbrechen und Vergehen, soweit nicht die Zuständigkeit des Reichsgerichts und der Oberlandesgerichte begründet war. Die Sondergerichte waren damit nichts anderes als politische Staatsschutzkammern der Landesjustizverwaltungen. Hauptzweck der Sondergerichte war ein abgekürztes Verfahren, das die Bestimmungen der Strafprozeßordnung zu Lasten der Angeklagten stark einschränkte und die Anklagebehörde stärkte: Es gab eingeschränkte Ladefristen, keine gerichtliche Voruntersuchung, keine mündliche Verhandlung über den Haftbefehl, es bedurfte keines Beschlusses über die Eröffnung der Hauptverhandlung, das Gericht konnte auf eine Beweiserhebung verzichten, gegen Entscheidungen der Sondergerichte gab es kein Rechtsmittel. Durch Verordnung vom 20. November 1938 konnte jede Straftat vor dem Sondergericht verhandelt werden, wenn dies der Staatsanwaltschaft wegen der Schwere oder Verwerflichkeit der Tat geboten schien. Von 1940 an waren die Sondergerichte ausschließlich für Delikte nach dem „Heimtückegesetz" und der ausufernden Kriegsgesetzgebung zuständig, ab 1941 auch nach dem „Polensonderstrafrecht". Sie waren jetzt das typisch nationalsozialistische Strafgericht, die Prozesse hatten oft den Charakter von Standgerichtsverfahren. Ihre Zahl stieg mit der Ausdehnung des deutschen Herrschaftsgebiets von 26 auf 74 Ende 1942 an.

Das zweite genuin nationalsozialistische Gericht war der *Volksgerichtshof*, der durch Gesetz vom 24. April 1934 zunächst als Sondergericht zur Aburteilung von Hoch- und Landesverratsdelikten geschaffen, dann aber 1936 zu einem regulären Gericht umgewandelt wurde. Anlaß seiner Gründung war das von den Nationalsozialisten als unbefriedigend empfundene Urteil des *Reichsgerichts* im Reichstagsbrandprozeß, das Marinus van der Lubbe als Alleintäter bezeichnete und dadurch die politisch opportune Theorie einer kommunistischen Verschwörung nicht bestätigte. Die Zuständigkeit des Volksgerichtshofs wurde nach und nach auf weitere Delikte wie „Feindbegünstigung“ und Wehrkraftzersetzung erweitert. Auch der Volksgerichtshof urteilte in erster und letzter Instanz. Seine Senate bestanden aus fünf Richtern, von denen zwei Berufsrichter und drei Laienrichter waren, die von Wehrmacht, Polizei und NSDAP gestellt wurden. Sämtliche Richter wurden in Abweichung vom Gerichtsverfassungsgesetz von Hitler persönlich ernannt; dieser direkte Einfluß auf die Besetzung der Senate war der eigentliche Beweggrund für die Einrichtung des *Volksgerichtshofs*. Präsident war ab 1936 Otto Thierack, ab 1942 Roland Freisler.

Es wird meist übersehen, daß auch diese nationalsozialistischen Gerichte in der Regel „justizförmig“ agierten (Freisler war ein Sonderfall) und daß es dort auch den gerichtlichen Alltag gab, die justizübliche Bürokratie, viele Verfahrenseinstellungen und mäßige Strafen vor allem für „Deutschblütige“ – besonders in den Jahren vor dem Krieg. Trotzdem haben diese nationalsozialistischen Gerichte zusammen mit der Militärjustiz eine Blutspur durch Europa gezogen und in nicht wenigen Fällen auch bei Anlegung damaliger Maßstäbe glatte Justizmorde verübt. Der *Volksgerichtshof* verhängte 7 022 Urteile gegen 15 729 Angeklagte. Davon wurden 1 276 freigesprochen, 9 174 zu Freiheitsstrafen und 5 279 zum Tode verurteilt. Die Sondergerichte im Reich verhängten rund 11 000 Todesurteile, die Militärgerichte im Reich und in den besetzten Gebieten ca. 25 000, davon ca. 15 000 gegen Soldaten und Wehrmachtbeamte. Wie in anderen Bereichen vollzog sich auch bei der Justiz in den ersten Kriegsjahren das Abgleiten in die absolute Abnormität. Waren von 1933 bis 1938 durch die zivilen Gerichte 525 Todesurteile verhängt worden, also durchschnittlich 88 im Jahr, so waren es von 1939 bis 1945 mehr als 16 000. Die Barbarisierung der bürgerlichen Justiz unter dem Nationalsozialismus ist offenkundig, aber auch durch Vergleichszahlen belegbar. Von 1907 bis 1932 wurden in Deutschland 1 545 Todesurteile gefällt, von denen ein Viertel vollzogen wurde. Dagegen wurden in der NS-Zeit, also in nur zwölf Jahren, im Bereich des „Großdeutschen Reichs“ von zivilen Gerichten 16 650 Todesurteile verhängt und mehr als drei Viertel davon vollstreckt. An diesen Urteilen waren in beträchtlichem Maße auch ausgewählte Oberlandesgerichte beteiligt, an die der *Volksgerichtshof* minder wichtige Hochverratsfälle abgeben konnte. Die Zahl der Opfer der Polizeijustiz ist unbekannt, ebenso die Zahl der Todesurteile der Sondergerichte vor allem gegen Juden und Polen in den Ostgebieten.

SS und Polizei im Krieg

Im November 1938 gab das Reichsinnenministerium einen Erlaß heraus, in dem mitgeteilt wurde, daß der SD wichtige Aufgaben für Partei und Staat und insbesondere zur Unterstützung der Sicherheitspolizei zu erfüllen habe und damit „in staatlichem Auftrag" tätig werde. Anlaß zu diesem Erlaß gab die in Gang befindliche Besetzung der sudetendeutschen Gebiete, an der mobile Einsatzstäbe beteiligt waren, die aus Angehörigen der Sicherheitspolizei und der Ordnungspolizei bestanden und durch SD-Angehörige verstärkt wurden. Sie hatten die Aufgabe, die besetzten Gebiete politisch zu säubern, d. h. Kommunisten und andere Staatsfeinde zu verhaften oder zu exekutieren und die „reichsfeindlichen" Organisationen aufzulösen, und sie fungierten bis zum Aufbau einer deutschen Polizeiverwaltung als provisorische Polizei. Diese auf Grund eines Sonderbefehls Hitlers gebildeten Einsatzstäbe waren eine Anfangsstufe des *Reichssicherheitshauptamts* (RSHA), das dann am 27. September 1939 gebildet wurde, um die Schlagkraft der Sicherheitspolizei im Krieg zu erhöhen. Das RSHA war im Grunde keine neue Behörde, sondern lediglich ein organisatorischer Mantel für die Reichszentralämter von Gestapo, Kripo und SD. Eine erhebliche und folgenreiche qualitative Veränderung lag aber doch darin, daß jetzt der SD mit der Sicherheitspolizei zusammengelegt und damit in die polizeiliche Exekutive einbezogen wurde, ohne daß er aufhörte, eine Einrichtung der Partei zu sein (die im RSHA tätigen SD-Angehörigen wurden weiterhin beim Reichsschatzmeister der NSDAP etatisiert). Damit wurde die „Entstaatlichung" der Polizei weitergetrieben, und es wurden die „rechtlichen", strukturellen und personellen Voraussetzungen dafür geschaffen, daß das RSHA zur Zentrale des Vernichtungskriegs werden konnte.

Das RSHA bestand anfänglich aus sechs, später aus sieben Ämtern, von denen drei SD-Ämter (III, VI, VII), zwei Polizeiämter (Amt IV: Gestapo, Amt V: Kripo) und zwei „gemischte Ämter" (I, II) waren. Wegen ihrer gesetzlich oder durch Parteiverfügungen festgelegten Stellung im Staat bzw. in der Partei, aber auch aus haushalts- und beamtenrechtlichen Gründen, hörten die ins RSHA eingegliederten Ämter nicht auf, als solche zu bestehen, und behielten meist auch ihre bisherigen Diensträume bei. Am berüchtigten Dienstsitz des RSHA, in der ehemaligen Kunstgewerbeschule, Prinz-Albrecht-Straße Nr. 8, befanden sich nur Heydrichs Führungsstab und Teile des Amtes IV, d.h. der Gestapo. Das Fortbestehen der alten Ämter hatte zur Folge, daß das RSHA nur im internen Schriftverkehr als RSHA, sonst – im Außenverkehr und gegenüber den eigenen Unterbehörden – mit den alten Behördennamen firmierte.

Die Ordnungspolizei verblieb außerhalb des RSHA. Nach und nach wurden aber der Orpo Aufgaben und Zuständigkeiten entzogen (zum Beispiel das sicherheitspolizeilich wichtige Meldewesen) und dem RSHA zugeschlagen. Als dann Himmler 1943 Frick als Reichsinnenminister ablöste und sogleich elementare Aufgaben des Ministeriums auf das RSHA übertrug, hatte sich das Verhältnis von innerer Verwaltung und Polizei völlig umgedreht. Während im Normalfall die politische Polizei ein Teil der allgemeinen Polizei und diese wiederum ein Teil der inneren Verwaltung ist, herrschte jetzt die politische Polizei als „politische Verwaltung“ über die gesamte allgemeine und innere Verwaltung.

Vor Beginn des Angriffs auf Polen 1939 und aller weiteren Feldzüge wurden wiederum Einsatzgruppen gebildet, gewissermaßen mobile Außenstellen des RSHA mit den Sparten Stapo, Kripo und SD, die der vorrückenden Truppe unmittelbar folgten und Stadt und Land nach „reichsfeindlichen“ Elementen durchkämmten und diese verhafteten oder exekutierten. In Polen wurde die deutsche Militärverwaltung – völkerrechtlich höchst fragwürdig – in ungewöhnlich kurzer Zeit durch eine Zivilverwaltung abgelöst (Beginn des Polenfeldzugs: 1. September 1939, Einrichtung des sogenannten Generalgouvernements: 26. Oktober 1939). Dabei wurde die Polizeiverwaltung nach dem Muster der Einsatzgruppen aufgebaut. Unterhalb des RSHA als Reichszentralbehörde stand ein *Befehlshaber der Sicherheitspolizei und des SD* (BdS), dem wiederum mehrere *Kommandeure der Sicherheitspolizei und des SD* (KdS) nachgeordnet waren. Nach dem gleichen Schema wurde die Ordnungspolizei organisiert: Dem Hauptamt Orpo unterstanden *Befehlshaber der Ordnungspolizei* (BdO) und diesen wiederum *Kommandeure der Ordnungspolizei* (KdO). Der Befehlsweg war also klar und einfach: RSHA - BdS - KdS bzw. HA Orpo – BdO – KdO. Wie im alten Reichsgebiet schon seit 1937, wurden zugleich *Höhere SS- und Polizeiführer* ernannt. Nach diesem Modell wurde die Polizei schließlich in allen besetzten Ländern organisiert, also etwa auch im Reichskommissariat Norwegen, in den Zivilverwaltungsgebieten Elsaß und Lothringen und in der besetzten Sowjetunion. Nur in Polen und in der Sowjetunion erhielten die HSSPF einen eigenen Unterbau, indem ihnen territorial zuständige *SS- und Polizeiführer* unterstellt wurden, denen wiederum *SS- und Polizei-Standortführer* nachgeordnet waren.

Der RFSS und Chef der deutschen Polizei operierte also in den besetzten Gebieten mit drei Befehlssträngen, die sich gegenseitig ergänzten: Sipo und SD, Ordnungspolizei sowie SS- und Polizeiführer. So wie der Chef der Sipo nur Befehlsgewalt über die Dienststellen und Kommandos von Gestapo, Kripo und SD hatte, beschränkte sich die Weisungsbefugnis des Chefs des *Hauptamts Ordnungspolizei* auf Schutzpolizei, Gendarmerie und Truppenpolizei. Dagegen vertraten die HSSPF bzw. SSPF in den besetzten Gebieten Himmlers umfassende Kommandogewalt und konnten so für größere Aktionen auf alle SS- und Polizeieinheiten zurückgreifen, also auf Gestapo, Kripo, SD, Waffen-SS und auch auf die vom *Hauptamt Ordnungspolizei* für den Einsatz im Krieg aufgebauten Polizeitruppen (Polizei-Bataillone). Auf diese Weise erhielten die in die besetzten polnischen und sowjetischen Gebiete abkommandierten HSSPF und SSPF ihre fürchterliche Funktion als Generäle des Vernichtungskriegs und Organisatoren der „Endlösung der Judenfrage“. Ihr Sonderauftrag lautete: Ermordung aller unerwünschten Gruppen der Zivilbevölkerung, vor allem der sowjetischen Juden. Er war angesichts der „Masse“ der zu ermordenden Menschen, des riesigen Raums, in dem dies geschehen sollte (vom Kaukasus im Süden bis Karelien im Norden, von der Weichsel bis zur Wolga) mit den im Verhältnis dazu schwachen SS- und Polizeikräften nur durch eine radikale Entbürokratisierung der Organisationsstrukturen und der „Arbeitsweise“ durchführbar. Kurze Befehlswege, ein hohes Maß an persönlicher Entscheidungsmacht, weitgehender Verzicht auf Aktenführung und Dominanz gegenüber der zivilen Besatzungsverwaltung – dies waren Kennzeichen und eigentlicher Zweck der neuen Kommandostruktur, die zu einem noch unbestimmten Zeitpunkt nach dem Krieg auch im „Großdeutschen Reich“ eingeführt werden sollte.

Der Krieg hatte auch schwerwiegende Auswirkungen auf die Tätigkeit der Polizei im „Altreich“ und in den eingegliederten Gebieten. Die Kriegsgesetzgebung mit ihren zahllosen neuen Strafbestimmungen brachte eine Flut zusätzlicher Aufgaben. Zudem wurden unter Kriegsbedingungen neue innere Feinde der „Volksgemeinschaft“ entdeckt, die man bisher übersehen oder geduldet hatte. Auf Weisung Hitlers führte die Gestapo am 9. Juni 1941 die „Aktion gegen Geheimlehren“ durch, der die ganze – nach heutigem Sprachgebrauch – esoterische und alternative Szene zum Opfer fiel: Astrologen, Kartenleger, Wahrsager, Pendler, Rutengänger, Demeter-Landwirte usw. Prominentere Vertreter der Szene wurden vorübergehend verhaftet oder sogar ins KZ gesperrt, ihr ganzes Kommunikationsnetz – Verbände, Verlage, Buchhandlungen, Zeitschriften – zerstört. Zu einer Daueraufgabe entwickelte sich die Überwachung des von Kriegsjahr zu Kriegsjahr anwachsenden, schließlich in die Millionen gehenden Heeres von ausländischen, überwiegend „fremdvölkischen“ Arbeitskräften.

Gleichzeitig mit dieser Inflation der Aufgaben vollzog sich in den Amtstuben der Gestapo ein Prozeß der Dequalifizierung und Entprofessionalisierung, weil insbesondere die erfahrenen, kompetenten Mitarbeiter immer wieder zu oft Monate dauernden „Sondereinsätzen“ in die besetzten Gebiete abkommandiert wurden. Die Teilnahme an sicherheitspolizeilichen Einsätzen, am Partisanenkrieg und an Massenexekutionen ließ die meisten seelisch verrohen und jede Achtung vor dem Leben anderer verlieren und führte so zu einer Brutalisierung der Polizeiarbeit auch in der Heimat. Nach 1941 näherten sich die Methoden der Bekämpfung der Gegner im Inneren immer mehr denen an, die hinter der Front üblich waren. Staatspolizeiliche Einsatzkommandos durchforsteten die Lager für sowjetische Kriegsgefangene und sonderten „Kommunisten“ und Juden zwecks Exekution im nächstgelegenen Konzentrationslager aus. Immer öfter griff die Gestapo zum Mittel der „Sonderbehandlung“. „Fremdvölkische“ Arbeiter, die sexuelle Beziehungen zu deutschen Frauen hatten, wurden in der Regel von der Polizei erhängt – nicht selten zum Zwecke der Abschreckung öffentlich. Im Wissen um die bevorstehende Niederlage und ihre eigene Zukunftslosigkeit begingen Angehörige von Gestapo und SD in der Endphase des Kriegs noch zahlreiche Einzel- und Gruppenmorde, zum Teil auf Befehl der HSSPF des Heimatkriegsgebiets, die jetzt jene Funktion ausüben konnten, die ihnen ursprünglich zugedacht war. Als die alliierten Truppen die früheren deutschen Grenzen überschritten, brachen auch die letzten Dämme, die einer völligen Ablösung der Polizei vom Staat noch entgegengewirkt hatten. Jetzt wurden die Gestapo- und Kriminalpolizeistellen Zug um Zug zusammengelegt und den *Inspekteuren der Sicherheitspolizei und des SD* unterstellt. Aus den IdS, die im Grunde *Befehlshaber der Sicherheitspolizei* im Wartestand gewesen waren, wurden – früher als geplant – BdS.

Himmler hat immer wieder davon geträumt, die SS nach dem gewonnenen Krieg zum „Staatsschutzkorps" des neuen „Großgermanischen Reichs" zu machen. Seine und Hitlers rassistische Hybris und grenzenlose Menschenverachtung haben nicht nur unsägliches Leid über den europäischen Kontinent gebracht, sondern auch den entschiedenen und am Ende erfolgreichen Widerstand der westlichen Demokratien und ihres sowjetischen Alliierten herausgefordert und damit einen Traum zerstört, der für die Nachwelt zum Alptraum geworden wäre.

Der Terrorapparat (C4)

„Unsere Ehre heißt Treue". Aufstieg und Selbstverständnis der SS (C 4.1)

Keimzelle der SS war der kleine *Stoßtrupp Hitler* von 1923. Nach der Wiedergründung der NSDAP Anfang 1925 bildete die Organisation unter dem neuen Namen *Schutzstaffel der NSDAP* (SS) einen Teil der SA (*Sturmabteilung der NSDAP*). „Reichsführer SS" (RFSS) war ab 1929 Heinrich Himmler.

Bis zur „Machtergreifung" stieg die Mitgliederzahl auf über 50 000, bis Ende 1933 auf weit über 200 000. Am 30. Juni 1934 entledigte sich Hitler mit Hilfe der SS der rebellischen SA-Führung. Zum Dank erhob Hitler die SS zu einer ihm persönlich unterstellten Gliederung der NSDAP.

Stand die SA in der Tradition der Wehrverbände, so begriff sich die SS schon frühzeitig als Verband „rassisch hochwertiger" Sippen, als nationalsozialistischer Eliteorden, der dem „Führer" bedingungslos ergeben war. An die Stelle religiöser Überzeugungen und konfessioneller Bindungen trat ein abstruser Ahnen- und Germanenkult mit pseudoreligiösen Ritualen und Weihefeiern. Im Gegensatz zur „plebejischen" SA besaß die SS schon frühzeitig hohe Attraktivität für junge

Akademiker aus gutbürgerlichen Familien, insbesondere zahlreiche Juristen. Anreiz waren sowohl die Chancen rascher Karriere wie elitäres Selbstverständnis und Ritual der SS. Durch den erfolgreichen Griff nach der Polizei und die Aufstellung bewaffneter Verbände, aus denen sich die *Waffen-SS* entwickelte, wurde die SS innerhalb weniger Jahre zur mächtigsten Organisation des Dritten Reichs.

◀ *Stoßtrupp Hitler* (München 1923) mit der Marine-Kriegsflagge. ~ Ullstein Bilderdienst, Berlin (145)

◀ Vereidigung der SS-Leibstandarte auf Adolf Hitler am 9. November 1933 vor der Feldherrnhalle in München. ~ Bayerische Staatsbibliothek/Fotoarchiv Hoffmann, München (146)

Der „Röhm-Putsch"

Ernst Röhm (1887-1934), Hauptmann im Ersten Weltkrieg und Freikorps-Führer, war ab 1930 Stabschef der SA, die nach der NS-Machtübernahme durch Eingliederung und Absorbierung der übrigen Wehrverbände auf 4,5 Millionen Mann anwuchs. Die Unzufriedenheit in der SA, die nach wie vor in hohem Maße aus Arbeitslosen bestand, bündelte sich in der Forderung Röhms nach einer „zweiten Revolution"

Der „Röhm-Putsch": Auszug aus der amtlichen Liste der Opfer. ~ Bundesarchiv, Berlin (147) ▶

103459

Lfd. Nr.	Familienname:	Dienstgrad (Formation) Beruf:	Gebortszeit- - ort:	Wohnung:	Ort Tag d.Execution:
14.)	v.Falkenhausen Hans Joachim	SA.Oberf.	15.10.97 Brieg	Berlin	Lichterfelde 1.7.34
15.)	Fink Gustav	früh.SS.Mann SS.Motorstand. 13	24.9.03 Collin	Stettin Lessingstr.10	Stettin 30.6.34
16.)	Gerlich Fritz Dr.	Archivrat	25.2.83 Stettin	München	Dachau 30.6.34
17.)	Gerth Daniel	SA.Oberstuf. Adjutant v. Ernst	10.2.91 Stepinz	Berlin	Lichterfelde 30.6.34
18.)	Dr.Glaser Alexander	Rechtsanw.	1.7.84 München	München Amalienstr.2	München 30.6.34
19.)	Hayn Hans	SA.Gruf.	7.8.90 Liegnitz	Breslau, Brandenburgerstr.50	Stadelheim 30.6.34
20.)	Heydebreck Peter	SA.Gruf. Gruppe IV Pommern	1.7.89 Köslin	Stettin, Kaiser Wilhelmstr.8	Stadelheim 30.6.34
21.)	Heines Edm.	SA.Obergr.	21.7.97 München	Breslau	Stadelheim 30.6.34
22.(	Heines Oskar	SA.Stubaf.	3.2.03 München	Breslau	Breslau 30.6.34
23.)	Hoffmann Joach. Dr.	ehem.SS. Stuf.Stab SS.,Abschn. 13	28.5.05 Kreckow	Stettin, Arndtstr.13	Stettin 30.6.34
24.)	v.Hoberg u. Buchwald Ant.	ehem.SS.Reiter u.Obertruf.	21.9.85 Wismar	Dulzen-Pr.Eylau	Dulzen 2.7.34
25.)	Dr.Jung Edg.	Rechtsanwalt	6.3.94 Ludwigshafen	Berlin, Paulsbornerstr.79	b.Oranienburg 1.7.34
26.)	v.Kahr Gust.	Staatskomm. a.D.	29.11.62 Weissenbg.	München,	Dachau 30.6.34.

und dem Ausbau der SA zu einem Milizheer anstelle der Reichswehr. Hitler sah dadurch sein Bündnis mit den alten Eliten gefährdet und steuerte ab März 1934 auf eine Gewaltlösung zu. Gestützt auf die SS, verhaftete Hitler persönlich am 30.Juni 1934 Röhm und zahlreiche SA-Führer in Bad Wiessee und ließ sie in München erschießen. Heydrich koordinierte parallel nach vorbereiteten Listen die Mordaktion im ganzen Reich. Die Reichswehr unterstützte das Vorgehen gegen die SA, der Reichstag legalisierte das Massaker wenig später als „Akt der Staatsnotwehr" gegen den angeblichen Putsch Ernst Röhms und der SA. Unter den Opfern des „Röhm-Putschs" finden sich nicht nur die ermordete SA-Prominenz, sondern auch der katholische Redakteur Fritz Gerlich und Edgar Jung, Mitarbeiter von Vizekanzler Franz von Papen, der ehemalige Reichskanzler General Kurt von Schleicher, Generalmajor Ferdinand von Bredow, der Vorsitzende der *Katholischen Aktion* im Bistum Berlin und ehemalige Leiter der Polizeiabteilung im preußischen Innenministerium Erich von Klausener, der frühere bayerische Ministerpräsident und Generalstaatskommissar Gustav von Kahr sowie Gregor Straßer, ehemaliger Reichsorganisationsleiter der NSDAP und innerparteilicher Rivale Hitlers. Die amtliche Liste der Opfer führt 83 Namen auf. Die tatsächliche Zahl der Opfer liegt deutlich höher: Zahlreiche Opfer selbstherrlicher Entscheidungen von lokalen SS-Mordkommandos, die z. T. persönliche Rechnungen aus der „Kampfzeit" beglichen, sind in der Liste nicht erfaßt.

Auszug aus Fragebögen zur Erteilung der Ehegenehmigung für einen SS-Mann: Die charakterliche „Ehefähigkeit" der Braut mußte durch zwei SS-Bürgen, die körperliche „Ehe"- und „Gebärfähigkeit" durch einen SS-Arzt attestiert werden. ~ Bundesarchiv/ Berlin Document Center (150, 151) ▶

◀ Parade der SS-Totenkopfverbände vor Hitler, Himmler und Göring während des Reichsparteitags 1936 in Nürnberg. ~ Gedenkstätte Deutscher Widerstand, Berlin (148)

So sind wir angetreten und marschieren nach unabänderlichen Gesetzen als ein nationalsozialistischer, soldatischer Orden nordisch bestimmter Männer und als eine geschworene Gemeinschaft ihrer Sippen, den Weg in eine ferne Zukunft und wünschen und glauben, wir möchten nicht nur sein die Enkel, die es besser ausfochten, sondern darüber hinaus die Ahnen spätester, für das ewige Leben des deutschen germanischen Volkes notwendiger Geschlechter.

◀ Heinrich Himmler: Die Schutzstaffel als antibolschewistische Kampforganisation (1936). – Von allen NS-Organisationen stellte die SS die strengsten Anforderungen an die „Reinblütigkeit": Die Vorfahren von SS-Führern mußten bis ins Jahr 1750 zurück „rein arisch" sein. (149)

Geschlechtsorgane: Angeblich o. B.

Zeugungsfähigkeit: wahrscheinlich intakt

Gebärfähigkeit

Becken (Rachitis, Beckenanomalien, nötigenfalls messen, einschl. Conj. diag.)

o. B.

Etwaige Störungen und Veränderungen an Uterus und Adnexen (nötigenfalls untersuchen)

Urin-Untersuchung

Urin: klar trübe Reaktion sauer Eiweiß ∅ Zucker ∅

Blut: ✓ gegebenenfalls Wa R

Reflexe: Bauchdeckenreflexe ∅ Cremasterreflex – Patellarsehnenreflex Achillessehnenreflex o. B.

Babinski: Romberg: ∅ Pupillenreaktion: o. B.

Koordination: o. B. Nystagmus: nein

Motilität: o. B. Würgreflex: o. B.

Sensibilität: o. B.

Psyche: o. B.

Begabung: guter Durchschnitt.

Macht der (die) Untersuchte einen glaubhaften und offenen Eindruck? Ja

---

6.) **Fachärztliche** Untersuchung oder Nachuntersuchung nötig? nein

Von wem?

7.) **Heeresärztliche Untersuchung** am — Entscheid:

---

v s 5

Lautensack Josef

Fragebogen! V.D.Nr. 58 259 .... St.

15.7.37

Name der zukünftigen Braut: ....Magda R...........

1.) Sind Sie mit der zukünftigen Braut verwandt oder verschwägert? ....nein

2.) Waren Sie ihr Lehrer, Lehrherr oder Arbeitgeber? ......nein

3.) Seit wann ist sie Ihnen persönlich bekannt? seit längerer Zeit

4.) Ist sie zuverlässig oder unzuverlässig? ....zuverlässig

5.) Kinderlieb oder nicht kinderlieb? ....kinderlieb

6.) Kameradschaftlich oder herrschsüchtig? ....kameradschaftlich

7.) Sparsam oder verschwenderisch? ....sparsam

8.) Häuslich oder flatterhaft, putzsüchtig? ....häuslich

9.) Ist die Familie wirtschaftlich oder unwirtschaftlich ? ....wirtschaftlich

10.) Sind Ihnen in der Familie und bei den weiteren Vorfahren Geisteskrankheiten, Nervenleiden, Tuberkulose oder sonstige schwere Erkrankungen bekannt ? .....

nicht bekannt

16. Juli 1937

11.) Sind Selbstmorde oder Selbstmordversuche vorgekommen ?....

nicht bekannt

V 10a

DER EID DES ϟϟ-MANNES

ICH SCHWÖRE DIR,
ADOLF HITLER,
ALS FÜHRER UND
KANZLER DES REICHES
TREUE UND TAPFERKEIT.
ICH GELOBE DIR
UND DEN VON DIR
BESTIMMTEN VORGESETZTEN
GEHORSAM BIS IN
DEN TOD,
SO WAHR MIR
GOTT HELFE.

WEIGEL

Eidesformel bei der Aufnahme von SS-Anwärtern in die SS, die jeweils am 9. November eines Jahres erfolgte. Bei dieser Gelegenheit wurde den neuen SS-Männern der SS-Dolch verliehen. ~ Broschüre *Dich ruft die SS* (1942 oder später) (152) ▶

Schulung der SS, Erläuterung germanischer Runen. ~ Bilderdienst Süddeutscher Verlag, München (153) ▶

Nur Wochen nach der „Machtergreifung“ im Reich brachten die Nationalsozialisten die Länder-Polizeibehörden unter ihre Kontrolle. Die politischen Polizeien wurden der inneren Verwaltung entzogen und in Preußen Göring, in den anderen Ländern Heinrich Himmler unterstellt: 1934 übernahm Himmler auch die preußische *Geheime Staatspolizei* (Gestapo). Mitte 1936 wurde die Polizeigewalt auf das Reich übertragen und Himmler zum Leiter der Reichspolizei ernannt, mit dem Titel: *Reichsführer SS (RFSS) und Chef der Deutschen Polizei.* Die politischen Polizeibehörden in den Ländern waren nun nachgeordnete Stellen des *Geheimen Staatspolizeiamts* (Gestapa) in Berlin. Gestapo und Kriminalpolizei wurden 1937 in der *Sicherheitspolizei* (Sipo) unter dem Kommando Reinhard Heydrichs zusammengefaßt. Die Kripo geriet damit unter den bestimmenden Einfluß der politischen Polizei. Die Gestapo war Staatsschutzbehörde, Gesinnungs- und Rassenpolizei in einem. Stand in den ersten Jahren die Verfolgung der politischen Gegner im Zentrum, so erweiterte sich das polizeiliche Feindbild später auf fast alle aus der „Volksgemeinschaft“ ausgegrenzten Gruppen. Die Gestapo definierte ihre Aufgaben selbst und operierte ohne institutionelle Kontrolle. Bei Kriegsbeginn wurde die Sipo mit dem *Sicherheitsdienst des RFSS* (SD) im *Reichssicherheitshauptamt* (RSHA) zusammengelegt. Das RSHA war die Zentrale der Verfolgung und des Vernichtungskriegs.

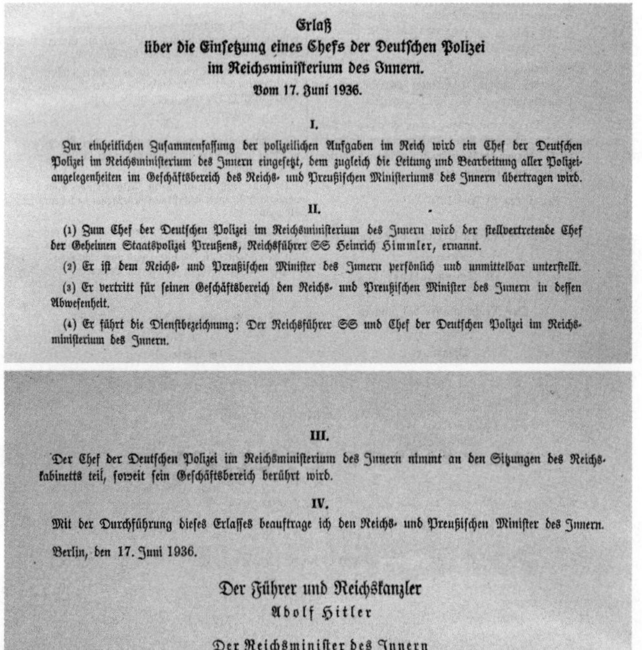

Erlaß
über die Einsetzung eines Chefs der Deutschen Polizei im Reichsministerium des Innern.
Vom 17. Juni 1936.

I.

Zur einheitlichen Zusammenfassung der polizeilichen Aufgaben im Reich wird ein Chef der Deutschen Polizei im Reichsministerium des Innern eingesetzt, dem zugleich die Leitung und Bearbeitung aller Polizeiangelegenheiten im Geschäftsbereich des Reichs- und Preußischen Ministeriums des Innern übertragen wird.

II.

(1) Zum Chef der Deutschen Polizei im Reichsministerium des Innern wird der stellvertretende Chef der Geheimen Staatspolizei Preußens, Reichsführer SS Heinrich Himmler, ernannt.

(2) Er ist dem Reichs- und Preußischen Minister des Innern persönlich und unmittelbar unterstellt.

(3) Er vertritt für seinen Geschäftsbereich den Reichs- und Preußischen Minister des Innern in dessen Abwesenheit.

(4) Er führt die Dienstbezeichnung: Der Reichsführer SS und Chef der Deutschen Polizei im Reichsministerium des Innern.

III.

Der Chef der Deutschen Polizei im Reichsministerium des Innern nimmt an den Sitzungen des Reichskabinetts teil, soweit sein Geschäftsbereich berührt wird.

IV.

Mit der Durchführung dieses Erlasses beauftrage ich den Reichs- und Preußischen Minister des Innern.

Berlin, den 17. Juni 1936.

Der Führer und Reichskanzler
Adolf Hitler

Der Reichsminister des Innern
Frick

◀ Reichsgesetzblatt I 1936 (S. 487f.) – Mit seiner Ernennung zum *Chef der Deutschen Polizei* war RFSS Heinrich Himmler seinem Ziel, die Polizei der inneren Verwaltung zu entziehen und mit der SS zu verschmelzen, einen entscheidenden Schritt näher gekommen. (154)

▲ © Institut für Zeitgeschichte, München – Berlin 1999, Hersteller: Kartographie Peckmann, Ramsau. Bildnachweis: Hermann Göring (1934), Bilderdienst Süddeutscher Verlag, München; Heinrich Himmler bei der Ernennung zum Politischen Polizeikommandeur Bayerns (1. April 1933), Ullstein Bilderdienst, Berlin – In Preußen wurde mit Gesetz vom 26. April 1933 die Gestapo geschaffen, in Bayern wurde Heinrich Himmler oberster Chef der neuen, von Reinhard Heydrich geleiteten *Bayerischen Politischen Polizei*. Von Bayern ausgehend, übernahm Himmler bis Mitte 1934 Zug um Zug die politische Polizei in den anderen deutschen Ländern, am 20. April auch die preußische Gestapo. Die Karte zeigt die Verteilung der territorialen Zuständigkeiten im März 1934. (155)

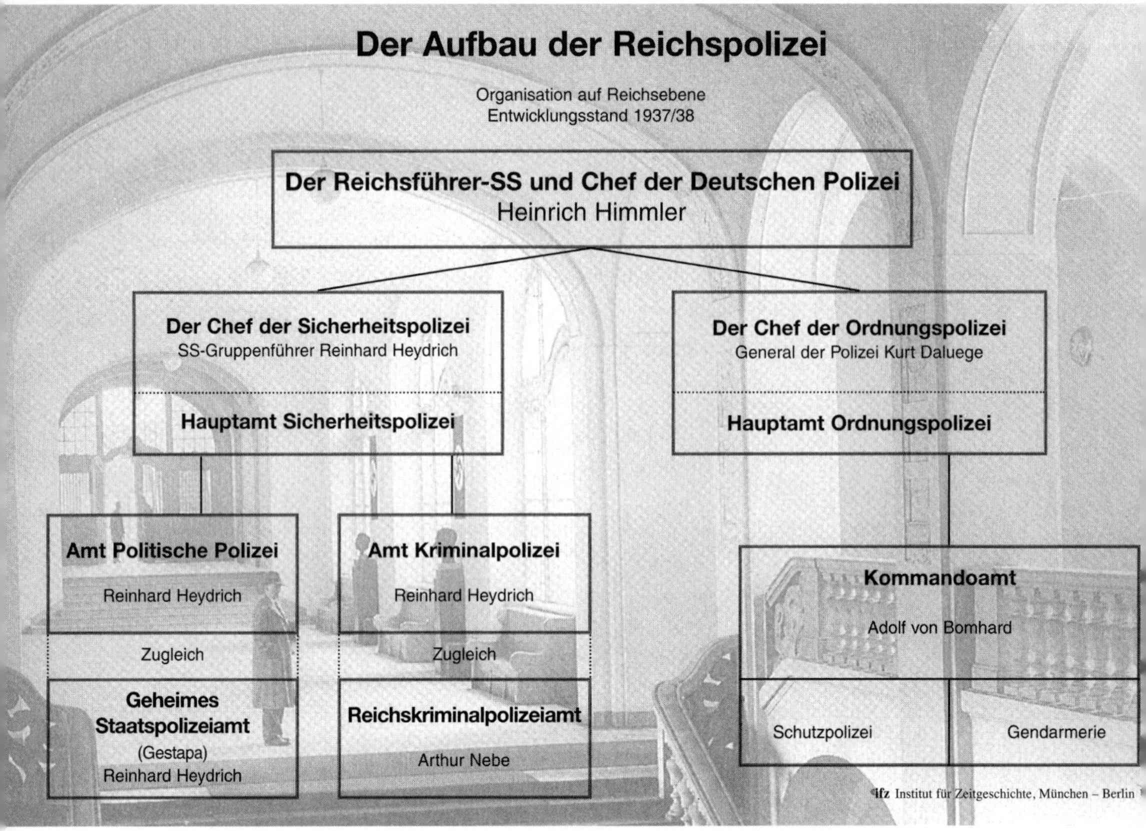

Der Aufbau der Reichspolizei

Organisation auf Reichsebene
Entwicklungsstand 1937/38

- **Der Reichsführer-SS und Chef der Deutschen Polizei** – Heinrich Himmler
  - **Der Chef der Sicherheitspolizei** – SS-Gruppenführer Reinhard Heydrich / **Hauptamt Sicherheitspolizei**
    - **Amt Politische Polizei** – Reinhard Heydrich; Zugleich: **Geheimes Staatspolizeiamt** (Gestapa) – Reinhard Heydrich
    - **Amt Kriminalpolizei** – Reinhard Heydrich; Zugleich: **Reichskriminalpolizeiamt** – Arthur Nebe
  - **Der Chef der Ordnungspolizei** – General der Polizei Kurt Daluege / **Hauptamt Ordnungspolizei**
    - **Kommandoamt** – Adolf von Bomhard
      - Schutzpolizei
      - Gendarmerie

ifz Institut für Zeitgeschichte, München – Berlin

▲ © Institut für Zeitgeschichte, München - Berlin 1999 (156)

◀ Polizeiführer-Besprechung im Münchener Bürgerbräukeller am 9. November 1939 zum Stand der Ermittlungen zu dem tags zuvor erfolgten Bombenanschlag auf Hitler durch Georg Elser. V.l.n.r.: Franz Josef Huber (geb. 1902), SS-Standartenführer und Inspekteur der Sipo und des SD und Chef der Gestapo in Wien; Arthur Nebe (1894–1945), SS-Oberführer und Leiter des Reichskriminalpolizeiamts (Amt V des RSHA), Juni–November 1941 Führer der Einsatzgruppe B der Sicherheitspolizei ▶

▲ Dienstmarke der Gestapo (Metall, geprägt; originalgetreue Nachbildung aus der Nachkriegszeit; 3,5 x 5 cm). ~ Leihgabe Freistaat Bayern (158)

„Schutzhaft" und „Sonderbehandlung"

Grundlage der Machtfülle der Gestapo war die am 28.Februar 1933, am Tag nach dem Reichstagsbrand, erlassene „Verordnung des Reichspräsidenten zum Schutz von Volk und Staat" (die sogenannte Reichstagsbrandverordnung). Sie setzte alle wesentlichen Grundrechte außer Kraft, vor allem das Recht auf „Freiheit der Person". Dies ermöglichte die „Schutzhaft", die meist in Konzentrationslagern vollzogen wurde und eine unbegrenzte Inhaftierung erlaubte. „Sonderbehandlung" war die Tarnbezeichnung für die administrativ verordnete Gefangenentötung, die zunächst auf einzelne Personen bezogen war, später aber auch für Massenmorde verwendet wurde. Die Methode der „Sonderbehandlung" wurde wenige Tage nach Beginn des Polenfeldzugs durch drei Erlasse Heydrichs (3., 15. und 20.September 1939) eingeführt.

Schutzhaftbefehl für Gottlieb Branz (1896–1972): 1933 Vorsitzender der Münchener Jungsozialisten und Bibliothekar des Gewerkschaftshauses, Mitglied von *Neu Beginnen* und enger Mitarbeiter von Waldemar von Knoeringen, 1939–1945 in den KZ Dachau und Buchenwald, nach 1945 langjähriger SPD-Stadtrat in München. ~ Archiv der KZ-Gedenkstätte Dachau (159) ▶

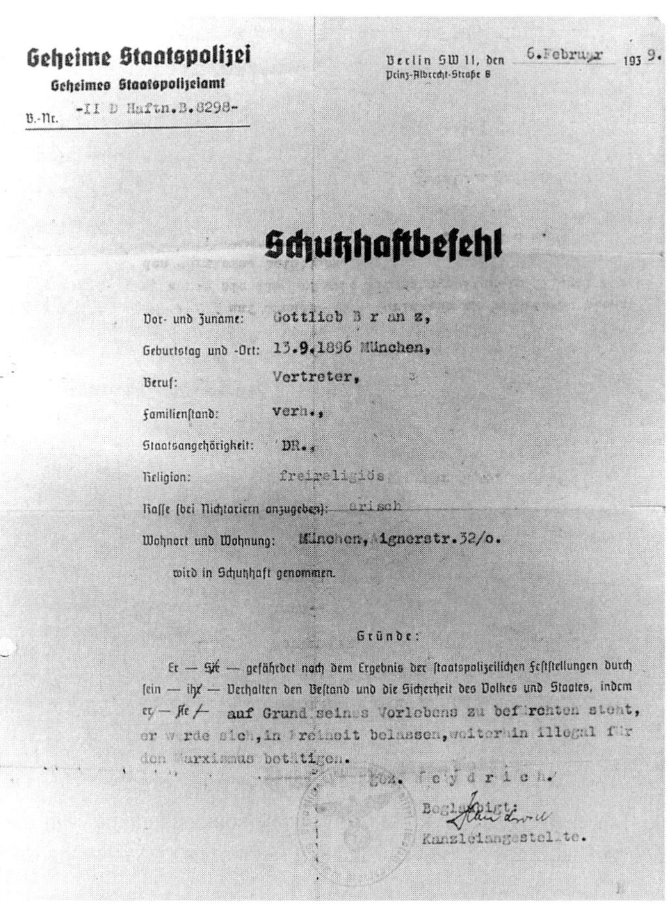

Geheime Staatspolizei
Geheimes Staatspolizeiamt
B.-Nr. -II D Haftn.B.8298-

Berlin SW 11, den 6.Februar 1939.
Prinz-Albrecht-Straße 8

Schutzhaftbefehl

Vor- und Zuname: Gottlieb B r an z,
Geburtstag und -Ort: 13.9.1896 München,
Beruf: Vertreter,
Familienstand: verh.,
Staatsangehörigkeit: DR.,
Religion: freireligiös
Rasse (bei Nichtariern anzugeben): arisch
Wohnort und Wohnung: München, Aignerstr.32/o.

wird in Schutzhaft genommen.

Gründe:

Er — ~~Sie~~ — gefährdet nach dem Ergebnis der staatspolizeilichen Feststellungen durch sein — ~~ihr~~ — Verhalten den Bestand und die Sicherheit des Volkes und Staates, indem ~~er — sie~~ — auf Grund seines Vorlebens zu befürchten steht, er werde sich, in Freiheit belassen, weiterhin illegal für den Marxismus betätigen.

gez. Heydrich.

Beglaubigt:
[Unterschrift]
Kanzleiangestellte.

▶ und des SD in Weißrußland und für die Ermordung von mehreren Zehntausend Personen verantwortlich, am 3. April 1945 wegen Beteiligung an der Verschwörung des 20. Juli hingerichtet; Heinrich Himmler, Reichsführer-SS und Chef der Deutschen Polizei; Reinhard Heydrich, SS-Gruppenführer und Chef der Sipo und des SD (Chef des RSHA); SS-Oberführer Heinrich Müller (1900–1945 [verschollen]), Chef der Gestapo (Amt IV des RSHA). ~ Bayerische Staatsbibliothek/Fotoarchiv Hoffmann, München (157)

18 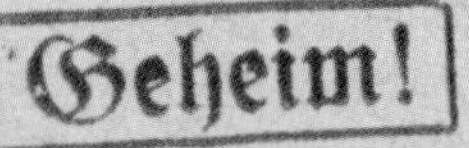 Berlin, den 8.9.1939.

I) Am 7.9.1939 übergab der Chef der Sicherheitspolizei folgendes Blitz-FS des RFSS und Chef der Deutschen Polizei:

„Sonderzug Heinrich Nr. 52 vom 7.9.1939 18 Uhr 10
An den
Chef der Sicherheitspolizei, SS-Gruf. Heydrich.
Anordne Erschießung des Kommunisten H . . . . . noch heute abends im KZ-Lager Sachsenhausen.
Vollzugsmeldung an mich
gez. Himmler“.

II) Stapostelle Dessau wurde beauftragt, den dort in Haft befindlichen Heinen sofort im Einzeltransport über Berlin dem KZ-Lager Sachsenhausen zu überstellen.

Der Transport traf gegen 23 Uhr 20 dort ein.

Auftragsgemäß eröffnete SS-Obersturmführer KK. Putz dem Heinen, daß er im Hinblick auf sein gezeigtes staatsfeindliches Verhalten und der damit verbundenen Sabotage am Verteidigungswillen des Deutschen Volkes nach Ablauf einer Stunde erschossen wird.

Sein Wunsch, rauchen und einen Brief an seine Frau schreiben zu dürfen, wurde gewährt.

Der Lagerarzt stellte fest, daß um 0 Uhr 40 bei Heinen der Tod eingetreten ist. Die Kommandantur des Konzentrationslagers Sachsenhausen wird die Verbrennung der Leiche in einem Krematorium in Berlin veranlassen.

III) Nach II A 4.

gez. Müller.

▲ Die erste Exekution im Rahmen der „Sonderbehandlung“ war die von Himmler persönlich angeordnete Erschießung des Kommunisten Johann Heinen im KZ Sachsenhausen. ~ Ausschnitt aus: *Deutsche Volkszeitung*, Berlin (8. August 1945) (160)

Der SD

Der *Sicherheitsdienst des „Reichsführers SS“ (SD)* entstand 1932 aus dem von Heydrich 1931 gegründeten internen NSDAP-Nachrichtendienst (Ic-Dienst). Nach Eroberung der Politischen Polizei durch Himmler und Heydrich im gleichen Bereich tätig wie die Gestapo, wurden ihm 1937 neue Aufgaben zugewiesen: „Wissenschaftliche“ Erforschung der weltanschaulichen Gegner und Ausforschung der Volksstimmung sowie die nichtmilitärische Auslandsspionage. Der SD begriff sich explizit als „Meinungsforschungsinstitut“ unter totalitären Bedingungen. Im Krieg gegen die Sowjetunion ermordeten die *Einsatzgruppen der Sicherheitspolizei und des SD* Hunderttausende von Menschen, insbesondere Juden.

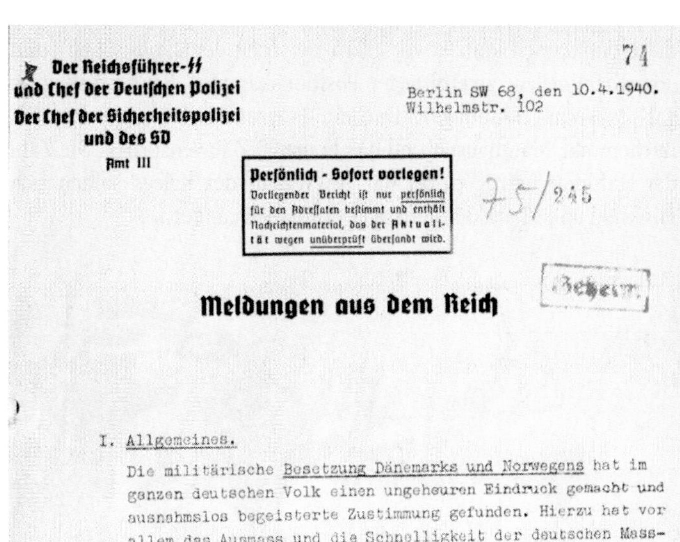

74

Der Reichsführer-SS
und Chef der Deutschen Polizei
Der Chef der Sicherheitspolizei
und des SD
Amt III

Berlin SW 68, den 10.4.1940.
Wilhelmstr. 102

Persönlich - Sofort vorlegen!
Vorliegender Bericht ist nur persönlich für den Adressaten bestimmt und enthält Nachrichtenmaterial, das der Aktualität wegen unüberprüft übersandt wird.

75/245

Geheim!

Meldungen aus dem Reich

I. Allgemeines.

Die militärische Besetzung Dänemarks und Norwegens hat im ganzen deutschen Volk einen ungeheuren Eindruck gemacht und ausnahmslos begeisterte Zustimmung gefunden. Hierzu hat vor allem das Ausmass und die Schnelligkeit der deutschen Massnahmen beigetragen. Wenn die Bevölkerung auch infolge der fortlaufenden deutschen Veröffentlichungen über die Neutralitätsverletzungen der Westmächte, insbesondere nach dem Altmark-Zwischenfall, Gegenmassnahmen erwartet hatte, so ist doch die Überraschung besonders über den Umfang der Aktion gross. Die Ereignisse wurden überall in Stadt und Land, an den Arbeitsplätzen und auf den Strassen lebhaft besprochen und mit Spannung erwartete man die Meldungen über den weiteren Verlauf der Ereignisse. Das Vertrauen zur Kriegsführung hat allgemein eine weitere Stärkung erfahren, und die Spannung infolge der Ungewissheit über die weitere Kriegsführung hat sich gelöst. Äusserungen wie: "Der Führer war mal wieder schneller als die Westmächte" sind überall zu hören. Die Massnahmen werden auch als Beweis dafür angesehen, dass die entscheidende Initiative in diesem Kriege ausschliesslich bei Deutschland liegt.

Die *Meldungen aus dem Reich* beruhten auf der täglichen Berichterstattung der SD-Dienststellen von unten nach oben und sollten die politische Führung und ausgewählte Spitzenbeamte „objektiv“ über Stimmungslage der Bevölkerung, Probleme der einzelnen Gebiete des gesellschaftlichen Lebens und Auswirkungen der Maßnahmen der Staatsführung unterrichten. ~ Bundesarchiv, Berlin (161) ▶

Die KZ entstanden 1933 im Zuge der Verhaftungswellen nach der „Machtergreifung", um die überfüllten Haftanstalten wieder zu leeren und die politischen Gegner in einem justizfreien Raum zu isolieren. Sie wurden teils von der Polizei, teils von SA und SS eingerichtet („wilde" KZ). Bis Ende 1933 befanden sich fast 100 000 Menschen kürzer oder länger in Haft. Die Lageraufsicht übernahm 1934 die SS, für die Außenbewachung wurden bewaffnete SS-Einheiten geschaffen, die ab 1936 den Namen *Totenkopfverbände* trugen. Die inzwischen deutlich gesunkenen Häftlingszahlen stiegen von 3 500 (Frühsommer 1935) über 7 500 (Anfang 1937) auf 24 000 (Oktober 1938) an. Nach dem Judenpogrom vom 9. November 1938 („Reichskristallnacht") erreichten sie kurzfristig 60 000. Die von der SS parallel eingesetzte „Selbstverwaltung" der Häftlinge perfektionierte das Herrschaftssystem: Lagerälteste, Blockälteste, Schreiber, Helfer in Küchen- und Krankenbau, Kapos und Vorarbeiter in den Arbeitskommandos („Funktionshäftlinge") mußten die Befehle der SS durchsetzen. Um diese Funktionen kam es vor allem zwischen den „Politischen" und den „Kriminellen" zu erbitterten Positionskämpfen. Bei Kriegsbeginn gab es sechs Hauptlager: Dachau, Flossenbürg, Sachsenhausen, Buchenwald, Mauthausen und das Frauen-KZ Ravensbrück. Die Zahl der Häftlinge betrug ca. 21 400. Im Verlauf des Kriegs sollten sich Funktion und Charakter der Lager dramatisch ändern.

◀ Abtransport der Badener SPD-Reichstagsabgeordneten Adam Remmele und Ludwig Marum und weiterer Sozialdemokraten in das „wilde" KZ Kisslau bei Bruchsal/Baden (16. Mai 1933). Marum wurde am 3. April 1934 von der Wachmannschaft ermordet. ~ Stadtarchiv Karlsruhe (162)

„Musterlager" Dachau

Die „wilden" KZ verschwanden bis 1934, die SS – ab Mitte 1934 allein zuständig für die KZ – faßte die Häftlinge in mehreren größeren Lagern zusammen und brachte den Terror in „geordnete" Bahnen und Formen. Modell für alle KZ wurde das „Musterlager" Dachau unter Theodor Eicke.

Auszug aus der Disziplinar- und Strafordnung Theodor Eickes für das KZ Dachau (1. Oktober 1933). ~ Archiv der KZ-Gedenkstätte Dachau (163) ▶

§ 6.

mit 8 Tagen s t r e n g e m A r r e s t und mit je 25 S t o c k h i e b e n zu Beginn und am Ende der Strafe wird bestraft:

1.) wer einem SS-Angehörigen gegenüber abfällige oder spöttische Bemerkungen macht, die vorgeschriebene Ehrenbezeugung absichtlich unterläßt, oder durch sein sonstiges Verhalten zu erkennen gibt, daß er sich dem Zwange der Zucht und Ordnung nicht fügen will,

2.) wer als Gefangenen-Feldwebel, als Gefangenen-Korporalschaftsführer oder als Vorarbeiter die Befugnisse als Ordnungsmann überschreitet, sich die Rechte einesVorgesetzten anderen Gefangenen gegenüber anmaßt, gleichgesinnten Gefangenen Vorteile in der Arbeit oder auf andere Weise verschafft, politisch anders gesinnte Mitgefangene schikaniert, falsche Meldungen über sie erstattet, oder sonstwie benachteiligt.

§ 7.

Mit 14 Tagen s t r e n g e m A r r e s t wird bestraft:

1.) Wer eigenmächtig ohne Befehl des Kompagnieführers die für ihn bestimmte Unterkunft mit einer anderen vertauscht, oder Mitgefangene hierzu anstiftet oder verleitet,

2.) wer auslaufenden Wäschepaketen verbotene oder im Lager hergestellte Gegenstände beifügt, darin versteckt, oder in Wäschestücken usw. einnäht,

3.) wer Baracken, Unterkünfte, oder andere Gebäude außerhalb der vorgeschriebenen Eingänge betritt oder verläßt, durch Fenster oder vorhandene Öffnungen kriecht,

4.) wer in den Unterkünften, Aborten und an feuergefährlichen Orten raucht, oder feuergefährliche Gegenstände an solchen

dere Weise Zeichen gibt oder nach außen Verbindung sucht, oder wer andere zur Flucht oder zu einem Verbrechen verleitet, hierzu Ratschläge erteilt oder durch andere Mittel unterstützt,

wird kraft revolutionären Rechts

als A u f w i e g l e r g e h ä n g t !

§ 12.

Wer einen Posten oder SS-Mann tätlich angreift, den Gehorsam oder an der Arbeitsstelle die Arbeit verweigert, andere zum Zwecke der Meuterei zu den gleichen Taten auffordert oder verleitet, als Meuterer eine Marschkolonne oder eine Arbeitsstätte verläßt, andere dazu auffordert, während des Marsches oder der Arbeit johlt, schreit, hetzt oder Ansprachen hält, wird als

M e u t e r e r auf der Stelle e r s c h o s s e n

oder nachträglich gehängt.

§ 13.

Wer vorsätzlich im Lager, in den Unterkünften, Werkstätten, Arbeitsstätten, in Küchen, Magazinen usw. einen Brand, eine Explosion, einen Wasser- oder einen sonstigen Sachschaden herbeiführt,
ferner wer am Drahthindernis, an einer Starkstromleitung in einer Schaltstation, an Fernsprech- oder Wasserleitungen, an der Lagermauer oder onstigen Sicherungseinrichtungen, an Heizungs- und Kesselanlagen, an Maschinen oder Kraftfahrzeugen Handlungen vornimmt, die dem gegebenen Auftrage nicht entsprechen, wird wegen Sabotage

m i t d e m T o d e b e s t r a f t .

Geschah die Handlung aus Fahrlässigkeit, dann wird der Schuldige in Einzelhaft verwahrt. In Zweifelsfällen wird

Häftlingsarbeit in Dachau (1937): Häftlinge mit tonnenschwerer Straßenwalze. ~ Bilderdienst Süddeutscher Verlag, München (164) ▶

Hauptlagerstraße des KZ Dachau nach dem Umbau des Lagers (1938). ~ Bundesarchiv, Koblenz (165) ▼

Theodor Eicke (1892–1943), zuletzt SS-Obergruppenführer, Juni 1933 Kommandant des KZ Dachau, Juni 1934 *Inspekteur der Konzentrationslager*, maßgeblich an der Organisation des KZ-Systems beteiligt, im Krieg Kommandeur der Waffen-SS-Division *Totenkopf* und General der Waffen-SS, Tod bei Flugzeugabsturz an der Ostfront. ~ Bilderdienst Süddeutscher Verlag, München (166) ▶

Aktion „Arbeitsscheu Reich"

Auf Weisung Himmlers vom 26. Januar 1938 führte die Kriminalpolizei im Frühjahr und Sommer 1938 Massenverhaftungen von über 10 000 „Asozialen" durch: Ging es zunächst um Stellungslose, die angebotene Arbeit zweimal ausgeschlagen oder wieder aufgegeben hatten, so wurde die Aktion im Juni 1938 auf Bettler, „Landstreicher", bestimmte Fürsorgeabhängige, aus politischen und anderen Gründen vorbestrafte Juden und auf „Zigeuner" ausgeweitet: Sie wurden in Konzentrationslager eingewiesen. Vor allem „Zigeuner" hatten dort nur geringe Überlebenschancen. Ziel dieser Aktion war, das Straßenbild zu „säubern" und die durch Entlassung zahlreicher politischer Häftlinge entleerten KZ wieder aufzufüllen.

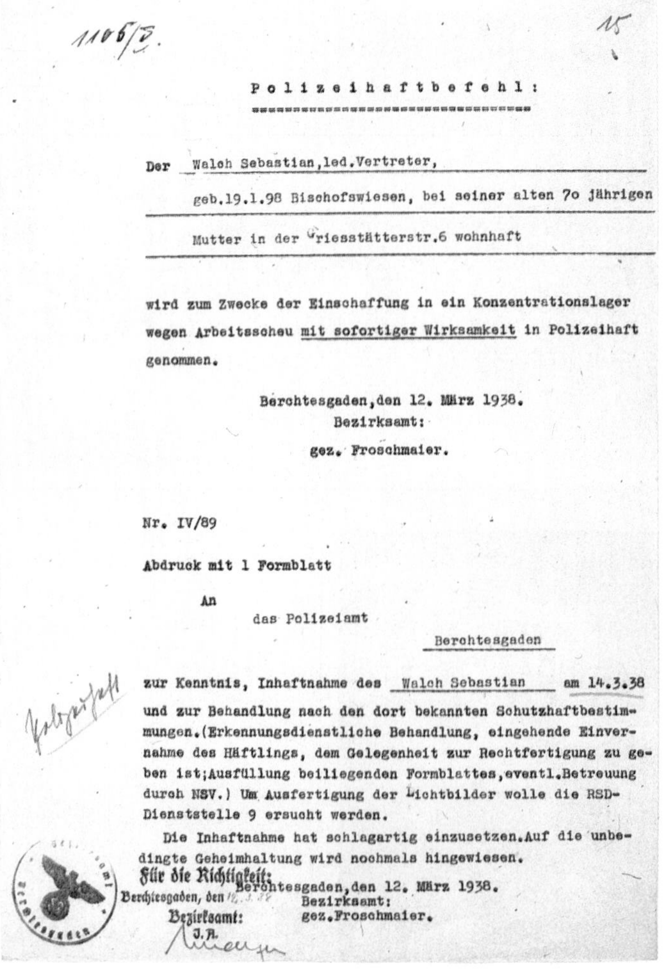

1106/I.

15

Polizeihaftbefehl:

Der Walch Sebastian, led. Vertreter,
geb. 19.1.98 Bischofswiesen, bei seiner alten 70 jährigen
Mutter in der Griesstätterstr. 6 wohnhaft

wird zum Zwecke der Einschaffung in ein Konzentrationslager wegen Arbeitsscheu mit sofortiger Wirksamkeit in Polizeihaft genommen.

Berchtesgaden, den 12. März 1938.
Bezirksamt:
gez. Froschmaier.

Nr. IV/89

Abdruck mit 1 Formblatt

An
das Polizeiamt
Berchtesgaden

zur Kenntnis, Inhaftnahme des Walch Sebastian am 14.3.38 und zur Behandlung nach den dort bekannten Schutzhaftbestimmungen. (Erkennungsdienstliche Behandlung, eingehende Einvernahme des Häftlings, dem Gelegenheit zur Rechtfertigung zu geben ist; Ausfüllung beiliegenden Formblattes, eventl. Betreuung durch NSV.) Um Ausfertigung der Lichtbilder wolle die RSD-Dienststelle 9 ersucht werden.

Die Inhaftnahme hat schlagartig einzusetzen. Auf die unbedingte Geheimhaltung wird nochmals hingewiesen.

Berchtesgaden, den 12. März 1938.
Bezirksamt:
gez. Froschmaier.

Für die Richtigkeit:
Berchtesgaden, den 12.3.38
Bezirksamt:
I.A.

◀ Polizeihaftbefehl des Bezirksamts Berchtesgaden (als untere Polizeibehörde) für Sebastian Walch. ~ Staatsarchiv München (167)

Todesurteil des Sondergerichts München mit Vollstreckungsprozedur: Es macht deutlich, daß bei Angeklagten fremder Volkszugehörigkeit ein besonders harter Maßstab angelegt wurde; sie mußten während des Kriegs schon bei Bagatelldelikten mit der Todesstrafe rechnen. Im Juni 1943 verurteilte das Sondergericht München in Traunstein drei tschechische Fremdarbeiter aus Berchtesgaden wegen eines Gelegenheitsdiebstahls zum Tode. Das Urteil wurde am 26. August 1943 im Gefängnis München-Stadelheim mit dem Fallbeil vollstreckt. ~ Staatsarchiv München (169) ▶

Politische Justiz (C 4.4)

Mit Verordnung vom 21. März 1933 wurden in allen Oberlandesgerichtsbezirken *Sondergerichte* errichtet: Sie waren in der Vorkriegszeit vor allem zuständig für Delikte nach der „Reichstagsbrandverordnung“ und der „Heimtückeverordnung“ (21. März 1933). Mit Verordnung vom 20. November 1938 konnte darüber hinaus jede Straftat vor Sondergerichten verhandelt werden, wenn dies der Staatsanwaltschaft wegen der „Schwere oder Verwerflichkeit der Tat“ geboten schien. Hauptzweck der Sondergerichte war ein abgekürztes Verfahren, das die prozessualen Rechte der Angeklagten stark beschnitt. Gegen die Urteile gab es kein Rechtsmittel. Im April 1934 wurde der *Volksgerichtshof* (VGH) als oberstes Gericht für politische Delikte geschaffen. Er urteilte in erster und letzter Instanz, auch gegen seine Urteile gab es kein Rechtsmittel. Minder wichtige Verfahren konnte der VGH an ausgewählte Oberlandesgerichte abgeben. Zunächst nur mit „Hoch- und Landesverrat“ befaßt, erhielt der VGH später auch die Zuständigkeit für „Feindbegünstigung“, „Wehrkraftzersetzung“ und andere Delikte. Im Krieg war der VGH auch für die seit 1938 angegliederten und einen Teil der besetzten Gebiete zuständig. Die Senate des VGH bestanden aus fünf Richtern, drei waren Laien aus Polizei, Wehrmacht und Gliederungen der NSDAP. Die Richter wurden von Hitler ernannt.

▲ Roland Freisler (1893-1945), von 1942 bis 1945 Präsident des Volksgerichtshofs. ~ Bundesarchiv, Koblenz - Präsident des VGH war zunächst Otto Thierack, ab 1942 Roland Freisler. Unter ihm verschärfte der VGH seine „Rechtsprechung" in besonders starkem Maß: 95 Prozent der vom VGH ausgesprochenen Todesurteile fallen in die Jahre 1942-1945. (168)

Sondergerichte im Krieg

Die Kriegssondergesetzgebung (1938–1945) dehnte die Zuständigkeit der Sondergerichte aus. Bis Ende 1942 erhöhte sich ihre Zahl von ursprünglich 26 auf 74. Ziel war ihre Umwandlung zu „Standgerichten der inneren Front“ (Roland Freisler).

Erl. 5. Juli 1943

Aktenzeichen: 3 KLs-So. 120/43 (I 224/43)

Im Namen des Deutschen Volkes!

Das Sondergericht 1 beim Landgericht München I
erlässt in der Strafsache gegen

R u c i c k a Jaroslav und 4 A.
wegen Verbrechens gegen die VSchVO. u.a.

in der öffentlichen Sitzung vom 24.Juni 1943 in Traunstein, an
der teilgenommen haben:

1.der Vorsitzer: Landgerichtsdirektor Sturm,
2. der Beisitzer: Landgerichtsrat Sand,
3. derStaatsanwalt: Dr.Hirmer,
4. der stv.Urkundsbeamte der Geschäftsstelle: Loeffler,
folgendes

U r t e i l :

R u c i c k a Jaroslav, geb.am 12.Juli 1920 in Oberslinow,
Kr. Jungbunzlau, (Protektorat),
ledig, Bäckergehilfe,

P e l z Anton, geb. 11.Dezember 1921 in Prag, (Protektorat) ,
ledig, Bäckergehilfe,

L i n k e Rudolf, geb. 18.Juli 1918 in Böhmisch-Aicha, Kr.
Reichenberg, (Sudetengau), ledig,
Bäckergehilfe,

D o u b r a v a Mihoslav, geb. am 14.November 1923 in Königinhof ,(Protektorat), ledig, Taschnergehilfe,

M a r e k Franz, geb. am 1.Februar 1924 in Kolin,)Protektorat), ledig, Hilfsarbeiter,

sämtliche zur Zeit in Untersuchungshaft im Gerichtsgefängnis
Traunstein sind schuldig

Rucicka Jaroslav, eines Verbrechens nach § 4 VVO. in Verbindung
mit schwerem Diebstahl , begangen durch Ausplünderung von deutschen Soldaten,

Pelz Anton eines fortgesetzten Verbrechens nach § 4 VVO. in Verbindung mit schwerem Diebstahl, begangen durch Ausplünderung von deutschen Soldaten,
Linke Rudolf eines Verbrechens nach § 4 VVO. in Verbindung mit Diebstahl und eines fortgesetzten Vergehens des Diebstahls, begangen durch Ausplünderung von deutschen Soldaten und Bestehlung seines Arbeitgebers,
Doubrava Mihoslav zweier Verbrechen nach § 4 VVO. in Verbindung mit Hehlerei und Begünstigung, begangen durch Annahme einer Hose und Wegschaffung von Beute,
Marek Franz eines Verbrechens nach § 4 VVO. in Verbindung mit Begünstigung und eines Vergehens der Begünstigung, begangen durch Wegschaffen von Beute.

Es werden verurteilt:

Rucicka Jaroslav, Pelz Anton und Linke Rudolf
je zur Todesstrafe,

Doubrava Mihoslav zur Gesamtstrafe von zwei Jahren Zuchthaus, ab drei Monate Untersuchungshaft,
Marek Franz zur Gesamtstrafe von einem Jahr sieben Monaten Zuchthaus, ab drei Monate Untersuchungshaft,

sowie sämtliche Angeklagte zu den Kosten.

Die bürgerlichen Ehrenrechte werden aberkannt:
den Angeklagten Rucicka, Pelz und Linke je auf Lebensdauer,
dem Angeklagten Doubrava und Marek je auf die Dauer von zwei Jahren.

Gründe:

I.

Der Angeklagte Jaroslav Rucicka, ein Protektor-atsangehöriger, ist als jüngstes Kind eines Jägers- und Landwirts mit mehreren Geschwistern auf dem väterlichen Anwesen aufgewachsen, hat nach dem Besuch der Volksschule 2 Jahre als Bäcker gelernt und dann bis 1941 als Bäcker gearbeitet. Ende April 1941 kam er aufgrund freiwilliger Meldung zum Arbeitseinsatz nach Deutschland und zwar zu dem Bäckermeister Stoll in Berchtesgaden. Nach

Aktenz. 3 KLs-So 120/43

Übersetzung aus dem Tschechischen

G N A D E N G E S U C H

An das geehrte Reichsjustizministerium
in Berlin

Der Unterzeichnete Jaroslav R u ž i c k a, Protektoratsangehöriger, geboren am 12.VII.1920 in Horni Slivno,Kreis Mlada Boleslav wurde am 24.VI.1943 vom Sondergericht (München) in Traunstein zum Tode verurteilt und bittet ergebens um Gnade und berichtet seine Bitte wie folgt:

Im Monat Januar des Jahres 1943 habe ich im Berchtesgaden ohne den gesunden Verstand und aus jugendlicher Unüberlegtheit einen Diebstahl begangen.Es ist ausserdem mein erster Gelegenheitsdiebstahl,das am Tage und nicht bei der Verdunkellung ausgeführt wurde,auch den von meiner Tat entstandene Schaden möchte ich durch zurückgabe der entwendeten Sachen und durch Bezahlung des Geldes voll ersetzen und bitte deswegen das geehrte Ministerium nochmalls um ersetzung der Todesstrafe mit einer Freicheitsstrafe.

Hochachtungsvoll Heil Hitler

München den 6.VII.1943. gez. Ružicka Jaroslav.

17. JULI 1943

Die Übersetzung erfolgte am
15.Juli 1943.

Der Übersetzer: J. Schlese

5

Aktenzeichen: VR. II b 526 - 528/43.

Auftrag:

Der Scharfrichter Johann R e i c h h a r t wird beauftragt die rechtskräftig zum Tode verurteilten

R u c i c k a Jaroslaw
P e l z Anton
L i n k e Rudolf

mit dem Fallbeil hinzurichten, nachdem der Herr Reichsminister der Justiz entschieden hat, dass der Gerechtigkeit freier Lauf zu lassen sei.

München, den 26. August 1943.
Der Oberstaatsanwalt München I
I.A.

[Unterschrift]

Erster Staatsanwalt.

Urschrift an Scharfrichter Reichhart ausgehändigt.
München, den 26. August 1943.

[Unterschrift]

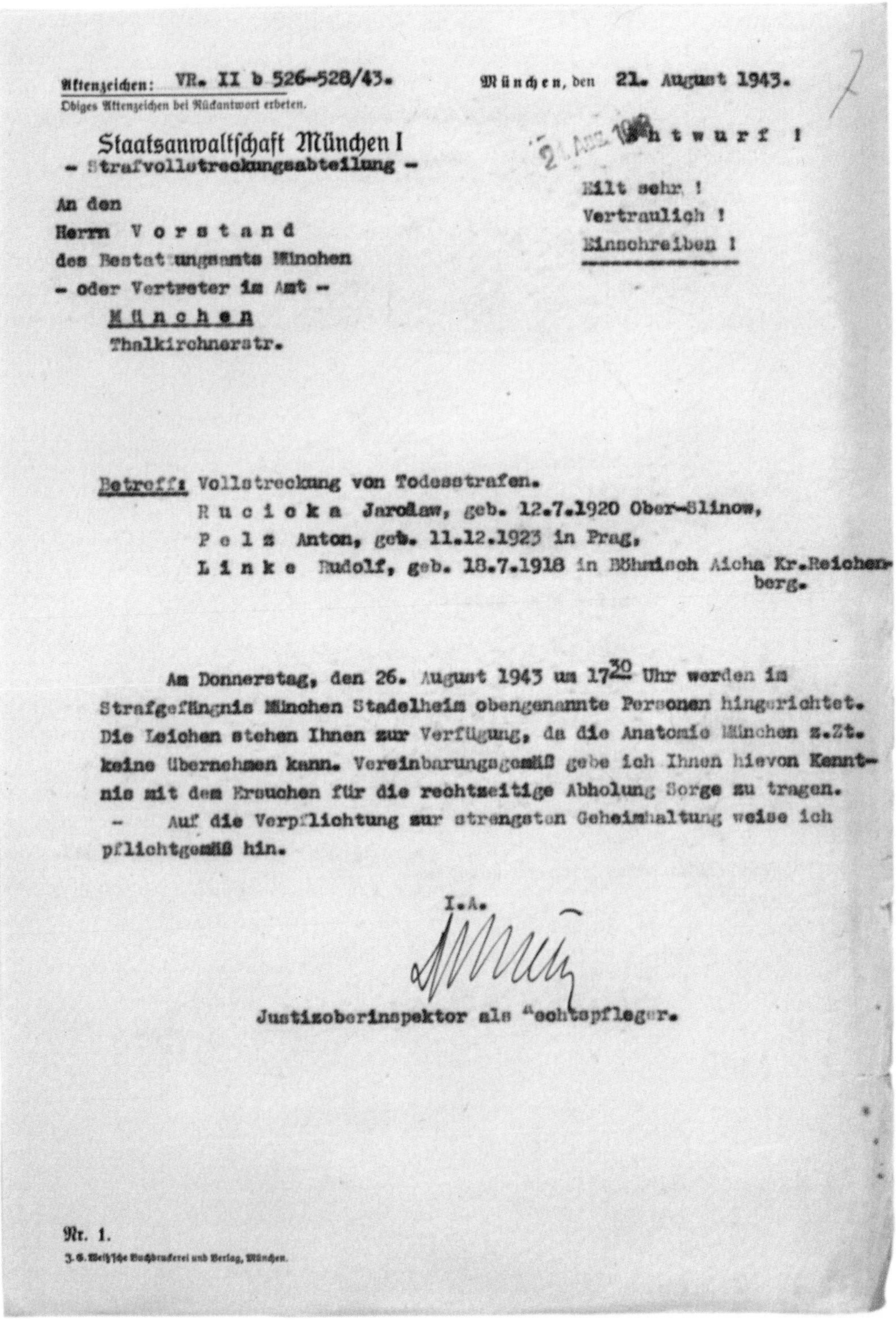

Aktenzeichen: VR. II b 526-528/43.
Obiges Aktenzeichen bei Rückantwort erbeten.

München, den 21. August 1943.

Staatsanwaltschaft München I
- Strafvollstreckungsabteilung -

21. Aug. 1943 Entwurf !

Eilt sehr !
Vertraulich !
Einschreiben !

An den
Herrn V o r s t a n d
des Bestattungsamts München
- oder Vertreter im Amt -
M ü n c h e n
Thalkirchnerstr.

Betreff: Vollstreckung von Todesstrafen.
R u c i c k a Jaroslaw, geb. 12.7.1920 Ober-Slinow,
P e l z Anton, geb. 11.12.1923 in Prag,
L i n k e Rudolf, geb. 18.7.1918 in Böhmisch Aicha Kr. Reichenberg.

Am Donnerstag, den 26. August 1943 um 17³⁰ Uhr werden im Strafgefängnis München Stadelheim obengenannte Personen hingerichtet. Die Leichen stehen Ihnen zur Verfügung, da die Anatomie München z.Zt. keine übernehmen kann. Vereinbarungsgemäß gebe ich Ihnen hievon Kenntnis mit dem Ersuchen für die rechtzeitige Abholung Sorge zu tragen.
- Auf die Verpflichtung zur strengsten Geheimhaltung weise ich pflichtgemäß hin.

I.A.
[Unterschrift]

Justizoberinspektor als Rechtspfleger.

Nr. 1.
J. G. Weiß'sche Buchdruckerei und Verlag, München.

Aktenzeichen: VR. II b 526/43

München, den 27. August 1943

Der Oberstaatsanwalt München I.

An den

Herrn Reichsminister der Justiz

in **Berlin**

durch die Hand des

Herrn Generalstaatsanwalts

München.

(Verf. d. H. Gen. St. A. v. .... Nr. ....)

27. AUG. 1943

E n t w u r f !

27. AUG. 1943

Bericht vormerken !

Betrifft:

Die Strafsache gegen
R u c i c k a Jaroslav
P e l z Anton
L i n k e Rudolf.

Zur Verfügung vom 13. August 1943.
- IV g 11 5112/43 -
Zum Bericht vom
Sachbearbeiter EStA. Roemer.
In 2 Stücken
Mit 1 Anlage.

Die Vollstreckung des Todesurteils gegen die Nebengenannten hat am 26. August 1943 im Strafgefängnis München Stadelheim stattgefunden. Der Hinrichtungsvorgang dauerte vom Verlassen der Zelle an gerechnet 1 Minute 5 Sekunden, von der Übergabe an den Scharfrichter bis zum Falle des Beiles 12 Sekunden. Zwischenfälle oder sonstige Vorkommnisse von Bedeutung sind nicht zu berichten.

Dr. R. Ke[illegible]

Zwischen 1907 und 1932 wurden in Deutschland 1 545 Todesurteile gefällt, ein Viertel davon wurde vollzogen. Dagegen wurden in der NS-Zeit im Bereich des „Großdeutschen Reichs" von zivilen Gerichten 16 650 Todesurteile verhängt, mehr als drei Viertel wurden vollstreckt. Der VGH fällte 7 022 Urteile gegen 15 729 Angeklagte. 1 276 Freisprüchen standen 9 174 Freiheitsstrafen und 5 279 Todesurteile gegenüber. Die Sondergerichte verhängten rund 11 000 Todesurteile im Reichsgebiet. Vor allem im Krieg stieg die Zahl der Todesstrafen und Hinrichtungen dramatisch an. Zur Quote der Ziviljustiz kommen noch die Urteile der Militärjustiz: Sie sprach mindestens 25 000 Todesurteile wegen „Wehrkraftzersetzung", Fahnenflucht u. a. Delikten. Über 80 Prozent wurden vollstreckt. Polen in und aus den eingegliederten Ostgebieten sowie Juden wurden durch die sogenannte Polenstrafrechtsverordnung (1941) einem drakonischen Sonderstrafrecht unterworfen, die Juden 1943 sogar der regulären Justiz entzogen und unter polizeiliche Strafgewalt gestellt. Der Polizeijustiz unterlagen nach 1940/41 auch alle aus dem Generalgouvernement und der Sowjetunion stammenden Ostarbeiter slawischen Volkstums. „Sonderbehandlung" war fast an der Tagesordnung. Die Zahl der Opfer der Polizeijustiz ist unbekannt.

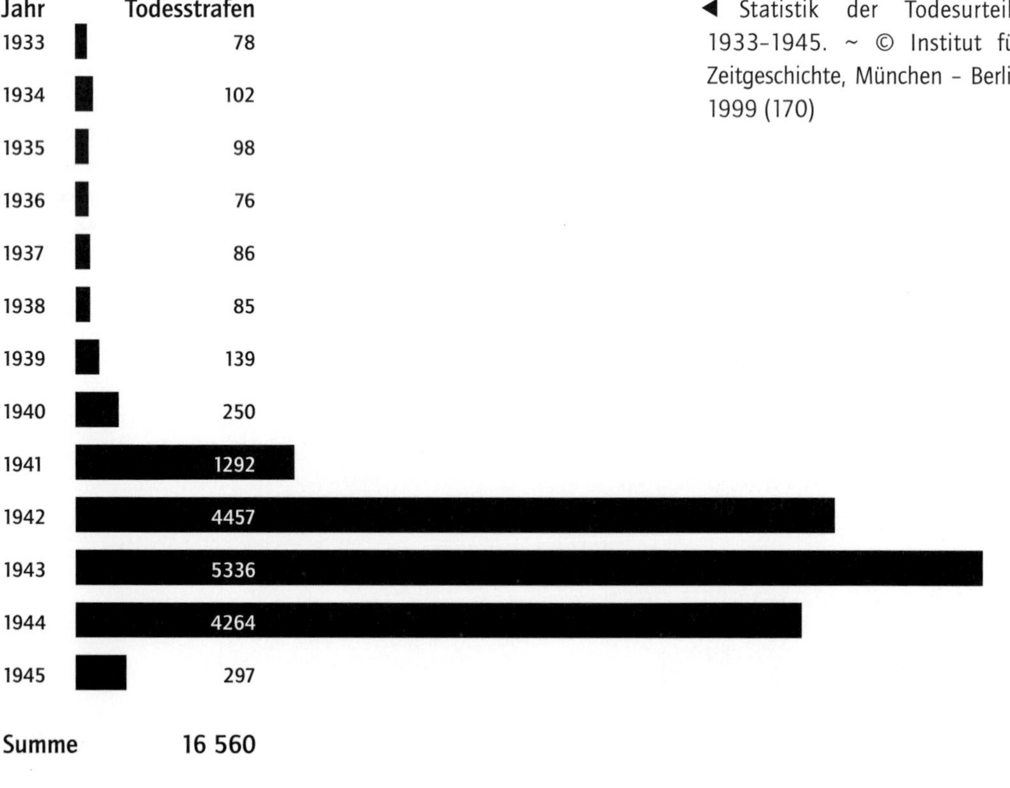

◀ Statistik der Todesurteile 1933–1945. ~ © Institut für Zeitgeschichte, München – Berlin 1999 (170)

Hinrichtungsstätte mit Guillotine in der Strafanstalt Berlin-Plötzensee. Hier wurden während des Dritten Reichs knapp 2 000 politische Häftlinge enthauptet, darunter ein großer Teil der Verschwörer des 20. Juli. ~ Gedenkstätte Deutscher Widerstand, Berlin (171) ▶

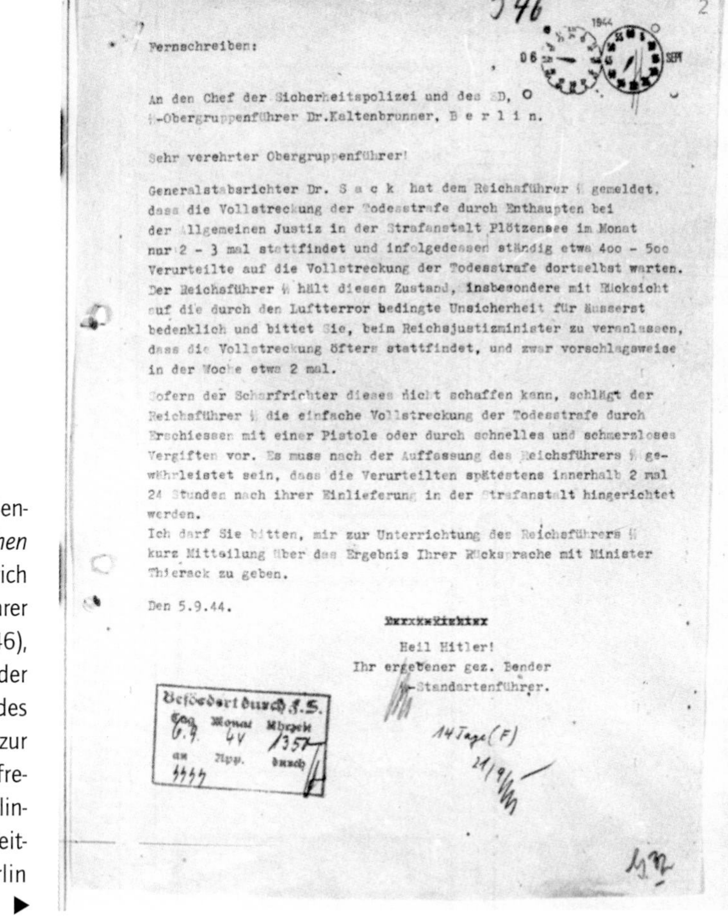

546

2

Fernschreiben:

An den Chef der Sicherheitspolizei und des SD,
SS-Obergruppenführer Dr.Kaltenbrunner, B e r l i n.

Sehr verehrter Obergruppenführer!

Generalstabsrichter Dr. S a c k hat dem Reichsführer SS gemeldet, dass die Vollstreckung der Todesstrafe durch Enthaupten bei der Allgemeinen Justiz in der Strafanstalt Plötzensee im Monat nur 2 - 3 mal stattfindet und infolgedessen ständig etwa 4oo - 5oo Verurteilte auf die Vollstreckung der Todesstrafe dortselbst warten. Der Reichsführer SS hält diesen Zustand, insbesondere mit Rücksicht auf die durch den Luftterror bedingte Unsicherheit für äusserst bedenklich und bittet Sie, beim Reichsjustizminister zu veranlassen, dass die Vollstreckung öfters stattfindet, und zwar vorschlagsweise in der Woche etwa 2 mal.

Sofern der Scharfrichter dieses nicht schaffen kann, schlägt der Reichsführer SS die einfache Vollstreckung der Todesstrafe durch Erschiessen mit einer Pistole oder durch schnelles und schmerzloses Vergiften vor. Es muss nach der Auffassung des Reichsführers SS gewährleistet sein, dass die Verurteilten spätestens innerhalb 2 mal 24 Stunden nach ihrer Einlieferung in der Strafanstalt hingerichtet werden.
Ich darf Sie bitten, mir zur Unterrichtung des Reichsführers SS kurz Mitteilung über das Ergebnis Ihrer Rücksprache mit Minister Thierack zu geben.

Den 5.9.44.

Heil Hitler!
Ihr ergebener gez. Bender
SS-Standartenführer.

Befördert durch F.S.
Tag 6.9. Monat 44 Uhrzeit 1357
an ... App. durch

14 Tage (F)
21/9

SS-Standartenführer Horst Bender (geb. 1906) vom *Persönlichen Stab des Reichsführers SS* Heinrich Himmler an SS-Obergruppenführer Ernst Kaltenbrunner (1903–1946), Nachfolger Heydrichs als Chef der Sipo und des SD und Leiter des RSHA, am 5. September 1944 zur Erhöhung der Hinrichtungsfrequenz in der Strafanstalt Berlin-Plötzensee. ~ Institut für Zeitgeschichte, München – Berlin (172) ▶

Die Organisation des Reichssicherheitshauptamts (RSHA)

mit Gruppen- und Referatsgliederung
des Amts IV (Gestapo)
Stand 1. Januar 1941

Der Chef der Sicherheitspolizei und des SD
SS-Gruppenführer
Reinhard Heydrich

Amt I / Personal

SS-Brigadeführer
Generalmajor der Polizei
Bruno Streckenbach

Amt II / Organisation, Verwaltung, Recht
SS-Standartenführer
Oberst der Polizei
Dr. Hans Nockemann

Amt III / Deutsche Lebensgebiete (SD-Inland)
SS-Standartenführer
Otto Ohlendorf

Amt IV / Gegner-Erforschung und -Bekämpfung (Gestapo)

SS-Brigadeführer
Generalmajor der Polizei
Heinrich Müller

Amt V / Verbrechensbekämpfung (Kriminalpolizei)
SS-Brigadeführer
Generalmajor der Polizei
Arthur Nebe

Amt VI Ausland (SD Ausland)
SS-Brigadeführer
Generalmajor der Polizei
Heinz Jost

Amt VII / Weltanschauliche Forschung und Auswertung
SS-Standartenführer
Prof. Dr. Franz-Alfred Six

Gruppe IV A
SS-Obersturmbannführer Oberregierungsrat Panzinger

Referat IV A1
Kommunismus, Marxismus und Nebenorganisationen
Kriegsdelikte, illegale und Feindpropaganda
SS-Sturmbannführer Kriminaldirektor Vogt

Referat IV A2
Sabotageabwehr, Sabotagebekämpfung, politisch-polizeiliche Abwehrbeauftragte, politisches Fälschungswesen
SS-Hauptsturmführer Kriminalkommissar Kopkovy

Referat IV A3
Reaktion, Opposition, Legitimismus, Emigranten, Heimtücke-Angelegenheiten,
SS-Sturmbannführer Kriminaldirektor Lützenberg

Referat IV A4
Schutzdienst, Attentatsmeldungen, Überwachungen, Sonderaufträge, Fahndungstrupp
SS-Sturmbannführer Kriminaldirektor Schulz
unter Beteiligung des RSD

Gruppe IV B
SS-Sturmbannführer Hartl

Referat IV B1
Politischer Katholizismus SS-Sturmbannführer Regierungsrat Roth

Referat IV B2
Politischer Protestantismus, Sekten SS-Sturmbannführer Regierungsrat Roth

Referat IV B3
Sonstige Kirchenangelegenheiten, Freimaurerei Unbesetzt

Referat IV B4
Judenangelegenheiten, Räumungsangelegenheiten
SS-Sturmbannführer Eichmann

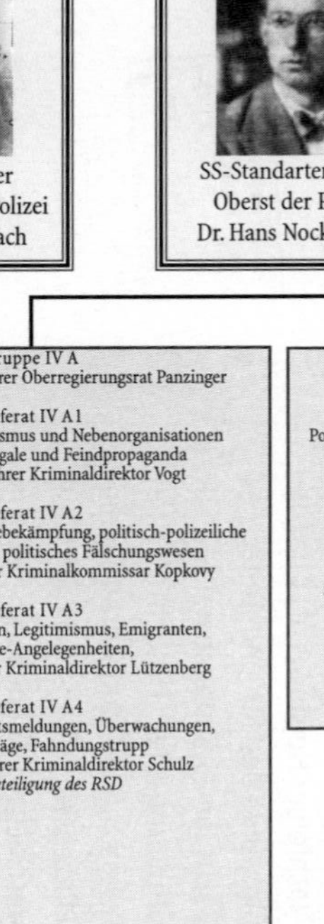
Adolf Eichmann

Gruppe IV C
SS-Obersturmbannführer Oberregierungsrat Dr. Lang

Referat IV C1
Auswertung, Hauptkartei, Personenaktenverwaltung, Auskunftstelle, A-Kartei, Ausländerüberwachung, Zentrale Sichtvermerkstelle
Polizeirat Metzke

Referat IV C2
Schutzhaftangelegenheiten
SS-Sturmbannführer Regierungs- und Verwaltungsrat Dr. Berndorff

Referat IV C3
Angelegenheiten der Presse und des Schrifttums
SS-Sturmbannführer Regierungsrat Dr. Jahr

Referat IV C4
Angelegenheiten der Partei und ihrer Gliederungen, Sonderfälle
SS-Sturmbannführer Kriminalrat Stage

Gruppe IV D
SS-Obersturmbannführer Dr. Weinmann

Referat IV D1
Protektoratsangelegenheiten, Tschechen im Reich
SS-Sturmbannführer Regierungsrat Dr. Jonak

Referat IV D2
Gouvernementsangelegenheiten, Polen im Reich
Regierungsamtmann Thiemann

Referat IV D3
Vertrauensstellen, Staatsfeindliche Ausländer
SS-Hauptsturmführer Regierungsrat Schroeder

Referat IV D4
Besetzte Gebiete: Frankreich, Luxemburg, Elsaß und Lothringen, Belgien, Holland, Norwegen, Dänemark
SS-Sturmbannführer Regierungsrat Baatz

Gruppe IV E
SS-Obersturmbannführer Regierungsrat Schellenberg

Referat IV E1
Allgemeine Abwehrangelegenheiten, Erstattung von Gutachten in Hoch- und Landesverrats- und sonstigen Angelegenheiten gemäß Ziff. 5 der Verschlußsachenanweisung.
SS-Hauptsturmführer Kriminalkommissar Lindow

Referat IV E2
Allgemeine Wirtschaftsangelegenheiten, Wirtschaftsspionage
Regierungsamtmann Sebastian

Referat IV E3
Abwehr West
SS-Hauptsturmführer Kriminalrat Dr. Fischer

Referat IV E4
Abwehr Nord
Kriminaldirektor Dr. Schamberger

Referat IV E5
Abwehr Ost
SS-Sturmbannführer Kriminaldirektor Kubitzky

Referat IV E6
Abwehr Süd
SS-Hauptsturmführer Kriminalrat Dr. Schmitz

◀ © Institut für Zeitgeschichte, München - Berlin 1998. Bildnachweis: Bundesarchiv, Koblenz (4), Stiftung Topographie des Terrors, Berlin (2), Bilderdienst Süddeutscher Verlag, München (1), Bayerische Staatsbibliothek/Fotoarchiv Hoffmann, München (1), Institut für Zeitgeschichte, München - Berlin (1) (173)

SS und Polizei im Krieg (C 4.5)

◀ Hauptdienstgebäude des *Reichssicherheitshauptamts* (RSHA), Berlin, Prinz-Albrecht-Straße 8 (frühere Kunstgewerbeschule, seit 1933 Sitz des *Geheimen Staatspolizeiamts*). ~ Bildarchiv Preußischer Kulturbesitz, Berlin (174)

© Institut für Zeitgeschichte, München - Berlin 1998 (175) ▼

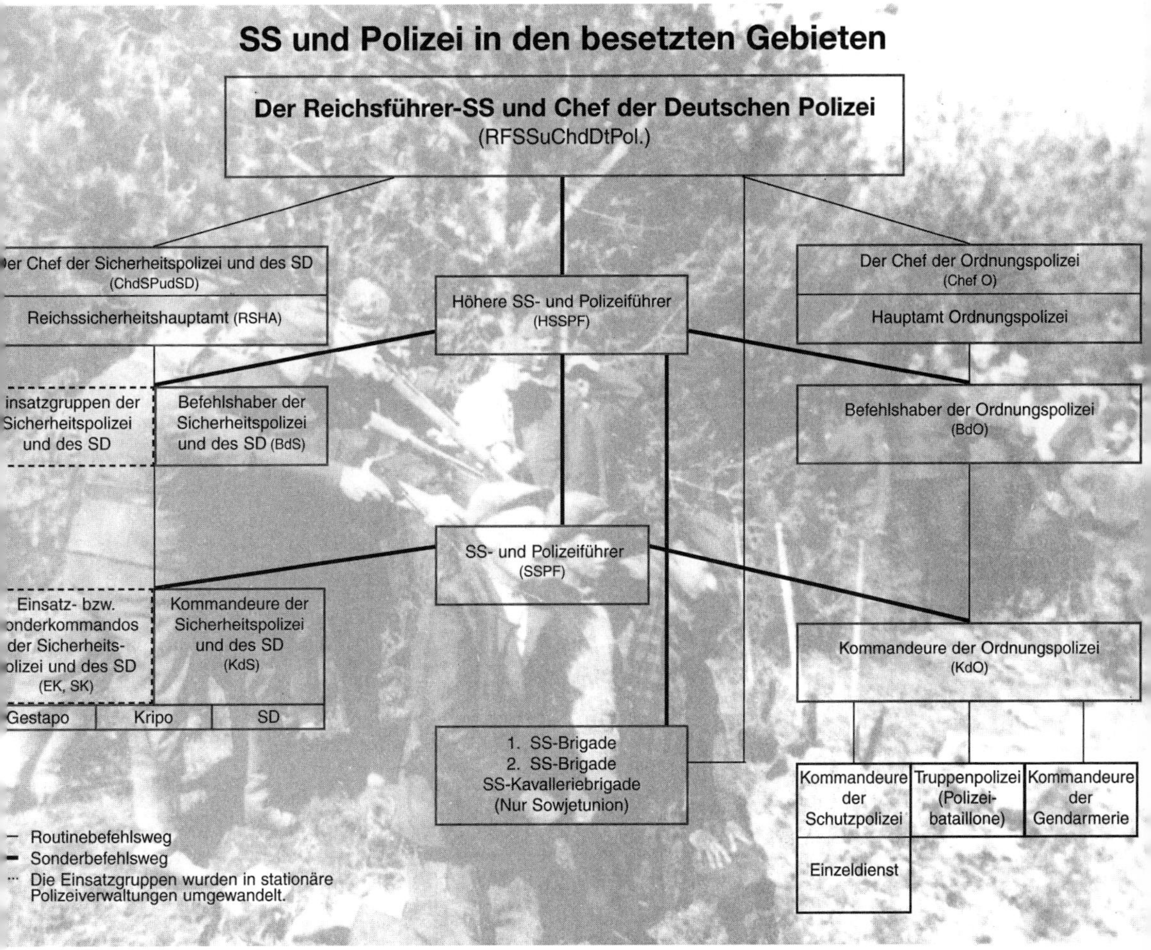

SS und Polizei in den besetzten Gebieten

Der Reichsführer-SS und Chef der Deutschen Polizei
(RFSSuChdDtPol.)

er Chef der Sicherheitspolizei und des SD (ChdSPudSD)
Reichssicherheitshauptamt (RSHA)

Höhere SS- und Polizeiführer (HSSPF)

Der Chef der Ordnungspolizei (Chef O)
Hauptamt Ordnungspolizei

insatzgruppen der Sicherheitspolizei und des SD

Befehlshaber der Sicherheitspolizei und des SD (BdS)

Befehlshaber der Ordnungspolizei (BdO)

SS- und Polizeiführer (SSPF)

Einsatz- bzw. onderkommandos der Sicherheits- olizei und des SD (EK, SK)

Kommandeure der Sicherheitspolizei und des SD (KdS)

Gestapo | Kripo | SD

Kommandeure der Ordnungspolizei (KdO)

1. SS-Brigade
2. SS-Brigade
SS-Kavalleriebrigade
(Nur Sowjetunion)

Kommandeure der Schutzpolizei | Truppenpolizei (Polizei-bataillone) | Kommandeure der Gendarmerie

Einzeldienst

– Routinebefehlsweg
▬ Sonderbefehlsweg
··· Die Einsatzgruppen wurden in stationäre Polizeiverwaltungen umgewandelt.

„Rassenpolitik", Judenverfolgung, Völkermord

Dieter Pohl

„Rassenpolitik", Judenverfolgung, Völkermord

Rassismus und Antisemitismus

Die Massenverbrechen des „Dritten Reichs" beruhten – bringt man es auf eine einfache Formel – auf der Vorstellung, Menschen seien unterschiedlich viel wert. Im Zweiten Weltkrieg wurden diese Ideen in ihrer radikalsten Form umgesetzt – mit der systematischen Ermordung von Männern, Frauen und Kindern.

Die Ursprünge dieses Denkens reichen weit zurück. Die längste und schließlich folgenreichste Tradition hatten Vorurteile gegen Juden, die seit dem Mittelalter immer wieder zu gewaltsamem Ausbruch kamen. Bis ins 19. Jahrhundert beruhte der Haß auf die jüdische Minderheit vor allem auf religiösen und wirtschaftlichen Motiven – besonders in wirtschaftlichen Krisenzeiten machte man die Juden zum „Sündenbock". Doch nicht nur Juden, sondern auch andere Minderheiten waren seit langem Opfer von Vorurteilen. Sinti und Roma, vielfach ohne festen Wohnsitz, wurden als gesellschaftlich und kulturell fremd ausgegrenzt und oftmals vertrieben.

Ende des 19. Jahrhunderts veränderte sich das Gesicht der Judenfeindschaft, nun Antisemitismus genannt. Mit dem Aufkommen der politischen Massengesellschaft spielte die antijüdische Propaganda bei manchen Parteien eine erhebliche Rolle. Sie richtete sich nun gegen eine religiöse Minderheit in Deutschland und Österreich, die sich von der Randgruppe im Ghetto zu einer religiösen Gemeinschaft mit großem gesellschaftlichem Erfolg entwickelt hatte und weitgehend an die christliche Bevölkerungsmehrheit assimiliert war. Zugleich hielt seit dem Ende des 19. Jahrhunderts durch den „Positivismus" in der Wissenschaft ein allgemeines Rassendenken Einzug, das nicht immer antisemitisch sein mußte, aber den Antisemitismus scheinbar objektiv begründete. Neue Fächer wie Eugenik und Rassenbiologie etablierten sich, blieben aber zunächst ein Randphänomen.

Die Zeit des Ersten Weltkriegs erscheint als Rückfall in düsterste Zeiten antijüdischer Auswüchse: Im preußischen Heer wurde etwa eine diskriminierende Zählung aller jüdischer Soldaten vorgenommen, Juden wurden als „Drückeberger" oder „Kriegsgewinnler" apostrophiert, obwohl sich ihr Verhalten von dem der Gesellschaftsmehrheit nicht unterschied. Zum offenen Ausbruch kam der Antisemitismus in den Krisenphasen der Revolution von 1918/19 und der Weimarer Republik – dies reichte bis hin zu gewalttätigen Ausschreitungen rechtsextremer Fanatiker. Als besonders unheilvoll erwies sich der

◀ Täter und Opfer: Im Ghetto Lodz (1940–1944), links Hans Biebow, der Leiter der deutschen Ghetto-Verwaltung, dahinter jüdische Ghettopolizei. ~ Jüdisches Museum, Frankfurt/M. (176)

Umstand, daß Judenfeindschaft in nationalistisch gesinnten Keisen der deutschen Führungsschicht alsbald zum „guten Ton" gehörte. Besonders unter den Studenten der zwanziger Jahre, aus denen sich die Eliten des Dritten Reichs rekrutierten, war der Antisemitismus weit verbreitet und radikal ausgerichtet. Hier spielte die lange antijüdische Tradition der deutschen Burschenschaften eine wesentliche Rolle. Fächer wie Jura und Medizin mit einem hohen Anteil jüdischer Studenten, die freie Berufe ergreifen wollten, waren davon besonders betroffen.

Mit der großen wirtschaftlichen und gesellschaftlichen Krise ab 1930 verschob sich das Kräfteverhältnis in allen Bereichen zugunsten der Rassisten und Antisemiten. Rassistische Biologie nahm überhand, in den Städten und Gemeinden stellte man bereits Überlegungen an, ob die knapp bemessene Fürsorge nicht nach „rassischen" Kriterien zu verteilen sei. In der großen Politik etablierte sich die radikal-antisemitische NSDAP als wichtiger Faktor, antisemitische Strömungen machten sich aber auch in der *Deutschnationalen Volkspartei* (DNVP) und den rechtsextremen Verbänden stark. Dennoch gab es zunächst noch genügend Kräfte, die sich einer offen rassistischen Politik entgegenstellten.

Rassistische Verfolgung im Reich bis 1939

Mit Hitlers Machtergreifung im Januar 1933 wurden erstmals in der Geschichte Rassismus und Antisemitismus zum Regierungsprogramm erhoben, dem auch viele zustimmten, die nicht NSDAP gewählt hatten. Hitler spielte als radikaler Antisemit bei der Verfolgung von Minderheiten und der Mobilisierung der Bevölkerung gegen Minderheiten eine Schlüsselrolle. Das Berufsbeamtengesetz vom 7. April 1933 entfernte – von wenigen Ausnahmen abgesehen – Juden aus dem Staatsdienst, die meisten Organisationen, Verbände und Vereine verkündeten aus eigener Initiative „Arierparagraphen" zum Ausschluß ihrer jüdischen Mitglieder. Schon am 1. April 1933 organisierte die NSDAP einen Boykott von Geschäften, die sich in jüdischem Besitz befanden. Die ersten Monate der nationalsozialistischen Herrschaft waren vom Terror der SA und antisemitischer Fanatiker begleitet. Hunderte – meist bekanntere – Juden wurden öffentlich gedemütigt, geschlagen und in die ersten improvisierten („wilden") Konzentrationslager gesperrt. Die Ausgrenzung durch Verwaltungsakte und individuelle Drangsalierung gehörte plötzlich zum Alltag deutscher Juden. Einzelne gewaltsame Ausschreitungen gab es schon lange vor der „Reichskristallnacht", so etwa den Pogrom von Gunzenhausen in Mittelfranken zu Ostern 1934.

Die Grundlage zur völligen Entrechtung der Juden wurde durch die „Nürnberger Gesetze“ (15. September 1935) geschaffen: Das „Reichsbürgergesetz“ machte sie zu Staatsbürgern zweiter Klasse, die dazugehörigen Durchführungsverordnungen nahmen den deutschen Juden bis 1943 Zug um Zug alle Rechte; das sogenannte „Blutschutzgesetz“ untersagte intime Beziehungen zwischen unverheirateten Juden und Nichtjuden. Die „Nürnberger Gesetze“ offenbaren die Widersinnigkeit des nationalsozialistischen Rassenbegriffs. Die verschiedenen „Rassenwissenschaften“, die es schon lange vor Hitler gab, kamen zwar erst im Dritten Reich zur vollen Entfaltung. Die Rassenbiologie trug jedoch wenig zur „wissenschaftlichen Klärung“ der „Judenfrage“ bei. Da die Zugehörigkeit zur „jüdischen Rasse“ über die Religionszugehörigkeit der Vorfahren ermittelt werden mußte, entwickelte sich eine andauernde Debatte um die Behandlung der sogenannten „Halbjuden“ oder „Mischlinge“, also Personen mit jüdischen und zugleich nichtjüdischen Vorfahren, eine Diskussion, die im Reich bis Kriegsende andauerte. Wer nun Jude war und wer nicht, mußte aufgrund dessen vielfach unklar bleiben. Das Aufblühen der „Rassenwissenschaft“ hatte fatale Folgen vor allem für Sinti und Roma und andere Gruppen am Rand der Gesellschaft, die mit pseudowissenschaftlichen Kriterien als „minderwertig“ eingestuft und verfolgt wurden.

Für die deutschen Juden wurde die Lage im Lauf der dreißiger Jahre immer prekärer. Sie wurden nicht nur aus dem öffentlichen Dienst vertrieben, NSDAP und wirtschaftliche Konkurrenten versuchten sie auch aus dem Geschäftsleben zu verdrängen. Jüdische Unternehmer wurden unter Druck gesetzt, ihre Betriebe unter Wert zu verkaufen bzw., wie es im damaligen Sprachgebrauch hieß, zu „arisieren“. Die Bewältigung des Alltags wurde für Juden immer schwieriger, die Versorgungslage schlechter. Vor allem junge Juden bemühten sich deshalb um Auswanderung. Etwa 346 000 deutsche Juden emigrierten bis 1941, viele von ihnen wurden allerdings im Krieg von der NS-Herrschaft in den besetzten Ländern wieder eingeholt. Die in Deutschland Verbliebenen suchten trotz der Schwierigkeiten Wege der Selbstbehauptung: So gab es immer noch ein reiches, wenn auch isoliertes Kulturleben in Gemeinden und neugeschaffenen überregionalen jüdischen Kulturbünden.

Das Jahr 1938 brachte eine weitere Verschärfung der Judenverfolgung. Dies wurde bereits nach dem deutschen Einmarsch in Österreich im März 1938 offensichtlich. Der „Anschluß“ war für deutsche und österreichische Nationalsozialisten die willkommene Gelegenheit zu neuen Ausschreitungen gegen „die Juden“. Zahllose österreichische Juden wurden – oft unter dem Beifall der Bevölkerung – öffentlich gedemütigt. Eher im Verborgenen allerdings lief der Raubzug an jüdischem Eigentum. Die „Arisierungen“ wurden in der neuen „Ostmark“ in nur wenigen Monaten und oft gewaltsam durchgeführt. Eine Fluchtwelle von Juden aus dem ehemaligen Österreich war die Folge. Im Reich begannen einzelne Stadtverwaltungen bereits im Sommer 1938 mit dem Abbruch von Synagogen, so in München und Nürnberg.

Einen entscheidenden Einschnitt im öffentlichen Bewußtsein bildete die „Reichskristallnacht" am 9./10. November 1938. Vorwand für diesen Pogrom bildete das Attentat eines jungen Juden auf einen deutschen Botschaftsangehörigen in Paris. Auf höhere Weisung (Hitler, Goebbels) zogen Trupps vor allem der SA zu Synagogen und Geschäften von Juden, zündeten sie an und zerstörten sie. Tausende von Juden wurden aus ihren Wohnungen getrieben und mißhandelt; etwa einhundert von ihnen kamen ums Leben. Dies spielte sich vor den Augen der Bevölkerung ab – zahlreiche Deutsche beteiligten sich am Pogrom. Insgesamt scheint die öffentliche Entfesselung von Gewalt und Raub die Mehrheit der Bevölkerung aber eher erschreckt zu haben.

Wenige Tage später, am 12. November, kamen führende Minister und Ministerialbeamte im Reichsluftfahrtministerium zusammen, um unter Leitung Görings das weitere Vorgehen zu besprechen. Zwar wurden die sinnlosen Zerstörungen beklagt, aber mit der „Reichskristallnacht" sollte die bisherige Politik der Exilierung der Juden massiv beschleunigt werden. Um weiteren Druck auf die deutschen Juden auszuüben, wurden noch während der „Kristallnacht" 27 000 jüdische Männer in Konzentrationslager gesperrt und viele von ihnen mißhandelt. Falls sie sich verpflichteten, sich sofort um die Auswanderung zu bemühen, wurden sie rasch wieder entlassen; etwa 200 starben allerdings in KZ-Haft. Das zweite zentrale Motiv für die „Reichskristallnacht" war die vollständige Verdrängung der Juden aus dem Wirtschaftsleben. Jüdische Geschäftsinhaber wurden allgemein durch Verordnung gezwungen, ihre Betriebe aufzugeben. Geradezu zynisch die Verordnung über eine Geldbuße für die jüdischen Gemeinden: Sie hatten für die Schäden des Pogroms aufzukommen.

Nach der Besetzung Österreichs und des Sudetenlandes waren die antijüdischen Maßnahmen in diesen neu gewonnenen Gebieten mit besonderer Rigorosität durchgeführt worden. Die Judenverfolgung im „Protektorat Böhmen und Mähren" ab März 1939 verlief nicht so gewaltsam wie nach dem Einmarsch in Österreich, dafür funktionierte der organisierte Raub jedoch um so effizienter. Insbesondere die tschechischen Großbetriebe, die Juden gehörten, wurden komplett enteignet. Auch hier folgte die Einführung der antijüdischen Gesetzgebung.

Bis 1939 hatte das NS-Regime die Juden im Reich fast völlig entrechtet. Die langwierige Emanzipation der Juden im 19. Jahrhundert, ihr Weg zur Gleichberechtigung, war damit rückgängig gemacht worden. Darüber hinaus waren die deutschen Juden weitgehend aus dem Wirtschaftsleben verdrängt und enteignet, ein großer Teil war völlig verarmt. Bereits 1938 rekrutierten die Arbeitsämter beschäftigungslose Juden zur Zwangsarbeit, erste Arbeitslager für öffentliche Bauten entstanden. Die Zahl der bis 1939 ermordeten Juden beläuft sich auf mehrere Hundert.

Um die Jahreswende 1938/39 zeichnete sich innerhalb der NS-Führung eine weitere Verschärfung der Judenpolitik ab. Zunehmend erhielten die Gestapo und der *Sicherheitsdienst des Reichsführers SS* (SD) mit seinen rassenideologischen Fanatikern Zugriff auf Planung und Durchführung der antisemitischen Maßnahmen. Zugleich stieß die Emigration an Grenzen – immer mehr Asylländer weigerten sich, Juden aus Deutschland bei sich aufzunehmen. Offensichtlich wurde die Verschärfung der Lage in Hitlers Reichstags-Rede vom 30. Januar 1939, in der er den europäischen Juden mit Vernichtung drohte, falls es zu einem Weltkrieg komme.

Die Stereotypen über Sinti und Roma („Zigeuner") waren schon vor der Machtergreifung voll ausgebildet und in der Bevölkerung stark verbreitet gewesen. Ab 1933 wurden die Lebensbedingungen der Sinti und Roma auf kommunaler Ebene grundlegend verschlechtert; es begann die Einrichtung von Zwangslagern in den großen Städten, in denen miserable Zustände herrschten. Sinti und Roma, denen Anfang 1936 ähnliche Heiratsbeschränkungen auferlegt wurden wie den Juden, wurden zusehends zum Objekt rassistischer Forschungen. „Rassenhygieniker" versuchten eine genaue Kategorisierung der Mitglieder dieser Minderheit. Sie lenkten die Wucht der antiziganistischen Maßnahmen zunehmend gegen die sogenannten „Zigeunermischlinge" und Roma, die als „rassisch gefährlicher" eingestuft wurden als die „reinen" Sinti, denen man eine „arische" Herkunft zubilligte. Auf der Basis dieser Registrierungen wurde dann die Polizei aktiv, so in einer Verhaftungswelle vom Juni 1938, bei der Tausende von Sinti und Roma in Konzentrationslager kamen.

Sterilisierung und Massenmord an Anstaltsinsassen

Während Juden sowie Sinti und Roma auf Grund angeblicher „Rassenmerkmale" verfolgt wurden, strebte der NS-Staat auch danach, die deutsche Gesellschaft von allem „Schwachen und Unbrauchbaren" zu reinigen. Auch hier traf die Staatsführung auf positive Resonanz in den meisten Behörden und in Teilen der Bevölkerung. Wie von einigen Wissenschaftlern schon vor 1933 gefordert, sollten diejenigen, die man als „erbkrank" ansah oder die angeblich Träger „minderwertigen Erbgutes" waren, sterilisiert und somit an der Fortpflanzung gehindert werden. Zu diesem Zweck erließ man 1933 das „Erbgesundheitsgesetz". Vor allem die städtischen

Fürsorgeämter konnten Personen, die man als „erbkrank" ansah, bei den Erbgesundheitsgerichten zur Sterilisation vorschlagen. Dabei war Willkür Tür und Tor geöffnet. Die Behörden neigten dazu, immer mehr Menschen, die sie als „lästig" betrachteten, gleichgültig, ob „erbkrank" oder nicht, diesem Zwangseingriff zu unterwerfen. So wurde vielen Sinti und Roma das Menschenrecht der Fortpflanzung genommen, aber auch anderen Bürgern, die in irgendeiner Form „auffällig" waren. Etwa 350 000 bis 400 000 Personen wurden nach 1934 sterilisiert und so daran gehindert, eine Familie zu gründen und Kinder zu haben.

Noch schlimmeres drohte den Schwächsten der Gesellschaft, den unheilbar Kranken, mißgebildeten Kindern und anderen. Seit den zwanziger Jahren hatte es Vorschläge gegeben, solche Gruppen einfach zu ermorden. Doch erst mit dem herannahenden Krieg wagte die Staatsführung, mitten in Deutschland den Massenmord zu organisieren. Den Anfang machte die Ermordung geisteskranker und mißgebildeter Kinder. Schon vor Kriegsbeginn hatte man dazu Vorbereitungen getroffen. Ab Oktober 1939 töteten Ärzte und Pfleger in verschiedenen Heimen mindestens 5 200 Kinder durch Giftinjektionen oder ließen sie qualvoll verhungern. Zur gleichen Zeit drängten zahlreiche Behörden darauf, Räumlichkeiten von psychiatrischen Anstalten in Ostdeutschland und im kurz zuvor eroberten Polen von Patienten „freizumachen", um dort die im Aufbau befindliche Waffen-SS, aber auch Auslandsdeutsche, die man in Sammeltransporten aus der Sowjetunion „zurückgeholt" hatte, unterzubringen. Ab Oktober 1939 begannen die Massenerschießungen von Anstaltsinsassen in den westpolnischen Gebieten, die dem Deutschen Reich zugeschlagen worden waren. Schon bald experimentierte man mit Giftgas – erwogen wurde bereits Zyklon B – zur Ermordung von Menschen. Die lokalen Machthaber in Danzig-Westpreußen und im sogenannten Warthegau schickten jedoch nicht nur Kranke in den Tod, sondern in einigen Fällen auch andere „Unerwünschte", wie etwa Prostituierte.

Erst danach kam die in großem Maßstab organisierte Ermordung von erwachsenen Insassen psychiatrischer Anstalten im Reich, die eigentliche „Euthanasie"-Aktion, in Gang. Dazu wurde eine Tarnorganisation ins Leben gerufen – man war sich des verbrecherischen Charakters des Unternehmens durchaus bewußt. Die Organisatoren rechneten mit 65 000–70 000 Menschen, die umgebracht werden sollten. In einigen ausgesuchten Anstalten, so zunächst in Grafeneck in Württemberg und in Brandenburg an der Havel, baute man bestimmte Räume zu Gaskammern um. In den psychiatrischen Anstalten suchten Mediziner die Todeskandidaten aus, die abtransportiert und binnen kurzer Frist grausam erstickt wurden. Die ersten Opfer dieser Aktion starben etwa im Mai 1940. An die Angehörigen verschickte man fingierte Todesbescheinigungen, die bald Verdacht erregten: Der Massenmord der „Euthanasie" im Reich ließ sich nicht geheimhalten.

Während die Justiz die Verbrechen auf Weisung von oben deckte, protestierten insbesondere Vertreter der katholischen Kirche. Am 24. August 1941 stoppte Hitler offiziell die Aktion der Krankenmorde. Zu diesem Zeitpunkt war das Ziel, 70 000 Menschen umzubringen, allerdings bereits erreicht.

In anderer Form wurde die Ermordung von Kranken jedoch weiter fortgeführt. In der besetzten Sowjetunion töteten SS- und Polizeiverbände die Patienten vieler Anstalten und Krankenhäuser, nicht selten auf Anforderung der Wehrmacht, die die Gebäude als Lazarette nutzen wollte. Aber auch im „Altreich" wurden entsprechende Mordaktionen unauffällig fortgesetzt. Die „Gutachter" besuchten nun die einzelnen Konzentrationslager, um arbeitsunfähige und „unerwünschte" Häftlinge auszusortieren; sie wurden weiterhin mit Giftgas in den Tötungsanstalten ermordet. In vielen psychiatrischen Anstalten brachte das Personal Patienten mittels Gift oder „Hungerkost" um. Nachdem der Krieg sich gegen Deutschland gewendet hatte und das Reich direkt von den Luftangriffen betroffen war, stand die Gewinnung „freier Betten" auf der Prioritätenliste ganz oben. Zu den bisherigen Patienten kamen nun weitere Todeskandidaten, so kranke Fremdarbeiter und vor allem schwangere Fremdarbeiterinnen. Noch nach dem alliierten Einmarsch verhungerten viele Insassen in den Anstalten. Diesen Mordaktionen fielen innerhalb des „Altreichs" mindestens 100 000 Menschen zum Opfer; wohl weitere 100 000 verhungerten auf Grund der schlechten Versorgung, ohne daß ein gezielter Mord nachweisbar wäre. Über 25 000 Insassen psychiatrischer Anstalten mußten in Polen sterben, Tausende weitere in den anderen besetzten Gebieten.

Die Ausbreitung der Verbrechen über Europa

Im Krieg brachen vollends alle Dämme der Zivilisation, und unter dem Deckmantel des Kriegs schienen der nationalsozialistischen Führung Massenmorde jeder Art und Form möglich, machbar und im Interesse des angeblichen „Überlebenskampfs des deutschen Volkes" gerechtfertigt. Mit dem Polenfeldzug kamen Millionen Ausländer unter deutsche Herrschaft. Obwohl Politiker und Wissenschaftler darüber stritten, wie Polen, Ukrainer und andere denn „rassisch" einzustufen seien, waren den Slawen gegenüber Vorurteile und nationale wie „rassische" Geringschätzung weit verbreitet. Von vornherein plante man, die polnische Elite zu dezimieren. Politiker, Professoren, aber auch hohe Kirchenmänner standen auf den Listen der Gestapo. Die ersten von ihnen fielen bereits während der Kampfhandlungen 1939

Massenerschießungen und KZ-Einweisungen zum Opfer – insgesamt wurden bis Anfang 1940 etwa 45 000 Polen ermordet. Auch den nächsten Krieg, den West-Feldzug im Mai 1940, nutzte die nationalsozialistische Besatzungsverwaltung, um Angehörige der polnischen Elite umzubringen, während die Welt auf Westeuropa blickte.

Der deutschen Führung ging es freilich nicht allein um die Auslöschung der Eliten anderer Länder zum Zwecke der Herrschaftssicherung. Nach Kriegsbeginn wurden Pläne von weit größerer Dimension entwickelt: Die Land- und Siedlungskarte Osteuropas sollte grundlegend zugunsten der Deutschen geändert werden. Ende 1939, als man die deutsche Ostgrenze in Richtung Polen verschob, kam es zu hektischen Planungen, ganze Bevölkerungsteile über weite Strecken in andere Gebiete zu verschieben.

Während „Volksdeutsche" – also Personen deutscher Abstammung – im Zuge der „Volkstumsbereinigung" nach dem „Hitler-Stalin-Pakt" aus der Sowjetunion nach Westpolen transportiert wurden, vertrieb man von dort polnische Bauern und jüdische Einwohner auf brutale Weise nach Zentralpolen (Generalgouvernement). Deutsche Planungsbehörden entwickelten zusammen mit dem *Reichssicherheitshauptamt* unter dem Stichwort „Generalplan Ost" Zug um Zug einen Gesamtplan, der Polen auf lange Sicht völlig verändern sollte: Weite Teile Polens sollten mit Deutschen besiedelt, die Einheimischen zum großen Teil in die Weiten der Sowjetunion deportiert werden. Ab Ende 1941 dehnte man diese Planung auch auf bestimmte Gebiete der Sowjetunion aus, wie Litauen oder einzelne Regionen in der Ukraine, die mit Deutschen bevölkert werden sollten.

Realisiert wurden diese Planungen nur zu einem Bruchteil – aber auch dies hatte verheerende Auswirkungen. So nahm man etwa 200 000 polnische Kinder, die als „rassisch wertvoll" galten, ihren Familien weg, um sie in Deutschland aufzuziehen und dadurch der „arischen Rasse" zu erhalten. Die Vertreibungen aus den „eingegliederten Gebieten" Polens waren zwar im März 1941 gestoppt worden; im November 1942 gingen SS und Polizei aber an die Entvölkerung der Region um Zamość südlich von Lublin. Über 100 000 Polen wurden deportiert oder vertrieben. Dennoch scheiterte dieses Unternehmen letztlich am polnischen Widerstand. Dessen spektakulärste Aktion, der Aufstand in Warschau im August 1944, endete in einem Blutbad. Die Besatzungsmacht warf die Revolte nach einigen Tagen nieder, SS und Polizei begannen damit, die Bevölkerung in einzelnen Stadtvierteln systematisch zu erschießen. Zehntausende wurden nach Auschwitz deportiert.

Ein ähnliches Schreckensregiment führte die deutsche Besatzung ab April 1941 in Südosteuropa, vor allem in Serbien und auch in Griechenland. Widerstand wurde mit gnadenlosen Repressionen bekämpft. Im September 1941 ordnete die Militärverwaltung in Serbien an, für jeden getöteten Deutschen 100 Zivilisten zu erschießen:

Entweder suchte man die Opfer willkürlich aus oder man internierte jüdische Männer und serbische Roma, um sie im „Bedarfsfall" als Geiseln umzubringen. Hier kam es zu einem fließenden Übergang von der durch Kriegsrecht gedeckten Repressalie zum Völkermord. In der zweiten Kriegshälfte, als die Untergrundbewegungen immer aktiver wurden, dehnte sich diese Praxis auf halb Europa aus. Die „Bandenbekämpfung", der Krieg gegen Partisanen, wurde nun auch in Italien, der Slowakei und Frankreich mit verbrecherischer Härte gegen die Zivilbevölkerung geführt.

Der Vernichtungskrieg in den besetzten sowjetischen Gebieten

Eine Sonderstellung nahm jedoch von Anfang an der Krieg gegen die Sowjetunion ein. Bei diesem Feldzug rechneten deutsche Planer von vorneherein mit Millionen Toten unter der Zivilbevölkerung. Die bolschewistische Führungsschicht – und dazu zählte man umstandslos auch einen großen Teil der jüdischen Minderheit – sollte ausgerottet werden, die Bevölkerung hungern, damit die Wehrmacht aus dem Lande ernährt werden könne. Unter der Bezeichnung „Sicherung des besetzten Gebiets" wurden Verbände von SS und Polizei aufgestellt, die nicht nur „sichern", sondern auch massenhaft morden sollten.

Die meisten Opfergruppen waren schon vor dem Einmarsch ausgewählt worden. Hauptobjekt dieser Vorbereitungen war die imaginäre „jüdisch-bolschewistische Intelligenz", also die sowjetische Führungsschicht, Verwaltungs- und KP-Funktionäre, aber auch die jüdische Minderheit. Um eine rücksichtslose Besatzungspolitik rechtlich zu decken und die Justiz weitgehend auszuschalten, schränkte die Wehrmacht die Kriegsgerichtsbarkeit in den besetzten Gebieten ein. Die Massenmorde an der Zivilbevölkerung fielen zumeist in den Aufgabenbereich von SS und Polizei. Vier Einsatzgruppen aus SS- und Polizeipersonal sollten „Feinde im Hinterland" ausfindig und „unschädlich" machen, d. h. in der Regel umbringen. Da die Einheiten für dieses Vorhaben jedoch personell viel zu schwach besetzt waren, wurden auch die Brigaden der Waffen-SS und vor allem Bataillone der Ordnungspolizei zu Vernichtungsaufgaben eingesetzt.

Der Wehrmacht wurde der Befehl erteilt, die Politoffiziere der Roten Armee, die sogenannten Kommissare, sofort nach ihrer Gefangennahme zu erschießen. Tatsächlich hat ein großer Teil der Wehrmachteinheiten gemäß dem „Kommissarbefehl" diese Kriegsgefangenen aussortiert und umgebracht, die Zahl der Opfer geht in die Tausende. Weit mehr Tötungen folgten im Hinterland: Wehrmacht und

Gestapo isolierten bestimmte Gruppen „unerwünschter" Kriegsgefangener wie Juden, Kommissare, zu Anfang manchmal aber auch Männer, die nur „asiatisch" aussahen, und ermordeten sie. Mindestens 200 000 Rotarmisten, vermutlich weit mehr, wurden auf diese Weise bald nach der Gefangennahme umgebracht.

Während die Wehrmacht im Frankreich-Feldzug innerhalb kürzester Zeit fast zwei Millionen Kriegsgefangene gemacht und ausreichend versorgt hatte, war eine solche Versorgung für den größten Teil der gefangenen Rotarmisten nicht vorgesehen, obwohl man schon bei Planung des Feldzugs mit großen Kesselschlachten und deshalb mit riesigen Gefangenenzahlen gerechnet hatte. Tatsächlich gerieten bis Jahresende 1941 über drei Millionen sowjetischer Soldaten in deutsche Hand, die – vielfach durch die vorangegangenen Kämpfe geschwächt oder verwundet – unter unmenschlichen Bedingungen, meist zu Fuß, in westliche Landesteile transportiert wurden. Schon im Sommer 1941 starben in manchen Lagern Hunderte von Kriegsgefangenen. Als die Wehrmachtführung jedoch im Oktober 1941 die Nahrungsrationen für solche Gefangene herabsetzte, die nicht zur Arbeit eingesetzt waren, begann ein Massensterben größten Ausmaßes. Bereits im Oktober und November starben in den Lagern ein bis zwei Prozent der Insassen täglich – d. h. je nach Größe 100 bis 300 Menschen. Ursache war nicht nur Unterversorgung, sondern auch die mangelhafte Unterbringung während der kalten Jahreszeit. Die Gefangenen wurden auf viel zu engem Raum zusammengepfercht, ein großer Teil von ihnen mußte bei winterlichen Temperaturen die Nächte ungeschützt im Freien zubringen. Nur eine Minderheit von Rotarmisten – aus dem Baltikum und der Ukraine – wurde entlassen. Bis März 1942, als die Todesraten wieder zu sinken begannen, waren zwei Millionen Menschen tot. Damit ist das Massensterben sowjetischer Kriegsgefangener noch keineswegs vollständig erfaßt. Auch die ins Reich verbrachten Kriegsgefangenen gingen zu Hunderttausenden an Hunger und Kälte zugrunde. In den betroffenen Regionen – wesentlich in Norddeutschland – war das Schicksal der Rotarmisten der Bevölkerung keineswegs unbekannt.

Neben den Kriegsgefangenen hatten vor allem die Bewohner der sowjetischen Großstädte unter der Hungerpolitik der Besatzung zu leiden. Einigermaßen ausreichende Rationen erhielten nur noch die Personen, die eine Arbeitsstelle vorweisen konnten. Seit Beginn des Jahres 1942 starben beispielsweise in der ostukrainischen Großstadt Charkow jeden Monat Tausende von Einwohnern an Unterernährung; damit war die Sterblichkeit annähernd so hoch wie zur gleichen Zeit im Warschauer Ghetto. Allmählich entvölkerten sich die sowjetischen Großstädte unter deutscher Herrschaft – durch Tod, aber auch durch Flucht aufs Land.

Die deutsche Seite rechnete anfangs kaum mit einer größeren Partisanenbewegung in der Sowjetunion. Auf vereinzelte Anschläge oder Sabotageaktionen reagierten Wehrmacht und Polizei nichtsdestoweniger erbarmungslos mit Geiselerschießungen, vor allem mit der Erschießung von Juden. Ab Herbst 1941 konnte zudem jeder Ortsfremde, der sich nicht ausweisen konnte, sofort erschossen werden: Der Bewegungskrieg, der weite Teile der Gesellschaft entwurzelte, brachte somit jeden in die Gefahr, ermordet zu werden, wenn er nicht an seinen Heimatort zurückfand.

Eine ernstzunehmende bewaffnete Widerstandsbewegung entwikkelte sich ab Herbst 1941 zunächst vor allem auf der Krim und in Weißrußland; ab Sommer 1942 griff sie auch auf andere Gebiete über und wurde rasch zu einem Dauerproblem für die Besatzer. SS, Polizei und Wehrmacht organisierten in regelmäßigen Abständen größere „Bandenbekämpfungs"-Unternehmen, die in Weißrußland und der Nordukraine allerdings oft auch die Ausrottung der jüdischen Gemeinden zum Ziel hatten. Das harte Vorgehen der Besatzer traf jedoch auch die nichtjüdische Zivilbevölkerung: Hunderttausende wurden als „Bandenverdächtige" erschossen, weil sie in Gegenden wohnten, in denen Partisanen aktiv waren. Im Frühjahr 1943, als bestimmte Gebiete der deutschen Kontrolle entglitten, änderte sich die Strategie ein wenig: Die meisten „Bandenverdächtigen" wurden nicht mehr ermordet, sondern zur Zwangsarbeit deportiert. Zugleich richtete man „tote Zonen" ein, aus denen die gesamte Zivilbevölkerung vertrieben wurde. Dem ständigen Kleinkrieg, der auch von seiten der sowjetischen Partisanen mit erbarmungsloser Grausamkeit geführt wurde, fielen unbeteiligte Zivilisten in hoher Zahl zum Opfer. Auch das Finale der deutschen Besatzungsherrschaft in der Sowjetunion, der Rückzug ab Herbst 1943, kostete hohe Opfer unter der sowjetischen Zivilbevölkerung. Zwar flüchteten viele Einwohner aus eigenem Antrieb vor der Roten Armee, die Mehrheit der „Evakuierten" wurde jedoch zwangsweise nach Westen getrieben. Zehntausende kamen in Evakuiertenlagern in Litauen und Weißrußland um, weil die Besatzungsverwaltung sie nicht ernähren wollte.

Der deutsche Einmarsch in die Sowjetunion am 22. Juni 1941 markiert zugleich den Übergang zum Völkermord an den Juden. Am 24. Juni erschoß ein deutsches Kommando in der litauischen Kleinstadt Garsden erstmals massenhaft sowjetische Juden. Opfer des Vernichtungsfeldzugs gegen den angeblich „jüdischen Bolschewismus" waren zunächst vor allem männliche Erwachsene. In den letzten Julitagen 1941 dehnten die Einsatzgruppen, zu denen jetzt Ordnungspolizei-Bataillone und drei Brigaden der Waffen-SS hinzukamen, ihre Erschießungen jedoch auch auf Frauen und Kinder aus. Ein letzter Schritt wurde im September 1941 getan, als alle Einheiten damit begannen, große jüdische Gemeinden zur Gänze auszurotten; genannt sei hier nur die Ermordung von über 33 000 Juden – die deutsche „Buchführung" listet 33 771 erschossene Juden auf – in der Schlucht von Babi Jar bei Kiew. Gerade bei den großen Massakern arbeiteten die

Mordeinheiten mit einigen Armeeoberkommandos und der Militärverwaltung zusammen. Die Erschießungen wurden mit erbarmungsloser Brutalität durchgeführt: Die Opfer wurden häufig noch mißhandelt, mußten meist selbst die Todesgruben ausheben, sich vor der Exekution völlig entkleiden und vielfach noch unmittelbar vor ihrer eigenen Erschießung den Tod aller Angehörigen miterleben.

Ab Ende 1941 setzten die deutschen Einheiten auch sogenannte „Gaswagen" zum Massenmord ein – umgebaute Lastkraftwagen, deren Abgase in den abgedichteten Laderaum geleitet wurden und die dort zusammengepferchten Opfer erstickten. Da diese Mordinstallationen jedoch nicht immer funktionsfähig waren, blieb es in den besetzten sowjetischen Gebieten auch 1942 bei Massenerschießungen.

Die „Endlösung der Judenfrage" ab Ende 1941

Kein anderes Geschehen hat das Bild des Nationalsozialismus so sehr geprägt wie die Ermordung der europäischen Juden. Mit dem Vernichtungskrieg in der Sowjetunion war auch das Leben aller europäischen Juden, die im deutschen Herrschaftsgebiet oder bei deutschen Verbündeten lebten, unmittelbar bedroht. Seit Anfang 1941 arbeiteten verschiedene Behörden in Berlin an der Planung der „Endlösung der Judenfrage" in ganz Europa. Eine solche „Lösung" war schon ab 1939 diskutiert worden – zunächst plante man, die Juden mittelfristig buchstäblich auszuhungern. Im Laufe des Jahres 1941 änderten und konkretisierten sich diese Planungen in Richtung auf die unmittelbare Vernichtung.

Die Frage, ob Hitler von Anfang an alle Juden durch den „industriellen" Einsatz von Massenmord-Technologie töten wollte oder sich dafür erst im Laufe des Kriegs entschied, ist auch unter Fachleuten nach wie vor umstritten. Hitler war ohne Zweifel ein krankhafter Antisemit, der jede Maßnahme gegen Juden, auch den Massenmord, billigte. Daß er schon in den dreißiger Jahren an Massentötungen dachte, wie sie dann seit 1941/42 geschahen, ist allerdings nicht nachweisbar. Wahrscheinlich wußte man Anfang 1941 innerhalb der Staatsführung überhaupt noch nicht, mit welchen Methoden Millionen Menschen umgebracht werden könnten. Hier bot der Vernichtungskrieg gegen die Sowjetunion allerdings unmittelbaren Anschauungsunterricht, und als sich zeigte, daß die Ermordung Hunderttausender „machbar" war, änderte sich die Perspektive. Dazu kamen viele Vorschläge von Funktionären und „Fachleuten" zur „Beseitigung" der Juden sowie die Weiterentwicklung von Mordinstallationen wie etwa der ab Herbst 1941 eingesetzten „Gaswagen".

Ursprünglich sollte die „Endlösung“ erst nach dem „Endsieg“ durchgeführt werden. Im Herbst 1941 jedoch entschieden Hitler und Himmler, früher damit zu beginnen. Zum Teil gaben sie damit dem Drängen regionaler Verwaltungen nach, die damit die durch Deportation und Ghettoisierung selbstgeschaffenen Probleme „lösen“ wollten. Im Oktober wurde allen Juden die Auswanderung nach Übersee untersagt. Zuerst sollten deutsche Juden in den Osten deportiert werden: Um sie leichter identifizieren zu können, wurde im September 1941 auch im deutschen Reich das Tragen des sechszackigen „Judensterns“ vorgeschrieben. Zur Tarnung bildete man in Theresienstadt in Böhmen ein Lager bzw. Ghetto, in dem ältere deutsche Juden und solche, die Kriegsauszeichnungen aus dem Ersten Weltkrieg besaßen, interniert waren. Doch auch sie wurden nach einiger Zeit zur Ermordung weiterverschleppt. Etwa im November 1941 begann man zeitlich parallel mit der Anlage kleiner Vernichtungslager in Polen, so in Chelmno (Kulmhof) und in Belzec. Der Plan eines Vernichtungslagers in Mogilew in Weißrußland wurde nicht realisiert, weil der Krieg in der Sowjetunion nicht wie gewünscht verlief und die Verkehrsanbindung dorthin zu schlecht war. Das Personal für alle diese Lager kam zum größten Teil aus dem zeitweise gestoppten „Euthanasie“-Programm zur Ermordung von Behinderten.

Um die Jahreswende 1941/42 liefen die Vorbereitungen für die Ermordung aller europäischen Juden – im übrigen genau der Zeitpunkt, zu dem auch die Pläne für die Massendeportation von Nichtjuden aus Polen und der Sowjetunion („Generalplan Ost“) ausgearbeitet wurden. Zwei Millionen sowjetischer Kriegsgefangener waren bereits wegen der kärglichen Hungerrationen in Lagern zugrunde gegangen, die Ausrottung großer Bevölkerungsteile somit bereits Realität geworden.

Am 20. Januar 1942 schließlich rief der Chef der Sicherheitspolizei Heydrich die Spitzen der Verwaltung zur sogenannten „Wannsee-Konferenz“ zusammen, auf der er offenlegte, wie die „Endlösung der Judenfrage“ vor sich gehen sollte – durch Massenmord und Zwangsarbeit. Da der Völkermord einen enormen organisatorischen Aufwand erforderte, bat Heydrich – Exekutor der „Endlösung“ – die Verwaltungen um Mitarbeit.

Im ehemals westpolnischen Gebiet des Warthegaus gab es schon seit Anfang Dezember 1941 Morde im Vernichtungslager Kulmhof (Chelmno), in Ostgalizien wiederum hatten große Massenerschiessungen von Juden im Oktober 1941 begonnen. In beiden Fällen hatte der regionale Besatzungsapparat auf die Morde gedrängt. Die Zivilverwaltung sah sich mit der Versorgung der Juden, die sie vorher selbst enteignet hatte, überfordert. Aufgrund der minimalen Lebensmittelrationen und der schlechten Lebensbedingungen kam es zu Seuchenfällen unter der jüdischen Bevölkerung. Unter diesem Vorwand richtete die Verwaltung in Polen an die SS- und Polizeiführung die Bitte, die Juden zu „entfernen". In Serbien ließ die Militärverwaltung in eigener Regie alle jüdischen Männer erschießen, vorgeblich als Repressalien für Partisanenangriffe. Frauen und Kinder wurden anschließend Opfer der Gestapo.

Ab Februar/März 1942 wurden die Mordaktionen schrittweise auf ganz Europa ausgedehnt. Aus Deutschland deportierte Juden erschoß man im Osten, aus der Slowakei und Frankreich rollten erste Transporte nach Polen. Am 16./17. März 1942 fuhren die ersten Güterzüge mit polnischen Juden ins Vernichtungslager Belzec, ab Anfang Mai auch nach Sobibor. In diesen beiden Lagern wurden die Juden in luftdichten Räumen durch die Einleitung von Diesel-Abgasen erstickt.

Im Mai/Juni 1942 drängte Himmler auf die Beschleunigung der „Endlösung". Erstmals nannte er einen Termin dafür, die Dauer eines Jahres. Schon bis zum Jahresende 1942 sollten alle Juden im besetzten Zentralpolen, dem sogenannten Generalgouvernement, mit Ausnahme unentbehrlicher Arbeiter ermordet sein. In Treblinka nordöstlich von Warschau wurde zu diesem Zweck ein drittes, noch größeres Vernichtungslager gebaut. Das Unternehmen erhielt den Tarnnamen „Aktion Reinhardt" und wurde hauptsächlich in diesen drei Lagern – Belzec, Sobibor, Treblinka – durchgeführt.

Ein Konzentrationslager, in dem bisher vor allem Polen inhaftiert waren, sollte schließlich zur zentralen Vernichtungsstätte für Juden aus ganz Europa werden: Auschwitz. Im Sommer 1942 begann man im Lager Auschwitz mit dem Bau großer Tötungsanlagen, die an die Krematorien angeschlossen waren. Die Massentötungen wurden mit dem Blausäuregas Zyklon B durchgeführt. Das Konzentrationslager Majdanek, wo ebenfalls eine Gaskammer stand, blieb in erster Linie für Polen bestimmt, wenn dort auch viele Juden ermordet wurden.

Bereits im Sommer und Herbst 1942 wurde die überwiegende Mehrheit der Ostjuden vernichtet – im Gebiet des Reichskommissariats Ukraine lebte Ende 1942 fast kein Jude mehr, in Polen nur noch 15 Prozent der ursprünglich mehr als drei Millionen zählenden jüdischen Bevölkerungsgruppe. Die Ghettos in Polen wurden im Frühjahr 1943 alle aufgelöst, lediglich im Ghetto Lodz sah man die Wirtschaftsbetriebe noch bis 1944 als unentbehrlich an.

Die brutalen Ghetto-Räumungen ließen sich vor der Öffentlichkeit nicht verbergen. Die Zivilverwaltungen bereiteten die entsprechenden Aktionen in den Stadtvierteln vor: Die Polizei umstellte die jüdischen Ghettos und trieb mit kleinen Kommandos die Opfer gewaltsam aus ihren Wohnungen zur Bahnverladung oder zum Platz der Erschiessung. Tagelange Schießereien waren in Kleinstädten nicht zu überhören, Leichen in den Straßen gehörten zum Alltag nach „Judenaktionen". Auch Existenz und Funktion der Vernichtungslager waren in den Besatzungsgebieten bald bekannt, einzelne Informationen sickerten ins Reich und ins Ausland.

Erst allmählich realisierten die Juden in West- und Südosteuropa, was „Deportation" tatsächlich bedeutete. Ihre Situation in den mit Deutschland verbündeten Staaten gestaltete sich recht unterschiedlich. Rumänien, dessen Polizei 1941 in der besetzten Sowjetunion Zehntausende von Juden ermordet hatte, lieferte nach der Niederlage von Stalingrad keine Juden aus dem alten Staatsgebiet mehr aus. Bulgarien schützte seine Juden zwar, nahm aber an der Deportation der jüdischen Minderheit im besetzten Mazedonien und Thrakien teil. Vichy-Frankreich kollaborierte bei der Deportation der Juden, soweit es sich nicht um alteingesessene Franzosen handelte. Keinerlei staatlichen Schutz gab es für die Juden in Belgien, Holland, Kroatien, Griechenland und den tschechischen Gebieten.

So fuhren seit Mitte 1942 die Güterzüge aus vielen europäischen Ländern nach Auschwitz, 1943 fast jeden Tag. Für Transporte aus Norwegen, von den griechischen Inseln und aus Thrakien wurde zunächst der Seeweg gewählt. Die Reichsbahn stellte in großer Zahl Züge zur Verfügung – den verantwortlichen Bahnbediensteten waren Ziel und Zweck der Transporte keineswegs unbekannt.

Die Lager der „Aktion Reinhardt" in Polen wurden im Laufe des Jahres 1943 geschlossen, ihr Gelände dem Erdboden gleichgemacht. Die verbliebenen polnischen Juden durften offiziell nur noch in Arbeitslagern leben – unter unmenschlichen Bedingungen. 1942/43 gab es in Polen und im Baltikum ein ausgedehntes Netz von Zwangsarbeitslagern für Juden. Dort mußten sie bis zur Erschöpfung schwerste Tätigkeiten (Straßenbau u.a.) verrichten, nach der nationalsozialistischen Devise „Vernichtung durch Arbeit". Zehntausende von Juden versuchten 1943/44 in Verstecken bei Nichtjuden oder in den Wäldern zu überleben. Seit Sommer 1942 rührte sich jedoch der Widerstand in den Ghettos und Lagern. Am bekanntesten ist der Aufstand im Warschauer Ghetto im April/Mai 1943. Aber auch in anderen Ghettos wie Bialystok und sogar in den Vernichtungslagern kam es zu bewaffneten Auseinandersetzungen oder Massenausbrüchen. In Weißrußland entwickelte sich eine regelrechte jüdische Partisanenbewegung. Insgesamt fehlten den jüdischen Widerständlern aber die Mittel, um sich erfolgreich auflehnen zu können. Die nichtjüdische Bevölkerung zeigte in den meisten Ländern wenig Anteilnahme am Schicksal der Juden. Ausnahmen bilden hier Dänemark oder das erst im Oktober 1943 besetzte Italien.

Als die Fronten 1944 immer näher auf Deutschland rückten, lebten in Polen und den besetzten sowjetischen Gebieten kaum noch Juden. Erst um diese Zeit holten die Nationalsozialisten zum Vernichtungsschlag gegen die ungarischen Juden aus, nachdem Ungarn im März 1944 besetzt worden war. In wenigen Wochen wurden 438 000 Personen nach Auschwitz deportiert und die Mehrzahl von ihnen dort umgebracht. Der übrige Teil der Deportierten wurde von Auschwitz aus auf Arbeitslager verteilt, ebenso wie viele andere ungarische

Juden, die man ab Oktober 1944 zu Fuß in langen Kolonnen nach Österreich getrieben hatte.

Schon seit Juni 1943 versuchte die Gestapo, die Massengräber in Osteuropa zu beseitigen. Sie wurden von Zwangsarbeitern wieder geöffnet, um die Leichen zu verbrennen. Angesichts der Unzahl von Gräbern und der schnellen Kriegsniederlage gelang diese Aktion nur teilweise. Völlig gelungen war den Nationalsozialisten und ihren Nutznießern hingegen die Beraubung der Juden vor und nach den Morden: Nach „Arisierung" bzw. Enteignung der Wirtschaftsunternehmen wurden vor allem Wertsachen systematisch beschlagnahmt. Mit der Deportation in Ghettos gingen Wohnungen und Mobiliar verloren. Bei den Massenerschießungen oder in den Vernichtungslagern nahm man den Opfern noch die letzte Habe und die Kleidung ab. Der größte Massenmord in der deutschen Geschichte war begleitet von einem unglaublichen Raubzug.

Neuere Forschungen bestätigen die Zahl von fast sechs Millionen ermordeter Juden, die man schon unmittelbar nach dem Krieg geschätzt hatte. Weniger als die Hälfte von ihnen wurden in Vernichtungslagern umgebracht, die anderen fielen Erschießungen, der Erstickung in „Gaswagen", Mißhandlungen oder den Lebensbedingungen in den Lagern und Ghettos zum Opfer. Fast 95 Prozent der Opfer stammten aus Osteuropa; insbesondere in Polen lebten nach dem Krieg nur noch wenige Juden. Damit war nicht nur eine Unzahl menschlicher Existenzen, sondern eine ganze Welt untergegangen.

Die Ausweitung des Lagersystems im besetzten Europa 1942–1945

Das nationalsozialistische Lagersystem nahm in der zweiten Kriegshälfte riesige Dimensionen an. Nach Ausbreitung der deutschen Herrschaft über halb Europa veränderte sich der Charakter der Konzentrationslager grundlegend. Neue Häftlingsgruppen aus den besetzten Gebieten, vor allem aus Polen, wurden seit 1939 hinter Stacheldraht gezwungen. Bestimmte Gruppen ausgesonderter sowjetischer Kriegsgefangener brachte die Gestapo seit Herbst 1941 in die Konzentrationslager, um viele von ihnen abseits der Öffentlichkeit sofort zu ermorden.

In den eroberten Gebieten entstanden neue Konzentrationslager – die bedeutendsten waren Auschwitz und Majdanek in Polen, Natzweiler in Frankreich und Vught bei s' Hertogenbosch in Holland. Neben den offiziellen großen Konzentrationslagern gab es eine Vielzahl kleinerer Lagersysteme, die heute kaum noch bekannt sind.

Besonders groß waren die Zwangsarbeitslager für Juden in Polen und in den besetzten sowjetischen Gebieten, etwas kleiner sogenannte Arbeitserziehungslager usw. In Polen ermittelte man nach dem Krieg allein für das Nachkriegsterritorium die Existenz von 5 300 Lagern, Gefängnissen und sonstigen Haftstätten.

Waren die Lager bis dahin vor allem zur Isolierung und Unterdrückung vermeintlicher Gegner gedacht, rückten nun Arbeit und Vernichtung in den Mittelpunkt des Lagersystems. Seit Anfang 1942 versuchte die SS-Führung, der das KZ-System unterstand, in den Konzentrationslagern eine eigene Rüstungsproduktion zu entwickeln. Damit scheiterte sie jedoch an anderen Behörden, vor allem am neuen Rüstungsminister Speer. Deshalb kamen nicht die Betriebe in die Lager, sondern kleine Außenlager zu bereits bestehenden Rüstungsunternehmen. Die Folge dieser Entwicklung war die Ausbreitung eines Netzes von Lagern auch über ganz Deutschland und zahlreiche europäische Regionen. Die meisten Häftlinge saßen nicht mehr in den bekannten Hauptlagern wie Dachau, Buchenwald usw., sondern in deren zahllosen Außen- und Nebenlagern. Die Behandlung der Häftlinge war nun nicht mehr allein von den Wachmannschaften des KZ-Systems abhängig, sondern auch vom Verhalten der Unternehmen und von deren Personal. Viele Firmen beuteten ihre Zwangsarbeiter hemmungslos aus und schickten sie dann zur Ermordung wieder an die SS zurück. In Einzelfällen halfen die deutschen Kollegen den Zwangsarbeitern aber auch, am Leben zu bleiben.

Diese „Ökonomisierung" der Konzentrationslager hatte zwei Seiten: Häftlinge, die als „rassisch wertvoll" und als voll arbeitsfähig galten, wurden etwas besser behandelt, die anderen vernichtet. Juden kamen erst ab Frühjahr 1942 in großer Zahl in die Konzentrations- und Vernichtungslager Auschwitz und Majdanek, wo die Mehrheit von ihnen als angeblich „nicht arbeitsfähig" sofort nach der Ankunft „selektiert" und ermordet wurde, während die übrigen sich regelrecht zu Tode arbeiten mußten. Ähnlich erging es den 23 000 Sinti und Roma, die ab März/April 1943 nach Auschwitz deportiert wurden, oder den Opfern der zeitgleichen sogenannten „Asozialen"-Aktion. Die Justiz hatte dabei vor allem ausländische Gefängnisinsassen an die KZ überstellt, die dort besonders schlecht behandelt wurden und nahezu ausnahmslos nach wenigen Monaten starben.

Kurz vor Kriegsende, im Januar 1945, hatte das KZ-System seine maximale Ausdehnung erreicht – es umfaßte mehr als 700 000 Häftlinge. Nach neueren Forschungsergebnissen wurden in den Konzentrationslagern mehr als eine Million Häftlinge ermordet. Mit dem Begriff „Häftlinge" sind aber nur Personen gemeint, die in die Lager aufgenommen, dort registriert und mit Häftlingskleidung versehen wurden. Zusätzlich ist der Mord an fast einer weiteren Million Menschen zu verzeichnen – nicht gerechnet die Opfer der „Aktion Reinhardt" –, die zwar in KZ deportiert, dort jedoch ohne Registrierung sofort zur Tötung ausgesucht wurden – vor allem also Juden in Auschwitz und Majdanek. Die überwiegende Mehrzahl der Opfer fiel in die Jahre 1943 bis 1945.

Bereits im Juli 1944 begann die Evakuierung der Häftlinge vor der herannahenden Front. Während ein Teil der Insassen in Viehwaggons transportiert werden konnte, mußte die Mehrzahl der Evakuierten auf „Todesmärschen" ins Reichsinnere marschieren. Häftlinge, die am Ende ihrer Kräfte waren, wurden von den Bewachern ohne jede Rücksicht ermordet, nicht selten unter den Augen der lokalen Bevölkerung. In nicht wenigen Fällen beteiligten sich Einheimische, etwa Angehörige der Hitler-Jugend oder des „Volkssturms", an der Ermordung evakuierter KZ-Insassen. Hunderttausende waren seit Januar 1945 auf deutschen Straßen unterwegs, ein großer Teil von ihnen starb in den letzten Kriegswochen kurz vor der Befreiung, andere waren so entkräftet, daß sie die ersten Nachkriegsmonate nicht überlebten.

Zum Schluß

Die Entfesselung der Gewalt gegen Minderheiten durch den Nationalsozialismus hatte, wie eingangs dargelegt, ihren Ursprung im Rassismus. Der Rassismus wurde nach 1933 in der Schule gepredigt, in weiten Teilen der Gesellschaft, auch über SS und NSDAP hinaus, war er alltägliche und selbstverständliche Realität und bestimmte zunehmend auch das Handeln der Behörden.

Krieg und Eroberung waren allerdings die unabdingbaren Voraussetzungen für den Völkermord. In dem vergleichsweise kurzen Zeitraum von nicht einmal vier Jahren – also in einem Drittel der Zeit, die das NS-Regime bestand, von Herbst 1941 bis Frühjahr 1945 – starben fast 98 Prozent aller Opfer der nationalsozialistischen Gewaltverbrechen. Diese Verbrechen wurden von der Staatsführung angeordnet, von vielen Behörden organisiert und beschleunigt und von Hunderttausenden von Deutschen, Österreichern und Kollaborateuren ins Werk gesetzt.

Dies tritt besonders eindringlich vor Augen, wenn man sich klarmacht, in welch hoher Zahl Kinder Opfer nationalsozialistischer Verbrechen geworden sind: Etwa jedes fünfte Opfer unter den ermordeten Juden war ein Kind, ähnliches gilt für Sinti und Roma. Angebliche „Bandenkinder" wurden in der besetzten Sowjetunion erschossen, polnische Kinder in Lager gesteckt oder ihren Eltern zur „Germanisierung" entrissen, behinderte Kinder im Reich vergiftet oder zu Tode gehungert.

In weiten Teilen der deutschen und österreichischen Bevölkerung waren die Konzentrationslager sowie Einzelfälle von Morden und Massenmorden bekannt – in jeweils unterschiedlichem Grad und Umfang die Ermordung der Insassen psychiatrischer Anstalten in Deutschland, die Massenerschießungen im Osten und schließlich die Todesmärsche. Nur wenige von denen, die zu Hause geblieben waren, wußten allerdings von den Vernichtungsstätten im Osten, nur wenigen war das Gesamtausmaß des Völkermords bewußt. Widerstand gegen die Verbrechen des Nationalsozialismus gab es nur in Einzelfällen. Erst die Alliierten konnten 1945 dem Morden ein Ende setzen.

„Rassenpolitik", Judenverfolgung, Völkermord (C 5)

▲ Plakat zu dem im Auftrag der *Reichspropagandaleitung der NSDAP* gedrehten „Dokumentar"-Film „Der ewige Jude" in der Regie von Fritz Hippler (1940). Der Film war Goebbels und Hitler ein persönliches Anliegen; sie nahmen dementsprechend bis in die Einzelheiten auf Drehbuch und Schnitt Einfluß. ~ Bundesarchiv, Koblenz (177)

Der Nationalsozialismus war geprägt von einer pseudowissenschaftlichen biologistischen Ideologie: Der „Volkskörper" sollte „rassisch gereinigt" und von „minderwertigen" Gruppen befreit werden.

Dies traf zuerst und mit voller Wucht die Juden, die durch Entrechtung und gezielte Verelendung aus der Gesellschaft ausgeschlossen wurden und so zur Auswanderung gezwungen werden sollten. Der Pogrom vom 9. November 1938 („Reichskristallnacht") sollte die Emigration beschleunigen. Auch Sinti und Roma waren Opfer von Ausgrenzung, Verfolgung, Völkermord. Die Verfolgung richtete sich gegen alle jene Minderheiten, die nicht den Normen der „Volksgemeinschaft" entsprachen: Sie wurden – zusammen mit den politischen Gegnern – in Konzentrationslager gesperrt, zum Teil auch sterilisiert.

Der Krieg beseitigte alle Hemmungen, die eine „biologische Lösung" sozialer und politischer Probleme noch beschränkt hatten. Das Feindspektrum erweiterte sich auf den slawischen „Untermenschen". Etwa 100 000 mißgebildete und geistig behinderte Menschen, Insassen psychiatrischer Anstalten, wurden im Reichsgebiet ermordet.

Mit dem Einmarsch in Polen begannen die Massenerschießungen. Juden wurden entrechtet, enteignet, teilweise in Ghettos gesperrt. Der Feldzug gegen die Sowjetunion schließlich wurde als Vernichtungskrieg geführt. Mitte 1942 begann die letzte Phase der „Endlösung der Judenfrage", die Deportation und Ermordung der europäischen Juden in den Vernichtungslagern in Polen. Bereits ein Jahr später war im deutschen Herrschaftsbereich nur noch ein Drittel der Juden am Leben.

Feindbild Rasse (C 5.1)

Die Wurzeln des Antisemitismus in Europa reichen weit in die Vergangenheit zurück. Zunächst religiös begründet, durch Fremdenangst und wirtschaftliche Motive geprägt, erhielt der Antisemitismus im 19. Jahrhundert eine scheinbar objektive „biologische" Begründung. Dieser „wissenschaftliche" Antisemitismus fand in völkischen und deutschnationalen Kreisen breite Resonanz.

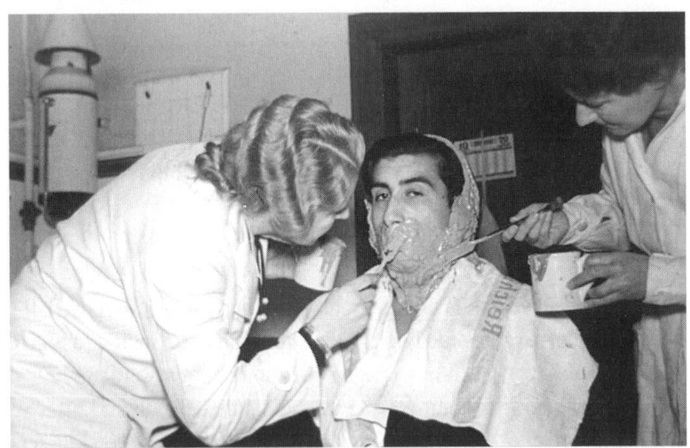

◄ Mit Hilfe pseudowissenschaftlicher Vermessung von Körpermassen versuchte man, die „rassische Herkunft" einzelner Personen zu bestimmen. Hier die Anthropologin Sophie Erhardt beim Anfertigen eines Gesichtsabdrucks von einem Sinto. ~ Bundesarchiv, Koblenz (178)

Der Nationalsozialismus nahm diese rassistische Lehre auf, radikalisierte und popularisierte sie durch schlagkräftige Parolen und machte sie nach der „Machtergreifung" zur Staatsdoktrin. Ihre Basis war die pseudowissenschaftliche Lehre vom „ewigen Kampf der Rassen" und der „Ausmerzung" des Schwachen durch das Starke.

Im Zentrum des Feindbilds standen die Juden als angeblich „parasitäre" und für den „Bolschewismus verantwortliche Rasse".

◄ Antisemitisches Kinderbuch „Trau keinem Fuchs auf grüner Heid und keinem Jud bei seinem Eid" von Elvira Bauer (Halbleinen; Stürmer-Verlag Nürnberg, 3. Auflage 1936; 19,7 x 24,5 x 0,6 cm). ~ Institut für Zeitgeschichte, München - Berlin (179)

Ausgrenzung und Entrechtung der Juden, Sinti und Roma (C 5.2)

Demütigung jüdischer Schüler vor ihrer Klasse (Wien 1938). ~ Yad Vashem, Jerusalem (180) ▶

Die deutschen Juden wurden von Beginn des Dritten Reichs an unterdrückt und verfolgt. Der Staat nahm ihnen durch Gesetze und Verordnungen ein Recht nach dem anderen, Organisationen und Vereine stiessen sie aus, in ihrer täglichen Umgebung traf sie Verachtung. Staatliche Maßnahmen, alltäglicher Terror und der Verlust des Eigentums durch „Arisierung“ ihrer Betriebe und Berufsverbote trieben sie in Isolation und Armut. Durch die „Nürnberger Gesetze“ vom 15. September 1935 (Reichsbürgergesetz, Blutschutzgesetz) wurden sie zu Bürgern zweiter Klasse, der Umgang mit ihnen gesellschaftlich geächtet. Das „Blutschutzgesetz“ stellte Eheschließungen und sexuelle Beziehungen zwischen Juden und „Deutschblütigen“ („Rassenschande“) unter Strafe. Der Pogrom der „Reichskristallnacht“ (9./10. November 1938) bildete den Höhepunkt der Judenverfolgung in der Vorkriegszeit. Durch Erlaß des Reichsinnenministers wurde das „Blutschutzgesetz“ auch auf Sinti und Roma sowie auf Farbige ausgedehnt.

Boykottposten vor einem jüdischen Geschäft in Berlin (April 1933). ~ Bundesarchiv, Koblenz/ © A-B-C Berlin-Steglitz (182) ▼▶

Plakatanschlag der NSDAP-Kreisleitung Miesbach (1935). ~ Stadtarchiv Nürnberg/Stürmer-Archiv (181) ▼

Bekanntmachung

Auf Grund verschied. Ausschreitungen und herausfordernden Benehmens der Deutschen Bevölkerung gegenüber verlange ich, daß die als Kurgäste hier verweilenden

Juden

binnen 24 Stunden

Rottach-Egern verlassen

und aus den

Bayer. Bergen verschwinden

Nach diesem Termin kann für ihre Sicherheit keine Garantie mehr übernommen werden.

Miesbach, den 10. August 1935

Kreisleitung der N.S.D.A.P. Miesbach
F. Dänninger, Kreisleiter

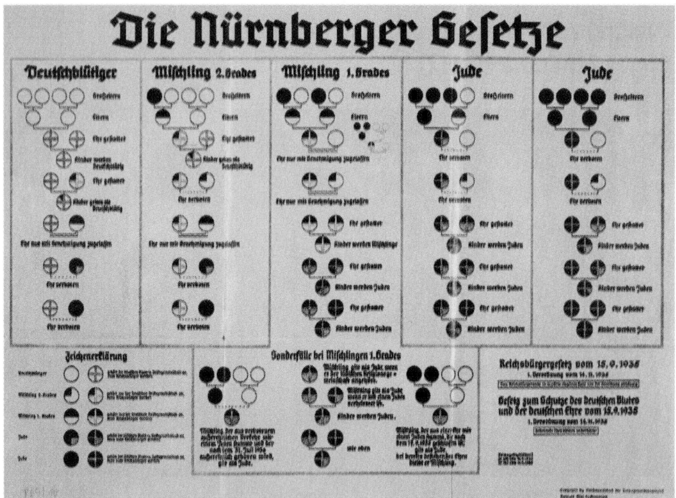

◀ Schematische Darstellung der Ehe-Möglichkeiten und -Verbote nach dem „Blutschutzgesetz" (16. September 1935). ~ Deutsches Historisches Museum, Berlin (183)

Mir wäre lieber gewesen, ihr hättet 200 Juden erschlagen und hättet nicht solche Werte vernichtet.

◀ Hermann Göring über die „Reichskristallnacht". ~ Zitiert nach der stenographischen Teilniederschrift der „Besprechung über die Judenfrage" unter Vorsitz von Hermann Göring im Reichsluftfahrt-Ministerium am 12. November 1938/Nürnberger Dokument PS-1816 (184)

◀ In Brand gesteckte Synagoge in Bielefeld („Reichskristallnacht" am 9. November 1938) und gaffende Zuschauermenge. ~ H + Z Bildagentur, Hannover/Foto: Hans Asemissen. – Die NS-Führung nutzte das Attentat eines jüdischen Jugendlichen auf den deutschen Diplomaten Ernst vom Rath in Paris, um am 9./10. November 1938 im ganzen Reich jüdische Geschäfte verwüsten und Synagogen in Brand stecken zu lassen. Die Gewalt richtete sich auch gegen Personen – über 100 Menschen kamen ums Leben. Rund 27 000 Juden kamen vorübergehend in KZ-Haft. (185, 186)

Erlaß des *Reichsministers des Innern* zur ersten Ausführungsverordnung zum „Blutschutzgesetz" betreffend das Verbot der Eheschließung zwischen „Deutschblütigen" und „Zigeunern" sowie Farbigen (3. Januar 1936). ~ Bundesarchiv, Berlin (187) ▶

Der Reichs- und Preußische
Minister des Innern
Nr. I B (I B 3/429)

Es wird gebeten, dieses Geschäftszeichen und den Gegenstand bei weiteren Schreiben anzugeben

Berlin NW 40, den 3. Januar 1936.
Königsplatz 6.
Fernsprecher: Abt. Z, I, IV, VI, VII Sammel-Nr. A 1 Jäger 0027.
Abt. II, III, V (Unter den Linden 72–74) Sammel-Nr. A 2 Flora 0034.
Drahtanschrift: Reichsinnenminister

Vertraulich!

An
die Landesregierungen.

In Preußen: An die Standesbeamten und ihre Aufsichtsbehörden.

Nachrichtlich: An die Gesundheitsämter.

(1) Nach § 6 der Ersten Ausführungsverordnung zum Blutschutzgesetz soll eine Ehe nicht geschlossen werden, wenn aus ihr eine die Reinerhaltung des deutschen Blutes gefährdende Nachkommenschaft zu erwarten ist. Diese Vorschrift verhindert Eheschließungen zwischen Deutschblütigen und solchen Personen, die zwar keinen jüdischen Bluteinschlag aufweisen, aber sonst artfremden Blutes sind. Den Deutschblütigen sind dabei insoweit die jüdischen Mischlinge mit einem volljüdischen Großelternteil (Mischlinge zweiten Grades) gleichzustellen.

(2) Bei der Anwendung dieser Bestimmung sind folgende Punkte besonders zu beachten:

a) Das deutsche Volk setzt sich aus Angehörigen verschiedener Rassen (nordische, fälische, dinarische, ostische, westische, ostbaltische) und ihren Mischungen untereinander zusammen. Das danach im deutschen Volk vorhandene Blut ist das deutsche Blut.

b) Dem deutschen Blute artverwandt ist das Blut derjenigen Völker, deren rassische Zusammensetzung der deutschen verwandt ist. Das ist durchweg der Fall bei den geschlossen in Europa siedelnden Völkern und denjenigen ihrer Abkömmlinge in anderen Erdteilen, die sich nicht mit artfremden Rassen vermischt haben.

c) Zu den artfremden Rassen gehören alle anderen Rassen, das sind in Europa außer den Juden regelmäßig nur die Zigeuner.

(3) Im Interesse der notwendigen Reinerhaltung des deutschen Blutes können Eheschließungen, die dem deutschen Blute artfremdes Blut zuführen, jedenfalls dann nicht geduldet werden, wenn es sich dabei im Einzelfall um eine starke Zufuhr artfremden Blutes handelt. Diese Folgerung entspringt nicht der Auffassung, daß das deutsche Blut höherwertig ist als das artfremde Blut, sondern der Erkenntnis, daß es andersartig ist, so daß eine Mischung sowohl dem deutschen wie dem artfremden Blut nachteilig ist. Grundsätzlich muß daher daran festgehalten werden, daß jede Eheschließung zwischen einer deutschblütigen und einer reinrassigen Person artfremden Blutes eine Gefährdung des deutschen Blutes darstellt. Das gleiche muß aber auch gelten, wenn eine deutschblütige Person einen Mischling mit zur Hälfte artfremdem Blute heiraten will. Dagegen wird regelmäßig bei einem Mischling mit einem Viertel oder noch weniger artfremdem Blute ein Bedenken gegen die Eheschließung mit einer deutschblütigen Person nicht zu erheben sein. Dies gilt jedoch nicht, wenn der Mischling einen Einschlag von Negerblut hat. Das Negerblut wirkt so stark, daß es häufig noch in der 7. oder 8. Generation äußerlich deutlich in Erscheinung tritt. Bei einem Einschlag von Negerblut ist daher im Einzelfall eine besonders scharfe Prüfung anzustellen und je nach deren Ausfall zu entscheiden, ob die Eheschließung zulässig ist oder nicht. In Zweifelsfällen ist vor der Entscheidung auf dem Dienstwege an mich zu berichten.

Wenden!

Burgenländische Roma im KZ Dachau (vermutlich Sommer 1939). ~ Archiv der KZ-Gedenkstätte Dachau. – Sinti und Roma wurden von kommunalen Behörden entrechtet, viele in Internierungslager eingewiesen und von „Rassenwissenschaftlern" zur Systematisierung der Verfolgung „klassifiziert". Tausende Männer wurden im Juni 1938 in Konzentrationslager gesperrt, wo nur wenige von ihnen überlebten. (188) ▶

Von der Sterilisierung zum Mord an Kranken (C 5.3)

Zur Ausgrenzung und Verfolgung „Rassenfremder“ trat die biologische Sanierung des „deutschen Volkskörpers“, sozusagen die „innerrassische“ Reinigung. Bis 1945 wurden ca. 350 000 Deutsche sterilisiert, die nach damaliger Anschauung an Erbkrankheiten litten. Dazu wurden vielfach auch unangepaßte Menschen gerechnet, bei denen aus ihrem sozialen Verhalten auf „minderwertiges Erbgut“ geschlossen wurde. Die Zwangssterilisierung erfolgte auf Grund des Erbgesundheitsgesetzes vom 14. Juli 1933 auf Beschluß sogenannter Erbgesundheitsgerichte. Über den sogenannten Gnadentod entschieden keine Gerichte, sondern ausgewählte Ärzte.

Im Krieg erhielten diese „sozial-“ und „rassehygienischen“ Maßnahmen mörderische Qualität: Ab 1939 wurden im Deutschen Reich im Rahmen der sogenannten T 4-Aktion geistig und körperlich Behinderte ermordet. Die Mordaktion wurde auch auf die besetzten Ostgebiete ausgedehnt. Obwohl die „T-4-Aktion“ im August 1941 offiziell abgebrochen wurde, ging die Ermordung Kranker durch Gift oder gezielten Hungertod bis Kriegsende weiter. Allein im Reich fielen der „Euthanasie“ ca. 100 000 Menschen zum Opfer.

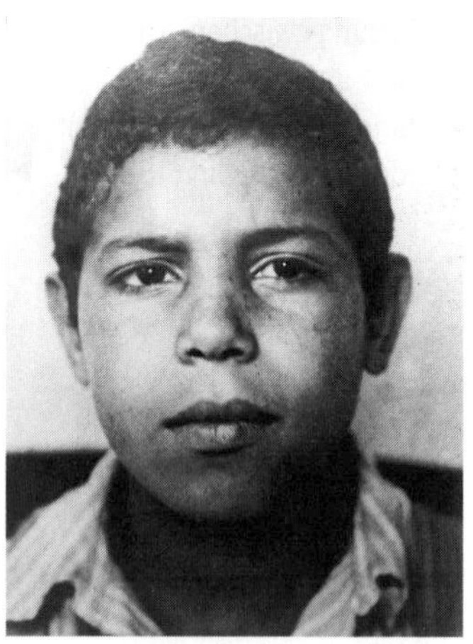

▲ Bundesarchiv, Koblenz/© A-B-C Berlin-Steglitz – „Rheinlandbastarde“ wurden die während der französischen Besetzung des Rheinlands zwischen 1920 und 1929 geborenen Kinder deutscher Mütter genannt, deren Väter farbige Soldaten waren. Die Nationalsozialisten sahen in ihnen ein „lebendiges Wahrzeichen des traurigsten Verrats an der weißen Rasse“. Auf Anweisung Hermann Görings nach 1933 polizeilich erfaßt, wurden die Kinder – inzwischen sieben bis 19 Jahre alt – im Sommer 1937 in einer streng geheimen Aktion sterilisiert. (189)

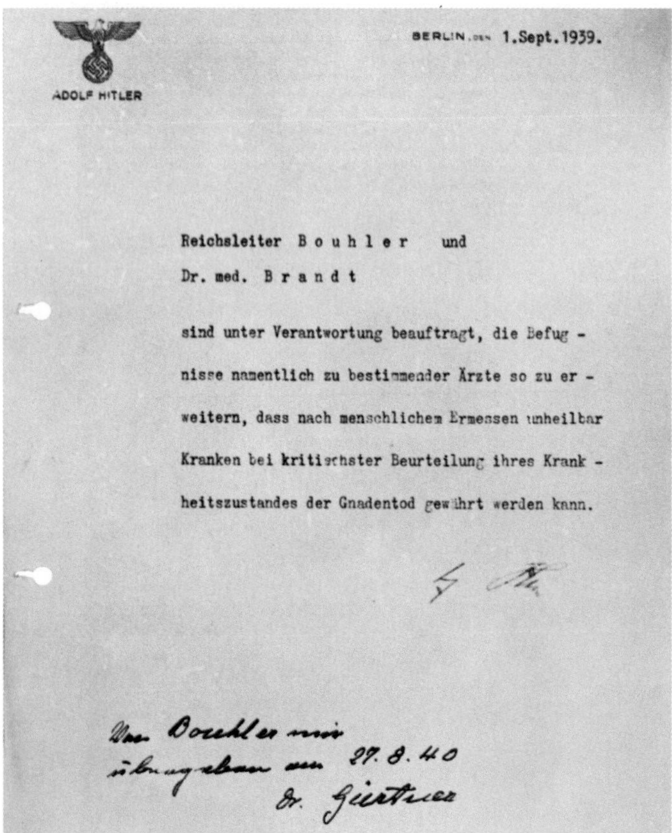

ADOLF HITLER

BERLIN, den 1.Sept.1939.

Reichsleiter B o u h l e r und

Dr. med. B r a n d t

sind unter Verantwortung beauftragt, die Befugnisse namentlich zu bestimmender Ärzte so zu erweitern, dass nach menschlichem Ermessen unheilbar Kranken bei kritischster Beurteilung ihres Krankheitszustandes der Gnadentod gewährt werden kann.

Von Bouhler mir übergeben am 27.8.40 Dr. Gürtner

◀ Hitlers Ermächtigung zur Ermordung von Kranken von Oktober 1939, rückdatiert auf den 1. September 1939, mit handschriftlicher Abzeichnung durch Reichsjustizminister Franz Gürtner. ~ Bundesarchiv, Berlin (190)

Geistig behinderte Kinder aus der Anstalt Eichberg/Hessen, die zum Zweck medizinischer Gehirnforschung ermordet wurden („Forschungskinder"), sowie seziertes Gehirn eines ermordeten Kindes. ~ Kinderfotos: Hessisches Hauptstaatsarchiv, Wiesbaden; Gehirnfoto: Privatbesitz Ernst Klee, Frankfurt/M. (191, 192, 193) ▼▶

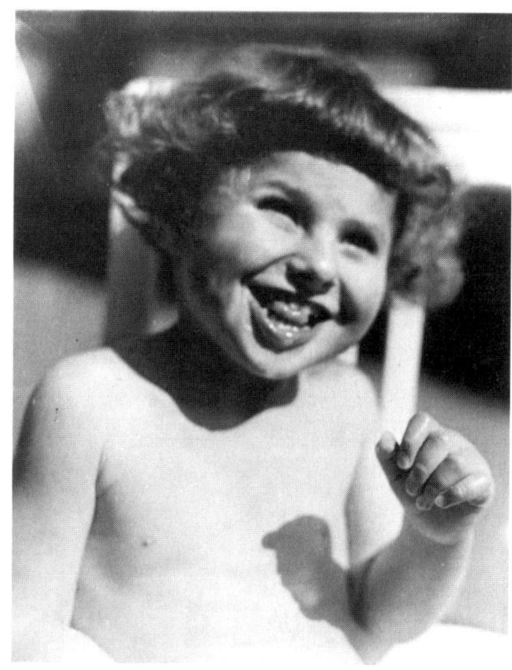

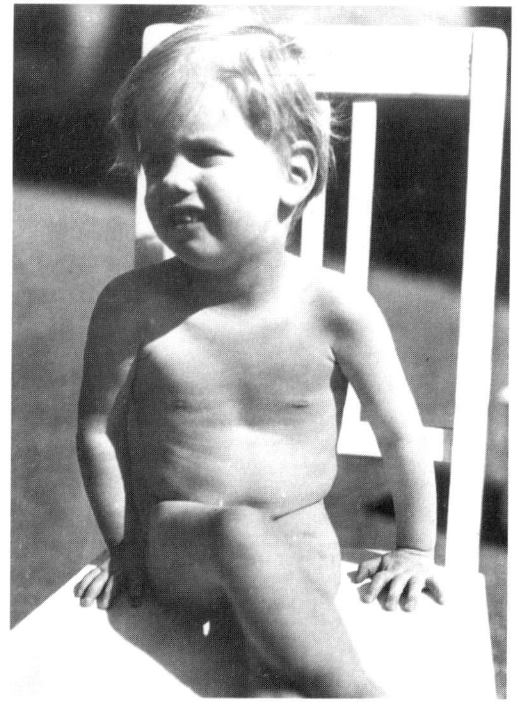

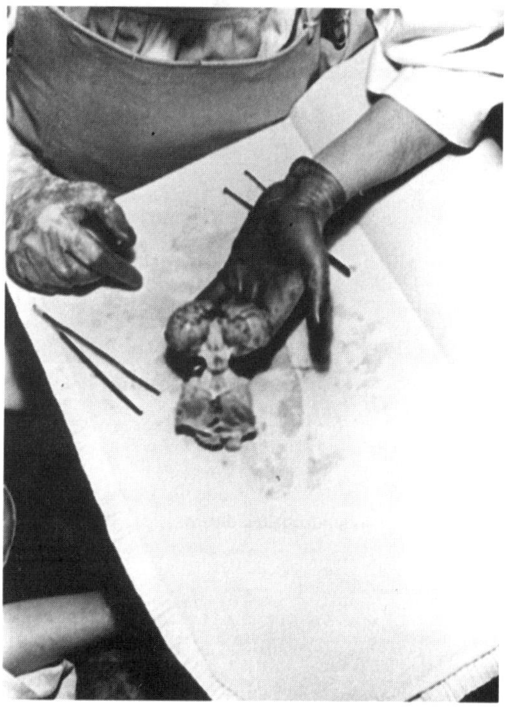

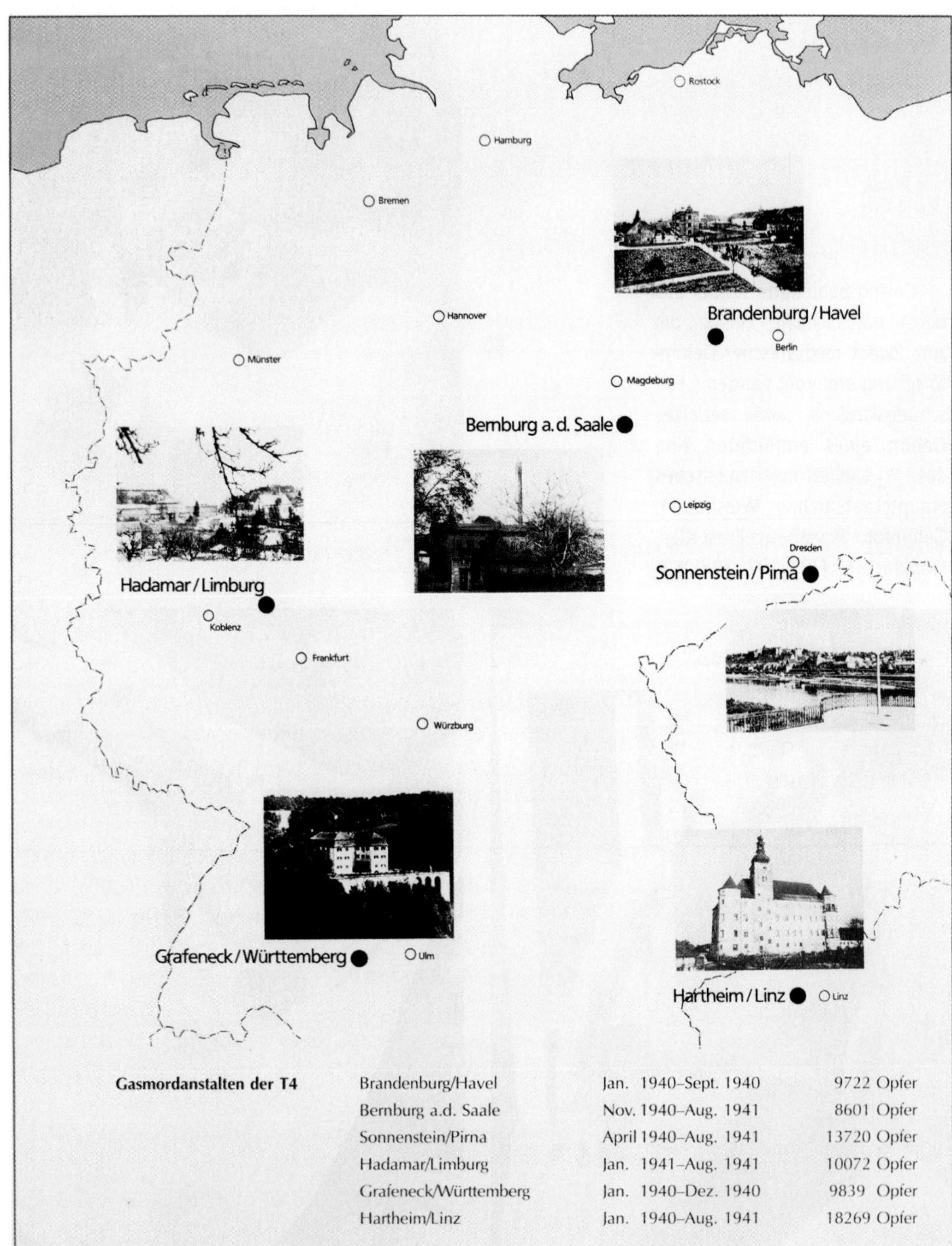

Gasmordanstalten der T4			
	Brandenburg/Havel	Jan. 1940–Sept. 1940	9722 Opfer
	Bernburg a.d. Saale	Nov. 1940–Aug. 1941	8601 Opfer
	Sonnenstein/Pirna	April 1940–Aug. 1941	13720 Opfer
	Hadamar/Limburg	Jan. 1941–Aug. 1941	10072 Opfer
	Grafeneck/Württemberg	Jan. 1940–Dez. 1940	9839 Opfer
	Hartheim/Linz	Jan. 1940–Aug. 1941	18269 Opfer

Prof. Friedrich Mennecke. ~ Hessisches Hauptstaatsarchiv, Wiesbaden (195) ▶

Auszug aus einem Brief Menneckes an seine Frau über seinen ersten Arbeitstag als „Gutachter" im KZ Buchenwald (25. November 1941). ~ Hessisches Hauptstaatsarchiv, Wiesbaden. – Mennecke war einer der „Kreuzelschreiber" – Ärzte, die Insassen von Heil- und Pflegeanstalten und KZ-Häftlinge „begutachteten". Schwache und Unerwünschte wurden in die Gaswagen bzw. Gaskammern der „Euthanasie"-Anstalten geschickt. Ihre Erfassungsbögen wurden dazu mit einem Kreuz gekennzeichnet. (196) ▶

◀ Die Mordanstalten der „Euthanasie"-Aktion T4, so genannt nach dem Sitz der zentralen Leitung in der *Kanzlei des Führers der NSDAP* unter Philipp Bouhler, Tiergartenstraße 4 in Berlin. ~ Landeswohlfahrtsverband Hessen/Archiv, Kassel (194)

19.50 h Wieder daheim, mein Mausli!! Der erste Arbeitstag in Buchenwald ist beendet. Wir waren um 8.30 h heute früh draußen ... Zunächst gab es noch ca 40 Bögen fertig auszufüllen von einer 1. Portion Arier, an der schon die beiden anderen Kollegen gestern gearbeitet hatten. Von diesen 40 bearbeitete ich etwa 15 ... Anschließend erfolgte dann die „Untersuchung" der Pat., d.h. eine Vorstellung der Einzelnen u. Vergleich der aus den Akten entnommenen Eintragungen. Hiermit wurden wir bis Mittag noch nicht fertig, denn die beiden Kollegen haben gestern nur theoretisch gearbeitet, sodaß ich diejenigen „nachuntersuchte", die Schmalenbach (u. ich selbst heute morgen) vorbereitet hatte u. Müller die seinigen. Um 12.00 h machten wir erst Mittagspause u. aßen im Führer-Kasino (1a! Suppe, gekochtes Rindfleisch, Rotkohl, Salzkartoffeln, Apfelkompott – zu 1,50 Mk!), keine Marken ... Um 13.30 h fingen wir wieder an zu untersuchen, aber bald kam die Rede von Ribbentrop, die wir uns erst anhörten ... Danach untersuchten wir noch bis gegen 16.00 h, u. zwar ich 105 Pat, Müller 78 Pat, sodaß also damit endgültig als 1. Rate 183 Bögen fertig waren. Als 2. Portion folgten nun insgesamt 1200 Juden, die sämtlich nicht erst „untersucht" werden, sondern bei denen es genügt, die Verhaftungsgründe (oft sehr umfangreich!) aus der Akte zu entnehmen u. auf die Bögen zu übertragen. Es ist also eine rein theoretische Arbeit, die uns bis Montag einschließlich ganz bestimmt in Anspruch nimmt, vielleicht sogar noch länger. Von dieser 2. Portion (Juden) haben wir heute dann noch gemacht: ich 17, Müller 15. Punkt 17.00 h „warfen wir die Kelle weg" und gingen zum Abendessen: kalte Platte Cervelatwurst (9 große Scheiben), Butter, Brot, Portion Kaffee! Kostenpunkt 0,80 Mk ohne Marken! ...

◀ Erschießung eines polnischen Priesters. ~ Instytut Pamieci Narodowej – Archiwum Glownej Komisji Badania Zbrodni przeciwko Narodowi Polskiemu, Warszawa (Institut des Nationalen Gedenkens – Archiv der Hauptkommission zur Untersuchung der Verbrechen am polnischen Volk, Warschau) (197)

Die Ausbreitung der Verfolgung in Europa 1939–1941 (C 5.4)

Mit der Ausbreitung der deutschen Herrschaft über große Teile Europas weitete sich die Verfolgung aus. Unter den Bedingungen des Kriegs eskalierten Gewaltbereitschaft und Vernichtungswille. Ein Teil der polnischen Juden wurde in Ghettos konzentriert, in denen Tausende verhungerten. Die geistige und politische Führungsschicht Polens sollte vernichtet werden („Außerordentliche Befriedungsaktion"). Zusammen mit den deutschen Juden wurden Sinti und Roma in den Osten deportiert. Auf dem Balkan artete der Kampf gegen Partisanen zum Massenmord an der Zivilbevölkerung aus.

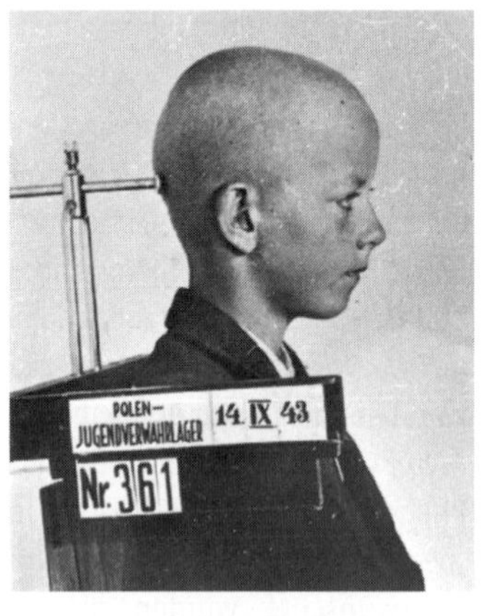

▲ Aufnahme ins Polen-Jugendverwahrlager Litzmannstadt (14. September 1943). ~ Archiwum Okregowej Komisji Badania Zbrodni przeciwko Narodowi Polskiemu – Instytut Pamieci Narodowej w Lodzi (Archiv der Bezirkskommission zur Untersuchung der Verbrechen am polnischen Volk – Institut des Nationalen Gedenkens in Lodz) (198)

◀ Kinder im Warschauer Ghetto. ~ Bundesarchiv, Koblenz (199)

Erhängung von Geiseln im serbischen Pančevo durch Wehrmacht und Waffen-SS (22. April 1941). Nach einem Heckenschützen-Angriff auf deutsche Soldaten wurden in Pančevo im Verlauf einer Razzia rund 100 Zivilisten festgenommen und 36 nach einem Standgerichtsverfahren als Repressalie erschossen oder gehenkt. ~ Deutsches Historisches Museum, Berlin/Foto: Gerhard Gronefeld (200) ▶

Bericht des Infanterie-Regiments 433 (sog. Walther-Bericht) über die Erschießung serbischer Juden und Roma bei Pančevo (November 1941). ~ Bundesarchiv/Militärarchiv, Freiburg (201) ▼

Geheim

Oberleutnant Walther
Chef 9./I.R.433.

O.U., den 1. 11. 1941.

Bericht über die Erschießung von
Juden und Zigeunern.

Nach Vereinbarung mit der Dienststelle der SS holte ich die ausgesuchten Juden bzw. Zigeuner vom Gefangenenlager Belgrad ab. Die Lkw. der Feldkommandantur 599, die mir hierzu zur Verfügung standen, erwiesen sich als unzweckmäßig aus zwei Gründen:

1. Werden sie von Zivilisten gefahren. Die Geheimhaltung ist dadurch nicht sichergestellt.
2. Waren sie alle ohne Verdeck oder Plane, sodaß die Bevölkerung der Stadt sah, wen wir auf den Fahrzeugen hatten und wohin wir dann fuhren. Vor dem Lager waren Frauen der Juden versammelt, die heulten und schrien, als wir abfuhren.

Der Platz, an dem die Erschießung vollzogen wurde, ist sehr günstig. Er liegt nördlich von Pancevo unmittelbar an der Straße Pancevo - Jabuka, an der sich eine Böschung befindet, die so hoch ist, daß ein Mann nur mit Mühe hinauf kann. Dieser Böschung gegenüber ist Sumpfgelände, dahinter ein Fluß. Bei Hochwasser, (wie am 29.1o.) reicht das Wasser fast bis an die Böschung. Ein Entkommen der Gefangenen ist daher mit wenig Mannschaften zu verhindern. Ebenfalls günstig ist der Sandboden dort, der das Graben der Gruben erleichtert und somit auch die Arbeitszeit verkürzt.

Nach Ankunft etwa 1 1/2 - 2 km vor dem ausgesuchten Platz stiegen die Gefangenen aus, erreichten im Fußmarsch diesen, während die Lkw. mit den Zivilfahrern sofort zurückgeschickt wurden, um ihnen möglichst wenig Anhaltspunkte zu einem Verdacht zu geben. Dann ließ ich die Straße für sämtlichen Verkehr sperren aus Sicherheits- und Geheimhaltungsgründen.

Die Richtstätte wurde durch 3 l.M.G. und 12 Schützen gesichert:

1. Gegen Fluchtversuche der Gefangenen.
2. Zum Selbstschutz gegen etwaige Überfälle von serbischen Banden.

Das Ausheben der Gruben nimmt den größten Teil der Zeit in Anspruch, während das Erschießen selbst sehr schnell geht (1oo Mann 4o Minuten).

Gepäckstücke und Wertsachen wurden vorher eingesammelt und in meinem Lkw. mitgenommen, um sie dann der NSV zu übergeben.

Das Erschießen der Juden ist einfacher als das der Zigeuner. Man muß zugeben, daß die Juden sehr gefaßt in den Tod gehen, - sie stehen sehr ruhig,- während die Zigeuner heulen, schreien und sich dauernd bewegen, wenn sie schon auf dem Erschießungsplatz stehen. Einige sprangen sogar vor der Salve in die Grube und versuchten sich tot zu stellen.

Anfangs waren meine Soldaten nicht beeindruckt. Am 2.Tage jedoch machte sich schon bemerkbar, daß der eine oder andere nicht die Nerven besitzt, auf längere Zeit eine Erschießung durchzuführen. Mein persönlicher Eindruck ist, daß man während der Erschießung keine seelischen Hemmungen bekommt. Diese stellen sich jedoch ein, wenn man nach Tagen abends in Ruhe darüber nachdenkt.

Walther
Oberleutnant.

Der Vernichtungskrieg in der Sowjetunion (C 5.5)

Der Krieg gegen die Sowjetunion war von Anfang an mit Massenmord verbunden. Einsatzgruppen der Sicherheitspolizei und des SD, besondere Einheiten der Waffen-SS, Geheime Feldpolizei und Bataillone der Ordnungspolizei ermordeten kommunistische Funktionäre, alle „feindlichen Elemente" und ab August 1941 systematisch auch alle Juden. Den Massenerschießungen fielen auch „Zigeuner" und weitere Gruppen der sowjetischen Bevölkerung zum Opfer. Die sowjetische Bevölkerung, kollektiv als minderwertig abgestempelt, sollte zu Millionen verhungern: Die ersten Opfer dieser Hungerpolitik waren die sowjetischen Kriegsgefangenen, dann folgten die Bewohner der Großstädte. Unter dem Deckmantel der „Bandenbekämpfung" töteten SS-Einheiten und Wehrmacht Hunderttausende von Zivilisten.

- 20 - 378

4. Juden.

Simferopol, Jewpatoria, Aluschta, Karasubasar, Kertsch und Feodosia sowie weitere Teile der West-Krim judenfrei gemacht. Vom 16.11. bis 15.12. wurden 17 645 Juden, 2 504 Krimtschaken, 824 Zigeuner und 212 Kommunisten und Partisanen erschossen. Die Gesamtzahl der Exekutionen 75 881.

Gerüchte über Erschießungen aus anderen Gebieten erschwerten Aktion in Simferopol erheblich. Allmählich sickert durch geflüchtete Juden, Russen und auch Redereien deutscher Soldaten Vorgehen gegen Juden durch.

Auszug aus der Meldung der Einsatzgruppe D über ihre Tätigkeit auf der Krim (Ende 1941). ~ Bundesarchiv, Berlin (202)

Exekution sowjetischer Zivilisten durch eine nicht identifizierte deutsche Einheit – vermutlich eine Einheit der *Einsatzgruppen der Sicherheitspolizei und des SD* (Sommer/Herbst 1941). ~ US Holocaust Memorial Museum, Washington (203)

Wege und Aktionsräume der Einsatzgruppen in der Sowjetunion

▲ © Institut für Zeitgeschichte, München - Berlin 1999, Hersteller: Kartographie Peckmann, Ramsau (204)

▲ Erschießung von Juden am Strand von Libau/Lettland (15. Dezember 1941); oben: Frauen aus der jüdischen Familie Purve ~ Yad Vashem, Jerusalem (205, 206) ▼

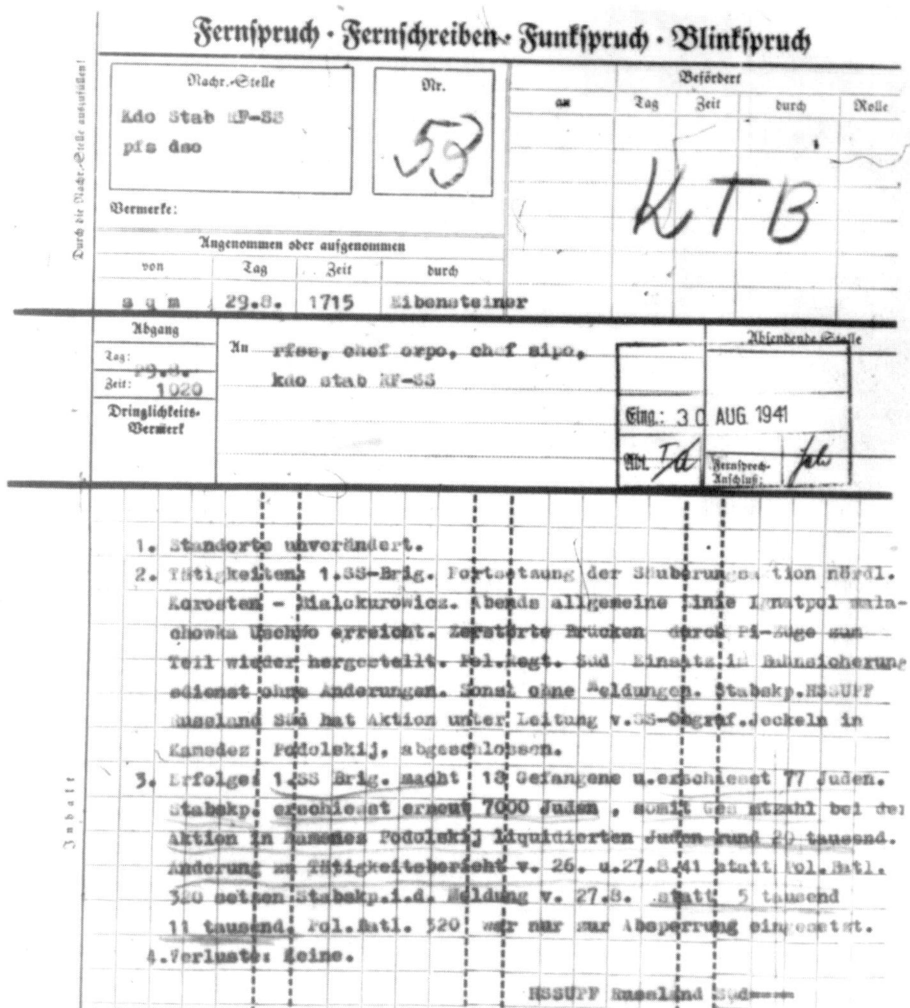

Fernspruch · Fernschreiben · Funkspruch · Blinkspruch

Nachr.-Stelle: Kdo Stab RF-SS pfs dso

Nr. 53

KTB

Angenommen oder aufgenommen – von: s q m – Tag: 29.8. – Zeit: 1715 – durch: Eibensteiner

Abgang – Tag: 29.8. – Zeit: 1020

An: rfss, chef orpo, chef sipo, kdo stab RF-SS

Eing.: 30. AUG. 1941

1. Standorte unverändert.
2. Tätigkeiten: 1.SS-Brig. Fortsetzung der Säuberungsaktion nördl. Korosten – Bialokurowicz. Abends allgemeine Linie Ignatpol Malachowka Uschko erreicht. Zerstörte Brücken durch Pi-Züge zum Teil wieder hergestellt. Pol.Regt. Süd Einsatz im Bahnsicherungsdienst ohne Änderungen. Sonst ohne Meldungen. Stabskp.HSSUPF Russland Süd hat Aktion unter Leitung v.SS-Ogruf.Jeckeln in Kamenez Podolskij abgeschlossen.
3. Erfolge: 1.SS Brig. macht 18 Gefangene u.erschiesst 77 Juden. Stabskp. erschiesst erneut 7000 Juden, somit Gesamtzahl bei der Aktion in Kamenez Podolskij liquidierten Juden rund 20 tausend. Änderung zu Tätigkeitsbericht v. 26. u.27.8.41 statt Pol.Batl. 320 setzen Stabskp.i.d. Meldung v. 27.8. statt 5 tausend 11 tausend. Pol.Batl. 320 war nur zur Absperrung eingesetzt.
4. Verluste: Keine.

HSSUPF Russland Süd

▲ Tagesmeldung über die Ermordung von 20 000 Juden (tatsächlich 23 000) in Kamenez Podolsk (Ukraine) durch das Polizeiregiment Süd und andere Einheiten (August 1941). ~ Bundesarchiv, Berlin. – Neben Juden, „Zigeunern" und kommunistischen Funktionären fielen den Einsatzgruppen auch Insassen von Heil- und Pflegeanstalten zum Opfer. Im Lauf des Jahrs 1942 wandelte man einen Teil der mobilen Einheiten in stationäre Dienststellen um, die weitere Massenmorde organisierten. (207)

Sowjetische Kriegsgefangene

Für die im Feldzug erwarteten Millionen von sowjetischen Kriegsgefangenen hatte die Wehrmachtführung keine ausreichende Ernährung vorgesehen. Oftmals durch lange Kämpfe und Märsche in die Gefangenschaft geschwächt, zum Teil auch verwundet, gingen sie wegen der unzureichenden Rationen an Hunger und Krankheiten zugrunde; ihr Tod wurde bewußt in Kauf genommen. Bestimmte Gruppen unter den Gefangenen, so Politoffiziere, Eliten des Sowjetsystems und Juden, sortierte man in den Lagern aus und ermordete sie. Erst im Frühjahr 1942 begann sich die Lage zu verbessern, weil man Arbeitskräfte benötigte. Etwa drei Millionen sowjetischer Kriegsgefangener starben in deutscher Hand.

◀ Leichen sowjetischer Kriegsgefangener im Stammlager Bergen-Belsen bei Hannover (Herbst 1941). ~ National Archives, Washington (208)

Der Chef der Sicherheitspolizei und des SD
B.Nr. 21 B/41 g Rs. - IV A 1 c

Berlin, den 21. Juli 1941

33

Geheime Reichssache!

50 Ausfertigungen
... Ausfertigung.

Einsatzbefehl Nr. 9.

Betr.: Richtlinien für die in die Mannschaftsstammlager abzustellenden Kommandos des Chefs der Sicherheitspolizei und des SD.

Anl.: 1 Verzeichnis der Lager.
Einsatzbefehl Nr. 8 (.... Ausfertigung)
mit Anlage 1, 2 und 3.

Nach Mitteilung des OKW sind bereits sieben Kriegsgefangenenlager im Reichsgebiet (s. anliegendes Verzeichnis) mit sowjetrussischen Kriegsgefangenen belegt worden, bezw. wird dies in Kürze geschehen.

Ich ersuche, sofort ein Kommando von 1 SS-Führer (Kriminalkommissar) und 3 bis 4 Beamten für das im dortigen Bereich befindliche Kriegsgefangenenlager zur Überprüfung der Gefangenen abzustellen. Es ist selbstverständlich, daß die für diese Aufgabe ausgewählten Beamten mit der Materie bestens vertraut sein müssen.

Die Durchführung der Überprüfung hat nach den zum Einsatzbefehl Nr. 8 gegebenen Richtlinien (s. Anl. 2) zu erfolgen.

Vor Durchführung der Exekutionen haben sich die Führer der Kommandos wegen des Vollzuges mit den Leitern ihrer Dienststellen in Verbindung zu setzen.

Die Exekutionen sind nicht öffentlich und müssen unauffällig im nächstgelegenen Konzentrationslager durchgeführt werden.

Ich ersuche, die in der Anlage 2 zum Einsatzbefehl Nr. 8 beigefügten Richtlinien genauestens zu beachten.

Verteiler:

... 66/41 g Rs.

◀ Befehl des *Chefs der Sicherheitspolizei und des SD* zur Aussonderung und Ermordung von sowjetischen Kriegsgefangenen, unterzeichnet von Gestapochef Heinrich Müller. ~ Institut für Zeitgeschichte, München - Berlin (209)

Auszug aus dem Ergebnisprotokoll der von Generalstabschef Franz Halder einberufenen Konferenz der Heeresspitze in Orscha (Weißrußland) am 13. November 1941, an der auch Generalquartiermeister Eduard Wagner teilnahm. ~ Institut für Zeitgeschichte, München - Berlin (210) ▶

Die schönste Zeit der Heerführung liege hinter uns.

13.) Hinsichtlich des Zeitpunktes der Fortsetzung der Operation äußert Generaloberst Halder, daß nach seiner Ansicht der Vorstoß in Richtung auf den Kaukasus im Januar, das weitere Vorgehen der 6. Armee Ende November, dasjenige der Heeresgruppe Mitte ebenfalls Ende November fortgesetzt werden könne. Die Panzerdivn. dürften erst antreten, wenn die Wege wieder gefestigt seien. Von den Grundsätzen der Vorschriften müsse man sich gerade auch hierbei frei machen.

14.) Generaloberst Halder spricht den Wunsch aus, daß die Winterausstattung durch die A.O.K. nicht gleichmäßig, sondern nach Führungsgesichtpunkten ~~erfolgen~~ verteilt werden solle. Es seien also diejenigen Truppen besonders reichlich mit Winterausstattung zu versehen, die den Angriff noch weiter vorzutragen hätten.

15.) Seitens des Chefs der Heeresgruppe Mitte wird die Frage der Ernährung der Kriegsgefangenen angeschnitten. Insbesondere wird seitens der Heeresgruppe Mitte darauf hingewiesen, daß die Kriegsgefangenen einen notwendigen Zuschuß an Arbeitskraft darstellten, in ihrem gegenwärtigen Zustand aber nicht arbeiten könnten, vielmehr in großem Umfange der Erschöpfung anheim fielen.

Der Generalquartiermeister greift in die Auseinandersetzung ein und erklärt:

Nichtarbeitende Kriegsgefangene in den Gefangenenlagern haben zu verhungern.

Arbeitende Kriegsgefangene können im Einzelfalle auch aus Heeresbeständen ernährt werden. Generell kann auch das angesichts der allgemeinen Ernährungslage leider nicht befohlen werden.

Die Lage im Verpflegungsnachschub bei der Heeresgruppe Mitte ist z.Zt. so, daß eine sofortige Hilfe nicht einsetzen kann.

- 12 -

204 –

33

Stab I a

2.5.41

Aktennotiz

über Ergebnis der heutigen Besprechung mit den Staatssekretären über Barbarossa.

-.-

1.) Der Krieg ist nur weiter zu führen, wenn die gesamte Wehrmacht im 3. Kriegsjahr aus Rußland ernährt wird.

2.) Hierbei werden zweifellos zig Millionen Menschen verhungern, wenn von uns das für uns Notwendige aus dem Lande heraus geholt wird.

3.) Am wichtigsten ist die Bergung und Abtransport von Ölsaaten, Ölkuchen, dann erst Getreide. Das vorhandene Fett und Fleisch wird voraussichtlich die Truppe verbrauchen.

4.) Die Beschäftigung der Industrie darf nur auf Mangelgebieten wieder aufgenommen werden, z.B.
die Werke für Verkehrsmittel,
die Werke für allgemeine Versorgungsanlagen (Eisen),
die Werke für Textilien,
von Rüstungsbetrieben nur solche, bei denen in Deutschland Engpässe bestehen.
Aufmachung von Reparaturwerkstätten für die Truppe natürlich in erhöhtem Ausmaß.

5.) Für die Sicherung der weiten Gebiete zwischen den Rollbahnen müssen besondere Truppen bereitgestellt werden, vielleicht wird man den RAD oder Ergänzungsformationen des Heeres herein legen.

Notwendig ist, die besonders wichtigen und daher zu schützenden Gebiete herauszusuchen.

INTERNATIONAL MILITARY TRIBUNAL
NURNBERG, GERMANY
USA Exhibit 32

084817

▲ Notiz des *Wehrwirtschafts- und Rüstungsamts* über eine Besprechung mit den zuständigen Staatssekretären über die geplante Aushungerung der sowjetischen Bevölkerung (2. Mai 1941). ~ National Archives, Washington. – Aufgrund von schon vor Beginn des „Barbarossa"-Feldzugs entworfenen Pläne zur maximalen Ausbeutung der besetzten Gebiete wurden die Stadtbevölkerung und die nördlichen Territorien von der Nahrungsversorgung abgeschnitten. In den besetzten Großstädten setzte daraufhin im Winter 1941 ein Massensterben ein. (211)

„Bandenbekämpfung"

Der Kampf gegen die Partisanen begann schon, bevor es eine organisierte Partisanenbewegung gab. Die „Bandenbekämpfung" hatte in dieser Phase vor allem die Vernichtung von Juden zum Ziel. Als die Partisanen Mitte 1942 zu einer ernsthaften Kraft geworden waren, wurde der Partisanenkrieg mit erbarmungsloser Härte geführt. Waffen-SS-Einheiten, Polizei und Wehrmacht führten groß angelegte Banden-Bekämpfungsunternehmen durch, bei denen massenhaft unbeteiligte Zivilisten getötet und ganze Landstriche verwüstet wurden.

▲ Feldpostbrief eines Soldaten einer Pioniereinheit in Weißrußland. Er zeigt auch, daß an der Ermordung der Juden in Minsk Wehrmachteinheiten beteiligt waren. ~ Institut für Zeitgeschichte, München - Berlin (212) ▼

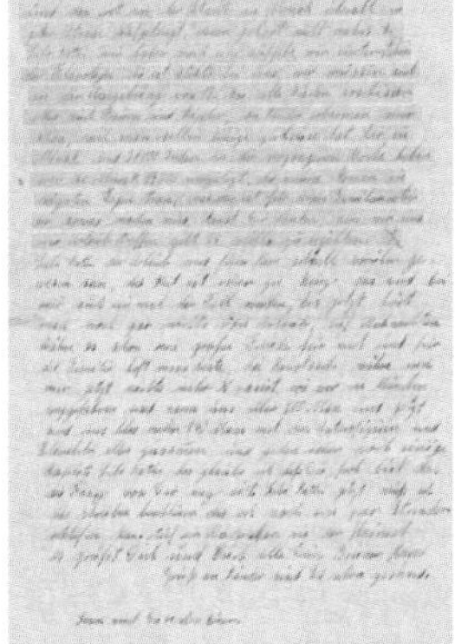

Liebe Kathi am 17. X. sind wir
zurück gekomen nach Minsk wir sind jetzt in einer Kaserne
die war auch zum teil zusammen geschossen gewesen, aber
wenigstens haben wir ein Dach wen wir daheim sind, wir
sind oft Tagelang fort Tag und Nacht in den Wäldern und
auch in den Dörfern da müssen wir uns herum schleichen
wegen die Partisanen solche gibt es noch so viel, Sie
sprengen die Bahnstrecken beschissen die Auto Kolonen und einzelne
Soldaten. Sie sind mit allen Geschützen ausgerüstet, das es
oft noch ein richtiges feuer gibt, ganze Dörfer müssen wir
noch in Brand stecken, da komt oft noch einer ums Leben,
ich bin immer schwer im Dienst mit meinem Auto Tag und
Nacht auf Fahrt und oft so geferlich. Liebe Kathl die Partisanen
es sind meist Rusische Ofizire und Komisare die zum Teil
noch vor einigen Wochen mit dem Fallschirm abgesprungen
sind, und vernichten alles was ein wenig geht, es
sind auch Frauen dabei so rafiniert wie die sind, die man
bei leben erwischt werden schwarz und Blau geschlagen
und dan in der Stadt in Minsk überall in
jeder Strase aufgehengt, denen gehört nicht mehr.
Liebe Kathi wir haben noch eine aufgabe, wir unterstehen
der Feldpolizei die ist stehts bei uns, wir müssen auch
in der Umgebung von 150 km alle Juden erschissen
alles auch Frauen und Kinder, die Kinder erbarmen mir
schon, weil man selber einige zuhause hat, hir in
Minsk sind 37 000 Juden in der vergangenen Woche haben
wir in Minsk 14 000 umgelegt, die andern komen in
nägsten Tagen tran, was das ist für einen Familienvater
der sowas machen mus, kanst Dir denken, wen wir uns
im Urlaub treffen gibt es viell zu erzählen.

Abschrift

Der Reichskommissar
für das Ostland
Tgb.Nr. 3628/43 g.

Riga, den 18.6.1943

Geheim!

An den
Herrn Reichsminister für die besetzten Ostgebiete

Berlin

Von Generalkommissar K u b e sind die beigefügten Geheimberichte eingegangen, die ganz besondere Beachtung verdienen.

Daß die Juden sonderbehandelt werden, bedarf keiner weiteren Erörterung. Daß dabei aber Dinge vorgehen, wie sie in dem Bericht des Generalkommissars vom 1.6.43 vorgetragen werden, erscheint kaum glaubhaft. Was ist dagegen Katyn? Man stelle sich nur einmal vor solche Vorkommnisse würden auf der Gegenseite bekannt und dort ausgeschlachtet! Wahrscheinlich würde eine solche Propaganda einfach nur deshalb wirkungslos bleiben, weil Hörer und Leser nicht bereit wären, derselben Glauben zu schenken.

Auch die Bandenbekämpfung nimmt Formen an, die höchst bedenklich sind, wenn eine Befriedung und Auswertung der einzelnen Gebiete das Ziel unserer Politik sind. So wären die bandenverdächtigen Toten, die in dem Bericht vom 5.6.43 aus dem Unternehmen "Cottbus" mit 5 000 angegeben werden, m.E. mit wenig Ausnahmen für den Arbeitseinsatz im Reich geeignet gewesen.

Dabei soll nicht verkannt werden, daß es bei den Verständigungsschwierigkeiten, wie überhaupt bei solchen Säuberungsunternehmen sehr schwer ist, Freund und Feind zu unterscheiden. Wohl aber ist es möglich, Grausamkeiten zu vermeiden und die Liquidierten zu begraben. Männer, Frauen und Kinder in Scheunen zu sperren und diese anzuzünden, scheint mir selbst dann keine geeignete Methode der Bandenbekämpfung zu sein, wenn man die Bevölkerung ausrotten will. Diese Methode ist der deutschen Sache nicht würdig und tut unserem Ansehen stärksten Abbruch.

Ich bitte, von dort aus das Weitere zu veranlassen.

gez. Unterschrift

◀ Bericht des Reichskommisars Hinrich Lohse an den Reichsostminister Alfred Rosenberg über das Antipartisanenunternehmen „Cottbus" in Weißrußland. ~ Institut für Zeitgeschichte, München – Berlin (213)

◀ Erhängung zweier Männer wegen Hilfeleistung für Juden und angeblicher Begünstigung von Partisanen (Noworossijsk Ende 1942). Der russische Text auf dem Schild: „Hier hängen die Agenten der Juden und Partisanen Iwan Petrow und Nikolaj Ryschow. Dieses Schicksal trifft jeden, der mit Juden und Partisanen zusammenarbeitet." ~ Institut für Zeitgeschichte, München – Berlin (214)

Der Generalkommissar
für Weißruthenien

Minsk, am 5.Juni 1943

R135

Gauleiter/Ba.
Tgb.Nr. 428/43 g.

G e h e i m !

-4-

An den
Herrn Reichsminister für die besetzten Ostgebiete

B e r l i n

durch den Herrn Reichskommissar für das Ostland

R i g a

Betr.: Das bisherige Ergebnis des Polizeiunternehmens "Cottbus" für die Zeit vom 22.6. bis zum 3.7.1943

ᛋᛋ-Brigadeführer, Generalmajor der Polizei v. G o t t b e r g meldet, daß das Unternehmen "Cottbus" im genannten Zeitraum folgendes Ergebnis hatte:

Feindtote	4 500
Bandenverdächtige-Tote	5 000
Deutsche Tote	59
Deutsche Verwundete	267
Fremdvölkische Tote	22
Fremdvölkische Verwundete	120
Gefangene Bandenangehörige	250
Vernichtete Feindlager	57
Vernichtete Feindbunker	261
Erfaßte Arbeitskräfte männl.	2 062
Erfaßte Arbeitskräfte weibl.	450
Versenkt wurden größere Boote	4
Versenkt wurden Flöße	22

Erbeutet wurden:

1 Flugzeug, 12 Schleppsegler, 10 15cm-Geschütze, 2 Pak, 9 Granatwerfer, 23 sMG, 28 lMG, 28 MPi. 492 Gewehre, 1 028 Granaten und Bomben, 1 100 Minen, 31 300 Schuß Gewehrmunition, 7 300 Schuß Pistolenmunition, 1 200 kg Sprengstoff, 2 komplette Funkstellen mit Sender, 1 Bildstelle, 30 Fallschirme, 67 Fuhrwerke, 530 Pferde, 1 Feldküche, 430 Schlitten, große Mengen Medikamente und Propagandamaterial.

Das Unternehmen berührt das Gebiet des Generalbezirks Weißruthenien im Gebiet B o r i s s o w . Es handelt sich dabei besonders um die beiden Kreise Begomie und Pleschtschamizy. Gegenwärtig sind die Polizeitruppen zusammen mit der Wehrmacht bis zum Palik-See

R 135 -5-

- 2 -

vorgestoßen und haben die ganze Front der Beresina erreicht. Die Fortsetzung der Kämpfe findet im rückwärtigen Heeresgebiet statt.

Die genannten Zahlen zeigen, daß auch hier wieder mit einer sehr starken Vernichtung der Bevölkerung zu rechnen ist. Wenn bei 4 500 Feindtoten nur 492 Gewehre erbeutet wurden, dann zeigt dieser Unterschied, daß sich auch unter diesen Feindtoten zahlreiche Bauern des Landes befinden. Besonders das Bataillon Dirlewanger ist dafür bekannt, daß es zahlreiche Menschenleben vernichtet. Unter den 5 000 Bandenverdächtigen, die erschossen wurden, befinden sich zahlreiche Frauen und Kinder.

Auf Anordnung des Chef-s der Bandenbekämpfung, ᛋᛋ-Obergruppenführer von dem Bach, haben auch Einheiten der Wehrmannschaften an dem Unternehmen teilgenommen. SA-Standartenführer K u n z e hat die Wehrmannschaften geführt, zu denen auch 90 Angehörige meiner Behörde und des Gebietskommissariats Minsk-Stadt gehörten. Unsere Männer sind gestern ohne Verluste von dem Unternehmen zurückgekehrt. Einen Einsatz der Beamten und Reichsangestellten des Generalkommissariats im rückwärtigen Heeresgebiet lehne ich ab. Die bei mir tätigen Männer sind schließlich nicht darum uk-gestellt worden, um anstelle der Wehrmacht und der Polizei aktiv Bandenbekämpfung zu betreiben.

Von den Wehrmannschaften ist 1 Eisenbahner verwundet worden (Lungenschuß). Die politische Auswirkung dieser Großaktion auf die friedliche Bevölkerung ist infolge der vielen Erschießungen von Frauen und Kindern verheerend. Im Dezember wurde die Stadt Begomie von der Wehrmacht und der Polizei geräumt. Damals stand die Bevölkerung von Begomie überwiegend zu uns. Im Laufe der Kampfhandlungen ist Begomie, das die Partisanen zu einem Stützpunkt ausgebaut hatten, durch deutsche Luftangriffe zerstört worden.

Der Generalkommissar in M i n s k

gez. Unterschrift

▲ Bericht des Generalkommissars Wilhelm Kube an den Reichsostminister Alfred Rosenberg über das Antipartisanenunternehmen „Cottbus" in Weißrußland. ~ Institut für Zeitgeschichte, München – Berlin (215)

„Rassenpolitik", Judenverfolgung, Völkermord

Das nationalsozialistische Lagersystem in Europa 1942–1945 (C 5.6)

Während des Kriegs breitete sich das nationalsozialistische Lagersystem wie ein Krebsgeschwür über ganz Europa aus. Mit der Kriegswende 1942/43 änderten sich Funktion und Charakter der Konzentrationslager. Sie wandelten sich unter Kriegsbedingungen von Haftstätten mit schwersten Haftbedingungen zu Zwangsarbeitslagern, aus denen es im Normalfall kein Entrinnen mehr gab. Trotz der hohen Todesquote war der Zweck dieser Lager nicht der Tod der Häftlinge, sondern ihre maximale Ausbeutung für SS und Rüstungsindustrie.

Allein in Polen können über 5 000 Lager- und Haftstätten verschiedener Art, Funktion und Größe nachgewiesen werden. Die deutschen Häftlinge bildeten nur noch eine Minderheit. Mitte Januar 1945 lag die Zahl der registrierten Häftlinge bei 715 000, darunter über 200 000 Frauen. Mit dem Rückzug der deutschen Truppen 1944/45 wurden die Lager evakuiert. Bei den Transporten und Evakuierungsmärschen kam ein großer Teil der Häftlinge um.

Allerorts und aller Art: „Das Lager als Lebensform des Nationalsozialismus".

Arbeitserziehungslager (AEL)
Arbeitslager
Auffanglager
DAF-Lager (Lager der Deutschen Arbeitsfront)
Durchgangslager für Juden
Durchgangslager für Kriegsgefangene (Dulag)
Durchgangslager für Zivilgefangene
Eindeutschungslager
HJ- und BDM-Lager
Internierungslager
Internierungslager der Wehrmacht (Ilag)
Judenlager (Julag) oder Arbeitsghetto
Jugendschutzlager
Jugendstraflager
Kommunale Zwangslager für Sinti und Roma
Konzentrationslager (KZ, KL)
Luftlager (Stalag-Luft)
Marinelager (Marlag)
Mischlingslager
Offizierslager für kriegsgefangene Offiziere (Oflag)
Ostarbeiterlager
OT-Lager (Lager der Organisation Todt)
Polen-Jugendverwahrlager der Sicherheitspolizei
Polizeihaftlager
RAB-Lager (Reichsautobahn-Lager)
RAD-Lager (Lager des Reichsarbeitsdiensts)
Reichsbahnlager
Reichsbeamtenlager
Reichspostlager
Säuglings- und Kleinkinderlager
Schulungslager
Sicherungslager
SS-Sonderlager
Stammlager für kriegsgefangene Mannschaften und Unteroffiziere (Stalag)
Strafgefangenenlager (der Justiz)
Straflager
Umschulungslager
Umsiedlerlager für Volksdeutsche
Vernichtungslager
Verwaltungsstraflager
UWZ-Lager (Lager der Umwandererzentralstelle)
Zivilarbeiterlager
Zwangsarbeiterlager
Zwangsarbeitslager für Juden

Das nationalsozialistisch

- ■ Konzentrationslager (nur Hauptlager)
- V Vernichtungslager
- Große Zwangsarbeitslager für Juden
- (St) Große Stammlager (Stalag) u. Durchgangslager (Dulag) für sowjetische Kriegsgefangene mit amtlicher römischer bzw. arabischer Numerierung (nur Lager mit vermutlich mehr als 25000 Todesopfern)
- Großdeutsches Reich
- Grenzen von 1937
- Okkupiertes Gebiet Ende 1941
- Sowjetisches Gebiet unter Militärverwaltung
- Staatsgrenzen
- Gebiets- oder Besatzungsgrenzen

0 100 200 300 km

Bergen
Oslo
NORWEGEN
SCHWEDE
Skagerrak
Göteborg
Kattegat
DÄNEMARK
Kopenhagen
Malmö
Nordsee
GROSS-
BRITANNIEN
London
NIEDERLANDE
Amsterdam
Vught
Hamburg
Neuengamme
Ravensbrück
Elbe
Oder
Bergen-Belsen
XI C: Bergen-Belsen
Sachsenhausen
Hannover
Arbeitsdorf
Berlin
VI K: Senne
Wewelsburg
Mittelbau-Dora
VIII C: Saga
VI A: Hemer
VIII E: Neuhammer/Quais
Brüssel
BELGIEN
Köln
Leipzig
Buchenwald
304: Zeithain
Rhein
Frankfurt/M.
GROSSDEUTSCHE
Groß-
REIC
PROTEKT
Prag
BÖHMEN
MÄHRE
Seine
Paris
LUX.
Flossenbürg
Natzweiler
Nancy
Stuttgart
Donau
Loire
Dachau
München
Mauthausen
FRANKREICH
Bern
SCHWEIZ
Graz
Vichy
Lyon
Mailand
Ljubljana (Laibach)
Venedig
Po
Rhone
ITALIEN
Genua
SAN MARINO
MONACO
Marseille
Adri
SPANIEN
KORSIKA
Rom
Mittelmeer
SARDINIEN

agersystem in Europa

Helsinki
Leningrad
Vaivara
ockholm
Tallinn (Reval)
Nowgorod
SOWJETUNION
ESTLAND
Pleskau
Moskau
Riga
REICHS-
Riga-Kaiserwald
347: Rositten
LETTLAND
350: Riga
stsee
230: Wjasma
340: Dünaburg
Tula
KOMMISSARIAT
Westl. Dwina
313: Witebsk
LITAUEN
240: Smolensk
I C: Heydekrug
336: Kauen
Kauen
OSTLAND
353: Orscha
Wilna
Königsberg
342: Molodetschno
341: Mogilew
Brjansk
344: Wilna
Minsk
anzig
I F: Sudauen
352: Minsk
331: Bobruisk
Stutthof
56: Prostken
Woronesch
WEISSRUSSLAND
Hammerstein
I B: Hohenstein
220: Gomel
337: Baranowitschi
Weichsel
REICH
333: Ostrow-Komorowo
Dnepr
Treblinka
Warschau
366: Siedlce
Warschau
307: Biala Podlaska
Kulmhof
307: Deblin
Sobibor
REICHSKOMMISSARIAT
363: Charkow
Skarzysko-Kamienna
Kiew
Lublin/Majdanek
301: Kowel
339: Kiew-Darniza
schenstochau
358: Schitomir
319: Chelm
GENERALGOUVERNEMENT
Starachowice
325: Zamosc
360: Rowno
357: Schepetowka
334: Belaja Zerkow
339: Krementschug
VIII B: Lamsdorf
Krakau-Plaszow
Belzec
162: Stalino
UKRAINE
329: Winniza
Lemberg-Janowska
346: Dnjepropetrowsk
369: Krakau
328: Lemberg
349: Uman
Auschwitz
Szebnie
315: Przemysl
355: Proskurow
305: Kirowograd
338: Kriwoj Rog
TRANSNISTRIEN
SLOWAKEI
Dnjestr
Dnjepr
364: Nikolajew
atislava (reßburg)
BESSARABIEN
Kischinew
UNGARN
Pruth
udapest
Klausenburg
Odessa
Donau
KRIM
Szeged
Sewastopol
RUMÄNIEN
Konstanza
Bukarest
Belgrad
Schwarzes Meer
GOSLAWIEN
OATIEN
SERBIEN
Donau
Varna
Sarajevo
BULGARIEN
Sofia
Bosporus
Skopje
MAKEDONIEN
Istanbul
ALBANIEN
TÜRKEI
Tirana
GRIECHENLAND

Herstellung: Kartographie Peckmann

Konzentrationslager, ihre Außenlager und -kommandos sowie Arbeitserziehungslager in Bayern

Konzentrationslager (Stammlager)
große Außenkommandos mit mehr als 250 Häftlingen
kleine Außenkommandos mit weniger als 250 Häftlingen
Dachau
Flossenbürg
Buchenwald
Mauthausen
Ravensbrück
Theresienstadt
SS-Sonderlager Hinzert
A Arbeitserziehungslager
Eisenbahnen
Nebenstrecken

Schnarchenreuth
Neustadt b.Cob.
Coburg
Gundelsdorf
Knellendorf
Kronach
Helmbrechts
Hof
Selb
Bad Kissingen
Lichtenfels
Rieneck
Schweinfurt
Kulmbach
Wunsiedel
Eger
Aschaffenburg
Lohr
Main
Bayreuth
Bamberg
Reuth
Würzburg
Pottenstein
FLOSSENBÜRG
Miltenberg
Weiden
Giebelstadt
Rednitz
Erlangen
Neustadt a.d.A.
Naab
Hersbruck
Nürnberg
Happurg
Amberg
Fürth
Stulln
Rothenburg o.d.T.
Schwandorf
A.-Lebensbornheim
Ansbach
Ludwigskanal
Schwabach
Neumarkt
Roth
Gunzenhausen
Regensburg
Dinkelsbühl
Altmühl
Weißenburg
Obertraubling
Eichstätt
Saal
Ingolstadt
Donau
Donauwörth
Neuburg a.d.D
Asbach-Bäumenheim
Lauingen
Eschelbach
Landsh[ut]
Isar
Ulm
Gablingen
Lech
Freising
Neu-Ulm
Burgau
Horgau
Augsburg
Zangberg
DACHAU
Thalham
Ampf[ing]
Kirrberg
MÜNCHEN
Hurlach
Inn
Kaufering
Türkheim
Landsberg
Utting
(siehe Sonderkarte)
Iller
Erpfting
Ammersee
Starnberg
Memmingen
Seestall
Feldafing
Tutzing
Stephanskirchen
Kaufbeuren
Starnberger See
Rosenheim
Thansau
Isar
Bad Tölz
Hausham
Kempten
Betzigau
Gmund
Fischbachau
Aurach
Echelsbach
Uffing-Seehausen
Bayrischzell
Spitzingsee
Sudelfeld
Valepp
Bodensee
Sigmarszell
Blaichach
Füssen
Lindau
Sonthofen
Hindelang
Garmisch-Partenkirchen
Rhein
Oberstdorf

0 10 20 30 40 50 km

©ifz Institut für Zeitgeschichte, München–Berlin 1999

◄▲ © Institut für Zeitgeschichte, München – Berlin 1999; Hersteller: Kartographie Peckmann, Ramsau (218)

Häftlinge des KZ Dachau bei Zwangsarbeit im BMW-Flugzeugmotorenwerk Allach (während des Kriegs). ~ BMW München, Historisches Archiv (219) ▼

Zeitpunkt	Häftlinge
April 1933	ca. 50 000
Juli 1933	ca. 26 789
Oktober 1933	ca. 22 000
April 1934	ca. 9 000
Ende 1934	ca. 3 000
Mitte 1935	ca. 4 700
Herbst 1936	ca. 4 800
September 1937	ca. 7 500
Oktober 1938	24 000
November 1938	ca. 60 000
September 1939	21 400
März 1942	ca. 80 000
August 1943	224 000
Ende 1943	ca. 300 000
1.August 1944	524 000
Januar 1945	718 000

▲ Entwicklung der Zahl der registrierten Häftlinge in den Konzentrationslagern (ohne sofort Ermordete). ~ © Institut für Zeitgeschichte, München – Berlin 1999 (220)

Die „Endlösung der Judenfrage" in Europa (C 5.7)

Im Herbst 1941, als die Massenerschießungen in der Sowjetunion bereits im Gang waren, wurden Pläne für die Ermordung der europäischen Juden ausgearbeitet. Erste Opfer der systematischen Vernichtung waren nicht die seit 1933 verfolgten deutschen Juden, sondern die sowjetischen. Ihre „Ausrottung" setzte schon wenige Wochen nach dem deutschen Angriff auf die Sowjetunion (22. Juni 1941) ein. Der zweite Tatkomplex war die Vernichtung der polnischen Juden, die im Dezember 1941 begann. Der dritte Komplex war die Deportation und Ermordung der anderen im deutschen Herrschaftsbereich in Europa lebenden Juden in den Vernichtungslagern, vor allem Auschwitz-Birkenau. Bei Kriegsende belief sich die Zahl der ermordeten jüdischen Männer, Frauen und Kinder auf fast sechs Millionen.

◀ Besuch Himmlers im Ghetto Lodz (6. Juni 1941), hier mit dem Vorsitzenden des Judenrates Chaim Rumkowski. ~ Jüdisches Museum, Frankfurt/M. – In Polen waren seit 1939 erste Ghettos entstanden. In Lodz, der zweitgrößten polnischen Stadt, existierte von 1940-1944 das erste Großghetto unter nationalsozialistischer Herrschaft. Rumkowski verfolgte als Vorsitzender des Judenrates die Strategie, das Ghetto durch Arbeit vor allem für die Wehrmacht unentbehrlich zu machen. Das Ghetto konnte sich auf diese Weise bis Juli 1944 halten, länger als alle anderen. (221)

◀ Täter und Opfer: Im Ghetto Lodz (1940–1944), links Hans Biebow, der Leiter der deutschen Ghetto-Verwaltung, dahinter jüdische Ghettopolizei. ~ Jüdisches Museum, Frankfurt/M. (222)

Adolf Hitler auf der Sitzung des Großdeutschen Reichstags am 30. Januar 1939. ~ Text nach Tondokument der Stiftung Deutsches Rundfunkarchiv, Frankfurt/M.-Berlin (223) ▶

Ich will heute wieder ein Prophet sein: Wenn es dem internationalen Finanzjudentum in und außerhalb Europas gelingen sollte, die Völker noch einmal in einen Weltkrieg zu stürzen, dann wird das Ergebnis nicht die Bolschewisierung der Erde und damit der Sieg des Judentums sein, sondern die Vernichtung der jüdischen Rasse in Europa.

Litauische Kollaborateure mit gefangenen Juden (Juni/Juli 1941). ~ Bundesarchiv, Koblenz (224) ▶

Litauer erschlagen Juden vor deutschen Zuschauern in Kaunas (27. Juni 1941). ~ Institut für Zeitgeschichte, München - Berlin/Foto: © Wilhelm Gunsilius (225) ▶

Die „Wannsee-Konferenz"

Nachdem Himmler im Oktober 1941 die Auswanderung von Juden aus dem deutschen Machtbereich verboten hatte und die Erschießung der russischen Juden bereits in vollem Gange war, entwickelte das *Reichssicherheitshauptamt* (RSHA) Pläne zur Vernichtung aller Juden. Die von Heydrich einberufene „Wannsee-Konferenz“ (20. Januar 1942) koordinierte die Maßnahmen zwischen den beteiligten Behörden. Vertreten waren u. a.: die Reichsministerien des Innern, der Justiz und für die besetzten Ostgebiete, das Auswärtige Amt, die Reichs- und die Parteikanzlei.

Ich will auch ein ganz schweres Kapitel, will ich hier vor Ihnen aus Offenheit nennen: Es soll zwischen uns ausgesprochen sein, und trotzdem werden wir nicht in der Öffentlichkeit nie darüber reden. Genau so wenig, wie wir am 30. Juni 1934 gezögert haben, die befohlene Pflicht zu tun und Kameraden, die sich verfehlt hatten, an die Wand zu stellen und zu erschießen, wie wir darüber niemals gesprochen haben und sprechen werden. Das war so eine, Gott sei Dank in uns wohnende Selbstverständlichkeit des Taktes, daß wir uns untereinander nie darüber unterhalten haben, nie darüber sprachen. Es hat jeden geschauert und jeder war sich klar, daß er es das nächste Mal wieder tun würde, wenn es befohlen wird und wenn es notwendig ist. Ich meine die Judenevakuierung, die Ausrottung des jüdischen Volkes. Es gehört zu den Dingen, die man leicht ausspricht: „Das jüdische Volk wird ausgerottet", sagt Ihnen jeder Parteigenosse, „ganz klar, steht in unserem Programm drin, Ausschaltung der Juden, Ausrottung, machen wir, pah, Kleinigkeit." Und dann kommen sie alle, alle die braven 80 Millionen Deutschen, und jeder hat seinen anständigen Juden. Sagt: „Alle anderen sind Schweine, aber der ist ein prima Jude." Und, so gesehen, es durchgestanden hat keiner.

Von Euch werden die meisten wissen, was es heißt, wenn 100 Leichen beisammen liegen, wenn 500 daliegen oder wenn 1 000 daliegen und dies durchgehalten zu haben, und dabei - abgesehen von menschlichen Ausnahmeschwächen - anständig geblieben zu sein, hat uns hart gemacht und ist ein niemals genanntes und niemals zu nennendes Ruhmesblatt.

Denn wir wissen, wie schwer wir uns täten, wenn wir heute noch in jeder Stadt - bei den Bombenangriffen, bei den Lasten des Krieges und bei den Entbehrungen - wenn wir da noch die Juden als geheime Saboteure, Agitatoren und Hetzer hätten. Wir würden wahrscheinlich in das Stadium des Jahres 16/17 jetzt gekommen sein, wenn die Juden noch im deutschen Volkskörper säßen. Die Reichtümer, die sie hatten, haben wir ihnen abgenommen, und ich habe einen strikten Befehl gegeben, den Obergruppenführer Pohl durchgeführt hat, wir haben diese Reichtümer restlos dem Reich, dem Staat abgeführt. Wir haben uns nichts davon genommen. Einzelne, die sich verfehlt haben, die werden gemäß einem von mir gegebenen Befehl, den ich am Anfang gab: „Wer sich auch nur eine Mark davon nimmt, ist des Todes". Eine Anzahl SS-Männer haben sich dagegen verfehlt - es sind nicht sehr viele - und sie werden des Todes sein, gnadenlos. Wir haben das moralische Recht, wir hatten die Pflicht unserem Volk gegenüber, das zu tun, dieses Volk, das uns umbringen wollte, umzubringen. Wir haben aber nicht das Recht, uns auch nur mit einem Pelz, mit einer Mark, mit einer Zigarette, mit einer Uhr, mit sonst etwas zu bereichern. Das haben wir nicht, denn wir wollen nicht am Schluß, weil wir den Bazillus ausrotten, an dem Bazillus krank werden und sterben.

◀ Ausschnitt aus einer Geheimrede Heinrich Himmlers auf einer SS-Gruppenführertagung in Posen am 4. Oktober 1943. ~ Text nach Tondokument der Stiftung Deutsches Rundfunkarchiv, Frankfurt/M.-Berlin (227)

Die Völkerwanderung der Juden werden wir in einem Jahr bestimmt fertig haben; dann wandert keiner mehr.

▲ Aus der Rede Heinrich Himmlers vor den SS-Hauptamtschefs und -Oberabschnittsführern in Berlin (9. Juni 1942). ~ Heinrich Himmler. Geheimreden (1974) (226)

„Liquidierung" des Ghettos Misotsch

In der Sowjetunion lief der Massenmord nach folgendem Schema ab: Erfassung, Konzentration in Ghettos, Lagern und Gefängnissen, Räumung dieser Sammelstätten und Erschießung an einem abgelegenen Ort.

Bei der „Liquidierung" des Ghettos Misotsch/Westukraine (14. Oktober 1942) wurden mindestens 700 Juden durch eine Einheit des *Kommandeurs der Sicherheitspolizei* Rowno unter Beteiligung von Beamten der Gendarmeriekommandos Misotsch und Sdolbunow ermordet. Die Fotofolge zeigt die Erschießung einer Gruppe jüdischer Frauen und Kinder. Laut staatsanwaltschaftlichen Ermittlungen (1972) stammen die Fotos von einem der beteiligten Gendarmeriebeamten.

Vor dem Massaker ▶

Die Opfer müssen sich entkleiden ▶

◄ Aufstellung zur Exekution

◄ Inspizierung der Leichen nach der Erschießung

◄ „Gnadenschuß" für nicht tödlich getroffene Opfer

Institut für Zeitgeschichte, München – Berlin/Fotos: Gustav Hille (228– 232)

▲ Friedrich Jeckeln (1895–1946), HSSPF Rußland-Süd (1941) bzw. Ostland und Rußland-Nord (1941–45); leitete die Ermordung Hunderttausender von Juden; wurde von einem sowjetischen Militärgericht zum Tod verurteilt und sofort hingerichtet. ~ Bundesarchiv, Koblenz (233)

„Aktion Reinhardt"

Tarnname für die systematische Ermordung der Juden des Generalgouvernements in den Vernichtungslagern Belzec, Sobibor und Treblinka unter Einbeziehung der Juden des an Ostpreußen angegliederten Bezirks Bialystok (März 1942 – Oktober 1943). Die Aktion wurde vom SSPF Lublin, Odilo Globocnik, im besonderen Auftrag Himmlers geleitet. Der mit planvoller Verwertung des Besitzes der Opfer verbundene Massenmord endete mit der Beseitigung der Anlagen. Die Zahl der Opfer beträgt mindestens 1,65 Millionen. Polnische Juden wurden zudem im Vernichtungslager Kulmhof (Chelmno), in den KZ/Vernichtungslagern Majdanek und Auschwitz sowie durch Massenerschießungen (v. a. in Ostpolen) umgebracht.

Goebbels am 27. März 1942 über die „Aktion Reinhardt":

Die Tagebücher von Joseph Goebbels. Im Auftrag des Instituts für Zeitgeschichte hrsg. von Elke Fröhlich, Teil II, Bd. 3 (1994), S. 561 (234) ▶

Aus dem Generalgouvernement werden jetzt, bei Lublin beginnend, die Juden nach dem Osten abgeschoben. Es wird hier ein ziemlich barbarisches und nicht näher zu beschreibendes Verfahren angewandt, und von den Juden selbst bleibt nicht mehr viel übrig. Im großen kann man wohl feststellen, daß 60 % davon liquidiert werden müssen, während nur noch 40 % in die Arbeit eingesetzt werden können. Der ehemalige Gauleiter von Wien, der diese Aktion durchführt, tut das mit ziemlicher Umsicht und auch mit einem Verfahren, das nicht allzu auffällig wirkt. An den Juden wird ein Strafgericht vollzogen, das zwar barbarisch ist, das sie aber vollauf verdient haben. Die Prophezeiung, die der Führer ihnen für die Herbeiführung eines neuen Weltkriegs mit auf den Weg gegeben hat, beginnt sich in der furchtbarsten Weise zu verwirklichen. Man darf in diesen Dingen keine Sentimentalität obwalten lassen. Die Juden würden, wenn wir uns ihrer nicht erwehren würden, uns vernichten. Es ist ein Kampf auf Leben und Tod zwischen der arischen Rasse und dem jüdischen Bazillus. Keine andere Regierung und kein anderes Regime könnte die Kraft aufbringen, diese Frage generell zu lösen. Auch hier ist der Führer der unentwegte Vorkämpfer und Wortführer einer radikalen Lösung, die nach Lage der Dinge geboten ist und deshalb unausweichlich erscheint.

Gottseidank haben wir jetzt während des Krieges eine ganze Reihe von Möglichkeiten, die uns im Frieden verwehrt wären. Die müssen wir ausnutzen. Die in den Städten des Generalgouvernements freiwerdenden Ghettos werden jetzt mit den aus dem Reich abgeschobenen Juden gefüllt, und hier soll sich dann nach einer gewissen Zeit der Prozeß erneuern. Das Judentum hat nichts zu lachen, und daß seine Vertreter heute in England und in Amerika den Krieg gegen Deutschland organisieren und propagieren, das müssen seine Vertreter in Europa sehr teuer bezahlen, was wohl aber als berechtigt angesehen werden muß.

▲ Odilo Globocnik (1904–1945), Leiter der „Aktion Reinhardt" und früherer Gauleiter von Wien. ~ Bayerische Staatsbibliothek/Fotoarchiv Hoffmann, München (235)

◀ Verladung von Juden in Siedlce/Polen zum Transport in das Vernichtungslager Treblinka (23. August 1942). ~ Institut für Zeitgeschichte, München – Berlin/Foto: Hubert Pfoch (236)

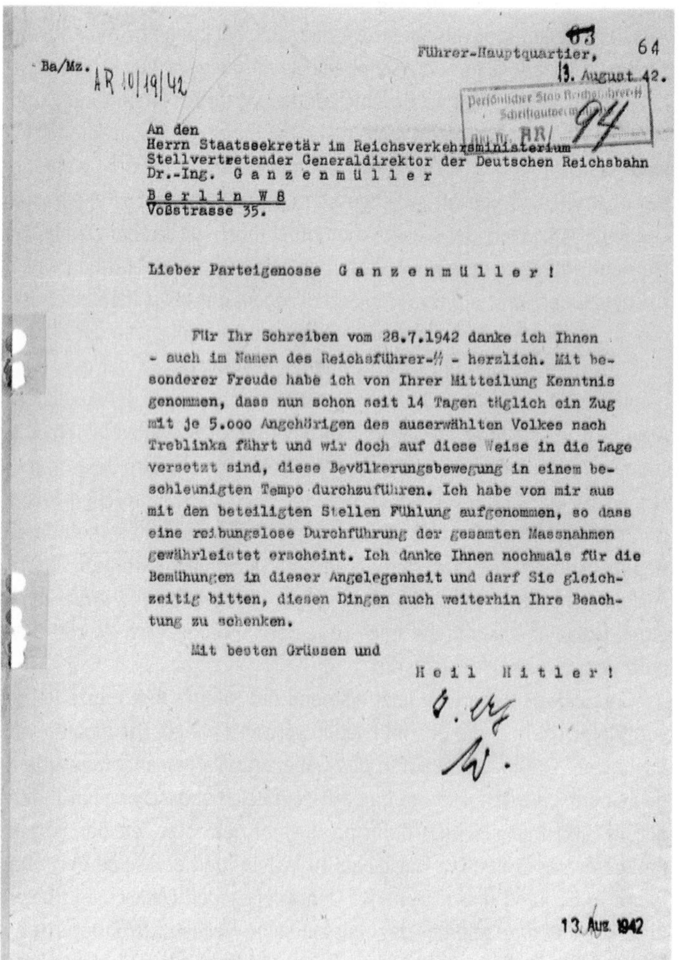

63 64

Ba/Mz. AR 10/19/42

Führer-Hauptquartier, 13. August 42.

Persönlicher Stab Reichsführer-SS Schriftgutverwaltung Akt.Nr. AR/ 94

An den
Herrn Staatssekretär im Reichsverkehrsministerium
Stellvertretender Generaldirektor der Deutschen Reichsbahn
Dr.-Ing. G a n z e n m ü l l e r

B e r l i n W 8
Voßstrasse 35.

Lieber Parteigenosse G a n z e n m ü l l e r !

Für Ihr Schreiben vom 28.7.1942 danke ich Ihnen – auch im Namen des Reichsführer-SS – herzlich. Mit besonderer Freude habe ich von Ihrer Mitteilung Kenntnis genommen, dass nun schon seit 14 Tagen täglich ein Zug mit je 5.000 Angehörigen des auserwählten Volkes nach Treblinka fährt und wir doch auf diese Weise in die Lage versetzt sind, diese Bevölkerungsbewegung in einem beschleunigten Tempo durchzuführen. Ich habe von mir aus mit den beteiligten Stellen Fühlung aufgenommen, so dass eine reibungslose Durchführung der gesamten Massnahmen gewährleistet erscheint. Ich danke Ihnen nochmals für die Bemühungen in dieser Angelegenheit und darf Sie gleichzeitig bitten, diesen Dingen auch weiterhin Ihre Beachtung zu schenken.

Mit besten Grüssen und

H e i l H i t l e r !

13. Aug. 1942

◀ Schreiben von SS-Obergruppenführer Karl Wolff, Chef des Persönlichen Stabs des *Reichsführers SS* Heinrich Himmler, an den Staatssekretär im Reichsverkehrsministerium, Albert Ganzenmüller (August 1942). ~ Bundesarchiv, Berlin (237)

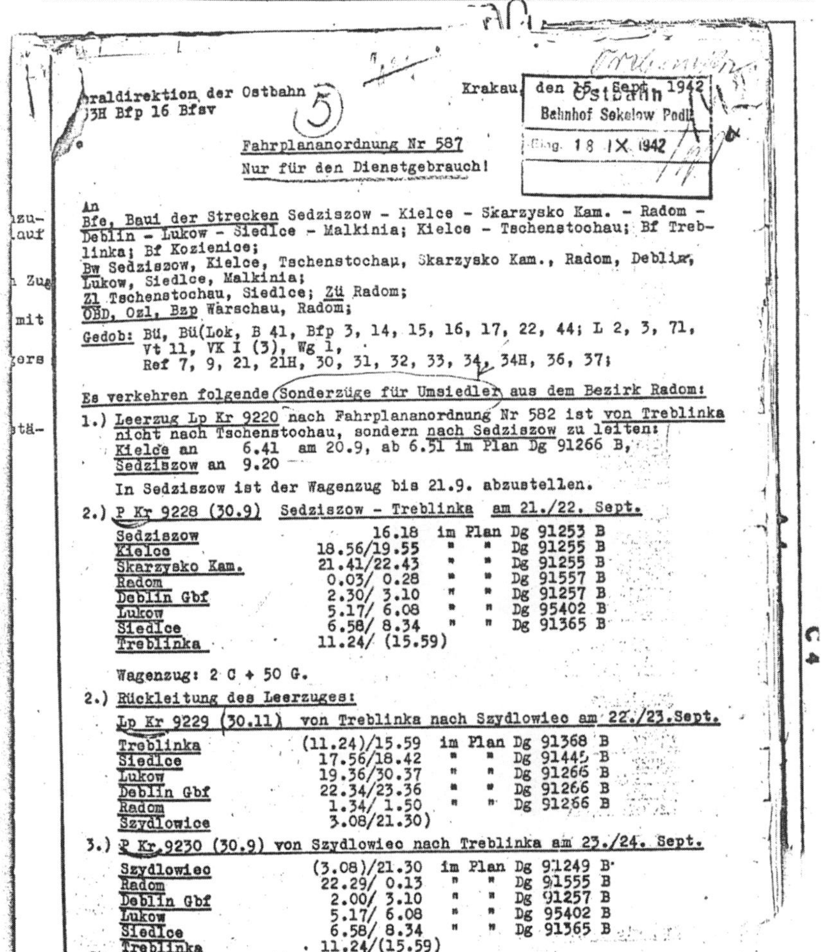

raldirektion der Ostbahn
33H Bfp 16 Bfsv

Krakau, den 15. Sept. 1942

Ostbahn
Bahnhof Sokolow Podl.
Eing. 18 IX 1942

Fahrplananordnung Nr 587
Nur für den Dienstgebrauch!

An
Bfe, Baui der Strecken Sedziszow - Kielce - Skarzysko Kam. - Radom - Deblin - Lukow - Siedlce - Malkinia; Kielce - Tschenstochau; Bf Treblinka; Bf Kozienice;
Bw Sedziszow, Kielce, Tschenstochau, Skarzysko Kam., Radom, Deblin, Lukow, Siedlce, Malkinia;
Zl Tschenstochau, Siedlce; Zü Radom;
OBD, Ozl, Bzp Warschau, Radom;
Gedob: Bü, Bü(Lok, B 41, Bfp 3, 14, 15, 16, 17, 22, 44; L 2, 3, 71,
Vt 11, VK I (3), Wg 1,
Ref 7, 9, 21, 21H, 30, 31, 32, 33, 34, 34H, 36, 37;

Es verkehren folgende Sonderzüge für Umsiedler aus dem Bezirk Radom:

1.) Leerzug Lp Kr 9220 nach Fahrplananordnung Nr 582 ist von Treblinka nicht nach Tschenstochau, sondern nach Sedziszow zu leiten:
Kielce an 6.41 am 20.9, ab 6.51 im Plan Dg 91266 B,
Sedziszow an 9.20
In Sedziszow ist der Wagenzug bis 21.9. abzustellen.

2.) P Kr 9228 (30.9) Sedziszow - Treblinka am 21./22. Sept.

Sedziszow	16.18	im Plan	Dg 91253	B
Kielce	18.56/19.55	" "	Dg 91255	B
Skarzysko Kam.	21.41/22.43	" "	Dg 91255	B
Radom	0.03/ 0.28	" "	Dg 91557	B
Deblin Gbf	2.30/ 3.10	" "	Dg 91257	B
Lukow	5.17/ 6.08	" "	Dg 95402	B
Siedlce	6.58/ 8.34	" "	Dg 91365	B
Treblinka	11.24/ (15.59)			

Wagenzug: 2 C + 50 G.

2.) Rückleitung des Leerzuges:
Lp Kr 9229 (30.11) von Treblinka nach Szydlowiec am 22./23.Sept.

Treblinka	(11.24)/15.59	im Plan	Dg 91368	B
Siedlce	17.56/18.42	" "	Dg 91445	B
Lukow	19.36/30.37	" "	Dg 91266	B
Deblin Gbf	22.34/23.36	" "	Dg 91266	B
Radom	1.34/ 1.50	" "	Dg 91266	B
Szydlowice	3.08/21.30)			

3.) P Kr 9230 (30.9) von Szydlowiec nach Treblinka am 23./24. Sept.

Szydlowiec	(3.08)/21.30	im Plan	Dg 91249	B
Radom	22.29/ 0.13	" "	Dg 91555	B
Deblin Gbf	2.00/ 3.10	" "	Dg 91257	B
Lukow	5.17/ 6.08	" "	Dg 95402	B
Siedlce	6.58/ 8.34	" "	Dg 91365	B
Treblinka	11.24/(15.59)			

▲ Fahrplan zweier Todeszüge mit „Umsiedlern" in das Vernichtungslager Treblinka. Die Züge fahren leer zurück. ~ Zentrale Stelle der Landesjustizverwaltungen, Ludwigsburg (238)

„Laufende Informationen" der polnischen Untergrundbewegung: Bericht über das Vernichtungslager Treblinka (5. Oktober 1942); Quelle: Die Ermordung der europäischen Juden, hrsg. von Peter Longerich (1989), Übersetzung aus dem Polnischen (239) ▶

„... Treblinka. Das Todeslager ist weiter in Betrieb. Transporte kommen aus allen Teilen des Generalgouvernements (zuletzt aus Radom, Siedlce und Miedzyrzec). Momentan werden nicht zwanzig, sondern nur zehn Güterwaggons an den Bahnsteig gefahren, weil es eine längere Zeit dauert, bis man die Leichen derer, die unterwegs gestorben sind (20 - 30 %), beseitigt hat. Die Gaskammer arbeitet nach folgendem System: Außerhalb des Gebäudes läuft die ganze Zeit ein 20 PS-Verbrennungsmotor. Sein Auspuff ist mit der Wand der Baracke verbunden und dadurch wird das Gas eingeführt. Das Gas ist eine Kombination einer giftigen Flüssigkeit, die mit dem Treibstoff des Motors vermischt ist, und tötet die eingeschlossenen Personen. Innerhalb des Lagers gibt es - zusätzlich zu den jüdischen Arbeitern - ein jüdisches Orchester und eine Gruppe jüdischer Frauen, die das Personal unterhalten soll. Bis Ende August sind 320 Tausend Juden in Treblinka ermordet worden ..."

Aufstand im Warschauer Ghetto

Seit August 1942 diskutierten Untergrundgruppen im Warschauer Ghetto über mögliche Widerstandsaktionen. Schon beim ersten Versuch der deutschen Polizei, im Januar 1943 die Ghettoinsassen zu deportieren, kam es zu bewaffneten Zusammenstößen: Deshalb rückte am 18. April ein großes Aufgebot an SS und Polizei unter Führung von Jürgen Stroop an, um das Ghetto zu vernichten. Am Tag darauf begann der Ghettoaufstand. Die schwach bewaffneten, ohne Erfolgs- und Überlebenschance kämpfenden Aufständischen konnten sich bis Mitte Mai halten. Nach deutschen Angaben wurden 56 000 Juden entweder erschossen oder in Lager deportiert.

◀ Gefangene jüdische Aufständische in Warschau. Aus dem für Himmler angefertigten und reichhaltig illustrierten Bericht des *SS- und Polizeiführers* in Warschau, Jürgen Stroop, über die „Auflösung" des Warschauer Ghettos: „Es gibt keinen jüdischen Wohnbezirk in Warschau mehr" (Juni 1943). ~ Institut für Zeitgeschichte, München - Berlin (240)

◀ „Der Führer der Großaktion" gegen das Warschauer Ghetto: SS-Gruppenführer Jürgen Stroop (Mitte, mit Bergmütze). Jürgen Stroop (1895–1952), als SS- und Polizeiführer in der Ukraine, in Polen und Griechenland an der Ermordung der Juden beteiligt, wurde 1951 in Warschau zum Tode verurteilt, im Jahr darauf hingerichtet. ~ Bundesarchiv, Koblenz (241)

▲ Adolf Eichmann (1906–1962). ~ Bayerische Staatsbibliothek/Fotoarchiv Hoffmann, München (242)

Adolf Eichmann: Der bürokratische Weltanschauungstäter

SS-Obersturmbannführer Adolf Eichmann, Leiter des Referates IV B 4 („Judenangelegenheiten und Räumung") im Amt IV (Gestapo) des *Reichssicherheitshauptamts*, war zuständig für die Deportation der Juden aus Deutschland und allen annektierten und besetzten Gebieten in die Ghettos, Konzentrations- und Vernichtungslager; 1944 leitete er persönlich die Verschleppung der ungarischen Juden nach Auschwitz. 1946 aus der Haft entflohen, hielt er sich zunächst in Deutschland versteckt und flüchtete 1950 nach Argentinien. 1960 von einem israelischen Geheimdienstkommando entführt, wurde ihm in Jerusalem der Prozeß gemacht. Nach Bestätigung des Todesurteils im Berufungsverfahren wurde Eichmann am 1. Juni 1962 hingerichtet.

Raoul Wallenberg

Wallenberg, Legationsrat an der schwedischen Gesandtschaft in Budapest, rettete 1944/45 mit hohem persönlichen Einsatz durch schwedische Schutzpässe und Geld mindestens 100 000 Juden vor der Deportation nach Auschwitz. Er wurde so zum unmittelbaren Gegenspieler Adolf Eichmanns. Im Januar 1945 wurde Wallenberg von den Sowjets verhaftet und verstarb vermutlich 1947 in sowjetischer Haft.

Raoul Wallenberg (1912–1947?). ~ Bilderdienst Süddeutscher Verlag, München (243) ▶

◄ Offizielles Gestapofoto: Deportation mainfränkischer Juden (1942). ~ Bildarchiv Preußischer Kulturbesitz, Berlin (244)

Anne Frank

Das jüdische Mädchen Anne Frank aus Frankfurt am Main emigrierte mit ihrer Familie im Dezember 1933 nach Amsterdam. Ab Juli 1942 lebte die Familie im Versteck in einem Amsterdamer Innenstadt-Hinterhaus. Im Juni 1942 begann Anne Frank – in niederländischer Sprache – mit der Niederschrift eines Tagebuches, das sie bis Sommer 1944 fortführte. Anfang August 1944 entdeckt, wurden die Untergetauchten und viele ihrer Helfer in Konzentrationslager deportiert. Von der Familie überlebte nur der Vater im KZ Auschwitz. Anne Frank starb im März 1945 im KZ Bergen-Belsen. Ihr Tagebuch wurde 1946 in den Niederlanden veröffentlicht, 1950 folgte eine deutsche Übersetzung. Fälschungsvorwürfe sind seit der textkritischen Ausgabe von 1986 endgültig widerlegt.

◄ Anne Frank (1929–1945). ~ Bilderdienst Süddeutscher Verlag, München (245)

▲ Institut für Zeitgeschichte, München – Berlin 1999 nach M. Gilbert: Endlösung. Ein Atlas, 1982; Hersteller: Kartographie Peckmann, Ramsau (246)

Auschwitz

Auschwitz war das größte deutsche Konzentrations- und Vernichtungslager. Ab Mai 1940 als KZ für polnische Häftlinge eingerichtet, umfaßte es später drei Lagerbereiche: Stammlager (Auschwitz I), Lager Birkenau (Auschwitz II) und Lager Monowitz (Auschwitz III). Ende 1941 begann in Auschwitz die Massenvernichtung. Ab Juni 1942 wurden Juden aus ganz Europa an der Rampe von Birkenau „selektiert", d. h. entweder sofort in die Gaskammern oder in die Zwangsarbeit geschickt. Auch von den Häftlingen überlebten nur wenige. Insgesamt starben in Auschwitz über eine Million Menschen.

Aufnahme der US-Luftwaffe (26. Juni 1944): oben Vernichtungslager Birkenau (Auschwitz II), unten Stammlager (Auschwitz I). ~ Archiv Ing.-Büro Dr. H. G. Carls, Würzburg-Estenfeld/Central Intelligence Agency (CIA), Washington, D.C.; deutsche Bilderläuterungen Institut für Zeitgeschichte, München – Berlin 1999 auf der Grundlage der vom CIA nach entsprechenden Recherchen vorgenommenen Beschriftungen. (247)

▼

▲ Nahaufnahme der US-Luftwaffe: Vernichtungslager Birkenau ~ Archiv Ing.-Büro Dr. H. G. Carls, Würzburg-Estenfeld/Central Intelligence Agency (CIA), Washington, D.C.; deutsche Bilderläuterungen Institut für Zeitgeschichte, München - Berlin 1999 auf der Grundlage der vom CIA nach entsprechenden Recherchen vorgenommenen Beschriftungen. (248)

Goebbels am 7. Oktober 1943 über die „Endlösung der Judenfrage":

Was die Judenfrage anlangt, so gibt er [Himmler*] darüber ein ganz ungeschminktes und freimütiges Bild. Er ist der Überzeugung, daß wir die Judenfrage bis Ende dieses Jahres für ganz Europa lösen können. Er tritt für die radikalste und härteste Lösung ein, nämlich dafür, das Judentum mit Kind und Kegel auszurotten. Sicherlich ist das eine wenn auch brutale, so doch konsequente Lösung. Denn wir müssen schon die Verantwortung dafür übernehmen, daß diese Frage zu unserer Zeit ganz gelöst wird. Spätere Geschlechter werden sich sicherlich nicht mehr mit dem Mut und mit der Besessenheit an dies Problem heranwagen, wie wir das heute noch tun können.

Die Tagebücher von Joseph Goebbels. Im Auftrag des Instituts für Zeitgeschichte hrsg. von Elke Fröhlich. Teil II, Bd. 10 (1994), S. 72
* Auf einer Tagung der Reichs- und Gauleiter in Posen am 6. Oktober 1943. (249) ▶

◀ „Selektion" von karpatho-ukrainischen Juden (Frühsommer 1944) an der Rampe von Auschwitz-Birkenau in Arbeitsfähige und Nicht-Arbeitsfähige. ~ Yad Vashem, Jerusalem (250)

◀ Nicht arbeitsfähig: Jüdische Frauen und Kinder nach der „Selektion" auf dem Weg in die Gaskammer. ~ Yad Vashem, Jerusalem (251)

◀ Eine Gruppe jüdischer Frauen und Kinder nach der „Selektion" an der Rampe von Auschwitz-Birkenau auf dem Weg in die Gaskammer. ~ Yad Vashem, Jerusalem (252)

Sinti-Zwillingspaare im „Zigeunerlager" in Auschwitz-Birkenau, Opfer der medizinischen Menschenversuche Josef Mengeles. ~ Bilderdienst Süddeutscher Verlag, München (253) ▶

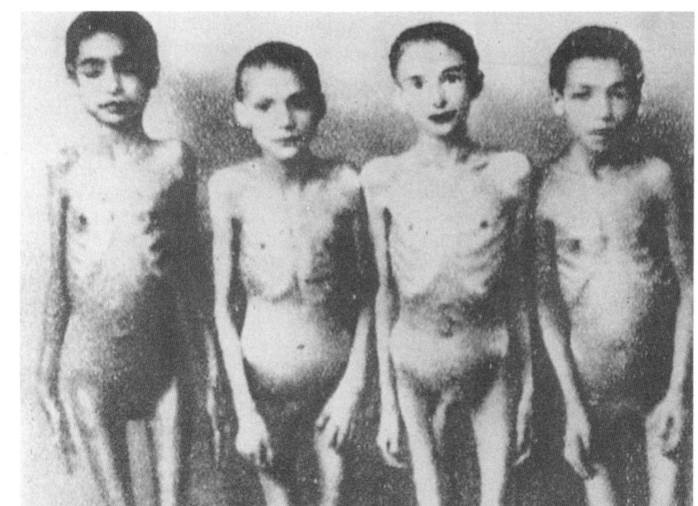

Häftlinge des „Sonderkommandos" in Auschwitz beim Verbrennen von Leichen ermordeter Juden auf freiem Feld (Sommer 1944): Für die Massenvernichtung ungarischer Juden (nach der Besetzung Ungarns durch deutsche Truppen im März 1944) reichte die Kapazität der Krematorien von Auschwitz-Birkenau nicht aus. Dieses Foto wurde heimlich von Häftlingen aufgenommen und am 4. September 1944 aus dem Lager geschmuggelt. ~ Yad Vashem, Jerusalem (254) ▶

Evakuierungsmarsch von Häftlingen aus dem KZ Dachau in die oberbayerischen Berge (April 1945). ~ Archiv der KZ-Gedenkstätte Dachau (255) ▶

Das andere Deutschland.
Widerstand und
Emigration

Hartmut Mehringer

Das andere Deutschland. Widerstand und Emigration

Kaum ein Bereich deutscher Zeitgeschichte hat im In- und Ausland so hohes Interesse gefunden wie der Widerstand gegen die nationalsozialistische Diktatur. Dennoch fehlt im historischen Bewußtsein der deutschen Öffentlichkeit vielfach kritische Kenntnis, stellen Widerstand und politisches Exil nach 1933 oftmals bloße Schlagworte dar.

Nach 1945 wurden Widerstand und Emigration in Deutschland keineswegs als mögliche Handlungsalternativen während des Dritten Reichs anerkannt. Sie wurden im Gegenteil von vielen noch in der Retrospektive als störend empfunden – vergegenwärtigten sie doch, daß neben aktiver Unterstützung, Anpassung und Mitläufertum auch andere Verhaltensweisen gegenüber dem Nationalsozialismus denkbar und möglich gewesen waren. Im sowjetischen Besatzungsgebiet wurde der Widerstand bald einlinig auf die kommunistische Version beschränkt und in eine fiktive Vorgeschichte der DDR transformiert.

Trotz alljährlicher Gedenkrituale und ungezählter Versuche volkspädagogischer Nutzung blieb das Erinnern an Widerstand und Emigration in der Bundesrepublik Deutschland auch in den Folgejahrzehnten von Irritation, Unsicherheit, Befremden und Ambivalenz gekennzeichnet. Die Reaktion reichte und reicht von amtlicher Anerkennung und weihevoller Verehrung über kritische Distanz bis hin zu partieller oder gar genereller Ablehnung. Dies hängt u. a. damit zusammen, daß die deutsche Opposition gegen Hitler infolge der starken Legitimationsbedürfnisse der deutschen Nachkriegsgesellschaft nicht historisch begriffen, sondern über weite Strecken moralisch betrachtet und für aktuelle politische Zwecke genutzt wurde.

Dabei setzte sich mehr und mehr die Auffassung durch, die deutsche Opposition gegen Hitler sei bei aller Unterschiedlichkeit von gesellschaftlichem Hintergrund, Motivation und Zielsetzung in der prinzipiellen Gegnerschaft zum totalen Staat und zu totalitären Weltanschauungen einig gewesen. Dies ist jedoch eine allzu mundgerechte Vereinfachung der tatsächlichen Problemlage. Sieht man vom Arbeiterwiderstand ab, waren viele Vertreter des Widerstands nicht von Anfang an Gegner Hitlers, manche lange Zeit nicht einmal ausdrückliche Gegner des Nationalsozialismus. Repräsentanten des Widerstands aus den „alten Eliten" unterstützten unterschiedlich lange den Nationalsozialismus und seine Ziele, wirkten mit an Kriegsvorbereitung und Kriegführung, waren z. T. sogar an den Verbrechen des Regimes beteiligt und oft nicht weniger antisemitisch als die deutsche Gesellschaft insgesamt. Die Kommunisten wiederum

◄ Ehrenhof zur Erinnerung an die Opfer des Widerstands im Bendlerblock in Berlin (ehemaliger Sitz des Oberkommandos des Heeres). ~ Gedenkstätte Deutscher Widerstand, Berlin (256)

vertraten einen ähnlich umfassenden weltanschaulich-fortschrittsgläubigen Ausschließlichkeitsanspruch wie die Nationalsozialisten. Anhänger moderner demokratisch-pluralistischer Vorstellungen finden sich im Widerstand fast nirgends und im Exil erst nach langen Erfahrungs- und Lernprozessen.

Das Spektrum des Widerstands gegen das NS-Regime 1933–1945 reicht – mit zeitlich unterschiedlichen Kulminationspunkten – von der Arbeiterbewegung bis zu den „alten Eliten“ in Militär und Staatsverwaltung – oder von ganz links bis ganz rechts. Zugleich gilt es in der Geschichte des Widerstands bestimmte Phasen zu unterscheiden, die zeitlich sehr genau den Entwicklungsphasen der NS-Herrschaft entsprechen.

Der deutsche Widerstand 1933-1936

Die Periode der Machtübernahme und Konsolidierung des Regimes (1933–1936) deckt sich mit der Phase des „Massenwiderstands“ von seiten der Arbeiterbewegung sowie mit den Versuchen von Gruppen, insbesondere der politischen Jugendorganisationen und aus der Jugendbewegung, als scheinbar unpolitische Vereinigungen im Untergrund oder getarnt innerhalb von gleichgeschalteten Organisationen eine eigenständige Existenz aufrechtzuerhalten. Hauptträger dieses Widerstands waren Sozialdemokraten, Kommunisten und Angehörige der an den Rändern von SPD und KPD agierenden „linken Zwischengruppen“: der *Sozialistischen Arbeiterpartei* (SAP), der *Kommunistischen Partei/Opposition* (KPO), der Gruppe *Neu Beginnen*, des *Internationalen Sozialistischen Kampfbunds* (ISK) sowie weiterer kleinerer Gruppierungen. Neben der Aufrechterhaltung organisatorischer Kontinuität im Untergrund bestand ein Hauptziel des Widerstands aus der Arbeiterbewegung darin, das Informationsmonopol von Partei und Staat, das eine der stärksten Waffen des Regimes bildete, durch revolutionäre Propaganda zu brechen. Dies könne den Sturz der – zumindest von den beiden großen Arbeiterparteien zunächst als instabil und kurzlebig eingeschätzten – NS-Herrschaft einleiten.

Die Sozialdemokratie zerfiel 1933 in vier große Gruppen: Viele Parteimitglieder resignierten und zogen sich aus der aktiven Politik ins Privatleben zurück. Dabei bewahrten sie in großer Zahl ihre politische Weltanschauung und konnten vielfach innerhalb der Schutzräume des sozialdemokratischen Milieus in Arbeitervierteln und -siedlungen, im Vereins-, Nachbarschafts- und Arbeitsleben lockere Verbindungen zu ehemaligen Parteigenossen aufrechterhalten. Eine weitere Gruppe bildeten ehemals hauptamtliche Partei-, Gewerkschafts- und Genossenschaftsfunktionäre, die untereinander, z. T.

auch in überregionalem Maßstab, auf privater Ebene Kontaktnetze aufrechterhielten, die im Bedarfsfall rasch aktiviert werden konnten. Eine dritte, zunächst starke Gruppe bestand aus den sozialistischen Illegalen im engeren Sinn, den eigentlichen Trägern der sozialistischen Untergrundarbeit in den Jahren nach 1933. Die vierte Gruppe schließlich bildeten die emigrierten Partei- und Gewerkschaftsfunktionäre, die in benachbarten Staaten Auslandsleitungen, Grenzstellen und sonstige Unterstützungsorgane für die Illegalen im Reich aufbauten. Insbesondere die *Sopade* (Sozialdemokratische Partei Deutschlands) in Prag besaß bis 1938 bei der Druckschriftenverbreitung und als Informationssammelstelle große Bedeutung.

Aufgrund ihrer eher defensiven Vorgehensweise kam die Gestapo den sozialdemokratischen Widerstandskreisen zunächst sehr viel langsamer auf die Spur als den Organisationen des kommunistischen Untergrunds. Trotzdem überlebte kaum eine dieser Widerstandsgruppen das Jahr 1935. Sie fielen nahezu ausnahmslos der engmaschiger gewordenen Überwachung durch die Gestapo zum Opfer, und ihre Mitglieder wurden bis 1937 vom Volksgerichtshof und den für Hochverrat zuständigen Oberlandesgerichten abgeurteilt, z. T. in Mammutprozessen mit Dutzenden und Hunderten von Angeklagten.

Die KPD wurde von der nach dem Reichstagsbrand (27. /28. Februar 1933) einsetzenden Verfolgungs- und Verhaftungswelle mit verheerender Wucht getroffen. In Groß-Berlin und in den industriellen Ballungsgebieten West-, Nord- und Mitteldeutschlands, wo die KPD seit jeher über ihre stärksten Bastionen verfügt hatte, konnten die zerschlagenen kommunistischen Organisationen allerdings binnen kurzer Frist zumindest notdürftig im Untergrund wiederaufgebaut werden, wenn sie auch in den folgenden Wochen und Monaten durch neuerliche Verhaftungserfolge der Gestapo immer wieder zerstört wurden. Auch die Verbindungen zur Zentrale, der illegalen „Landesleitung“ in Berlin, blieben, von kurzfristigen Unterbrechungen abgesehen, weiterhin bestehen. Dies kann freilich nicht heißen, daß die damalige – und spätere – Selbsteinschätzung der Führung, es sei der KPD als einziger Partei, gelungen, „die Organisation als Massenorganisation in die Illegalität zu überführen“[1], auch nur halbwegs der Realität entspräche. Die im Untergrund fortgeführte Politik der „Massenpropaganda“ wirkte sich katastrophal aus. Aus einer 1935 im Exil bekanntgegebenen Aufstellung der KPD-Führung geht hervor, daß von 422 leitenden Funktionären bis zu diesem Zeitpunkt 219 verhaftet, 14 ermordet, 125 emigriert und etwa zehn Prozent aus der KPD ausgeschieden waren; nur etwa ein Drittel befand sich noch in Freiheit, wobei offenblieb, wie viele davon noch aktiv in Deutschland wirkten[2]. Damit ist noch nichts ausgesagt über die kommunistischen Funktionäre auf den unteren Organisationsebenen, von denen Tausende verhaftet wurden. Bei den ständigen Versuchen der Reorganisation und Neubildung von Bezirksleitungen und den Lei-

1 Bericht Wilhelm Piecks auf dem XIII. Plenum des Exektivkomitees der Komintern (Dezember 1933), zit. nach: Der Faschismus in Deutschland, S.147.

2 Wilhelm Pieck auf der „Brüsseler“ Konferenz der KPD (Oktober 1935), zit. nach: Die Brüsseler Konferenz, S.131.

tungen von Stadt-, Stadtteil- und Ortsorganisationen, die immer wieder von der Gestapo zerschlagen wurden, erschöpften sich die personellen Ressourcen der KPD zusehends.

Das Grundmotiv dieser selbstmörderischen Politik war bei den Funktionären im Untergrund oder im Exil ebenso wie bei der Masse der aktiven, zu illegaler Arbeit bereiten Mitglieder die weiterhin vorherrschende Überzeugung, man befinde sich bereits in der letzten Phase vor der geschichtsnotwendig bevorstehenden proletarischen Revolution und auch die Illegalisierung durch die NS-Diktatur bedeute nichts anderes als ein bloß taktisches Zurückweichen, das um so sicherer den endgültigen Sieg bringen würde.

Die linken Zwischengruppen spielten im anti-nationalsozialistischen Widerstand eine weit bedeutendere Rolle, als es ihrem zahlenmäßigen Anteil an der Arbeiterbewegung entsprach. Dies lag vor allem an ihrer Struktur als Kadergruppen, an ihrer frühzeitigen Schulung in illegalen Techniken und an der Tatsache, daß sie – verglichen mit der KPD – zunächst noch wenig polizeibekannt waren und infolgedessen noch nicht im Zentrum polizeilicher Beobachtung und Verfolgung standen. Dazu kam, daß sie Stabilität und Verfolgungskapazität des neuen Regimes im allgemeinen realistischer einschätzten als KPD und SPD. Ihre politische Aktivität zielte daher weniger auf spektakuläre Propagandacoups und auf Literaturverteilung, sondern auf den möglichst unversehrten Erhalt der Organisation bis zum Moment der mittelfristig erwarteten revolutionären Krise des Regimes, auf Schulung und Qualifizierung der eigenen Kader und auf die „qualifizierte Berichterstattung" über die Lage in Deutschland an die Auslandszentralen.

Auch von seiten der Freien Gewerkschaften, der Katholischen Arbeiterbewegung, der bündischen Jugend sowie der nationalrevolutionären Gruppierungen – einschließlich der dissidenten „linken" Nationalsozialisten um Otto Straßer („Schwarze Front") –, die einen wirklich „nationalen" und „sozialistischen" Umsturz propagierten, gab es in diesen ersten Jahren zahlreiche Versuche, trotz Verboten und Gleichschaltungsmaßnahmen ihre Organisationen im Untergrund oder in der Halblegalität weiterzuführen. Bis Mitte der dreißiger Jahre waren diese Bemühungen nahezu ausnahmslos gescheitert.

Von seiten der „alten Eliten" kam es in dieser Phase, von einzelnen, meist erzkonservativen Gegnern der „plebejischen" NSDAP abgesehen, zu keiner Grundsatz-Opposition gegen das Regime. Die katholische Kirche beschränkte sich, vordergründig abgesichert durch das Reichskonkordat von Juli 1933, auf die Wahrung institutioneller Autonomie. Zu Protesten kam es vor allem bei Maßnahmen des Staats gegen das katholische Verbandswesen, insbesondere die Jugendorganisationen, und die Bekenntnisschule; besonders scharf protestierte die katholische Kirche immer wieder gegen die staatliche Politik der Zwangssterilisierung von „Erbkranken". Innerhalb der evangelischen Kirche, in der die „Deutschen Christen" als Befürworter des neuen Regimes deutliche Mehrheiten besaßen, kam es zum „Kirchenkampf", d. h. zur Spaltung und zur Formierung der „Bekennenden Kirche", die sich gegen die Gleichschaltungsversuche des Regimes zur Wehr setzte, ohne freilich darüber hinaus zu grundsätzlicher Regime-Gegnerschaft zu gelangen. Dennoch kam es zu Protesten gegen den Totalitätsanspruch des NS-Staats auf kirchlichem Gebiet sowie gegen die „rassisch-völkische" Weltanschauung und das „Neuheidentum" des Nationalsozialismus.

„Mit dem Gesicht nach Deutschland": Deutsche Emigration vor dem Krieg

Die deutschsprachige Emigration nach 1933 umfaßt rund eine halbe Million Vertriebener und Flüchtlinge; die Mehrheit verließ den Herrschaftsbereich des NS-Staats aufgrund seiner antijüdischen Politik, die im Krieg in der „Endlösung der Judenfrage" kulminierte. Die Zahl derjenigen, deren Fluchtmotiv 1933–1939 wesentlich in ihrer aktiven Regimegegnerschaft begründet lag, wird auf rund 30 000 geschätzt, wobei viele dieser politischen Gegner auch wegen ihrer Abstammung Verfolgung zu gewärtigen hatten.

Die Arbeiterbewegung stellte quantitativ den Hauptanteil der politischen Emigration. Ein kleiner Teil bestand aus Liberalen, Christlich-Sozialen, Nationalkonservativen, Monarchisten und anderen – zum Teil höchst prominenten – Vertretern bürgerlicher Politik; auch „Bündische", linke Nationalisten und Nationalrevolutionäre bis hin zu vormaligen NSDAP-Mitgliedern waren vertreten, ebenso theologische Hochschullehrer und eine Reihe von Würdenträgern der christlichen Kirchen, die im Falle ihrer Gefährdung aus politischen und/oder rassischen Gründen von ihren Oberen gezielt ins Ausland versetzt oder vermittelt wurden.

Nach Angaben des Hohen Flüchtlingskommissars des Völkerbundes waren Ende 1935 neben 40 000 bis 45 000 Flüchtlingen aus „rassischen" Gründen 6 000 bis 8 000 Kommunisten, 5 000 bis 6 000 Sozialdemokraten und etwa 5 000 Pazifisten, Katholiken und nach Partei oder „Rasse" nicht näher bestimmbare Personen emigriert. Vier größere Schübe erweiterten das Gesamtspektrum der deutschsprachigen politischen Emigration in den Jahren 1934 bis 1938: Aus Österreich flohen nach dem 12. Februar 1934 (Aufstand des *Republikanischen Schutzbunds*, der Wehrorganisation der österreichischen Sozialdemokratie, gegen die ständestaatliche Diktatur unter Dollfuß) mehrere tausend Aktivisten der Arbeiterparteien und der Freien Gewerkschaften – meist in die Tschechoslowakei, um sich der Verfolgung durch die austrofaschistische Diktatur zu entziehen. Nach dem Wiederanschluß des Saargebiets an das Deutsche Reich Anfang 1935 stießen rund 5000 Saarflüchtlinge zur deutschen politischen Emigration. Sie stammten zu nicht unerheblichem Teil aus der Arbeiterbewegung und waren schon 1933 aus Deutschland geflohen, um in der noch unter Völkerbundsverwaltung stehenden Saar eine vorübergehende Heimat zu finden. Fluchtziel war vor allem Frankreich. 1938 schließlich kam es nach dem Anschluß Österreichs (März) und der Besetzung des Sudetengebiets (Oktober) zu zwei weiteren großen Emigrationswellen. Zur ersten gehörten auch eine große Gruppe von Anhängern der ständestaatlichen Diktatur in Österreich, also Christlich-Soziale, Legitimisten und andere Vertreter des bürgerlich-konservativen politischen Spektrums. Die sudetendeutsche politische Emigration umfaßte 4000 bis 5000 Sozialdemokraten und rund 1500 Kommunisten; ihre Fluchtziele lagen vor allem in Großbritannien und in Schweden. Bis kurz vor Kriegsausbruch hatten rund 30000 Personen Deutschland, Österreich und das Sudetengebiet aus politischen Gründen verlassen.

Die wichtigsten Aufnahmeländer des politischen Exils waren bis 1938 bzw. 1939/40 die Tschechoslowakei und Frankreich. Die Exilvorstände und Auslandsvertretungen der SPD, der KPD und linker Gruppen hatten ihren Sitz überwiegend in der Tschechoslowakei und in Paris. Nach Münchener Abkommen (September 1938) und der endgültigen Zerstörung des tschechoslowakischen Staates (März 1939) wurde Frankreich kurzfristig zum alleinigen Schwerpunkt der deutschsprachigen politischen Emigration. Nach Kriegsausbruch verlagerte er sich nach Großbritannien, nach Schweden und in die USA.

Unter den Exilländern war das republikanische Spanien von eigenem Charakter: Im Bürgerkrieg gegen Franco engagierten sich ab 1936 mehrere tausend deutschsprachige Emigranten, überwiegend Kommunisten und Linkssozialisten, auf republikanischer Seite in den Internationalen Brigaden. Von ihren etwa 5000 deutschen und österreichischen Angehörigen fielen wohl an die 2000. Eine geringe Rolle als Asylland spielte die Sowjetunion. Von mehreren hundert Aktivisten des österreichischen *Republikanischen Schutzbunds* und etwa 200 kommunistischen Familien aus der Tschechoslowakei abgesehen, denen die UdSSR 1934 bzw. 1938/39 demonstrativ Asyl gewährte, fanden in der Sowjetunion ganz überwiegend nur höhere Funktionäre von KPD und KPÖ Zuflucht. Sie gerieten wenig später in großer Zahl in das Räderwerk der Stalinschen Säuberungen. Die Schweiz war für politische Emigranten vor allem als Transitland von Bedeutung. Dies lag an dem Verbot jedweder politischen Betätigung von Emigranten durch die Schweizer Behörden, so daß der Anteil des parteipolitischen Exils nur einige hundert Personen umfaßte.

Die politischen Emigranten lebten vor allem in der Vorkriegsphase ganz überwiegend „mit dem Gesicht nach Deutschland“[3]: Neben der Unterstützung der Illegalen im Reich sahen die Auslandsorgani-

[3] So der Titel der postum veröffentlichten Erinnerungen Friedrich Stampfers.

sationen von SPD und KPD sowie der linken Zwischengruppen, ebenso emigrierte Persönlichkeiten aus anderen Bereichen des politischen Spektrums, ihre wichtigste Aufgabe in umfassender Information des Auslands über den verbrecherischen und auf einen neuen Krieg abzielenden Charakter der Hitlerherrschaft – in einer „Offensive der Wahrheit", die realistisch gesehen die Interessen des NS-Regimes weit mehr berührte als die zumeist recht hilflosen Versuche zur Unterstützung des innerdeutschen Widerstands. „Weit über 400 Zeitungen, Zeitschriften, Nachrichtendienste, Rundbriefe und Bulletins konnten bisher allein für die reichsdeutsche Emigration namhaft gemacht werden. Die wichtigsten Periodika, oftmals Fortsetzungen der ehemaligen Parteiorgane oder angesehener politisch-kultureller Zeitschriften, erreichten neben einem deutschsprachigen Publikum in den Nachbarländern auch Politiker, Behörden und Redaktionen des Auslands. Pressedienste, Verlautbarungen, Rednerauftritte, die Beiträge emigrierter Journalisten in Presse und Rundfunk der Asylländer, Bücher prominenter Politiker und Autoren sowie Erlebnisberichte von Verfolgten kamen hinzu."[4]

Bei den programmatisch-theoretischen Diskussionen des politischen Exils stand naturgemäß zunächst die Frage nach den Ursachen der historischen Niederlage im Vordergrund. Betrachtete man in der kommunistischen Bewegung den Sieg Hitlers als den letzten notwendigen Schritt zur finalen Krise des bürgerlich-kapitalistischen Systems mit zwangsläufig folgender proletarischer Revolution, so führte die Niederlage von 1933 auf sozialdemokratisch-sozialistischer Seite zunächst zu einer harschen Selbstkritik an den politischen Strategien seit 1914 und zu einem unterschiedlich lange anhaltenden Wiederaufleben des Radikalismus: Man wollte eine zukünftige Wirtschafts-, Innen-, Sozial- und Kulturpolitik revolutionär gestalten. Vorweg war man bestrebt, die allseits beklagte Spaltung der Arbeiterklasse, in der man illusionärerweise den alleinigen Grund der Niederlage sah, mit der Durchsetzung des Führungsanspruchs der jeweils eigenen Gruppierung zu überwinden.

Versuche zu einer Zusammenfassung der politischen Emigration als Gesamtrepräsentation des „anderen Deutschland" über alle parteipolitischen und weltanschaulichen Trennungslinien hinweg wurden Mitte der dreißiger Jahre mit dem Experiment einer deutschen Volksfront von prominenten Emigranten vor allem in Frankreich mit zunächst großem Enthusiasmus angegangen; sie scheiterten aber alsbald vornehmlich an der Intransigenz der kommunistischen sowie am hellsichtigen Mißtrauen der sozialdemokratischen Seite, die klar erkannte, daß „Volksfront" für die KPD-Führung niemals mehr bedeutete als ein taktisches Manöver zur Unterordnung der politischen Emigration unter den hinter demokratischen Absichtserklärungen nur unzureichend verhüllten kommunistischen Führungsanspruch.

4 Mehringer/Röder, Gegner, Widerstand, Emigration, S. 180f.

Der deutsche Widerstand 1937–1940

Der Phase der Entfaltung und hochgradigen Akzeptanz des Regimes innerhalb der deutschen Bevölkerung aufgrund seiner sozialpolitischen Leistungen und außenpolitischen Erfolge (1937–1940) entspricht die Phase des „Widerstands auf kleiner Flamme", in der der Arbeiterwiderstand zu einer marginalen Größe wurde und die „Opposition der Fachleute" in Militär und Staatsverwaltung sich gegen Hitlers Kriegskurs zu formieren begann.

Nach weitgehender Ausschaltung des sozialdemokratischen und kommunistischen Untergrunds konzentrierte die Gestapo ihre Fahndung auf die linken Zwischengruppen und konnte diese bis 1938, von wenigen Ausnahmen abgesehen, zerschlagen. Eine solche Ausnahme war etwa die von Waldemar von Knoeringen geführte *Neu Beginnen*-Organisation in Südbayern und Österreich um Hermann Frieb, Bebo Wager und Johann Haas, die die Gestapo erst im Jahre 1942 auszuschalten vermochte.

Im Zeitraum von 1936 bis 1938 kam es zu spektakulären Widerstandsaktionen von seiten der Zeugen Jehovas („Ernste Bibelforscher"). Bei Beginn des NS-Herrschaft in Deutschland um die 25 000 Mitglieder stark, wurde diese Religionsgemeinschaft als „jüdisch-internationalistische" Organisation verfolgt. Im Frühjahr 1935 – unmittelbar nach Wiedereinführung der allgemeinen Wehrpflicht – wurde sie insbesondere wegen ihrer grundsätzlichen Verweigerung des Militärdiensts endgültig verboten. In den nächsten Jahren versuchten die Zeugen Jehovas zunächst mit bemerkenswertem Erfolg, unter Übernahme von Organisationstechniken der illegalen Arbeiterbewegung im Untergrund weiterzubestehen. Ende 1936 verteilten sie eine Protestresolution gegen ihre Verfolgung an ein und demselben Tag im ganzen Reichsgebiet. Einen solchen Propagandacoup, den die Zeugen Jehovas im Sommer 1937 noch einmal durchführten, brachte in ähnlicher Größenordnung keine andere illegale Organisation zustande.

Auf monarchistische Oppositionsgruppen in Österreich (nach dem „Anschluß" von 1938) und in Bayern (den Kreis um Adolf von Harnier und Joseph Zott, den die Gestapo erst kurz vor Kriegsausbruch ausheben konnte) sowie nationalrevolutionäre Widerstandsgruppen wie den „Tat-Kreis" um Ernst Niekisch und Joseph Drexel sei hier nur hingewiesen.

Das Informations- und Nachrichtenmonopol von Partei und Staat stellte, wie schon angeführt, eine der stärksten Waffen des Regimes dar. Infolgedessen war die Erkenntnis, daß die politische Führung des Deutschen Reichs aus einer jede Rechtlichkeit verachtenden Gruppe mafiosen Charakters bestand, innerhalb der „alten Eliten", die grundsätzlich mit den ordnungs- und nationalpolitischen Zielen des NS-Regimes einverstanden waren, nur jenen Handlungs- und Entscheidungsträgern aus Staats- und Militärbürokratie möglich, die aufgrund ihrer hohen Position größeren Überblick und Insiderkenntnisse besaßen. Auch das beliebte, bis heute immer wieder vorgebrachte antifaschistische Totschlag-Argument, jeder habe schließlich von der Existenz der KZ, der „Euthanasie“ etc. pp. gewußt, ändert nichts an der Tatsache, daß das Regime Hitler im Bewußtsein der übergroßen Mehrheit der deutschen Bevölkerung bis zum Schluß sowohl die legale wie die legitime Staatsführung darstellte und offenkundige Rechtsbrüche, derer man als einzelner gewahr wurde, aufgrund von Informationsmangel bzw. von fehlenden Verallgemeinerungsmöglichkeiten zumeist als bloße Einzelfälle und nicht als System begriffen wurden. So ist es nicht zufällig, daß sich in der zweiten Hälfte der dreißiger Jahre, zumal ab 1938, als ein neuer Krieg immer deutlicher zu drohen schien, Verhinderungsstrategien und Oppositionsbestrebungen gerade in dem Kreis der zivilen und militärischen Fachleute entwickelten. Zu ihnen gehörten Politiker, hohe Beamte in mehreren Reichsministerien, hohe Offiziere und Wirtschaftsführer, die ihren ganzen Einfluß einsetzten, um vor allem Hitlers Außen- und Kriegspolitik zu bremsen, sowohl von innen als auch – direkt und indirekt – von außen.

Zu nennen sind hier vor allem der Chef des Generalstabs Ludwig Beck und der ehemalige Leipziger Oberbürgermeister Carl Goerdeler. Generaloberst Beck unternahm 1938, vor dem Münchener Abkommen, als der Krieg mit der Tschechoslowakei und damit ein neuer Weltkrieg drohte, alle Anstrengungen bis hin zur Planung eines „Offiziersstreiks“, um Hitler von seinem für die Existenz des Reichs als verhängnisvoll erachteten Kurs in den Krieg abzubringen, für den Beck das Reich – noch – nicht ausreichend gerüstet hielt. Hans Oster, Oberstleutnant im Amt Ausland/Abwehr, bildete zur gleichen Zeit den Mittelpunkt einer ersten Offiziersverschwörung („Septemberverschwörung“), die, um einen Krieg gegen die Tschechoslowakei zu verhindern, einen Plan zur Verhaftung und Ausschaltung Hitlers konkret vorbereitet hatte – der überraschende Abschluß des Münchener Abkommens am 30. September 1938 verhinderte seine Ausführung.

Zugleich versuchten zivile Vertreter des Widerstands aus den „alten Eliten“, vor allem Diplomaten, über private Kontakte zu englischen Politikern die britische Regierung zu möglichst harter und unnachgiebiger Haltung gegenüber Hitler zu bewegen, um so den Kriegsausbruch zu verhindern; sie mußten sich allerdings von britischer Seite immer wieder vorhalten lassen, das, was sie betrieben, sei eigentlich Landesverrat. Ein Jahr später, als Hitler nach dem Sieg über Polen die Offensive im Westen befahl, den Termin allerdings immer wieder verschob, stand Hans Oster erneut im Zentrum einer Offiziersverschwörung, die den tatsächlichen Ausbruch des „großen Kriegs“ in letzter Minute verhindern wollte, vom raschen Erfolg der Offensive im Westen im Frühjahr/Sommer 1940 aber buchstäblich überrollt wurde.

Die deutsche Bevölkerung war bei Ausbruch des Kriegs im September 1939 – anders als 1914 – keineswegs kriegsbegeistert. Dennoch kam es nur in wenigen Fällen zu Widerstand gegen Hitlers Krieg. Die spektakulärste Aktion war der Bombenanschlag des Schreiners Georg Elser während der alljährlichen Feierlichkeiten zum Gedenken an den „Hitler-Putsch" von 1923 im Münchener Bürgerbräukeller am 8. November 1939, dem Hitler nur durch Zufall entging. Wenig später verhaftet, wurde Elser für einen späteren Schauprozeß in KZ-Sonderhaft „aufgespart" und erst kurz vor Kriegsende auf unmittelbare Weisung von Gestapo-Chef Heinrich Müller ermordet.

Der deutsche Widerstand 1941–1945

Die Jahre des zum Weltkrieg ausgeweiteten Kriegs (1941–1945) brachten nach dem deutschen Überfall auf die Sowjetunion (22. Juni 1941) das Wiedererafleben des kommunistischen Widerstands; in der Zeit des „Hitler-Stalin-Pakts" (1939–1941) war er fast völlig zum Erliegen gekommen. Innerhalb der „alten Eliten" wurden die schon früher erwogenen und vorbereiteten Staatsstreichüberlegungen auf wesentlich breiterer institutioneller und personeller Grundlage wieder aufgenommen. Angesichts der sich ab 1942 immer deutlicher abzeichnenden militärischen Niederlage, der professionellen Inkompetenz des „größten Feldherrn aller Zeiten" und der von ihm dominierten Wehrmachtführung sowie der Massenverbrechen des Regimes gipfelten sie schließlich in dem gescheiterten Putschversuch des 20. Juli 1944.

Im kommunistischen Milieu wirkte der deutsche Überfall auf die Sowjetunion wie ein belebendes Fanal. In Berlin, Sachsen und Thüringen formierten sich erneut regionale Widerstandsgruppen, die untereinander lose Verbindungen besaßen – nicht jedoch zu dem in Moskau überwinternden Zentralkomitee. Als besondere Gruppe ist die Widerstandsorganisation um Harro Schulze-Boysen und Arvid Harnack anzuführen, die unter dem Gestapo-Begriff „Rote Kapelle" bis vor kurzem als sowjetische Spionageorganisation klassifiziert wurde. In Wirklichkeit stellte sie ein weitverzweigtes Netz von Widerstandskreisen und Personen mit höchst unterschiedlichen sozialen Herkunftsbereichen, Berufen, Lebensgeschichten und geistigen Traditionen dar, die von parteipolitischen Bindungen an die Kommunisten und die Sozialdemokratie über christliche Verantwortungsethik, bildungsbürgerlichen Liberalismus bis hin zu nationalrevolutionären Prägungen reichten. All diese Gruppen wurden in den Jahren 1942–1944 von der Gestapo zerschlagen, zahlreiche ihrer Mitglieder hingerichtet. Die in der DDR-Historiographie immer wieder behauptete „Anleitung" dieser Gruppen durch das Exil-ZK der KPD in Moskau ist reine Legende.

Ohne organisatorische Verbindung zu kommunistischen Widerstandskreisen oder zu der sich formierenden Opposition aus den „alten Eliten“ entstand in München um die Geschwister Hans und Sophie Scholl, Christoph Probst, Alexander Schmorell und Willi Graf sowie Professor Kurt Huber eine studentische Oppositionsgruppe mit konservativ-katholisch-bündischem Hintergrund: Die „Weiße Rose“ stellt einen weiteren Versuch der geistigen Überwindung des Unrechtsregimes unter Kriegsbedingungen dar. Ab Sommer 1942 verfaßte sie regimekritische Flugblätter, die sie gezielt an ein akademisches Publikum in ganz Deutschland per Post versandte und z. T. auch verteilte. Das sechste Flugblatt im Februar 1943, unmittelbar nach der Katastrophe von Stalingrad, wurde der Gruppe zum Verhängnis: Die Hauptbeteiligten wurden zum Tod verurteilt und hingerichtet.

Die Kirchen protestierten während des Kriegs mehrfach in scharfer Form gegen die „Euthanasie“ und erreichten Ende 1941 wenigstens eine formelle Einstellung des Tötungsprogramms. Zu grundsätzlichen Stellungnahmen gegen die „Endlösung der Judenfrage“ kam es weder bei der katholischen noch bei der evangelischen Kirche, doch richteten beide Kirchen Hilfsstellen für verfolgte Christen jüdischer Herkunft ein, die für zahlreiche Juden Hilfe und z. T. Rettung bedeuteten. Höhepunkt christlich motivierten Protests war der Brief eines Kreises evangelischer Laien in München um die Verleger Albert Lempp und Walter Classen an Landesbischof Meiser, der die Kirche aufforderte, dem Versuch, das Judentum zu vernichten, „aufs Äußerste zu widerstehen“. Er zirkulierte in Abschriften in München und wurde in der Schweiz veröffentlicht.

Der 20. Juli 1944 und sein Umfeld

Attentat und Staatsstreichversuch des 20. Juli 1944 bilden ohne Zweifel das herausragende Ereignis in der Geschichte des deutschen Widerstands – waren doch die Offiziersverschwörung um Henning von Tresckow, Claus Schenk von Stauffenberg, General Friedrich Olbricht sowie den ehemaligen Generalstabschef Ludwig Beck und der Umsturzversuch des 20. Juli 1944 im Rückblick die einzige erfolgversprechende Aktion des deutschen Widerstands. Anders als die auf eine Volkserhebung gerichtete antifaschistische Propaganda der Linken oder individuelle Attentatsversuche gegen die Person Hitlers stellte die Verschwörung der „alten Eliten“ den Bestand des Regimes realistisch in Frage.

Allerdings begann die Militäropposition und die mit ihr verbundene zivile Opposition der „alten Eliten“ erst nach der „Winterkatastrophe“ 1941/42 (Stillstand des deutschen Vormarschs vor Moskau), die zum ersten Mal den Nimbus von Hitlers Unbesiegbarkeit brach, festere Strukturen zu entwickeln. Neben der Offiziersverschwörung um Tresckow und später Stauffenberg bestand eine zivile Oppositionsgruppe um Carl Goerdeler, den 1938 entlassenen Botschafter Ulrich von Hassell u. a. Zu diesen stießen schon bald nach Kriegsbeginn so hochrangige ehemalige SPD- und Gewerkschaftsführer wie der ehemalige Reichstagsabgeordnete Julius Leber und der ehemalige hessische Innenminister Wilhelm Leuschner mit ihrem weitgespannten Verbindungsnetz zu ehemaligen Kollegen und Genossen. Die zivile Oppositionsgruppe stand über Beck mit der Offiziersverschwörung in unterschiedlich enger Verbindung, war in die Staatsstreichüberlegungen mehr oder minder eingeweiht und stellte im Juli 1944 das Hauptkontingent der von den Verschwörern in verschiedener personeller Zusammensetzung geplanten provisorischen Regierungen.

In Zusammenhang mit dieser zivilen Oppositionsgruppe ist auch der „Kreisauer Kreis" um Helmuth von Moltke und Peter Yorck von Wartenburg anzuführen. Er hatte einen ähnlichen gesellschaftlichen Hintergrund wie die „Honoratiorengruppe" um Goerdeler und Hassell, seine Mitglieder waren jedoch im Schnitt wesentlich jünger und stark von der Jugendbewegung sowie z. T. von der katholischen Soziallehre geprägt; der Kreis zählte ebenfalls eine Reihe prominenter jüngerer Sozialdemokraten wie Carlo Mierendorff, Theodor Haubach und Adolf Reichwein zu seinen Mitgliedern, die aus der Weimarer jungsozialistischen Bewegung stammten und damals enge Bindungen zu den „Religiösen Sozialisten" um Paul Tillich und den *Neuen Blättern für den Sozialismus* besessen hatten. Auch eine Reihe von Geistlichen beider Konfessionen (Alfred Delp, Eugen Gerstenmaier u. a.) zählten zum „Kreisauer Kreis". Zu der „Honoratiorengruppe", deren Vertreter man kannte und mit denen man diskutierte, bestanden – ebenso wie zu einzelnen Vertretern der „Offiziersverschwörung" – Verbindungen, man hielt aber aufgrund unterschiedlicher politischer Ansichten deutliche Distanz: Während es der „Honoratiorengruppe" letztlich wesentlich um eine Wiederherstellung des Wilhelminischen Reichs ging, mischten sich bei den „Kreisauern" rückwärtsgewandte ständisch-agrarromantische Ideale mit starker religiöser Prägung, jugendbewegtem Elan und durchaus modernen, europaorientierten Vorstellungen. Die „Kreisauer", die auch in Verbindung zu einem katholisch-oppositionellen Kreis in Bayern um den ehemaligen bayerischen Gesandten in Berlin Franz Sperr standen, fielen nahezu ausnahmslos der Verfolgung der „Verschwörung des 20. Juli" durch die Gestapo zum Opfer.

Hartmut Mehringer

Attentat und Staatsstreich

Daß das Attentat Stauffenbergs auf Hitler am 20. Juli 1944 nicht am Obersalzberg, sondern im Führerhauptquartier Wolfsschanze bei Rastenburg in Ostpreußen stattfand, ist bloßer Zufall. Nachdem alle Versuche gescheitert waren, den Diktator bei einer Besichtigungstour, einem Besuch an der Ostfront, während einer Heldengedenktags-Feier und einer Uniform-Vorführung in Berlin auszuschalten, bestand nur innerhalb der wechselnden „Führer"-Quartiere die Aussicht auf ein erfolgreiches Attentat. Dies setzte aber voraus, einen Attentäter zu finden, der persönlichen Zugang zu Hitler hatte. Der Versuch eines Pistolenattentats, das Rittmeister Eberhard von Breitenbuch am 15. März 1943 auf dem Obersalzberg unternehmen wollte, scheiterte schon daran, daß er auch als Ordonnanzoffizier von Generalfeldmarschall Ernst Busch keinen Zutritt zu Hitler erhielt. Eine neue Chance ergab sich erst, als Stauffenberg am 20. Juni 1944 vorläufig, am 1. Juli 1944 definitiv zum Chef des Stabes beim Befehlshaber des Ersatzheeres ernannt und somit Teilnehmer an den Lagebesprechungen wurde.

Am 7. Juni 1944 nahm Stauffenberg – als Begleiter des Befehlshabers des Ersatzheeres, Generaloberst Friedrich Fromm – zum ersten Mal auf dem Obersalzberg an einer Sonderbesprechung mit Hitler teil. Der Sprengstoff, der von Generalmajor Helmuth Stieff, Chef der Organisationsabteilung im OKH, aufbewahrt wurde und schon bei früheren Attentatsversuchen hatte eingesetzt werden sollen, war zu diesem Zeitpunkt noch nicht in seinem Besitz. Am 6. und am 11. Juli war Stauffenberg erneut zu Lagebesprechungen bei Hitler auf dem Obersalzberg. Beide Male trug er in seiner Aktentasche neben den Unterlagen über die Aufstellung neuer Divisionen Sprengstoffbarren und Zeitzünder mit sich, doch kam es nicht zu dem geplanten Attentat: Zum einen waren Himmler und Göring nicht anwesend, deren gleichzeitige Ausschaltung maßgebliche Mitglieder der Offiziersverschwörung als unerläßlich betrachteten, zum anderen scheinen für Stauffenberg sowohl technische Schwierigkeiten bei der Einstellung des Zünders als auch Einwände von Stieff der Anlaß gewesen zu sein, den Attentatsversuch noch einmal zu verschieben. Auch am 15. Juli, dem nächstmöglichen Termin, diesmal im Hauptquartier Wolfsschanze bei Rastenburg in Ostpreußen, ergab sich keine Gelegenheit, die Bombe zu zünden, auch wenn die Mitverschworenen in Berlin Gewehr bei Fuß standen und Fromms Stellvertreter Olbricht mit der Mobilmachung des Ersatzheeres in Berlin bereits begonnen hatte.

Die Offiziersverschwörung um Stauffenberg plante, den Staatsstreich nach außen hin zunächst nicht als Putsch *gegen*, sondern als Putsch *für* den Führer auszugeben. Die Möglichkeit dazu ergab sich aus dem nach der „Winterkrise" 1941/42 entwickelten „Walküre-Plan" des Generalstabs, mit dem die Heeresführung inneren Unruhen, etwa im Falle „organisierter Sabotage" großen Stils, der Ankunft feindlicher

Agententrupps oder der Landung von Fallschirmjägern oder auch eines – grundloserweise – immer wieder befürchteten Aufstands des Millionenheers der Fremd- und Zwangsarbeiter, durch die rasche Konzentration von Heimatreserven begegnen wollte[5]. Spätestens Ende 1943 sahen die Pläne Stauffenbergs und Olbrichts vor, nach einem geglückten Attentat sofort den „Plan Walküre“ auszulösen, das Attentat als einen „Dolchstoß“ der SS gegen den Führer und die rechtmäßige Reichsregierung auszugeben, den militärischen Ausnahmezustand zu verhängen und dem Ersatzheer die vollziehende Gewalt zu übertragen. Mit dieser „riesige[n] Köpenickiade zur Beseitigung des Regimes“[6] wollte man im Vertrauen auf die mechanische Wirkung von Befehl und Gehorsam auch möglichst viele jener militärischen Verantwortlichen auf verschiedenen Ebenen in den Staatsstreich mit einbeziehen, die in Kenntnis der wahren Umstände wohl nicht mitgemacht hätten.

Am 20. Juli 1944 mittags schließlich gelang es Stauffenberg, bei einer weiteren Lagebesprechung im Führerhauptquartier Wolfsschanze die Bombe in der „Lagebaracke“ zu deponieren; er selbst konnte diese unmittelbar vor der Explosion verlassen und kehrte in der festen Überzeugung, Hitler sei tot, im Flugzeug nach Berlin zurück, um vom Oberkommando des Heeres in der Bendler-Straße aus mit bereits vorbereiteten Fernschreiben an die 21 Wehrkreiskommandos den Staatsstreich auszulösen. Militärische Sicherung aller wichtigen Anlagen, die Verhaftung aller Gauleiter, Minister, Polizeipräsidenten, Höheren SS- und Polizeiführer bis hinunter zu den Leitern der Propagandaämter sowie eine Besetzung aller Konzentrationslager wurden angeordnet.

Das Scheitern des Umsturzversuchs

Die 24 in der „Lagebaracke“ anwesenden Personen wurden durch die Explosion verletzt – vier so schwer, daß sie wenig später starben. Hitler selbst erlitt nur leichte Verletzungen. Die Fernschreiben aus der Bendler-Straße an die Wehrkreiskommandos erreichten kaum irgendwo die intendierte Wirkung – dies lag an einer Kette von Zufälligkeiten, Verzögerungen und Pannen, aber auch daran, daß OKW-Chef Wilhelm Keitel, der Stauffenbergs Anschlag ebenfalls überlebt hatte, die Wehrkreiskommandos anwies, Befehle aus der Bendler-Straße nicht zu befolgen; lediglich in Prag, Wien und Paris wurden Parteigrößen sowie SS- und Polizeiführer verhaftet. Nachdem jedoch klar geworden war, daß Hitler lebte und der Staatsstreich mißglückt war, wurden sie wieder freigelassen, und man einigte sich auf die Sprachregelung, es habe sich um ein „Mißverständnis“ gehandelt. In Paris kam es dabei zu einer geradezu gespenstischen Szene: Der zum

[5] Hoffmann, Widerstand, S. 374ff.

[6] Fest, Staatsstreich, S. 223.

engeren Kreis der Militärverschwörung zählende Militärbefehlshaber Frankreich, General Heinrich von Stülpnagel, und seine Offiziere sowie die beiden höchsten SS- und SD-Führer in Frankreich, Gruppenführer Carl-Albrecht Oberg und Standartenführer Helmut Knochen, und weitere SS-Offiziere, die man verhaftet hatte und deren standrechtliche Erschießung bereits vorbereitet worden war, prosteten einander im „Blauen Salon" des Hotels Raphael, Stülpnagels Hauptquartier, mit Sekt zu und feierten bis in den frühen Morgen. „Die Riesenschlange im Sack gehabt und wieder herausgelassen", notierte Ernst Jünger, Mitglied des Stabes des Militärbefehlshabers Frankreich, in sein Tagebuch[7].

Auch in der Zentrale Berlin war die Aktion von Anfang an schief gelaufen. Zwar wurden die wichtigsten Gebäude und Parteidienststellen besetzt, aber es mißlang vor allem die Besetzung der Rundfunksender, so daß das Führerhauptquartier ab dem späten Nachmittag in regelmäßigen Abständen ein Kommuniqué senden lassen konnte, welches das Attentat meldete: Der „Führer" sei unverletzt und werde seine Arbeit unverzüglich wieder aufnehmen. Auf Anordnung Fromms wurden die Verschwörer Stauffenberg, Olbricht, Oberleutnant Werner von Haeften und Oberst Albrecht Mertz von Quirnheim am Abend des 20. Juli in der Bendler-Straße verhaftet und wenig später standrechtlich erschossen. Dem ebenfalls verhafteten Ludwig Beck wurde die Möglichkeit zum Freitod eingeräumt. Noch in der gleichen Nacht begann die blutige Verfolgung der Opposition mit jener bis kurz vor Kriegsende nicht mehr abreißenden Kette von Volksgerichtshof-Prozessen, deren Urteil in den meisten Fällen lautete: Tod durch den Strang – eine als besonders schmählich geltende Hinrichtungsart, die Hitler persönlich angeordnet hatte.

Der Widerstand der „alten Eliten" ist das Manko grundsätzlichen Einverständnisses mit essentiellen nationalen und sozialen Zielvorstellungen des NS-Regimes nie losgeworden – ebensowenig den Vorwurf, aus nationalen wie aus Standesinteressen erst dann gehandelt zu haben, als es vor der Fahrt in den Abgrund tatsächlich nur noch die Notbremse zu ziehen gab. Die Realität sieht anders aus: Fast alle die Namen, die schon bei den ersten Aktionsplänen der militärischen und zivilen Opposition 1938/39 führend waren, tauchen, ergänzt um viele weitere, im Zusammenhang des 20. Juli 1944 wieder auf, und der unbedingte Entschluß Tresckows und seiner Mitverschworenen zur Aktion gegen Hitler liegt zeitlich deutlich vor der Wende des Kriegs bei Stalingrad. Bei fast allen Beteiligten summierten sich mit den Jahren die Beweggründe: Sie setzten meist bei hautnaher Erfahrung des fachlichen Dilettantismus der obersten Reichs- und Wehrmachtführung ein und wandelten sich, unterschiedlich stark durch moralische, religiöse, nationale und standesethische Faktoren beeinflußt, über kurz oder lang zu grundsätzlicher politischer Gegnerschaft zum System Hitler. Die Mehrzahl der Offiziere zog sich freilich auf die Posi-

7 Jünger, Strahlungen, S. 540.

tion militärischen Expertentums zurück, das für „politische" Fragen nicht zuständig sein wollte und den immer wieder aufbrechenden Loyalitätskonflikten dadurch autosuggestiv zu steuern suchte.

Näher betrachtet scheint es, als ob das Bild einer umfassenden und organisierten Verschwörung erst retrospektiv von der Gestapo gezeichnet wurde; von jener Handvoll zu unbedingter Aktion entschlossener Persönlichkeiten abgesehen, handelte es sich „um eine Ansammlung höchst ungleichartiger, nach Herkunft, Denkweise, politischer Richtung und Methode vielfältig voneinander geschiedener Einzelfiguren"; auch der Begriff „Widerstand" für dieses Konglomerat von Gruppen und Persönlichkeiten ist eine spätere Prägung, und die häufige Wendung, daß jemand sich dem Widerstand „anschloß", führt in die Irre: „Anhaltendes Suchen, Zufall oder Freundschaft mochten ihn mit Menschen zusammenbringen, die sich in der Ablehnung des Regimes einig waren; er blieb dabei oder nicht, sah sich ... von den Launen des Kriegs hierhin oder dorthin verschlagen, wo Suche und Zufälle zu neuen Verbindungen führten."[8]

Nach 1945 wollte man den Widerstand der „alten Eliten" entweder als „reaktionär" und bloße Fortsetzung der antidemokratischen Opposition gegen Weimar einstufen oder – und das ist das dialektische Korrelat – seine Repräsentanten zu einer Art geistiger Väter für Neuentdeckung wie Neuentwicklung demokratischen Verfassungslebens nach 1945 stilisieren. Beides ist ebenso falsch wie unhistorisch. Bei aller Fragwürdigkeit, die Gesellschaftsbild und Verfassungspläne des Widerstands der „alten Eliten" aus heutiger Sicht unweigerlich annehmen, bleibt allerdings festzuhalten, daß er „für die Würde und christliche Bestimmung des Menschen, für Gerechtigkeit und Anstand, für die Freiheit der Person von politischer Gewalt und sozialem Zwang"[9] und für eine rechtsstaatliche Ordnung eintrat.

Attentat und Staatsstreichversuch am 20. Juli 1944 bilden den Höhe- und Schlußpunkt der Opposition aus Militär und Verwaltung. Ihr Scheitern war zugleich auch der Schwanengesang des preußischen Militäradels vor seinem Ende als gesellschaftlich bestimmende Kraft, das letzte Aufbäumen gegenüber der modernen Massengesellschaft, die sich ihm in Gestalt des Nationalsozialismus präsentierte – freilich in ihrer barbarischsten Form.

Widerstand bei Kriegsende

Gegen Kriegsende nahm die Brutalität des Regimes bei der Verfolgung von Opposition, Widerständigkeit und Abweichung in dem Maß zu, in dem seine Kapazität zu effektiver Überwachung und Kontrolle aufgrund der (bomben)kriegsbedingten Zertrümmerung der gesellschaftlichen und institutionellen Infrastrukturen abnahm. Dies zeigt

8 Fest, Staatsstreich, S. 330

9 Mommsen, Gesellschaftsbild und Verfassungspläne, S. 14f. und S. 89ff.

sich besonders drastisch bereits im letzten Quartal 1944 am Vorgehen der Gestapo gegen desozialisierte Jugendliche im Rhein-Ruhr-Gebiet. Im November 1944 wurden dreizehn Angehörige einer Gruppe aus jugendlichen „Edelweißpiraten“ – darunter drei Minderjährige –, untergetauchten Fremdarbeitern und desertierten Wehrpflichtigen, deren Aktivitäten von Beschaffungskriminalität bis zu Anschlägen auf lokale NS-Größen reichten, in Köln-Ehrenfeld öffentlich gehenkt.

Mit dem „Nero-Befehl“ vom 19. März 1945 ordnete Hitler an, den in Deutschland vorrückenden alliierten Truppen nichts übrigzulassen, was diese für die Fortsetzung ihres Kampfes noch verwenden könnten – die Taktik der „verbrannten Erde“. Insbesondere in Süddeutschland kam es daraufhin in den letzten Kriegswochen zu zahlreichen Versuchen, die angeordneten sinnlosen Zerstörungen und Opfer zu verhindern; häufig genug wurden solche Versuche von SS- und Wehrmachtseinheiten blutig erstickt. Besonders bekannt geworden sind die „Freiheitsaktion Bayern“ im Raum München – der vergebliche Versuch, durch einen Aufruf über einen lokalen Rundfunksender in letzter Minute einen Aufstand gegen das Regime auszulösen – sowie die „Penzberger Mordnacht“ Ende April 1945, der einen Tag vor Einmarsch der Amerikaner sechzehn z. T. völlig unbeteiligte Penzberger Bürger zum Opfer fielen.

„Nachdenken über Deutschland“: Das deutsche Exil im Krieg

Die Ereignisse der Jahre 1938–1940 hatten die politische Emigration erneut durcheinandergewirbelt. In Europa konzentrierte sie sich auf Großbritannien und Schweden. Ein großer Teil entzog sich dem deutschen Zugriff durch die Flucht nach Übersee, vor allem in die USA. Auch in Mexiko entstanden wegen der großzügigen Aufnahmepraxis gerade für Vertreter der politischen Linken größere politische Exilgruppen, während die deutschsprachige Emigration in den übrigen lateinamerikanischen Ländern nur eine marginale Rolle spielen konnte.

Der Hitler-Stalin-Pakt unmittelbar vor Kriegsausbruch hatte den politischen Graben zwischen der kommunistischen und der sozialdemokratisch-sozialistischen Emigration praktisch unüberbrückbar gemacht. Die Ablehnung jedes Bündnisses mit einer unter sowjetischem Einfluß stehenden KPD wurde in der Folgezeit einigender Grundsatz des sozialdemokratischen und des linkssozialistischen Exils, auch als 1941, nach dem deutschen Überfall auf die Sowjetunion, die erhoffte große Anti-Hitler-Koalition doch noch zustandekam[10]. Die KPD ihrerseits richtete in den westlichen Emigrationsländern ihre Bündnispolitik auf die Zusammenarbeit mit bürgerlichen Kräften unter Ausschluß bzw. Gleichschaltung der Sozialisten

[10] Mehringer, Der Pakt als grundlegende Weichenstellung für den deutschen Sozialismus.

aus, eine Vorwegnahme der späteren Blockpolitik, so daß sich im Verlauf des Kriegs die ursprüngliche Organisations-, Weltanschauungs- und Meinungsvielfalt der politischen Exilszene deutlich auf zwei mehr oder minder festgefügte Lager reduzierte, die einander in schroffer Unversöhnlichkeit gegenüberstanden.

Während sich innerhalb des sozialdemokratischen Exils, vertreten durch die *Sopade*, noch vor Kriegsausbruch die Erkenntnis durchgesetzt hatte, die Isolierung der Arbeiterbewegung in der Weimarer Republik sei die Ursache ihres Scheiterns gewesen und künftig müsse man ein Bündnis mit demokratischen Kräften des Bürgertums anstreben, hielten die linken Zwischengruppen bis in den Krieg hinein am Ziel einer revolutionären Beseitigung der NS-Regimes fest.

1941 bildete sich im britischen Exil mit der *Union deutscher sozialistischer Organisationen in Großbritannien*, einem Kartell aus *Sopade*, den sozialistischen Linksgruppen (*Neu Beginnen*, ISK und SAP) sowie der *Landesgruppe deutscher Gewerkschafter*, eine Repräsentanz aller deutschen sozialistischen Emigranten in Großbritannien. Die Bedeutung dieser Kartellgründung dürfte damals kaum einem der Beteiligten wirklich bewußt gewesen sein: Mit Ausstrahlungskraft auf andere Exilländer stellte sie die historische Wiedervereinigung des 1917 gespaltenen deutschen Sozialismus dar – freilich unter endgültiger Ausklammerung der Kommunisten, die sich inzwischen in sozialistischem Bewußtsein als Agenten einer fremden und spätestens mit dem Hitler-Stalin-Pakt als feindlich begriffenen Macht entlarvt hatten und damit aus jedwedem künftigen nationalen Konsens herausfielen. Die veränderten Voraussetzungen führten rasch zur Verständigung auf einen demokratisch-pluralistischen Legitimationsrahmen und auf eine einheitliche „sozialdemokratische Volkspartei". Ihre Grundlinien und die Koordinaten ihrer künftigen politischen Richtung wurden in einem mehrjährigen Diskussionsprozeß in der zweiten Kriegshälfte erzielt. Verzicht auf sozialen, weltanschaulichen und religiösen Ausschließlichkeitscharakter, Konsens über eine demokratisch-pluralistische Verfassungsordnung mit parlamentarischem Machtausgleich, Einheitsgewerkschaft und allgemeine Orientierung auf Westeuropa – dieses auf wenige essentielle Punkte konzentrierte „Ergebnisprotokoll" sozialdemokratischer Programmdiskussion im Exil zeigt, daß hier zentrale Eckwerte sozialdemokratischer Nachkriegspolitik in den Westzonen bzw. der Bundesrepublik Deutschland – endgültig erst mit dem Godesberger Programm von 1959 verbindlich – bereits sehr konkret vorausgedacht wurden.

Im Schweizer Exil war der ehemalige sozialdemokratische Reichstagsabgeordnete Wilhelm Hoegner – im Gegensatz zu den meisten anderen emigrierten Sozialdemokraten – zum überzeugten Föderalisten geworden. Der von ihm in der zweiten Kriegshälfte initiierte Diskussionsprozeß, an dem auch katholisch-konservative Emigranten beteiligt waren, führte u. a. zur Niederschrift und Veröffentlichung der

„Vorläufigen Vereinbarung" über Bayern vom 26. April 1945, die einen nicht zu unterschätzenden Einfluß auf die Politik der zweiten bayerischen Nachkriegsregierung unter Ministerpräsident Hoegner gewann, zumal sie sich in einer Reihe von Punkten mit den Plänen der US-Militärregierung zu grundsätzlicher Föderalisierung Deutschlands traf.

In den USA wurde im März 1944 der *Council for a Democratic Germany* (CDG) unter dem Vorsitz von Paul Tillich gegründet – als Ansatz zu einer deutschen Gesamtvertretung im Exil; am CDG waren – gleichberechtigt – Kommunisten, Linkssozialisten, Sozialdemokraten und Liberale beteiligt. Der CDG entwarf Programme für ein demokratisches Nachkriegsdeutschland, wandte sich scharf gegen die alliierten Pläne einer politischen und wirtschaftlichen Zerstückelung Deutschlands und forderte eine Erziehung des deutschen Volkes zur Demokratie durch „Deutsche selbst". Er scheiterte primär am Gebot einstimmiger Beschlußfassung.

Schwerpunkte konservativer Emigration waren vor allem die USA, daneben Großbritannien, die Schweiz und die Türkei. Zu ihren Vertretern gehörten illustre Namen aus Politik und Geistesleben der Weimarer Republik. Sie bildeten im Krieg keine formelle Organisation, konnten aber, vor allem in den USA, wichtige Beiträge zur alliierten Nachkriegsplanung hinsichtlich Westorientierung, Liberalisierung, Modernisierung und antisowjetischer Ausrichtung des von den Westalliierten besetzten Teils Deutschlands leisten. Auch bei ihnen verlief der Lernprozeß „vom Antimodernismus zum Antitotalitarismus"[11].

Während des Kriegs unterstützte die politische Emigration – je nach Möglichkeit – die alliierten Kriegsanstrengungen gegen Hitler. Der Bogen spannt sich von geheimdienstlicher Aufklärung und Nachrichtenauswertung über Mitarbeit in der alliierten Kriegspropaganda – oder gar selbständiger Anti-Hitler-Propaganda, wie sie etwa der *Sender der europäischen Revolution* unter Waldemar von Knoeringen 1940–1942 von England aus über den Äther betreiben konnte – bis hin zur Teilnahme an Kampfhandlungen und später zur Mitwirkung bei der Betreuung, Überprüfung und demokratischen Umerziehung deutscher Kriegsgefangener. Hohen Stellenwert gewannen die regelmäßigen Rundfunkansprachen Thomas Manns ab 1940 über BBC London nach Deutschland. Kommunistische Emigranten aus der Sowjetunion wurden in nicht geringer Zahl per Fallschirm im deutschen Hinterland abgesetzt, scheiterten jedoch nahezu ausnahmslos an der unzureichenden Vorbereitung ihrer Aufträge.

Sozialistische und kommunistische Emigranten kehrten z. T. schon Monate vor Kriegsende illegal nach Deutschland zurück, um Verbindung mit übriggebliebenen „Kadern" aufzunehmen und beim Zusammenbruch des Regimes Einfluß auf die Nachkriegsentwicklung zu nehmen. Hilda Monte (ISK) kostete dieser Versuch das Leben, Jupp Kappius (ISK) und Ludwig Ficker (KPD) konnten zwar illegal ins

[11] Solschany, Vom Antimodernismus zum Antitotalitarismus, S. 373-394.

Ruhrgebiet bzw. nach München zurückkehren, ihre Bemühungen erwiesen sich jedoch aus vielerlei Gründen als vergeblich.

Von den rund 6000 nach 1933 emigrierten Sozialdemokraten kehrten nach Kriegsende knapp 3000 in die westlichen Besatzungszonen zurück. Schon die Statistik belegt ihren Einfluß: In den vierziger und fünfziger Jahren hatten sie stets mehr als die Hälfte der Sitze im Parteivorstand der West-SPD inne. Dies bedeutet nicht notwendig, daß die Gruppe als solche wirksam war – doch folgten aus der Gemeinsamkeit von politischen Erfahrungen im britischen bzw. skandinavischen Exil zumindest ähnliche Antworten auf neue politische und gesellschaftliche Fragen.

Ein weiteres, in ganz anderer Weise bestimmendes Zentrum der deutschsprachigen Emigration hatte sich seit der zweiten Hälfte der dreißiger Jahre in der Sowjetunion gebildet: das parteikommunistische Exil und die KPD-Führung in Moskau. Verbindungen zum innerdeutschen Widerstand bestanden längst nicht mehr – der letzte Versuch in den Jahren 1940/41, durch Herbert Wehner alias Kurt Funk über das neutrale Schweden eine neue kommunistische Inlandsleitung aufzubauen, scheiterte schon im Ansatz: Wehner wurde in Stockholm verhaftet und interniert.

Trotz politischer Nutz- und Bedeutungslosigkeit behielt die sowjetische Führung die in Moskau exilierte KPD-Spitze jedoch weiterhin als Trumpf in der Hinterhand. Zum Einsatz kam sie erst wieder im Jahr 1943, als nach der Katastrophe von Stalingrad sich plötzlich über hunderttausend deutsche Soldaten in sowjetischer Kriegsgefangenschaft befanden. Im Juli 1943 wurde auf unmittelbare Initiative Stalins aus zur Mitarbeit bereiten deutschen Kriegsgefangenen und kommunistischen Emigranten das *Nationalkomitee „Freies Deutschland"* (NKFD) unter der Präsidentschaft des kommunistischen Schriftstellers Erich Weinert gegründet, zwei Monate später der *Bund deutscher Offiziere* (BdO) unter General Walter von Seydlitz-Kurzbach. Für die Sowjets bildeten NKFD und BdO vor allem Propagandainstrumente sowie ein mögliches Unterpfand im Fall eines geglückten Generals-Putsches und/oder von Sonderfriedensinitiativen. Die beteiligten deutschen Offiziere und Soldaten, denen man, nach der Erfahrung von Stalingrad, subjektiv ehrenhafte Motive zumindest zum großen Teil zubilligen muß, sahen hier eine Möglichkeit, Hitler – und sei es von außen – im letzten Augenblick noch in den Arm zu fallen.

NKFD und BdO verloren für die Sowjets allerdings in dem Maß an Bedeutung, in dem sich das Kriegsglück zur alliierten Seite wandte. Ihre Vertreter mußten schließlich begreifen, daß sie im Kalkül sowjetischer Politik nie mehr gewesen waren als Spielbälle bzw. nur eines von vielen Instrumenten der Stalinschen Interessenpolitik.

Exil-ZK und -Politbüro der KPD kehrten 1945 auf den Fersen der sowjetischen „Befreier" nach Deutschland zurück und übernahmen die Satrapenrolle im sowjetisch besetzten Teil Deutschlands. Ihre Rolle als Erfüllungsgehilfen der sowjetischen Besatzungsmacht hatten sie in den Jahren 1944/45 bereits vorausgeplant.

Zur sozialen Dimension des deutschen Widerstands

Trotz beeindruckender Einzelzahlen von Beteiligten und Betroffenen repräsentieren Widerstand und Exil, gemessen an der Gesamtbevölkerung, die Geschichte einer winzigen Minderheit, und es gehört zu den Paradoxien der bisherigen historiographischen Beschäftigung mit dem NS-Regime, daß wir über diese Minderheit und ihre Angehörigen weit mehr wissen als über die deutsche Gesellschaft unter dem Nationalsozialismus insgesamt.

Mögliche Hochrechnungen ergeben eher magere Zahlen. Von den Mitgliedern der SPD (1932 knapp eine Million) waren insgesamt wohl nur einige Tausend wirklich im Widerstand aktiv – vor allem in den ersten Jahren des NS-Regimes. Die „linken Zwischengruppen" zählten 1933 insgesamt 20000 bis 25000 Mitglieder – hier dürfte aber ein relativ hoher Prozentsatz in den ersten Jahren des NS-Regimes im Widerstand aktiv gewesen sein. Dies gilt auch für die „Zeugen Jehovas" mit 1933 rund 25000 Mitgliedern. Der zahlenmäßige Umfang der bündisch-jugendbewegten Opposition, der Nationalrevolutionäre und des „linken Nationalsozialismus" war nicht allzu groß, die Opposition der „alten Eliten" umfaßte nur einige Hundert mehr oder minder aktive Angehörige.

Und der kommunistische Widerstand? Laut offiziösen, insgesamt sicherlich deutlich zu hoch gegriffenen Zahlen der DDR-Historiographie war rund die Hälfte der 300000 KPD-Mitglieder von 1933 während der NS-Herrschaft von Verfolgung betroffen. Unterstellt man, daß diese 150000 ehemaligen KPD-Mitglieder tatsächlich zeitweilig im Widerstand aktiv waren, so stand ihnen eine etwa gleich große Gruppe gegenüber, die sich – aus welchen Gründen auch immer – nicht beteiligte.

Diese – im besten Fall – 150000 Kommunisten sowie einige weitere Zehntausend Aktive aus anderen Bereichen des oppositionellen Spektrums operierten in einer Bevölkerung von 60 bis 70 Millionen, von der ein Teil mit Begeisterung zu Hitler übergelaufen, ein anderer sich den neuen Gegebenheiten angepaßt oder sich in eine politikferne „innere Emigration" zurückgezogen hatte. Dies galt auch und gerade für die Arbeiterbevölkerung, zumal Mitte der dreißiger Jahre die drükkenden Verhältnisse der Massenarbeitslosigkeit verschwunden waren und Vollbeschäftigung und alsbald, zumindest auf der Facharbeiterebene, sogar ausgesprochener Arbeitskräftemangel herrschte – ein

Faktor, der ab 1935 mindestens ebenso zur Erschöpfung des Reservoirs von Kräften für die Fortführung der illegalen Arbeit beitrug wie die Verhaftungen durch die Gestapo. Die soziale Marginalität des Widerstands wird auch durch Einschätzungen der Verfolgerseite bestätigt: Die Gestapo schätzte in der zweiten Hälfte der dreißiger Jahre den Anteil der „Gegner" innerhalb der deutschen Bevölkerung auf 0,2 Prozent – bei einer Bevölkerungszahl von rund 70 Millionen also etwa 140 000.

Dies bedeutet keine Herabwürdigung der deutschen Opposition gegen Hitler. Mut, moralische Substanz und Überzeugungstreue der meisten ihrer Angehörigen werden nicht durch die Vergeblichkeit ihres Handelns beeinträchtigt. Wer, wie immer, opponierte, wußte auch, daß er sein Leben aufs Spiel setzte. Die deutsche Opposition gegen Hitler stellt einen auf vielfältige Weise mit der NS-Gesellschaft verwobenen Mikrokosmos dar, dessen Geschichte einen integralen Bestandteil der deutschen Geschichte während des Nationalsozialismus bildet. Seine weltanschauliche Vielfalt und gesellschaftliche Breite legen Zeugnis ab von der Prägekraft der durchaus unterschiedlichen sozialkulturellen Milieus, denen seine Angehörigen entstammten.

Nur eine historische Würdigung, die alle Formen oppositionellen Verhaltens auf sämtlichen gesellschaftlichen Ebenen einbezieht, was unterschiedliche Bewertungen nicht ausschließt, vermag der Opposition gegen Hitler gerecht zu werden und kann – nicht über politische Vereinnahmung, sondern über kritische Würdigung – zu einem Angebot positiver Identifikation mit dem modernen demokratischen Rechtsstaat beitragen.

Die *Sopade*-Mitglieder Erich Ollenhauer (1901-1963), Hans Vogel (1881-1945), Friedrich Stampfer (1874-1957), Otto Wels (1873-1939), Siegmund Crummenerl (1892-1940) sowie der ehemalige preußische Innenminister Albert Grzesinski (1879-1947) im Oktober 1933 vor dem Sitz der Sopade in Prag. ~ Archiv der sozialen Demokratie der Friedrich-Ebert-Stiftung, Bonn. – Noch vor dem Parteiverbot entsandte der SPD-Vorstand im Mai 1933 eine Reihe seiner Mitglieder ins Ausland. Sie errichteten in Prag den Exilparteivorstand, die *Sopade* (Sozialdemokratische Partei Deutschlands). 1938 mußte die *Sopade* ihren Sitz nach Paris und im Krieg nach London verlegen. (257) ◀

Das andere Deutschland. Widerstand und Emigration (C 6)

Aktive Unterstützung, Mitläufertum und Anpassung bildeten die vorherrschenden Verhaltensweisen der Deutschen gegenüber dem NS-Regime. Nur eine kleine Minderheit widersetzte sich. Sie war in zahlreiche Richtungen zersplittert. Der Widerstand der „alten Eliten“ aus Militär, Beamtenschaft und Kirchen formierte sich erst gegen Hitlers Kriegskurs. Der Widerstand aus der Arbeiterbewegung setzte schon 1933 ein. Er zielte auf Selbstbehauptung und eine „Revolution gegen Hitler“. Die Kommunisten vertraten einen ähnlichen weltanschaulich-politischen Monopolanspruch wie die Nationalsozialisten. Moderne demokratische Vorstellungen finden sich im Widerstand eher selten und in der Emigration erst nach langen Erfahrungs- und Lernprozessen. Erst der Staatsstreichversuch vom 20. Juli 1944 führte Konservative und Sozialisten, Christen, Gewerkschafter und Kommunisten im Widerstand gegen die Diktatur zusammen. Im Exil entwickelten sich während des Kriegs moderne Demokratiekonzepte, die für den Neuaufbau nach dem Krieg besondere Bedeutung gewannen.

▲ Waldemar von Knoeringen (1906–1971) Anfang 1947. Zuständig für Südbayern, galt Knoeringen als einer der fähigsten *Sopade*-Grenzsekretäre. Zugleich war er insgeheim hoher Funktionär der „linken Zwischengruppe" *Neu Beginnen*. ~ Archiv der sozialen Demokratie der Friedrich-Ebert-Stiftung, Bonn (258)

„Hitler bedeutet Krieg!" Widerstand und Exil 1933–1939 (C 6.1)

Zahlreiche Deutsche flüchteten vor politischer Verfolgung und rassischer Diskriminierung ins Ausland. Andere gingen in den Untergrund. In den ersten Jahren des Dritten Reichs bildeten sich Widerstandsgruppen vor allem aus der alten Arbeiterbewegung. Sie versuchten, mit offensiver Propaganda oder mit vorsichtiger illegaler Organisation die Basis für den Sturz Hitlers zu schaffen. Grenzstützpunkte im benachbarten Ausland unterstützten durch Schriftenschmuggel und Kurierdienste den Kampf im Inneren. Das politische Exil bemühte sich um eine „Offensive der Wahrheit“ gegen das Regime. Einigungsversuche in einer „Deutschen Volksfront“ in Frankreich scheiterten 1937. Die „Zeugen Jehovas“ führten spektakuläre illegale Protestaktionen durch. Ab Mitte der dreißiger Jahre ging der Arbeiterwiderstand deutlich zurück. Die illegalen Organisationen waren zerschlagen, verbliebene Kader verharrten im Wartestand. Zu Widerstand gegen Hitlers Kriegskurs kam es in Militärführung, Diplomatie und Verwaltung. Eine 1938 geplante Ausschaltung Hitlers gelangte nicht zur Ausführung. Die deutsche Bevölkerung war 1939 keineswegs kriegsbegeistert. Dennoch kam es nur vereinzelt zu Widerstandsaktionen. Die spektakulärste Aktion war das Attentat Georg Elsers auf Hitler.

Umrißkarte des Deutschen Reichs mit den *Sopade*-Grenzsekretariaten in grenznahem Gebiet rings um das Deutsche Reich: Sie unterstützten die illegalen Gruppen, belieferten sie mit oppositionellem Schriftgut und waren Sammelstellen für Informationen aus dem Reich. ~ © Institut für Zeitgeschichte, München - Berlin 1999; Hersteller: Kartographie Peckmann, Ramsau (263) ▶

Die ersten KZ-Erfahrungen

Seger und Beimler gehörten zu den ersten prominenten Häftlingen in den Konzentrationslagern Oranienburg und Dachau. Beiden gelang im Lauf des Jahrs 1933 die spektakuläre Flucht aus dem KZ ins Ausland. Ihre Erinnerungsberichte erregten weltweit Aufsehen.

◀ Hans Beimler (1895-1936), Leiter des KPD-Parteibezirks Südbayern, Mitglied des Reichstags, 1936 im Spanischen Bürgerkrieg unter immer noch ungeklärten Umständen erschossen. ~ Buch: Bayerische Staatsbibliothek, München (259); Foto: Gedenkstätte Deutscher Widerstand, Berlin (260)

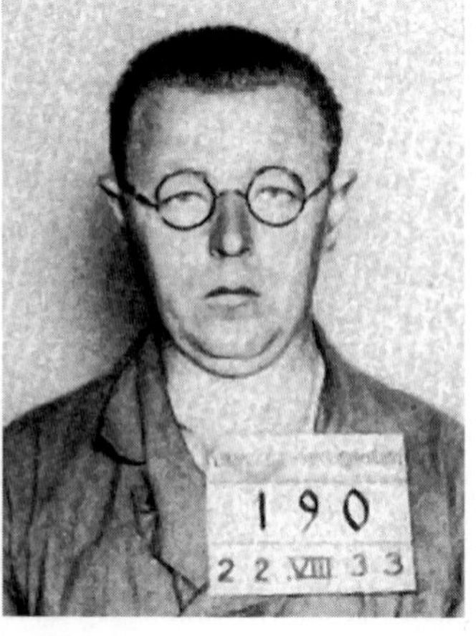

◀ Gerhart Seger (1896-1967), Redakteur und Publizist, SPD-MdR, Aufnahme aus dem KZ Oranienburg. ~ Buch: Institut für Zeitgeschichte, München - Berlin (261); Foto: Gedenkstätte Deutscher Widerstand, Berlin (262)

Ernst Schumacher
(„Hans Sachs“)
für Oldenburg, Teile von Niederrhein u.Westfalen
Brüssel
Gustav Ferl
für den Oberrhein, Köln und das Ruhrgebiet
Paris
Sopade-Vorstand
1938-1940
Paris
Saarbrücken Forbach/Mulhouse
Emil Kirschmann
für westliches Süddeutschland
Strassburg/ Luxemburg
Georg Reinbold
(„Schwarz“)
für Baden, Pfalz, Hessen und Württemberg
St. Gallen
Erwin Schöttle
(„George“)
für Württemberg
Neuern
Waldemar v.Knoeringen
(“Michel“)
für Oberbayern, Schwaben
Mies
Hans Dill
für Franken und Niederbayern/Oberpfalz
Prag
Sopade-Vorstand
1933-1938
Richard Hansen
für Hamburg, Nordwestdeutschland, Schleswig-Holstein, Pommern u.Ostpreußen
Reichenberg
Emil Stahl
für Brandenburg und Görlitz
Ausgangspunkt f. Material n.Berlin
Trautenau
Franz Bögler
(“Hertel“)
für Mittel- u. Oberschlesien
Bodenbach
Otto Thiele
für Ostsachsen (Dresden)
Karlsbad
Willi Lange (RSD)
ab 1935: Kurt Weck
für Chemnitz, Teile Sachsens und Thüringens
Nordsee
Ostsee
Dänemark
Schweden
Litaue
Kopenhagen
Niederlande
Belgien
Lux.
Frankreich
Schweiz
Italien
Österreich
Tschechoslowakei
Polen
Deutschland
Schleswig-Holstein
Hamburg
Mecklenburg-Schwerin
Schwerin
Meckl.-Strelitz
Pommern
Oldenburg
Oldenb.
Bremen
Elbe
Brandenburg
Berlin
Königsberg
Ostpreußen
Danzig
Weichsel
Warschau
Oder
Arnheim
Antwerpen
Brüssel
Westfalen
Dortmund
Essen
Köln
Aachen
Rheinprovinz
Rhein
Luxemburg
Frankf./M.
Hessen
Kaiserslautern
Saargeb.
(seit 1935 deutsch)
Pfalz
(Bayern)
Saarbrücken
Forbach
Straßburg
Mulhouse
(Mühlhausen)
Freiburg
Karlsruhe
Baden
Württemberg
Stuttgart
Ulm
St.Gallen
Unterfranken
Würzburg
Oberfranken-Mittelfranken
Nürnberg
Thüringen
Sachsen
Dresden
Chemnitz
Bodenbach
Karlsbad
Mies
Prag
Niederbayern-Oberpfalz
Regensburg
Neuern
Donau
Schwaben
Augsburg
München
Oberbayern
Wien
Nieder-schlesien
Görlitz
Reichenberg
Breslau
Oberschlesien
Trautenau
0
100
200
300 km
Bildnachweis: Archiv der sozialen Demokratie der Friedrich Ebert Stiftung, Bonn (9); Archiv des Stadtgeschichtlichen Museums Spandau, Berlin (1)
© ifz Institut für Zeitgeschichte, München - Berlin 1999
Herstellung: Kartographie Peckmann

▲ Tarnschrift „Die Kunst des Selbstrasierens" (Originalgröße; Papier; mit fiktiver Verlagsangabe H.F.G .& Cle. Hamburg/London/Paris/New York; 1934; 7 x 5,4 cm). ~ Archiv der sozialen Demokratie der Friedrich-Ebert-Stiftung, Bonn. – Um illegale Schriften zu tarnen, versah man sie häufig mit dem Titelblatt unverfänglicher Publikationen oder verbarg sie in anderen, harmlosen Texten. In der Reklamebroschüre *Die Kunst des Selbstrasierens* versteckt sich das *Sopade*-Manifest *Kampf und Ziel des revolutionären Sozialismus* („Prager Manifest"), das ein Jahr nach der nationalsozialistischen „Machtergreifung" zum revolutionären Sturz des Hitler-Regimes aufrief. Der eigentliche Text beginnt auf S. 4, Absatz 2. (264) ▼

muß, wenn man auch nur dem Aeußeren nach als ein Gentleman angesehen werden will. Sie werden in der englischen Romanliteratur häufig Hinweise auf die Kunst des Selbstrasierens finden.

Kampf und Ziel des revolutionären Sozialismus. Die Politik der Sozialdemokratischen Partei Deutschlands.

Ein Jahr lang lastet die nationalsozialistische Diktatur über Deutschland, über der Welt. Grundstürzend hat der Sieg der deutschen Gegenrevolution das Wesen und die Aufgaben der deutschen Arbeiterbewegung geändert. Der Knechtschaft und Gesetzlosigkeit preisgegeben ist das Volk im totalen faschistischen Staat. Im revolutionären Kampf die Knechtschaft durch das Recht der Freiheit, die Gesetzlosigkeit durch die Ordnung des Sozialismus zu überwinden, ist die Aufgabe der deutschen Arbeiterbewegung.

I. Die Bedingungen des revolutionären Kampfes. Im Kampf gegen die nationalsozialistische Diktatur gibt es kein Kompromiß, ist für Reformismus und Legalität

4

keine Stätte. Die sozialdemokratische Taktik ist allein bestimmt durch das Ziel der Eroberung der Staatsmacht, ihrer Festigung und Behauptung zur Verwirklichung der sozialistischen Gesellschaft. Die Taktik bedient sich zum Sturz der Diktatur aller diesem Zwecke dienenden Mittel.

Der revolutionäre Kampf erfordert die revolutionäre Organisation. Die alte Form, der alte Apparat ist nicht mehr und Versuche zu seiner Wiederbelebung entsprechen nicht den neuen Kampfbedingungen. Neue Organisationsformen mit opferbereiten Kämpfern müssen entstehen. In der Wahl dieser Formen sind wir nicht frei. Noch legt uns der Gegner durch die Uebermacht seiner Mittel, durch die Brutalität ihrer Anwendung, noch legt uns der Zustand der deutschen Gesellschaft selbst, die unter dem furchtbarsten Druck des ökonomischen, physischen und geistigen Terrors steht, das Gesetz des Handelns auf. Kleine Gruppen bilden sich; sie müssen in teuer erkauften Erfahrungen die Technik ihrer Arbeit erwerben eine Elite von Revolutionären.

Wenn die Gegensätze im Innern des

5

Kommunistischer Widerstand

Die Kommunisten versuchten ab 1933, die zerschlagene Partei im Untergrund wieder aufzubauen und vom Ausland aus „anzuleiten". Opfermut, Risikobereitschaft und blindlings-offensive Propaganda kosteten die KPD einen besonders hohen Preis. Mitte der dreißiger Jahre waren die von Gestapospitzeln vielfach unterwanderten illegalen Gruppen nahezu ausnahmslos zerschlagen.

Liselotte Hermann (1910–1938): Studentin in Stuttgart und Berlin, Mitglied des Kommunistischen Jugendverbands, Mutter eines kleinen Sohnes und aktiv im kommunistischen Widerstand; sie wurde im Dezember 1935 verhaftet und trotz weltweiter Proteste am 20. Juni 1938 hingerichtet. ~ Gedenkstätte Deutscher Widerstand, Berlin (265) ▶

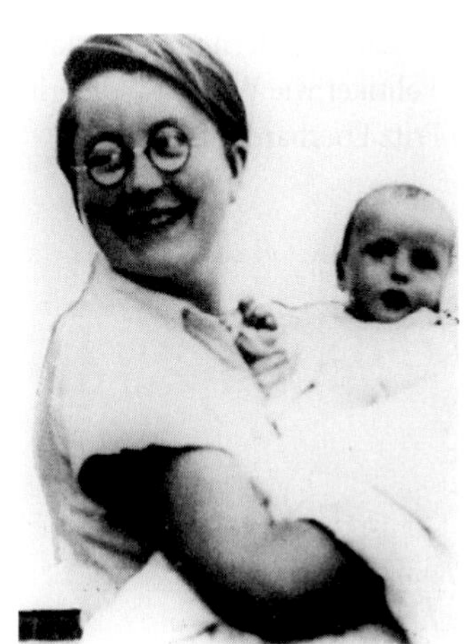

V.l.n.r.: Die KPD- und Komintern-Funktionäre Paul Wandel (1905–1995), Herbert Wehner (1906–1990), Friedrich Geminder (1901–1952), Wilhelm Pieck (1876–1960), Hede Link und die Büromitarbeiterinnen A. Schering, Eleonore Pieck und M. Lassmann Anfang Januar 1936 bei der Geburtstagsfeier für Wilhelm Pieck im Moskauer Büro der *Kommunistischen Internationale.* ~ Stiftung Archiv der Parteien und Massenorganisationen der ehemaligen DDR im Bundesarchiv, Berlin (266) ▶

Die „linken Zwischengruppen"

Sozialistische Arbeiterpartei (SAP), *Kommunistische Partei/Opposition* (KPO), die Gruppe *Neu Beginnen* (NB) und der *Internationale Sozialistische Kampfbund* (ISK) waren die wichtigsten linken Gruppen zwischen SPD und KPD. Zu ihren führenden Vertretern in Widerstand und Exil gehörten später so bekannte Politiker wie Willy Brandt, Fritz Erler, Waldemar von Knoeringen und Fritz Eberhard.

▲ Fritz Eberhard (ursprünglich Helmut von Rauschenplat, 1896–1982), bis zu seiner Emigration 1937 Leiter der illegalen Organisation des ISK in Deutschland, während des Kriegs aktiv bei den Einigungsversuchen des sozialistischen Exils in Großbritannien, nach 1945 SPD-Politiker, zuletzt Professor an der Freien Universität Berlin. ~ Gedenkstätte Deutscher Widerstand, Berlin (267)

◄ Willy Brandt (1913–1992), bis Oktober 1944 (Wiedereintritt in die SPD) führendes Mitglied der SAP, Mitunterzeichner des Volksfrontaufrufs in Paris vom 21. Dezember 1936, 1944 mit seiner Frau Carlota, geb. Thorkildsen, und Tochter Ninja bei der 1. Mai-Feier in Stockholm. ~ Archiv der sozialen Demokratie der Friedrich-Ebert-Stiftung, Bonn (268)

▲ Rudolf Breitscheid (1874–1944) Anfang 1938, bis 1933 einer der Vorsitzenden der SPD-Reichstagsfraktion, maßgeblich beteiligt an den Volksfrontbestrebungen im Pariser Exil, Ende 1941 von Vichy-Frankreich an die Gestapo ausgeliefert, kam im KZ Buchenwald ums Leben. ~ Archiv der sozialen Demokratie der Friedrich-Ebert-Stiftung, Bonn (269)

„Deutsche Volksfront" in Frankreich

Ab 1935 bemühte man sich in Paris intensiv um die Bildung einer „Volksfront der deutschen Emigration" aus Sozialdemokraten, Kommunisten, Linkssozialisten, Liberalen und christlichen Politikern. Der Versuch scheiterte 1937 an der Unvereinbarkeit der Standpunkte.

Der Schriftsteller Heinrich Mann (1871–1950), Bruder von Thomas Mann, war ab Anfang 1936 Vorsitzender des *Ausschusses zur Vorbereitung einer deutschen Volksfront* („Lutetia-Kreis") in Paris. ~ Gedenkstätte Deutscher Widerstand, Berlin (270) ▶

„Unser Himmel ist blau-weiß, unser Feind, das ist der Preiß!"

Bayerische Monarchisten um den Rechtsanwalt Adolf von Harnier und den städtischen Bauaufseher Josef Zott begannen ab Mitte der dreißiger Jahre mit vorsichtiger Propaganda gegen das Regime. Der Nationalsozialismus galt als Verkörperung des „Preußentums", das Bayern seiner Freiheit und Eigenstaatlichkeit beraubt habe. Erst 1939 griff die Gestapo zu. 125 Beteiligte wurden verhaftet, Zott zum Tode, andere zu Zuchthausstrafen verurteilt. Harnier starb unmittelbar nach der Befreiung an Hungertyphus.

◀ Von der Gestapo zusammengestellte Fotos der Hauptbeschuldigten des Harnier-Kreises. ~ Bundesarchiv, Berlin (271) ▶

Widerstand der „Zeugen Jehovas"

Obwohl aus Glaubensgründen absolut staatsfern und unpolitisch, wurden die „Zeugen Jehovas" („Ernste Bibelforscher") im März 1935 verboten. Die Sekte wandelte sich um zur illegalen Organisation. Hauptgrund für ihre Verfolgung war ihre strikte Verweigerung des Wehrdienstes, was nach Wiedereinführung der allgemeinen Wehrpflicht ein Straftatbestand war. Außerdem war dem Regime ihre Internationalität suspekt. Der Anteil ihrer verhafteten und ermordeten Mitglieder liegt im Verhältnis höher als bei jeder anderen oppositionellen Gruppe. Zweimal, am 12. Dezember 1936 und am 20. Juni 1937, gelang ihnen mit der schlagartig im ganzen Reichsgebiet durchgeführten Verteilung von Protestflugblättern Propagandacoups, wie sie in diesem Umfang keine andere illegale Gruppe zustandebrachte.

◀ Illegales Schriftenlager der „Zeugen Jehovas" in einem Lagerhaus an der Implerstraße in München (Gestapofoto bei der Aushebung Februar 1937). ~ Staatsarchiv München (272)

◀ Elfriede Löhr (geb. 1910), ab Frühjahr 1937 Leiterin („Bezirksdienerin") der illegalen Organisation der „Zeugen Jehovas" in Bayern, Ende August 1937 verhaftet, Sommer 1939–April 1945 im KZ Ravensbrück. ~ Archiv der Wachtturm-Gesellschaft, Selters/Ts. (273)

Die Opposition der Fachleute

Hitlers Kriegskurs wurde ab 1937 immer deutlicher. Militärische und zivile Fachleute widersetzten sich dieser Politik. Im Herbst 1938, nach dem Rücktritt von Generalstabschef Ludwig Beck, spitzte sich die Entwicklung zu: Oberstleutnant Hans Oster plante den Staatsstreich, um Hitler zu stürzen und den Krieg zu verhindern. Führende Offiziere waren eingeweiht, ein Stoßtrupp unter Friedrich Wilhelm Heinz stand zur Verhaftung Hitlers bereit. Nach der Münchener Konferenz, auf der sich die Alliierten mit Hitler über die Abtretung der Sudetengebiete einigten, ließen die Verschwörer von ihren Plänen ab.

◀ Carl Friedrich Goerdeler (1884–1945), bis 1937 Oberbürgermeister von Leipzig, mobilisierte ab 1937/38 seine zahlreichen Auslandskontakte mit dem Ziel, England und Frankreich zu einer harten Haltung gegen Hitlers Expansionspläne zu veranlassen, und stand im Krieg im Zentrum der Verschwörung gegen Hitler. Nach dem Scheitern des Umsturzversuchs wurde er zum Tod verurteilt und am 2. Februar 1945 hingerichtet. ~ Gedenkstätte Deutscher Widerstand, Berlin (274)

Generalstabschef Ludwig Beck (1880–1944) trat 1938 zurück, nachdem er sich in mehreren internen Denkschriften erfolglos gegen Hitlers Kriegspläne gegenüber der Tschechoslowakei gewandt hatte. Zentralfigur der Verschwörung gegen Hitler, nahm er sich am 20. Juli 1944 das Leben. ~ Gedenkstätte Deutscher Widerstand, Berlin (275) ▶

Hans Oster (Mitte) und Friedrich Wilhelm Heinz (rechts) 1937/38. Oster (1888–1945), zuletzt Oberstleutnant im Amt Ausland/Abwehr im Oberkommando der Wehrmacht, war 1938 Kopf der Militärverschwörung gegen Hitler. Am 21. Juli 1944 verhaftet, wurde er am 9. April 1945 im KZ Flossenbürg ermordet. Heinz (1899–1968), Offizier und Freikorps-Führer, war im Krieg Kommandeur des 4. Regiments der Division Brandenburg, ab 1949 Leiter des Nachrichtendiensts im Bundeskanzleramt. ~ Gedenkstätte Deutscher Widerstand, Berlin (276) ▶

Der Schreiner Georg Elser (1903–1945) versuchte am 8. November 1939, Hitler im Münchener Bürgerbräukeller während der traditionellen Ansprache zum Gedenken an den „Hitler-Putsch“ 1923 mit einer Zeitzünder-Bombe zu töten. Der Anschlag mißlang, da Hitler den Raum früher als vorgesehen verließ. Wenig später verhaftet, wurde Elser für einen Schauprozeß in KZ-Sonderhaft „aufgespart“ und am 9. April 1945 auf Weisung von höchster Stelle ermordet.

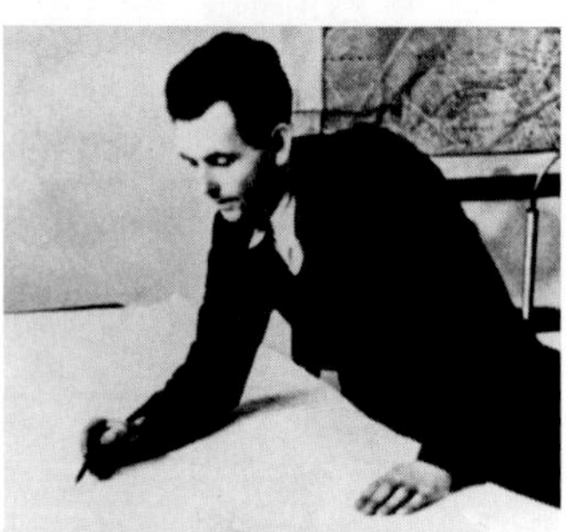

◄ Georg Elser bei der Rekonstruktion seines Anschlags während eines Verhörs im *Reichssicherheitshauptamt* um den 20. November 1939. ~ Gedenkstätte Deutscher Widerstand, Berlin (277)

Ansicht des zerstörten Bürgerbräukellers in München, 9. November 1939. ~ Stadtarchiv München (278) ▼

„Hitler ist ‚Finis Germaniae'!" Widerstand im Krieg (C 6.2)

Zu Widerstand gegen „Hitlers Krieg“ kam es in größerem Ausmaß erst nach dem deutschen Angriff auf die Sowjetunion (22. Juni 1941). In Berlin, Mitteldeutschland und München entstanden erneut kommunistische Gebietsorganisationen. Die „Weiße Rose“, der „Kreisauer Kreis“ sowie die Harnack/Schulze-Boysen-Organisation („Rote Kapelle“) standen vor und nach der Niederlage von Stalingrad für Versuche, das Unrechtsregime auch geistig zu überwinden. Im Exil kam es zu neuen Einigungsversuchen und programmatischer Neubesinnung, zum „Nachdenken über Deutschland nach dem Krieg“. In Attentat und Staatsstreichversuch Stauffenbergs am 20. Juli 1944 kulminierte der Widerstand gegen den Diktator. Dahinter stand eine breite „Koalition auf Zeit“ der politischen Kräfte von rechts bis links.

Die „Revolutionären Sozialisten"

Hermann Frieb und Bebo Wager standen im Zentrum der von Augsburg bis Wien verzweigten Widerstandsgruppe „Revolutionäre Sozialisten“, Teil der Organisation von *Neu Beginnen*. Ihre Anfänge gehen bis 1933 zurück. Angesichts der militärischen Krise um die Jahreswende 1941/42 schien für die Kader endlich der Zeitpunkt zur Aktion gekommen. Wenig später griff die Gestapo zu: Zahlreiche Beteiligte wurden hingerichtet.

▲ Hermann Frieb (1909–1943), vermutlich 1941 in München, am 12. August 1943 hingerichtet. ~ Institut für Zeitgeschichte, München – Berlin (279)

▲ Josef („Bebo") Wager (1905–1943) aus Augsburg, vermutlich 1941 bei einem illegalen Treff im Botanischen Garten in München, am 12. August 1943 hingerichtet. ~ Institut für Zeitgeschichte, München – Berlin (280)

◄◄ Robert Uhrig (1903–1944) und seine erste Ehefrau Margarete 1936 in Berlin. ~ Gedenkstätte Deutscher Widerstand, Berlin (281)

◄ Josef (Beppo) Römer (1892–1944), ehemals Führer des Freikorps Oberland und 1932 spektakulär der KPD beigetreten, von 1933–1939 in KZ-Haft, versuchte nach seiner Entlassung mehrfach, ein Attentat auf Hitler zu organisieren, und baute eine illegale Organisation auf, die über zahlreiche Verbindungen u. a. zu Wirtschaftskreisen verfügte. ~ Gedenkstätte Deutscher Widerstand, Berlin (282)

Die Uhrig-Römer-Organisation

Um den Berliner Kommunisten Robert Uhrig entstand Ende der dreißiger Jahre eine weitverzweigte illegale Organisation, die ab Anfang 1941 mit der kommunistisch-nationalrevolutionären Gruppe um Beppo Römer zusammenarbeitete und über sie Verbindung mit einer Gruppe in München und anderen Widerstandskreisen aufnahm. Verstärkte Propagandaaktivitäten nach dem deutschen Angriff auf die Sowjetunion und ihre Durchsetzung mit Gestapospitzeln führten Anfang 1942 zu ihrem Ende. Uhrig und Römer wurden mit zahlreichen weiteren Beteiligten zum Tod verurteilt und am 21. August bzw. am 25. September 1944 hingerichtet.

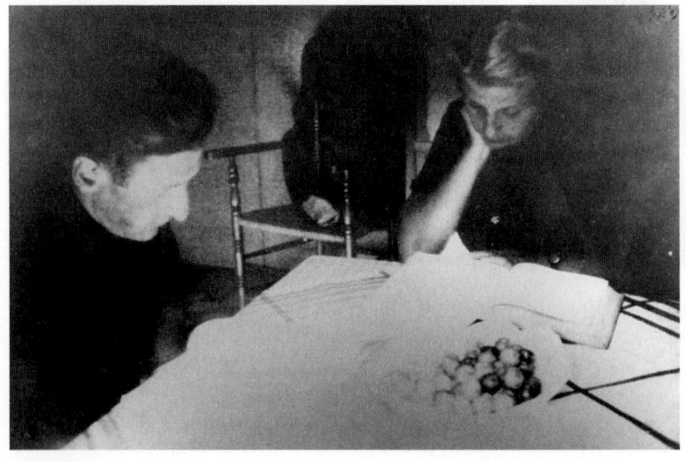

Wilhelm Knöchel und Cilly Hansmann vermutlich 1941 in Amsterdam. ~ Gedenkstätte Deutscher Widerstand, Berlin. – Wilhelm Knöchel (1899–1944), ZK-Mitglied der KPD, reiste Anfang 1942 von Amsterdam aus illegal nach Berlin, um eine neue KP-Inlandsorganisation aufzubauen. Seine Lebensgefährtin Cilly Hansmann (1908–1984), Leiterin der illegalen KP-Organisation im besetzten Holland, unterstützte Knöchel logistisch. Im Januar 1943 wurde Knöchel verhaftet und am 24. Juli 1944 hingerichtet. (283)◄

▶ Schreibmaschine und Vervielfältigungsapparat der „Antinazistischen Deutschen Volksfront" (ADV) - Beweisunterlagen der Gestapo München (1943). ~ Gedenkstätte Deutscher Widerstand, Berlin. - Karl Zimmet (geb. 1895), Hans Hutzelmann (1906-1945) und Emma Hutzelmann (1900-1944), die der KPD nahestanden, bauten 1943 in München die ADV auf, die Feindsender abhörte und Flugblätter verteilte. Sie arbeiteten eng mit einer illegalen Organisation sowjetischer Kriegsgefangener und Zwangsarbeiter (BSW) zusammen, die Anfang 1944 von der Gestapo aufgerollt wurde. Die Mitglieder der ADV wurden ebenfalls verhaftet und zumeist hingerichtet. (284)

Kommunistischer Widerstand im Krieg

Das Bündnis der Diktatoren im Hitler-Stalin-Pakt 1939 hatte den kommunistischen Widerstand fast völlig zum Erliegen gebracht. Der deutsche Angriff auf die Sowjetunion 1941 führte zu seiner Wiederbelebung: Freund und Feind waren nun wieder klar erkennbar. Die „schlafenden Kader" erwachten und versuchten die Errichtung einer „zweiten Front" im Inneren. Die neugebildeten Gruppen wurden nahezu ausnahmslos von der Gestapo gefaßt, die Beteiligten zumeist hingerichtet.

Herbert Baum (1912-1942) war Kopf eines Kreises meist jüdischer, in Berliner Rüstungsbetrieben zwangsverpflichteter Jungarbeiter mit häufig kommunistischem Hintergrund, der nach dem deutschen Angriff auf die Sowjetunion mit der Verteilung illegaler Schriften begann und einen Brandanschlag auf eine antisowjetische Propagandaausstellung in Berlin unternahm. Im Frühjahr 1942 verhaftet, wurden mehr als 20 Mitglieder dieses Kreises hingerichtet, Baum starb am 11. Juni 1942 in der Haft (vermutlich Freitod). ~ Gedenkstätte Deutscher Widerstand, Berlin. (285) ▶

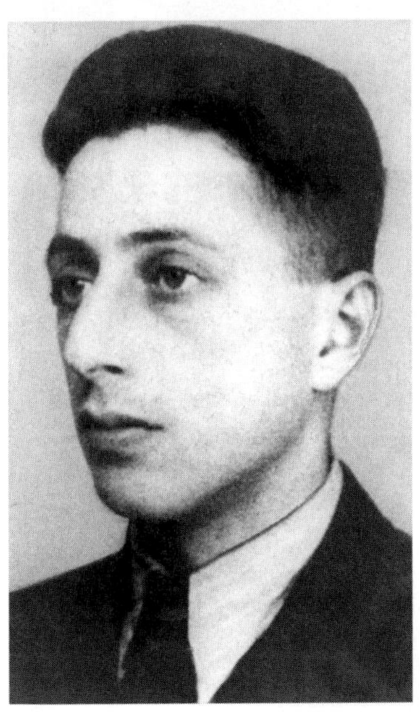

Der Widerstandskreis um Harro Schulze-Boysen und Arvid Harnack, bekannt als „Rote Kapelle“, bildete sich im Krieg aus Freundes- und Gesprächszirkeln, die z. T. schon vor 1933 bestanden. Er verteilte ab Winter 1941/42 Schriften mit Antikriegsparolen. Im Sommer/Herbst 1942 wurde er von der Gestapo aufgerollt. Die langjährige Diffamierung der „Roten Kapelle“ als sowjetische Spionageorganisation entspricht nicht der historischen Wahrheit.

◀ Harro Schulze-Boysen (1909-1942), Oberleutnant im Reichsluftfahrtministerium, und seine Frau Libertas (1913-1942), Referentin in der Kulturfilm-Zentrale des Propagandaministeriums, ca. 1935, beide hingerichtet am 22. Dezember 1942. ~ Gedenkstätte Deutscher Widerstand, Berlin (286)

◀ Arvid Harnack (1901-1942), Regierungsrat im Wirtschaftsministerium, und Mildred Harnack (1902-1943), Lehrerin für englische Sprache und Literatur am Berliner Städtischen Abendgymnasium, hingerichtet am 22. Dezember 1942 bzw. 16. Februar 1943. ~ Gedenkstätte Deutscher Widerstand, Berlin (287)

V.r.n.l.: Hans Scholl (1918-1943), Sophie Scholl (1921-1943) und Christoph Probst (1919-1943) Ende 1942 am Münchener Ostbahnhof, alle hingerichtet am 23. Februar 1943. ~ Weiße Rose Stiftung, München/© George J. Wittenstein, St. Barbara. - Zur Kerngruppe der „Weißen Rose" gehörten noch Alexander Schmorell (1917-1943), hingerichtet am 13. Juli 1943, Willi Graf (1918-1943), hingerichtet am 12. Oktober 1943, sowie später Professor Kurt Huber (1893-1943), hingerichtet am 13. Juli 1943. (288) ▼

Die Weiße Rose

Die „Weiße Rose" war eine studentische Widerstandsgruppe in München um die Geschwister Hans und Sophie Scholl, Alexander Schmorell, Christoph Probst, Willi Graf sowie Professor Kurt Huber. Die Beteiligten stammten zumeist aus dem Bildungsbürgertum und waren sowohl jugendbewegt wie konservativ-humanistisch geprägt. Anstöße zum Widerstand bildeten die innenpolitische Brutalisierung des Regimes, die Erfahrungen einzelner Beteiligter vom russischen Kriegsschauplatz sowie die deutlich werdende nationale Katastrophe. Die Kerngruppe der „Weißen Rose" verfaßte ab Sommer 1942 insgesamt sechs Flugblätter gegen Krieg und Diktatur, verteilte sie und versandte sie per Post. Das sechste Flugblatt unmittelbar nach der Niederlage von Stalingrad wurde der Gruppe zum Verhängnis.

Kommilitoninnen! Kommilitonen!

Erschüttert steht unser Volk vor dem Untergang der Männer von Stalingrad. Dreihundertdreissigtausend deutsche Männer hat die geniale Strategie des Weltkriegsgefreiten sinn- und verantwortungslos in Tod und Verderben gehetzt. Führer, wir danken dir!

Es gärt im deutschen Volk: Wollen wir weiter einem Dilettanten das Schicksal unserer Armeen anvertrauen? Wollen wir den niedrigen Machtinstinkten einer Parteiclique den Rest der deutschen Jugend opfern? Nimmermehr Der Tag der Abrechnung ist gekommen, der Abrechnung unserer deutschen Jugend mit der verabscheuungswürdigsten Tyrannis, die unser Volk je erduldet hat. Im Namen der ganzen deutschen Jugend fordern wir von dem Staat Adolf Hitlers die persönliche Freiheit, das kostbarste Gut des Deutschen zurück, um das er uns in der erbärmlichsten Weise betrogen hat.

In einem Staat rücksichtsloser Knebelung jeder freien Meinungsäusserung sind wir aufgewachsen. HJ, SA, SS haben uns in den fruchtbarsten Bildungsjahren unseres Lebens zu uniformieren, zu revolutionieren, zu narkotisieren versucht. „Weltanschauliche Schulung" hiess die verächtliche Methode, das aufkeimende Selbstdenken und Selbstwerten in einem Nebel leerer Phrasen zu ersticken. Eine Führerauslese, wie sie teuflischer und bornierter zugleich nicht gedacht werden kann, zieht ihre künftigen Parteibonzen auf Ordensburgen zu gottlosen, schamlosen und gewissenlosen Ausbeutern und Mordbuben heran, zur blinden, stupiden Führergefolgschaft. Wir „Arbeiter des Geistes" wären gerade recht, dieser neuen Herrenschicht den Knüppel zu machen. Frontkämpfer werden von Studentenführern und Gauleiteraspiranten wie Schuljungen gemassregelt, Gauleiter greifen mit geilen Spässen den Studentinnen an die Ehre. Deutsche Studentinnen haben an der Münchner Hochschule auf die Besudelung ihrer Ehre eine würdige Antwort gegeben, deutsche Studenten haben sich für ihre Kameradinnen eingesetzt und standgehalten. Das ist ein Anfang zur Erkämpfung unserer freien Selbstbestimmung, ohne die geistige Werte nicht geschaffen werden können. Unser Dank gilt den tapferen Kameradinnen und Kameraden, die mit leuchtendem Beispiel vorangegangen sind!

Es gibt für uns nur eine Parole: Kampf gegen die Partei! Heraus aus den Parteigliederungen, in denen man uns politisch weiter mundtot halten will! Heraus aus den Hörsälen der SS- Unter- oder Oberführer und Parteikriecher! Es geht uns um wahre Wissenschaft und echte Geistesfreiheit! Kein Drohmittel kann uns schrecken, auch nicht die Schliessung unserer Hochschulen. Es gilt den Kampf jedes einzelnen von uns um unsere Zukunft, unsere Freiheit und Ehre in einem seiner sittlichen Verantwortung bewussten Staatswesen.

Freiheit und Ehre! Zehn lange Jahre haben Hitler und seine Genossen die beiden herrlichen deutsche Worte bis zum Ekel ausgequetscht, abgedroschen, verdreht, wie es nur Dilettanten vermögen, die die höchsten Werte einer Nation vor die Säue werfen. Was ihnen Freiheit und Ehre gilt, haben sie in zehn Jahren der Zerstörung aller materiellen und geistigen Freiheit, aller sittlichen Substanz im deutschen Volk genugsam gezeigt. Auch dem dümmsten Deutschen hat das furchtbare Blutbad die Augen geöffnet, das sie im Namen von Freiheit und Ehre der deutschen Nation in ganz Europa angerichtet haben und täglich neu anrichten. Der deutsche Name bleibt für immer geschändet, wenn nicht die deutsche Jugend endlich aufsteht, rächt und sühnt zugleich, seine Peiniger zerschmettert und ein neues, geistiges Europa aufrichtet.

Studentinnen! Studenten! Auf uns sieht das deutsche Volk! Von uns erwartet es, wie 1813 die Brechung des Napoleonischen, so 1943 die Brechung des nationalsozialistischen Terrors aus der Macht des Geistes.

Beresina und Stalingrad flammen im Osten auf, die Toten von Stalingrad beschwören uns!

„Frisch auf, mein Volk, die Flammenzeichen rauchen!"

Unser Volk steht im Aufbruch gegen die Verknechtung Europas durch den Nationalsozialismus, im neuen gläubigen Durchbruch von Freiheit und Ehre!

▲ Sechstes und letztes Flugblatt der „Weißen Rose" von Mitte Februar 1943. ~ Institut für Zeitgeschichte, München - Berlin (289)

Helmuth James von Moltke (1907–1945) vor dem Volksgerichtshof (11. Januar 1945). Moltke wurde zum Tod verurteilt und am 23. Januar 1945 in Plötzensee hingerichtet. ~ Gedenkstätte Deutscher Widerstand, Berlin (290) ▶

▲ Peter Yorck von Wartenburg (1904–1944), nach dem 20. Juli 1944 verhaftet, zum Tod verurteilt und am 8. August 1944 in Plötzensee hingerichtet. ~ Gedenkstätte Deutscher Widerstand, Berlin (291)

Der „Kreisauer Kreis"

Der „Kreisauer Kreis" um Helmuth von Moltke und Peter Yorck von Wartenburg gewann 1941 festere Konturen. In ihm bündelten sich konservativ-agrarromantische, christlich-humanistische, sozialistische und bündisch-lebensreformerische Traditionen im Widerstand gegen den Nationalsozialismus, in dem man den perversen Ausdruck des modernen Massenzeitalters sah. Der Verfolgung nach dem 20. Juli 1944 fielen auch die meisten Kreisauer zum Opfer.

Franz Sperr (1878–1945), bis 1934 Bayerischer Gesandter beim Reich, war im Krieg führender Kopf eines katholisch-monarchistischen Kreises in München, der über Pater Alfred Delp in enger Verbindung zum „Kreisauer Kreis" stand. Sperr wurde am 23. Januar 1945 hingerichtet. ~ Institut für Zeitgeschichte, München – Berlin (292) ▶

Attentat und Staatsstreichversuch vom 20. Juli 1944

Kopf der Militärverschwörung gegen den Diktator war zunächst Henning von Tresckow von der Heeresgruppe Mitte. Auf seine Initiative gehen mehrere Attentatsversuche zurück. Claus Schenk von Stauffenberg, nach schwerer Verwundung Stabschef in der Heeresverwaltung, übernahm 1943 die Initiative. Drei Gelegenheiten für das Attentat auf Hitler – am 6. und am 11. Juli 1944 auf dem Obersalzberg und am 15. Juli 1944 im Führerhauptquartier Wolfsschanze – konnte er nicht nutzen. Am 20. Juli 1944 nahm Stauffenberg im Führerhaupt-

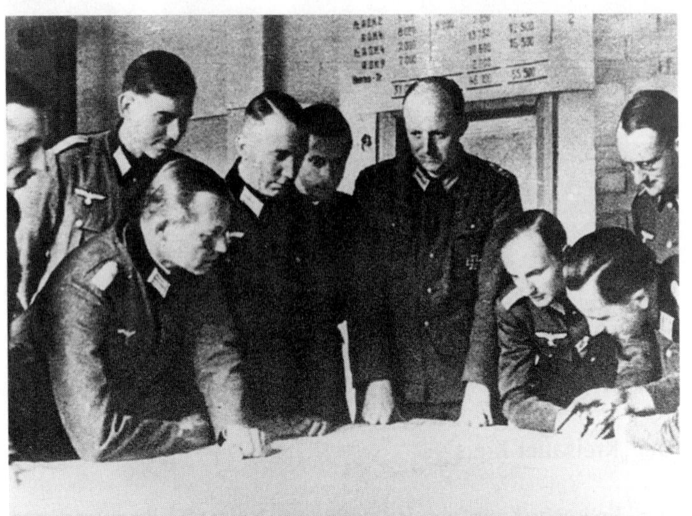

Vierter von rechts: Oberst Henning von Tresckow (1901-1944, Freitod nach dem Scheitern des Umsturzversuchs vom 20. Juli), Erster Generalstabsoffizier der Heeresgruppe Mitte, bei einer Lagebesprechung an der Ostfront 1943. Ganz rechts stehend: Oberleutnant Fabian von Schlabrendorff (1907-1980), Adjutant und enger Mitarbeiter Tresckows in der Offiziersverschwörung. ~ Gedenkstätte Deutscher Widerstand, Berlin (293) ◄

▲ Oberst Claus Schenk von Stauffenberg (1907-1944) 1940 als Generalstabsoffizier. ~ Gedenkstätte Deutscher Widerstand, Berlin (294)

◄ Zerstörte Lage-Baracke im Führerhauptquartier Wolfsschanze bei Rastenburg/Ostpreußen nach dem Attentat Stauffenbergs. ~ Gedenkstätte Deutscher Widerstand, Berlin (295)

▲ Albrecht Haushofer (1903-1945), Professor für politische Geographie und Geopolitik, Ende 1944 verhaftet und am 23. April 1945 ermordet. Haushofers „Moabiter Sonette", 1945 im Gefängnis Moabit niedergeschrieben, gehören zu den eindrucksvollsten literarischen Zeugnissen des Widerstands. ~ Gedenkstätte Deutscher Widerstand, Berlin (296, 297) ▶

quartier Wolfsschanze an der Lagebesprechung teil und deponierte dort die Bombe. Vom Erfolg des Attentats überzeugt, flog er nach Berlin zurück und versuchte erfolglos, über die Wehrkreiskommandos den Staatsstreich auszulösen. Nach dem Scheitern des Umsturzversuchs wurde Stauffenberg zusammen mit den Mitverschwörern General Friedrich Olbricht, Oberst Albrecht Mertz von Quirnheim und Oberleutnant Werner von Haeften in der Nacht vom 20. auf den 21. Juli 1944 standrechtlich erschossen, Ludwig Beck nahm sich das Leben. Das Regime nutzte den 20. Juli 1944 zur blutigen Abrechnung mit der Opposition. Die Zahl der Verhaftungen geht in die Tausende, Hunderte wurden hingerichtet oder bis Kriegsende ermordet.

Gefährten

Als ich in dumpfes Träumen heut versank,
sah ich die ganze Schar vorüberziehn:
Die Yorck und Moltke, Schulenburg, Schwerin,
die Hassell, Popitz, Helfferich und Planck -

nicht einer, der des eignen Vorteils dachte,
nicht einer, der gefühlter Pflichten bar,
in Glanz und Macht, in tödlicher Gefahr,
nicht um des Volkes Leben sorgend wachte.

Den Weggefährten gilt ein langer Blick:
Sie hatten alle Geist und Rang und Namen,
die gleichen Ziels in diese Zellen kamen -

und ihrer aller wartete der Strick.
Es gibt wohl Zeiten, die der Irrsinn lenkt.
Dann sind's die besten Köpfe, die man henkt.

Urteil gegen Carl Goerdeler, Wilhelm Leuschner, Josef Wirmer und Ulrich von Hassel, Vorsitzender Richter: Roland Freisler, 8. September 1944. ~ Text nach Tondokument der Stiftung Deutsches Rundfunkarchiv, Frankfurt/M. - Berlin (298) ▶

Im Namen des deutschen Volkes! Ehrgeizzerfressene, ehrlose, feige Verräter sind Carl Goerdeler, Wilhelm Leuschner, Josef Wirmer und Ulrich von Hassel. Sie verschworen sich - Goerdeler sogar als politischer Kriegsspion für unsere Feinde - mit einer Gruppe eidbrüchiger Offiziere, die unseren Führer ermorden wollte, als Minister einer feindhörigen Verräterregierung, unser Volk in dunkler Reaktion zu knechten und unseren Feinden auf Gnade und Ungnade auszuliefern. Statt mannhaft wie das ganze deutsche Volk, dem Führer folgend, unseren Sieg zu erkämpfen, verrieten sie das Opfer unserer Krieger, Volk, Führer und Reich. Sie werden mit dem Tode bestraft. Ihr Vermögen verfällt dem Reich.

Nationalkomitee „Freies Deutschland" (NKFD) und Bund deutscher Offiziere (BdO)

Nach der Niederlage von Stalingrad kam es Mitte 1943 auf Initiative Stalins zur Gründung des NKFD aus kriegsgefangenen Soldaten und Offizieren sowie kommunistischen Emigranten und des BdO unter Führung von General Walther von Seydlitz-Kurzbach: Damit sollte dem Diktator in letzter Minute von außen in den Arm gefallen werden. Für die sowjetische Seite waren NKFD und BdO nur Spielbälle, die an Bedeutung verloren, als sich der Krieg zu Gunsten der Alliierten wendete.

◀ Gründungsversammlung des *Nationalkomitees Freies Deutschland* (NKFD) 13. Juli 1943 in Krasnogorsk bei Moskau. ~ Gedenkstätte Deutscher Widerstand, Berlin (299)

◀ Gründungsversammlung des *Bunds deutscher Offiziere* (BdO) 11./12. September 1943 in Lunjowo bei Moskau. V.l.n.r.: Generalleutnant Alexander von Daniels (1891-1960), Oberst Luitpold Steidle (1898-1984), General Walther von Seydlitz-Kurzbach (1888-1976), Oberst Hans-Günther van Hooven (1896-1964), Generalmajor Otto Korfes (1889-1964). ~ Gedenkstätte Deutscher Widerstand, Berlin (300)

Das deutsche Exil im Krieg

Viele Emigranten stellten sich während des Kriegs in den Dienst der Alliierten. Zugleich waren die Kriegsjahre Zeit neuer Einigungsbemühungen und des „Nachdenkens über Deutschland nach dem Krieg".

▶ Hilda Monte (1914–1945), aktive Mitarbeiterin des *Internationalen Sozialistischen Kampfbunds* (ISK), ab 1934 Studentin in London, mehrfach illegale Aufenthalte in Deutschland, im Krieg Mitarbeiterin des *Senders der Europäischen Revolution*. Sie versuchte 1944/45 von der Schweiz aus Verbindung zu ehemaligen ISK-Kadern aufzunehmen und wurde am 17. April 1945 beim Versuch eines illegalen Grenzübertritts erschossen. ~ Gedenkstätte Deutscher Widerstand, Berlin (301)

Wilhelm Hoegner (1887–1980), führender bayerischer Sozialdemokrat, nach Kriegsende bayerischer Ministerpräsident, Innen- und Justizminister, in der Emigration in Zürich Mitte der dreißiger Jahre. ~ Privatbesitz Wolfgang Jean Stock, München (302) ▶

Widerstand bei Kriegsende

Je näher das Kriegsende rückte, desto brutaler agierte das Regime gegen die eigene Bevölkerung und das eigene Land: Am 19. März 1945 befahl Hitler („Nero-Befehl") die Zerstörung aller für den Feind nutzbaren Versorgungseinrichtungen. Vielerorts versuchten Bürger kurz vor dem Einmarsch der alliierten Truppen, diese sinnlosen Zerstörungen und weiteres Blutvergießen zu verhindern. Diese Aktionen endeten nicht selten in Mordaktionen von SS, Wehrmacht und in letzter Stunde gebildeten „Werwolf"-Gruppen.

◄ Am 10. November 1944 wurden 13 Jugendliche und Männer in Köln-Ehrenfeld ohne Gerichtsverfahren öffentlich durch die Gestapo erhängt - oppositionelle Jugendliche („Edelweißpiraten"), untergetauchte Fremdarbeiter und entflohene KZ-Häftlinge, deren Widerstandsaktivitäten von Beschaffungskriminalität bis zu gezielten Anschlägen auf lokale NS-Größen reichten. ~ Stadtarchiv München (303)

◄ © Institut für Zeitgeschichte, München - Berlin 1999 nach Vorlagen von Stadtarchiv Penzberg und Georg Lorenz: Die Penzberger Mordnacht vom 28. April 1945 vor dem Richter (1948). (304)

Hans Rummer, bis 1933 sozialdemokratischer Bürgermeister von Penzberg, übernahm am 28. April 1945 mit sozialdemokratischen und kommunistischen Helfern die Macht im Rathaus des oberbayerischen Bergarbeiter-Städtchens, um eine Sprengung des Bergwerks zu verhindern. Wenig später von einer Wehrmachteinheit verhaftet, wurden er und sechs weitere Beteiligte in München erschossen. Der NS-Literat Hans Zöberlein sorgte anschließend an der Spitze eines Werwolf-Haufens in Penzberg „für Ordnung": Neun z. T. völlig unbeteiligte Männer und Frauen wurden in der Nacht ohne Verfahren ermordet. Einen Tag später rückten die Amerikaner in Penzberg ein.

Opposition und Widerstehen der Kirchen (C 6.3)

Im Zuge der „Machtergreifung" hofierte Hitler die Kirchen. Die katholischen Bischöfe nahmen ihre früheren Erklärungen zurück, daß Nationalsozialismus und kirchliche Lehre unvereinbar seien, der Vatikan schloß ein Konkordat mit der neuen Regierung, das der Kirche Sicherung ihres Bestandes versprach. In der Tradition von „Thron und Altar" stand der deutsche Protestantismus dem „nationalen Aufbruch" weithin mit Sympathie gegenüber.

Bald gingen die Nationalsozialisten jedoch zu einer Politik der Verdrängung des Christentums aus dem öffentlichen Leben über. Dagegen wandten sich die katholische und die „Bekennende" Kirche: Die Auseinandersetzung innerhalb der evangelischen Kirche eskalierte zum „Kirchenkampf". Die Rassenideologie, die dem christlichen Menschenbild widersprach, wurde mehrfach auch kirchenamtlich verurteilt: Öffentlicher Protest gegen konkrete rassenpolitische Maßnahmen blieb jedoch auf Zwangssterilisierung und „Euthanasie" begrenzt. Gegen die zunehmende Entrechtung der jüdischen Bürger erhoben die Kirchen keinen öffentlichen Widerspruch – nur einzelne Geistliche protestierten von der Kanzel. Schon vor dem Novemberpogrom 1938 richteten beide Kirchen Hilfsstellen ein, die vielen jüdischen Christen, aber auch Juden mosaischen Glaubens, beistanden und manchmal Rettung brachten.

Geistliche beider Konfessionen waren an der Verschwörung des 20. Juli 1944 beteiligt. Das Verdienst der Kirchen im Krieg bestand neben der Hilfeleistung für Bedrohte und Verfolgte vor allem in der Schaffung und Bewahrung von Freiräumen für regimekritisches Bewußtsein.

Konrad Adenauer über die Bischöfe im Dritten Reich:

„Ich glaube, daß, wenn die Bischöfe alle miteinander an einem bestimmten Tage öffentlich von den Kanzeln aus dagegen Stellung genommen hätten, sie vieles hätten verhüten können. Das ist nicht geschehen und dafür gibt es keine Entschuldigung. Wenn die Bischöfe dadurch ins Gefängnis oder in Konzentrationslager gekommen wären, so wäre das kein Schade, im Gegenteil. Alles das ist nicht geschehen und darum schweigt man am besten."

Konrad Adenauer an Pastor Bernhard Custodis (Bonn), 23. Februar 1946, Konrad Adenauer: Briefe 1945–1947, Berlin 1983, S. 172f. (305) ▶

Nach Abschluß des Konkordats (20. Juli 1933) verhielt sich die Katholische Kirche betont neutral gegenüber dem Regime. Selbst zu der Mordaktion vom 30. Juni 1934 bezog sie offiziell nicht Stellung, obwohl dieser führende Vertreter des politischen Katholizismus wie Fritz Gerlich und Erich von Klausener zum Opfer gefallen waren. Zu Protesten und Konflikten mit dem Regime kam es vor allem bei Maßnahmen des Staates gegen das katholische Jugendverbands- und Pressewesen, gegen die Bekenntnisschule sowie zur Zwangssterilisierung von „Erbkranken". Herausragendes Ereignis katholischer Opposition vor dem Krieg war die päpstliche Enzyklika „Mit brennender Sorge" (März 1937). Im Krieg führte der zeitgleiche Protest beider Kirchen Ende 1941 zur offiziellen (nicht aber tatsächlichen) Einstellung der „Euthanasie". Die Predigten des Bischofs Clemens August von Galen zirkulierten als illegale Schriften. Zahlreiche katholische Geistliche wurden wegen kirchenöffentlicher Kritik am NS-Regime verfolgt und inhaftiert, manche wurden ermordet.

Opposition und Widerstehen der katholischen Kirche
Eine Chronik

28. März 1933	Die deutschen katholischen Bischöfe nehmen ihre bisherigen Verbote und Warnungen gegenüber der NSDAP weitgehend zurück
13. Juni 1933	Protestbrief des Münchener Kardinals Michael von Faulhaber an den bayerischen Innenminister Adolf Wagner wegen der gewaltsamen Sprengung des „Deutschen Gesellentags" der katholischen Gesellenvereine in München durch die SA
20. Juli 1933	Reichskonkordat zwischen dem Heiligem Stuhl und dem Deutschen Reich
12. September 1933	Eingabe von Kardinal Adolph Bertram (Breslau, Vorsitzender der Fuldaer Bischofskonferenz) an den Reichsminister des Inneren Wilhelm Frick gegen die Zwangssterilisierungen gemäß dem „Gesetz zur Verhütung erbkranken Nachwuchses"
8. November 1933	Hirtenwort der bayerischen Bischöfe zur Reichstagswahl und Volksabstimmung vom 12. November 1933 verbindet Lob für die Politik des „Führers" mit krischen Worten über die „Belastungen des katholischen Gewissens" wegen „Entheiligung des Sonntags" und der staatlichen Maßnahmen gegen katholische Vereine und die Bekenntnisschule

▲ Bernhard Lichtenberg (1875-1943), ab 1938 Leiter der auf Initiative des Bischofs Konrad von Preysing eingerichteten Hilfsstelle für katholische „Nichtarier" in Berlin, wurde im Oktober 1941 verhaftet und zu einer Gefängnisstrafe verurteilt. 1943 ins KZ Dachau eingewiesen, starb er auf dem Transport. ~ Gedenkstätte Deutscher Widerstand, Berlin (306)

Widerstand und Emigration

▲ Bischof Clemens August von Galen (1878–1946) sprach sich seit 1934 entschieden gegen die nationalsozialistische Politik gegenüber der Kirche und dem katholischen Vereins-, Schul- und Pressewesen aus. Besonders scharf wandte er sich 1940/41 gegen die „Euthanasie": Seine Predigten zirkulierten als illegale Schriften. ~ Gedenkstätte Deutscher Widerstand, Berlin (307)

Dezember 1933	Kardinal Faulhaber wendet sich in aufsehenerregenden Adventspredigten gegen die Diffamierung des „Alten Testaments" als „Judenbuch"
7. Juni 1934	Hirtenbrief der Fuldaer Bischofskonferenz wendet sich gegen „Neuheidentum"
20. August 1935	Denkschrift des deutschen Episkopats an Hitler: Erneute Kritik des „Neuheidentums" sowie der „Diktatur der Geheimen Staatspolizei" in ihrem Verhalten gegenüber der Kirche
1935/36	Mehrfach Hirtenbriefe und nichtöffentliche Denkschriften und Proteste hoher katholischer Würdenträger wegen der Maßnahmen gegen die Bekenntnisschule, das katholische Presse- und Verbandswesen sowie wegen der Verfolgung katholischer Geistlicher mit Devisen- und Sittlichkeitsprozessen
21. März 1937	Aufsehenerregende Verlesung und Verteilung der päpstlichen Enzyklika *Mit brennender Sorge* in den katholischen Kirchen: Protest gegen die ständigen Verletzungen des Reichskonkordats durch den Staat
4. Juli 1937	„Flammenzeichen"-Predigt Kardinal Faulhabers anläßlich der Verhaftung von P. Rupert Mayer
19. August 1938	Hirtenwort der deutschen katholischen Bischöfe gegen den „Vernichtungskampf", den der Staat „den Konfessionen angesagt" habe
24. August 1938	Gründung des „Hilfswerks beim Bischöflichen Ordinariat Berlin" durch Bischof Konrad von Preysing, das insbesondere nach der „Reichskristallnacht" und während des Kriegs für zahlreiche Katholiken jüdischer Herkunft, aber auch für nicht katholisch getaufte Juden Unterstützung und Hilfe organisiert
Ab Mitte 1940	Zahlreiche Proteste katholischer Würdenträger und Geistlicher gegen die mit Kriegsbeginn eingeleitete „Euthanasie"
3. August 1941	Predigt des Münsteraner Bischofs Clemens August von Galen gegen die „Euthanasie"-Maßnahmen; ihr Text wird in zahlreichen Abschriften vervielfältigt und verbreitet
17. September 1941	Kardinal Bertram befürwortet in einem Schreiben an alle Diözesen die Beibehaltung von gemeinsamen Gottesdiensten mit katholischen „Nichtariern" (die seit 1.9.1941 den „Judenstern" tragen müssen)

9./10. Dezember 1941	Zeitgleicher Protest von Kardinal Bertram im Auftrag der deutschen Bischofskonferenz und des evangelischen Bischofs Theophil Wurm im Namen der evangelischen Kirchenführerkonferenz gegen die „Bedrückung der Kirche" und die Ermordung von Insassen von Heil- und Pflegeanstalten; daraufhin offiziell Einstellung der „Euthanasie"
Ab 1942	Zahlreiche Verhaftungen, Verfahren (z.T. mit Todesurteilen) und KZ-Einweisungen von Geistlichen wegen „defätistischer Äußerungen", „Wehrkraftzersetzung" u.ä.
22. März 1942	Hirtenwort der katholischen Bischöfe gegen die Bekämpfung der Kirchen und die Mißachtung des Rechts auf persönliche Freiheit und auf Leben
11. November 1942	Protest von Kardinal Bertram gegen ein geplantes Gesetz zur Zwangsscheidung „rassischer Mischehen"
13. Dezember 1942	Adventspredigt von Bischof Preysing gegen Willkür gegenüber Menschen anderer Nationalität und Rasse
18. Dezember 1942	Protest Kardinal Bertrams gegen die kirchenfeindlichen Maßnahmen des Staates
2. März 1943	Protest Kardinal Bertrams bei Reichsinnenminister Wilhelm Frick gegen die unmenschlichen Maßnahmen bei der „Evakuierung" von Juden
29. Januar 1944	Protestschreiben Kardinal Bertrams gegen die Deportation „nichtarischer" Ehepartner aus sogenannten „privilegierten Mischehen"
23. August 1945	Im ersten gemeinsamen Hirtenbrief nach Kriegsende danken die katholischen Bischöfe den Gläubigen, die widerstanden hätten, und erkennen schuldhaftes Verhalten auch von Katholiken an

▲ Michael Höck (1903–1996), Chefredakteur der *Münchner Katholischen Kirchenzeitung* (MKKZ), einer der kompromißlosesten NS-Gegner im Münchener Ordinariat, war 1941–1945 im KZ Dachau inhaftiert. ~ Archiv des Erzbistums München und Freising, München (308)

◀ © Institut für Zeitgeschichte, München – Berlin 1999 (309)

◀ Bischof Konrad von Preysing (1880–1950) Fronleichnam 1937 vor der Berliner St. Hedwigs-Kathedrale. Ab 1935 Bischof in Berlin, war Preysing einer der entschiedensten Hitler-Gegner im katholischen Episkopat. ~ Gedenkstätte Deutscher Widerstand, Berlin (310)

Rundschreiben Seiner Heiligkeit PIUS XI. vom 14. März 1937, durch Gottes Vorsehung PAPST, an die Ehrwürdigen Brüder, Erzbischöfe und Bischöfe Deutschlands und die anderen Oberhirten, die in Frieden und Gemeinschaft mit dem Apostolischen Stuhl leben:

Über die Lage der katholischen Kirche im Deutschen Reich.

PAPST PIUS XI.

Ehrwürdige Brüder!

Gruß und Apostolischen Segen!

Mit brennender Sorge und steigendem Befremden beobachten Wir seit geraumer Zeit den Leidensweg der Kirche, die wachsende Bedrängnis der ihr in Gesinnung und Tat treubleibenden Bekenner und Bekennerinnen inmitten des Landes und des Volkes, dem St. Bonifatius einst die Licht- und Frohbotschaft von Christus und dem Reiche Gottes gebracht hat.

Diese Unsere Sorge ist nicht vermindert worden durch das, was die Uns an Unserem Krankenlager besuchenden Vertreter des hochwürdigsten Episkopates wahrheits- und pflichtgemäß berichtet haben. Neben viel Tröstlichem und Erhebendem aus dem Bekennerkampf ihrer Gläubigen haben sie bei aller Liebe zu Volk und Vaterland und bei allem Bestreben nach abgewogenem Urteil auch unendlich viel Herbes und Schlimmes nicht übergehen können. Nachdem Wir ihre Darlegungen vernommen, durften Wir in innigem Dank gegen Gott mit dem Apostel der Liebe sprechen: „Eine größere Freude habe ich nicht, als wenn ich höre: meine Kinder wandeln in der Wahrheit" (3 Joh. 4). Der Unserem verantwortungsvollen apostolischen Amt ziemende Freimut und der Wille, Euch und der gesamten christlichen Welt die Wirklichkeit in ihrer ganzen Schwere vor Augen zu stellen, fordern von Uns aber auch, daß Wir hinzufügen: Eine größere Sorge, ein herberes Hirtenleid haben Wir nicht, als wenn Wir hören: viele verlassen den Weg der Wahrheit (vgl. 2 Petr. 2, 2).

Als Wir, Ehrwürdige Brüder, im Sommer 1933 die Uns von der Reichsregierung in Anknüpfung an einen jahrealten früheren Entwurf angetragenen Konkordatsverhandlungen aufnehmen und zu Euer aller Befriedigung mit einer feierlichen Vereinbarung abschließen ließen, leitete Uns die pflichtgemäße Sorge um die Freiheit der kirchlichen Heilsmission in Deutschland und um das Heil der ihr anvertrauten Seelen — zugleich aber auch der aufrichtige Wunsch, der friedlichen Weiterentwicklung und Wohlfahrt des deutschen Volkes einen ganz wesentlichen Dienst zu leisten.

Trotz mancher Bedenken haben Wir daher Uns damals den Entschluß abgerungen, Unsere Zustimmung nicht zu versagen. Wir wollten unseren treuen Söhnen und Töchtern in Deutschland im Rahmen des Menschenmöglichen die Spannungen und Leiden ersparen, die andernfalls unter den damaligen Verhältnissen mit Gewißheit zu erwarten gewesen wären. Wir wollten allen durch die Tat beweisen, daß Wir, einzig Christus suchend und das was Christi ist, niemanden die Friedenshand der Mutterkirche verweigern, der sie nicht selbst zurückstößt.

1

Knie wieder beugt vor dem König der Zeit und Ewigkeit Jeſus Chriſtus, und daß es ſich anſchickt, im Kampf gegen die Verneiner und Vernichter des chriſtlichen Abendlandes in Harmonie mit allen Gutgeſinnten anderer Völker den Beruf zu erfüllen, den die Pläne des Ewigen ihm zuweiſen.

Er, der Herz und Nieren durchforſcht (Pſ. 7, 10), iſt Unſer Zeuge, daß Wir keinen innigeren Wunſch haben als die Wiederherſtellung eines wahren Friedens zwiſchen Staat und Kirche in Deutſchland. Wenn aber — ohne unſere Schuld — der Friede nicht ſein ſoll, dann wird die Kirche Gottes ihre Rechte und Freiheiten verteidigen im Namen des Allmächtigen, deſſen Arm auch heute nicht verkürzt iſt. Im Vertrauen auf ihn „hören wir nicht auf zu beten und zu rufen" (Coloſſ. 1, 9.) für Euch, die Kinder der Kirche, daß die Tage der Trübſal abgekürzt und ihr treu erfunden werdet am Tage der Prüfung und auch für die Verfolger und Bedränger: der Vater alles Lichtes und aller Erbarmung möge ihnen eine Damaskusſtunde der Erkenntnis ſchenken, für ſich und alle die vielen, die mit ihnen geirrt haben und irren.

Mit dieſem Flehgebet im Herzen und auf den Lippen erteilen wir als Unterpfand göttlicher Hilfe, als Beiſtand in Euren ſchweren und verantwortungsvollen Entſchließungen, als Stärkung im Kampf, als Troſt im Leid, Euch, den biſchöflichen Hirten Eures treuen Volkes, den Prieſtern und Ordensleuten, den Laienapoſteln der katholiſchen Aktion und allen, allen Euren Diözeſanen — nicht zuletzt den Kranken und Gefangenen — in väterlicher Liebe den apoſtoliſchen Segen.

Gegeben im Vatikan, am Paſſionsſonntag, den 14. März 1937.

Pius PP XI.

▲ Auszug aus der päpstlichen Enzyklika *Mit brennender Sorge* (die einzige Enzyklika in deutscher Sprache), die scharf gegen die Behandlung der Kirchen durch das Regime protestierte. Sie wurde unter erfolgreicher Geheimhaltung in kirchlichen Druckereien vervielfältigt und am 21. März 1937 im ganzen Reich von der Kanzel verlesen und verteilt. ~ Gedenkstätte Deutscher Widerstand, Berlin (311)

Evangelische Kirche (C 6.3.2)

Schon 1933 versuchte das NS-Regime, die evangelischen Kirchen vermittels der starken innerkirchlichen Fraktion der „Deutschen Christen" in einer „Reichskirche" unter dem „Reichsbischof" Ludwig Müller gleichzuschalten. Dagegen entstand auf Initiative von Pfarrer Martin Niemöller der „Pfarrernotbund". Bis Ende 1933 schloß sich ein Drittel aller evangelischen Geistlichen dem „Notbund" an. Aus ihm entwickelte sich die *Bekennende Kirche*. Sie verstand ihren Widerstand nicht unmittelbar als politisch, sondern versuchte vor allem, die kirchliche Autonomie zu wahren. Dazu gehörten ab 1934 aber auch Proteste gegen den Totalitätsanspruch des NS-Staates, gegen die „rassisch-völkische Weltanschauung", gegen die Aufforderung zum „Judenhaß". Im Krieg führte der zeitgleiche Protest beider Kirchen Ende 1941 zur formellen (nicht aber tatsächlichen) Einstellung der „Euthanasie". Zahlreiche evangelische Geistliche wurden wegen Kritik von der Kanzel verfolgt und inhaftiert, manche wurden ermordet. Im „Stuttgarter Schuldbekenntnis" (19. Oktober 1945) bekannte die *Evangelische Kirche Deutschlands* die Mitverantwortung der deutschen evangelischen Christen für die Verbrechen des NS-Staates.

▲ Theophil Wurm (1868–1953), ab 1933 Landesbischof in Württemberg, protestierte immer wieder gegen die kirchenfeindlichen Maßnahmen des Regimes sowie vor allem gegen die „Euthanasie" und erhielt während des Kriegs zeitweise Hausarrest und Schreib- und Redeverbot. ~ Gedenkstätte Deutscher Widerstand, Berlin (312)

Opposition und Widerstand der evangelischen Kirche
Eine Chronik

16. April 1933	Osterbotschaft des Oberkirchenrats der Evangelischen Kirchen in Preußen („Altpreußische Union") begrüßt den „Aufbruch der tiefsten Kräfte unserer vaterländischen Nation zu nationalem Bewußtsein, echter Volksgemeinschaft und religiöser Erneuerung"
27. Mai 1933	Pfarrer Fritz von Bodelschwingh wird gegen den Kandidaten und „Bevollmächtigten des Führers" für die evangelischen Kirchen, Ludwig Müller, zum „Reichsbischof" der neuen evangelischen „Reichskirche" (aus den 28 evangelischen Landeskirchen in Deutschland) gewählt, jedoch demonstrativ weder von Reichskanzler Hitler noch Reichspräsident von Hindenburg empfangen; daraufhin Rücktritt Bodelschwinghs; Beginn des Kirchenkampfs in der evangelischen Kirche als Auseinandersetzung zwischen den nationalsozialistischen „Deutschen Christen" (DC) und den Gläubigen, die sich einer nationalsozialistischen „Gleichschaltung" der evangelischen Kirche widersetzen.
23. Juli 1933	Staatlich oktroyierte Kirchenwahlen; die DC setzen sich fast überall mit Zweidrittel-Mehrheiten durch.

5. September 1933	„Braune Synode" in Preußen führt den Arierparagraphen in der Evangelischen Kirche ein
11.-21. September 1933	Gründung des evangelischen „Pfarrernotbundes" auf Initiative von Pastor Martin Niemöller (Berlin-Dahlem) als Reaktion auf die „braune Synode": Er wird zur Keimzelle der „Bekennenden Kirche" (BK)
27. September 1933	Evangelische „Nationalsynode" in Wittenberg, Wahl Ludwig Müllers zum „Reichsbischof", dessen Autorität und Kompetenz umstritten bleiben
19. Dezember 1933	Die evangelische Jugend wird in die HJ eingegliedert
29.-31. Mai 1934	1. Bekenntnissynode der BK in Barmen beschließt das „Barmer Bekenntnis": Ablehnung des nationalsozialistischen Führungsanspruchs im Bereich der evangelischen Kirche, „Notrecht" gegen von den DC gestellte Kirchenleitungen
19./20. Oktober 1934	2. Bekenntnissynode der BK in Berlin-Dahlem
22. November 1934	Bildung der „Vorläufigen Kirchenleitung" der BK (VKL) unter Bischof Marahrens
4./5. März 1935	Bekenntnissynode der evangelischen Kirche in Preußen beschließt Kanzelverkündigung gegen „Neuheidentum" und NS-Rassenideologie; Verhaftung zahlreicher evangelischer Pfarrer
4.-6. Juni 1935	3. Bekenntnissynode der BK in Augsburg
17.-22. Februar 1936	4. Bekentnissynode der BK in Bad Oeynhausen, Spaltung in eine „gemäßigte" und eine „radikale" Richtung („Reichsbruderrat"); Rücktritt der VKL
12. März 1936	Wahl der „2. Vorläufigen Kirchenleitung"
28. Mai 1936	Pfingst-Denkschrift der 2. VKL gegen staatliche Unrechtsmaßnahmen und NS-Rassenpolitik
4. Juni 1936	Übergabe der Denkschrift an Hitler, daraufhin zahlreiche Verhaftungen evangelischer Geistlicher
1. Juli 1937	Verhaftung von Martin Niemöller (bis 1945 in KZ-Haft)
20. April 1938	Treueid der evangelischen Pfarrer auf Hitler; von 18 000 Pfarrern widersetzen sich dem staatlich induzierten Druck nur einige Hundert aus der „radikalen" BK
Ende Mai 1938	Bildung der Hilfsstelle der BK für evangelische „Nichtarier" unter Heinrich Grüber („Büro Pfarrer Grüber") in Berlin, die insbesondere nach der „Reichskristallnacht" und während des Kriegs für zahlreiche Protestanten jüdischer Herkunft, aber auch für nicht evangelisch getaufte Juden Unterstützung und Hilfe organisiert

Widerstand und Emigration

▲ Dietrich Bonhoeffer (1906–1945), Theologe und Studentenpfarrer in Berlin, hatte schon 1933 betont, die Kirche dürfe nicht nur die „Opfer unter dem Rad verbinden", sondern müsse „dem Rad selbst in die Speichen fallen". Er gehörte ab 1940 zum Widerstandskreis im Amt Ausland/Abwehr um Hans Oster und Hans von Dohnanyi, wurde 1943 verhaftet und am 9. April 1945 im KZ Flossenbürg gehenkt. ~ Gedenkstätte Deutscher Widerstand, Berlin (313)

▲ Heinrich Grüber (1891–1975), Leiter der im Sommer 1938 begründeten Berliner Hilfsstelle für Juden, 1940–1943 in den KZ Sachsenhausen und Dachau. ~ Gedenkstätte Deutscher Widerstand, Berlin (314)

▲ Martin Niemöller (1892–1984), Marineoffizier im Ersten Weltkrieg, seit 1931 Gemeindepfarrer in Berlin-Dahlem, maßgeblicher Vertreter der *Bekennenden Kirche*, 1937–1945 in Gefängnis- und KZ-Haft. ~ Gedenkstätte Deutscher Widerstand, Berlin (315)

Ab Mitte 1940	Zahlreiche Proteste und Denkschriften evangelischer Würdenträger und Geistlicher gegen die mit Kriegsbeginn eingeleitete „Euthanasie"
19. Dezember 1940	Verhaftung Pfarrer Grübers, Schließung der „Hilfsstelle"; Grüber ist bis 1943 in KZ-Haft, sein Mitarbeiter Werner Sylten wird 1942 in Hartheim ermordet
9./10. Dezember 1941	Zeitgleicher Protest des evangelischen Bischofs Theophil Wurm im Namen der evangelischen Kirchenführerkonferenz und von Kardinal Bertram im Auftrag der deutschen Bischofskonferenz gegen die „Bedrückung der Kirche" und die Ermordung von Insassen von Heil- und Pflegeanstalten; daraufhin offiziell Einstellung der „Euthanasie"
Ab 1942	Zahlreiche Verhaftungen, Verfahren (z.T. mit Todesurteilen) und KZ-Einweisungen von Geistlichen wegen „defätistischer Äußerungen", „Wehrkraftzersetzung" u.ä.
5. Februar 1942	Der Beschluß der (offiziellen) Deutschen Evangelischen Kirchenkanzlei, getaufte „Nichtarier" aus der Evangelischen Kirche auszuschließen, stößt auf entschiedenen Protest der Konferenz der „Landesbruderräte"
2. März 1942	Denkschrift von Bischof Theophil Wurm gegen den nationalsozialistischen Kulturkampf
Ostern 1943	Denkschrift eines Kreises evangelischer Laien in München an Bischof Meiser, Protest gegen das Schweigen der Kirche gegenüber der Judenverfolgung; sie zirkuliert in illegalen Abschriften und wird im *Evangelischen Pressedienst* in der Schweiz veröffentlicht
16./17. Oktober 1943	Bekenntnissynode der „Altpreußischen Union" verurteilt die Tötung von Menschen aus Rasse-, Alters- oder Krankheitsgründen: In der „göttlichen Ordnung" hätten Begriffe wie „Ausmerzen", „Liquidieren" und „unwertes Leben" keinen Platz
19. Oktober 1945	Im „Stuttgarter Schuldbekenntnis" bekennt sich der Rat der EKD zur Schuld der deutschen evangelischen Christen im Zusammenhang mit den Verbrechen des NS-Staates

▲ © Institut für Zeitgeschichte, München – Berlin 1999 (316)

Hochwürdiger Herr Landesbischof!

Als Christen können wir es nicht mehr länger ertragen, daß die Kirche in Deutschland zu den Judenverfolgungen schweigt. In der Kirche des Evangeliums sind alle Gemeindeglieder mitverantwortlich für die rechte Ausübung des Predigtamtes. Wir wissen uns deshalb auch für sein Versagen in dieser Sache mitschuldig. Der zur Zeit drohende nächste Schritt: die Einbeziehung der sog. "privilegierten" Juden in diese Verfolgung unter Aufhebung der nach Gottes Gebot gültigen Ehen mag der Kirche die Veranlassung geben, das durch Gottes Wort von ihr geforderte Zeugnis abzulegen gegen diese Verletzung des 5.,6.,7.,8.,9. und 10. Gebotes und damit endlich das zu tun, was sie längst hätte tun müssen.

Was uns treibt, ist zunächst das einfache Gebot der Nächstenliebe, wie es Jesus im Gleichnis vom barmherzigen Samariter ausgelegt und dabei ausdrücklich jede Einschränkung auf den Glaubens- Rassen- oder Volksgenossen abgewehrt hat. Jeder "Nichtarier", ob Jude oder Christ, ist heute in Deutschland der "unter die Mörder Gefallene", und wir sind gefragt, ob wir ihm wie der Priester und Levit, oder wie der Samariter begegnen.

Von dieser Entscheidung kann uns keine "Judenfrage" entbinden. Vielmehr hat die Kirche bei diesem Anlaß zugleich zu bezeugen, daß die Judenfrage primär eine evangelische und keine politische Frage ist. Das politisch irreguläre und singuläre Dasein und Sosein der Juden hat nach der Heiligen Schrift seinen alleinigen Grund darin, daß dieses Volk von Gott als Werkzeug seiner Offenbarung in Beschlag genommen ist.

Die Kirche hat daher allen Juden unermüdlich zu bezeugen, so wie es die ersten Apostel - nach Golgatha ! - getan haben: "Euch zuvörderst hat Gott auferweckt seinen Knecht Jesus und hat ihn zu euch gesandt, euch zu segnen, daß ein jeglicher sich bekehre von seiner Bosheit" (Apostelg. 3,26). Dieses Zeugnis kann die Kirche nur dann für Israel glaubwürdig ausrichten, wenn sie sich zugleich um den "unter die Mörder gefallenen" Juden annimmt.

Sie hat dabei insbesondere jenem "christlichen" Antisemitismus in der Gemeinde selbst zu widerstehen, der das Vorgehen der nichtchristlichen Welt gegen die Juden, bzw. die Passivität der Kirche in dieser Sache mit dem "verdienten" Fluch über Israel entschuldigt und die Mahnung des Apostels an uns Heidenchristen vergißt: "Sei nicht stolz sondern fürchte dich. Hat Gott die natürlichen Zweige nicht verschont, daß er vielleicht dich auch nicht verschone " (Römer 11,20 f.).

Dem Staat gegenüber hat die Kirche diese heilsgeschichtliche Bedeutung Israels zu bezeugen und jedem Versuch, die Judenfrage nach einem selbstgemachten politischen Evangelium zu "lösen", d.h. das Judentum zu vernichten, aufs äußerste zu widerstehen als einem Versuch, den Gott des 1. Gebotes zu bekämpfen. Die Kirche muß bekennen, daß sie als das wahre Israel in Schuld und Verheißung unlösbar mit dem Judentum verknüpft ist. Sie darf nicht länger versuchen , vor dem gegen Israel gerichteten Angriff sich selbst in Sicherheit zu bringen. Sie muß vielmehr bezeugen, daß mit Israel sie und ihr Herr Jesus Christus selbst bekämpft wird.

Das Zeugnis, das der Kirche durch das Gleichnis vom barmherzigen Samariter geboten ist, wird also durch die "Judenfrage" nicht etwa suspendiert. Das Phänomen der Juden, an denen sich die prophetische Weissagung erfüllt, "daß sie sollen zum Fluch, zum Wunder, zum Hohn und zum Spott unter allen Völkern werden" (Jer. 29,18), bezeugt aller Welt den Gott des 1. Gebotes, der durch sein Handeln an Israel seinen Herrschaftsanspruch an die Völker kundtut. Dieses

2

Phänomen hat die Kirche zu interpretieren. Sie hat also durch ihre Verkündigung dafür zu sorgen, daß die Regierenden diesem Zeugnis nicht auszuweichen versuchen durch Beseitung dieses Phänomens. Das tut sie durch die Verkündigung des Evangeliums von dem Gott, der Israel und uns "aus Ägyptenland, aus dem Diensthause geführt hat" (2. Mose 20,2) und trotz aller Untreue der von ihm aus Juden und Heiden Erwählten seinem Bund treu bleibt. Sie bezeugt damit den Regierenden, daß diese allein durch den Glauben an Jesus Christus freiwerden können von der Dämonie ihres politischen "Evangeliums", das sie in ihrer durch kein Gesetz Gottes begrenzten Besessenheit verwirklichen wollen. Die Kirche hat also den Regiereden für ihr Verhalten gegen Israel nicht nur die Gebote der 2. Tafel zu predigen, sondern *zugleich* zu bezeugen, daß diese Predigt durch das 1. Gebot gefordert ist und daß die Regierenden nur im Gehorsam gegen den Gott des 1. Gebotes ihr Amt recht ausrichten , d.h. das Gesetz recht handhaben können.

Das Zeugnis der Kirche gegen die Judenverfolgung in Deutschland wird so zu einem mit besonderem Gewicht ausgestatteten Sonderfall des der Kirche gebotenen Zeugnisses gegen alle Verletzung der 10 Gebote durch die staatliche Obrigkeit. Sie hat *im Namen Gottes* also *nicht* mit politischen Argumenten, wie das ab und zu schon geschehen ist - den Staat davor zu warnen, daß er "den Fremdlingen, Witwen und Waisen keine Gewalt tut" (Jer.7,6), und ihn zu erinnern an seine Aufgabe einer gerechten Rechtsprechung in einem ordentlichen und öffentlichen Rechtsverfahren auf Grund humaner Gesetze, an das Gebot der Billigkeit im Strafmaß und im Strafvollzug, an seinen Rechtsschutz für die Unterdrückten, an die Respektierung gewisser "Grundrechte" seiner Untertanen usw.

Dieses Zeugnis der Kirche muß *öffentlich* geschehen, sei es in der Predigt, sei es in einem besonderen Wort des bischöflichen Hirten- und Wächteramtes. Nur so kann es seine Aufgabe erfüllen, allen denen, die legislativ oder exekutiv an dieser Verfolgung mitwirken , und zugleich den betroffenen Juden und der in ihrem Glauben angefochtenen christlichen Gemeinde die schuldige Unterweisung der Gewissen zu geben. Alles, was bisher von der Kirche in Deutschland in dieser Sache getan wurde, kann nicht als ein solches Zeugnis gelten, da es weder öffentlich geschah noch inhaltlich der Aufgabe des Predigtamtes in dieser Sache gerecht wurde.

Wenn wir uns an Sie wenden, hochwürdiger Herr Landesbischof, damit Sie das der Kirche gebotene Zeugnis veranlassen, so bitten wir Sie dringend: Sehen Sie in unserem Schritt nicht nur eine jener Mahnungen zu kräftigerem Reden, denen Sie auf Grund der größeren Übersicht, die Sie durch Ihr hohes Amt haben, allerlei Erwägungen der Zweckmäßigkeit eines solchen Schrittes im Blick auf die möglichen Folgen, nicht nur für die Kirche, sondern auch für die betroffenen Juden selbst entgegenstellen könnten. Es geht uns nicht um Komperative. Wir meinen auch, jene Folgen schon selbst soweit bedacht zu haben, als dies erlaubt und geboten ist. Aber es geht uns um etwas anderes:

Als lutherische Christen wissen wir mit Art. V des Augsburgischen Glaubensbekenntnisses, daß wir ohne das Predigtamt der Kirche nicht zum Glauben kommen können. Darum treibt uns neben dem Mitleid für die Verfolgten die Angst, das Predigtamt unserer Kirche könne durch sein Schweigen sein Dasein sichern wollen um den Preis, daß es dafür seine Vollmacht und Glaubwürdigkeit zu binden und zu lösen verliert. Und damit wäre alles verloren - mit der Kirche wäre auch unser Volk verloren.

München, an Ostern 1943.

▲ Höhepunkt christlich motivierten Protests war der Münchener Laienbrief an Bischof Hans Meiser von Ostern 1943, der die Kirche aufforderte, dem Staat bei seinem Versuch, das Judentum zu vernichten, „aufs äußerste zu widerstehen". Er wurde von einem Laien-Kreis um die Verleger Albert Lempp und Walter Classen verfaßt und zirkulierte heimlich in München. ~ Evangelische Arbeitsgemeinschaft für Kirchliche Zeitgeschichte, München (317)

Hitlers Außenpolitik

Christoph Studt

Hitlers Außenpolitik

Wie in vielen anderen Bereichen des staatlichen und öffentlichen Lebens schien nach der „Machtergreifung“ auch in der Außenpolitik des Deutschen Reichs zunächst alles beim alten zu bleiben. Dazu trug in nicht unerheblichem Maß die Tatsache bei, daß der konservative Reichsaußenminister Konstantin von Neurath sein Amt behielt. Sein ebenfalls weiterhin tätiger Staatssekretär Bernhard Wilhelm von Bülow beruhigte den besorgt anfragenden Botschafter Herbert von Dirksen mit den Worten: „Ich glaube, man überschätzt dort [in Moskau] die außenpolitische Tragweite des Regierungswechsels. Die Nationalsozialisten in der Verantwortung sind natürlich andere Menschen und machen eine andere Politik, als sie vorher angekündigt haben. Das ist immer so gewesen und bei allen Parteien dasselbe. Die Person von Neurath und auch [von Reichswehrminister] von Blomberg garantieren das Fortbestehen der bisherigen politischen Beziehungen.“[1] Die Fortführung der traditionellen Außenpolitik einer Revision der Deutschland durch den Vertrag von Versailles auferlegten territorialen Klauseln, finanziellen Auflagen und militärischen Restriktionen tat ein übriges: Schließlich waren diese Forderungen bis weit in die SPD hinein das einigende Band aller politisch relevanten Kräfte der Weimarer Republik – mit Ausnahme der Kommunisten – gewesen.

◀ Einzug der *SS-Leibstandarte Adolf Hitler* in Saarbrücken am 1. März 1935. ~ Bildarchiv Preußischer Kulturbesitz, Berlin/Foto: Heinrich Hoffmann (318)

Und doch machte sich rasch ein Wandel sowohl in der Zielsetzung als auch in den Methoden nationalsozialistischer Außenpolitik bemerkbar. Bereits in seiner Ansprache vor den Spitzen der Reichswehr gab Hitler am 3. Februar 1933 die Devise aus, die „Eroberung neuen Lebensraumes im Osten“ und dessen „rücksichtslose Germanisierung“ sei die zukünftige Aufgabe deutscher Außenpolitik[2].

Hitlers „Programm“

Schon in den zwanziger Jahren hatte Hitler ein konsequentes, alle revisionistischen Bemühungen der Weimarer Republik substantiell weit hinter sich lassendes „Programm“ entwickelt, das zwar alle traditionellen revisionistischen Forderungen bis hin zur Wiedererlangung des Status einer mitteleuropäischen Führungsmacht beinhaltete, in seinem Endziel jedoch weit über diese Forderungen hinausging. Sein in „Mein Kampf“ und im sogenannten „Zweiten Buch“ – das zu seinen Lebzeiten niemals veröffentlicht wurde – entwickeltes außen- und rassenpolitisches „Programm“ zielte in universaler Perspektive letztlich

1 ADAP C1/1, S. 20f.

2 Ausführungen Hitlers am 3.2.1933 nach der Aufzeichnung von General Curt Liebmann. In: Vogelsang, Neue Dokumente S. 435.

darauf ab, „durch das siegreiche Schwert eines die Welt in den Dienst einer höheren Kultur nehmenden Herrenvolkes" eine globale „Pax Germanica" zu errichten. Sein mit radikalem Antisemitismus und Antibolschewismus aufs engste verknüpfter „Stufenplan"[3], mit dem er das Deutsche Reich ersteinmal zur Herrschaft über ganz Kontinentaleuropa und später zu einer maritimen und kolonialen Weltmachtstellung führen wollte, sollte Deutschland in einem der nachfolgenden Generation zu überlassenden Kampf gegen die USA zur strategisch unangreifbaren und souveränen Weltvormacht, ja zur Weltherrschaft aufsteigen lassen.

Für seine Lebenszeit sah er zunächst in der Sowjetunion den entscheidenden Gegner – und in ihrer Eroberung und der Zerlegung dieses „Riesenblocks in seine ursprünglichen historischen Teile" das Hauptziel. Drei wesentliche Etappen seines „Programms" ließen sich damit meistern: Die Vernichtung des Bolschewismus, damit einhergehend eine „Lösung der Judenfrage" und nicht zuletzt die Gewinnung von „Lebensraum" für das deutsche Volk. In welchem Maße die „rassische" Komponente eine, wenn nicht die entscheidende Triebkraft nationalsozialistischer Politik repräsentierte, war für den Zeitgenossen weniger erkennbar als für den rückblickenden Betrachter. Zwar darf man dieses „Programm" nicht als den „Fahrplan eines Welteroberers" verstehen – wohl aber als die große Leitlinie von Hitlers Gesamtpolitik, die taktische Variationen und situationsbedingte Umwege nicht ausschloß und von hoher Flexibilität war. Mochte Hitler im alltäglichen politischen Geschäft auch oftmals zögerlich agieren – wenn es um Richtungsentscheidungen grundsätzlicher Art ging, die mit den außen- und rassenpolitischen Endzielen seines „geschichtlichen Auftrags", seiner Vision zu tun hatten, war er unbeirrbar. Er konnte deshalb auch auf Zeit mit denjenigen koalieren, die er an sich auf immer zu vernichten trachtete.

Hatte Hitler in seiner bereits angeführten Rede die „Erkämpfung neuer Exportmöglichkeiten" als scheinbar gleichberechtigte Alternative zur kriegerischen Eroberung genannt, so war dies nichts anderes als taktische Rücksichtnahme auf entsprechende Bemühungen des Reichsbankpräsidenten und späteren Reichswirtschaftsministers Hjalmar Schacht, durch eine außenwirtschaftspolitische Offensive innen- und außenpolitische, soziale und nationale Probleme des Deutschen Reichs zu lösen. Hitler ließ Schacht so lange gewähren, wie dessen Aktivitäten die gefährliche Phase der in Schwung kommenden Aufrüstung und der dafür nötigen Devisenbeschaffung unterstützte. Nicht zuletzt konnte er mit einer derartigen Politik seine eigentlichen Absichten vernebeln und in einer „Strategie grandioser Selbstverharmlosung"[4] immer aufs neue seine angebliche große Friedensliebe betonen. Um die Position der Partei im Staat weiter zu festigen, die Koalitionspartner nicht zu beunruhigen, aber auch, um die europäischen Nachbarn nicht zu irritieren, war Hitler bemüht, seine außenpo-

[3] Hillgruber, Hitlers Strategie, S. 717f.

[4] Jacobsen, Nationalsozialistische Außenpolitik, S. 328.

litischen Ziele zunächst nicht allzu offenkundig werden zu lassen. Es kann aber kein Zweifel bestehen, daß das, was für die konservativen Regierungsmitglieder traditionelle Revisions- und Großmachtpolitik darstellte, also die Wiederherstellung der Vorkriegsgrenzen und die Wiedererlangung einer Großmachtposition, für den „Führer" und Reichskanzler nur die Voraussetzung und Basis für viel weiterreichende Ziele bildete. Allerdings waren Hitlers außenpolitische Ziele in kurzfristiger Perspektive nahezu identisch mit denen seiner Koalitionspartner, die ihn „zähmen" und „einrahmen" wollten. Während letztere glaubten, den „Führer" der NS-Bewegung auf ihre Linie gebracht zu haben, waren die tatsächlich vorhandenen Unterschiede für die Öffentlichkeit im In- und Ausland kaum zu entwirren, weil allen das angeboten wurde, was sie jeweils suchten. Die „Maske der historischen Überlieferung [verbarg] die Existenz der ahistorischen Utopie"[5].

Im Windschatten der Weltpolitik

In der Anfangsphase der nationalsozialistischen Außenpolitik mußte es Hitler darauf ankommen, im Zusammenwirken mit den konservativ-reaktionären Angehörigen seiner Regierung der „nationalen Konzentration" und gleichsam im Windschatten der das Staatensystem erschütternden und einen Gutteil der Aufmerksamkeit der europäischen Mächte absorbierenden kriegerischen Aktivitäten der Japaner auf dem chinesischen Festland nicht nur einer Isolierung des Dritten Reichs entgegenzuwirken, sondern darüber hinaus für die künftige Politik die passenden Bündnispartner zu finden. Wie er es in „Mein Kampf" beschrieben hatte, versuchte Hitler deshalb eine Annäherung an Italien, doch zeigte ihm Mussolini zunächst die kalte Schulter. Ohnehin war England der Wunschpartner Hitlers. Seine eigene Position völlig über- und diejenige Englands fehleinschätzend, war Hitler fest davon überzeugt, daß das wirtschaftlich, militärpolitisch und ideologisch von den Flügelmächten des Weltstaatensystems, den USA und der Sowjetunion, herausgeforderte England sich auf eine von ihm vorgeschlagene Teilung der gegenseitigen Einflußsphären einlassen und ein Bündnis mit dem nationalsozialistischen Deutschland eingehen würde. Während für das Deutsche Reich die „freie Hand" im Osten vorgesehen war, sollte England sich seinem Weltreich zuwenden können, ohne von Deutschland mit Flotten- und Kolonialproblemen belästigt zu werden. Daß die Briten weit davon entfernt waren, ihre traditionelle Gleichgewichtspolitik ohne allzu feste Bündnisse aufzugeben, sondern vielmehr versuchten, das Deutsche Reich durch verständnisvolle und entgegenkommende Behandlung in multilaterale völkerrechtliche Abmachungen einzubinden, die Europa und der Welt den Frieden bewahren sollten, wollte Hitler nicht erkennen, weil es *ihm* unvernünftig erschien.

5 Hildebrand, Vergangenes Reich, S. 577.

Das von innenpolitischen Krisen geschüttelte Frankreich, dessen Niederwerfung Hitler in „Mein Kampf" ursprünglich als Voraussetzung und Rückendeckung für die Eroberung von „Lebensraum" im Osten angesehen hatte, wurde ebenfalls umworben. Denn mittlerweile schätzte Hitler Frankreich nicht mehr als so stark ein, wollte aber gleichwohl vermeiden, daß es in der „Risikozone" der deutschen Aufrüstung mit seinen ostmitteleuropäischen „Trabanten" über das Deutsche Reich herfiele.

Wege aus der Isolation

Vier spektakuläre Aktionen markierten noch im Lauf des ersten Regierungsjahres das explosive Gemisch traditioneller und nationalsozialistischer Machtpolitik.

Am 5. Mai 1933 wurde der noch aus Stresemanns Tagen stammende und von Brüning ohne Billigung des Parlaments verlängerte Neutralitätsvertrag mit der Sowjetunion ratifiziert, am 20. Juli das Konkordat mit dem Vatikan abgeschlossen. Mochte der Vertrag mit der Sowjetunion auch nicht mehr die gleiche Bedeutung haben wie zuvor, mochte das Konkordat eher innenpolitische Wirkung entfalten, eines war unübersehbar: Wenn weltanschaulich so entgegengesetzte und sich gegenseitig sowie prinzipiell auch dem Nationalsozialismus ablehnend gegenüberstehende Vertragspartner wie die Sowjetunion und der Vatikan mit dem Dritten Reich zusammenarbeiteten, wer mochte da abseits stehen? Mit der Verlängerung des Berliner Vertrages hatte der noch um die innere Macht ringende, bislang als „Bolschewistenfresser" auftretende Hitler maßgebliche konservative Kreise an sich zu binden gewußt, deren Einstellung traditionell anti-polnisch und pro-russisch war.

Um so sensationeller wirkte daher der am 26. Januar 1934 mit Polen abgeschlossene Nichtangriffspakt, der die Stoßrichtung des Auswärtigen Amts und aller Weimarer Kabinette umzukehren schien. Dieser Pakt mit einer zehnjährigen Laufzeit, dessen Möglichkeit Hitler bereits drei Tage vor Ratifizierung des russischen Vertrages dem polnischen Gesandten Wysocki erläutert hatte, lüftete ein wenig den Vorhang vor Hitlers zukünftiger Politik. Denn mit Polen glaubte Hitler – zumindest zeitweise – einen Partner im bevorstehenden Kampf gegen die Sowjetunion gefunden und gleichzeitig Frankreich einen wichtigen Stein aus seiner Umfriedungsmauer gegenüber dem Deutschen Reich, dem „Cordon sanitaire", gebrochen zu haben, wurden doch koordinierte Übergriffe Frankreichs ohne seinen zentralen ostmitteleuropäischen Ententepartner Polen somit nahezu unmöglich gemacht.

Trotz dieser Entwicklung war es durchaus nicht ohne Risiko gewesen, als sich Hitler vor allem auf Drängen seiner konservativen

Regierungspartner entschloß, am 14. Oktober 1933 die Genfer Abrüstungskonferenz zu verlassen und gleichzeitig aus dem Völkerbund auszutreten. Zwar akklamierten die Deutschen ihrem „Führer" mit über 90 Prozent der abgegebenen Stimmen in den „Reichstagswahlen" vom 12. November 1933, aber noch stand das Reich außenpolitisch gefährlich isoliert da. Erst der erfolgreiche Abschluß des polnischen Paktes war dazu geeignet, diese bedenkliche Situation zu überwinden. Daß Hitler ausgerechnet mit Polen einen Gewaltverzicht vereinbarte und für die natürlich weiterhin existierenden Revisionsziele auf den Einsatz kriegerischer Mittel zu verzichten sich verpflichtete, verblüffte die Welt und war ein weiteres Mal geeignet, die angebliche Friedensliebe des „Führers" zu demonstrieren: Er hatte das bislang verdüsterte Verhältnis zu Polen in ein erträgliches Klima gutnachbarlicher Beziehungen zu verwandeln vermocht. Und nebenbei: Wenn die Beilegung alter Konflikte durch zweiseitige Gespräche in kurzer Zeit möglich war, dann schien das für Hitlers bilaterales Verfahren, ja für seine Verständigungspolitik überhaupt zu sprechen. Daß diese neue Ausrichtung im Auswärtigen Amt erstaunlich problemlos akzeptiert wurde, zeigt deutlich, daß Hitler inzwischen auch Herr dieses Hauses war. Nur ein Jahr nach der „Machtergreifung" bestimmte er über die deutsche Außenpolitik, hatte er ihren Kurs grundlegend verändert.

Daß „Deutsch-Österreich zum großen deutschen Mutterlande" zähle, mithin „gleiches Blut in ein gemeinsames Reich" gehöre, hatte Hitler schon auf der ersten Seite von „Mein Kampf" verkündet. Seit dem Ende des Ersten Weltkriegs gab es in der österreichischen Republik starke Anschlußbestrebungen, die allerdings von den Siegermächten rigoros unterbunden worden waren und seit 1933 auch rapide nachgelassen hatten. Gleichwohl hatte Hitler die nationalsozialistischen Kräfte in der Alpenrepublik stets gefördert, ja die österreichische NSDAP unterstand seiner Leitung und wurde als regionale Untergliederung der Reichs-NSDAP geführt. Er setzte auf eine innenpolitische Lösung durch Regierungsbeteiligung und erwartete früher oder später eine „Machtergreifung" auch der Schwesterpartei. Um dieser Bedrohung zu entgehen, hatte der österreichische Bundeskanzler Dollfuß das demokratische Gemeinwesen durch einen Staatsstreich in ein autoritäres Regime verwandelt, mit Hilfe dessen er der nationalsozialistischen Herausforderung besser Herr zu werden hoffte. Am 25. Juli 1934 putschten die österreichischen Nationalsozialisten gegen die Wiener Regierung und erschossen Dollfuß im Verlauf der Auseinandersetzungen. Umgehend nahm Mussolini seine Protektorenrolle wahr und ließ Truppen am Brenner aufmarschieren. Denn schon lange hatte der „Duce" die nach Süden und Südosten zielenden Ambitionen des Deutschen Reichs mit wachsendem Mißtrauen beobachtet. Seinen erst kürzlich in den „Römischen Protokollen" erhobenen bzw. bestätigten Führungsanspruch in der Donauregion wollte er sich nicht ausgerechnet von Hitler entwinden lassen. Dem „Führer" blieb nichts als der rasche Rückzug mit der am 26. Juli abgegebenen – unzutreffenden – Erklärung, daß „keine deutsche Stelle in irgendeinem Zusammenhang mit den Ereignissen" gestanden habe. Daß ihm gerade das faschistische Italien in den Arm fiel, muß Hitler allerdings besonders enttäuscht haben, betrachtete er doch Italien neben Großbritannien als geborenen Verbündeten seiner zukünftigen Unternehmungen.

Wachsames Europa?

Europa stand im Frühjahr 1935 – rückblickend betrachtet – an einer Schicksalsschwelle: Eine kompromißlose Antwort auf die Zumutungen des Diktators hätte angesichts der außenpolitischen Isolierung des Reichs zum innenpolitischen Zusammenbruch des Regimes führen können. In dieser Situation kam Hitler einer jener Zufälle zu Hilfe, die ihn mit ebenso merkwürdiger wie erschreckender Regelmäßigkeit begünstigten.

In Artikel 49 des Versailler Friedensvertrags war festgeschrieben worden, daß die unter Völkerbunds-Verwaltung gestellten Saarländer nach 15 Jahren darüber abstimmen sollten, ob das Saargebiet zum Deutschen Reich zurückkehren, unter der Treuhandregierung des Völkerbundes bleiben oder sich Frankreich anschließen wolle. Das Ergebnis dieser Abstimmung am 13. Januar 1935 ließ an Eindeutigkeit keine Wünsche offen: 91 Prozent der abstimmenden Saarländer entschieden sich für die Rückkehr ihrer Heimat ins Reich; sie wurde am 1. März 1935 vollzogen. Hitler nutzte diesen außenpolitischen Erfolg umgehend, um eine Reihe für den Fortgang der Aufrüstung unverzichtbarer Entscheidungen zu treffen. Am 9. März „enttarnte" er die deutsche Luftrüstung und am 16. März hob er einseitig die militärischen Bestimmungen des Versailler Vertrags auf, führte die allgemeine Wehrpflicht wieder ein und legte die künftige Friedenspräsenzstärke der nunmehr in „Wehrmacht" umgetauften Reichswehr auf 550 000 Mann fest.

Die Reaktion der erneut herausgeforderten europäischen Mächte war die Bildung der „Stresafront" im April 1935: Die Regierungschefs von Großbritannien, Frankreich und Italien verurteilten auf ihrer Konferenz in dem italienischen Kurort das deutsche Vorgehen und wandten sich gegen jede einseitige Aufkündigung von Verträgen, der sie sich in Zukunft „mit allen geeigneten Mitteln" widersetzen wollten. Allerdings ließen sich die Beteiligten auch weiterhin immer wieder von den Friedensbeteuerungen des deutschen Diktators einlullen und – handelten nicht. Zudem war die Durchschlagskraft der „Stresafront" durch zum Teil differierende Interessen, Einschätzungen, aber auch Handlungen der beteiligten Mächte von Anfang an recht begrenzt; auch schien die von Deutschland ausgehende Gefahr noch immer nicht ausreichend bedrohlich zu sein. Eine Rolle spielen in diesem

Zusammenhang das deutsch-britische Flottenabkommen ebenso wie Mussolinis abessinisches Abenteuer.

Die britische Regierung hatte sich lange vor dem 16. März mit der unvermeidlich erscheinenden Aufrüstung des Deutschen Reichs abgefunden. Als Hitler – schon im November 1934 – dem britischen Botschafter gegenüber erklärte, das Deutsche Reich sei bereit, England im Hinblick auf eine Beschränkung seiner Flottenrüstung entgegenzukommen, griffen die Engländer dieses Angebot unverzüglich auf. In derselben Note, mit der sie gegen die einseitige Kündigung des Versailler Vertrags protestierten, fragten sie in Berlin an, ob der schon zuvor verabredete Deutschlandbesuch des britischen Außenministers „noch erwünscht" sei. Dem offenen Vertragsbruch folgten also keine Sanktionen, sondern Gespräche über die gemeinsame Zukunft, mithin eine erste Aufweichung der politischen Isolierung: In der Tat eine „sensationelle Wendung von der Verurteilung zu Verhandlungen mit dem frisch Verurteilten", erinnerte sich später der Chefdolmetscher des Auswärtigen Amts, Paul Schmidt[6]. Außenminister Simon und sein Ministerkollege Eden konnten Hitler am 25. März 1935 allerdings nicht zur Rückkehr in den Völkerbund bewegen – vielmehr gelang es Hitler, Großbritannien von dem Prinzip multilateraler Vereinbarungen abzubringen und ein bilaterales Abkommen über die Flottenstärken abzuschließen. Die am 18. Juni unterzeichnete Vereinbarung sollte in seiner Perspektive nur den Auftakt zu weiteren Verhandlungen bilden und in jenen großen Interessenausgleich münden, der Hitler seit langem vorschwebte. In diesem Sinne bezeichnete der Diktator den 18. Juni als „den glücklichsten [Tag] seines Lebens"[7]. Was er nicht sehen konnte, weil er es nicht sehen wollte, war die schlichte Tatsache, daß die Intentionen beider Seiten unvereinbar blieben: „Der eine zielte durch Allianzbildung auf die Revolutionierung des Existierenden; die anderen gedachten, das Bestehende durch vernünftigen Wandel zu erhalten. Letzlich wollte der eine Krieg führen, während die anderen den Frieden zu sichern bestrebt waren."[8] Daß jede Seite die Interessen und Absichten der anderen falsch einschätzte, sollte sich erst später zeigen.

Noch ehe das deutsch-englische Flottenabkommen ausgehandelt war, versuchte Frankreich verzweifelt, sein Sicherheitssystem zu stärken. Am 5. Mai 1935 schlossen Paris und Moskau eine Allianz, die das Reich in die Zange nehmen sollte. Die Heranziehung Italiens an einen französisch patronisierten Balkanpakt mißlang jedoch, weil Rom dort eigene Ambitionen hegte. Die Versailler Ordnung, sofern sie überhaupt noch Bestand hatte, zerbröckelte zusehends, die „Stresafront" hatte ihren Sinn schon nach acht Wochen eingebüßt.

6 Schmidt, Statist, S. 325.
7 Ribbentrop, Zwischen London und Moskau, S. 64.
8 Hildebrand, Vergangenes Reich, S. 601.

Abessinien und der Tod der „Stresafront"

In der weiteren Entwicklung waren es vor allem der Abessinien-Krieg (1935/36) und der Spanische Bürgerkrieg (1936–1939), die eine geschlossene Aktionsfront der Partner von Stresa verhinderten. Die unklare und unentschlossene Reaktion Englands und Frankreichs auf Mussolinis imperiales Ausgreifen nach Afrika – Abessinien war immerhin Völkerbundmitglied – führte zu nichts weiter als einer halbherzigen Sanktionspolitik gegen Italien, die den „Duce" zwar verärgerte, nicht jedoch behindern konnte. Sie veranlaßte ihn vielmehr, nach neuen Bundesgenossen Ausschau zu halten. Daß die Westmächte keine einheitliche Linie wirtschaftlicher oder gar militärischer Sanktionen gegen den römischen Aggressor fanden, stärkte Hitlers Position. Er schloß aus der „schlappen" Haltung Frankreichs und Englands, daß auch er in Zukunft kaum mit einer geschlossenen Front würde rechnen müssen. Und indem sich der „Führer" auf die Seite des „Duce" schlug, den er – wie perfiderweise auch den abessinischen Negus – mit Waffen und Material versorgte, trennte er den Italiener von seinen Stresapartnern und machte ihn eigenen Zielen gewogen. „Nur ordentlich streiten", notierte Goebbels am 6. September 1935 in sein Tagebuch: „Unterdeß streifen wir die Ketten ab."[9]

Daß diese Rechnung aufging, machte sich schon bald bemerkbar: Am 6. Januar 1936 ließ Mussolini den deutschen Botschafter in Rom wissen, die „Stresafront" sei „ein für allemal tot" und Italien habe nichts dagegen einzuwenden, wenn Österreich ein „Satellit" des Deutschen Reichs werde. Diese Äußerung machte den Weg frei für das ein halbes Jahr später abgeschlossene deutsch-österreichische „Abkommen über die Wiederherstellung freundschaftlicher Beziehungen" (11. Juli 1936). Das von Italien alleingelassene und damit dem Deutschen Reich mehr oder minder ausgelieferte Österreich hatte sich als „deutscher Staat" zu bekennen, welcher seine Außenpolitik stets „unter Bedachtnahme auf die friedlichen Bestrebungen der Außenpolitik der deutschen Reichsregierung zu führen" habe. Die staatliche Existenz der Alpenrepublik blieb gewahrt, doch der „Anschluß" im Sinne einer evolutionären innen- und außenpolitischen „Gleichschaltung" Österreichs war im Grunde schon jetzt vollzogen.

Als der „Duce", auf dem afrikanischen Kriegsschauplatz in heikler Lage, darüber hinaus anklingen ließ, daß Italien als Garantiemacht der Locarno-Verträge sich einem deutschen Einmarsch ins entmilitarisierte Rheinland nicht widersetzen würde, vielmehr „am Fenster stehen und interessiert zusehen" würde, reagierte Hitler umgehend und ließ am 7. März 1936 in einer Überraschungsaktion Deutschlands „eigenen Hintergarten" von vorsichtshalber erst einmal nur drei Bataillonen wieder besetzen. Die vorgeschobene Begründung für diesen Coup lieferte der französische Beistandspakt mit der Sowjetunion (2. Mai 1935, aber erst am 27. Februar 1936 vom französischen

[9] Goebbels-Tagebücher I/2, S. 510.

Parlament ratifiziert). Eine weitere „Fessel“ des Versailler Vertrags war abgestreift, Hitlers Popularität in der deutschen Bevölkerung erneut gestiegen. Frankreich, dessen Reaktionsvermögen aus innen- und militärpolitischen Gründen gelähmt war, hatte durch diese Maßnahme sein letztes Faustpfand, die letzte noch verbliebene materielle Sicherheitsgarantie des Versailler Vertrags eingebüßt, sein ostmitteleuropäisches Bündnissystem hatte durch diesen Verlust deutlich an Wert verloren. England hingegen fühlte seine Interessen kaum berührt, mißbilligte zwar die gewaltsame Methode, sah aber das deutsche Interesse im Grunde als berechtigt an. Der europäische Frieden war Premierminister Baldwin „fast jedes Risiko wert“[10], zumal die möglichen Folgen einer jetzt etwa eingeleiteten militärischen Aktion für England auf jeden Fall nachteilig ausfallen mußten. Diese Reaktion ließ den „Führer“ allerdings in dem Irrtum verharren, weiterhin auf das englische Bündnis mit der Gewährung einer „freien Hand im Osten“ rechnen zu können.

Insgesamt durfte Hitler zufrieden sein: Mit der Rheinlandbesetzung war das Einfallstor im Westen geschlossen, das Ruhrgebiet geschützt. Die Voraussetzung zur Befestigung der Westgrenze (Westwall) war geschaffen, die die Möglichkeit bieten würde, mit relativ schwachen Verteidigungskräften im Westen um so stärker im Osten in die Offensive gehen zu können. Aus einer Belastung im Mobilisierungs- und Konfliktfall war eine Entlastung geworden, was weitreichende Konsequenzen für Europa haben mußte. Italien war sichtbar an die Seite des Deutschen Reichs gerückt. Hitler wußte dem „Duce“ seinen Dank dadurch zu sagen, daß er anläßlich des Besuchs des neuen italienischen Außenministers Graf Ciano auf dem Obersalzberg am 24. Oktober 1936 das „italienische Kaiserreich Aethiopien“ förmlich anerkannte. Zu allen Reaktionsüberlegungen der Westmächte erklangen wiederum die deutschen Friedensschalmeien, ja Hitler bot großzügigerweise sogar eine Neuregelung der soeben von ihm zerstörten Verhältnisse in Westeuropa an. Er schreckte nicht einmal davor zurück, die Rückkehr Deutschlands in den Völkerbund in Aussicht zu stellen. Sollte man also wegen eines ohnehin zu Deutschland gehörenden Landstreifens tatsächlich einen Krieg riskieren, wenn Hitler um Frieden warb?

„... in 4 Jahren kriegsfähig ..."

Daß Hitler nicht wirklich an Frieden dachte, belegen gerade für diese Phase seine Anweisungen in der Denkschrift zum Vierjahresplan von Ende August 1936. Danach sollte „die deutsche Armee in 4 Jahren einsatzfähig ... die deutsche Wirtschaft ... in 4 Jahren kriegsfähig sein“[11].

Der ohnehin erweiterte Handlungsspielraum ließ sich mit Hilfe einer neuen europäischen Konfliktzone noch vergrößern: Der Spani-

10 Zit. nach Manchester, Churchill, Bd. 2, S. 252.

11 Zit. nach Treue, Denkschrift, S. 210.

sche Bürgerkrieg bot Hitler die Möglichkeit, die Aufmerksamkeit der Westmächte an die Peripherie des Kontinents abzulenken, deren Handlungswillen wie -fähigkeit zu testen, Auseinandersetzungen zwischen ihnen zu schüren und nicht zuletzt das sich ebenfalls engagierende, sich wehrwirtschaftlich aber übernehmende Italien noch stärker an das Deutsche Reich zu binden. Hitlers Entschluß, an Francos Seite in die „spanische Arena"[12] zu steigen, war wesentlich politisch motiviert. Maßgeblich war dabei seine Sorge, angesichts der seit Juni 1936 in Frankreich amtierenden Volksfrontregierung einen entsprechenden innenpolitischen Weg für Spanien mit allen Mitteln zu verhindern. Ein eher dem „Weltkommunismus" zugeneigtes Regime hätte ihn seiner Rückenfreiheit im Westen beraubt. Sollte es allerdings gelingen, Franco zum Sieg zu verhelfen und dem Deutschen Reich zu verpflichten, geriete Frankreich in eine ausgesprochen prekäre Lage. Insofern war Hitlers Hilfe für Franco im Kern nur eine Funktion seiner gegen die Sowjetunion gerichteten Expansionspolitik.

Mit einer „ruckartig" verschärften antisowjetischen Propaganda wandte sich Hitler nun wieder seinem Hauptgegner zu. Ihr Zweck war die Schaffung eines haßerfüllten Feindbildes als wichtige psychologische Voraussetzung für die Verwirklichung seiner radikalen rassenideologischen Ziele im Osten. Ein nicht unerwünschter Nebeneffekt dieser Politik bestand darin, sich als einziger ernstzunehmender Bündnispartner bei der Bekämpfung des „Weltkommunismus" besonders Großbritannien, ersatzweise auch Japan und Italien anzubieten. Doch die Briten waren nach wie vor wenig erpicht auf eine Verbindung mit dem deutschen Diktator. Und auch dieser überdachte seine bislang so wenig erfolgreiche Englandpolitik. Hatte er angesichts des schwachen Bildes, das die Engländer im Abessinienkonflikt und im Spanischen Bürgerkrieg geboten hatten, ein britisches Bündnis für seinen Marsch nach Osten überhaupt noch nötig? Oder mußte man die Briten zur Not „zum Jagen tragen", d. h. durch äußeren Druck in ein Bündnis pressen? Hitler rückte langsam von seinem bisher erträumten Konzept des „mit England" ab zu einem Kurs des „ohne England". Bei diesen Überlegungen war sogar eine passive Gegnerschaft Londons einkalkuliert, ohne daß dies bereits jetzt (wenn überhaupt jemals) in eine Haltung des „gegen England" umgeschlagen wäre.

Achse Berlin - Rom

In diesem Sinne wählte Hitler als Aushilfslösung die „Achse Berlin-Rom" (25. Oktober 1936) und den am 25. November des gleichen Jahres mit Japan abgeschlossenen „Antikomintern-Pakt", dem sich Italien ein Jahr später ebenfalls anschloß. Damit war die Zusammenarbeit der drei internationalen Störenfriede besiegelt. Neben der offiziellen Stoßrichtung gegen die Sowjetunion würde sich auch das

[12] Abendroth, Hitler in der spanischen Arena.

britische Empire möglicherweise nicht allein auf dem europäischen Kontinent, sondern im Mittelmeerraum und im Fernen Osten örtlich und zeitlich koordinierten Konflikten stellen müssen. Dementsprechend notierte der italienische Außenminister Ciano in sein Tagebuch: „sozusagen antikommunistisch, in Wirklichkeit aber antibritisch“[13]. Daß diese Gefahr durchaus real war, zeigte der Zwischenfall an der Pekinger Marco-Polo-Brücke (7. Juli 1937), der mit dem japanisch-chinesischen Krieg den ostasiatischen Schauplatz wieder stärker ins europäische Bewußtsein hob. Seit ihrer Invasion in der Mandschurei 1931 versuchten die Japaner, den ostasiatischen Status quo zu ihren Gunsten zu verändern, was von den Briten mit großer Sorge beobachtet, von den Amerikanern vorerst nur mit der von Präsident Roosevelt in seiner „Quarantäne-Rede“ (5. Oktober 1937) ausgegebenen Warnung an die totalitären und autoritären Regimes der Welt beantwortet wurde. Immerhin, der bislang im Isolationismus schlummernde amerikanische Riese trat jetzt auf den Plan und war ein Faktor, der ins Kalkül zu ziehen war.

Die Neuakzentuierung der Englandpolitik Hitlers kam in aller Deutlichkeit in seiner geheimen Ansprache vor Reichsaußenminister von Neurath, Reichskriegsminister von Blomberg sowie den Oberbefehlshabern der drei Wehrmachtteile am 5. November 1937 zum Ausdruck, in der er seine „grundlegenden Gedanken über die Entwicklungsmöglichkeiten und -notwendigkeiten unserer außenpolitischen Lage“ darlegte. Im Zentrum stand sein „unabänderlicher Entschluß, spätestens 1943/45 die deutsche Raumfrage zu lösen“. Dieses Ziel könne „nur durch Brechen von Widerstand und unter Risiko vor sich gehen“, ja zur „Lösung der deutschen Frage könne es nur den Weg der Gewalt geben“. Als nächste Schritte auf dem Weg zu dieser Lösung nannte er den „Anschluß“ Österreichs und die Niederwerfung der Tschechoslowakei, wobei allerdings – wie er seinen Zuhörern versicherte – mit einem Eingreifen der Westmächte nicht gerechnet werden müsse, weil er davon überzeugt sei, daß England und Frankreich, die jetzt als „Haßgegner“ bezeichnet wurden, „die Tschechei bereits im stillen abgeschrieben“ hätten. Danach sei die außenpolitische Lage des Reichs so günstig, daß Polen kaum mehr wagen würde, Front gegen Deutschland zu machen, während die Sowjetunion im Fernen Osten durch Japan gebunden sei. Die strategische Voraussetzung für den „Lebensraum“-Krieg im Osten wäre damit geschaffen[14]. Aufkommende Kritik der militärischen Fachleute schob Hitler kurzerhand beiseite.

Europa den Frieden zu erhalten, das hatte sich die im Mai 1937 neu ins Amt gekommene englische Regierung unter Premierminister Chamberlain auf die Fahne geschrieben. Am 19. November 1937 erschien daher Lord Halifax auf Hitlers Berghof, um diesem die jetzt zum Konzept erhobene britische Appeasementpolitik vorzutragen. Territoriale Veränderungsmöglichkeiten – es war unter anderem von der Regelung der österreichischen, der tschechischen und der

13 Ciano, Tagebücher, S. 37.

14 „Hoßbach-Protokoll“, ADAP D/1, S. 25-30.

Danziger Frage in deutschem Sinne die Rede – die er Hitler als verhandelbare Konzessionen Londons für eine Rückkehr des Deutschen Reiches in eine dauerhafte europäische Friedensordnung anbot, waren für den Diktator kaum noch interessant, da dieser Ostmitteleuropa ohnehin schon als Einfluß- und Hegemonialbereich Deutschlands ansah. Revision und „general settlement" waren nie die Kategorien, in denen sich Hitlers Außenpolitik bewegte. Daß vieles von dem, was er anstrebte, bei einiger Geduld auch mit friedlichen Mitteln erreicht werden konnte, entsprach ebenfalls nicht seiner Denkungsart. Halifax' Einlassungen bestärkten Hitler aber in seiner Vermutung, daß Großbritannien sich für diese Länder nicht in einen Konflikt würde ziehen lassen.

Die Zeit des Handelns war gekommen, zumal sich Hitler unter Zeitdruck glaubte. Dies hatte persönliche Gründe – Hitler war davon überzeugt, nicht mehr lange zu leben –, lag aber auch an der gegenwärtig noch günstigen politischen Gesamtkonstellation, die sich zum Teil rasch, zum Teil mittelfristig gegen ihn wenden konnte: Noch drohte Amerika nur aus der Ferne, noch konnte die Sowjetunion wegen der blutigen „Säuberungen" Stalins in der Armee in ihrer militärischen Kraft geringgeschätzt werden, noch war England – zumindest für die nächstliegenden Hitlerschen Ziele – offensichtlich nicht kampfeswillig, und Frankreich dümpelte ohnehin im Schlepptau der Briten.

Die Kritik an seinen Ausführungen am 5. November mögen Hitler gleichwohl bewogen haben, sich einer zuverlässigen und ihm blind ergebenen Führungsmannschaft zu versichern. Die „Blomberg-Fritsch-Krise" bot die günstige Gelegenheit zu einem großen Revirement. Nachdem Hitler seinen Wirtschaftsminister Schacht schon Ende November 1937 durch seinen Kriegskurs zum Rücktritt veranlaßt hatte, entledigte er sich am 4. Februar auch seines Außenministers von Neurath, dessen Posten er Joachim von Ribbentrop übertrug. Der Stuhl des „zurückgetretenen" Reichskriegsministers von Blomberg blieb leer, den Oberbefehl über die Wehrmacht behielt sich der Diktator selbst vor; führende Positionen in der Generalität besetzte er mit Männern seines Vertrauens. Dieser Austausch des Personals in den Spitzenpositionen von Wirtschaftsverwaltung, Wehrmacht und Auswärtigem Amt bedeutete die Ausschaltung der letzten konservativen Bündnispartner Hitlers, die bislang noch eine relative Eigenständigkeit an den Tag gelegt und ein gewisses machtpolitisches Gewicht gehabt hatten. In Zukunft konnte Hitler seinen Kurs ohne jeden Widerspruch von dieser Seite verfolgen, die Autorität des „Führers" war unantastbar geworden.

Der „Anschluß"

War Hitler noch Ende 1937 davon ausgegangen, daß sich ein „Anschluß" Österreichs auf der Grundlage des Juli-Abkommens von 1936, in dem eine Regierungsbeteiligung österreichischer Nationalsozialisten und die außenpolitische Anlehnung an das Deutsche Reich fixiert worden waren, gleichsam von selbst ergeben würde, mithin keine „Brachiallösung" herbeigeführt zu werden brauchte, entschloß er sich im Januar 1938 dazu, diese „schon längst fällige Selbstverständlichkeit" zu forcieren. Treibende Kraft dieser Politik wurde Hermann Göring. Die alten großdeutschen Motive verbanden sich bei ihm, dem „Generalbevollmächtigten für den Vierjahresplan", mit der schlechten deutschen Rohstoff- und Devisenlage. Die Alpenrepublik war geeignet, in dieser Hinsicht eine Lücke zu füllen und überdies den Weg deutscher Expansion nach Südosteuropa zu öffnen.

Nach wie vor weigerte sich der österreichische Bundeskanzler Schuschnigg, Mitglieder der sogenannten „nationalen Opposition" an seiner Regierung zu beteiligen. Dies sollte ihm nun den Hals brechen; das Verhältnis beider Staaten war denkbar gespannt. Am 12. Februar 1938 empfing der „Führer" Schuschnigg zu einer Unterredung auf dem Berghof, um ihm im Grunde ein Ultimatum zu stellen: Unter anderem sollte die Außenpolitik der beiden Länder „koordiniert", dem Nationalsozialisten Seyß-Inquart das Innenministerium und damit die Polizeigewalt übertragen, die nationalsozialistische Partei endlich wieder zugelassen und nicht zuletzt der deutsch-österreichische Wirtschaftsverkehr intensiviert werden. Die rüde vorgetragenen „Wünsche" wurden unterstrichen durch die Anwesenheit zahlreicher Generäle der Luftwaffe, die als Drohkulisse zu dienen hatten.

Schuschnigg sah zwar keinen anderen Weg, als diesen Versuch einer inneren „Gleichschaltung" der Alpenrepublik zu unterschreiben, doch geschlagen gab er sich noch nicht. Vielmehr setzte er für den 13. März 1938 eine Volksabstimmung „für ein freies und deutsches, unabhängiges und soziales, für ein christliches und einiges Österreich" an. Das Wahlalter wurde auf 24 Jahre heraufgesetzt, um die in weiten Teilen vom Deutschen Reich und dem Nationalsozialismus begeisterte Jugend an der Stimmabgabe zu hindern. Dieser überstürzte Selbstrettungsversuch sowie einige Unkorrektheiten bei der Wahlvorbereitung lieferten Hitler den Vorwand, Schuschnigg zum Verzicht auf die Volksabstimmung zu zwingen. Vor allem Göring und Ribbentrop drängten nunmehr auf einen militärischen Einmarsch. Da man davon ausging, daß die Briten nicht für Österreich kämpfen würden, und auch der „Duce" sein Einverständnis gegeben hatte, war das Schicksal der „Heimat des Führers" besiegelt. Unter deutschem Druck trat Schuschnigg am 11. März zurück und übergab sein Amt an Seyß-Inquart. Doch nun weigerte sich der österreichische Bundespräsident Miklas, den Nationalsozialisten zum Bundeskanzler zu ernennen, woraufhin Hitler an eben diesem 11. März den Befehl zum Einmarsch gab. Als Vorwand diente ein von Göring veranlaßter unautorisierter Hilferuf der österreichischen Regierung nach Berlin. In den frühen Morgenstunden des 12. März 1938 marschierten die deutschen Verbände nach Österreich ein und wurden auf ihrem „Blumenfeldzug" jubelnd begrüßt. Die Begeisterung der Bevölkerung veranlaßte Hitler spontan, Österreich durch einen völligen „Anschluß" mit dem Deutschen Reich zu vereinigen und nicht – wie ursprünglich geplant – nur durch eine Union mit Deutschland zu verbinden.

„Frieden in unserer Zeit?"

Unübersehbar dominierte das Deutsche Reich, jetzt „Großdeutsches Reich" genannt, den alten Kontinent und schien gemeinsam mit Italien und Japan die Geschicke der Welt lenken zu können: Denn die Westmächte, jene Garanten der alten, nun endgültig aus den Angeln gehobenen Ordnung, reagierten auf diesen neuerlichen Testfall tatsächlich mit nichts weiter als „entrüsteter Nachgiebigkeit", wie es der italienische Außenminister Ciano schon zuvor vermutet hatte[15].

Frankreich ließ sich durch beruhigende deutsche Versicherungen hinsichtlich der Tschechoslowakei besänftigen, Großbritannien nahm nach pflichtgemäßer Verurteilung des gewaltsamen Vorgehens nicht nur die neue Situation Österreichs hin, sondern anerkannte auch das italienische Impero, d.h. das Schicksal Abessiniens. So einfach konnten inzwischen Mitglieder des Völkerbundes von der Landkarte radiert werden, ohne daß die Staatenwelt ernsthaft opponierte. Diese laue Reaktion bestärkte Hitler, sein weiteres Vorgehen nicht länger, wie er es noch am 5. November 1937 für ein Vorgehen gegen Österreich und die Tschechoslowakei ausdrücklich zur Voraussetzung gemacht hatte, von der krisenhaften Entwicklung an anderen internationalen Brennpunkten abhängig zu machen. Vielmehr hastete er auf das nächste Objekt seiner Begierde zu. Am 21. April 1938 gab Hitler die Aktualisierung der Aufmarschplanung gegen die Tschechoslowakei in Auftrag: „Es ist mein unabänderlicher Entschluß, die Tschechoslowakei in absehbarer Zeit durch eine militärische Aktion zu zerschlagen." Eine Beseitigung dieses Eckpfeilers der Kleinen Entente sah er als Voraussetzung für das „Antreten gegen den Westen", dessen Ausschaltung in seiner pervertierten Logik wiederum die Voraussetzung für den „eigentlichen", den „Lebensraum"-Krieg im Osten war. Schon „in den ersten 2 bis 3 Tagen" sollte die Wehrmacht eine Situation schaffen, die Paris und London die „Aussichtslosigkeit der tschechischen Lage vor Augen" führe[16]. Wie im Falle Österreichs dienten aber zunächst Kräfte innerhalb der Tschechoslowakei, hier die *Sudetendeutsche Partei* unter Konrad Henlein, dazu, die Regierung mürbe zu klopfen. Die benachteiligten Sudetendeutschen sollten als Sprengsatz für die tschechoslowakische Republik dienen. Henleins Aufgabe war, wie in der entscheidenden Besprechung mit Hitler am 28. März 1938 festgelegt wurde, ein „Maximalprogramm" aufzustellen, das die tschechoslowakische Regierung beim besten Willen nicht würde erfüllen können.

15 Ciano, Tagebücher, S. 124.

16 „Aufzeichnung des Majors i. G. Schmundt" sowie „Weisung für Plan ‚Grün'", ADAP D/2, S. 190, S. 282.

Wie sollte sich Großbritannien angesichts der Tatsache verhalten, daß die Tschechoslowakei offensichtlich Hitlers nächstes Ziel war? Den Engländern war natürlich bewußt, daß nirgendwo sonst die Prinzipien, auf denen die internationale Neuordnung nach dem Ersten Weltkrieg hatte basieren sollen, in solchem Ausmaß den strategischen und bündnispolitischen Interessen der Siegermächte geopfert worden waren wie im Falle der Tschechoslowakei. Früher oder später drohte das Selbstbestimmungsrecht zum Problem des kleinen Vielvölkerstaates zu werden. Dessen territoriale Integrität zu garantieren, erschien London angesichts der militärischen Kräfteverhältnisse und strategischen Voraussetzungen illusorisch. Statt dessen konzentrierte man sich auf eine friedliche Lösung der Sudetenfrage, die man als den Kern des Problems ansah.

Diese Entwicklung sah man von Prag aus mit allergrößter Besorgnis. Als der britische Premierminister Chamberlain in einem Interview großzügig äußerte, man könne durch „eine Grenzrevision eine kleinere, aber gesündere Tschechoslowakei schaffen“[17], handelte der bedrohte Staat mit dem Mut der Verzweiflung und verkündete am 20. Mai die Mobilmachung mit Hinweis auf Kenntnisse über eine unmittelbar bevorstehende militärische Aktion des Deutschen Reichs. Nun konnten auch die Engländer und Franzosen nicht zurück, sondern waren aufgerufen, ihren vertraglichen Beistandspflichten nachzukommen. Dementsprechend demonstrierte England unter der Bedingung, daß Frankreich der Tschechoslowakei beistehen werde, in Berlin Entschlossenheit zum Kampf. Daß die europäische Öffentlichkeit den Eindruck gewinnen könne, das „Großdeutsche Reich“ sei vor den Tschechen und Briten zurückgewichen, ließ Hitler schäumen. Er forcierte die Krise, die Wehrmacht wurde für den 1. Oktober 1938 tatsächlich in Bereitschaft versetzt. Dann sollte die Truppe in der Lage sein, „Böhmen und Mähren rasch in Besitz zu nehmen“ und „in das Herz der Tschechoslowakei vorzustoßen“[18].

Die Briten taten weiterhin alles, um im Sinne eines „peaceful change“ Konfliktstoff auszuräumen und das Deutsche Reich wieder in eine ausbalancierte europäische Ordnung zu integrieren. Um eine Eskalation, die möglicherweise in einen Krieg münden konnte, zu vermeiden, ergriff sogar Chamberlain persönlich die Initiative und stattete Hitler einen Besuch ab, nachdem dieser auf dem Nürnberger Parteitag am 12. September mit einem Einmarsch in die Tschechoslowakei gedroht hatte. Am 15. September 1938 machte der „bis zur Blindheit für das Tatsächliche vernünftige Mann“[19] Hitler in Berchtesgaden das Angebot, zur Beilegung der Krise die sudetendeutschen Gebiete von der Tschechoslowakei abzutrennen und dem Deutschen Reich zuzuschlagen. Er mochte einfach nicht einsehen, warum es wegen der Sudetendeutschen und ihres Gebietes zu einem wahrscheinlich alles verschlingenden Krieg in Europa kommen sollte. Gemeinsam mit Frankreich zwang Großbritannien Prag in einem Ultimatum die

17 Zit. nach Hildebrand, Vergangenes Reich, S. 652.

18 „Weisung für Plan ‚Grün‘“, ADAP D/2, S. 284.

19 Hildebrand, Vergangenes Reich, S. 657.

Abtretung aller Gebiete mit mehr als 50 % deutscher Bevölkerung ans Reich ab und stellte dafür eine internationale Garantie der neuen tschechischen Grenzen in Aussicht. Die Tschechoslowakische Republik hatte keine andere Wahl, wollte sie nicht als Gesamtstaat untergehen, und nahm am 21. September diese „Lösung“ an.

Hitler, der ganz anderes wollte, sah seine Pläne durchkreuzt. Seine Hoffnung auf eine direkte militärische Operation gegen die Tschechoslowakei bei mittlerweile gewohntem Abseitsstehen der anderen europäischen Mächte schwand. Als Chamberlain nach Beratung im britischen Kabinett erneut mit Hitler zusammentraf, um in Bad Godesberg (22.–24. September 1938) Einzelheiten des Selbstbestimmungsrechts der Sudetendeutschen zu verhandeln, zog der Diktator die Schraube an und verlangte plötzlich über das schon Vereinbarte hinaus die Billigung des unverzüglichen Einmarsches der Wehrmacht sowie eine Abstimmung in einem nicht klar definierten Territorium. Gleichzeitig forderte er Polen und Ungarn auf, ihrerseits Gebietsforderungen gegenüber dem Vielvölkerstaat Tschechoslowakei zu erheben. Die Godesberger Konferenz scheiterte, und es sah so aus, als bliebe Europa ein Krieg nicht länger erspart.

Einen letzten Ausweg aus der bevorstehenden Katastrophe sah der britische Premierminister in dem Versuch, Mussolini um Vermittlung in diesem Konflikt zu bitten. Der „Duce“ nahm bereitwillig an, der „Führer“ willigte notgedrungen ein. Am 29. September 1938 trafen Chamberlain, Daladier, Mussolini und Hitler in München zusammen. Die Tschechoslowakische Republik, das Schlachtopfer, war nicht vertreten. Mussolini unterbreitete einen Vorschlag, der nicht von ihm, sondern vom deutschen Auswärtigen Amt stammte, dort an Hitler und von Ribbentrop vorbei unter der Federführung des Staatssekretärs Ernst von Weizsäcker unter Mitwirkung von Neuraths und sogar Görings erarbeitet worden war. Sein Ziel war, den Frieden zu erhalten und den großen Krieg zu vermeiden: Die sudetendeutschen Gebiete sollten dem Deutschen Reich angegliedert werden, deutsche Truppen nach einem festgelegten Plan in diese Gebiete einmarschieren. Der tschechoslowakische Reststaat erhielt eine Bestandsgarantie. Hitler fügte sich widerwillig. Daß er am 30. September auch noch eine deutsch-britische Nichtangriffs- und Konsultationserklärung unterzeichnete, verleitete den erfolgsgeblendeten Chamberlain zu seiner berühmten Äußerung, der „Frieden in unserer Zeit“ sei nunmehr gesichert[20]. Als diesem Papier am 6. Dezember auch noch die deutsch-französische Nichtangriffserklärung folgte, erhielt die Hoffnung auf ein doch noch zu erreichendes „general settlement“ in Europa neue Nahrung.

Doch der deutsche Diktator hatte ganz andere Pläne. Zwar hatte er erkennen müssen, daß England ihm niemals „freie Hand im Osten“ geben würde, ja daß es ihn zu einem hinderlichen Abkommen genötigt hatte. Gleichwohl ließ er nicht von seiner Vision ab: der Eroberung von

[20] Zit. nach Fuchser, Chamberlain, S. 164.

„Lebensraum“ weit jenseits aller ethnischen Grenzen im Osten, und – wie er am 30. Januar 1939 im Reichstag zu erkennen gab – der „Vernichtung der jüdischen Rasse in Europa“[21]. Der Krieg war nicht verhindert, er war nur vertagt worden.

Griff nach Prag

Keine vier Wochen nach Abschluß der Münchener Konferenz gab Hitler die Weisung zur militärischen „Erledigung der Rest-Tschechei“ und zur Annexion des Memel-Landes; auch erste Vorbereitungen für eine Besetzung Danzigs sollten getroffen werden[22]. Der „Griff nach Prag“ besiegelte nach einer kurzen Phase massivsten politischen Drucks kein halbes Jahr nach München das Schicksal der dort verabredeten Ordnung. Am 15. März 1939 marschierten deutsche Truppen in Prag ein, das „Protektorat Böhmen und Mähren“ wurde errichtet, die Slowakei trat mit dem Abschluß des „Vertrags über das Schutzverhältnis zwischen dem Deutschen Reich und dem slowakischen Staat“ in ein Vasallenverhältnis zum Deutschen Reich. Die Tschechoslowakei, jenes „Flugzeugmutterschiff der Sowjetunion“, wie die NS-Propaganda es ausdrückte, war von der Landkarte verschwunden. Die Abtretung des Memel-Landes durch Litauen verbesserte die strategischen Ausgangspositionen der deutschen Wehrmacht für den „Ritt nach Osten“ zusätzlich.

Das Deutsche Reich hatte zwar einen „ungeheuren Kraftzuwachs“ in politischer, strategischer und wehrwirtschaftlicher Hinsicht erlangt, doch der „Griff nach Prag“ entbehrte nicht eines auch ernüchternden Effekts. Den europäischen Mächten war endgültig klar geworden, daß sich hinter Hitlers Berufung auf das Selbstbestimmungsrecht der Völker nichts anderes als unzähmbarer Expansionswille versteckte; daß das Vorspiegeln friedlicher Absichten nur der Abschirmung neuer Aktionen diente; daß mit Hitler abgeschlossene Verträge für diesen das Papier nicht wert waren, auf dem sie geschrieben worden waren. Mit der Unterjochung eines fremden Volkes war er sichtbar zu weit gegangen. Es war eben nicht so, daß – wie Hitler unverfroren äußerte – „in 14 Tagen kein Mensch mehr darüber [spricht]“[23]. Im Gegenteil: die Briten hatten erkannt, daß „das wahre Problem“, wie Lord Halifax dem englischen Kabinett am 18. März erklärte, „Deutschlands Versuch [sei], die Weltherrschaft zu erlangen, was abzuwehren im Interesse aller Länder liege“[24]. Deshalb erscheint es nur folgerichtig, daß die von den Westmächten ausgesandten Warnsignale jetzt deutlicher wurden. Die Grenze des Zumutbaren war erreicht. Die englisch-französischen Garantieerklärungen für die Unabhängigkeit Polens (31. März), Rumäniens und Griechenlands (13. April) sowie eine Beistandserklärung für die Türkei (12. Mai) gehören in diesen Zusammenhang und sollten Hitler von weiteren militärischen Schritten abhalten. Für

[21] Domarus, Hitler, Bd. 2, S. 1057.
[22] ADAP D/4, S. 90, S. 164.
[23] Kordt, Wahn und Wirklichkeit, S. 144.
[24] Zit. nach Weinberg, Foreign Policy, Bd. 2, S. 543.

die Briten gab es zwar weiterhin keine wirkliche Alternative zur Appeasementpolitik, aber die englische Regierung war gleichzeitig entschlossen, sich nicht gewaltsam weitere Konzessionen abtrotzen zu lassen. Insofern hatten die Garantieerklärungen einen neuen, wenn man so will, ernsteren Charakter angenommen. Daß die Appeasementpolitik keineswegs grundsätzlich aufgegeben worden war, erhellt auch die Tatsache, daß die Garantie für Polen zwar den Bestand des polnischen Staates als solchen, nicht aber die Unveränderbarkeit der Grenzen einschloß. Hier gab es also aus britischer Sicht durchaus Verhandlungsspielraum im Sinne revisionistischer deutscher Forderungen. Parallel bemühte man sich britischerseits um die Wiederherstellung der alten Vorkriegsallianz mit Rußland bzw. der Sowjetunion.

Der Teufelspakt

Hitler, der diese Konstellation erkannte, durchbrach die bevorstehende Einengung seines Handlungsspielraumes mit einem Coup, der die Welt verblüffte und erneut seine Skrupellosigkeit und Wendigkeit unter Beweis stellte: Er schloß einen „Teufelspakt" mit dem machtpolitischen und ideologischen Hauptgegegner des Dritten Reichs, der Sowjetunion.

Doch ehe es so weit war, erhöhte der „Führer" den Druck auf Polen, von dem er nun Zugeständnisse hinsichtlich Danzigs und des ostpreussischen Korridors forderte. Weil sich die Polen weigerten, auf die ihnen von Reichsaußenminister Ribbentrop schon am 24. Oktober 1938 vorgestellte „große Regelung" aller zwischen Warschau und Berlin strittigen Fragen einzugehen, die sie zu einem abhängigen Juniorpartner des Deutschen Reichs gemacht hätte, ließ Hitler Vorbereitungen treffen, um „bei erster passender Gelegenheit Polen anzugreifen. An eine Wiederholung der Tschechei ist nicht zu glauben. Es wird zum Kampf kommen."[25] Ein solcher Konflikt würde, darüber war Hitler sich im klaren, von der Auseinandersetzung mit dem Westen nicht zu trennen sein. Der „Fall Weiß" sollte „ab September 1939 jederzeit möglich" sein. Er kündigte den Nichtangriffspakt mit Polen ebenso wie den deutsch-englischen Flottenvertrag auf. Zu einer Neuauflage der Münchener Konferenz sollte es keinesfalls kommen, denn ein solches europäisches Übereinkommen hätte Hitlers Aktionsmöglichkeiten begrenzt und seinen weiteren Zielen widersprochen.

Maßgeblich wurde in dieser europäischen Situation die Haltung der Sowjetunion. Schon im März 1939 hatte Stalin seine Fühler in Richtung auf das Deutsche Reich ausgestreckt, als er auf dem 18. Parteitag betont hatte, die Ukraine fühle sich keineswegs von irgendwem bedroht. Es erwies sich im Rückblick als Fehler der Westmächte, die Sowjetunion nicht an der Münchener Konferenz beteiligt zu haben. Stalin vertraute deshalb bei der machtpolitischen

[25] ADAP D/6, S. 479.

Absicherung seiner Westgrenze nicht mehr allein auf das britisch-französische Gegengewicht in Europa. Er war verständlicherweise nicht bereit, in einem Kampf mit dem Dritten Reich für den Westen „die Kastanien aus dem Feuer" zu holen. Durch eine Annäherung an Hitler-Deutschland hingegen konnte er zum einen die Spannungen unter den „kapitalistischen" Mächten fördern und zum anderen vor einem Bündnis aller dieser Staaten gegen die Sowjetunion sicher sein, um am Ende einer für wahrscheinlich gehaltenen großen Auseinandersetzung zum lachenden Dritten zu avancieren und *alle* ermatteten Kontrahenten zu beerben. Hitler wiederum konnte Polen überfallen, sich die Beute mit Stalin vorerst teilen und sich den Rücken für einen Krieg mit den Westmächten freihalten. Als Hitler darüber hinaus Stalins Expansionsstreben nachgab und als Interessensphäre der Sowjetunion Estland, Lettland, Finnland, Bessarabien sowie Polen östlich der Flüsse Narew, Weichsel und San akzeptierte, hatte er dem roten Zaren etwas ermöglicht, was die Westmächte ihm niemals zugestanden hätten. Denn diese versuchten, die ostmitteleuropäischen Staaten vor Hitler zu schützen, ohne sie deshalb aber Stalin ausliefern zu wollen.

Der braune und der rote Diktator fanden sich, wie Stalin es umschrieb, wenn auch aus unterschiedlichen Motiven, in dem „gemeinsame[n] Bestreben, das alte in Europa bestehende Gleichgewicht zu beseitigen, das Großbritannien und Frankreich vor dem Krieg aufrechtzuerhalten bestrebt" waren. Diese Absicht kennzeichnete er als die wesentliche „Grundlage des Nichtangriffspakts"[26], der in dieser Hinsicht nichts anderes als ein gemeinsam ausgeheckter „Angriffsvertrag"[27] war. Mit dem Abschluß des deutsch-sowjetischen Nichtangriffspakts vom 23. August 1939 hatte Stalin seine Absicht zu erkennen gegeben, den sich deutlich abzeichnenden Krieg nicht länger zu verhindern, sondern „ihn indirekt auszulösen, mit Hitler als Handelndem, der die ‚Enfesselung' besorgte"[28]. Es waren nicht die „Achse Berlin-Rom", der „Antikomintern-Pakt" oder gar das am 22. Mai 1939 als deutsch-italienisches Militärbündnis abgeschlossene, martialisch „Stahl-Pakt" genannte Abkommen, es war Stalin, der der deutschen Kriegslokomotive „grünes Licht" gab[29], die dann am 1. September 1939 Polen niederwalzte, nachdem Versuche von verschiedener Seite, den Frieden gleichsam in letzter Minute doch noch zu retten, gescheitert waren.

[26] Zit. nach: Stalin und Hitler, S. 230.

[27] Ahmann, Hitler-Stalin-Pakt, S. 26.

[28] Hillgruber, Hitler-Stalin-Pakt, S. 351.

[29] Erdmann, Zeitgeschichte, S. 156.

Hitlers Außenpolitik (C 7)

In keinem Bereich zeigt sich die systemspezifische Entbindung der Führergewalt von institutioneller Willensbildung und Kontrolle deutlicher als in der Außenpolitik. Nationalsozialistische Außenpolitik war Hitlers Außenpolitik. Antisemitismus, Antibolschewismus, Eroberung von „Lebensraum" und Weltherrschaft sind die Stichworte für seine außenpolitische Konzeption. In ihr verbanden sich traditionelle großdeutsche und imperialistische Vorstellungen mit einer biologistischen Herrschaftsutopie. *Erstes Ziel* war die Zerschlagung der Versailler Friedensordnung zwecks Wiedergewinnung politischer und militärischer Stärke. *Zweites Ziel* war die Niederwerfung Frankreichs zur Erringung der Vorherrschaft in Europa. *Drittes Ziel* war das Ausgreifen nach Osten und die Zerschlagung der Sowjetunion. Dies sollte im Bündnis oder unter Duldung Großbritanniens geschehen: deshalb der deutsch-britische Flottenvertrag von 1935 und der taktische deutsche Verzicht auf Kolonien. *Viertes und letztes Ziel* der Hitlerschen Außenpolitik war die Niederringung der atlantischen Großmächte, Großbritanniens und der USA, zur Erlangung der rassisch begründeten Weltherrschaft.

Es ist heute eine neue Staatsgründung in Deutschland erfolgt, eine Staatsgründung, die das Eigenartige besitzt, daß sie von vornherein nicht im Staat das Primäre sieht, sondern in der geschlossenen Volksgemeinschaft, im Volke selbst.

Etwas, und das ist entscheidend, meine Zuhörer, was es bisher in der deutschen Geschichte nun nicht gegeben hat: Es gab in der deutschen Geschichte bisher wohl ein christliches Reich, also das Christentum als Grundlage. Zweitens, es gab dann staatliche Reiche, also den Staatsgedanken als Grundlage. Heute ist zum ersten Mal, seit es Deutsche auf dieser Welt gibt, das volkliche, der Volksgedanke, die Grundlage des Staates geworden. Wir können daher heute sagen, wenn es früher gab ein Römisches Reich deutscher Nation, dann gibt es heute rassenmäßig gesehen ein Germanisches Reich deutscher Nation.

Es ist dabei belanglos, ob dieses Germanische Reich deutscher Nation schon alle Deutschen umfaßt, sondern entscheidend ist, daß es diesen tragfähigsten Gedanken der Zukunft nun verwirklicht, unbarmherzig gegen alle Widersacher und gegen alle Versuche, alte Überlieferungen oder alte Meinungen, Auffassungen staatlicher oder sonstiger Art dagegen in Front zu bringen. Dies bedeutet sowohl eine Überwindung unserer religiösen Zersplitterung als aber auch eine Überwindung unserer parteimäßigen Zersplitterung. Denn auch dies war tragisch, daß in der Zeit, in der wir vielleicht doch noch manches hätten nachholen können, außer unserer allgemeinen staatlichen unzulänglichen Führung, begründet in der nicht richtigen Organisation, außerdem noch gehemmt waren durch die Parteien, die sich anschickten, das Erbe der Konfessionen und der Dynastien zu gleicher Zeit zu übernehmen.

◀ Ausschnitt aus der Rede Adolf Hitlers vor Kreis- und Gauamtsleitern am 23. November 1937. ~ Text nach Tondokument der Stiftung Deutsches Rundfunkarchiv, Frankfurt/M.-Berlin. (319)

Christoph Studt

„Germanisches Reich deutscher Nation". Ideologische Grundlagen der Außenpolitik (C 7.1)

Grundlage der Außenpolitik Hitlers war die Vorstellung, die Deutschen als „Volk ohne Raum" müßten sich zur dauerhaften Sicherung ihrer Existenz neuen „Lebensraum" im Osten erkämpfen. Dabei verbanden sich antimoderne Einstellungen (Kampf gegen Verstädterung, Bildung neuen Bauerntums) und scheinbare ernährungspolitische Notwendigkeiten mit dem Ziel billiger Rohstoffe und Arbeitskräfte. Der Anspruch auf neuen „Lebensraum" wurde mit einem vorrangigen Lebensrecht der Deutschen als Teil der „arischen Rasse" begründet – der angeblich höchstwertigen und einzig schöpferischen Rasse auf Erden. Ziel war ein „tausendjähriges Reich", in dem die „arischen" oder „germanischen" oder „nordischen" Völker Europas unter deutscher Führung zusammenleben sollten. Die „minderwertigen Völker" sollten dezimiert, in die Weiten Sibiriens abgeschoben werden bzw. im erforderlichen Umfang Frondienste für die „Herrenrasse" leisten. In fragwürdiger Anlehnung an das mittelalterliche „Heilige Römische Reich deutscher Nation" prägte Hitler für dieses künftige Reich der „Herrenrasse" die Formel „Germanisches Reich deutscher Nation".

Hans Grimm: Volk ohne Raum (Leineneinband; Verlag Albert Langen München, 1932; 19,5 x 13 x 4,5 cm). ~ Leihgabe Freistaat Bayern. – „Volk ohne Raum" war der Titel eines 1926 erschienenen, weit verbreiteten Romans von Hans Grimm (1875-1959). Obwohl Grimm in diesem Roman für eine klassische Kolonialpolitik eintrat, übernahmen die Nationalsozialisten den Titel als Schlagwort für die Propagierung ihrer auf Expansion nach Osten gerichteten Lebensraumideologie. Das Gefühl der „Enge" und „Raumnot" gehörte zu den Krisensymptomen der Weimarer Republik. Die Parole „Volk ohne Raum" fiel so auf fruchtbaren Boden und gewann den Nationalsozialisten viele Anhänger. (320) ▶

Hitler deckt am 3. Februar 1933 gegenüber den Befehlshabern von Heer und Marine seine eigentlichen außenpolitischen Ziele auf:

Ziel der Gesamtpolitik allein: Wiedergewinnung der pol. Macht. Hierauf muß gesamte Staatsführung eingestellt werden (alle Ressorts!)

1. Im Innern: Völlige Umkehrung der gegenwärt. innenpol. Zustände in D.
   Keine Duldung der Betätigung irgendeiner Gesinnung, die dem Ziel entgegen steht (Pazifismus!).
   Wer sich nicht bekehren läßt, muß gebeugt werden.
   Ausrottung des Marxismus mit Stumpf und Stiel.
   Einstellung der Jugend u. des ganzen Volkes auf den Gedanken, daß nur d. Kampf uns retten kann u. diesem Gedanken gegenüber alles zurückzutreten hat ...
   Ertüchtigung der Jugend u. Stärkung des Wehrwillens mit allen Mitteln.
   Todesstrafe für Landes- und Volksverrat ...

2. Nach außen:
   Kampf gegen Versailles.
   Gleichberechtigung in Genf; aber zwecklos, wenn Volk nicht auf Wehrwillen eingestellt ...

3. Wirtschaft!:
   Der Bauer muß gerettet werden! Siedlungspolitik! ...
   Im Siedeln liegt einzige Mögl., Arbeitslosenheer z. T. wieder einzuspannen.
   Aber braucht Zeit u. radikale Änderung nicht zu erwarten, da Lebensraum für d[eutsches] Volk zu klein.

4. Aufbau der Wehrmacht: wichtigste Voraussetzung für Erreichung des Ziels: Wiedererringung der pol. Macht.
   Allg. Wehrpflicht muß wieder kommen. Zuvor aber muß Staatsführung dafür sorgen, daß die Wehrpflichtigen vor Eintritt nicht schon durch Pazif[ismus], Marxismus, Bolschewismus vergiftet werden oder nach Dienstzeit diesem Gifte verfallen.

Wie soll pol. Macht, wenn sie gewonnen ist, gebraucht werden? Jetzt noch nicht zu sagen. Vielleicht Erkämpfung neuer Export-Mögl., vielleicht – und wohl besser – Eroberung neuen Lebensraums im Osten u. dessen rücksichtslose Germanisierung ....

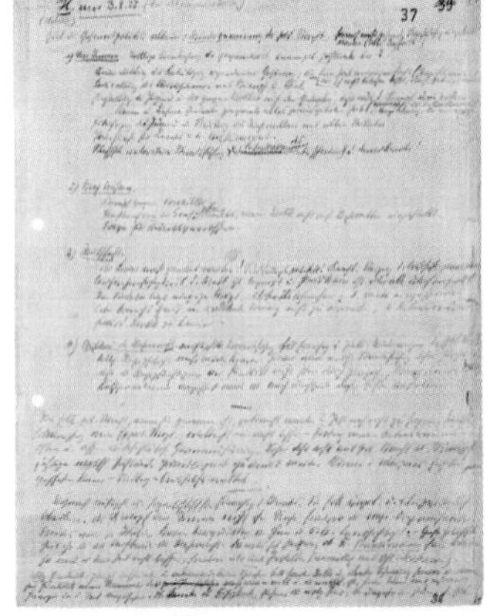

▲ Auszug aus den Aufzeichnungen von General Curt Liebmann (1881–1960) über die Ausführungen des neuen Reichskanzlers Adolf Hitler vor den Befehlshabern des Heeres und der Marine in der Wohnung des Generals Kurt von Hammerstein-Equord am 3. Februar 1933. ~ Bundesarchiv/ Militärarchiv, Freiburg (321)

▲ Amtliche Lehrkarte für den Schulgebrauch (1929). ~ Geopolitischer Geschichtsatlas. Herausgegeben und bearbeitet von Franz Braun und A. Hillen Ziegfeld (2. Auflage 1934) (322)

„Kampf gegen Versailles". Die Zerstörung der Versailler Friedensordnung (C 7.2)

Voraussetzung für den „Kampf um Lebensraum" war die Beseitigung der Versailler Friedensordnung. Die im Vertrag von Versailles (1919) und in späteren Vereinbarungen eingegangenen internationalen Verpflichtungen (Mitgliedschaft im Völkerbund, Entmilitarisierung des Rheinlands) verhinderten die militärische Aufrüstung Deutschlands und machten eine Eroberungspolitik unmöglich. Die meisten Deutschen quer durch alle politischen Lager – mit Ausnahme der Kommunisten – empfanden den Versailler Vertrag als überhart und ungerecht. Die Parole „Kampf gegen Versailles“ war somit auch ein wirksames Mittel, um der NSDAP die Zustimmung einer breiten Mehrheit der deutschen Bevölkerung zu sichern. Die wichtigsten Stationen des Kampfs gegen den „Schmachfrieden von Versailles”: *14. Oktober 1933* – Austritt aus dem Völkerbund, Rückzug von der Genfer Abrüstungskonferenz; *16. März 1935* – Wiedereinführung der allgemeinen Wehrpflicht; *7. März 1936* – Remilitarisierung des Rheinlands. Hinzu kam die Aufstellung einer modernen Angriffsarmee, mit der sofort nach der „Machtergreifung“ begonnen wurde. Bis etwa Ende 1938 stützte Hitler alle außenpolitischen Maßnahmen und Aktionen mit einer massiven Friedenspropaganda ab.

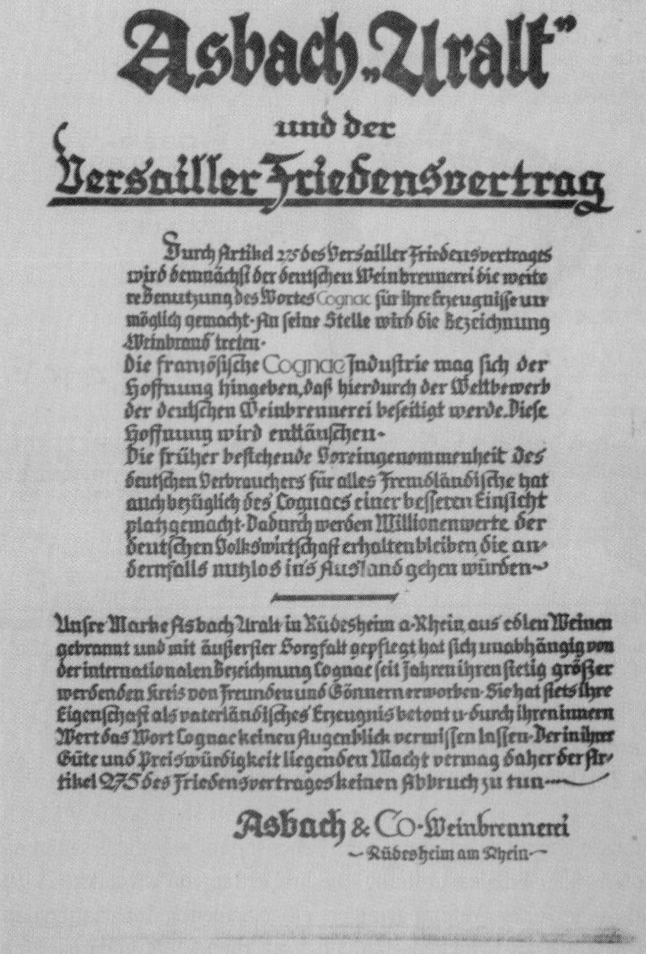

Asbach „Uralt“

und der

Versailler Friedensvertrag

Durch Artikel 275 des Versailler Friedensvertrages wird demnächst der deutschen Weinbrennerei die weitere Benutzung des Wortes Cognac für ihre Erzeugnisse unmöglich gemacht. An seine Stelle wird die Bezeichnung Weinbrand treten.
Die französische Cognac Industrie mag sich der Hoffnung hingeben, daß hierdurch der Wettbewerb der deutschen Weinbrennerei beseitigt werde. Diese Hoffnung wird enttäuschen.
Die früher bestehende Voreingenommenheit des deutschen Verbrauchers für alles Fremdländische hat auch bezüglich des Cognacs einer besseren Einsicht platzgemacht. Dadurch werden Millionenwerte der deutschen Volkswirtschaft erhalten bleiben, die andernfalls nutzlos in's Ausland gehen würden.

Unsre Marke Asbach Uralt in Rüdesheim a. Rhein, aus edlen Weinen gebrannt und mit äußerster Sorgfalt gepflegt hat sich unabhängig von der internationalen Bezeichnung Cognac seit Jahren ihren stetig größer werdenden Kreis von Freunden und Gönnern erworben. Sie hat stets ihre Eigenschaft als vaterländisches Erzeugnis betont u. durch ihren innern Wert das Wort Cognac keinen Augenblick vermissen lassen. Der in ihrer Güte und Preiswürdigkeit liegenden Macht vermag daher der Artikel 275 des Friedensvertrages keinen Abbruch zu tun.

Asbach & Co. Weinbrennerei
– Rüdesheim am Rhein –

◀ Ganzseitige Zeitungsanzeige der Firma Asbach & Co. Weinbrennerei Rüdesheim/Rh. von Mitte April 1921 hinsichtlich der Bestimmungen von Artikel 275 des Versailler Vertrags, nach dem u. a. der Verkauf deutschen Branntweins unter dem Namen „Cognac“ untersagt war. ~ Institut für Zeitgeschichte, München – Berlin (323)

Rekrutenvereidigung auf dem Königsplatz in München Oktober 1936. ~ Stadtarchiv München (324) ▶

Die Rheinlandbesetzung

Am 7. März 1936 ließ Hitler gegen das ausdrückliche Votum seiner außenpolitischen und militärischen Berater und unter Verstoß gegen den Versailler Vertrag und die Locarno-Verträge drei „symbolische" Bataillone über den Rhein in die entmilitarisierte Zone einmarschieren. Der Einmarsch wurde von der Bevölkerung jubelnd begrüßt. Hitler verband die riskante Aktion taktisch mit einem umfassenden Angebot für einen Friedens- und Nichtangriffspakt. Die Westmächte reagierten auf diesen Überraschungscoup lediglich mit Protesten.

Einmarsch in das entmilitarisierte Rheinland: Deutsche Truppen überqueren am 7. März 1936 bei Köln den Rhein. ~ Bilderdienst Süddeutscher Verlag, München (325) ▶

„Ein Volk - ein Reich - ein Führer". Territoriale Expansion in der Vorkriegszeit (C 7.3)

Voraussetzung für die Eroberung von „Lebensraum" waren politische und militärische Stärke, Verbesserung der strategischen Ausgangslage und Gewinnung eines Aufmarschraums vor dem Beginn des Ostkriegs. Bis Herbst 1937 hatte Hitler die außenpolitische Bewegungsfreiheit zurückgewonnen und ging zu expansionistischer Außenpolitik über. Am 5. November 1937 eröffnete er dem Reichsaußenminister und den Befehlshabern von Heer, Marine und Luftwaffe, er wolle den Raumkrieg spätestens 1943 führen. Die Eroberung der Tschechoslowakei und Österreichs sollte schon 1938 in Angriff genommen werden. In dieser Phase seiner Außenpolitik berief sich Hitler auf die Formel der Pariser Friedenskonferenzen (1919) vom „Selbstbestimmungsrecht der Völker", das die Siegermächte des Ersten Weltkriegs den deutschsprachigen Gebieten der ehemaligen Donaumonarchie vorenthalten hätten.

▲ Einzug Adolf Hitlers in Saarbrücken am 1. März 1935. ~ Bildarchiv Preußischer Kulturbesitz, Berlin (326)

„Die Stimme des Blutes hat gesprochen". Die Rückgliederung der Saar (C 7.3.1)

Der erste territoriale Gewinn Hitlers war 1935 das Saargebiet. Der Vertrag von Versailles hatte die Saar unter Völkerbundsverwaltung gestellt und eine Volksabstimmung nach 15 Jahren vorgesehen. Sie sollte entscheiden, ob das Saargebiet zu Deutschland zurückkehren, autonom bleiben oder zu Frankreich kommen solle. Am 13. Januar 1935 entschieden sich 90,08 Prozent der Saarländer für den Anschluß an das nationalsozialistische Deutschland. Die nationale Idee überwog alle anderen Emotionen, Werte und Interessen. Die schlechte Wirtschaftslage des Saargebiets und die deutliche wirtschaftliche Besserung in Deutschland trugen zu diesem Ergebnis bei. 5 000 NS-Gegner mußten von der Saar fliehen.

▲ Anschlußjubel in Saarbrücken. ~ Bayerische Staatsbibliothek/Fotoarchiv Hoffmann, München (327)

„Volk will zu Volk". Der Anschluß Österreichs (C 7.3.2)

Obwohl die Eroberung der Tschechoslowakei Hitler strategisch wichtiger war als der „Anschluß" Österreichs, wurde dieser zuerst vollzogen. Am 11. Juli 1936 hatte Hitler Bundeskanzler Kurt von Schuschnigg einen Vertrag aufgezwungen, der den österreichischen Nationalsozialisten politische Bewegungsfreiheit sicherte und Österreich außenpolitisch zur Unterordnung unter deutsche Führung verpflichtete. Dennoch kam es in Österreich zwischen Regierung und Nationalsozialisten auch weiterhin zu Konflikten. Im „Berchtesgadener Abkommen" vom 12. Februar 1938 verlangte Hitler von Schuschnigg die Legalisierung der österreichischen NSDAP und die Aufnahme von Nationalsozialisten in die Regierung. Als Schuschnigg nach Erfüllung dieser Forderungen den drohenden „Anschluß" durch eine kurzfristig angesetzte Volksabstimmung zu verhindern suchte, schlug Hitler zu: Am 12. März 1938 marschierten deutsche Truppen in Österreich ein, am 13. März wurde der „Anschluß" an das Deutsche Reich durch Gesetz dekretiert. Das Deutsche Reich nannte sich von da an „Großdeutsches Reich". Die europäischen Mächte protestierten gegen die gewaltsame Form des „Anschlusses", nahmen ihn jedoch hin, da „Volk zu Volk" gekommen war. Die Erfüllung dieses alten deutschen Traums steigerte Hitlers inneres und äußeres Prestige.

Einmarsch deutscher Truppen in Salzburg am 12. März 1938. ~ Bildarchiv Preußischer Kulturbesitz, Berlin (328) ▶

Plakat zur Volksabstimmung über den „Anschluß" Österreichs am 10. April 1938. ~ Bundesarchiv, Koblenz (329) ▶

„Heim ins Reich!"
Der Anschluß der sudetendeutschen Gebiete (C 7.3.3)

Die *Sudetendeutsche Heimatfront* (SHF) – ab 1935 *Sudetendeutsche Partei* (SdP) – unter Konrad Henlein strebte zunächst nach sudetendeutscher Autonomie innerhalb der Tschechoslowakei. Ab 1935 geriet sie zunehmend unter den Einfluß des Nationalsozialismus und forderte den Anschluß an das Deutsche Reich. Am 19. November 1937 unterstellte Henlein sich in aller Form Hitler, der die SdP als Werkzeug zur Provozierung einer innenpolitischen Krise nutzte. Sie sollte den Vorwand für die militärische Intervention liefern. Ab Herbst 1937 führten die deutschen Medien eine Propagandakampagne zur internationalen Isolierung der Prager Republik: Sie sei ein Kunstprodukt der Pariser Friedensordnung und unterdrücke die nicht-tschechischen Nationalitäten. Aufgrund ihrer Appeasement-Politik waren Großbritannien und Frankreich zur Wahrung des Friedens um fast jeden Preis entschlossen. Daher zwangen sie die Prager Regierung zur Annahme der sudetendeutschen Forderung nach Autonomie (7. September 1938) und im Münchener Abkommen (29. September 1938) zur Abtretung der Sudetengebiete an das Deutsche Reich. Hitler war damit der Kriegsgrund genommen. Die von ihm erhoffte „Bewährungsprobe" für die Wehrmacht mußte verschoben werden.

▲ 2. September 1938: Hitler und Konrad Henlein auf der Terrasse des Berghofs. ~ Bayerische Staatsbibliothek/Fotoarchiv Hoffmann, München (330)

◀ Plakat der *Sudetendeutschen Heimatfront* (undatiert). ~ Bundesarchiv, Koblenz (331)

Unterzeichnung des Münchener Abkommens am 29. September 1938. V.l.n.r.: Chamberlain, Mussolini, Hitler, der französische Ministerpräsident Edouard Daladier (1884–1970), Ribbentrop. ~ Bayerische Staatsbibliothek/Fotoarchiv Hoffmann, München (332) ▶

„Das Recht des Urwalds". Die Errichtung des „Protektorats Böhmen und Mähren" (C 7.3.4)

Das „Problem Tschechoslowakei" war in Hitlers Augen durch das Münchener Abkommen nur „halberledigt". Drei Wochen später, am 21. Oktober 1938, gab er der militärischen Führung den Befehl, sich für den Einmarsch in die „Rest-Tschechei" bereitzuhalten. Diesmal war den Slowaken die Rolle zugedacht, die zuvor die österreichische NSDAP und die *Sudetendeutsche Partei* gespielt hatten. Ab Herbst 1938 schürten deutsche Emissäre den Konflikt slowakischer Nationalisten mit Prag. Am 14. März 1939 erklärte der slowakische Landtag die Slowakei für unabhängig. Am 15. März 1939 mußte Staatspräsident Hácha in Berlin unter der Drohung vernichtender Luftangriffe auf Prag der Schaffung des *Reichsprotektorats Böhmen und Mähren* zustimmen. Noch am gleichen Tag zogen deutsche Truppen in Prag ein,

Staatspräsident Emil Hácha (1872–1945) am 15. März 1939 bei Hitler in Berlin. Hácha wirkte anschließend bis Kriegsende als Präsident der Marionettenregierung des Protektorats. ~ Bayerische Staatsbibliothek/Fotoarchiv Hoffmann, München (333) ▶

am 18. März wurde die Slowakei durch einen „Schutzvertrag" zum deutschen Satellitenstaat. Am 23. März erfolgte der erzwungene „Anschluß" des litauischen Memellands. Das markierte den Anfang vom Ende der Appeasement-Politik Englands und Frankreichs.

▲ Deutsche Truppen in Prag, im Hintergrund der Wenzelsplatz (15. März 1939). ~ Bayerische Staatsbibliothek/Fotoarchiv Hoffmann, München (334)

◀ Hitler auf dem Hradschin in Prag bei der Beratung des „Erlasses des Führers und Reichskanzlers über das Protektorat Böhmen und Mähren" (16. März 1939) mit v.l.n.r. Martin Bormann, Wilhelm Frick, Reichsminister und Chef der *Reichskanzlei* Hans-Heinrich Lammers und dem Staatssekretär im *Reichsministerium des Innern* Wilhelm Stuckart. ~ Bayerische Staatsbibliothek/Fotoarchiv Hoffmann, München (335)

Die „Achse Berlin - Rom". Das nationalsozialistische Bündnissystem vor dem Krieg (C 7.4)

Das Bündnis mit Italien gegen Frankreich war Teil von Hitlers außenpolitischem Grundplan. Auch Italien benötigte das Bündnis für seine expansionistischen Pläne im Mittelmeerraum. Um die Jahreswende 1935/1936 setzte die Annäherung ein, die Italien von Deutschland abhängig machte. Hitler unterstützte Italiens Krieg in Abessinien, ab Juli 1936 intervenierten Hitler und Mussolini auf Francos Seite im Spanischen Bürgerkrieg. Im Herbst 1936 verkündete Mussolini die „Achse Berlin – Rom", die 1939 durch ein Militärbündnis („Stahl-Pakt") verstärkt wurde. Deutschland und Italien suchten zudem, ihre Expansionspolitik mit Japan zu koordinieren. Am 25. November 1936 schlossen Berlin und Tokio den „Antikomintern-Pakt", dem Italien am 6. November 1937 beitrat. Das „weltpolitische Dreieck" Berlin – Rom – Tokio war entstanden. Einerseits antikommunistisch und antisowjetisch, sollte das Bündnis andererseits Großbritannien unter Druck setzen.

Der italienische Außenminister Galeazzo Ciano Graf von Cortellazzo (1903-1944) am 24. Oktober 1936 auf dem Berghof, daneben der Reichsaußenminister Konstantin von Neurath und der persönliche Adjutant Hitlers, SS-Sturmbannführer Julius Schaub. Tags darauf wurde die „Achse Berlin - Rom" verkündet. ~ Bayerische Staatsbibliothek/Fotoarchiv Hoffmann, München (336) ▶

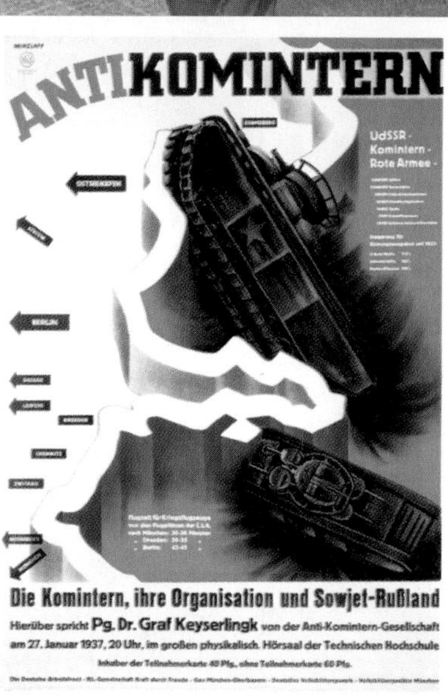

Plakat zu einer Münchener Propagandaveranstaltung des im August 1933 gegründeten Vereins *Antikomintern. Gesamtverband deutscher antikommunistischer Vereinigungen e.V.* wenige Wochen nach Abschluß des Antikomintern-Pakts zwischen Deutschland und Japan (25. November 1936). ~ Stadtmuseum, München (337) ▶

Das nationalsozialistische Bündnissyster

939

Deutsches Reich - Polen
Nichtangriffspakt 26.1.1934
(am 28.4.1939 von Hitler aufgekündigt)

Deutsches Reich - Großbritannien
Flottenabkommen 18.6.1935
(am 28.4.1939 von Hitler aufgekündigt)

Deutsches Reich - Italien
Übereinkunft 25.10.1936
Stahl-Pakt 22.5.1939

Deutsches Reich - Spanien
Unterstützung Francos im span. Bürgerkrieg

Italien - Spanien
Unterstützung Francos im span. Bürgerkrieg

Deutsches Reich - Slowakei
Schutzvertrag 18.3.1939

Deutsches Reich - Rumänien
Wirtschaftsvertrag 23.3.1939

Italien - Albanien
Personalunion 12.4.1939

Deutsches Reich - Sowjetunion
Nichtangriffspakt 23.8.1939
Grenz- u. Freundschaftsvertrag 28.9.1939

◀ © Institut für Zeitgeschichte, München – Berlin 1999; Hersteller: Kartographie Peckmann, Ramsau (338)

„Seit 5 Uhr 45 wird jetzt zurückgeschossen!" Die Entfesselung des Weltkriegs (C 7.5)

Hitler wußte, daß ihm die Westmächte im Osten keine freie Hand mehr lassen würden. Er war deshalb entschlossen, vor Beginn des Kriegs um „Lebensraum" Frankreich niederzuwerfen und Großbritannien politisch und militärisch vom Kontinent zu vertreiben. Zur Sicherung des Angriffs im Westen sollten die östlichen und südöstlichen Nachbarn politisch unterworfen werden. Das gelang mit der Slowakei, Ungarn und Rumänien; Polen hingegen widersetzte sich. Deshalb entschied sich Hitler, das Nachbarland mit einem militärischen Schlag auszuschalten. Am 23. August 1939 kam es überraschend zum „Deutsch-sowjetischen Nichtangriffsvertrag" („Hitler-Stalin-Pakt"). Er teilte Polen zwischen Deutschland und der Sowjetunion auf und überließ Stalin weitere Gebiete in Ostmittel- und Südosteuropa, vor allem das Baltikum (zunächst ohne Litauen). Stalins Gegenleistung bestand in „wohlwollender Neutralität" und Rohstofflieferungen – mit dem

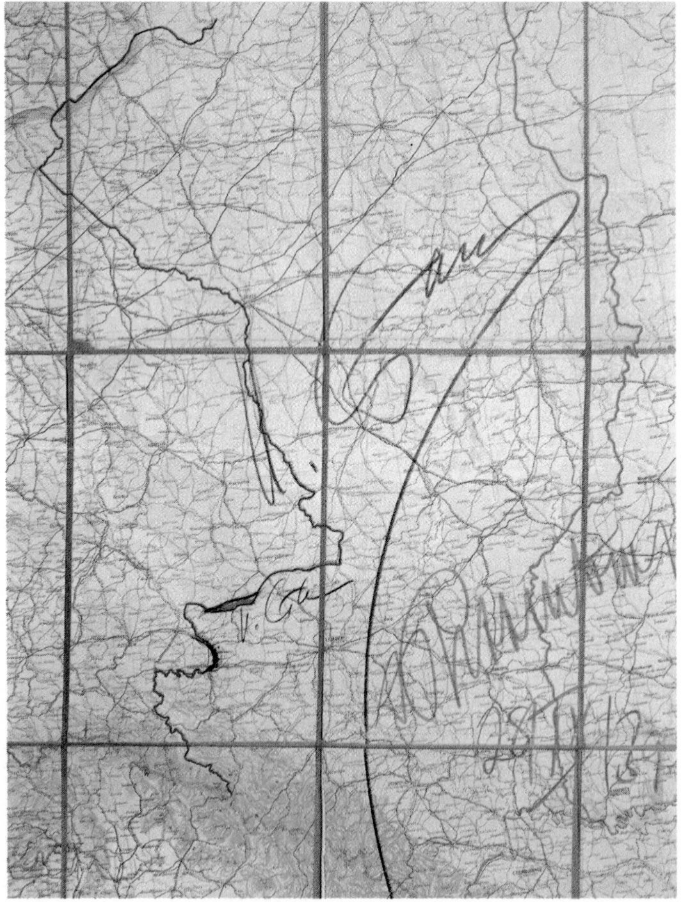

◀ Karte mit den Unterschriften Stalins und Ribbentrops vom 28. September 1939. Die linke Linie bezeichnet die neue deutsch-sowjetische Grenze, die rechte Linie die bisherige polnisch-sowjetische Grenze (Linien vom Institut für Zeitgeschichte nachgezogen). ~ Politisches Archiv des Auswärtigen Amts, Berlin (339)

Hintergedanken, Deutschland und die „imperialistischen Westmächte“ in einen Krieg zu verwickeln und sie dadurch zu schwächen. Damit war die damals stärkste britische Waffe, die Blockade der Seehandelswege, stumpf. Am 1. September fiel die deutsche Wehrmacht ohne Kriegserklärung in Polen ein. Damit hatte der Zweite Weltkrieg begonnen: Am 3. September 1939 erklärten Frankreich und Großbritannien Deutschland den Krieg.

Der „Hitler-Stalin-Pakt"

Das geheime Zusatzprotokoll zum „Deutsch-sowjetischen Nichtangriffsvertrag“ vom 23. August und der „Grenz- und Freundschaftsvertrag“ vom 28. September 1939 besiegelten die „Vierte Polnische Teilung“ und legten die jeweiligen Einfluß- und Herrschaftszonen in Ostmitteleuropa fest. Bis zum Ende der Sowjetunion wurde das geheime Zusatzprotokoll von sowjetischer Seite geleugnet und als deutsche Fälschung bezeichnet.

Inszenierung eines Kriegsgrunds

Hitler wies Heydrich an, einen Kriegsgrund zu schaffen. Am Abend des 31. August 1939 überfiel ein deutsches Einsatzkommando in Räuberzivil den Rundfunksender der Stadt Gleiwitz in Oberschlesien, unterbrach das Programm und ließ einen Aufruf zum Kampf gegen die Deutschen in polnischer Sprache senden. Ein in betäubtem Zustand mitgebrachter KZ-Häftling wurde als „deutsches Opfer“ erschossen zurückgelassen. Mit der von Gestapochef Heinrich Müller organisierten Aktion sollte ein propagandistisch verwertbarer Anlaß für den Angriff auf Polen am Morgen des folgenden Tages geschaffen werden.

Der Sender Gleiwitz. ~ Bilderdienst Süddeutscher Verlag, München (340) ▶

Der Zweite Weltkrieg

Christian Hartmann

Der Zweite Weltkrieg
Ursachen und Verlauf

◀ Deutsches Unterseeboot im Atlantik. ~ Bildarchiv Preußischer Kulturbesitz, Berlin/Foto: L. G. Buchheim. - Nach der Besetzung Nord- und Westeuropas entwickelte sich der deutsche U-Boot-Krieg bis Sommer 1943 zur schwersten Bedrohung für Großbritannien. (341)

Neben der Idee der Rasse, der Idee des Raums und der Idee der Diktatur ist die Idee der Gewalt das vierte zentrale Ideologem der nationalsozialistischen Weltanschauung. In der Geschichte des Nationalsozialismus bilden diese vier Ideen eine unauflösliche Einheit, und es ist kein Zufall, wenn Gewalttätigkeiten und Kämpfe diese Ideologie von Anfang an begleiteten. Hatte diese Aggression zunächst eine innenpolitische Stoßrichtung, so stand nach der Konsolidierung der nationalsozialistischen Herrschaft das gewaltsame Ausgreifen über die deutschen Grenzen schon bald im Zentrum der nationalsozialistischen Politik.

Man kann in dieser permanenten Gewaltbereitschaft und sich ständig steigernden Aggressivität das Wirken übergreifender geistesgeschichtlicher Tendenzen und gesellschaftlicher Mechanismen erkennen. Bei einer Ideologie, die so stark von einzelnen Führerpersönlichkeiten lebte wie der Nationalsozialismus, liegt es freilich nahe, auch nach biographischen Motiven zu suchen für jene geradezu atavistische Fixierung auf das Recht des Stärkeren, das die Tradition des rechtstaatlichen Denkens so völlig negierte, aber auch jenes Fundament, das Christentum, Humanismus, Aufklärung, Liberalismus oder Arbeiterbewegung hinterlassen haben.

Wenn Hitler die Gewalt predigte, so wußte er, wovon er sprach; vielleicht ist auch dies eine Erklärung für die große Wirkung seiner Propaganda. Wenige Tage nach Ausbruch des Ersten Weltkriegs hatte er sich, wie viele mit ihm, als Kriegsfreiwilliger gemeldet und im Bayerischen Reserve-Infanterie-Regiment Nr. 16 den gesamten Krieg an der Front mitgemacht. Das war ungewöhnlich, denn die Verluste waren hoch. Auch war es nicht selbstverständlich, daß der mehrfach verwundete Hitler am 4. August 1918 mit dem Eisernen Kreuz I. Klasse ausgezeichnet wurde. Für einen Gefreiten war dies eine relativ seltene Tapferkeitsauszeichnung, und es gibt Zeugnisse, die bestätigen, daß Hitler diesen Orden nicht unverdient erhielt.

Doch Hitler war kein Einzelfall. Beschäftigt man sich mit den Biographien der führenden, aber auch der vielen kleinen Nationalsozialisten, so stößt man immer wieder auf den Ersten Weltkrieg als das zentrale „Bildungserlebnis"[1] einer ganzen Generation. Selbst jener Teil der nationalsozialistischen Elite, der nicht auf den Krieg als „die unvergeßlichste und größte Zeit des irdischen Lebens" zurückblicken konnte – so Hitler in „Mein Kampf"[2] –, stand zeit seines Lebens im Bann „des" Weltkriegs. Protagonisten aus dem ersten Glied wie Joseph Goebbels – er war wegen seines Klumpfußes für untauglich erklärt

1 Fest, Hitler, S. 105.

2 Hitler, Mein Kampf , S. 179.

worden – oder Heinrich Himmler und Hans Frank – sie waren zum Kriegsdienst schlichtweg zu jung gewesen – können als prominente Beispiele dafür gelten, wie dieser „Makel“ durch eine besonders radikale Interpretation der NS-Ideologie kompensiert wurde.

Die ständige Mobilisierung, die permanente Kampfbereitschaft war zweifellos ein herausragendes Kennzeichen der nationalsozialistischen Weltanschauung, sie verkörperten ihr spezifisches Lebensgefühl. Das soll nicht heißen, daß Gewalt für den Nationalsozialismus *nur* Selbstzweck gewesen ist; seine Protagonisten, allen voran Hitler hatten sehr genaue Vorstellungen von ihren Gegnern und Zielen, auch waren sie durchaus in der Lage, ihre Aggressivität zu kontrollieren und zu steuern. Doch gab es bei diesem gefährlichen Spiel einen Punkt, wo sich die Dinge zu verselbständigen begannen und wo sich in der Realität eines einmal ausgelösten Kriegs die militärische Reaktion der Gegner als noch radikaler erweisen sollte als jene theoretischen Prinzipien einer Ideologie, die den Kampf zum Maß aller Dinge erklärte. Wenn schließlich auch die Nationalsozialisten von einer Entwicklung überrollt wurden, die sie selbst losgetreten hatten, so war es erst diese Verselbständigung der Gewalt, welche die Militarisierung der deutschen Gesellschaft vollendete, so wie sie von den Nationalsozialisten schon längst angestrebt war. Erst die Ausnahmesituation des Kriegs, seine ganz spezifischen Zwangslagen können erklären, warum es den Trägern dieser Ideologie gelang, ein altes Kulturvolk nahezu geschlossen für ihre Ziele einzuspannen, selbst wenn darin auch sein eigener Untergang inbegriffen war. Dessen eigenartig gleichgültige Hinnahme am Ende des Zweiten Weltkriegs ist nicht nur Ausdruck einer soldatischen Ideologie, die gewohnt war, in den Extremen von Sieg oder Niederlage zu denken. Sie ist immer auch Ausdruck einer merkwürdigen Sehnsucht nach dem Tode, die letzten Endes aus einer Ablehnung, ja beinahe schon einer Furcht vor dem Leben resultierte, das in seiner Komplexität, Zufälligkeit, Pluralität und Offenheit dem Nationalsozialismus im Grunde stets fremd geblieben war. Vergeblich hatte der Nationalsozialismus versucht, dieses Leben nach seinen Vorstellungen zu formen, nicht zuletzt mit den Mitteln des Todes, bis ihm schließlich als letzter inszenatorischer Einfall und in einer makabren Form der ideologischen Konsequenz nur noch die Selbstvernichtung blieb.

Eine Katastrophe wie der Zweite Weltkrieg hat überall in Deutschland Spuren hinterlassen, selbst an einem so abgelegenen Ort wie dem Obersalzberg. Auch wenn er ursprünglich wohl kaum zu den klassischen Machtzentren in Deutschland zählte, finden sich angesichts der Bedeutung, die dieses Domizil für Hitler und damit auch für die deutsche Geschichte hatte, eine ganze Reihe von Ereignissen, die hier stattgefunden haben und die trotzdem weit über die Geschichte dieses kleinen und abgeschlossenen Orts hinausweisen. Fünf dieser Ereignisse sollen deshalb im folgenden herausgegriffen werden, um an ihnen Vorbereitung, Auslösung, Verlauf und Radikalisierung des Zweiten Weltkriegs, die Reaktion der Gegner und schließlich das Ende dieses Kriegs zu schildern.

Die Vision

Eines dieser Ereignisse fällt in eine Zeit, lange vor Beginn des Zweiten Weltkriegs: Im Juni/Juli 1928 war der Obersalzberg schon längst nicht mehr ein einsamer Berg im Berchtesgadener Raum, vielmehr eine begehrte Sommerfrische, wo sich das gehobene Bürgertum aus ganz Deutschland, vorzugsweise jedoch aus Bayern und München, erholte. Hierhin zog sich Hitler – damals noch Führer einer eher obskuren, meist nicht ganz ernst genommenen Splitterpartei – zurück, um einmal ungestört ein längeres Manuskript zu diktieren. Daß er das Wagnis einer Veröffentlichung nicht einging, charakterisiert den Inhalt des Traktats, aber auch die politische Situation der späten zwanziger Jahre, in der solche Ideen wenig Anklang fanden. Publiziert wurde das Manuskript erst Jahre nach Hitlers Tod, im Jahr 1961, unter dem Titel „Hitlers Zweites Buch". Allerdings hatte Hitler bereits 1925/27 – in seiner Bekenntnisschrift „Mein Kampf" – einen bemerkenswert unverstellten Blick auf nahezu alle Aspekte seiner Weltanschauung geboten. „In ihr" – so Eberhard Jäckel – „war alles, was Hitler wollte und tat, zusammengefaßt. Es bedarf unter zivilisierten Menschen keiner Worte, daß diese Weltanschauung, deren Mittel von vornherein und unverhüllt ausschließlich Krieg und Mord waren, von wohl keiner anderen jemals an Primitivität und Brutalität übertroffen worden war und ist. Aber darum war sie nicht weniger eine in sich schlüssige Synthese."[3]

Hitlers Schriften lassen erahnen, wie früh dieses Weltbild bereits erstarrt war. Noch deutlicher wird dies, wenn jene ideologischen Planspiele aus den zwanziger Jahren mit Hitlers späterer Politik verglichen werden: Von der Wiedergründung der NSDAP im Februar 1925 bis zum kläglichen Ende Hitlers im Berliner Führerbunker gut zwanzig Jahre später blieb sein gesamtes Denken, Reden und Handeln in den hier einmal offengelegten Axiomen befangen, die methodisch wie inhaltlich als sehr konkret gefaßte politische Handlungsanleitungen zu verstehen sind.

Auch Hitlers erbarmungslose Lebensraumpolitik ist in diesen Schriften klar vorgezeichnet, nicht minder sein unbedingter Wille zur militärischen Auseinandersetzung; in einer ebenso eigenartigen wie verräterischen Weise wird das Prinzip des Kriegs um seiner selbst willen verabsolutiert und aus jedem übergreifenden politischen Zusammenhang herausgelöst: „Wer dieses Ringen für alle Ewigkeit

[3] Jäckel, Hitlers Weltanschauung, S. 119.

von der Erde verbannen will, hebt den Kampf der Menschen untereinander vielleicht auf, allein beseitigt damit auch die höchste treibende Kraft für ihre Entwicklung ...". Das Ziel für diesen „ewigen Kampf" wollte Hitler im Sommer 1928 so verstanden wissen: „Deutschland entschließt sich, zu einer klaren weitschauenden Raumpolitik überzugehen. Es wendet sich damit von allen weltindustriellen und welthandelspolitischen Versuchen ab und konzentriert statt dessen alle seine Kräfte, um unserem Volk durch die Zuweisung eines genügenden Lebensraumes für die nächsten 100 Jahre auch einen Lebensweg vorzuzeichnen. Da dieser Raum nur im Osten liegen kann, tritt auch die Verpflichtung zu einer Seemacht in den Hintergrund. Deutschland versucht erneut, auf dem Wege der Bildung einer ausschlaggebenden Macht zu Lande seine Interessen zu verfechten. Dieses Ziel entspricht ebenso höchsten nationalen wie völkischen Anforderungen."[4] Diese krude Argumentation findet sich im übrigen nicht nur in jener Schrift, die Hitler zeit seines Lebens unter Verschluß hielt. Auch in „Mein Kampf" konnte seinerzeit jeder viel über das nachlesen, was Hitler vorhatte.

Kriege und Eroberungen waren in der deutschen Geschichte nichts Neues. Die geheime Aufrüstung der Reichswehr und die verschiedenen Überlegungen, Denkschriften und Vorbereitungen zur Revision der deutschen Grenzen waren auch in der Republik von Weimar stets Bestandteil der deutschen Politik. In Hitlers Auslassungen werden jedoch andere Kategorien sichtbar – Kategorien, welche auf die zentrale Frage nach den Kontinuitäten, aber auch den Diskontinuitäten in der deutschen Geschichte verweisen. Was Hitler hier entwickelte, unterschied sich grundsätzlich von dem, was von den damaligen politischen und militärischen Eliten erdacht und vorbereitet wurde, selbst wenn darin Grenzrevisionen, auch mit den Mitteln des Kriegs, einbegriffen waren.

Hitlers Denken orientierte sich allerdings weniger an den vorgegebenen territorial-politischen Strukturen, auch waren ihm Begriffe wie Staat und Nation im Grunde ziemlich gleichgültig, was ihn nicht daran hinderte, sich in der Öffentlichkeit stets auf diese Interessen zu berufen. Im Zentrum seines Denkens standen vielmehr das, was er als „nordische" oder „arische" Rasse bezeichnete, sowie unbestimmte, freilich „gigantische" Lebensräume, scheinbar geschichtslos und unbelebt, die es von dieser überlegenen Rasse zu erobern, zu besiedeln und zu sichern gelte. Mit Außen- und Machtpolitik traditioneller Prägung hatte das nichts mehr zu tun; selbst die maßlosen Kriegszielforderungen, welche die deutsche Öffentlichkeit während des Ersten Weltkriegs diskutiert hatte, waren in den meisten Fällen immer noch auf das Deutsche Reich als Ausgangsbasis fixiert gewesen. In seiner 1928 entstandenen Schrift bezeichnete Hitler dagegen „die Wiederherstellung der Grenzen des Jahres 1914" als „wahnsinnig", auch alle Versuche zum Wiedererwerb von Kolonien ergaben für ihn keinen Sinn[5].

4 Hitler, Reden, Schriften, Anordnungen, II a, S. 12, S. 123.

5 Hitler, Reden, Schriften, Anordnungen, II a, S. 122 f.

In den zwanziger Jahren war dies vorläufig nicht mehr als ein Entwurf. Die unübersehbare Kohärenz zwischen diesem Entwurf und der sich anschließenden Politik Hitlers dürfte allerdings ein eindrucksvoller Beleg dafür sein, daß diese Politik nicht als prinzipienloser Opportunismus zu deuten ist, ausgerichtet allein auf Erfolg und Macht, sondern daß die deutsche Politik der Jahre 1933 bis 1945 sehr wohl als „Vollzug" dieses Entwurfs interpretiert werden kann. Darüber soll freilich nicht übersehen werden, wie anpassungsfähig Hitler sein konnte. Seine Politik wurde lange von taktischen Zugeständnissen mitbestimmt, denn seine Witterung für Chancen, Risiken und Widerstände war groß. Gerade diese Ambivalenz – der unumstößliche Glaube des „Führers" an seine Mission, seine schlafwandlerische Sicherheit in der Verfolgung seiner Ziele, aber auch die Fähigkeit zur Verstellung und zu vordergründigen taktischen Zugeständnissen – war der Schlüssel für seine Erfolge.

Der Angriffskrieg

Elf Jahre nach dieser Episode, die – bis auf jenes Manuskript – kaum Spuren hinterlassen hat, hatte sich viel verändert – auf dem Obersalzberg wie auch in Deutschland und Europa. Am Mittag des 22. August 1939 versammelte Hitler die Spitzen der Wehrmacht in der Halle des Berghofs, um sie mit seinen strategischen Absichten und Erwartungen vertraut zu machen. Anlaß für diese Ansprache – in der Form weniger eine klassische militärische Lagebesprechung als vielmehr eine Art Befehlsausgabe – war der bevorstehende Abschluß des deutsch-sowjetischen Nichtangriffspakts, der endgültig den Weg freimachen sollte zum deutschen Angriff auf Polen. Die führenden deutschen Militärs waren schon lange über Hitlers Angriffsabsichten informiert. Nach dem Auslaufen der deutsch-polnischen Verhandlungen Ende März 1939 hatte Hitler rasch eingesehen, daß Polen nicht bereit war, sich auf die Rolle eines gefügigen Juniorpartners einzulassen. Noch im selben Monat hatte er der Wehrmachtführung den Auftrag gegeben, eine Offensive gegen Polen vorzubereiten: Bilanzierte man die geostrategische Ausgangslage, das Stärkeverhältnis sowie die Qualitätsunterschiede bei den Faktoren Bewaffnung, Ausbildung und Führung, so ließ sich das Ergebnis dieser Auseinandersetzung schon jetzt absehen. Problematisch erschien eine ganz andere Frage: Waren die Westmächte bereit, für Polens Unabhängigkeit in den Krieg zu ziehen? Dies war der Punkt, wo auch große Teile der deutschen Generalität und erst recht der Admiralität unsicher zu werden begannen. Und genau darauf zielte Hitlers Ansprache: Die militärische Führung sollte darauf eingeschworen werden, ihm bedenkenlos in den

Krieg zu folgen, notfalls auch in einen neuen großen europäischen Krieg.

Hitler war sich der Gefahr sehr wohl bewußt: „Gegenzüge Englands – Frankreichs werden kommen", doch, so fuhr er in seiner Ansprache fort, „es muß durchgehalten werden. West-Aufmarsch wird gefahren"[6]. Die kommenden Ereignisse schienen den militärischen Profis recht zu geben: Ihre Meinung über die geringe polnische Widerstandskraft wurde ebenso bestätigt wie ihre geradezu traumatische Furcht vor einer Wiederholung der militärischen Situation des Ersten Weltkriegs. Während des Polenfeldzugs, von der nationalsozialistischen Propaganda als „Feldzug der 18 Tage" gefeiert, bewies die Wehrmacht, daß sie – zumindest hier – das Schlachtfeld souverän beherrschte und daß sie im Hinblick auf Motivation, Führungsgrundsätze und Ausrüstung tatsächlich als eine moderne, vielleicht als die modernste Armee ihrer Zeit gelten konnte: Angeführt von geschlossenen Panzerverbänden und Sturzkampfbombern gelang es den deutschen Divisionen, das Prinzip des Bewegungskriegs wiederaufzunehmen und in wenigen großen Kesselschlachten die polnischen Streitkräfte zu zerschlagen. „Blitzkrieg" wurde dieses neuartige Vorgehen genannt – ein Verfahren, dem die Alliierten militärisch vorerst wenig entgegenzusetzen hatten. Vor allem aber war es der Wehrmacht durch diese rasche Entscheidung gelungen, den gefährlichen Zeitkorridor so rasch wie möglich zu durchqueren, der durch die Kriegserklärung Großbritanniens und Frankreichs am 3. September 1939 entstanden war. Freilich zeichnete sich nun ab, wie gefährlich, ja kontraproduktiv das deutsche Blitzkriegskonzept war, operativ wie strategisch, denn Deutschland besaß weder genügend Kräfte, um vorerst seine Westgrenzen adäquat zu sichern, noch war es außenpolitisch, wirtschaftlich oder maritim auf einen langen Krieg mit den Westmächten vorbereitet. Als sich nach der Kapitulation Warschaus am 28. September 1939 die deutschen Hoffnungen auf eine Revision der alliierten Entscheidung zum Krieg mit Deutschland nicht erfüllten, sorgte die Aussicht auf neue blutige Stellungskämpfe im Westen für eine beispiellose politische Katerstimmung in weiten Teilen der deutschen Bevölkerung. Selbst viele überzeugte Nationalsozialisten begannen – erstmals wieder seit 1934 – an ihrer politischen Überzeugung zu zweifeln.

Die große Katastrophe blieb indessen aus, zumindest vorläufig; vielmehr kam es im Westen zu dem, was je nach Nationalität des Betrachters als „Sitzkrieg", als „phony war" oder „drôle de guerre" in die Geschichte einging. Zum Entsetzen vieler deutscher Militärs war Hitler jedoch nicht bereit, sich mit dieser in ihren Augen noch glimpflichen Lösung abzufinden. Getrieben von der Zwangsvorstellung seiner Mission, getrieben von der Angst, er besitze nicht genügend Lebenszeit, aber auch getrieben von der Einsicht, daß die Zeit wirtschaftlich und strategisch tatsächlich gegen Deutschland arbeitete, forcierte Hitler die Angriffsvorbereitungen, wobei er sich erstmals

6 Halder, Kriegstagebuch I, S. 25.

auch in die Details der deutschen Operationsplanung einzumischen begann.

Und Hitler schien mit seiner Flucht nach vorn tatsächlich recht zu behalten. Seinen ersten Schlag führte er im Norden, weitab von der deutsch-französischen Grenze. Mit der am 9. April 1940 eingeleiteten Besetzung Dänemarks und Norwegens gelang es der deutschen Seite, sich die nordeuropäische Flanke zu sichern – und damit auch den Zugang zum schwedischen Eisenerz. Während sich Dänemark kampflos ergab, konnten die norwegischen Verteidiger die überraschende Offensive der Wehrmacht zu Wasser, zu Lande und aus der Luft nicht aufhalten; die Unterstützung der britischen Kriegsmarine kam zu spät, die Landung alliierter Regimenter in verschiedenen norwegischen Häfen brachte die deutschen Angreifer lediglich im Raum Narvik wirklich in Bedrängnis, so daß sich die Kämpfe in Nordnorwegen noch bis zum 10. Juni hinzogen. Bereits am 24. April war jedoch Norwegen von den deutschen Besatzern zu einem sogenannten Reichskommissariat erklärt worden, während Dänemark seine Unabhängigkeit formal beibehielt, tatsächlich aber ganz von Deutschland abhängig wurde.

Die eigentliche Entscheidung fiel aber an der Westfront: Den deutschen Truppen, die am 10. Mai 1940 ihren Angriff auf Frankreich, aber auch auf die neutralen Staaten Niederlande, Belgien und Luxemburg eröffneten, gelang es innerhalb von zwei Wochen, die Masse des französischen Feldheeres in Nordfrankreich einzukesseln und aufzureiben; im allerletzter Moment konnten knapp 230 000 Mann des britischen Expeditionskorps zusammen mit 139 000 französischen Soldaten aus dem Kessel von Dünkirchen nach Großbritannien evakuiert werden. Daß das kurzfristige Zögern der deutschen Truppen beim Vormarsch auf Dünkirchen Deutschland vermutlich den vollständigen Sieg im Westen kostete, war damals kaum zu erkennen – ins Auge fiel statt dessen die geradezu atemberaubende Schnelligkeit, mit der die Wehrmacht im Juni, während des zweiten Aktes des Westfeldzugs, den Rest Frankreichs besetzte. Bereits am 22. Juni konnte der deutsch-französische Waffenstillstand abgeschlossen werden, in eben jenem Eisenbahnwagen im Wald bei Compiègne, wo am 11. November 1918 der Waffenstillstand zwischen dem Deutschen Reich und den Alliierten unterzeichnet worden war. Belgien und Luxemburg sowie die Niederlande wurden besetzt, die Niederlande als „germanischer" Staat erneut in der Form eines Reichskommissariats. Frankreich wurde dagegen zweigeteilt: Während der nördliche und westliche Teil unter deutsche Militärverwaltung kam, konnte in der unbesetzten Zone („Vichy-Frankreich") eine französische Regierung fortbestehen, die jedoch immer stärker von den deutschen Direktiven abhängig wurde, bis schließlich deutsche Einheiten am 11. November 1942 auch noch in dieses Gebiet einmarschierten.

Die Folgen des deutschen „Sieges im Westen" – so die damalige deutsche Terminologie – waren indes nicht nur militärisch-strategischer Natur. Er veränderte auch die außen-, ja selbst die innenpolitische Landschaft. Hitler hatte mit seinem Konzept des extremen strategischen (und operativen) Risikos fürs erste triumphiert, und es gab wohl keine Phase während der nationalsozialistischen Herrschaft, in der dieser derart ungeteilte Zustimmung fand wie in der Sieges-Euphorie des Sommers 1940. Selbst entschiedene Regimegegner begannen nun unsicher zu werden.

Außenpolitisch gesehen brachten die deutschen Erfolge nicht nur große Teile von Westeuropa, sondern beinahe den gesamten europäischen Kontinent unter deutsche Kontrolle. Selbst jene Staaten, die das deutsche Ausgreifen bislang mit Skepsis oder zumindest doch abwartend verfolgt hatten, bemühten sich nun, die Gunst der Stunde zu nutzen: Italien trat am 10. Juni 1940 auf deutscher Seite in den Krieg ein, aber auch Länder wie Ungarn, Rumänien, Bulgarien und Spanien versuchten jetzt ihre Beziehungen zum Deutschen Reich auszubauen, wenngleich in unterschiedlicher Intensität.

Nicht ganz so günstig erschienen die Folgen für Deutschland im gesamtstrategischen Rahmen. Die Sowjetunion, seit dem 23. August 1939 in einer strategisch-wirtschaftlichen Zweckgemeinschaft mit dem Deutschen Reich, war über die Schnelligkeit der deutschen Erfolge aufs höchste beunruhigt. Während sie ihre guten Beziehungen zum deutschen Partner fortzusetzen suchte, wollte auch sie von den politischen Veränderungen in Europa profitieren. In Ostpolen waren, wie mit den deutschen Angreifern abgemacht, ab dem 17. September zwei sowjetische Heeresgruppen einmarschiert. Am 30. November 1939 hatte die Rote Armee ohne Kriegserklärung Finnland angegriffen und sich bis März 1940 schmale, aber strategisch wichtige Positionen an der finnischen Ostgrenze gesichert. Im Juni 1940 besetzten nun sowjetische Truppen Estland, Lettland und Litauen sowie mit Bessarabien und der Nordbukowina auch den östlichen Teil Rumäniens. Dies waren Expansionen, die mit der deutschen Diplomatie abgestimmt gewesen waren, was nichts daran änderte, daß sich der sowjetische Einflußbereich weit nach Westen vorgeschoben hatte.

Auch in den USA hatte man nicht erwartet, daß die ehemaligen Verbündeten des Ersten Weltkriegs so schnell zusammenbrechen würden. Langsam begann das Land aus seiner isolationistischen Selbstbefangenheit zu erwachen, doch waren Roosevelt, der sich über die langfristigen Absichten des deutschen Diktators wenig Illusionen machte, zunächst die Hände gebunden: Die USA verfügten vorerst nur über eine winzige Armee, während Roosevelts politischer Handlungsspielraum vor den Präsidentschaftswahlen am 5. November 1940 immer noch begrenzt blieb.

Der entschlossenste Gegner der deutschen Aggression blieb fürs erste Großbritannien. Just am ersten Tag der deutschen Offensive im Westen, am 10. Mai 1940, hatte hier ein Regierungswechsel stattgefunden. Der zögerliche Chamberlain war durch Winston Churchill abgelöst worden, und es war, „als habe das in seine komplizierten Einverständnisse mit Hitler verstrickte und tief defätistisch gestimmte Europa mit diesem Mann seine Normen, seine Sprache und seinen Selbstbehauptungswillen wiedergefunden“[7]. Und selbst wenn Churchill vorerst nicht mehr anzubieten hatte als eine mitreißende sprachliche Umstilisierung der britischen Niederlagen in einen Sieg, so ist es doch nicht übertrieben, den Beginn des alliierten Sieges hier festzumachen – ungeachtet aller Rückschläge, die den Weg der Alliierten vorerst noch begleiten sollten.

Vom Blitzkrieg zum Weltkrieg

Noch eine weitere militärische Lagebesprechung auf dem Obersalzberg hat Geschichte gemacht, ihre Folgen waren für die deutsche Geschichte vielleicht noch schwerwiegender als die vom 22. August 1939. Als sich die Spitzen der deutschen Streitkräfte am 31. Juli 1940 in Hitlers Residenz einfanden, erwarteten sie wohl alle, daß ein Thema im Vordergrund dieser Besprechung stehen würde: der noch unentschiedene Krieg gegen Großbritannien. Zwar hatte die britische Regierung gerade erst, am 22. Juli, klargestellt, daß sie den Krieg gegen Deutschland unbedingt weiterführen wollte, doch schien die Frage berechtigt, wie sie dies eigentlich bewerkstelligen wollte. Die bisherigen britischen Niederlagen – die so sehr im Gegensatz standen zu den nicht abreißenden Erfolgen der deutschen Wehrmacht –, aber auch die Tatsache, daß Großbritannien zwar über die stärkste Flotte und eine nicht zu unterschätzende Luftwaffe, jedoch vorerst nur noch über wenig Landstreitkräfte verfügte, schien die deutsche Erwartung zu rechtfertigen, daß es nicht mehr lange dauern würde, bis Großbritannien und mit ihm das Commonwealth um Frieden bitten würden.

Tatsächlich wurde in der Konferenz auf dem Obersalzberg über die Möglichkeit einer Invasion auf den britischen Inseln gesprochen. Dabei wurde freilich deutlich, mit wieviel Skepsis Hitler dieser für die deutsche Armee ungewohnten amphibischen Aufgabe gegenüberstand. Erstmals machte Hitler bei dieser Gelegenheit deutlich, daß seine Überlegungen in ganz andere Richtungen gingen, um die strategische Pattsituation gewissermaßen schlagartig zu überwinden. Folgt man dem Tagebuch des Generalstabschefs des Heeres, Generaloberst Franz Halder, so äußerte Hitler: „Englands Hoffnung ist Rußland und Amerika. Wenn Hoffnung auf Rußland wegfällt, fällt auch Amerika weg, weil Wegfall Rußlands eine Aufwertung in Ostasien in ungeheurem Maß folgt.“ Daraus folgerte Hitler: „Im Zuge dieser Auseinandersetzungen muß Rußland erledigt werden. Frühjahr 1941. Je schneller

7 Fest, Hitler, S. 869.

wir Rußland zerschlagen, um so besser. Operation hat nur Sinn, wenn wir [sowjetischen] Staat in einem Zug schwer zerschlagen."[8]

Wenn Hitler den Bruch mit dem sowjetischen Verbündeten auch strategisch zu rechtfertigen suchte, so kamen in dieser grundsätzlichen Neuorientierung der deutschen Strategie auch sehr viel tieferliegende weltanschauliche Aspekte zum Vorschein, wie sie Hitler bislang nur in seinen frühen Schriften oder in wenigen vertraulichen Gesprächen oder Ansprachen geäußert hatte. In einem Rekurs auf die Programmatik seiner frühen Jahre versuchte Hitler jetzt seine eigentlichen Anliegen wiederaufzunehmen: die Eroberung von Lebensraum im Osten, aber auch den radikalen Vernichtungskrieg gegen die Juden und den Bolschewismus. Mit diesem fundamentalistischen Programm wollte er zugleich die strategische Handlungsfreiheit wiedergewinnen. Denn die beeindruckenden Erfolge der Wehrmacht konnten nicht darüber hinwegtäuschen, daß Deutschland vorerst die Grenzen seiner militärischen Potenz erreicht, teilweise bereits schon überschritten hatte. In den kommenden Wochen sollte sich zeigen, daß für eine Landung in Großbritannien ebenso wenig Erfolgsaussichten bestanden wie für einen strategisch effizienten Luft- (Juli bis September 1940: Luftschlacht über England) oder Seekrieg gegen den britischen Gegner.

Der radikale Bruch mit dem sowjetischen Verbündeten versprach dagegen immer auch unbegrenzten Zugriff auf Rohstoffe, Energie und Arbeitssklaven, so daß spätestens die Bildung eines unangreifbaren eurasischen Großraums – so Hitlers Erwartung – Großbritannien von der Aussichtslosigkeit jeder weiteren Auseinandersetzung mit Deutschland überzeugen sollte. Hier glaubte Hitler endlich die Möglichkeit gefunden zu haben, um seine früheren ideologischen Entwürfe mit der aktuellen politisch-militärischen Entwicklung in Übereinstimmung zu bringen. Es charakterisiert die Tragweite dieser Entscheidung, wenn selbst Hitler noch einige Monate zögerte: Erst am 18. Dezember 1940 unterzeichnete er die endgültige Weisung (Nr. 21) zum Angriff auf die Sowjetunion, für den nun der Deckname „Barbarossa" ausgegeben wurde. Der bemerkenswert frühe Zeitpunkt, zu dem die Vorbereitungen für einen Angriff auf die Sowjetunion begannen, ist im übrigen ein weiterer Beleg dafür, daß es sich hier um einen langfristig geplanten und vorbereiteten Angriffskrieg handelte. Seine Ursachen sind in erster Linie in Hitlers Weltanschauung und den strategisch-politischen Rahmenbedingungen der Jahre 1940/41 zu suchen, aber kaum in möglichen Präventivabsichten gegen eine vermutete Offensive der Roten Armee. In den zeitgenössischen deutschen Dokumenten wird immer wieder deutlich, daß die deutschen Planungsstäbe damals mit einem raschen Sieg über diesen vermeintlichen „Koloß auf tönernen Füßen" rechneten. Die Angst vor einem sowjetischen Vordringen bis nach Mitteleuropa war erst eine Erkenntnis späterer Jahre.

8 Halder, Kriegstagebuch II, S. 49.

Es lag in der Konsequenz dieser Entwicklung, wenn Hitler damals auch auf ganz andere Themen zurückkam, die ihn schon lange beschäftigten, die er aber bislang nicht in jener Radikalität hatte verwirklichen können, wie ihm dies eigentlich vorschwebte. Spätestens seit Frühjahr 1941 zeichnete sich ab, daß dieser Feldzug keine militärische Auseinandersetzung im konventionellen Sinn werden würde, sondern ein erbarmungsloser rassenideologischer Vernichtungskrieg, in dessen Verlauf Hitler und die nationalsozialistische Führung und mit diesen auch Teile der militärischen, wirtschaftlichen und zivilen Eliten das verwirklichen konnten, was ihnen unter einer spezifisch nationalsozialistischen Besatzungs- und Herrenrassenpolitik vorschwebte.

Dies war kein völlig neues Phänomen. Bereits bei der deutschen Besatzungspolitik in Polen hatte sich offenbart, wieviel kriminelle Energie die nationalsozialistische Weltanschauung freisetzen konnte. Die noch während des Feldzugs einsetzenden Liquidierungswellen trafen nicht nur den jüdischen Bevölkerungsteil, sondern auch den polnischen Adel, Klerus, Politiker oder Akademiker. Am Ende des Kriegs hatten schließlich – so die polnischen Berechnungen – zwischen fünf und sechs Millionen polnische Staatsangehörige in Folge der deutschen und sowjetischen Besatzungsherrschaft ihr Leben verloren, prozentual die höchsten Menschenverluste einer Nation während des Zweiten Weltkriegs.

Zumindest während und in der ersten Zeit nach dem Polenfeldzug hatten noch große Teile der Wehrmacht diese Entwicklung eher distanziert oder zumindest doch gleichgültig verfolgt. Im Vorfeld des neuen Kriegs gegen die Sowjetunion, dessen Stellenwert in der nationalsozialistischen Weltanschauung ungleich größer war, ließ die nationalsozialistische Führung jedoch keinen Zweifel daran, daß sie diesmal die Armee stärker zu ihrem Komplizen machen wollte. Die Voraussetzungen hierfür waren günstig, erinnert sei an die antibolschewistische Einstellung vieler Soldaten, Hitlers Prestige, das nach dem Sieg im Westen schier unangreifbar geworden war, aber auch an die zunehmend schwierigeren Bedingungen des Ostkriegs sowie die Tatsache, daß die internationalen Regeln des Kriegs teilweise auch auf sowjetischer Seite ignoriert wurden. All dies war dafür mitverantwortlich, daß vielen deutschen Soldaten das Gefühl für Recht und Unrecht allmählich abhanden kam. Ansatzpunkte, wo die bisherigen – geschriebenen und ungeschriebenen – Normen des Kriegs durchbrochen werden konnten, boten sich mehr als genug, sei es bei der Kooperation von Wehrmachtseinheiten mit den SS- und Polizeieinheiten, bei der teilweisen Außerkraftsetzung der Kriegsgerichtsbarkeit, bei der Erschießung der sowjetischen Kommissare, Funktionäre, aber auch anderer Kriegsgefangener, bei den unverhältnismäßigen Repressalien gegenüber der Zivilbevölkerung, bei der Ausplünderung des besetzten Landes, der Rekrutierung von Arbeitskräften und „Hilfswilligen“ und schließlich bei der Behandlung der sowjetischen Kriegsgefangenen: Von etwa 5,7 Millionen gefangenen Rotarmisten überlebten nur etwa 2,4 Millionen die deutsche Kriegsgefangenschaft. Dies hatte auch seine Folgen für das Schicksal der deutschen Kriegsgefangenen in der Sowjetunion, von denen 1,1 Millionen, etwa ein Drittel, in den sowjetischen Lagern umkamen.

Gleichwohl wäre es verfehlt, der Wehrmacht als Ganzes diese Verbrechen anzulasten. Ausschlaggebend blieb, daß die Initiative von Hitler, von der nationalsozialistischen und teilweise auch von der militärischen Führung ausgegangen war, die ganz bewußt die verschiedenen Sicherungsmaßnahmen außer Kraft setzten, die bislang den Ausbruch der Gewalt in einem Krieg primär auf das militärische Geschehen begrenzt hatten. Die Eigendynamik, die gerade ein Krieg wie der deutsch-sowjetische entwickelte, und die propagandistisch aufgeladene Atmosphäre auf beiden Seiten sorgten für eine Radikalisierung, für die es bislang nur wenige historische Vorbilder gab; erwähnt seien etwa die Bürgerkriege in der Zwischenkriegszeit. Zweifellos waren Teile der Wehrmacht tief in diese Kriegsverbrechen verstrickt; doch ist es historisch kaum angemessen, das Verhalten einzelner Soldaten oder Einheiten zum Paradigma einer ganzen Armee zu erklären, die 1943 immerhin knapp 11 Millionen Soldaten umfaßte – ganz davon abgesehen, daß immer nach dem Zeitpunkt und den jeweiligen Bedingungen dieser Kriegsverbrechen zu fragen ist. Welch unterschiedliche Reaktionen in der Wehrmacht auf die Brutalisierung des Kriegs möglich waren, verdeutlicht auch der militärische Widerstand, dessen Wurzeln wohl auch in den Erlebnissen an der Ostfront zu suchen sind.

Daß es der deutschen Außenpolitik gelungen war, eine Wiederholung der traumatisch erlebten Situation des Ersten Weltkriegs zu vermeiden, gehörte in den ersten Jahren des Zweiten Weltkriegs zu den Stereotypen der nationalsozialistischen Propaganda. Gleichwohl begann es sich schon mit Hitlers Entscheidung für einen Angriff auf die Sowjetunion abzuzeichnen, daß sich nun genau diese Überbeanspruchung der wirtschaftlichen, militärischen und demographischen Ressourcen des Deutschen Reichs wiederholen würde, ja daß Deutschland künftig nicht nur an zwei, sondern sogar an drei kräftezehrenden Fronten gebunden sein würde.

Denn vorerst stagnierte nicht nur der Luft- und Seekrieg gegen Großbritannien, ungeachtet der stetig ansteigenden hohen Tonnageziffern, die vor allem durch deutsche U-Boote versenkt wurden (1942 schließlich über 8 Millionen BRT). Mit dem Kriegseintritt Italiens am 10. Juni 1940 war im Mittelmeerraum ein weiterer Kriegsschauplatz entstanden, der die deutsche Kriegführung zunehmend be- und nicht entlastete, wie man es in den deutschen Stäben eigentlich erwartet hatte. Bereits im Zeitraum von Herbst 1940 bis Frühjahr 1941 mußte Deutschlands wichtigster Verbündeter eine Reihe von gravierenden

Niederlagen hinnehmen, so daß sein völliger Zusammenbruch nur noch eine Frage der Zeit zu sein schien: Ausschaltung der italienischen Kriegsmarine (11./12.11.1940; 26.3.–29.3.1941), Beginn der erfolgreichen britischen Gegenoffensive in Nordafrika (ab 9.12.1940), schwere italienische Niederlage beim Angriff auf Griechenland (Beginn am 28.10.1940, ab 2./3.11. griechischer Gegenstoß, 21.11. griechischer Einmarsch in Albanien) und schließlich Kapitulation der italienischen Streitkräfte in Abessinien (18.5.1941).

Mit der Bildung des sogenannten Deutschen Afrika-Korps im Februar 1941, den raschen deutschen Erfolgen gegenüber Griechenland und Jugoslawien (6.4.–17.4. bzw. 21.4.1941) sowie der verlustreichen Eroberung Kretas (20.5.–1.6.1941) konnten die Deutschen die Lage im Mittelmeerraum vorerst stabilisieren und eine Kapitulation des faschistischen Italien noch einmal abwenden. Aber auch die Beendigung einer unabhängigen italienischen „Parallelkriegführung" bedeutete noch keine endgültige militärische Entscheidung im Mittelmeerraum. Schon in Jugoslawien, das aufgeteilt wurde und aus dessen Resten unter anderem der deutsche Satellitenstaat Kroatien hervorging, und bald auch in Griechenland zeigten sich die deutschen (und zunächst auch italienischen) Besatzer der Situation nicht mehr gewachsen. Die besonders grausamen Verhältnisse des von beiden Seiten erbittert geführten Partisanenkriegs, die ethnischen und sozialen Spannungen, aber auch die komplizierten Besatzungsverhältnisse sorgten dafür, daß sich hier die Grenzen zwischen den Kategorien einer traditionellen Kriegführung und den Exzessen einer spezifisch nationalsozialistischen Besatzungspolitik immer mehr verwischten.

Vor allem aber kontrollierten britische Schiffe und Flugzeuge noch immer große Teile des Mittelmeers, von den westlichen (Gibraltar), mittleren (Malta) oder östlichen Stützpunkten (Zypern, Ägypten, Suez-Kanal, Naher Osten), die Großbritannien hier noch hielt. Zog man eine Bilanz, so hatte das deutsche Eingreifen die italienische Niederlage lediglich herausgezögert, jedoch vorläufig keine wirkliche Entscheidung herbeigeführt.

Neben Italien war Japan die andere Großmacht, mit der Deutschland im Zweiten Weltkrieg verbündet war. Obwohl sich die drei Staaten am 27. September 1940 im sogenannten Dreimächtepakt gegenseitige Hilfe für den Fall eines Kriegs mit den USA zugesichert hatten, blieb dieser Vertrag nicht mehr als eine propagandistisch verbrämte Absichtserklärung, nicht aber eine festumrissene Arbeitsgrundlage, um die Strategie dieser drei revisionistischen Mächte miteinander abzustimmen.

Eine Vertiefung der deutsch-japanischen Kooperation wurde vor allem durch drei Gründe erschwert: Zum einen besaß die deutsche Seite nur sehr begrenzten Einfluß auf das komplizierte System der politischen Entscheidungsfindung in Japan, wo vor allem die Marineführung in Räume strebte, die für die deutsche Strategie nur wenig Nutzen brachten. Zum anderen hatten das am 13. April 1941 abgeschlossene japanisch-sowjetische Neutralitätsabkommen die schweren Spannungen zwischen Japan und der Sowjetunion erst einmal beendet, die sich vom Mai bis September 1939 sogar in einem nicht erklärten Krieg an der mandschurisch-mongolischen Grenze entladen hatten. Vor allem aber wurden die japanischen Planungen zunehmend von den wachsenden Spannungen zwischen Japan und den USA überschattet.

Im Sommer 1941 gingen die japanischen Militärs deshalb nicht auf Hitlers chancenreiches Angebot ein, nach dem Beginn des deutschen Angriffs auf die Sowjetunion diesen neuen Kontrahenten gewissermaßen von Osten her in die Zange zu nehmen. Statt dessen eröffnete Japan am 7. Dezember 1941 den Krieg gegen die USA, indem japanische Trägerflugzeuge ohne Kriegserklärung die amerikanische Pazifikflotte in Pearl Harbor überfielen. Der japanische Angriff brachte Hitler in Zugzwang. Mit Blick auf die zunehmenden Schwierigkeiten an der Ostfront hatte er bislang versucht, den Krieg mit den USA hinauszuschieben, obwohl die Interessen der US-Navy schon jetzt immer mehr mit der deutschen Seekriegführung im Atlantik kollidierten. Nun mußte sich Hitler eingestehen, daß er sich – wieder einmal – in eine Situation manövriert hatte, in der er nur noch die Flucht nach vorn antreten konnte. Mit Blick auf den beginnenden Krieg zwischen Japan und den USA sowie auf das erst langsame Anlaufen des amerikanischen Rüstungspotentials erschien es ihm am günstigsten, den Schlagabtausch mit den USA so früh wie möglich zu vollziehen. Bereits am 29. Dezember 1940 hatte Roosevelt die USA als das „Arsenal der Demokratie“ bezeichnet, am 14. August 1941 veröffentlichten Roosevelt und Churchill gemeinsam die Atlantik-Charta über eine künftige demokratische und liberal-kapitalistische Weltordnung. Am 11. Dezember 1941 erklärten Deutschland und Italien den USA den Krieg. Die Trennung zwischen den zwei großen Kriegsschauplätzen in der östlichen und westlichen Hemisphäre, die sich bislang nicht nur räumlich, sondern auch zeitlich getrennt voneinander entwickelt hatten, war damit endgültig aufgehoben: Aus den Kriegen, die seit 1939/40 in Europa, Nordafrika und im Atlantik wüteten, und den Konflikten, die seit 1931/1937/1941 die Lage in China, Südostasien und im Pazifik bestimmten, war ein globaler Krieg, ein zweiter Weltkrieg geworden.

Die Folgen dieser weltpolitischen Veränderungen erwiesen sich für Deutschland als ambivalent, zumindest noch in den ersten Monaten des Jahres 1942: Das geradezu springflutartige Vordringen der japanischen Armee in den südostasiatischen Raum brachte die dortigen kolonialen Positionen Großbritanniens (sowie Frankreichs und der Niederlande) zum Einsturz, was die britische Strategie erheblich belasten sollte. Die japanischen Siege verschafften der deutschen Propaganda damals eine dankbar ergriffene Möglichkeit, um von der katastrophalen Entwicklung an der Ostfront abzulenken. Gegenüber dem Hauptgegner, den USA, zeigten sich aber bald die Grenzen der militärischen Schlagkraft Japans: Bereits die See-Luftschlacht bei den Midway-Inseln in der Zeit vom 3. bis 7. Juni 1942 leitete die Wende im Pazifikkrieg ein. Dabei hatten die USA gerade erst damit begonnen, alle Möglichkeiten ihres Rüstungspotentials auszuschöpfen. Dieses Potential sollte nun auf beiden Ozeanen zum Einsatz kommen. Und an erster Stelle, so hatten die amerikanischen Militärs entschieden, sollte sich dieses Potential gegen den deutschen Gegner richten.

Defensive

Der Berghof war nicht nur Schauplatz militärischer Lagebesprechungen; hier hätte beinahe auch das wohl wichtigste Ereignis in der Geschichte des deutschen Widerstands gegen den Nationalsozialismus stattgefunden: das Attentat des Oberst Claus Schenk von Stauffenberg gegen Hitler, mit dem die Verschwörer hofften, nicht den Krieg wenden, aber doch die Katastrophe von Deutschland abwenden zu können.

Die Wende des Zweiten Weltkriegs hatte schon sehr viel früher begonnen, im Grunde genommen schon in jenen Morgenstunden des 22. Juni 1941, als die Wehrmacht – unterstützt von finnischen und rumänischen sowie einigen ungarischen Verbänden – die Sowjetunion ohne Kriegserklärung überfiel. Es spricht für die Härte und die Dramatik der Kämpfe an der Ostfront, wenn sich dieser Umschwung erst langsam abzeichnete und das Kriegsglück phasenweise zwischen den beiden Parteien hin- und herzuschwanken schien. Daß die ebenfalls als Blitzkrieg konzipierte Offensive alles andere als programmgemäß verlief, mußte man sich auf deutscher Seite freilich schon im Spätsommer 1941 eingestehen. Doch verdeckten die nicht abreißenden deutschen Erfolge, welche die deutschen Armeen bis wenige Kilometer vor Moskau, Leningrad und 1942 bis an die Wolga und den Kaukasus führten, wie auch die beeindruckenden Beute- und Gefangenenzahlen zumindest bis Spätherbst 1941, daß sich die Wehrmacht in den Weiten des russischen Raums buchstäblich zu Tode siegte.

Erst im Winter 1941/42 war es der Roten Armee gelungen, den Nimbus der deutschen Unbesiegbarkeit zu zerstören. Begünstigt durch die extremen klimatischen Verhältnisse, die kurzen Nachschubwege, aber auch durch die immer stärker werdenden Aktivitäten der Partisanen zunächst vor allem im rückwärtigen Gebiet der Heeresgruppe Mitte konnten die sowjetischen Soldaten die deutschen Angriffsspitzen weit zurückdrängen, teilweise auch einkesseln. Die Lage spitzte sich für die deutsche Seite dramatisch zu. Wenn die gesamte deutsche Front nicht schon damals zusammenbrach, so war dies weniger ein Ergebnis der deutschen Führungskunst und Logistik als vielmehr der operativen und taktischen Fehler, die der sowjetischen Kriegführung immer noch anhafteten.

Obwohl die deutsche Ostfront nach dieser einschneidenden Zäsur eigentlich kaum noch zu größeren Angriffsunternehmen zu gebrauchen war – bis Frühjahr 1942 hatte sie bereits über eine Million an Toten, Verwundeten und Gefangenen verloren – entsprach es Hitlers Verständnis dieses Eroberungskriegs sowie seines selbstmörderischen Prinzips des Alles oder Nichts, wenn er schon bald wieder neue Offensiven gegen den sowjetischen Gegner vorbereiten ließ. Hatten die deutschen Verbände im Juni 1941 noch auf ganzer Front angegriffen, so war die deutsche Sommeroffensive des Jahres 1942 bereits auf den Abschnitt einer Heeresgruppe reduziert; im Juli 1943 waren es schließlich nur noch zwei deutsche Armeen, die im Kursker Bogen zum Angriff antraten. In den Wintermonaten stellten dagegen die sowjetischen Streitkräfte zunehmend unter Beweis, wieviel sie militärisch vom deutschen Gegner gelernt hatten: Stück für Stück mußten sich die deutschen Truppen nach Westen zurückziehen – unter hohen Verlusten, die in ihrer ganzen Sinnlosigkeit selten so deutlich wurden wie bei den Kämpfen um den Kessel von Stalingrad (22.11.1942–2.2.1943), als Hitler die 270 000 Soldaten der 6. Armee einfach der Vernichtung preisgab.

Erst jetzt, also zu einem Zeitpunkt, als es hierfür schon zu spät war, unternahm die deutsche Führung größere, wenn auch zunächst vorsichtige Versuche, um mit den Völkern in den besetzten Teilen der Sowjetunion zu kooperieren. Bislang hatten die deutschen Besatzer hiervon meist nichts wissen wollen; richtunggebend war vielmehr Hitlers Maxime gewesen, die Slawen seien die geborene „Sklavenmasse, die nach dem Herrn“ schreie, was dann sehr schnell in eine gnadenlose Ausbeutungs- und Eroberungspolitik umgesetzt wurde, die sich ausschließlich an „rassischen“ Kriterien orientierte. Zu diesem Zweck bildete das hierfür ins Leben gerufene *Reichsministerium für die besetzten Ostgebiete* Zivilverwaltungen: im Juli 1941 das *Reichskommissariat Ostland*, im September das *Reichskommissariat Ukraine*, während die geplanten *Reichskommissariate Moskowien* und *Kaukasien* schon nicht mehr eingerichtet werden konnten. Doch bereits in den Gebieten, die sich in deutscher Hand befanden, wurden die ungeheuerlichen Richtlinien des sogenannten „Generalplans Ost“ rücksichtslos verwirklicht. Daß die Sowjetunion im Zweiten Weltkrieg schließlich die in absoluten Zahlen höchsten Menschenverluste hatte – errechnet wurden 8 668 000 Tote unter den Streitkräften und bis zu 26 Millionen unter der Zivilbevölkerung, wobei die jeweiligen Todesursachen sich in vielen Fällen nicht konkret bestimmen lassen –, kann eine, wenngleich abstrakte Vorstellung davon vermitteln, was die deutsche Besatzungsherrschaft hier angerichtet hat.

Diese Hintergründe erklären auch, warum der Ostkrieg auf beiden Seiten mit einer solchen Erbitterung geführt wurde, warum bereits im Sommer 1943 etwa 20 Prozent des besetzten sowjetischen Gebietes von Partisanen kontrolliert wurde. Die operative Initiative an der Front hatte dagegen nur während der Wintermonate bei der Roten Armee gelegen, erst im Sommer 1944 war ihre Überlegenheit so groß geworden, daß nun sie die militärische Gesamtentwicklung im Osten bestimmte. Nach dem taktisch-operativen Vorbild der deutschen Wehrmacht durchbrachen die sowjetischen Panzerverbände im Juni 1944 die Heeresgruppe Mitte und brachten in großen Kesselschlachten den mittleren Abschnitt der deutschen Ostfront zum Einsturz, so daß schon im Oktober 1944 die ersten sowjetischen Soldaten die Grenzen des Deutschen Reichs überschritten.

Aber nicht nur im Osten, auch im Süden und im Westen näherten sich jetzt die Fronten mehr und mehr den Grenzen des Deutschen Reichs. Während der Jahre 1941/42 hatte die Sowjetunion die Hauptlast des Kampfs gegen Deutschland getragen; die britischen und amerikanischen Operationen beschränkten sich zunächst hauptsächlich auf den See- und Luftkrieg, sieht man einmal von den Kämpfen im Mittelmeerraum ab. Es war deshalb kein Wunder, wenn Stalin – ungeachtet der vielfältigen logistischen Unterstützung durch die USA und Großbritannien – immer heftiger auf eine „zweite Front" im Westen drängte. Das Zögern der westlichen Alliierten resultierte auch aus der Unsicherheit, wo der Schwerpunkt ihrer Offensive liegen sollte. Vor allem Churchill wollte diesen Schwerpunkt unbedingt in den Mittelmeerraum legen, was angesichts des bevorstehenden Zusammenbruchs Italiens nicht nur militärisch motiviert war. Mit dem Stoß in den „weichen Unterleib der Achse", so das Bild Churchills, sollte auch politisch ein Gegengewicht zum Vordringen der Sowjetunion auf dem Balkan geschaffen werden. Schon jetzt war auch für Außenstehende klar zu erkennen, daß vor allem im ehemaligen Jugoslawien (noch nicht so sehr im besetzten Griechenland) die kommunistischen und nicht die konservativ-monarchistischen Partisanenverbände die Szene beherrschten.

Es entsprach dieser bewußt peripher angelegten Strategie, wenn die erste Anlandung amerikanischer, aber auch britischer und freifranzösischer Truppen am 7./8. November 1942 in Nordwestafrika erfolgte. Das Deutsche Afrika-Korps, seit Beginn der britischen Offensive bei El Alamein am 23. Oktober 1942 ohnehin auf dem Rückzug, geriet nun von zwei Seiten unter Druck. Bislang hatten die Kämpfe in Nordafrika zu keiner Entscheidung geführt, die Vorstöße der Achsenmächte und die der Briten hatten miteinander abgewechselt. Daß es den deutschen und italienischen Einheiten überhaupt möglich war, sich so lange auf diesem Kriegsschauplatz zu behaupten, lag nicht nur an ihrer Motivation und Tapferkeit sowie an den besonderen Bedingungen des Wüstenkriegs, sondern zu einem guten Teil auch an der militärischen Führungskunst und dem Improvisationsvermögen des Generalfeldmarschalls Erwin Rommel. Nun war aber die Übermacht der westlichen Allianz so groß geworden, daß sie nicht mehr mit taktischen Tricks und logistischen Improvisationen aufgehalten werden konnte. Bis Mai 1943 wurden die Achsenmächte auf einen kleinen Brückenkopf bei Tunis zurückgedrängt, am 12./13. Mai kapitulierten die Reste der Heeresgruppe Afrika und der 1. italienischen Armee.

Als angloamerikanische Truppen bereits zwei Monate später auf Sizilien landeten, beendeten sie geradezu schlagartig die Agonie des faschistischen Regimes: Nach der Entmachtung Mussolinis konnte am 8. September 1943 der Waffenstillstand Italiens mit den Alliierten bekanntgegeben werden; die Deutschen hatten ihren ersten wichtigen Verbündeten verloren. Während ein Teil der Italiener unter dem König und der Regierung Badoglio auf alliierter Seite kämpfte, organisierte Mussolini nach seiner Befreiung durch deutsche Fallschirmjäger eine faschistische Gegenregierung in Salò, die unter deutscher Oberaufsicht Nord- und Mittelitalien „verwalten" sollte. Das Marionettenregime verdeckte nur sehr oberflächlich, daß aus dem ehemaligen Verbündeten ein besetztes Land geworden war. Während sich die Alliierten im September 1943 in Süd- und Mittelitalien festsetzten, gelang es der Wehrmacht noch einmal die Front südlich von Rom zu stabilisieren. Im Hinterland sahen sich die deutschen Soldaten jedoch zunehmend mit einer Situation konfrontiert, die nur noch schwer zu kontrollieren war. Der zunehmende Partisanenkrieg, die oft unüberschaubaren innenpolitischen Verhältnisse und die bisherige Verachtung des ehemaligen Verbündeten, die nun in offenen Haß umzuschlagen begann, sorgten dafür, daß sich die deutsche Kriegführung immer öfter gegen die Zivilbevölkerung richtete – „auch gegen Frauen und Kinder", so der Tenor einer deutschen Weisung zur „Bekämpfung des Bandenunwesens"[9].

Der vorerst ausbleibende große strategische Erfolg der Alliierten in Italien stellte einmal mehr unter Beweis, daß der eigentliche Angriff der Westmächte auf Hitlers „Festung Europa" vorerst noch ausstand. Dieser begann erst am 6. Juni 1944 mit dem Unternehmen „Overlord": Unter dem Schirm einer erdrückenden Übermacht zu Wasser und in der Luft, unterstützt von zahlreichen Spezialentwicklungen und -erfindungen (bis hin zu einem extra erbauten Invasionshafen), landeten alliierte Truppen an drei britischen und zwei amerikanischen Sektoren in der Normandie. Der „längste Tag" leitete auch in Westeuropa die endgültige Wende ein. Zwar wehrten sich die deutschen Divisionen zunächst verbissen, so daß die alliierten Truppen anfangs nur langsam und unter hohen Verlusten vordrangen. Doch zeigte sich nach dem alliierten Durchbruch bei Avranches am 31. Juli, wie groß die angloamerikanische Überlegenheit im Westen inzwischen geworden war: Die deutschen Besatzer mußten sich in den sich anschließen-

9 Merkblatt 69/2 „Bandenbekämpfung" des OKW (6.5.1944), zit. nach Schreiber, Wehrmacht, S. 254.

den Wochen so schnell aus Frankreich zurückziehen, daß die zweite alliierte Invasion in Südfrankreich am 15. August eigentlich schon unnötig geworden war. Am 25. August konnte der Chef der französischen Exilregierung, General Charles de Gaulle, als Sieger in Paris einziehen, bis September 1944 waren große Teile von Frankreich, Luxemburg und Belgien befreit, am 21. Oktober wurde Aachen als erste deutsche Stadt von Einheiten der westlichen Allianz besetzt. Dann aber stabilisierte sich noch einmal die Front im Westen, wie es auch an der Ostfront gelungen war, den Vormarsch der Roten Armee nochmals zum Stehen zu bringen.

Das Ende

Im April 1945 gab es wichtigere militärische Nachrichten, dennoch war das, was sich am Morgen des 25. April 1945 auf dem Obersalzberg abspielte, in gewisser Weise symptomatisch: Als ginge es darum, im Zeichen des völligen Zusammenbruchs des Deutschen Reichs auch Hitlers letzte Spuren auszulöschen, als sei nun der Zeitpunkt gekommen, wo die bisherige Rücksichtnahme auf das Hauptquartier des gegnerischen Feldherrn – als letztes Relikt eines „ritterlichen Kriegs" – nicht mehr gelte, wurden nahezu alle Bauten, die in den zurückliegenden zwölf Jahren auf dem Obersalzberg entstanden waren, durch britische Lancaster-Bomber wieder dem Erdboden gleichgemacht. Der Angriff, der in den umliegenden Gemeinden achtzehn Zivilisten, darunter zehn Kindern, das Leben kostete, verwandelte innerhalb von zwanzig Minuten das „Führersperrgebiet" in eine mit Bombenkratern übersäte Ruinenlandschaft.

Die Episode ist in mehr als einer Hinsicht charakteristisch: Zum einen wird faßbar, daß es in diesem Krieg kaum noch möglich war, Front und Heimat auseinanderzuhalten. Zum anderen vermitteln Präzision und Schnelligkeit dieses Punktangriffs eine Vorstellung davon, wie sehr die Alliierten inzwischen den Luftraum über Deutschland beherrschten. Die seit 1940 einsetzenden Angriffe der RAF, später dann auch der USAAF, hatten zunächst hauptsächlich den Westen des Deutschen Reichs getroffen, seit 1943/44 wurden auch zunehmend Süd- und Mitteldeutschland in Mitleidenschaft gezogen. Während die amerikanische Luftwaffe in der Regel tagsüber angriff, erschienen die britischen Bomber meist nachts, so daß diese Technik des „around-the-clock-bombing" schließlich ganze Städte vernichtete. Man nimmt an, daß bis zum Ende des Kriegs etwa 400 000 Deutsche allein im Luftkrieg starben, 800 000 Menschen wurden durch seine Folgen verwundet und etwa 7,5 Millionen obdachlos. Einst hatte Göring als Oberbefehlshaber der deutschen Luftwaffe mit der ihm eigenen Bescheidenheit angekündigt, er wolle Maier heißen, falls es einem feindlichen Bomber gelingen würde, die Reichshauptstadt zu bombardieren. Bis 1945 wurden freilich auch in diesem Punkt die Vorstellungen und Erwartungen der nationalsozialistischen Führung einer Korrektur unterzogen.

Gerade in der Bombardierung des Obersalzbergs wird faßbar, in welchem Ausmaß die von Deutschland entfesselte Gewalt nun mit derselben Erbarmungslosigkeit auf Deutschland zurückschlug. Es war keine zwanzig Jahre her, daß Hitler hier, an diesem Ort, seine Eroberungspläne und Herrschaftsphantasien zu Papier gebracht hatte. Nun wurde in nur wenigen Minuten der Berg gewissermaßen wieder in seinen Urzustand zurückversetzt und all das, was die Nationalsozialisten während ihrer Herrschaft hier errichtet hatten, in einem kurzen Akt des Abräumens ausgelöscht.

Verglichen mit dem, was sich damals in Europa und Deutschland ereignete, nehmen sich die Verluste und Schäden, die damals auf dem Obersalzberg entstanden, aber immer noch als relativ gering aus. Entscheidend für diesen letzten und für Deutschland mit Abstand verlustreichsten Akt des Zweiten Weltkriegs war wohl die Bedingungslosigkeit, mit der Hitler kühl wie manisch sein individuelles Schicksal mit dem Schicksal der Nation verknüpfte. Beherrscht vom Trauma des November 1918 gab es für Hitler nur die schroffe Alternative des totalen Sieges oder der totalen Vernichtung. Waren die Deutschen nicht in der Lage, seinen rassenideologischen Erwartungen zu entsprechen, so hatten sie, wie er mehr als einmal betonte, in seiner Vorstellung jedes Recht auf eine weitere Existenz verwirkt: „Deutschland wird entweder Weltmacht oder überhaupt nicht sein" – hatte er bereits in „Mein Kampf" angekündigt[10]. Mehr als das Sterben hatte der „Führer" seinem Volk in der Endphase des Kriegs nicht anzubieten, doch sorgte eine drakonische Verschärfung des Überwachungs- und Terrorapparats während des Kriegs dafür, daß es den Geführten kaum möglich war, das Programm dieses kollektiven Selbstmords auch nur ansatzweise zu revidieren oder gar aufzuhalten. Hatte der *Volksgerichtshof* in Berlin während der Jahre 1934 bis 1938 72 Todesurteile ausgesprochen, so waren es während des gesamten Kriegs 5 207. Von der deutschen Militärjustiz wurden mindestens 15 000 Soldaten zum Tode verurteilt.

Zunächst aber wurden vor allem jene Staaten in den Sog der Selbstvernichtung gezogen, die man auf deutscher Seite bislang als Verbündete bezeichnet hatte, wenngleich das jeweilige Abhängigkeitsverhältnis sehr unterschiedlich strukturiert war. Bereits bei den Italienern hatte Hitler seit 1943 dafür gesorgt, daß ihnen ihr Wille zu überleben teuer zu stehen kam. Nun spielten sich oft ganz ähnliche Szenen ab, als Rumänien (23. 8. 1944), Bulgarien (8. 9. 1944), Finnland (19. 9. 1944) und Ungarn (31. 12. 1944) aus der „Waffenbrüderschaft" mit Deutschland ausschieden oder auf die Seite der Gegner wechsel-

[10] Hitler, Mein Kampf, S. 742.

ten. Noch schlimmer war oft das Schicksal der von vorneherein besetzten Staaten: Auf den Versuch der polnischen Untergrundarmee, die Hauptstadt selbst zu befreien (1.8.–2.10.1944), reagierten die deutschen Besatzer mit der völligen Zerstörung Warschaus. Dagegen gelang es – ein einmaliger Fall im Zweiten Weltkrieg – den jugoslawischen Partisanen unter der Führung Titos bis Kriegsende weite Teile ihres Landes in harten wie verlustreichen Kämpfen aus eigener Kraft zu befreien.

Bis zum Beginn des Jahres 1945 hatten die alliierten Truppen auch im Westen etwa die Vorkriegsgrenzen des Deutschen Reichs erreicht. Die deutsche Gesellschaft hatte schon lange unter dem Krieg gelitten, war aber von seinen unmittelbaren Folgen – mit Ausnahme des Bombenkriegs – bislang weitgehend verschont geblieben. In den vergangenen fünfeinhalb Jahren hatte man Krieg und Besatzung weit über die deutschen Grenzen hinausgetragen. Was dort im deutschen Namen geschah, ließ sich indes nur schwer verbergen. Nicht nur die Soldaten – bis 1945 durchliefen immerhin 18 Millionen Menschen Wehrmacht und Waffen-SS – hatten in den besetzten Gebieten viel gesehen, auch aus den Bereichen Staat, NSDAP oder Wirtschaft waren Stäbe, Kommissionen oder ganze Formationen wie etwa die *Organisation Todt*, der *Reichsarbeitsdienst* oder die *Reichsbahn* ständig in Europa unterwegs. Aber auch in der Heimat konnte man Anhaltspunkte über die unterschiedlichen Formen der deutschen Besatzungspolitik gewinnen, etwa am Beispiel der Kriegsgefangenen, die ins Reich abtransportiert wurden, oder am Beispiel der „Fremdarbeiter“: Bis zum Herbst 1944 waren schließlich 7,9 Millionen Menschen aus 26 Ländern zur Arbeit in der deutschen Rüstungsindustrie und der deutschen Landwirtschaft teilweise freiwillig angeworben, in den meisten Fällen jedoch mit mehr oder minder rigiden Methoden zwangsverpflichtet worden.

Nun schlug dieser Krieg auf Deutschland zurück: Zahlenmäßig weit überlegene sowjetische Kräfte eröffneten am 12. Januar 1945 eine Großoffensive, welche die deutsche Truppen in den folgenden Wochen nicht mehr zum Stehen bringen konnten; Ende März standen die sowjetischen Panzerspitzen bereits an der Oder. In diesem Monat gewann auch das angloamerikanische Vorgehen wieder schnell an Boden, nachdem Hitler ausgerechnet an dieser Front seine letzten Reserven ohne erkennbares militärisches Konzept aufgebraucht hatte: 16.12.1944 Beginn der deutschen Ardennenoffensive, 1.1.1945 letzte deutsche Luftoffensive (Unternehmen „Bodenplatte“), 13.6./8.9.1944–27.3.1945 Einsatz der V-Waffen gegen Großbritannien und Belgien. Am 7.3.1945 überquerte die 1. US-Army den Rhein über die unzerstörte Brücke bei Remagen, danach brach die deutsche Front westlich des Rheins zusammen. Am 25. April trafen bei Torgau erstmals amerikanische und sowjetische Soldaten zusammen. Selbst im Angesicht der völligen Zerstörung Deutschlands war Hitler nicht zum Einlenken bereit. Nachdem sein Vernichtungswille den Gegner nicht mehr treffen konnte, richtete er ihn nun gegen das eigene Volk. Seinen Höhepunkt fand dieser Selbstvernichtungsprozeß in Hitlers berüchtigtem „Nero-Befehl" vom 19. März 1945, der ganz offen die Zerstörung sämtlicher Existenzgrundlagen der eigenen Nation forderte: „Alle militärischen, Verkehrs-, Nachrichten-, Industrie- und Versorgungsanlagen, die sich der Feind für die Fortsetzung seines Kampfes irgendwie sofort oder in absehbarer Zeit nutzbar machen kann, sind zu zerstören."[11] Bis zuletzt verweigerte sich Hitler der Einsicht in eine Niederlage, die gleichermaßen eine persönliche Niederlage wie auch die Niederlage seiner Weltanschauung war. Und erst recht weigerte er sich, die Verantwortung zu übernehmen für all das Elend und Leid, das er über die Welt gebracht hatte. Erst am 30. April 1945 – die sowjetische Fahne wehte bereits auf dem zerschossenen Reichstag – setzte Hitler seinem Leben selbst ein Ende. Wenige Tage später, am 7. Mai, unterzeichneten deutsche Militärs in Reims die Gesamtkapitulation der deutschen Wehrmacht – ein Akt, der in der Nacht vom 8. auf 9. Mai nochmals im Beisein sowjetischer Vertreter in Berlin-Karlshorst wiederholt wurde. Zu diesem Zeitpunkt hielten deutsche Truppen neben einigen Stützpunkten in Dänemark und Norwegen, an der französischen Atlantikküste sowie in Kurland und auf Kreta nur noch kleine Gebiete in Norddeutschland, etwas größere im Süden, die etwa von Sachsen bis Kroatien reichten. Der totale Krieg hatte in einer totalen Niederlage geendet.

Der Zweite Weltkrieg war damit noch nicht zu Ende: Auch im Fernen Osten hatte der japanische Traum von einer von Japan beherrschten großostasiatischen Wohlstandssphäre zur Vernichtung der eigenen Nation geführt. Nachdem sich die Alliierten mit der Taktik des „Inselspringens" im Zentralpazifik bis zu den japanischen Inseln, im Südwestpazifik bis zu den Philippinen vorgekämpft hatten, lag das japanische Mutterland seit Juli 1944 in der direkten Reichweite der amerikanischen Luftwaffe, die nun mit ihren „Superfestungen" einen verheerenden Luftkrieg gegen die Japaner eröffnete. Am 6. August 1945 erfolgte der Abwurf der ersten amerikanischen Atombombe auf Hiroshima (90 000 Tote, 40 000 Schwerverwundete), drei Tage später fiel die zweite Atombombe auf Nagasaki (40 000 Tote, 60 000 Schwerverwundete). Zusammen mit der sowjetischen Kriegserklärung an Japan am 9. August wurde dieser erste Atombombenangriff nicht nur zum Auslöser des japanischen Kapitulationsangebotes – diese technologisch-militärische Zäsur sollte letzten Endes auch die strategische Situation der Nachkriegszeit bis in die Gegenwart prägen. Am 2. September 1945 wurde schließlich die japanische Gesamtkapitulation auf dem amerikanischen Schlachtschiff *Missouri* in der Tokio-Bucht unterzeichnet.

Die Besetzung Deutschlands auf wenige militärische und politische Angaben zu reduzieren, würde der Dimension dieser tiefgreifen-

[11] Kriegstagebuch des Oberkommandos der Wehrmacht, IV/2, S. 1580 f.

den Zäsur freilich kaum gerecht. Allein die – freilich noch immer nicht sicher geklärten – Zahlenangaben über die deutschen Gesamtverluste im Zweiten Weltkrieg können zumindest annäherungsweise eine Vorstellung von dem Inferno vermitteln, das in den letzten Kriegsmonaten über Deutschland hereinbrach: Bis zum Ende des Kriegs ist sicher von 3,1 Millionen gefallenen und 1,2 Millionen vermißten Wehrmachtsangehörigen auszugehen, doch veranschlagt die Forschung die Wehrmachtverluste mittlerweile auf bis zu 5,5 Millionen; durch Luftkrieg, Flucht, Vertreibung und Endkämpfe starben – so die offiziellen Schätzungen – etwa 2,3 Millionen Deutsche; insgesamt werden die Menschenverluste im Zweiten Weltkrieg auf über 50 Millionen geschätzt, die Zahl aller Kriegsbeschädigten auf etwa 35 Millionen.

Der Einmarsch der Roten Armee wurde von Exzessen begleitet, wie sie sich in Umfang und Grausamkeit selbst in der an Vergleichen nicht armen Kriegsgeschichte nur selten finden. Die Fluchtwellen, hervorgerufen durch Vergewaltigung, Plünderung und Mord, die wahllose Deportation von deutschen Arbeitskräften sowie die nun beginnende Vertreibung der deutschen Volksgruppen aus Ostmitteleuropa forderten weitere Opfer. Diese Verbrechen sind immer auch als direkte Reaktion auf jene Verbrechen zu begreifen, welche die Deutschen vorher in der besetzten Sowjetunion verübt hatten. Doch wurden hier auch andere Kräfte wirksam: Sie sind Ausdruck eines totalitären Systems, das über Jahre hinweg Gelegenheit gehabt hatte, die Liquidierung einzelner oder ganzer Gruppen einzuüben bzw. hinzunehmen, sowie Ausdruck einer imperialistischen Strategie, die um jeden Preis bestrebt war, sich Einflußzonen in Osteuropa zu sichern. Das soll freilich nicht den Blick dafür verstellen, daß erst die deutsche Politik und die deutsche Kriegführung die Voraussetzung dafür geschaffen hatten, daß die deutschen Ostgebiete nun hilflos dem Zugriff der sowjetischen Streitkräfte ausgeliefert waren. Dabei starben nicht nur Menschen, zugrunde gingen auch ganze Provinzen, Sprachinseln, alte Kulturen und Sozialmilieus, die auf eine lange Vergangenheit zurückblicken konnten. Auch hier ist die Zahl der Opfer noch immer nicht sicher geklärt, die Schätzungen bewegen sich zwischen 500 000 und 2 Millionen Toten. Bis 1950 erreichten etwa siebeneinhalb Millionen Menschen die Bundesrepublik, die aus den deutschen Ostprovinzen sowie aus Osteuropa geflohen oder vertrieben worden waren.

Aber nicht nur in den deutschen Ostprovinzen, auch im übrigen Deutschen Reich, wo am 5. 6. 1945 die Regierungen der USA, Großbritanniens, der UdSSR und Frankreichs offiziell die „oberste Regierungsgewalt" übernahmen, erschien es zunächst unvorstellbar, wieder an ein „normales" Leben anknüpfen zu können. Die Verwüstungen waren nicht nur materieller Natur, auch wirtschaftliche, finanzielle oder soziale Strukturen waren mit in den Untergang gerissen worden. Wenn im Rahmen der alliierten Deutschlandplanungen – erwähnt seien als wichtigste Stationen: Moskauer Außenministerkonferenz

(19.–30.10.1943), Treffen der „Großen Drei“ (Roosevelt, Stalin, Churchill) in Teheran (28.11.–1.12.1943) und Jalta auf der Krim (4.–11.2.1945) – der Fortbestand der staatlichen Existenz Deutschlands teilweise umstritten war, so war dies nicht nur das Resultat von Furcht oder Haß, sondern zuweilen auch Ausdruck der Erwartung, daß dieser Trümmerhaufen kaum noch einmal zum Leben erweckt werden könne.

Am folgenreichsten blieb freilich die geistige Zäsur. „Der dickwandige Folterkeller, zu dem der Hitlerismus Deutschland gemacht hatte, ist aufgebrochen und offen liegt unsere Schmach vor den Augen der Welt“, schrieb Thomas Mann im Mai 1945[12]. Jedes Konzentrationslager, das die alliierten Soldaten befreiten (soweit es überhaupt noch Insassen gab, die befreit werden konnten), war eine weitere Rechtfertigung für ihren Krieg gegen das Deutsche Reich.

Doch sollten die Diskussionen über die deutsche Verantwortung und die deutsche Schuld nicht darüber hinwegtäuschen, daß dieses Deutschland im internationalen System inzwischen relativ unwichtig geworden war. Die Folgen des Zweiten Weltkriegs – der Ost-West-Konflikt, der Beginn einer neuen militärisch-technologischen Ära, die Entkolonialisierungsbewegungen in der Dritten Welt, die Schwächung Europas oder der Nahostkonflikt – reichten und reichen weit über die deutsche Geschichte hinaus.

12 Zit. nach: Die große Kontroverse, S. 13.

Der Zweite Weltkrieg (C 8)

Das Ausgreifen der Achsenmächte: Die Blitzkriege (C 8.1)

Auf den am 1. September 1939 eröffneten Krieg hatten die Nationalsozialisten lange und konsequent hingearbeitet. Er begann jedoch unter „verkehrter Frontstellung". Vorgesehen war der Kampf gegen Frankreich, nicht aber der gegen Großbritannien – und vor allem nicht die Unterstützung Deutschlands durch die Sowjetunion nach dem Hitler-Stalin-Pakt. Erstes Opfer der deutschen Aggression war Polen. Aufgrund der technischen und taktischen Überlegenheit der deutschen Wehrmacht wurden anschließend Dänemark und Norwegen (April-Juni 1940), Luxemburg, Holland, Belgien und Frankreich (Mai/Juni 1940) sowie Jugoslawien und Griechenland (April-Juni 1941) in kürzester Zeit besiegt und besetzt. Allein Großbritannien und das Commonwealth setzten den Kampf gegen Deutschland fort. Die deutsche Kriegführung, seit Juni 1940 durch Italien unterstützt, verlagerte sich in den Mittelmeerraum und den Atlantik. Eine Entscheidung gegen Großbritannien blieb aber aus. Mit dem „Unternehmen Barbarossa", dem Angriff auf die Sowjetunion am 22. Juni 1941, beendete Hitler den Stillstand und begann den gnadenlosen Eroberungs-, Ausbeutungs- und Vernichtungskrieg gegen die Sowjetunion, der sein eigentliches Anliegen war. Nach großen Anfangserfolgen rückte die Wehrmacht unter immer schwieriger werdenden Bedingungen bis kurz vor Leningrad (September 1941), Moskau (Dezember 1941) und Stalingrad (August 1942) vor.

◀ München, 1. September 1939: Öffentliche Übertragung von Hitlers Rede zum Kriegsausbruch. ~ Stadtarchiv München (342)

Die Waffen sprechen!

Tagesbefehle an die Wehrmacht

Die Oberbefehlshaber der drei Wehrmachtsteile haben folgende Tagesbefehle erlassen:

An das Heer:

Soldaten!

Die Stunde der Bewährung ist gekommen. Nachdem alle anderen Mittel erschöpft sind, müssen die Waffen entscheiden. Im Bewußtsein unserer gerechten Sache ziehen wir in den Kampf für ein klares Ziel: Die dauerhafte Sicherung deutschen Volkstums und deutschen Lebensraumes gegen fremde Uebergriffe und Machtansprüche.

Als Träger der stolzen Ueberlieferung der alten Armee wird das junge nationalsozialistische Heer das ihm geschenkte Vertrauen rechtfertigen. Unter dem Oberbefehl des Führers wollen wir kämpfen und siegen. Wir bauen auf die Entschlossenheit und Einigkeit des deutschen Volkes, wir wissen um die Stärke und Kraft der deutschen Wehrbereitschaft. Wir glauben an den Führer! Vorwärts mit Gott für Deutschland!

Der Oberbefehlshaber des Heeres:
von Brauchitsch,
Generaloberst.

An die Kriegsmarine:

Der Ruf des Führers ist an uns ergangen. Die Stunde der Entscheidung findet uns bereit einzutreten für Ehre Recht und Freiheit des Vaterlandes. Eingedenk unserer ruhmreichen Tradition werden wir den Kampf führen im unerschütterlichen Vertrauen auf unseren Führer, im festen Glauben an die Größe unseres Volkes und Reiches. Es lebe der Führer!

Raeder,
Großadmiral.

An die Luftwaffe:

Soldaten der Luftwaffe, Kameraden!

Wochen und Monate habt Ihr mit geballten Fäusten und zusammengebissenen Zähnen die unerhörten und unglaublichen Provokationen erlebt, die ein dem Wahnsinn des Versailler Diktates entsprungenes Staatsgebilde dem großen Deutschland zu bieten wagte.

Das Maß ist voll!

Nicht länger mehr kann das deutsche Volk dem verbrecherischen Treiben zusehen, dem hunderte und tausende unserer deutschen Volksgenossen in den ehemaligen deutschen Ostprovinzen zum Opfer fielen.

Aufruf des Führers an die Wehrmacht

An die Wehrmacht!

Der polnische Staat hat die von mir erstrebte friedliche Regelung nachbarlicher Beziehungen verweigert. Er hat statt dessen an die Waffen appelliert. Die Deutschen in Polen werden mit blutigem Terror verfolgt, von Haus und Hof vertrieben. Eine Reihe von für eine Großmacht unerträglichen Grenzverletzungen beweist, daß die Polen nicht mehr gewillt sind, die deutsche Reichsgrenze zu achten.

Um diesem wahnwitzigen Treiben ein Ende zu bereiten, bleibt mir kein anderes Mittel mehr als von jetzt ab Gewalt gegen Gewalt zu setzen!

Die deutsche Wehrmacht wird den Kampf um die Ehre und die Lebensrechte des wiederauferstandenen deutschen Volkes mit harter Entschlossenheit führen. Ich erwarte, daß jeder Soldat, eingedenk der großen Tradition des ewigen deutschen Soldatentums, seine Pflicht bis zum Letzten erfüllen wird. Bleibt euch stets in allen Lagen bewußt, daß ihr die Repräsentanten des nationalsozialistischen Großdeutschland seid!

Es lebe unser Volk und unser Reich!

Berlin, 1. September 1939.

Adolf Hitler.

Die Wehrmacht hat den aktiven Schutz des Reiches übernommen

Gegenangriff über alle deutsch-polnischen Grenzen — Auch die Luftwaffe eingesetzt — Die Kriegsmarine schützt die Ostsee

Berlin, 1. September 1939.

Der Oberbefehlshaber der Wehrmacht gibt bekannt: Auf Befehl des Führers und Obersten Befehlshabers hat die Wehrmacht den aktiven Schutz des Reiches übernommen. In Erfüllung ihres Auftrages, der polnischen Gewalt Einhalt zu gebieten, sind Truppen des deutschen Heeres heute früh über alle deutsch-polnischen Grenzen zum Gegenangriff angetreten. Gleichzeitig sind Geschwader der deutschen Luftwaffe zum Niederkämpfen militärischer Ziele in Polen gestartet. Die Kriegsmarine hat den Schutz der Ostsee übernommen.

Die entscheidende

Berchtesgadener Anzeiger vom 1. September 1939: Der Ausbruch des Zweiten Weltkriegs. (343) ▶

▲ Ende September 1939: Das von deutscher Artillerie und Luftwaffe zerstörte Warschau. ~ Bildarchiv Preußischer Kulturbesitz, Berlin (344)

◀ Offizielle Beflaggung: Die dänische und die deutsche Flagge auf dem Dach des Hotels D' Angleterre in Kopenhagen, Sitz des Befehlshabers der deutschen Truppen in Dänemark, General der Flieger Leonard Kaupisch, aus Anlaß der Geburt der dänischen Prinzessin Margarete (16. April 1940). ~ Bibliothek für Zeitgeschichte, Stuttgart (345)

„Blut, Mühsal, Tränen und Schweiß ..."

Am Tag des deutschen Angriffs im Westen (10. Mai 1940) wurde Winston Churchill in London zum Premierminister eines neuen Allparteienkabinetts ernannt. In seiner Regierungserklärung verkündete er den Briten „Blut, Mühsal, Tränen und Schweiß", aber auch den unbedingten Willen, bis zum völligen Sieg zu kämpfen. Diese Rede hatte eine große psychologische Wirkung: Sie erweckte die Zuversicht, daß Hitler zu besiegen sei. Im Juli 1940 begann die „Luftschlacht um England" (der „Blitz"), am 1. August befahl Hitler, den deutschen Luftkrieg gegen Großbritannien zu verschärfen.

Der britische Premierminister Winston Churchill bei der Besichtigung von zerbombten Häusern in einem Londoner Arbeiterviertel. ~ Bilderdienst Süddeutscher Verlag, München (346) ▼

◀ Deutsche Panzer in der Cyrenaika/Libyen (1941). ~ Bibliothek für Zeitgeschichte, Stuttgart (347)

◀ Vormarsch deutscher Panzeraufklärer in der libyschen Wüste. ~ Ullstein Bilderdienst, Berlin/Foto: Moosmüller (348)

◀ Zur Sicherung der Südostflanke im Mittelmeerraum landen deutsche Fallschirm- und Gebirgsjäger ab dem 20. Mai 1941 auf Kreta. ~ Ullstein Bilderdienst, Berlin (349)

Geheime Kommandosache!

Der Führer und Oberste Befehlshaber der Wehrmacht
OKW/WFSt/Abt.L(I) Nr. 33 408/40 gK Ch.

F.H.Qu., den 18.12.40

Chef Sache
Nur durch Offizier

9 Ausfertigungen
2. Ausfertigung

Weisung Nr. 21

Fall Barbarossa.

Die deutsche Wehrmacht muss darauf vorbereitet sein, auch vor Beendigung des Krieges gegen England Sowjetrussland in einem schnellen Feldzug niederzuwerfen (Fall Barbarossa).

Das Heer wird hierzu alle verfügbaren Verbände einzusetzen haben mit der Einschränkung, dass die besetzten Gebiete gegen Überraschungen gesichert sein müssen.

Für die Luftwaffe wird es darauf ankommen, für den Ostfeldzug so starke Kräfte zur Unterstützung des Heeres freizumachen, dass mit einem raschen Ablauf der Erdoperationen gerechnet werden kann und die Schädigung des ostdeutschen Raumes durch feindliche Luftangriffe so gering

- 2 -

- 2 -

C 162 2/17

210

wie möglich bleibt. Diese Schwerpunktbildung im Osten findet ihre Grenze in der Forderung, dass der gesamte von uns beherrschte Kampf- und Rüstungsraum gegen feindliche Luftangriffe hinreichend geschützt bleiben muss und die Angriffshandlungen gegen England, insbesondere seine Zufuhr, nicht zum Erliegen kommen dürfen.

Der Schwerpunkt des Einsatzes der Kriegsmarine bleibt auch während eines Ostfeldzuges eindeutig gegen England gerichtet.

Den Aufmarsch gegen Sowjetrussland werde ich gegebenenfalls acht Wochen vor dem beabsichtigten Operationsbeginn befehlen.

Vorbereitungen, die eine längere Anlaufzeit benötigen, sind - soweit noch nicht geschehen - schon jetzt in Angriff zu nehmen und bis zum 15.5.41 abzuschliessen.

Entscheidender Wert ist jedoch darauf zu legen, dass die Absicht eines Angriffes nicht erkennbar wird.

- 3 -

▲ Im Auftrag Hitlers plante die deutsche militärische Führung seit Sommer 1940 den Überfall auf die Sowjetunion. Diese Pläne wurden von Hitler am 18. Dezember 1940 mit der Weisung Nr. 21 („Fall Barbarossa") in Kraft gesetzt. ~ Bundesarchiv/Militärarchiv, Freiburg (350)

Führerhauptquartier, 16.7.1941
Bo/Fu.

GEHEIME REICHSSACHE!

Aktenvermerk

Auf Anordnung des Führers fand heute bei ihm um 15 Uhr eine Besprechung mit Reichsleiter Rosenberg, Reichsminister Lammers, Feldmarschall Keitel, mit dem Reichsmarschall und mir statt.

Die Besprechung begann um 15 Uhr und dauerte mit einer Kaffeepause bis gegen 20 Uhr.

Einleitend betonte der Führer, er wolle zunächst einige grundsätzliche Feststellungen treffen. Verschiedene Massnahmen seien jetzt notwendig; dies bewiese u.a. ein von einer unverschämten Vichy-Zeitung gebrachter Hinweis, der Krieg gegen die Sowjet-Union sei ein Krieg Europas; er sei also auch für ganz Europa zu führen. Offenbar wolle diese Vichy-Zeitung mit diesen Hinweisen erreichen, dass die Nutzniesser dieses Krieges nicht allein die Deutschen sein dürften, sondern dass alle europäischen Staaten daraus ihren Nutzen ziehen müssten.

Wesentlich sei es nun, dass wir unsere Zielsetzung nicht vor der ganzen Welt bekanntgäben; dies sei auch nicht notwendig, sondern die Hauptsache sei, dass wir selbst wüssten, was wir wollten. Keinesfalls solle durch überflüssige Erklärungen unser eigener Weg erschwert werden. Derartige Erklärungen seien überflüssig, denn soweit unsere Macht reiche, könnten

▲ Protokoll (S. 1–3) der Besprechung Hitlers mit Reichsleiter Alfred Rosenberg, dem Chef der Reichskanzlei Hans-Heinrich Lammers, Feldmarschall Wilhelm Keitel, Hermann Göring und Martin Bormann am 16. Juli 1941; Protokollant: Martin Bormann. Nürnberger Dokumente L-221. ~ Staatsarchiv Nürnberg (351)

wir alles tun und was ausserhalb unserer Macht liege, könnten wir ohnehin nicht tun.

Die Motivierung unserer Schritte vor der Welt müsse sich also nach taktischen Gesichtspunkten richten. Wir müssten hier genau so vorgehen, wie in den Fällen Norwegen, Dänemark, Holland und Belgien. Auch in diesen Fällen hätten wir nichts über unsere Absichten gesagt und wir würden dies auch weiterhin klugerweise nicht tun.

Wir werden also wieder betonen, dass wir gezwungen waren, ein Gebiet zu besetzen, zu ordnen und zu sichern; im Interesse der Landeseinwohner müssten wir für Ruhe, Ernährung, Verkehr usw. usw. sorgen; deshalb unsere Regelung. Es soll also nicht erkennbar sein, dass sich damit eine endgültige Regelung anbahnt! Alle notwendigen Massnahmen - Erschiessen, Aussiedeln etc. - tun wir trotzdem und können wir trotzdem tun.

Wir wollen uns aber nicht irgendwelche Leute vorzeitig und unnötig zu Feinden machen. Wir tun also lediglich so, als ob wir ein Mandat ausüben wollten. Uns muss aber dabei klar sein, dass wir aus diesen Gebieten nie wieder herauskommen.

Demgemäss handelt es sich darum:

1.) Nichts für die endgültige Regelung zu verbauen, sondern dieseunter der Hand vorzubereiten;

2.) wir betonen, dass wir die Bringer der Freiheit wären.

Im Einzelnen:

Die Krim muss von allen Fremden geräumt und deutsch besiedelt werden.
Ebenso wird das alt-österreichische Galizien Reichsgebiet.
Jetzt ist unser Verhältnis zu Rumänien gut, aber man weiss nicht, wie künftig zu jeder Zeit unser Verhältnis sein wird. Darauf haben wir uns einzustellen und darnach haben wir unsere Grenzen einzurichten. Man soll sich nicht vom Wohlwollen Dritter abhängig machen; darnach müssen wir unser Verhältnis zu Rumänien einrichten.

Grundsätzlich kommt es also darauf an, den riesenhaften Kuchen handgerecht zu zerlegen, damit wir ihn

erstens beherrschen,
zweitens verwalten und
drittens ausbeuten können.

Die Russen haben jetzt einen Befehl zum Partisanen-Krieg hinter unserer Front gegeben. Dieser Partisanen-Krieg hat auch wieder seinen Vorteil: er gibt uns die Möglichkeit, auszurotten, was sich gegen uns stellt.

Grundsätzliches:
Die Bildung einer militärischen Macht westlich des Ural darf nie wieder in Frage kommen und wenn wir hundert Jahre darüber Krieg führen müssten. Alle Nachfolger des Führers müssen wissen: die Sicherheit des Reiches ist nur dann gegeben, wenn westlich des Ural kein fremdes Militär existiere; den Schutz dieses Raumes vor allen eventuellen Gefahren übernimmt Deutschland.
Eiserner Grundsatz muss sein und bleiben:
Nie darf erlaubt werden, dass ein Anderer Waffen trägt, als der Deutsche!

Dies ist besonders wichtig; selbst wenn es zunächst leichter erscheint, irgendwelche fremden unterworfenen Völker zur Waffenhilfe heranzuziehen, ist es falsch! Es schlägt unbedingt und unweigerlich eines Tages gegen uns aus. Nur der Deutsche darf Waffen tragen, nicht der Slawe, nicht der Tscheche, nicht der Kosak oder der Ukrainer!

Keinesfalls dürfen wir eine Schaukel-Politik führen, wie dies vor 1918 im Elsass geschah. Was den Engländer auszeichnet, ist sein immer gleichmässiges Verfolgen einer Linie und eines Zieles! In dieser Hinsicht müssen wir unbedingt vom Engländer lernen. Wir dürfen demgemäss unsere Stellungnahme auch nie abhängig machen von einzelnen vorhandenen Persönlichkeiten: auch hier ist das Verhalten der Engländer in Indien gegenüber den indischen

Die Utopie: Das „Großgermanische Reic

Der „Generalplan Ost“

Der im Auftrag Himmlers 1941/42 entwickelte „Generalplan Ost“ macht deutlich, welche Ziele die NS-Führung in den besetzten Gebieten im Osten langfristig verfolgte: Nicht weniger als 31 Millionen Menschen – d.h. 80-85 % aller Polen, 64 % aller Ukrainer, 75 % der Weißrussen und 50 % der Tschechen – sollten nach Sibirien abgedrängt und dort ihrem Schicksal überlassen werden. Zurückbleiben sollte nur der „eindeutschungsfähige“ Rest: Arbeitssklaven für „germanische Siedler“ aus dem Reich und dem übrigen Europa. Geplant war die Neuansiedlung von ca. 10 Millionen Menschen in 37 neuen Siedlungsschwerpunkten. Die „germanische Volkstumsgrenze“ sollte damit etwa tausend Kilometer nach Osten verschoben werden.

◀ Deutsche Neuordnungsvorstellungen für Deutschland und Europa nach dem „Endsieg“ – basierend auf verschiedenen, nur zum Teil systematisierten Zielprojektionen (z. B. „Generalplan Ost“) in Quellen der staatlichen Verwaltung und der SS-Führung. ~ © Institut für Zeitgeschichte, München – Berlin 1999, Hersteller: Kartographie Peckmann, Ramsau. (352)

▲ Gefangenensammelstelle nach der Schlacht bei Charkow (Oktober 1941). ~ Bundesarchiv, Koblenz. – Bis Dezember 1941 gerieten 3,3 Millionen Rotarmisten in deutsche Kriegsgefangenschaft. Auch die immensen Mengen an erbeutetem oder zerstörtem sowjetischem Kriegsgerät nährten auf deutscher Seite die Hoffnung, den Krieg gegen die Sowjetunion noch 1941 entscheiden zu können. (353)

◄ 100 km bis Moskau: deutscher Panzerspähwagen (November 1941). ~ Bildarchiv Preußischer Kulturbesitz, Berlin/Foto A. Grimm (354)

Stalag X D (310) Wietzendorf/Niedersachsen (1941): Die sowjetischen Kriegsgefangenen lebten in selbstgebauten Erdhöhlen. ~ Staatsanwaltschaft Hamburg (355) ▶

▲ Aufruf zur Woll-, Pelz- und Wintersachen-Sammlung für die Front. ~ Bundesarchiv, Koblenz. – Die Wehrmachtführung hatte mit einem siegreichen Ende des Feldzugs gegen die Sowjetunion noch vor Wintereinbruch gerechnet und war auf einen Winterfeldzug nicht vorbereitet. Mit improvisierten Sammlungen versuchte man, eine Millionen-Armee für einen Feldzug bei Extremtemperaturen bis zu -50° C auszurüsten. (356)

Winterkrise 1941/1942

Das Stocken des deutschen Angriffs vor Moskau im Dezember 1941 bezeichnet das Ende der bisherigen Blitzkriegs-Erfolge und hatte auf die öffentliche Stimmung in Deutschland erhebliche negative Rückwirkungen. Jetzt wurde zum ersten Mal deutlich, daß die deutschen Kräfte nicht genügten, um Hitlers Eroberungsprogramm durchzuführen. Die erfolgreichen sowjetischen Abwehrkämpfe zerstörten den Mythos der Unbesiegbarkeit der Wehrmacht. Nach Hitlers Kriegserklärung an die USA (11. Dezember 1941) war die militärische und materielle Überlegenheit der Alliierten bereits so groß, daß ein Sieg über die Achsenmächte nur noch eine Frage der Zeit war.

Erstversorgung deutscher Verwundeter, Heeresgruppe Nord (1941). ~ Bundesarchiv, Koblenz (357) ▶

Der deutsche Machtbereich in der besetzten Sowjetunion erreichte im Herbst 1942 seine größte Ausdehnung, ohne daß dies den Kräfteverhältnissen noch entsprochen hätte. Die sowjetischen Truppen durchbrachen am 19. November 1942 bei Stalingrad die weit überdehnte deutsche Front, kesselten die 6. deutsche Armee ein und vernichteten sie bis zum 2. Februar 1943. Von 270 000 eingeschlossenen Soldaten konnten noch 34 000 ausgeflogen werden, 146 000 fielen, der Rest kam in Gefangenschaft. Nur 6 000 kehrten nach 1945 heim. Stalingrad gilt als Symbol für die tatsächlich bereits im Winter 1941/42 eingetretene Wende im Zweiten Weltkrieg.

Deutsche Kriegsgefangene vor dem hart umkämpften Getreidesilo im Stadtzentrum von Stalingrad (vermutlich Anfang Februar 1943). ~ Bilderdienst Süddeutscher Verlag, München (358) ▼

◀ Erfrorener deutscher Soldat in Stalingrad (Winter 1942/43). ~ Bundesarchiv, Koblenz (359)

Weihnachtslied

DES LANDSERS

Traurige Nacht, schaurige Nacht!
Alles schläft, einsam wacht
Nur der Landser im eisigen Wind,
Denkt an sein fernes lockiges Kind.
Ach und die Heimat ist weit!

Traurige Nacht, schaurige Nacht!
Ohne Ruh tobt die Schlacht.
Fern ist die Heimat, und fern ist das Glück.
Nie mehr kehr ich zur Heimat zurück,
Niemals mehr seh ich mein Kind!

Traurige Nacht, schaurige Nacht!
Schluß, Kamrad! Aufgewacht!
Packt Eure Affen und macht Euch nach Haus
Und mit dem Krieg ists für allezeit aus!
Weihnachten seid Ihr zu Haus!

Stille Nacht, glückliche Nacht!
Sieh Dein Kind, wie es lacht!
Sieh Dein Weib, wie es herzt Dich und küßt,
Weil Du endlich nun heimgekehrt bist!
Friede auf Erden ist dann!

Deutsche Soldaten! Wollt Ihr Eure nächsten Weihnachten daheim feiern? Dann macht Schluß mit dem Krieg!

70 000

Eurer Kameraden haben sich in der letzten Novemberwoche

bei Stalingrad gefangengegeben.

Folgt dem Beispiel dieser 70 000!
Nach Kriegsende kehrt Ihr zu Euren Lieben heim!

2137

▲ An die in Stalingrad eingekesselten deutschen Truppen gerichtetes sowjetisches Frontpropaganda-Flugblatt (Vorder- und Rückseite). ~ Sammlung Karl Stehle, München (360)

Kurz nach der Niederlage von Stalingrad gedruckte Postkarte zum „Tag der Wehrmacht" 1943, herausgegeben von der Genesendenbatterie Artillerie-Ersatz-Abteilung Naumburg/Saale, Poststempel am 27. April 1943. ~ Sammlung Karl Stehle, München (361) ▶

Der Krieg in Ostasien

Der japanische Überfall auf den amerikanischen Flottenstützpunkt Pearl Harbor (7. Dezember 1941) machte die begrenzten Kriege in Europa und Asien endgültig zum Weltkrieg: Japan, seit 1931/37 im Konflikt mit China, besetzte in kürzester Zeit große Räume auf dem südostasiatischen Festland, die Philippinen, Niederländisch-Indien sowie die westpazifische Inselwelt. Das Motto „Asien den Asiaten" war gegen die alten Kolonialherren gerichtet und diente dazu, den mit brutaler Konsequenz vorgehenden japanischen Imperialismus zu verschleiern. Die Schlacht um die Midway-Inseln (3.-6. Juni 1942) leitete die Wende auf diesem Kriegsschauplatz ein. Die USA und ihre Verbündeten mußten sich dem japanischen Mutterland jedoch mühsam und unter hohen Verlusten über die Philippinen und den Pazifik („Inselspringen") nähern.

7. Dezember 1941: Pearl Harbor, Hauptstützpunkt der US-Pazifik-Flotte, nach dem japanischen Luftangriff. ~ Bildarchiv Preußischer Kulturbesitz, Berlin (362) ▼

Europa unter nationalsozialistischer Herrschaft (C 8.2)

Je länger der Krieg dauerte, desto mehr war der Alltag der Zivilbevölkerung in Deutschland wie in den besetzten Gebieten von Einschränkungen, unmittelbaren Auswirkungen des Kriegs, aber auch der erhöhten Bereitschaft und Fähigkeit des NS-Regimes zur Verfolgung aller „Abweichungen" gekennzeichnet. Die unterschiedliche Behandlung der von Deutschland besetzten Gebiete entsprach den rassistischen Kriterien der NS-Ideologie: Schein-autonome Satellitenstaaten (wie Kroatien) standen neben deutschen Militärverwaltungen (wie im besetzten Teil Frankreichs) und Gebieten unter deutscher Verwaltung, die als Reichskommissariate (wie Norwegen), als Gebiete unter deutscher Zivilverwaltung (wie Luxemburg), als Reichsprotektorat (Böhmen und Mähren) oder Generalgouvernement (Polen) firmierten. Polen, die Sowjetunion und der Balkan wurden von Anfang an einer beispiellos grausamen Ausbeutungs- und Vernichtungspolitik unterworfen. Der Terror in West- und Nordeuropa sowie in Italien nahm erst in der zweiten Hälfte des Kriegs scharfe Formen an. Das Schicksal der besetzten Länder wurde aber nicht nur von den Zielen und dem Verhalten der deutschen Besatzer bestimmt, sondern auch durch nationale Traditionen und politische Strukturen der Zwischenkriegszeit geprägt. Entsprechend heterogen war das Bild von Widerstand, Kollaboration und Abwarten im besetzten Europa. Die militärischen Rückschläge und die wachsenden Erfolge der Partisanen- und Widerstandsbewegung machten die Besatzungsherrschaft immer schwieriger. Trotzdem konnten die Deutschen bis 1944 in hohem Maß vom europäischen Arbeitskräfte- und Produktionspotential profitieren.

„Arbeitsmaiden" des *Reichsarbeitsdiensts* beim Einsatz in der Rüstungsproduktion. ~ Bundesarchiv, Koblenz (363, 364) ▼

1679

Reichsgesetzblatt

Teil I

1939	Ausgegeben zu Berlin, den 6. September 1939	Nr. 168

Verordnung gegen Volksschädlinge.
Vom 5. September 1939.

Der Ministerrat für die Reichsverteidigung verordnet mit Gesetzeskraft:

§ 1

Plünderung im frei gemachten Gebiet

(1) Wer im frei gemachten Gebiet oder in freiwillig geräumten Gebäuden oder Räumen plündert, wird mit dem Tode bestraft.

(2) Die Aburteilung erfolgt, soweit nicht die Feldkriegsgerichte zuständig sind, durch die Sondergerichte.

(3) Die Todesstrafe kann durch Erhängen vollzogen werden.

§ 2

Verbrechen bei Fliegergefahr

Wer unter Ausnutzung der zur Abwehr von Fliegergefahr getroffenen Maßnahmen ein Verbrechen oder Vergehen gegen Leib, Leben oder Eigentum begeht, wird mit Zuchthaus bis zu 15 Jahren oder mit lebenslangem Zuchthaus, in besonders schweren Fällen mit dem Tode bestraft.

§ 3

Gemeingefährliche Verbrechen

Wer eine Brandstiftung oder ein sonstiges gemeingefährliches Verbrechen begeht und dadurch die Widerstandskraft des deutschen Volkes schädigt, wird mit dem Tode bestraft.

§ 4

Ausnutzung des Kriegszustandes als Strafschärfung

Wer vorsätzlich unter Ausnutzung der durch den Kriegszustand verursachten außergewöhnlichen Verhältnisse eine sonstige Straftat begeht, wird unter Überschreitung des regelmäßigen Strafrahmens mit Zuchthaus bis zu 15 Jahren, mit lebenslangem Zuchthaus oder mit dem Tode bestraft, wenn dies das gesunde Volksempfinden wegen der besonderen Verwerflichkeit der Straftat erfordert.

§ 5

Beschleunigung des sondergerichtlichen Verfahrens

In allen Verfahren vor den Sondergerichten muß die Aburteilung sofort ohne Einhaltung von Fristen erfolgen, wenn der Täter auf frischer Tat betroffen ist oder sonst seine Schuld offen zutage liegt.

§ 6

Geltungsbereich

Die Vorschriften dieser Verordnung gelten auch im Protektorat Böhmen und Mähren, und zwar auch für Personen, die nicht deutsche Staatsangehörige sind.

§ 7

Schlußbestimmungen

Der Reichsminister der Justiz erläßt die zur Durchführung und Ergänzung dieser Verordnung erforderlichen Rechts- und Verwaltungsvorschriften.

Berlin, den 5. September 1939.

Der Vorsitzende
des Ministerrats für die Reichsverteidigung
Göring
Generalfeldmarschall

Der Generalbevollmächtigte für die Reichsverwaltung
Frick

Der Reichsminister und Chef der Reichskanzlei
Dr. Lammers

Herausgegeben vom Reichsministerium des Innern. — Gedruckt in der Reichsdruckerei, Berlin.

▲ Die „Volksschädlings-Verordnung", die sich gegen Personen richtete, welche die Kriegssituation für Straftaten nutzten, bildete die Grundlage für den Großteil der Todesurteile ziviler Gerichte während des Kriegs; ihre Bestimmungen waren von Gerichtsseite aus fast unbegrenzt auslegungsfähig. (365)

Verordnung über außerordentliche Rundfunkmaßnahmen.
Vom 1. September 1939.

Im modernen Krieg kämpft der Gegner nicht nur mit militärischen Waffen, sondern auch mit Mitteln, die das Volk seelisch beeinflussen und zermürben sollen. Eines dieser Mittel ist der Rundfunk. Jedes Wort, das der Gegner herübersendet, ist selbstverständlich verlogen und dazu bestimmt, dem deutschen Volke Schaden zuzufügen. Die Reichsregierung weiß, daß das deutsche Volk diese Gefahr kennt, und erwartet daher, daß jeder Deutsche aus Verantwortungsbewußtsein heraus es zur Anstandspflicht erhebt, grundsätzlich das Abhören ausländischer Sender zu unterlassen. Für diejenigen Volksgenossen, denen dieses Verantwortungsbewußtsein fehlt, hat der Ministerrat für die Reichsverteidigung die nachfolgende Verordnung erlassen.

Der Ministerrat für die Reichsverteidigung verordnet für das Gebiet des Großdeutschen Reichs mit Gesetzeskraft:

§ 1

Das absichtliche Abhören ausländischer Sender ist verboten. Zuwiderhandlungen werden mit Zuchthaus bestraft. In leichteren Fällen kann auf Gefängnis erkannt werden. Die benutzten Empfangsanlagen werden eingezogen.

§ 2

Wer Nachrichten ausländischer Sender, die geeignet sind, die Widerstandskraft des deutschen Volkes zu gefährden, vorsätzlich verbreitet, wird mit Zuchthaus, in besonders schweren Fällen mit dem Tode bestraft.

§ 3

Die Bestimmungen dieser Verordnung gelten nicht für Handlungen, die in Ausübung des Dienstes vorgenommen werden.

§ 4

Für die Verhandlungen und Entscheidung bei Zuwiderhandlungen gegen diese Verordnung sind die Sondergerichte zuständig.

§ 5

Die Strafverfolgung auf Grund von §§ 1 und 2 findet nur auf Antrag der Staatspolizeistellen statt.

§ 6

Der Reichsminister für Volksaufklärung und Propaganda erläßt die zur Durchführung dieser Verordnung erforderlichen Rechts- und Verwaltungsvorschriften, und zwar, soweit es sich um Strafvorschriften handelt, im Einvernehmen mit dem Reichsminister der Justiz.

§ 7

Die Verordnung tritt mit ihrer Verkündung in Kraft.

Berlin, den 1. September 1939.

Der Vorsitzende
des Ministerrats für die Reichsverteidigung
Göring
Generalfeldmarschall

Der Stellvertreter des Führers
R. Heß

Der Generalbevollmächtigte für die Reichsverwaltung
Frick

Der Reichsminister und Chef der Reichskanzlei
Dr. Lammers

▲ Am Tag des Kriegsausbruchs wurde das Abhören von ausländischen Sendern mit schweren Strafen bedroht. ~ Reichsgesetzblatt I 1939 (S. 1683) (366)

Kontingentierung als kriegswirtschaftliche Strategie

Bereits wenige Tage vor Beginn des Kriegs, am 27. August 1939, waren im Deutschen Reich Berechtigungsscheine für den Kauf von Lebensmitteln und Konsumgütern eingeführt worden. Während des Kriegs wurden immer mehr Waren rationiert, es gab ein abgestuftes System für verschiedene Bedarfsgruppen (etwa „Fremdarbeiter", „Schwer- und Nachtarbeiter", Säuglinge). Juden erhielten Lebensmittelmarken mit dem Aufdruck „J" oder „Jude", ihre Rationen wurden durch Entwertung von Marken gekürzt. Sie erhielten zum Teil minderwertige Lebensmittel, z. B. altes Brot. Mit Dauer des Kriegs wurden die zugeteilten Rationen immer kleiner: 1945 gab es pro Kopf und Woche nur noch 125 g Fett, 250 g Fleisch und 1 700 g Brot. Die Lebensmittelkarten wurden in der Bundesrepublik erst fünf Jahre nach Kriegsende, am 10. Januar 1950, endgültig abgeschafft, in der DDR erst am 28. Mai 1958.

◄ Lebensmittelmarken. ~ Stadtarchiv München (367) ▼

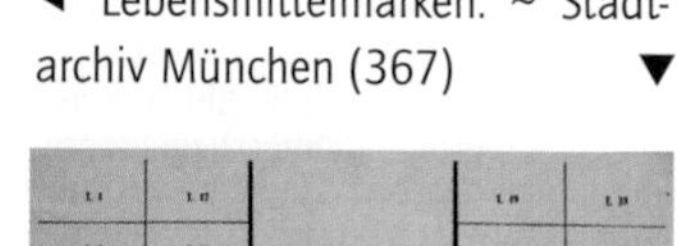

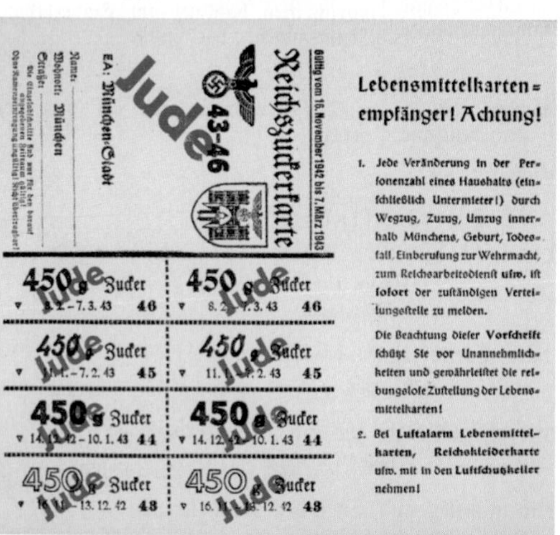

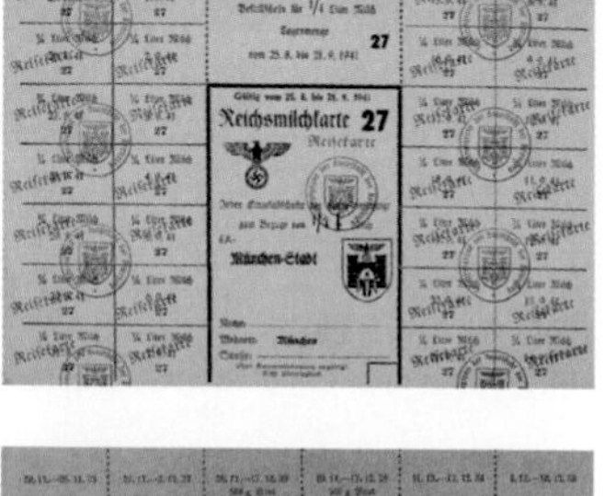

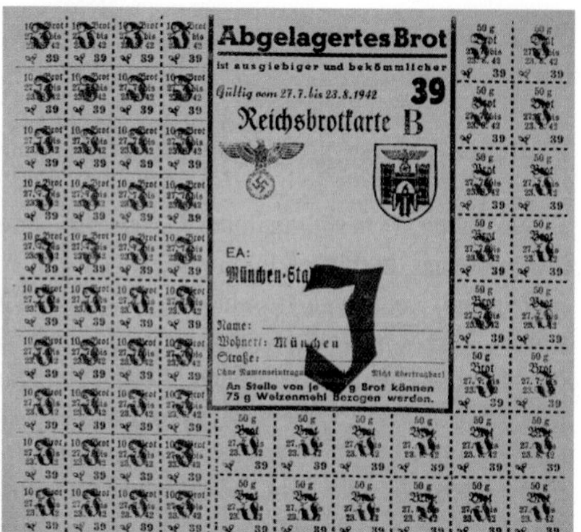

Eingang zu einer Schuhmacherei in der Karlstraße in München (August 1941). ~ Institut für Zeitgeschichte, München – Berlin (368) ▶

Eingang bei „Hut-Breiter" in München (August 1941). ~ Institut für Zeitgeschichte, München – Berlin (369) ▶

Eingang bei „Feurich-Keks" in München (Sommer 1941). ~ Institut für Zeitgeschichte, München – Berlin (370) ▶

4 Seiten

In Schweden und Dänemark 30 øre
In Deutschland 20 Rpf.
Preis 20 øre

DEUTSCHE POLARZEITUNG

Ausgabe der Deutschen Zeitung in Norwegen für Nördl. Eismeerzone, Finnmark, Troms

Nr. 233 | Verlag: Deutsche Zeitung in Norwegen A.S. Oslo. Verlagsdirektor Erwin Finkenzeller (z. Zt. Wehrmacht). Kom. Verlagsleitung: Hans Döring. Hauptschriftleiter: Rudolf Vater. Fernruf 172. Schriftleitung in Tromsø Fernruf 178 | Tromsø, Mittwoch, 13. Oktober 1943 | Bezugspreis in Skandinavien vierteljährlich Kr. 9.— in Deutschland monatlich RM 3.—. Bestellungen bei allen Postämtern des In- und Auslandes. Gültig ist Preisliste Nr. 4. Vertriebsabtlg.: Tel. Tromsø 1023; Druckerei Tromsø Tel. 27. | 3. Jahrg.

Auch jeder neue Ansturm wird scheitern!

Neue sowjetische Durchbruchsversuche an der Südflanke nehmen den bisherigen Verlauf – Herangeführte Ersatzverbände verbluten in deutscher Abwehr

Berlin, 12. Oktober

An der Ostfront schritten die Sowjets trotz der schweren Niederlagen, die sie in den letzten Tagen erlitten haben, am Sonnabend und Sonntag an der Front vom Asowschen Meer bis Saporoshje erneut zum Angriff. Acht Tage hatten diesmal die Sowjets benötigt, um ihre schwer zerschlagenen Verbände, die sie in der Zeit vom 26. bis 30. September in den Kampf geworfen hatten, durch neue zu ersetzen. Während dieser acht Tage hatte an der Front verhältnismässig Ruhe geherrscht. Durch diese neuen Durchbruchsversuche hoffen die Sowjets ihr Ziel, die Südflanke aus den Angeln zu heben, zu erreichen. Alle Angriffe aber wurden unter schweren Verlusten an Menschen und Material für den Feind abgeschlagen.

Am Sonnabend und Sonntag wurden allein 157 sowjetische Panzer abgeschossen. Eine grosse Zahl der immer wieder vergeblich anstürmenden Sowjets blieb vor unseren Linien liegen, manche Verbände verloren bis zu zwei Drittel ihres Bestandes. Damit nehmen die neuen feindlichen Durchbruchsversuche genau den gleichen Verlauf wie alle vorigen. Am mittleren Dnjepr ist die Lage im wesentlichen unverändert. Sowjetische Vorstösse wurden durch deutsche Gegenstösse abgewiesen. Die Kämpfe südlich Gomel und westlich Smolensk trugen nur örtlichen Charakter. Wesentlich stärker dagegen waren die Angriffe im Süden von Welikije Luki, doch scheiterten auch hier alle Angriffe. Angesichts dieser Lage ist es verständlich, dass das Gerede von der sowjetischen Grossoffensive, die am 6. Oktober begonnen haben sollte, in Moskau schnell wieder verschwunden ist.

*

Seit dem 1. September verloren die Briten und Amerikaner 24 Zerstörer, während weitere 21 durch Torpedos, Granaten oder Bombentreffer schwer beschädigt wurden. Diese Verluste sind für die Alliierten äusserst empfindlich, da sich der Zerstörermangel schon seit Monaten bemerkbar macht. Deutsche U-Boote fügten ausserdem, wie im gestrigen Wehrmachtbericht gemeldet wurde, der feindlichen Handelsschiffahrt durch die Versenkung von 40 000 Bruttoregistertonnen erneut schwere Verluste zu.

Aktionsunfähige Britenverbände

Berlin, 12. Oktober

An allen süditalienischen Frontabschnitten sank die Gefechtstätigkeit gestern weiter ab. Nur im Apennin kam es zu örtlichen Kämpfen. Die bei Stossaktionen schwer angeschlagenen britischen Verbände sind zur Zeit aktionsunfähig.

Beginn der Moskauer Konferenz

Stockholm, 12. Oktober

Die Moskauer Dreimächte-Konferenz wird voraussichtlich am 17. Oktober beginnen, berichtet der Londoner Korrespondent von «Stockholm Tidningen». Man glaubt, dass sie bis zum Monatsende dauern werde.

Das britische Fiasko von Münster

Berlin, 12. Oktober

Der nordamerikanische Terrorangriff gegen die alte deutsche Bischofstadt Münster wurde zu einer katastrophalen Niederlage für die daran beteiligten Bomberverbände. Nach bis jetzt vorliegenden Meldungen sind etwa ein Drittel der angeflogenen USA-Bomber allein über dem Festland abgeschossen worden. Hinzu kommt, dass zahlreiche Bomber auf dem Rückflug verloren gegangen sein dürften. Es darf also angenommen werden, dass damit fast die Hälfte der eingesetzten Bomber verlorengegangen ist.

So kämpfen die Anglo-Amerikaner

Berlin, 12. Oktober

Ein deutscher Truppenhauptverbandsplatz der süditalienischen Front, der durch weisse Tücher mit dem roten Kreuz deutlich ge-

Attentat gegen Eisenhower

Harte Ablehnung der Amerikaner in Nordafrika

Vichy, 12. Oktober

Gegen den amerikanischen Oberbefehlshaber General Eisenhower wurde ein Attentat verübt. In das Flugzeug, das den General von Tunis nach Süditalien zurückbringen

Todesurteilen, vor allem innerhalb der mohammedanischen Bevölkerung, sind bis jetzt schon verhängt und vollstreckt worden.

Das Attentat gegen Eisenhower deutet darauf hin, dass der Wider-

Nachlassen der Sowjet-Angriffe

Deutsche Truppen traten zu erfolgreichen Gegenangriffen an

Führerhauptquartier, 12. Oktober

Das Oberkommando der Wehrmacht gibt bekannt:

Zwischen dem Asowschen Meer und Saporoshje hat die Wucht der feindlichen Angriffe infolge der am Vortage erlittenen hohen Verluste nachgelassen. Die Sowjets wurden erneut überall abgewiesen. Auch an den übrigen Abschnitten der Ostfront, vor allem am mittleren Dnjepr, an der Pripjet-Mündung, im Raum südlich Gomel und südwestlich Welikije Luki scheiterten feindliche Angriffe. Im Verlauf der

An der süditalienischen Front führte der Feind nur im Mittelabschnitt einige örtliche Angriffe. Ein vorübergehender Einbruch wurde im Gegenstoss bereinigt. An der übrigen Front fühlten feindliche Kampfgruppen bei zunehmender Artillerietätigkeit gegen unsere Gefechtsvorposten vor.

Im Seegebiet des Dodekanes versenkte die Luftwaffe ein feindliches Kriegsfahrzeug und bombardierte mit guter Wirkung Inselstützpunkte des Gegners.

Zehn Thesen

Prof. Hunke, der Präsident des Werberates, der kürzlich in den Vorstand der Deutschen Bank eintrat, hielt dieser Tage eine wirtschaftspolitische grundsätzliche Rede, an deren Schluss er in zehn Thesen ein Bild der deutschen und europäischen Wirtschaftsgrundsätze entwarf.

1. Wir vertreten den Grundsatz der politisch geführten Wirtschaft. Wir wollen damit zum Ausdruck bringen, dass wir im Rahmen der von der Natur der Volkswirtschaft gezogenen Grenzen in der Lage sind, unsere Wirtschaft nach unseren Idealen und Notwendigkeiten zu gestalten, und bereit sind, die Führung der Gemeinschaft an Stelle des Automatismus der Wirtschaft anzuerkennen. Geführte Wirtschaft bedeutet uns, dass die Wirtschaft nicht mehr als eigengesetzliche Gebilde neben den übrigen Lebensmächten Staat, Recht, Kultur und anderem steht, sondern eine Funktion des Volkes ist. Gelenkte Wirtschaft ist jedoch keine Planwirtschaft, die von einem zentralen Willen nach einem bis ins einzelne geregelten Plane gesteuert wird. Unser Grundsatz lautet: Führen, nicht verwalten.

2. Entsprechend dem Grundsatz der geführten Wirtschaft ist die politische Forderung gegenüber der Wirtschaft eine Minimalforderung: Sie verlangt restlose Durchsetzung des Rechtes auf Arbeit, aus der sich die Tatsache der Vollbeschäftigung ableitet, und die jederzeitige Beachtung der wehrwirtschaftlichen Notwendigkeiten. Beide Prinzipien sind in Krieg und Frieden verbindliche Normen der deutschen Wirtschaftspolitik. Alle über diese Prinzipien hinausgehenden Forderungen und Eingriffe sind jedoch nicht Konsequenzen eines unabdingbaren wirtschaftlichen Prinzips, sondern unterliegen in jedem Augenblick der Beurteilung durch die praktische Vernunft der Wirtschaft. Die Methoden des Arbeitseinsatzes, der Rohstoffbewirtschaftung, der Investitionsplanung, der Kapitallenkung — sie alle haben ihre eigene Bedeutung, aber auch ihre Grenzen und ihre Gefahren. Sie sind daher nach den Notwendigkeiten

▲ Deutsche Polarzeitung (13. Oktober 1943). ~ Institut für Zeitgeschichte, München – Berlin (371)

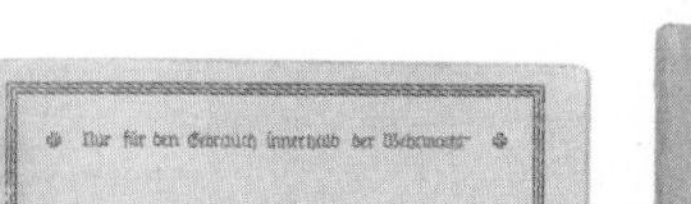

◀ Die Wehrmacht als „Reiseunternehmen“: Bilderduden (1941) und Soldatenwörterbuch (1944). ~ Institut für Zeitgeschichte, München – Berlin (372, 373)

Kollaboration: Deutsche BDM-Führerinnen und Jugendführerinnen der norwegischen Quisling-Bewegung bei einem gemeinsamen Jugendlager in Norwegen (Juli 1941). ~ Bilderdienst Süddeutscher Verlag, München (374) ▶

Französischer Polizist grüßt deutschen Luftwaffenoffizier vor dem Arc de Triomphe (31. Januar 1941). ~ Bundesarchiv, Koblenz (375) ▶

Die andere Seite der deutschen Besatzungsherrschaft in Frankreich: Alltagsleben in Paris (1940). ~ Bilderdienst Süddeutscher Verlag, München (376) ▶

BEKANNTMACHUNG

Am Tage nach dem Verbrechen in Nantes, in den Abendstunden des 21. 10. 1941, haben feige Moerder, Soeldner Englands und Moskaus, einen deutschen Wehrmachtbeamten in Bordeaux hinterruecks niedergeschossen.

Die Taeter sind entkommen. Auch die Taeter von Nantes sind noch nicht in meiner Hand.

Zur Suehne des neuen Verbrechens habe ich wiederum zunaechst die Erschiessung von 50 Geiseln angeordnet.

Falls die Taeter nicht bis zum Ablauf des 26. Oktober 1941 ergriffen sind, werden weitere 50 Geiseln erschossen werden.

Fuer diejenigen Landeseinwohner, die zur Ermittlung der Taeter beitragen, setze ich eine Belohnung im Gesamtbetrag von

15 MILLIONEN FRANKEN

aus.

Zweckdienliche Mitteilungen, die auf Wunsch vertraulich behandelt werden, nimmt jede deutsche oder franzoesische Polizeidienststelle entgegen.

Paris, den 23. Oktober 1941.

Der Militärbefehlshaber in Frankreich
von STÜLPNAGEL
General der Infanterie.

AVIS

Au crépuscule du 21 Octobre 1941, un jour après le crime qui vient d'être commis à Nantes, de lâches assassins à la solde de l'Angleterre et de Moscou ont tué, à coups de feu tirés traîtreusement, un officier de l'Administration militaire allemande à Bordeaux.

Les assassins ont réussi à prendre la fuite. Les meurtriers de Nantes non plus ne sont pas encore entre mes mains.

Comme première mesure de représailles du nouveau crime j'ai ordonné une fois de plus de fusiller cinquante otages.

Si les meurtriers ne seraient pas saisis d'ici le 26 Octobre 1941 à minuit, 50 autres otages seront exécutés.

J'offre une récompense d'une somme totale de

15 MILLIONS DE FRANCS

aux habitants de la France qui contribueront à découvrir les coupables.

Toutes informations utiles pourront être déposées à n'importe quel service de police allemand ou français. Sur demande, ces informations seront gardées confidentielles.

Paris, le 23 Octobre 1941.

Der Militärbefehlshaber in Frankreich
von STÜLPNAGEL
General der Infanterie.

▲ Bekanntmachung des deutschen Militärbefehlshabers in Frankreich, General Otto von Stülpnagel, über Geiselerschießungen (23. Oktober 1941). ~ Bayerisches Hauptstaatsarchiv, München (377)

Besaß die Waffen-SS bei Kriegsbeginn noch nicht einmal Divisionsstärke, so wuchs sie bis 1945 auf eine Gesamt-Iststärke von 600 000 Mann. Ihre (nominell) 38 Divisionen rekrutierten sich zunehmend aus volksdeutschen und ausländischen Freiwilligen aus allen Ländern Europas.

◀ Werbeplakat für die Waffen-SS-Division „Wallonie" (1942). ~ Deutsches Historisches Museum, Berlin (378)

◀◀ Werbeplakat für die Gebirgstruppen der Waffen-SS (1941). ~ Deutsches Historisches Museum, Berlin (379)

Die „Wlassow-Armee"

Ab 1942 kämpften auf deutscher Seite Freiwilligenverbände vor allem aus sowjetorientalischen Völkerschaften (Turkmenen, Georgier, Kaukasier, Tataren), die unter Stalins Diktatur besonders gelitten hatten. Ende 1944 umfaßten diese Verbände rund 800 000 Mann. Nachdem die Aufstellung russischer Einheiten unter Generalleutnant Andrej Wlassow (1900–1946) zunächst am Widerstand Hitlers und Himmlers gescheitert war, wurden kurz vor Kriegsende aus Kriegsgefangenen und Ostarbeitern zwei russische Divisionen unter Wlassow gebildet. Die „Wlassow-Armee" kam jedoch nicht mehr zum Einsatz. Nach Kriegsende wurden die Freiwilligen von den Westalliierten zumeist an die Sowjetunion ausgeliefert, wo sie hingerichtet wurden oder in Lager kamen.

Werbeplakat für die „Russische Befreiungsarmee" („Wlassow-Armee"). ~ Staatsbibliothek zu Berlin - Preußischer Kulturbesitz (380) ▼

Für Rußland, gegen Stalin und gegen den Bolschewismus!
Russen, Brüder und Schwestern!
Wenn Ihr Stalin und seine Clique verteidigt, werdet Ihr niemals die Befreiung Euerer Heimat von Kolchosen und Sklavenarbeit erreichen. Ihr werdet niemals Freiheit des Worts, der Presse, der Versammlung, des Gewissens und der Religion erhalten - und ebenso wenig ein ruhiges Leben und Vertrauen in die Zukunft.
Seit einem Vierteljahrhundert zwingen uns die bolschewistischen Führer, im Schweiße unseres Angesichts zu arbeiten - zur Rüstung und zur Vorbereitung eines Kriegs für die Weltrevolution. Man hat uns immer wieder prophezeit, wir müßten nur die Grenzen der UdSSR überschreiten, damit die Proletarier aller Länder gegen ihre Regierungen aufstehen und sich mit den Bolschewiki vereinigen würden. Jetzt hingegen seht Ihr, daß alle Völker Europas Krieg gegen den Bolschewismus führen.
Warum ist nicht eingetreten, was die Bolschewisten vorhersagten?

За Россию, против Сталина и против большевизма!

РУССКИЕ ЛЮДИ, БРАТЬЯ и СЕСТРЫ!

Защищая Сталина и его клику, Вы никогда не добьетесь освобождения Родины от колхозов и рабского труда. Вы никогда не добьетесь свободы слова, печати, свободы собраний, совести, религии, а вместе с этим не получите спокойной жизни и уверенности в завтрашнем дне.

Вожди большевизма заставили нас четверть века работать в поте лица на вооружение и подготовку войны за мировую революцию. Нам без конца говорили, что стоит лишь нам перейти границы СССР, как трудящиеся всего мира восстанут против своих правительств и присоединятся к большевикам.

Теперь же вы видите, что все народы Европы идут войной против большевизма.

Почему же получилось не так, как говорили большевики?

Ärmelabzeichen und Auszeichnungen der „Fremdvölkischen Verbände"

Diese Abzeichen und Auszeichnungen veranschaulichen die Vielfalt der Freiwilligenformationen, die seit Sommer 1941 aus den unterschiedlichsten Motiven auf deutscher Seite kämpften. Es handelt sich hier ausschließlich um Einheiten der Wehrmacht. Ihre Bedeutung war sehr unterschiedlich, ihre Größe variierte von wenigen Dutzend oder hundert Mann (z.B. die Arabische Legion) bis zu Massenbewegungen wie die ROA, die zu Beginn des Jahres 1945 eine Gesamtstärke von etwa 50 000 Mann erreichte. Neben den „landeseigenen" Verbänden der Wehrmacht bestanden zahllose Freiwilligenformationen der Waffen-SS, die im Dezember 1944 viele dieser Wehrmachtseinheiten übernahm.

▲ Ärmelabzeichen der „Albanischen Legion" (Textiles Material, maschinengewebt auf Naturseide; undatiert; 6,5 x 4,8 cm). ~ Leihgabe Ulrich Schneider, München (381)

▲ Ärmelabzeichen der „Kroatischen Legion" (Textiles Material, maschinengewebt; undatiert, 1941/43; 9,5 x 6,5 cm). ~ Leihgabe Ulrich Schneider, München. – Seit Juli 1941 wurde aus kroatischen Freiwilligen die „Kroatische Legion" gebildet, die seit August 1941 als Infanterieregiment 369 im Rahmen der Wehrmacht an der Ostfront kämpfte. Zwischen September 1942 und September 1943 wurden aus kroatischen Freiwilligen und Wehrpflichtigen die 369., 373. und 392. Infanteriedivision formiert. (382)

▲ Ärmelabzeichen der „Arabischen Legion" (Textiles Material, maschinengewebt; undatiert, 1942/44); 12 x 7 cm). ~ Leihgabe Ulrich Schneider, München. – Aus freiwilligen Arabern und arabischen Kriegsgefangenen wurde im August 1942 der Sonderverband 287 gebildet; dieses Bataillon wurde 1943 in Tunis vernichtet. Von Sommer 1943 bis Frühjahr 1945 existierte ein „Deutsch-arabisches Infanteriebataillon 845", für das in Frankreich lebende Nordafrikaner angeworben worden waren. (383)

▲ Ärmelabzeichen der „Georgischen Legion" (Textiles Material, maschinengewebt; undatiert; 8,1 x 6,8 cm). ~ Leihgabe Ulrich Schneider, München (384)

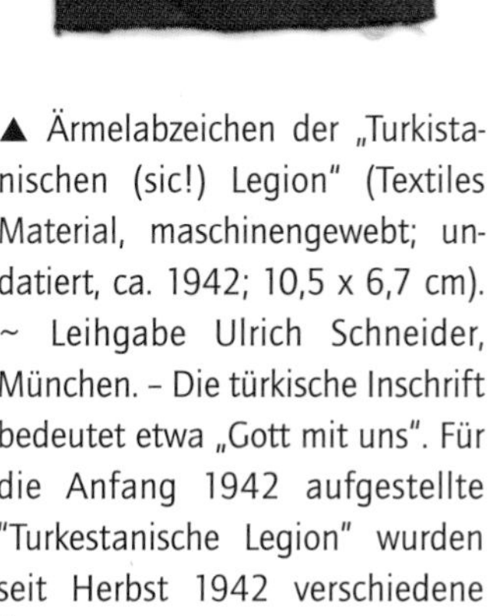

▲ Ärmelabzeichen der „Turkistanischen (sic!) Legion" (Textiles Material, maschinengewebt; undatiert, ca. 1942; 10,5 x 6,7 cm). ~ Leihgabe Ulrich Schneider, München. – Die türkische Inschrift bedeutet etwa „Gott mit uns". Für die Anfang 1942 aufgestellte "Turkestanische Legion" wurden seit Herbst 1942 verschiedene Ärmelabzeichen eingeführt. (385)

▲ Ärmelabzeichen der „Turkistanischen (sic!) Legion" (Textiles Material, maschinengewebt; undatiert, ca. 1942; 8 x 6,5 cm). ~ Leihgabe Ulrich Schneider, München (386)

Verdienstmedaille für Angehörige der „Indischen Nationalarmee" Azed Hirch (Metall, geprägt; Textilband; undatiert, ca. 1942/44; 5 x 3,6 cm). ~ Leihgabe Ulrich Schneider, München. – Aus britischen Kriegsgefangenen indischer Herkunft wurde seit Juni 1942 ein „Indisches Infanterieregiment 950" formiert; es wurde im August 1944 in die Waffen-SS überführt. (387) ▶

Orden und Ehrenzeichen

Im differenzierten Leistungs- und Auszeichnungssystem der beteiligten Armeen spiegeln sich Ausdehnung und Härte des Zweiten Weltkriegs sowie die vielfältigen Einsätze und Einsatzorte der Soldaten aller Waffengattungen.

▲ Infanterie-Sturmabzeichen, bronzen (Metall, geprägt; 1939; 6,2 x 5 cm). ~ Leihgabe Freistaat Bayern. - Das Abzeichen in Bronze wurde an Infanteristen verliehen, die an mindestens drei Sturmangriffen an drei verschiedenen Kampftagen teilgenommen hatten. (388)

▲ Narvikschild (geprägt; Metall; Textiles Material; 1940; 9,1 x 4,2 cm). ~ Leihgabe Freistaat Bayern. - Der Narvikschild wurde an alle Soldaten verliehen, die 1940 an den Kämpfen bei Narvik beteiligt waren. (389)

▲ Eisernes Kreuz, 1. Klasse (Eisen; 1939; 4,4 x 4,4 cm). ~ Leihgabe Freistaat Bayern. - Das Eiserne Kreuz 1. Klasse wurde für Tapferkeit vor dem Feind oder für hervorragende Verdienste in der Truppenführung verliehen. (390)

▲ Verdienstmedaille für Infanteristen (Sowjetunion) (Metall, geprägt; undatiert, 1941/45; 3,8 x 3,2 cm; textiles Band auf Blech). ~ Leihgabe Freistaat Bayern - Die Inschrift lautet: „Für Verdienste im Kampf" (391)

Ostarbeiter beim Transport nach Deutschland (Kowel/Ukraine). ~ Deutsches Historisches Museum, Berlin (392) ▶

Propagandafoto: Aus der Sowjetunion rekrutierte Zwangsarbeiter (Berlin, Juni 1943). ~ Bilderdienst Süddeutscher Verlag, München (393) ▶

Die Antwort der Alliierten: Befreiung Europas und Besetzung Deutschlands (C 8.3)

Nach dem deutschen Überfall auf die Sowjetunion und dem Kriegseintritt der USA formierte sich die Allianz der „Großen Drei" (Churchill, Roosevelt, Stalin). Die Aktionen der Westalliierten konzentrierten sich zunächst auf den Kampf gegen die deutschen U-Boote, insbesondere im Atlantik, und auf den sich ständig intensivierenden strategischen Bombenkrieg, der zunehmend auch die deutsche Zivilbevölkerung in den Städten traf. Zu Bodenoperationen kam es zunächst in Nordafrika und im Mittelmeerraum. Bis Mai 1943 wurde das Deutsche Afrika-Korps von alliierten Truppen aufgerieben. Infolge der anschließenden Landung der Alliierten in Sizilien und Süditalien schied Italien am 8. September 1943 aus dem Krieg aus. Die deutschen Verbände, die im Mittelmeerraum und auf dem Balkan den Kampf fortsetzten, mußten sich schrittweise bis zum Alpenrand zurückziehen.
Der Hauptstoß der Westalliierten erfolgte mit der Invasion in der Normandie am 6. Juni 1944. Bis Jahresende wurden nach einer zweiten Landung in Südfrankreich große Teile Westeuropas von deutscher Herrschaft befreit. An der Ostfront riß die Rote Armee 1943 in ebenso erbitterten wie verlustreichen Kämpfen die militärische Initiative endgültig an sich. Nach dem Zusammenbruch der deutschen *Heeresgruppe Mitte* (Juni/Juli 1944) erreichten sowjetische Truppen im Herbst die Grenzen des Deutschen Reichs und besetzten Bulgarien, Rumänien und den größten Teil Ungarns. Trotz aussichtsloser militärischer Lage setzte Hitler den Krieg unbeirrt fort – bis zur Eroberung der Berliner Reichskanzlei durch die Rote Armee. Bisher nur dem Luftkrieg ausgesetzt, wurde Deutschland in dieser letzten Phase Schauplatz sinnloser und verlustreicher Bodenkämpfe. Nach Hitlers Selbstmord am 30. April 1945 kapitulierte die deutsche Wehrmacht in der Nacht vom 8. auf den 9. Mai 1945.
Der Zweite Weltkrieg endete nicht in Europa, sondern im Fernen Osten. Das Vordringen der USA und ihrer Verbündeten im Pazifik, in Südostasien und in China war nicht minder schwierig und verlustreich. Nach den amerikanischen Atombomben auf Hiroshima und Nagasaki (6. und 9. August 1945) kapitulierte auch Japan am 2. September 1945 bedingungslos.

Die Atlantik-Charta

Mit der Formierung der alliierten Koalition gewann die Frage der politischen Nachkriegsordnung zunehmend Bedeutung. Bereits vor Kriegseintritt der USA hatte Präsident Roosevelt „Vier Freiheiten“ einer neuen Weltordnung verkündet: Demokratie, nationale Souveränität, Freizügigkeit in der Wirtschaft und Frieden. Am 14. August 1941 erklärten Roosevelt und Churchill diese Freiheiten in Form der „Atlantik-Charta“ zum Kriegsziel der Westalliierten.

Atlantik-Charta (14. August 1941). (394) ▼

Freitag, 15. August 1941 — Erscheint wöchentlich siebenmal — Preis der Nummer 15 Cts. — 97. Jahrgang, Nr. 222

Basler Nachrichten

mit Finanz- und Handelsblatt

(Intelligenzblatt der Stadt Basel)

Gemeinsame englisch-amerikanische Deklaration über Friedensziele und Richtlinien für künftige Friedensordnung von Roosevelt und Churchill vereinbart

Weltecho der Konferenz auf dem Atlantik / Lord Beaverbrook in Washington / Verhandlungen über Materialhilfe an Rußland

Kämpfe auf der ganzen Front vom Weißen Meer bis zur Schwarzmeerküste / Odessa eingeschlossen, Nikolajew im Osten und Westen umfaßt / Deutsche Schnellverbände im Erzgebiet westlich des Dnjepr / Tagesraid der Royal Air Force auf Boulogne

Die heutige Nummer enthält 1 Beilage

Tagesbericht

Die Grundsätze der gemeinsamen englisch-amerikanischen Friedensordnung

Dreitägige Konferenz auf hoher See

Weitgestecktes Friedensprogramm / Lord Beaverbrook in Washington

Die Kriegsmateriallieferung an Rußland

In Berlin ohne Ueberraschung zur Kenntnis genommen

◀ Zum ersten Mal während des Kriegs: Deutsche und italienische Soldaten gehen in hoher Zahl in Kriegsgefangenschaft (El Alamein 24. Oktober 1942). ~ Imperial War Museum, London (395)

◀ Operation „Husky“: Landung britischer und amerikanischer Truppen an der Südostküste Siziliens (10. Juli 1943). ~ Bildarchiv Preußischer Kulturbesitz, Berlin (396)

◀ Das Kloster Monte Cassino: 1944 Brennpunkt der Kämpfe zwischen deutschen und alliierten Truppen in Mittelitalien. ~ Ullstein Bilderdienst, Berlin (397)

Anschlag (undatiert). ~ Institut für Zeitgeschichte, München – Berlin (398) ▼

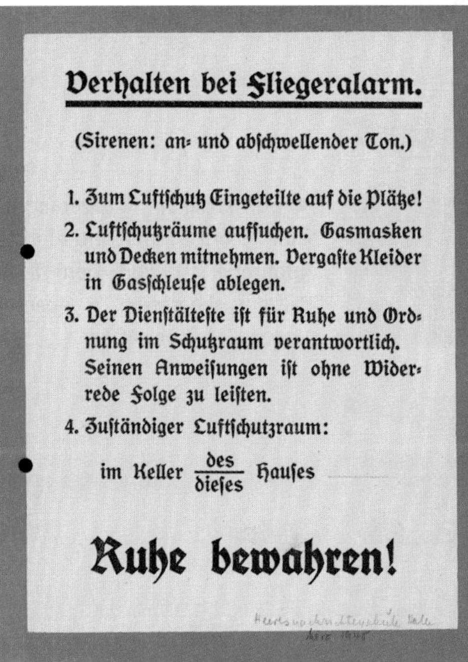

Verhalten bei Fliegeralarm.

(Sirenen: an- und abschwellender Ton.)

1. Zum Luftschutz Eingeteilte auf die Plätze!
2. Luftschutzräume aufsuchen. Gasmasken und Decken mitnehmen. Vergaste Kleider in Gasschleuse ablegen.
3. Der Dienstälteste ist für Ruhe und Ordnung im Schutzraum verantwortlich. Seinen Anweisungen ist ohne Widerrede Folge zu leisten.
4. Zuständiger Luftschutzraum:

im Keller des/dieses Hauses ______

Ruhe bewahren!

Plakat (undatiert). ~ Bundesarchiv, Koblenz (399) ▼

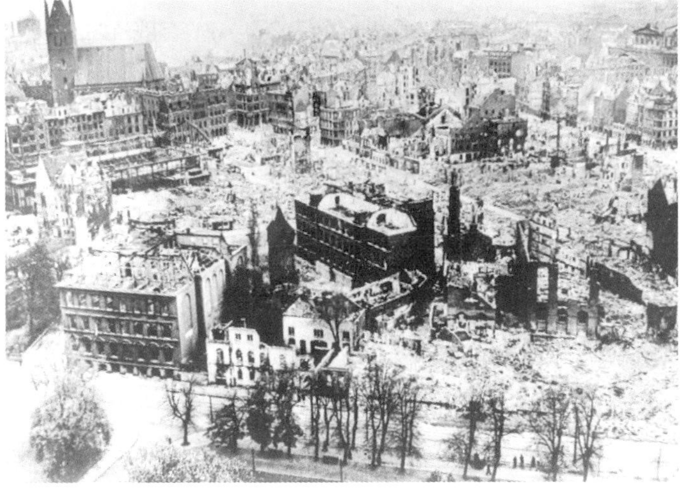

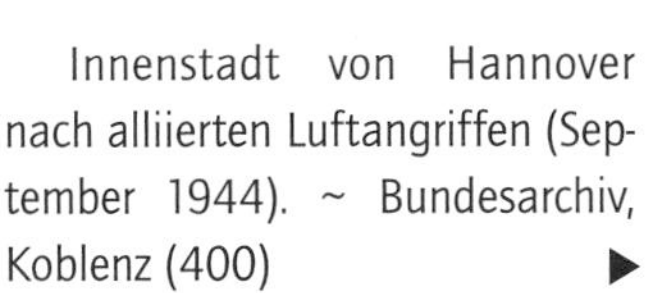

Innenstadt von Hannover nach alliierten Luftangriffen (September 1944). ~ Bundesarchiv, Koblenz (400) ▶

◀ Sowjetischer Panzerangriff (Juli 1943). Die mitgeführte Infanterie ist von den T 34-Panzern abgesessen. ~ Agentur Nowosti, Moskau (401)

◀ Einer der amerikanischen Landungsabschnitte bei der Invasion in der Normandie (8. Juni 1944). ~ Bilderdienst Süddeutscher Verlag, München (402)

◀ Britische Infanteristen überschreiten die Reichsgrenze. ~ Bilderdienst Süddeutscher Verlag, München (403)

Plakat: Die Alliierten zerreißen das Hakenkreuz (undatiert). ~ Staatsarchiv Luxemburg (404) ▶

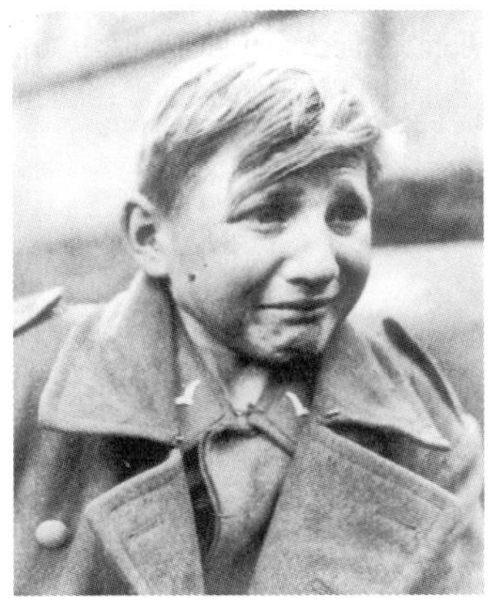

▲ Der 16jährige Luftwaffenhelfer Hans-Georg Henke während der letzten Kriegstage. ~ Bildarchiv Preußischer Kulturbesitz, Berlin (405)

Das „letzte Aufgebot"

Hitlers Erlaß vom 25. September 1944 verpflichtete alle bisher nicht eingezogenen Männer zwischen 16 und 60 Jahren zur Verteidigung des „Heimatbodens". Rund 6 Millionen Männer wurden als *Deutscher Volkssturm* in die Wehrmacht eingegliedert. Dieses letzte Aufgebot, kaum ausgebildet, schlecht bewaffnet und oft dilettantisch geführt, konnte militärisch nichts mehr ausrichten und erlitt bei seinem sinnlosen Einsatz hohe Verluste.

Volkssturmübung in der Nähe von Potsdam (Herbst 1944). ~ Bildarchiv Preußischer Kulturbesitz, Berlin/Foto: Hilmar Pabel (406) ▶

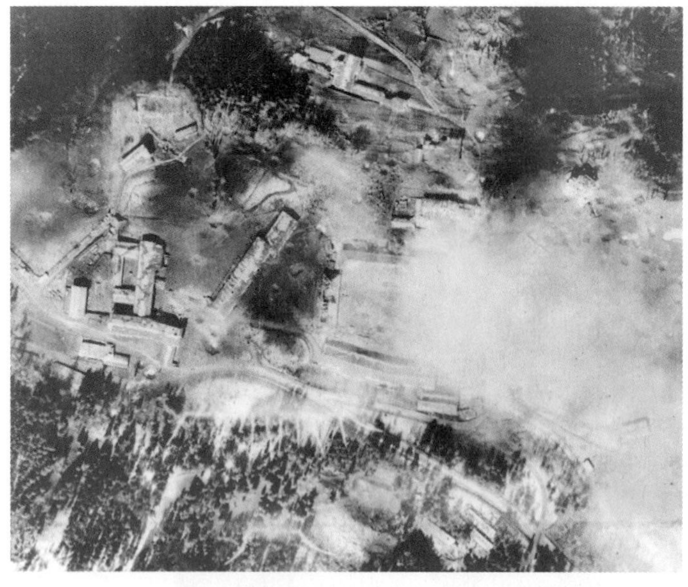

◀ Luftaufnahme der Royal Air Force: Der Obersalzberg nach der Bombardierung (25. April 1945). ~ Imperial War Museum, London (407)

Mythos Alpenfestung

Seit Sommer 1944 berichteten Schweizer Zeitungen von Plänen Hitlers, die deutschen Alpen zur Festung auszubauen. Aber erst Monate später forderte Franz Hofer, Gauleiter von Tirol-Vorarlberg, erstmals den Bau einer „Alpenfestung" im bayerisch-österreichischen Grenzgebiet. Erst zwei Tage vor seinem Tod gab Hitler eine entsprechende Weisung. Obwohl es die „Alpenfestung" gar nicht gab, brach General Eisenhower nach irrigen Geheimdienstberichten seinen Vormarsch auf Berlin ab, um einen Rückzug deutscher Truppen in die vermeintliche Alpenfestung zu verhindern. Dadurch konnte die Rote Armee bis weit nach Mitteldeutschland vorstoßen und Berlin alleine erobern.

Hitler verabschiedet sich mit seiner letzten Lüge aus der Weltgeschichte: Meldung einer Wandzeitung über Hitlers Tod. ~ Institut für Zeitgeschichte, München – Berlin (409) ▶

◀ Angehörige der 101st US-Airborne Division auf der Straße von Inzell nach Schneizlreuth (5. Mai 1945). ~ Privatbesitz Fredric Müller-Romminger, Bad Reichenhall (408)

Sonder-Ausgabe **Sonder-Ausgabe**

Verlagsleiter u. Hauptschriftleiter: Hermann Okraß. Hamburg. Druck und Verlag: Hamburger Tageblatt G.m.b.H., Hamburg 1, Pressehaus. RPK 4/130. Ruf 32 10 04 und 36 14 51 bis 36 14 59. Berliner Schriftleitg.: Berlin SW 11, Hedemannstraße 6. Ruf 11 15 42. Anzeigen nach Preisliste 1. Annahme vorbehaltlich der Genehmigung des Verlages. Postscheckkonto: Hamburg 306 70. Für Druckfehler infolge unleserlicher Schrift wird kein Ersatz geleistet.

HAMBURGER ZEITUNG

Kriegsarbeitsgemeinschaft der Zeitungen
HAMBURGER ANZEIGER • HAMBURGER FREMDENBLATT • HAMBURGER TAGEBLATT

Die Hamburger Zeitung erscheint Werktag nachm. • Bezugsbeding.: Ausg. A Hamburg, Ausg. B Harburg u. Niederelbe. Bei Bezug durch die Vertriebsstell. Bezugspreis monatl. RM 1.80 einschl. 35 Pfg. Vertriebsgebühr, bei Abhol. RM 1.70 einschl. 25 Pfg. Gebühr. • Nordwestdeutschland Ausg. R. übrig. Reichsgebiet Reichsausgabe (Hamburger Fremdenblatt). Postbezugspreis RM [illegible] monatl. einschl. 19 Pfg. Zeitungsgebühr und 36 Pfg. Bestellgeld.

Nr. 102 Mittwoch, 2. Mai 1945 Einzelpreis 10 Pfg., auswärts 15 Pfg.

Der Führer gefallen

Führerhauptquartier, 1. Mai 1945

Der Führer Adolf Hitler ist heute nachmittag auf seinem Befehlsstand in der Reichskanzlei, bis zum letzten Atemzuge gegen den Bolschewismus kämpfend, für Deutschland gefallen.

Nachdem der Soldatentod des Führers gestern abend über den Rundfunk der Nation mitgeteilt war, richtete Großadmiral Dönitz das Wort zu einer Botschaft an das deutsche Volk und einen Tagesbefehl an die Wehrmacht. Er sagte:

„Deutsche Männer und Frauen!
Soldaten der deutschen Wehrmacht!

Unser Führer ist gefallen. In tiefster Trauer und Ehrfurcht vereinigt sich das deutsche Volk. Frühzeitig hatte er die furchtbare Gefahr des Bolschewismus erkannt und diesem Ringen sein Dasein geweiht. Am Ende dieses seines Kampfes und seines unbeirrbaren geraden Lebensweges steht sein Heldentod in der Hauptstadt des Deutschen Reiches. Sein Leben war ein einziger Dienst für Deutschland. Sein Einsatz im Kampf gegen die bolschewistische Sturmflut galt darüber hinaus Europa und der gesamten Kulturwelt. Der Führer hat mich zu seinem Nachfolger bestimmt.

Im Bewußtsein der Verantwortung übernehme ich die Führung des deutschen Volkes in dieser schicksalsschweren Stunde. Meine erste Aufgabe ist es, die deutschen Menschen vor der Vernichtung durch den vordrängenden bolschewistischen Feind zu retten. Nur noch für dieses Ziel geht der militärische Kampf weiter. So weit und so lange die Erreichung dieses Zieles durch die Briten und Amerikaner behindert wird, werden wir uns auch gegen sie weiter verteidigen und weiter kämpfen müssen. Die Anglo-Amerikaner setzen dann den Krieg nicht mehr für ihre eigenen Völker, sondern allein für die Ausweitung des Bolschewismus in Europa fort.

Was das deutsche Volk in dem Ringen dieses Krieges kämpfend vollbracht und in der Heimat ertragen hat, ist geschichtlich einmalig. In der kommenden Notzeit unseres Volkes werde ich bestrebt sein, unseren tapferen Frauen, Männern und Kindern, soweit das in meiner Macht steht, erträgliche Lebensbedingungen zu schaffen. Zu all dem brauche ich Eure Hilfe. Schenkt mir Euer Vertrauen, denn Euer Weg ist auch mein Weg. Haltet Ordnung und Disziplin in Stadt und Land aufrecht. Tue jeder an seiner Stelle seine Pflicht.“

„Soldaten der deutschen Wehrmacht!
Meine Kameraden!

Der Führer ist gefallen. Getreu seiner großen Idee, die Völker Europas vor dem Bolschewismus zu bewahren, hat er sein Leben eingesetzt und den Heldentod gefunden. Mit ihm ist einer der größten Helden in die deutsche Geschichte eingegangen. In Stolz, Ehrfurcht und Trauer senken wir vor ihm die Fahnen. Der Führer hat mich zu seinem Nachfolger und Staatsoberhaupt und als Obersten Befehlshaber der Wehrmacht bestimmt. Ich übernehme den Oberbefehl über alle Teile der deutschen Wehrmacht mit dem Willen, den Kampf gegen den Bolschewismus so lange fortzusetzen, bis die kämpfenden Truppen und die Hunderttausende von Familien des deutschen Ostraumes vor der Versklavung oder Vernichtung gerettet sind.

Gegen Engländer und Amerikaner muß ich den Kampf so weit und so lange fortsetzen, wie sie mich in der Durchführung des Kampfes gegen die Bolschewisten hindern.

Die Lage erfordert von Euch, die Ihr schon so große geschichtliche Taten vollbracht habt und die Ihr jetzt das Ende des Krieges herbeisehnt, weiteren bedingungslosen Einsatz. Ich verlange Disziplin und Gehorsam. Nur durch vorbehaltlose Ausführung meiner Befehle werden Chaos und Untergang vermieden. Ein Feigling und Verräter ist, der sich gerade jetzt seiner Pflicht entzieht und damit deutschen Frauen und Kindern Tod oder Versklavung bringt.

Der dem Führer von Euch geleistete Treueid gilt nunmehr für jeden einzelnen von Euch ohne weiteres mir als dem vom Führer eingesetzten Nachfolger.

Deutsche Soldaten! Tut Eure Pflicht! Es gilt das Leben unseres Volkes!“

Karl Kaufmann an seine Hamburger

Um 23 Uhr richtete Karl Kaufmann, Gauleiter und Reichsstatthalter in Hamburg, sich mit folgender kurzer Ansprache über den Rundfunk an seine Hamburger:

Parteigenossen, Volksgenossen!

Es ist die schwerste Stunde unseres Volkes, wenn uns heute die Nachricht erreicht, daß unser Führer kämpfend in des Reiches Hauptstadt gefallen ist. Was er uns alten Nationalsozialisten gewesen ist, was er für sein Volk erstrebt hat, das wird die Geschichte einmal von ihm künden. Was er uns hinterläßt, ist die unsterbliche Idee des nationalsozialistischen Reiches, und wozu wir verpflichtet sind, ist, in der tiefsten Notzeit unseres Volkes diesem Volke treu zu bleiben, für dieses Volk zu arbeiten, zu leben und zu sterben.

In dieser Stunde richte ich an Euch, Hamburger, meine heiße Bitte: Legt Euer Schicksal und Eure Zukunft vertrauensvoll wie bisher in meine Hand, folgt mir in unerschütterlichem Glauben und unerschütterlicher Disziplin auf diesem schweren Wege, den ich zu Ende gehen werde für das Wohl der mir anvertrauten Stadt und ihrer Menschen.

◀ Sowjetische Soldaten vor dem brennenden Reichstag (30. April oder 1. Mai 1945). ~ Bilderdienst Süddeutscher Verlag, München (410)

◀ Machtwechsel: Straßenumbenennung in Trier (12. Mai 1945). ~ Bilderdienst Süddeutscher Verlag, München (411)

6. August 1945: Abwurf der ersten Atombombe auf Hiroshima. ~ Ullstein Bilderdienst, Berlin (412) ▶

Zerstörtes Hiroshima. ~ Ullstein Bilderdienst, Berlin (413) ▶

Der Krieg und seine Folgen (C 8.4)

Die Zahl der Opfer des Zweiten Weltkriegs wird auf über 50 Millionen geschätzt, mehr als die Hälfte davon Zivilisten. Hinter dieser Zahl verbergen sich höchst unterschiedliche Schicksale. In den deutschen Zeitungen der späten Kriegsjahre beanspruchten die Listen mit der Überschrift „Gefallen für Führer und Vaterland" immer mehr Raum. Keine öffentlichen Listen gab es für die Opfer von Besatzungsterror, Kriegsgefangenschaft, Zwangsarbeit und rassischer Verfolgung, ebensowenig für die Opfer des Partisanenkriegs oder des alliierten Luftkriegs. Hunderttausende deutscher Soldaten blieben viele Jahre in sowjetischer Kriegsgefangenschaft. Millionen von Menschen waren vermißt. Ihr Schicksal konnte nie oder erst nach Jahren oder Jahrzehnten geklärt werden. Dieser totale wie globale Krieg unterschied nicht mehr zwischen Soldaten und Zivilisten, zwischen Männern und Frauen, zwischen Erwachsenen und Kindern und verursachte in bisher ungekanntem Ausmaß Angst, Unfreiheit, Schmerz, Krankheit, Trennung, Hunger, Verwundung, Entfremdung, Verlassenheit, Tod. Selbst die Sieger, vor allem die Sowjetunion, mußten bitter für die politischen Chancen bezahlen, die ihnen dieser Krieg eröffnete. Noch bitterer war das Fazit für Deutschland und Japan: Sie trugen die Verantwortung für diesen Krieg. Für die meisten Deutschen vermischten sich die Kriegserfahrungen mit dem Erlebnis einer tiefgreifenden Niederlage. Sie war nicht allein eine militärische, sondern auch eine politische, wirtschaftliche, vor allem aber eine moralische Katastrophe. Die Atlantik-Charta, die alliierten Kriegskonferenzen und die Gründung der Vereinten Nationen (UN) waren der Versuch, eine neue Weltfriedensordnung zu schaffen. Die Teilung der Welt in zwei feindliche Machtblöcke und der Kalte Krieg konnten dadurch nicht verhindert werden.

◀ Ostpreußischer Flüchtlingstreck auf dem zugefrorenen Kurischen Haff (1945). ~ Bundesbildstelle, Berlin (414)

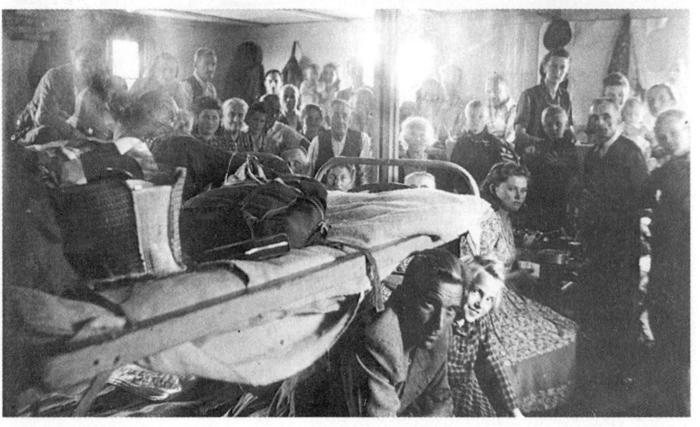

◀ Flüchtlingsnotaufnahmelager in Bayern (1950). Bis 1950 wurden in der Bundesrepublik etwa 8,5 Millionen Flüchtlinge und Vertriebene gezählt. ~ Bundesbildstelle, Berlin (415)

▲ © Institut für Zeitgeschichte, München – Berlin 1999 in Zusammenarbeit mit dem *Volksbund Deutsche Kriegsgräberfürsorge,* Kassel; Hersteller: Kartographie Huber, München (416)

Gedenket im Gebete
unseres lieben

Hansl Brandner

vom Spornhofhäusl
ehem. Fotograf am Obersalzberg
Obergefreiter in einer Nachrichtenabteilung

Am 28. Januar 1945
starb er den Heldentod im Alter
von 31 Jahren.

Fern der Heimat mußt ich sterben,
Fern von Euch, die ich geliebt;
Doch ich bin dorthin gegangen,
Wo es keinen Schmerz mehr gibt.
Dort am Gottes Gnadenthrone,
Will für Euch ich innig flehen
Daß dort drüben in der Heimat
Wir uns alle wiedersehen.

Buchdruckerei Fuchs, Berchtesgaden

Sterbebilder gefallener Soldaten aus Berchtesgaden. ~ Marktarchiv Berchtesgaden (418); Sterbebild Johann Brandner: Christoph Püschner, Hiddenhausen (417)

Spätheimkehrer (Oktober 1955). ~ Bildarchiv Preußischer Kulturbesitz, Berlin (419) ▶

▲ Deutscher Soldatenfriedhof in Lommel (Nordbelgien), ~ Volksbund Deutsche Kriegsgräberfürsorge, Kassel (420)

„Spätheimkehrer"

Etwa 3,06 Millionen deutscher Soldaten gerieten bis Kriegsende in sowjetische Kriegsgefangenschaft. Über eine Million starb in den Lagern. Die Sowjetunion beutete die Kriegsgefangenen unter harten materiellen Bedingungen als Arbeitskräfte für den Wiederaufbau des zerstörten Landes aus. Sie wurden deshalb nur nach und nach entlassen. Die letzten rund 10 000 deutschen Kriegsgefangenen kamen erst nach Verhandlungen von Bundeskanzler Adenauer in Moskau (September 1955) frei.

Alltag im Lager Friedland: Angehörige vermißter Soldaten erhoffen Auskunft zu ihren Angehörigen (Oktober 1955). ~ Bildarchiv Preußischer Kulturbesitz, Berlin (421) ▶

Die alliierten Kriegskonferenzen

Während des Kriegs versuchte die Anti-Hitler-Koalition in mehreren Konferenzen und Arbeitstreffen, ihre Strategie zu koordinieren. Es gab drei große Konferenzen der „Großen Drei“: Teheran (November-Dezember 1943), Jalta (Februar 1945) und Potsdam (Juli-August 1945). Diese Gespräche konnten indes die tiefen Gräben zwischen den beiden westlichen Demokratien und der stalinistischen Sowjetunion nur scheinbar überbrücken. Bereits in Potsdam, nach der deutschen Kapitulation, zeichnete sich der endgültige Bruch und damit der Beginn des „Kalten Kriegs“ ab.

◀ Konferenz von Jalta, 11. Februar 1945: Pressetermin im ehemaligen Zarenschloß von Liwadija, v.l.n.r. vorne: Churchill, Roosevelt, Stalin, dahinter die Außenminister R. Anthony Eden, Edward R. Stettinius, Wjatscheslaw M. Molotow, dahinter Sir Alexander Cadogan (Staatssekretär im Foreign Office) und der amerikanische Botschafter in Moskau William Averell Harriman. ~ Ullstein Bilderdienst, Berlin (422)

Alliierte Planungen für die Aufteilung Deutschlands in Besatzungszonen (1944)

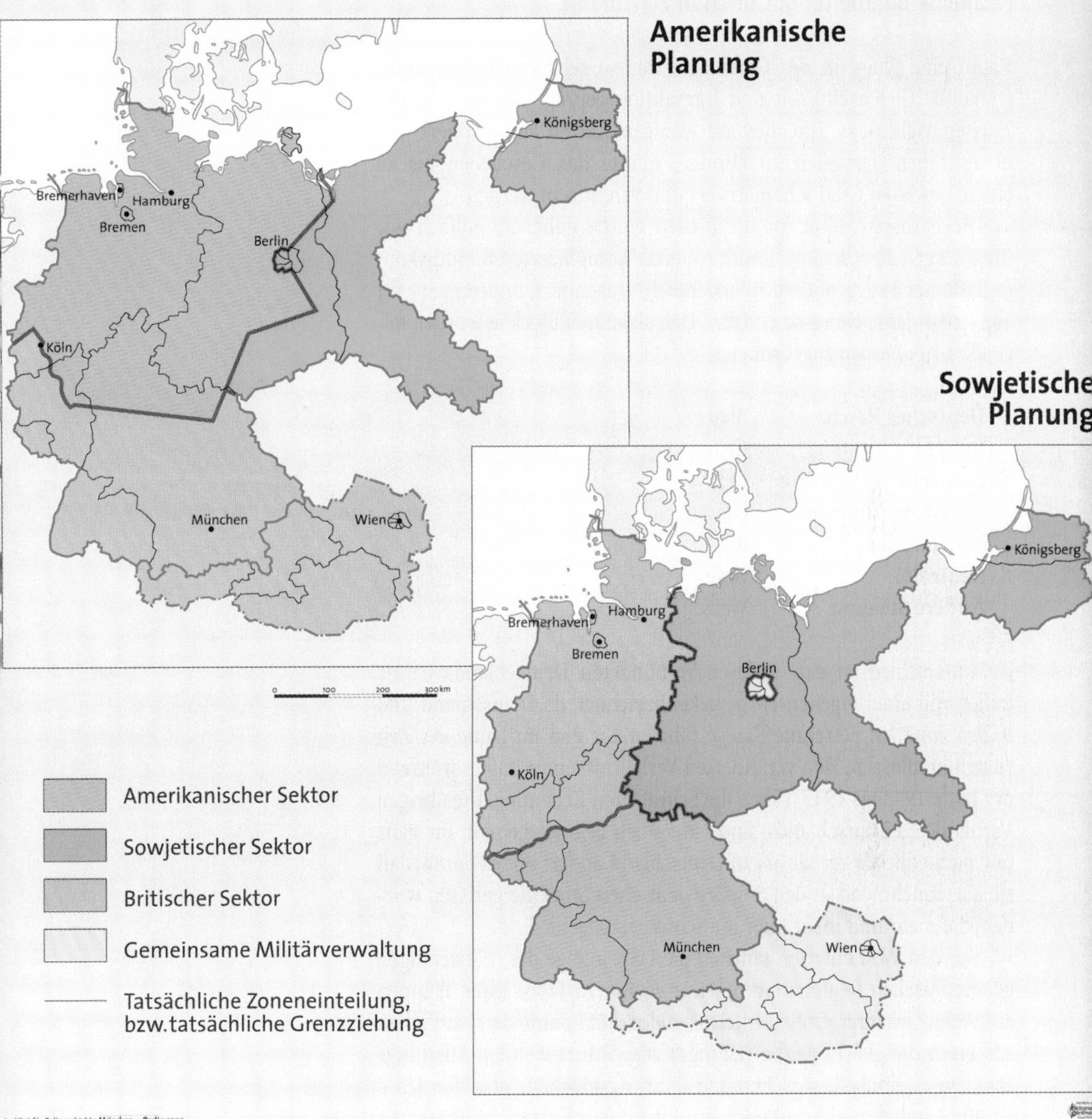

▲ © Institut für Zeitgeschichte, München - Berlin 1999; Hersteller: Kartographie Peckmann, Ramsau (423)

Kartographische Darstellung des Zweiten Weltkriegs (C 8.5)

Fachliche Bearbeitung: Christian Hartmann

Kaum eine Phase in der Geschichte war so sehr von Ereignisfülle, Dynamik, Gleichzeitigkeit und Interaktion geprägt wie die Zeit des Zweiten Weltkriegs. Um dies auf wenigen Karten komprimiert und übersichtlich darstellen zu können, mußte das Geschehen bis zu einem gewissen Grad schematisiert und vereinfacht werden.

Die Farbsystematik für die Karten wurde daher so einfach wie möglich gehalten, so daß sie einerseits die komplizierten Bündniskonstellationen einigermaßen übersichtlich präsentiert, andererseits für alle sieben Jahre Gültigkeit besitzt. Den einzelnen Blöcken wurden folgende *Grundfarben* zugeordnet:

Deutsches Reich:	Blau
Italien:	Grün
Deutsche Verbündete:	Gelb
Westliche Alliierte:	Orange
Sowjetunion:	Rot
Neutrale:	Grau
Andere Staaten:	Weiß

Im Unterschied zu den anderen Verbündeten Deutschlands wurde Italien mit einer eigenen Farbe gekennzeichnet, da Deutschland und Italien zunächst getrennte Kriege führten, die erst im Laufe der Zeit zusammenflossen. Den veränderten Verhältnissen in Italien während der Jahre 1943 bis 1945 tragen die Schraffuren Rechnung. Die übrigen Verbündeten Deutschlands sind einheitlich gelb ausgemalt. Ihr ganz unterschiedliches Verhältnis zu Deutschland ändert nichts daran, daß sie alle zunehmend in den Sog der deutschen Strategie gerissen wurden, die mehr und mehr über ihr Schicksal entschied.

Von den Westalliierten tauchen die USA infolge der notwendigen geographischen Begrenzung der Karten nur in Form ihrer Truppen auf. Aufgrund ihrer großen Interessenidentität konnte den westlichen Alliierten die gleiche Farbe (Orange) zugeordnet werden. Allerdings erschien es sinnvoll, zwischen den Führungsmächten, also den USA, Großbritannien und Frankreich, und den "assoziierten" Mächten, die auf den Karten ab 1943 erscheinen, durch Farbabstufungen zu unterscheiden. Dabei werden Staaten, die von der westlichen Allianz in der einen oder anderen Weise abhängig waren (Hellorange) von solchen unterschieden, die durch eine eigene Kriegserklärung an das Deutsche Reich gewissermaßen Bündnispartner wurden (Dunkelorange), selbst wenn ihre politische Souveränität faktisch weitgehend eingeschränkt war. Ein Beispiel: Der Irak, seit 1941 britisch besetzt und damit orange gefärbt, erklärte dem Deutschen Reich 1943 den Krieg und wechselt damit in diesem Jahr zur Farbe Dunkelorange; dagegen kam es während des Kriegs zu keiner Kriegserklärung Islands, das von angloamerikanischen Truppen okkupiert war, so daß es in diesen Karten seine hellorangene Farbe behält.

Die Sowjetunion gehörte zwar ab 1941 zur Anti-Hitler-Koalition, war aber wegen ihrer weitgehend autonomen Politik und Kriegführung, aber auch wegen der zentralen Rolle, die sie in der deutschen Strategie spielte, mit einer eigenen Farbe (Rot) auszuweisen. Die nach der Besetzung durch die Rote Armee mehr und mehr im sowjetischen Machtsystem aufgehenden Staaten Osteuropas sind in dieser Phase hellrot ausgemalt, auch wenn sie formal den Status selbständiger „Demokratien" besaßen.

Die Karten arbeiten nicht nur mit Farben, sondern auch mit Schraffuren, Ortsangaben, Operationspfeilen oder sonstigen Symbolen.

Die Operationspfeile stehen für die wichtigsten militärischen Operationen dieses Kriegs, also in der Regel für die Züge ganzer Armeen oder Heeresgruppen. In einigen Fällen wurden damit auch kleinere Operationen angezeigt, sofern sie eine verhältnismäßig große operative oder gar strategische Bedeutung besaßen, wie etwa das Kommandounternehmen gegen Dieppe (1942) oder der deutsche Luftkrieg im Irak (1941).

Der Kriegsverlauf spiegelt sich nicht nur in den Operationen, sondern auch in einzelnen Orten. Neben einigen Standardangaben wurden zusätzlich Jahr für Jahr diejenigen Orte aufgenommen, die jeweils besondere historische Bedeutung erlangten. So sind etwa Coventry auf der Karte von 1940, Lidice auf der von 1942 und Dresden schließlich auf der von 1945 zu finden.

Mit den Schraffuren wurden jene Gebiete gekennzeichnet, deren Status sich während eines Jahres substantiell veränderte – sei es, daß diese Staaten oder Territorien besetzt wurden, umkämpft waren oder aus eigenem Antrieb die Seiten wechselten. So wurde Finnland, aus dem im Laufe des Jahres 1940 allmählich ein deutscher Verbündeter wurde, grau/gelb oder das vichy-treue Syrien, im Juni 1941 von britischen und frei-französischen Truppen besetzt, gelb/hellorange schraffiert. Der neutrale Staat Iran, in den 1941 britische und sowjetische Truppen einmarschierten, benötigte sogar drei Farben (Grau/Hellorange/Hellrot).

Zu den unvermeidlichen Defiziten der Karten gehört, daß aus Formatgründen auf die Einbeziehung des ostasiatischen Kriegsschauplatzes verzichtet werden mußte. Die Angaben zum See- und Luftkrieg können jedoch wenigstens annäherungsweise die Globalität dieses Kriegs veranschaulichen.

Europäisches
Nordmeer
NORDKAP
Petsamo
Murman
Tromsö
Narvik
Reykjavik
ISLAND
(in Personalunion mit Dänemark)
Lulea
Oulu
Bottnischer Meerbusen
FÄRÖER (dän.)
Trondheim
Vaasa
FINNLAND
NORWEGEN
SHETLAND-INSELN
ORKNEY-INSELN
Scapa Flow
Bergen
SCHWEDEN
Helsinki
Finnischer Meerbusen
Mannerheiml
Oslo
Stockholm
Tallinn (Reval)
DAGÖ
ESTLAND
ÖSEL
Rigaischer Meerbusen
Atlantischer Ozean
Skagerrak
Kattegat
Göteborg
GOTLAND
Riga
LETTLAND
Westl. Dw
Glasgow
GROSS-
Nordsee
DÄNEMARK
Kopenhagen
Malmö
Ostsee
Memel
LITAUEN
Kaunas (Kowno)
Wilna
Belfast
IRLAND
Dublin
Manchester
BRITANNIEN
Königsberg
Danzig
Wilhelms-haven
Hamburg
Birmingham
NIEDERLANDE
Amsterdam
GROSS-
Bromberg (Bydgoszcz)
Weichsel
POLEN
Bialystok
Den Haag
Posen
Plymouth
London
Hannover
Berlin
Oder
Kutno
Lodz
Warschau
Brest-Litowsk
Str. v. Dover
Der Kanal
Brüssel
BELGIEN
Köln
Leipzig
Elbe
GENERAL-GOUVERNEMENT
Lublin
Bug
Cherbourg
Rhein
DEUTSCHES
REICHS-PROTEKTORAT
Gleiwitz
Brest
Seine
Lux
Westwall
Frankfurt/M.
Prag
BÖHMEN U. MÄHREN
Krakau
Lemberg
Paris
Maginotlinie
Stuttgart
Donau
SLOWAKEI
Nantes
Loire
Nancy
REICH
Bratislava (Preßburg)
Wien
München
x Obersalzberg
Budapest
FRANKREICH
Bern
SCHWEIZ
Graz
UNGARN
Szeged
RUMÄNI
Golf von Biscaya
Bordeaux
Lyon
Mailand
Ljubljana (Laibach)
Zagreb (Agram)
Venedig
Po
Donau
Bukares
Rhone
JUGOSLAWIEN
Belgrad
Donau
Genua
Toulouse
SAN MARINO
Adriatisches Meer
Zadar (Zara)
Sarajevo
Porto
MONACO
ANDORRA
Marseille
BULGA
Sofia
ITALIEN
PORTUGAL
SPANIEN
KORSIKA
Madrid
Lissabon
Barcelona
Skopje
Rom
Tirana
ALBANIEN (in Personalunion mit Italien)
Saloniki
Neapel
Valencia
SARDINIEN
GRIECHENLAN
Tyrrhenisches
Sevilla
BALEAREN (span.)
Meer
Mittelmeer
Athen
Ionisches Meer
Tanger
Gibraltar (brit.)
Algier
SIZILIEN
ER-RIF (span. Marokko)
Tunis
Rabat
Valletta
MALTA (brit.)
MAROKKO (franz.)
ALGERIEN (franz.)
TUNESIEN (franz.)
Kleine Syrte
Kriegseintritt außereuropäischer Staaten:
3.9.1939 Australien
3.9.1939 Indien
3.9.1939 Neuseeland
6.9.1939 Südafrikan. Union
10.9.1939 Kanada
Mareth-linie
Tripolis
Bengasi
Große Syrte
LIBYEN (ital.)
©ifz Institut für Zeitgeschichte, München-Berlin 1999

Europa im Zweiten Weltkrieg 1939

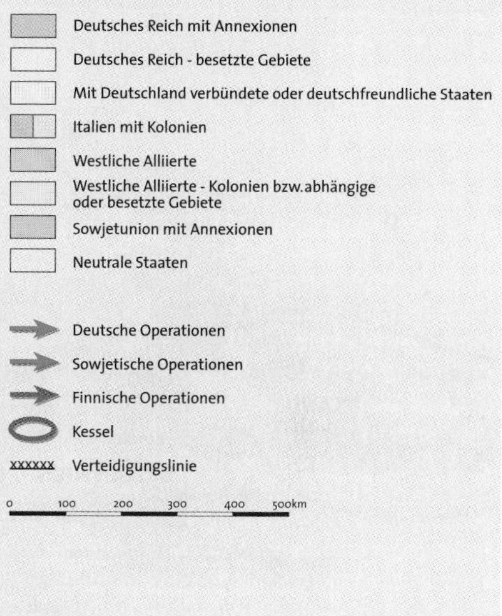

Chronologie:

Deutschland
- Überfall auf Polen am 1.9.1939

Polen
- Kriegseintritt am 1.9.1939
- Kapitulation bis zum 6.10.1939

Frankreich
- Kriegseintritt am 3.9.1939

Großbritannien
- Kriegseintritt am 3.9.1939

Slowakei
- Kriegseintritt am 5.9.1939

Sowjetunion
- Kriegseintritt am 17.9.1939
- Überfall auf Finnland am 30.11.1939

Finnland
- Kriegseintritt am 30.11.1939

◄ © Institut für Zeitgeschichte, München – Berlin 1999, Hersteller: Kartographie Peckmann, Ramsau (424)

Europäisches
Nordmeer
Atlantischer Ozean
max. Reichweite der deutschen Fernaufklärer
max. Reichweite der deutschen Bomber
max. Reichweite der deutschen Jäger
Reykjavik
ISLAND
(Britische Besetzung am 10.5.1940)
FÄRÖER
SHETLAND-INSELN
ORKNEY-INSELN
Scapa Flow
NORDKAP
Kirkenes
Murman
Tromsø
Narvik
Lulea
Oulu
Trondheim
Andalsnes
NORWEGEN
Bergen
Oslo
Kristiansand
Skagerrak
Kattegat
SCHWEDEN
Stockholm
Göteborg
GOTLAND
Malmö
Bottnischer Meerbusen
FINNLAND
Vaasa
Wiborg
Helsinki
Hangö
Finnischer Meerbusen
Mannerheiml
Lad
Leni
Tallinn
(Reval)
Nowgo
DAGÖ
ÖSEL
ESTLAND
Rigaischer Meerbusen
Pskov
(Pleska
Riga
LETTLAND
LITAUEN
Kaunas
(Kowno)
Wilna
Memel
Königsberg
Westl. Dv
Ostsee
Glasgow
Belfast
IRLAND
Dublin
GROSS-BRITANNIEN
Liverpool
Manchester
Birmingham
Coventry
Plymouth
London
Canterbury
Portsmouth
Der Kanal
Str. v. Dover
Nordsee
DÄNEMARK
Kopenhagen
Hamburg
Elbe
Oder
Danzig
Weichsel
NIEDERLANDE
Amsterdam
Den Haag
Rotterdam
Hannover
Berlin
Posen
Bialystok
Brest-Litowsk
Dünkirchen
BELGIEN
Brüssel
Arras
Ft. Eben Emael
Köln
GROSSDEUTSCHES REICH
Warschau
Litzmannstadt
(Lodz)
GENERAL-GOUVERNEMENT
Lublin
Bug
Leipzig
Cherbourg
Brest
Sedan
Lux.
Rhein
Frankfurt/M.
REICHSPROTEKTORAT
Prag
BÖHMEN U. MÄHREN
Krakau
Lemberg
Dnje
Compiègne
Paris
Seine
Westwall
Maginotlinie
Nantes
Montoire
Loire
Nancy
Stuttgart
Donau
SLOWAKEI
Bratislava
(Preßburg)
Wien
München
x Obersalzberg
UNGARN
FRANKREICH
Bern
SCHWEIZ
Brenner
Graz
Budapest
Klausenburg
Golf von Biscaya
Bordeaux
Vichy
Lyon
Rhone
Mailand
Po
Venedig
Ljubljana
(Laibach)
Zagreb
(Agram)
Szeged
RUMÄNI
Ploești
Bukares
Hendaye
Toulouse
Genua
MONACO
SAN MARINO
JUGOSLAWIEN
Belgrad
Donau
Porto
ANDORRA
Marseille
Adriatisches Meer
Zadar
(Zara)
Sarajevo
BULGA
Sofia
PORTUGAL
Lissabon
SPANIEN
Madrid
Barcelona
KORSIKA
ITALIEN
Rom
Skopje
Tirana
ALBANIEN
(in Personalunion mit Italien)
Saloniki
Valencia
SARDINIEN
Neapel
Tarent
Tyrrhenisches Meer
11./12.11.1940
GRIECHENLAND
Sevilla
BALEAREN
(span.)
Mittelmeer
Tanger
(intern. Zone)
Gibraltar
(brit.)
3./6.7.1940
Algier
Ionisches Meer
Athen
ER-RIF (span. Marokko)
Mers-el-Kebir
Oran
Tunis
SIZILIEN
Rabat
Valletta
MALTA
(brit.)
TUNESIEN
(franz. Protektorat)
ALGERIEN
(franz.)
MAROKKO
(franz. Protektorat)
Kleine Syrte
Tripolis
Bengasi
Große Syrte
LIBYEN (ital.)
©ifz Institut für Zeitgeschichte, München-Berlin 1999

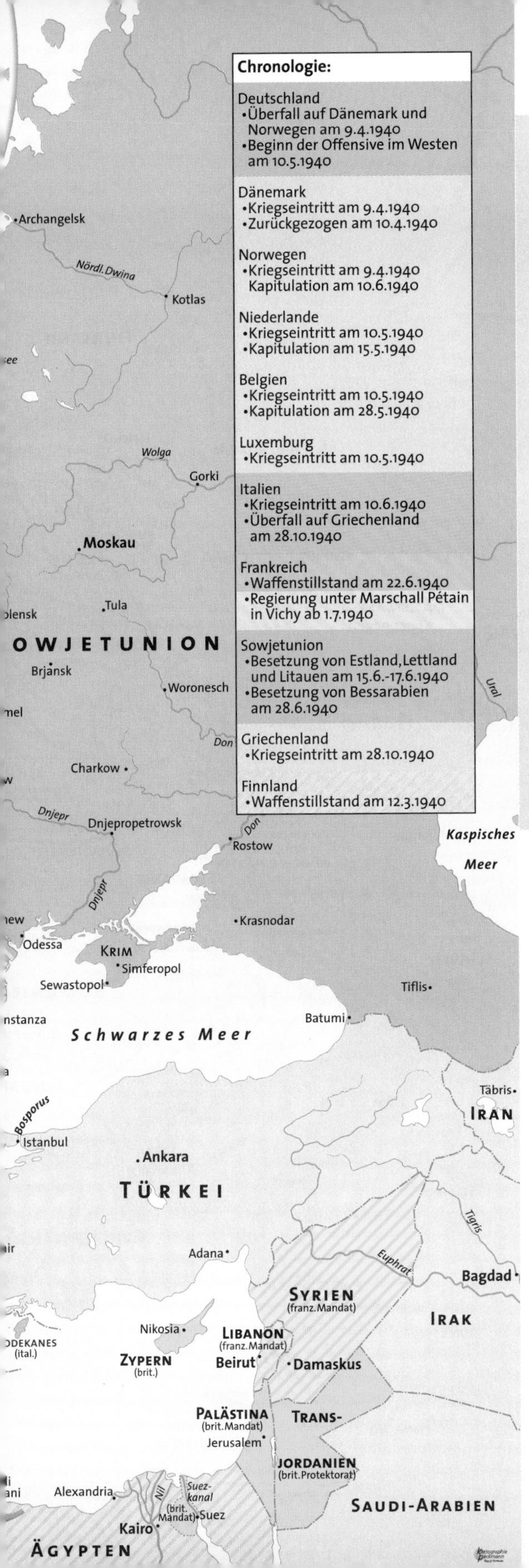

Chronologie:
Deutschland
•Überfall auf Dänemark und Norwegen am 9.4.1940
•Beginn der Offensive im Westen am 10.5.1940
Dänemark
•Kriegseintritt am 9.4.1940
•Zurückgezogen am 10.4.1940
Norwegen
•Kriegseintritt am 9.4.1940
Kapitulation am 10.6.1940
Niederlande
•Kriegseintritt am 10.5.1940
•Kapitulation am 15.5.1940
Belgien
•Kriegseintritt am 10.5.1940
•Kapitulation am 28.5.1940
Luxemburg
•Kriegseintritt am 10.5.1940
Italien
•Kriegseintritt am 10.6.1940
•Überfall auf Griechenland am 28.10.1940
Frankreich
•Waffenstillstand am 22.6.1940
•Regierung unter Marschall Pétain in Vichy ab 1.7.1940
Sowjetunion
•Besetzung von Estland, Lettland und Litauen am 15.6.-17.6.1940
•Besetzung von Bessarabien am 28.6.1940
Griechenland
•Kriegseintritt am 28.10.1940
Finnland
•Waffenstillstand am 12.3.1940
Archangelsk
Nördl. Dwina
Kotlas
Wolga
Gorki
Moskau
Tula
OWJETUNION
Brjansk
Woronesch
Ural
Don
Charkow
Dnjepr
Dnjepropetrowsk
Rostow
Kaspisches Meer
Krasnodar
Odessa
Krim
Simferopol
Sewastopol
Tiflis
nstanza
Batumi
Schwarzes Meer
Täbris
Iran
Bosporus
Istanbul
Ankara
Türkei
Tigris
Adana
Euphrat
Bagdad
Syrien
(franz. Mandat)
Irak
Nikosia
Libanon
(franz. Mandat)
DEKANES
(ital.)
Zypern
(brit.)
Beirut
Damaskus
Palästina
(brit. Mandat)
Trans-
Jerusalem
Jordanien
(brit. Protektorat)
Alexandria
Nil
Suez-kanal
(brit. Mandat)
Suez
Saudi-Arabien
Kairo
Ägypten

Europa im Zweiten Weltkrieg 1940

Deutsches Reich mit Annexionen
Deutsches Reich - besetzte Gebiete
Mit dem Deutschen Reich verbündete oder deutschfreundliche Staaten
Italien mit Kolonien
Westliche Alliierte
Westliche Alliierte - Kolonien bzw. abhängige oder besetzte Gebiete
Sowjetunion mit Annexionen
Neutrale Staaten
Deutsche Operationen
Deutsche Luftlandeoperationen
Italienische Operationen bzw. Rückzüge
Westliche Alliierte - Operationen bzw. Rückzüge
Sowjetische Operationen
Finnische Operationen
Geleitzüge
Hauptverlustzone der Geleitzüge
Verteidigungslinie
0 100 200 300 400 500km

◄ © Institut für Zeitgeschichte, München – Berlin 1999, Hersteller: Kartographie Peckmann, Ramsau (425)

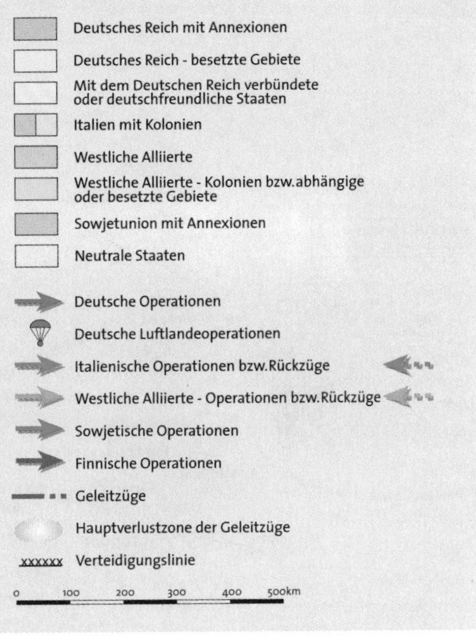

Sommerrouten
max. Reichweite der deutschen Fernaufklärer
max. Reichweite der deutschen Bomber
Gefahrenzone
Europäisches
Nordmeer
NORDKAP
Altafjord
Kirkenes
Murma
Tromsö
Narvik
Bodo
Reykjavik
ISLAND
Lulea
Oulu
Bottnischer Meerbusen
max. Reichweite der alliierten Bomber
Winterroute
FÄRÖER
Gefahrenzone
Trondheim
FINNLAND
Vaasa
Andalsnes
Atlantischer Ozean
SHETLAND-INSELN
ORKNEY-INSELN
Scapa Flow
NORWEGEN
Bergen
SCHWEDEN
Helsinki
Wiborg
Finnischer Meerbusen
Tallinn (Reval)
Leningr
Nowgo
Oslo
Stockholm
DAGÖ
ÖSEL
ESTLAND
Pskov (Plesk)
Atlantikkonferenz mit Verkündigung der Atlantikcharta am 12./14.8.1941
Kristiansand
Skagerrak
Kattegat
Göteborg
GOTLAND
Rigaischer Meerbusen
Riga
REICHS-
LETTLAND
Dünaburg
Glasgow
max. Reichweite der deutschen Bomber
Belfast
GROSS-
BRITANNIEN
DÄNEMARK
Kopenhagen
Malmö
Memel
KOMMISSARIAT
LITAUEN
Kaunas (Kowno)
OSTLAND
Wilna
IRLAND
Dublin
Nordsee
Ostsee
Königsberg
Danzig
Wolfsschanze
Manchester
Kiel
Hamburg
Birmingham
Coventry
NIEDERLANDE
Amsterdam
Den Haag
Rotterdam
GROSS-
DEUTSCHES
REICH
Bialystok
Weichsel
Oder
Elbe
Posen
Berlin
Hannover
Plymouth
max. Reichweite der deutschen Jäger
London
Warschau
Brest-Litowsk
Str. v. Dover
Der Kanal
Cherbourg
Brüssel
BELGIEN
Köln
Leipzig
Litzmannstadt (Lodz)
Lublin
GENERAL-
GOUVERNEMENT
Bug
REICH
KOMMISS
Brest
Rhein
Seine
Lux.
Frankfurt/M.
REICHS-PROTEKTORAT
Prag
BÖHMEN U. MÄHREN
Krakau
Lemberg
Seeoperationen
Lorient
Paris
Stuttgart
Donau
SLOWAKEI
St Nazaire
Nantes
Loire
Nancy
Bratislava (Preßburg)
max. Reichweite der alliierten Jäger
München
Wien
Obersalzberg
Budapest
FRANKREICH
La Rochelle
Bern
SCHWEIZ
Graz
UNGARN
Klausenburg
Golf von Biscaya
Bordeaux
Vichy
Lyon
Szeged
Ljubljana (Laibach)
Zagreb (Agram)
(zu Ungarn)
RUMÄNIE
VICHY-FRANKREICH
Mailand
Venedig
Po
JUGOSLAWIEN
Ploești
Rhone
Bukarest
Toulouse
Genua
SAN MARINO
KROATIEN (Unabhängig ab 10.4.1941)
Belgrad
SERBIEN
Porto
MONACO
Marseille
ANDORRA
Zadar (Zara)
Sarajevo
MONTENEGRO
BULGA
Sofia
PORTUGAL
Lissabon
SPANIEN
Madrid
Barcelona
KORSIKA
ITALIEN
Adriatisches Meer
Dubrovnik
Skopje
MAZEDONIEN (zu Bulg.)
Metaxas-linie
Rom
Tirana
ALBANIEN (in Personalunion mit Italien)
Valencia
Neapel
SARDINIEN
Saloniki
Sevilla
BALEAREN (span.)
Tyrrhenisches Meer
GRIECHENLAND
Mittelmeer
Ionisches Meer
Athe
Tanger (intern. Zone)
Gibraltar (brit.)
Algier
Malta-Luftschirm
SIZILIEN
ER-RIF (span. Marokko)
Mers-el-Kebir
Oran
Tunis
Kap Matapan
26.-29.3.1941
Rabat
MALTA (brit.)
Valletta
MAROKKO (franz.)
ALGERIEN (franz.)
TUNESIEN (franz.)
Britischer Vormarsch bis 8. Februar 1941
Derna
Tobruk
Bengasi
Bajda
Fumm
LIBYEN (ital.)
El Agheila
Kleine Syrte
deutsche Truppen ab Febr. 1941
Tripolis
Derna
El Mikili
Bengasi
Große Syrte
El Agheila
Britischer Vorm bis Ende Dezemb
Agedabia
LIBYEN (ital.)
Kriegseintritt außereuropäischer Staaten:
9.12.1941 China, Frankreich (Exilregierung)
11.12.1941 USA, Kuba, Dominikan. Rep., Guatemala, Nicaragua, Haiti
12.12.1941 Honduras, El Salvador
17.12.1941 Tschechoslowakei (Exilregierung)
7.12.1941:
Japanischer Überfall auf den US-Flottenstützpunkt Pearl Harbor;
Beginn des amerikanisch-japanischen Krieges

Europa im Zweiten Weltkrieg 1941

- Deutsches Reich mit Annexionen
- Deutsches Reich - besetzte Gebiete
- Unter einem Chef der Zivilverwaltung stehende Gebiete
- Mit dem Deutschen Reich verbündete oder deutschfreundliche Staaten
- Italien mit Kolonien und besetzten Gebieten
- Westliche Alliierte
- Westliche Alliierte - Kolonien bzw. abhängige oder besetzte Gebiete
- Sowjetunion mit Annexionen
- Sowjetunion - besetzte Gebiete
- Neutrale Staaten
- Deutsche und verbündete Truppen - Operationen
- Deutsche Luftlandeoperationen
- Deutsch-italienische Operationen
- Italienische Operationen bzw. Rückzüge
- Westliche Alliierte - Operationen bzw. Rückzüge
- Sowjetische Operationen
- Kessel
- Geleitzüge
- Hauptverlustzone der Geleitzüge
- xxxxxx Verteidigungslinie

0 100 200 300 400 500km

Sommerrouten
Europäisches
Nordmeer
Atlantischer Ozean
max. Reichweite der deutschen Fernaufklärer
max. Reichweite der alliierten Bomber
max. Reichweite der deutschen Bomber
Winterroute
Gefahrenzone
Reykjavik
ISLAND
FÄRÖER
SHETLAND-INSELN
ORKNEY-INSELN
Scapa Flow
NORDKAP
Altafjord
Tromsö
Kirkenes
Limak-hamari
Murma
Narvik
LAPPLAND
Bodö
Lulea
Oulu
Bottnischer Meerbusen
Trondheim
Andalsnes
Vaasa
FINNLAND
NORWEGEN
Bergen
SCHWEDEN
Helsinki
Finnischer Meerbusen
Oslo
Stockholm
Tallinn (Reval)
DAGÖ
ESTLAND
Kristiansand
Skagerrak
ÖSEL
Rigaischer Meerbusen
Göteborg
Kattegat
GOTLAND
Ostsee
Riga
LETTLAND
Dünaburg
REICHS-
KOMMISSARIAT
Glasgow
Belfast
GROSS-
BRITANNIEN
Nordsee
DÄNEMARK
Kopenhagen
Malmö
Memel
LITAUEN
Kaunas (Kowno)
OSTLAND
Wilna
IRLAND
Dublin
Manchester
Königsberg
Danzig
Wolfsschanze
Lübeck
Rostock
Bialystok
Birmingham
Norwich
NIEDERLANDE
Amsterdam
Bremen
Hamburg
Elbe
Oder
Weichsel
Bath
max. Reichweite der deutschen Jäger
London
Den Haag
Rotterdam
Hannover
Berlin
Posen
Brest-Litowsk
Plymouth
Exeter
Canterbury
Str. v. Dover
Essen
Duisb.
Dortmund
Düsseldorf
GROSSDEUTSCHES
Warschau
Litzmannstadt (Lodz)
Der Kanal
Brüssel
Lublin
Kanaldurchbruch 12.2.1942
19.8.1942
BELGIEN
Köln
Leipzig
GENERAL-
Cherbourg
Dieppe
Amiens
Rhein
Brest
Seeoperationen
Frankfurt/M.
REICHS-PROTEKTORAT
Lidice
Prag
BÖHMEN U. MÄHREN
Auschwitz
Krakau
Lemberg
Seine
Lux.
Zakopane
GOUVERNEMENT
Lorient
Paris
Saarbrücken
Karlsruhe
Donau
SLOWAKEI
St Nazaire
Nantes
Loire
Nancy
Stuttgart
REICH
Bratislava (Preßburg)
Wien
max. Reichweite der alliierten Jäger
FRANKREICH
München
x Obersalzberg
Budapest
La Rochelle
Bern
SCHWEIZ
UNGARN
Klausenburg
Golf von Biscaya
Vichy
Lyon
Graz
Szeged
Bordeaux
VICHY-FRANKREICH (ab 11.11.1942 v. deutschen Truppen besetzt)
Mailand
Venedig
Po
Ljubljana (Laibach)
Zagreb (Agram)
RUMÄN
Toulouse
Rhone
Genua
SAN MARINO
KROATIEN
Belgrad
SERBIEN
Bukares
Porto
Marseille
Toulon
MONACO
La Ciotat
ANDORRA
Zadar (Zara)
Sarajevo
MONTENEGRO
BULGA
Sofia
PORTUGAL
Lissabon
SPANIEN
Madrid
Barcelona
KORSIKA
ITALIEN
Adriatisches Meer
Dubrovnik
Skopje
MAZEDONIEN
Rom
Tirana
ALBANIEN (in Personalunion mit Italien)
Saloniki
Valencia
Neapel
SARDINIEN
GRIECHENLAN
Sevilla
BALEAREN (span.)
Tyrrhenisches Meer
Gibraltar (brit.)
Mittelmeer
11.-13. Aug. 1942 - Maltageleitzug
Ionisches Meer
Tanger (intern. Zone)
ER-RIF (span. Marokko)
Mers-el-Kebir
Oran
Algier
Bône
Biserta
Tunis
Malta-Luftschirm
SIZILIEN
Catania
Rabat
Casablanca
Valletta
MALTA (brit.)
MAROKKO (franz.)
ALGERIEN (franz.)
(Kapitulation der vichy-französischen Truppen am 10.11.1942)
TUNESIEN (franz.)
Kleine Syrte
Tripolis
Derna
El Mikili
Bengasi
Bir Ha
Große Syrte
Syrte
El Agheila
Beda Fumm
LIBYEN (ital.)
Kriegseintritt außereuropäischer Staaten:
19. 1. 1942 Panama
22. 5.1942 Mexiko
25. 8.1942 Brasilien
1.12.1942 Äthiopien
©ifz Institut für Zeitgeschichte, München-Berlin 1999

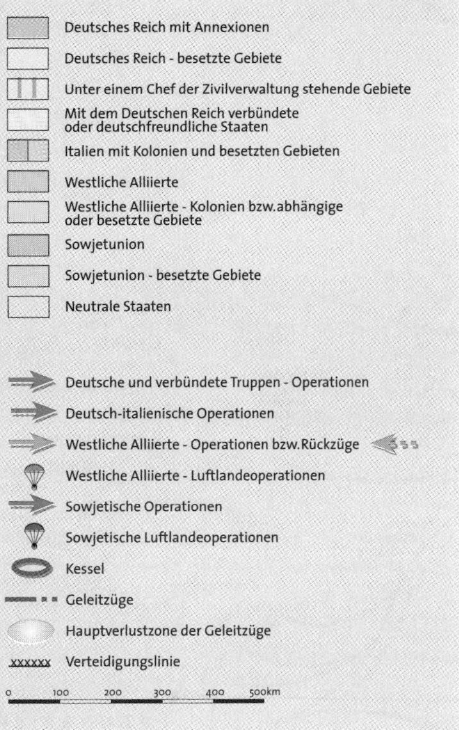

◄ © Institut für Zeitgeschichte, München - Berlin 1999, Hersteller: Kartographie Peckmann, Ramsau (427)

Sommerrouten
Europäisches
max. Reichweite der deutschen Bomber
Nordkap
Kirkenes
Murma
Tromsö
Narvik
Reykjavik
Island
max. Reichweite der deutschen Fernaufklärer
max. Reichweite der alliierten Bomber
Nordmeer
Winterroute
Lulea
Oulu
Bottnischer Meerbusen
Färöer
Trondheim
Vaasa
Finnland
Andalsnes
Shetland-Inseln
Norwegen
Bergen
Helsinki
Finnischer Meerbusen
Orkney-Inseln
Scapa Flow
Oslo
Schweden
Stockholm
Tallinn (Reval)
Dagö
Estland
Atlantischer Ozean
Kristiansand
Skagerrak
Ösel
Rigaischer Meerbusen
Glasgow
Göteborg
Kattegat
Gotland
Riga
Reichs-
Lettland
max. Reichweite der deutschen Bomber
Belfast
Gross-
Dänemark
Kopenhagen
Nordsee
Malmö
Ostsee
Memel
Kommissariat
Litauen
Kowno (Kaunas)
Ostland
Irland
Dublin
Manchester
Königsberg
Wilna
Peenemünde
Danzig
Wolfsschanze
Britannien
Lübeck
Rostock
Bialystok
Birmingham
Niederlande
Amsterdam
Bremen
Hamburg
Elbe
Weichsel
max. Reichweite der deutschen Jäger
Den Haag
Rotterdam
Hannover
Berlin
Oder
Posen
Litzmannstadt (Lodz)
Brest-Litowsk
London
24.5.1943 Abbruch der Geleitzugbekämpfung
Plymouth
Bournemouth
Str. v. Dover
Grossdeutsches
Warschau
Bug
Der Kanal
Brüssel
Belgien
Ruhrgebiet
Kassel
Lublin
Köln
Leipzig
General-
Cherbourg
Rhein
Reichs-protektorat
Auschwitz
Krakau
Lemberg
max. Reichweite der alliierten
Brest
Seeoperationen
Atlantikwall
Frankfurt/M.
Schweinfurt
Prag
Gouvernement
Lux.
Seine
Paris
Mannheim
Nürnberg
Böhmen u. Mähren
Lorient
Stuttgart
Donau
Slowakei
St Nazaire
Nancy
Reich
Bratislava (Preßburg)
Nantes
Loire
Wien
München
Frankreich
Schweiz
x Obersalzberg
Budapest
Ungarn
Klausenburg
La Rochelle
Bern
Graz
Szeged
Golf von Biscaya
Vichy
Lyon
Ljubljana (Laibach)
Rumäni
Bordeaux
Mailand
Salò
Po
Venedig
Zagreb (Agram)
Donau
Rhone
max. Reichweite der alliierten Jäger
Ploes
Kroatien
Belgrad
Bukare
Toulouse
Genua
Italien
Adriatisches Meer
Serbien
Porto
Zadar (Zara)
Sarajevo
Donau
Marseille
Monaco
Bulga
Andorra
Montenegro
Sofia
Portugal
Spanien
Korsika
Barcelona
Dubrovnik
Skopje
Lissabon
Madrid
Gran Sasso
Rom
Dt. Gustav-linie
Foggia
Tirana
Mazedonien
Bari
Neapel
Salerno
Albanien
Saloniki
Valencia
Sardinien
Tarent
Griechenlan
Sevilla
Tyrrhenisches Meer
Balearen (span.)
Ionisches Meer
Mittelmeer
Palermo
Messina
Kalávrita
Ath
Tanger (intern. Zone)
Gibraltar (brit.)
Malta-Luftschirm
Sizilien
Biserta
Mers-el Kebir
Oran
Algier
Bône
Tunis
Er-Rif (span. Marokko)
Rabat
Casablanca
(Kapitulation am 12./13.5.1943)
Valletta
Malta (brit.)
Casablanca: Konferenz vom 14.1.-25.1.1943
Algerien (frei-franz. Protektorat)
Marokko (frei-franz. Protektorat)
Kleine Syrte
Kriegseintritt außereuropäischer Staaten:
16.1.1943 Irak
7.4.1943 Bolivien
9.9.1943 Iran
27.11.1943 Kolumbien
Tunesien (franz.)
Tripolis
Bengasi
Große Syrte
Libyen (ital., ab 1943 brit. u. franz. verwaltet)
Syrte
El Agheila
Beda Fumm
©ifz Institut für Zeitgeschichte, München-Berlin 1999

Chronologie:

Italien
- Waffenstillstand mit den Alliierten am 3.9.1943
- Besetzung durch deutsche Truppen nach Bekanntgabe des Waffenstillstands am 8.9.1943
- Kriegserklärung der Badoglio-Regierung an Deutschland am 13.10.1943

Moskau: Konferenz vom 19.10.-30.10.1943

(Kapitulation vom 31.1.-2.2.1943)

Teheran: Konferenz vom 28.11.-1.12.1943

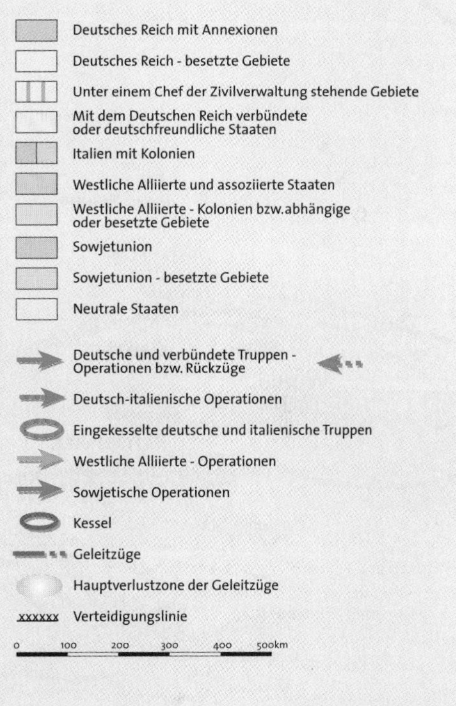

◀ © Institut für Zeitgeschichte, München - Berlin 1999, Hersteller: Kartographie Peckmann, Ramsau (428)

Europäisches Nordmeer
max. Reichweite der deutschen Fernaufklärer
max. Reichweite der deutschen Bomber
max. Reichweite der alliierten Bomber
Reykjavik
ISLAND
(Republik am 17.6.1944)
NORDKAP
Tromsö
Narvik
Kirkenes
Petsamo
Murm
Nautsi
Lulea
Oulu
Bottnischer Meerbusen
FINNLAND
Vaasa
FÄRÖER
Trondheim
Andalsnes
NORWEGEN
SHETLAND-INSELN
ORKNEY-INSELN
Scapa Flow
Bergen
Oslo
SCHWEDEN
Stockholm
Helsinki
Finnischer Meerbusen
Tallinn (Reval)
Narva
Wiborg
DAGÖ
ÖSEL
Rigaischer Meerbusen
Pskow (Pleskau)
Kristiansand
Skagerrak
Kattegat
Göteborg
GOTLAND
Riga
Daugavpils (Dünaburg)
Atlantischer Ozean
Glasgow
max. Reichweite der deutschen Bomber
Belfast
GROSS-BRITANNIEN
Nordsee
DÄNEMARK
Kopenhagen
Malmö
Ostsee
Memel
Kaunas (Kowno)
Wilna
IRLAND
Dublin
Manchester
Kiel
Lübeck
Peenemünde
Königsberg
Nemmersdorf
Gotenhfn. (Gdynia)
Danzig
Wolfsschanze x (Attentat auf Hitler am 20.7.1944)
Minsk
Birmingham
(Zonenprotokoll der „Europ. Beratenden Kommission“ am 14.11.1944)
Cuxhaven
Wilhelmshaven
Hamburg
Weichsel
Bialystok
NIEDERLANDE
Amsterdam
Den Haag
Arnheim
Hannover
Braunschweig
Magdeburg
Berlin
Posen
Warschau
Plymouth
max. Reichweite d. deutschen Jäger
London
GROSS-DEUTSCHES REICH
Litzmannstadt (Lodz)
Brest-Litowsk
Portsmouth
Str. v. Dover
Antwerpen
Ruhrgebiet
Halberstadt
Leuna
Leipzig
Elbe
Oder
Lublin
Der Kanal
Dünkirchen
Brüssel
BELGIEN
Kassel
Köln
Koblenz
Rhein
Sandomierz
max. Reichweite der alliierten Bomber
Cherbourg
Caen
Falaise
Seine
Frankfurt/M.
Mainz
REICHSPROTEKTORAT
Auschwitz
Brest
Avranches
Paris
Lux.
Westwall
Mannheim
Schweinfurt
Prag
BÖHMEN U. MÄHREN
Krakau
Lemberg
Lorient
Nancy
Straßburg
Karlsruhe
Stuttgart
Nürnberg
Dnjestr
St Nazaire
Nantes
Loire
SLOWAKEI
Bratislava (Preßburg)
FRANKREICH
Belfort
Freiburg
Ulm
München
Wien
UNGARN
Dijon
Bern
Friedrichshfn.
x Obersalzberg
Budapest
La Rochelle
Oradour s. Glarne
SCHWEIZ
max. Reichweite der alliierten Jäger bis Sommer 1944
Graz
Klausenburg
Golf von Biscaya
Ljubljana (Laibach)
Szeged
Bordeaux
Lyon
Rhone
Mailand
Salò
Triest
Venedig
Zagreb (Agram)
RUMÄNIEN
Verona
Po
Genua
Marzabotto
KROATIEN
Donau
Belgrad
Bukarest
Toulouse
MONACO
Gotenlinie
Adriatisches Meer
Zadar (Zara)
Sarajevo
SERBIEN
Porto
St. Tropez
SAN MARINO
Marseille
ANDORRA
Sofia
MONTENEGRO
PORTUGAL
SPANIEN
ITALIEN
Dubrovnik
BULGARIEN
Skopje
Lissabon
Madrid
Barcelona
KORSIKA
Rom
Monte Cassino
Tirana
Anzio/Nettuno
Foggia
Bari
ALBANIEN
Neapel
Valencia
SARDINIEN
Saloniki
Tarent
Tyrrhenisches Meer
Sevilla
BALEAREN (span.)
GRIECHENLAND
Mittelmeer
Ionisches Meer
Athen
Tanger (intern. Zone)
Gibraltar (brit.)
Palermo
Messina
SIZILIEN
Biserta
ER-RIF (span. Marokko)
Mers-el-Kebir
Oran
Algier
Bône
Tunis
Rabat
Casablanca
Valletta
MALTA (brit.)
MAROKKO (franz. Protektorat)
ALGERIEN (franz. Protektorat)
Kleine Syrte
TUNESIEN (franz. Protektorat)
Tripolis
Bengasi
Große Syrte
LIBYEN (brit. u. franz. verwaltet)
Syrte
El Agheila
Kriegseintritt außereuropäischer Staaten:
27. 1. 1944 Liberia
©ifz Institut für Zeitgeschichte, München-Berlin 1999

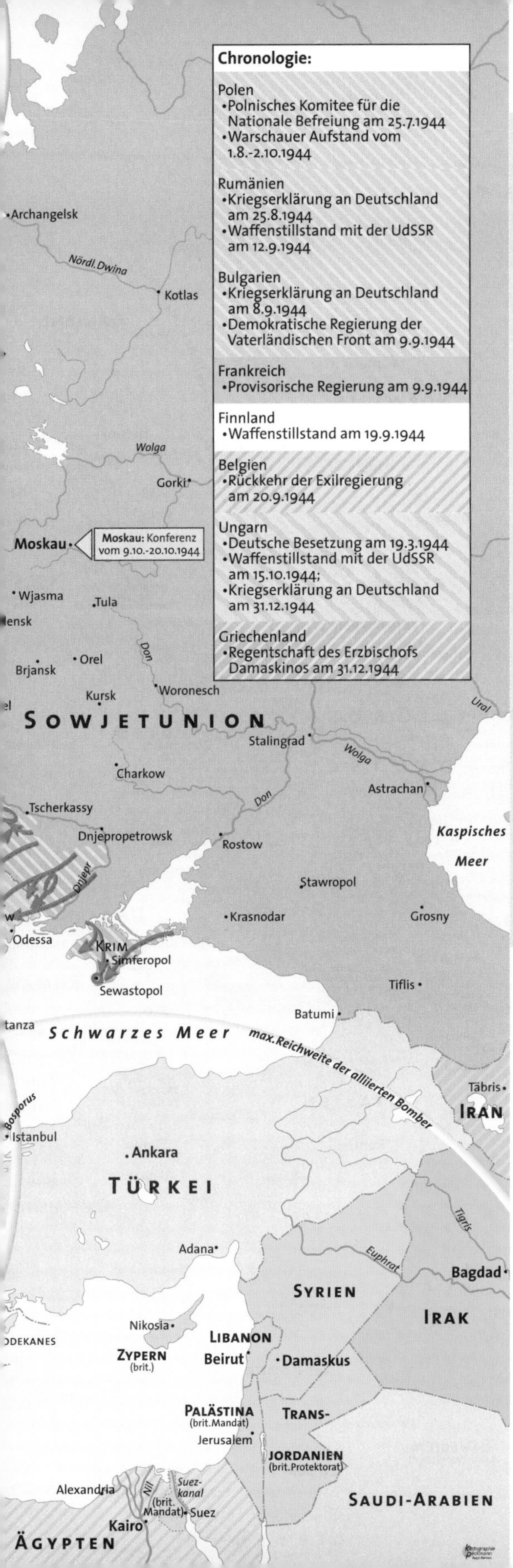

Chronologie:

Polen
- Polnisches Komitee für die Nationale Befreiung am 25.7.1944
- Warschauer Aufstand vom 1.8.-2.10.1944

Rumänien
- Kriegserklärung an Deutschland am 25.8.1944
- Waffenstillstand mit der UdSSR am 12.9.1944

Bulgarien
- Kriegserklärung an Deutschland am 8.9.1944
- Demokratische Regierung der Vaterländischen Front am 9.9.1944

Frankreich
- Provisorische Regierung am 9.9.1944

Finnland
- Waffenstillstand am 19.9.1944

Belgien
- Rückkehr der Exilregierung am 20.9.1944

Ungarn
- Deutsche Besetzung am 19.3.1944
- Waffenstillstand mit der UdSSR am 15.10.1944;
- Kriegserklärung an Deutschland am 31.12.1944

Griechenland
- Regentschaft des Erzbischofs Damaskinos am 31.12.1944

Moskau: Konferenz vom 9.10.-20.10.1944

Archangelsk
Nördl. Dwina
Kotlas
Wolga
Gorki
Moskau
Wjasma
Tula
Orel
Brjansk
Don
Kursk
Woronesch
SOWJETUNION
Ural
Stalingrad
Wolga
Charkow
Astrachan
Don
Tscherkassy
Dnjepropetrowsk
Rostow
Kaspisches Meer
Dnjepr
Stawropol
Krasnodar
Grosny
Odessa
KRIM
Simferopol
Sewastopol
Tiflis
Batumi
Schwarzes Meer
max. Reichweite der alliierten Bomber
Täbris
IRAN
Bosporus
Istanbul
Ankara
TÜRKEI
Tigris
Adana
Euphrat
Bagdad
SYRIEN
IRAK
Nikosia
ZYPERN (brit.)
LIBANON
Beirut
Damaskus
PALÄSTINA (brit. Mandat)
Jerusalem
TRANS-JORDANIEN (brit. Protektorat)
Alexandria
Nil
Suez-kanal
(brit. Mandat)
Suez
Kairo
SAUDI-ARABIEN
ÄGYPTEN

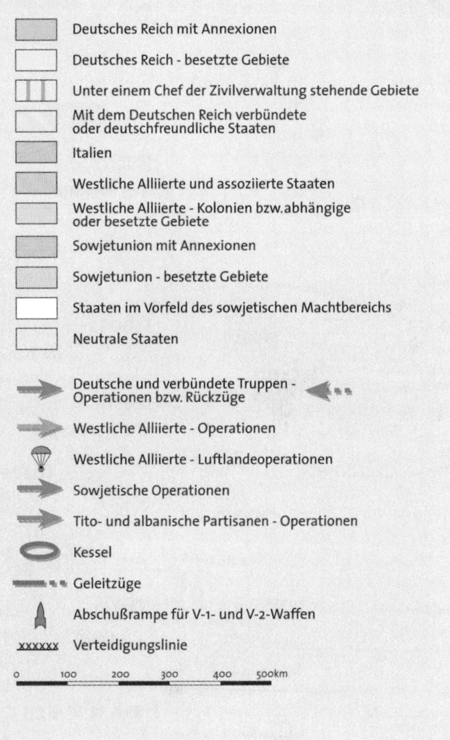

◄ © Institut für Zeitgeschichte, München – Berlin 1999, Hersteller: Kartographie Peckmann, Ramsau (429)

Europäisches Nordmeer
Atlantischer Ozean
max. Reichweite der alliierten Bomber
Nordsee
Ostsee
Der Kanal
Golf von Biscaya
Mittelmeer
Adriatisches Meer
Tyrrhenisches Meer
Ionisches Meer
Große Syrte
Kleine Syrte
Skagerrak
Kattegat
Bottnischer Meerbusen
Finnischer Meerbusen
Rigaischer Meerbusen
Str. v. Dover
NORDKAP
Kirkenes
Murm
Tromsö
Narvik
ISLAND
Reykjavik
FÄRÖER
SHETLAND-INSELN
ORKNEY-INSELN
Scapa Flow
NORWEGEN
Trondheim
Andalsnes
Bergen
Oslo
Kristiansand
SCHWEDEN
Stockholm
Göteborg
Malmö
Lulea
FINNLAND
Oulu
Vaasa
Helsinki
Tallinn (Reval)
Narva
DAGÖ
ÖSEL
GOTLAND
Riga
Daugavpils (Dünaburg)
(Kapitulation der Heeresgruppe Kurland am 10.5.1945)
Memel
Kaunas (Kowno)
Wilna
Königsberg
Bialystok
Brest-Litowsk
Lublin
Lemberg
GROSS-BRITANNIEN
Glasgow
Belfast
IRLAND
Dublin
Manchester
Birmingham
London
Plymouth
DÄNEMARK
Aarhus
Kopenhagen
Flensburg
Kiel
Lübeck
Stralsund
Peenemünde
Swinemünde
Kolberg
Gotenhfn. (Gdynia)
Danzig
Weichsel
Hamburg
Bremen
NIEDERLANDE
Den Haag
Amsterdam
Nimwegen
Antwerp.
Brüssel
BELGIEN
Dünkirchen
GROSS-DEUTSCHES REICH
Hannover
Berlin
B.-Karlshorst
Küstrin
Potsdam
Magdeburg
Ruhrgebiet
Köln
Remagen
Fulda
Leipzig
Torgau
Dresden
Elbe
Frankfurt/M.
Aschaffenburg
Würzburg
Mannheim
Nürnberg
Pforzheim
Stuttgart
Ulm
Augsburg
München
Donau
Obersalzberg
Rhein
Potsdam: Konferenz vom 17.7.-2.8.1945
POLEN
Posen
Warschau
Lodz
Breslau
Krakau
Auschwitz
Prag
SLOWAKEI
Bratislava (Preßburg)
Wien
Graz
(sowjet. ab 29.6.45)
UNGARN
Debrecen
Budapest
Szeged
Klausenbu
RUMÄN
Bukar
FRANKREICH
Cherbourg
Caen
Seine
Brest
Lorient
St.-Nazaire
Loire
Nantes
La Rochelle
Paris
Reims
Luxemb.
Bordeaux
Lyon
Rhone
Toulouse
Marseille
MONACO
ANDORRA
San Francisco: Konferenz vom 25.4.-26.6.1945
SCHWEIZ
Bern
Brenner
(Erschießung Mussolinis am 28.4.1945)
(Kapitulation der Heeresgruppe C am 29.4.1945)
Mailand
Salò
Triest
Ljubljana (Laibach)
Zagreb (Agram)
Venedig
Po
Genua
SAN MARINO
JUGOSLAWIEN
KROATIEN
Zadar (Zara)
Sarajevo
Belgrad
SERBIEN
MONTENEGRO
Dubrovnik
Sofia
BULGA
Skopje
Tirana
ALBANIEN
Saloniki
GRIECHENLA
ITALIEN
KORSIKA
Rom
Neapel
Tarent
SARDINIEN
Palermo
Messina
SIZILIEN
PORTUGAL
Porto
Lissabon
SPANIEN
Madrid
Barcelona
Valencia
Sevilla
BALEAREN (span.)
Gibraltar (brit.)
Tanger (intern. Zone)
ER-RIF (span. Marokko)
Rabat
Casablanca
MAROKKO (franz. Protektorat)
Mers-el-Kebir
Oran
Algier
ALGERIEN (franz. Protektorat)
Tunis
TUNESIEN (franz. Protektorat)
Valletta
MALTA (brit.)
Tripolis
Bengasi
Syrte
El Agheila
LIBYEN (brit. u. franz. verwaltet)
Kriegseintritt außereuropäischer Staaten:
2. 2. 1945 Ecuador
8. 2. 1945 Paraguay
12. 2. 1945 Peru
15. 2. 1945 Uruguay
16. 2. 1945 Venezuela
26.2. 1945 Ägypten
26.2. 1945 Syrien
27.2. 1946 Libanon
28.2. 1945 Saudi-Arabien
27.3. 1945 Argentinien
©ifz Institut für Zeitgeschichte, München-Berlin 1999

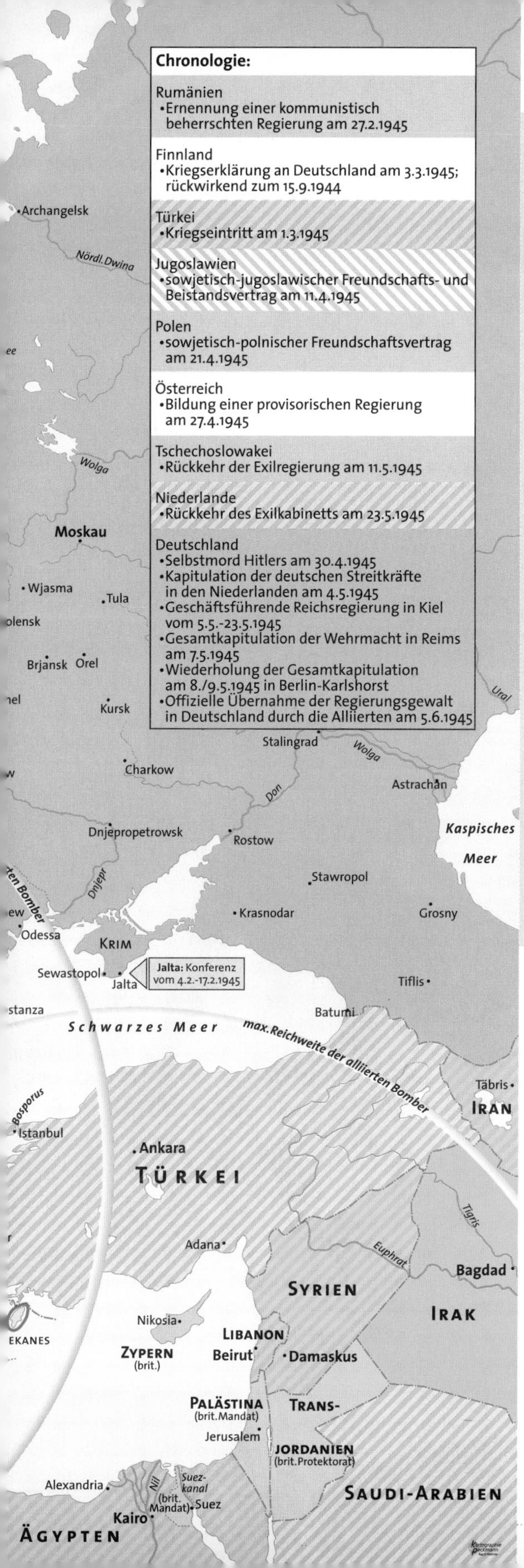

Chronologie:
Rumänien
•Ernennung einer kommunistisch beherrschten Regierung am 27.2.1945
Finnland
•Kriegserklärung an Deutschland am 3.3.1945; rückwirkend zum 15.9.1944
Türkei
•Kriegseintritt am 1.3.1945
Jugoslawien
•sowjetisch-jugoslawischer Freundschafts- und Beistandsvertrag am 11.4.1945
Polen
•sowjetisch-polnischer Freundschaftsvertrag am 21.4.1945
Österreich
•Bildung einer provisorischen Regierung am 27.4.1945
Tschechoslowakei
•Rückkehr der Exilregierung am 11.5.1945
Niederlande
•Rückkehr des Exilkabinetts am 23.5.1945
Deutschland
•Selbstmord Hitlers am 30.4.1945
•Kapitulation der deutschen Streitkräfte in den Niederlanden am 4.5.1945
•Geschäftsführende Reichsregierung in Kiel vom 5.5.-23.5.1945
•Gesamtkapitulation der Wehrmacht in Reims am 7.5.1945
•Wiederholung der Gesamtkapitulation am 8./9.5.1945 in Berlin-Karlshorst
•Offizielle Übernahme der Regierungsgewalt in Deutschland durch die Alliierten am 5.6.1945
Archangelsk
Nördl. Dwina
Wolga
Moskau
Wjasma
Tula
Brjansk
Orel
Kursk
Ural
Stalingrad
Wolga
Charkow
Don
Astrachan
Kaspisches Meer
Dnjepropetrowsk
Rostow
Dnjepr
Stawropol
Krasnodar
Grosny
Odessa
Krim
Sewastopol
Jalta
Jalta: Konferenz vom 4.2.-17.2.1945
Tiflis
Batumi
Schwarzes Meer
max. Reichweite der alliierten Bomber
Täbris
Iran
Bosporus
Istanbul
Ankara
Türkei
Tigris
Adana
Euphrat
Bagdad
Syrien
Irak
Nikosia
Libanon
Zypern (brit.)
Beirut
Damaskus
Palästina (brit. Mandat)
Trans-
Jerusalem
Jordanien (brit. Protektorat)
Alexandria
Nil
Suez-kanal
(brit. Mandat)
Suez
Kairo
Saudi-Arabien
Ägypten

Europa im Zweiten Weltkrieg 1945

- Deutsches Reich mit Annexionen
- Deutsches Reich - besetzte Gebiete
- Mit dem Deutschen Reich verbündete oder deutschfreundliche Staaten
- Italien
- Westliche Alliierte und assoziierte Staaten
- Westliche Alliierte - Kolonien bzw. abhängige oder besetzte Gebiete
- Sowjetunion mit Annexionen
- Sowjetunion - besetzte Gebiete
- Unter polnischer Verwaltung stehende ehem. deutsche Gebiete
- Staaten im Vorfeld des sowjetischen Machtbereichs
- Neutrale Staaten
- Deutsche und verbündete Truppen - Operationen bzw. Rückzüge
- Westliche Alliierte Operationen
- Westliche Alliierte - Luftlandeoperationen
- Sowjetische Operationen
- Tito-Partisanen - Operationen
- Kessel
- Geleitzüge
- Abschußrampe für V-1- und V-2-Waffen
- xxxxxx Verteidigungslinie

0 100 200 300 400 500km

◀ © Institut für Zeitgeschichte, München - Berlin 1999, Hersteller: Kartographie Peckmann, Ramsau (430)

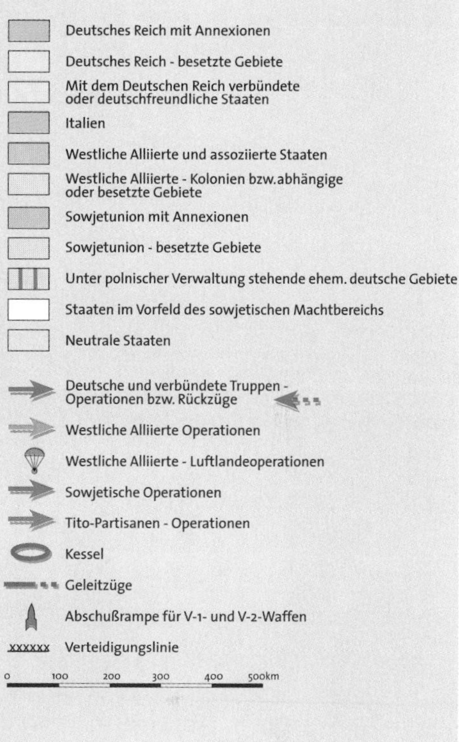

Die Bunkeranlage am
Obersalzberg

Die Bunkeranlage am Obersalzberg

Bunkeranlage am Obersalzberg

Stollenbreite:	1,20 -1,75 m
Stollenhöhe:	2,50 m
Stollenlänge:	2775 m
Kavernen-Zahl:	79
Kavernen-Breite:	2-3,50 m
Kavernen-Höhe:	2,50 m
Kavernen-Fläche:	4120 m²

◀ Innenaufnahme vom Bunker (Nachkriegszeit). ~ Institut für Zeitgeschichte, München - Berlin (431)

Der Bau der Bunkeranlage wurde im Sommer 1943 begonnen und bis kurz vor Kriegsende fortgesetzt. Das System besteht aus acht verschiedenen Einheiten:

- Berghof-Bunker
- OKW-Bunker („Platterhof-Bunker")
- Antenberg-Bunker
- Bormann-Bunker
- Göring-Bunker
- Bunker der Flakbefehlsstelle
- SS-Bunker
- Bunker auf der Klaushöhe.

Mit Ausnahme des schon 1941 gebauten Göring-Bunkers und der Bunker auf der Klaushöhe und dem Antenberg waren diese Bunker miteinander verbunden. Die Bunkeranlage war für einen längeren Aufenthalt eingerichtet: Sie enthielt Wohn-, Schlaf- und Speisezimmer, Arbeitsräume, Küchen, Bäder und Toiletten sowie eine Telefonanlage mit 800 Anschlüssen. Sie wurde durch tieferliegende Stollen mit Strom und Wasser versorgt und klimatisiert, MG-Stände sicherten den Zugang. Für militärische Zwecke war die Anlage untauglich. Sie war auch nie als Teil der „Alpenfestung" geplant. In der Anlage überlebten nicht die Funktionäre des Dritten Reichs, sondern mehr als tausend Arbeiter, als am 25. April 1945 britische Lancaster-Bomber den Obersalzberg angriffen.

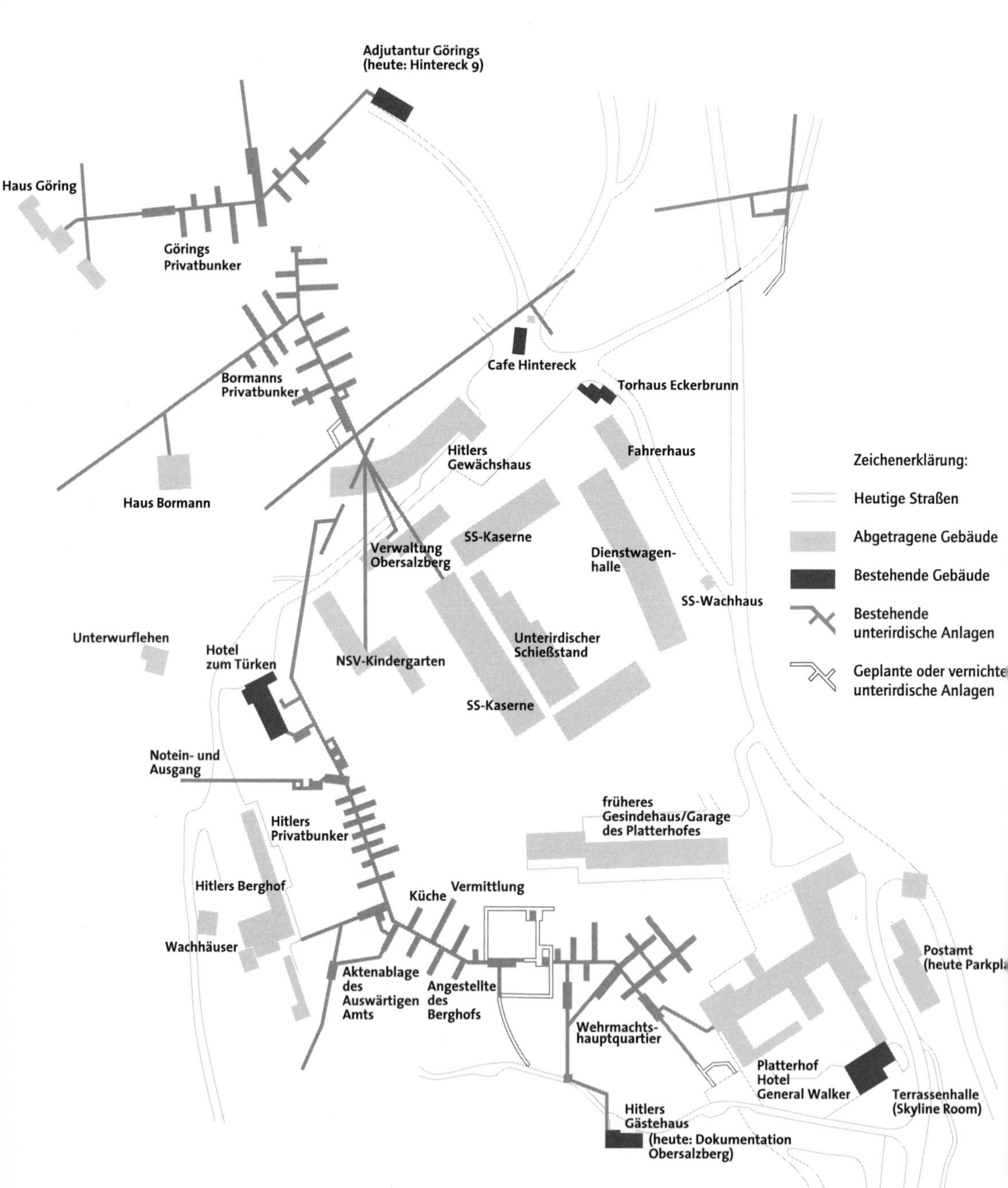

Lageplan/Grundriß der Bunkeranlage. ~ Institut für Zeitgeschichte, München – Berlin (432)
▼

Die Bunkeranlage

Bunkeranlage am Obersalzberg: ehemaliger Generatorenraum im OKW-Bunker (Aufnahme von 2000) ~ © Institut für Zeitgeschichte, München – Berlin/ Berchtesgadener Landesstiftung; Foto: Baumann-Schicht, Bad Reichenhall (433) ▶

Bunkeranlage am Obersalzberg/OKW-Bunker (Aufnahme von 2000) ~ © Institut für Zeitgeschichte, München – Berlin/ Berchtesgadener Landesstiftung; Foto: Baumann-Schicht, Bad Reichenhall (434) ▶

Berchtesgaden - Looters outside the 'Eagles Nest'

80/11

Albert A. Feiber

Vergangenheit, die bleiben wird. Der Obersalzberg nach 1945

Im Spätsommer 1948, wenig mehr als drei Jahre nach Kriegsende, führte die Kurdirektion Berchtesgaden unter prominenten Bürgern eine Umfrage über die zukünftige Nutzung des Obersalzbergs durch. Die Antwort des Pfarrers Otto Schüller ist charakteristisch für die Vorstellungen, die damals für die Zukunft des Berges in Erwägung gezogen wurden: „Hätte ich etwas zu sagen, dann würde ich zuerst einmal, endlich einmal, die Ruinen beseitigen lassen! ... Höchstens das Hitlerhaus würde ich stehen lassen als ein Mahnmal für kommende Geschlechter ... Den Platterhof und das Kehlsteinhaus würde ich an einen wirklich politisch Verfolgten verpachten ... Die Bauern müßten wieder zurückkehren ... Dann wäre auch die Zeit gekommen, die von Kardinal Faulhaber gewünschte Sühnekirche dort zu bauen ... Vom Kehlstein aus aber müßte ein großes Kreuz als Zeichen der Überwindung alles Leides und Zeichen der allesversöhnenden Liebe in das Land leuchten."[1]

◀ „Kleine Rast beim Plündern": Plünderer vor den Überresten des Berghofs. ~ Lee Miller Archives, East Sussex (435)

In der noch ganz unter dem Eindruck von Krieg und Verbrechen stehenden Stellungnahme des katholischen Pfarrers wird allein die auch zu diesem Zeitpunkt schon häufig erhobene Forderung nach touristischer Nutzung des Obersalzberg-Gebietes noch nicht offen angesprochen. Die Ergebnisse dieser Befragung, in einer Denkschrift veröffentlicht, wurden durch eine allgemeine Umfrage des *Berchtesgadener Anzeigers* drei Jahre später im wesentlichen bestätigt. Während jedoch 1948 die Mehrheit sich lediglich für eine Wiederbelebung des traditionellen Fremdenverkehrs aussprach, wie er bis 1933 am Obersalzberg bestanden hatte, forderten 1951 zahlreiche Bürger nicht nur eine „normale" wirtschaftliche Nutzung durch Bergbauern und Fremdenverkehr. Sie sahen vielmehr in der Vergangenheit des Berges als Hitlers Wahlheimat und den – damals noch bestehenden – steinernen Resten die Chance „für eine Einnahmequelle für die Gemeinde Salzberg"[2], „die mühelos erzielt werden könnte[n], in dem man die Besichtigung der Obersalzbergruinen mit einem Eintrittsgeld von mehreren DM pro Kopf belegt."[3] Schon unmittelbar nach Kriegsende wurde somit das bis heute charakteristische Spannungsverhältnis zwischen nationalsozialistischer Vergangenheit und wirtschaftlicher Nutzung, zwischen „Vermarktung und Verdrängung"[4] am Obersalzberg deutlich.

1 Zit. nach Schöner, Der alte Obersalzberg, S. 13.
2 Leserbrief, ohne Angabe von Beruf und Namen, *Berchtesgadener Anzeiger*, Nr. 93 vom 10./11. August 1951, S. 4.
3 Leserbrief eines Angestellten, *Berchtesgadener Anzeiger*, Nr. 93 vom 10./11. August 1951, S. 4.
4 Weiß, Spurensuche, S. 276.

Kriegsende am Obersalzberg

Am Abend des 4. Mai 1945, vier Tage früher als in Berlin, war der Krieg in Berchtesgaden und auf dem Obersalzberg mit dem Einmarsch amerikanischer Truppen beendet, denen wenig später französische Einheiten folgten. Mit der „Berliner Deklaration" vom 5. Juni 1945 übernahmen die Alliierten „in Anbetracht der Niederlage Deutschlands" die oberste Regierungsgewalt in Deutschland, die der amerikanische Oberbefehlshaber Dwight D. Eisenhower wenig später in seiner Proklamation Nr. 1 für seine Zone wiederholte. Schon im Mai, wenige Tage nach ihrem Einmarsch, hatten die Amerikaner vorläufige Bürgermeister und Landräte ernannt; seit dem 28. Mai 1945 gab es mit Fritz Schäffer wieder einen Bayerischen Ministerpräsidenten unter der Oberhoheit der amerikanischen Militärregierung, wenngleich Bayern als Land offiziell erst am 19. September 1945 zusammen mit Groß-Hessen und Württemberg-Baden wiedergegründet wurde.

In Berchtesgaden bestätigte die amerikanische Militärverwaltung noch im Mai den seit August 1944 als Landrat amtierenden Theodor Jacob. Im Juli 1945 ersetzte sie die bisherigen Bürgermeister durch neue, in ihren Augen unbelastete Persönlichkeiten: In Berchtesgaden wurde der Brauereibesitzer und Volkskundler Rudolf Kriß – als Opfer des *Volksgerichtshofs*, aber wider Willen – zum Bürgermeister ernannt; Josef Hallinger übernahm in der noch selbständigen Gemeinde Salzberg, in deren Hoheits- und Aufgabenbereich alle bisher von der Bormannschen *Verwaltung Obersalzberg* betreuten Liegenschaften und Außenstellen fielen, das Bürgermeisteramt. Zu seinen Aufgaben gehörte auf Anordnung der Militärregierung auch, die beschädigten Gebäude in Ordnung zu halten, teilweise zu reparieren und der Miltärregierung zur Verfügung zu stellen.

Mit Kontrollratsgesetz Nr. 2 vom 10. Oktober 1945 wurde die NSDAP aufgelöst, ihr Vermögen beschlagnahmt und mit einer weiteren Direktive (Nr. 50) vom August 1947 auf die neu entstandenen Länder übertragen. Das Vermögen der führenden Vertreter der Partei – und darunter fiel auch der gesamte Komplex Obersalzberg – wurde nach einer eigenen Kontrollratsdirektive analog dem Parteivermögen behandelt. Durch Übertragungsurkunde Nr. 1259 gingen 1949 alle früheren NS-Liegenschaften in das Eigentum des Freistaats Bayern über, wenngleich sich die Amerikaner, wie im Fall des Obersalzbergs, Teile davon noch zur eigenen Nutzung vorbehielten.

Frühe Plünderer in den Ruinen

Der Obersalzberg war und ist kein „normaler" Fremdenverkehrsort wie viele andere in Bayern. Bereits im Gefolge der amerikanischen Soldaten kamen die ersten Plünderer und Andenkensammler. Zunächst mit Zustimmung der Eroberer bedienten sich die Berchtesgadener aus den im Bunker angehäuften Vorräten an lange entbehrten Grundnahrungsmitteln wie Mehl und Zucker, Genußmitteln wie Spirituosen und Zigarren ebenso wie an Mobiliar, Bettwäsche oder sonstigen Einrichtungsgegenständen. Ortsansässige Lieferanten hielten sich zur Kompensation offener Rechnungen an den Vorräten schadlos, Souvenirjäger erbeuteten persönliche Gegenstände mit Monogrammen aus den Privaträumen Hitlers oder Eva Brauns. Die amerikanische Kriegsberichterstatterin Lee Miller, die mit der 101. Airborne Division auch nach Berchtesgaden und zum zerstörten Berghof gekommen war, sprach in einem Artikel für die Zeitschrift *Vogue* von einer „ungeheuer wilden Party", auf der „nicht ein Stück übriggeblieben [ist] für ein Museum über den großen Kriegsverbrecher, und über die ganze Welt verstreut werden den Menschen auf ewige Zeiten immer nur ein einzelner Serviettenring oder eine Gurkengabel gezeigt werden, die vermutlich von Hitler benutzt worden sind."[5]

Die Zeit der geduldeten Plündereien währte allerdings nicht lang. Bald nachdem die amerikanische Militärverwaltung in Berchtesgaden am 12. Mai 1945 ihren Dienst aufgenommen hatte, versuchte sie, den Plünderern Einhalt zu gebieten, und forderte die zuständigen deutschen Dienststellen und noch am Obersalzberg tätigen Firmen zur Unterstützung auf. Da die Amerikaner selbst ausreichenden Schutz vor Plünderern nicht gewährleisten konnten, beschäftigte die Gemeinde Salzberg eine Hilfspolizei. Die *Arge Obersalzberg*, in der die Baufirmen Philipp Holzmann AG und Held & Francke AG zusammengeschlossen waren und die zwecks Durchsetzung nicht beglichener Forderungen weiterbestand, betonte, daß die Aneignung von Gegenständen aus den Gebäuden am Obersalzberg strengsten Strafen unterliege. Bereits verbautes Material galt dabei als Parteieigentum, während die Baufirmen auf die noch nicht verbrauchten Baustoffe selbst Anspruch erheben konnten. Auf Befehl des kommandierenden Offiziers am Obersalzberg galt ein eigenes Ausweiswesen; im Gebiet des ehemaligen inneren Sperrgebiets hatten Deutsche grundsätzlich keinen, Ausländer nur mit ausdrücklicher Zustimmung der Kommandantur Zutritt.

„Wallfahrer" am Obersalzberg

Das Betretungsverbot hielt gleichwohl kaum einen davon ab, den Obersalzberg zu besuchen. Als es 1949 schließlich aufgehoben wurde, begann der „Tourismus auf leisen Sohlen"[6]. Nach den Plünderern, die die Not dazu getrieben hatte, in den Ruinen nach vorhandenen oder vermeintlichen Schätzen zu suchen, hielten nun vor allem politische „Wallfahrer", die sich von Hitlers ehemaligem Domizil angezogen fühl-

5 Miller, Der Krieg ist aus, S. 83.
6 Chaussy, Nachbar Hitler, S. 168.

ten, die deutschen und amerikanischen Behörden in Atem. Ende 1951 zählte die offizielle Statistik bereits 136 560 Obersalzberg-Besucher, davon rund 80 Prozent Ausländer.[7] Die Einheimischen stellten schnell fest, daß sich mit diesen „Geschichtstouristen" leicht Geld verdienen ließ. Der 1950 wiedereröffnete Gasthof „Zum Türken" warb auf einer Reklametafel mit dem Hinweis „ganz nahe beim Berghof liegend."[8] Arbeitslose, aber auch Taxifahrer, führten gegen ein Trinkgeld Touristen, in erster Linie amerikanische Besatzungssoldaten und ihre Angehörigen, durch die Ruinen des Berghofs. Souvenirjäger zahlten für Steine vom Berghof. Als im Sommer 1951 der Journalist Jürgen Neven du Mont in einer ganzseitigen Bildreportage unter dem Titel „Propagandazelle Obersalzberg" in der *Münchner Illustrierten* auf die „nationalsozialistischen Fremdenführer" aufmerksam machte[9], schlug dies in Berchtesgaden hohe Wellen. Die Lokalpresse sah am Obersalzberg nur „Fremdenführer wie in aller Welt", die lediglich das Informationsbedürfnis der Besucher befriedigten.[10] Landrat Theodor Jacob bezeichnete in einem Schreiben an den bayerischen Innenminister Wilhelm Hoegner den Bericht als stark übertrieben, ließ jedoch gleichwohl sofort – unter Protest ausländischer Besucher – alle Bunkerzugänge zumauern und sämtliche auf den Nationalsozialismus Bezug nehmende Andenkenartikel in den Kiosken beschlagnahmen.[11] Da sich das Gebiet nicht vollständig absperren und die Ruinenführungen nicht völlig verhindern ließen, erwog das Landratsamt „eine Anzahl von Fremdenführern, an deren politischer Zuverlässigkeit kein Zweifel besteht ... nach der Gewerbeordnung zuzulassen"[12] – ein Plan, der wegen des befürchteten Presseechos jedoch nicht durchgeführt wurde.

So ist es nicht verwunderlich, daß die nationalsozialistische Vergangenheit des Obersalzbergs hinsichtlich seiner weiteren wirtschaftlichen Nutzung für alle Beteiligten zum Problem wurde. Die Verantwortlichen standen vor dem Dilemma: traditioneller Höhenkurort – wie vor 1933 – oder Vermarktung der NS-Geschichte. Die Frage des Umgangs mit nationalsozialistischen Repräsentationsbauten stellte sich auch andernorts, nirgends jedoch war die kommerzielle Ausbeutung dieser Zeit so sichtbar wie am Obersalzberg. Landrat Theodor Jacob handelte dabei nach der Devise, daß alles, was den Fremdenverkehr in dem strukturschwachen Gebiet fördere, auch richtig sei. Entsprechend forderte er mit der sicheren Unterstützung der Öffentlichkeit die Freigabe des ganzen Geländes durch die Amerikaner, vor allem des Kehlsteinhauses und des Platterhofs, und war dazu zu beinahe allen Zugeständnissen bereit.

7 *Der Spiegel* (Nr. 49) vom 5. Dezember 1951, S. 12.

8 BayHStA, ML-Forst 9428.

9 *Münchner Illustrierte*, Nr. 28 vom 14. Juli 1951, S. 31.

10 *Berchtesgadener Anzeiger*, Nr. 94 vom 14./15. August 1951, S. 5.

11 BayHStA, StK 114105.

12 BayHStA, StK 114105.

Über hunderttausend Besucher in nur zwei Jahren am Obersalzberg hatten auch die zuständigen Stellen in der bayerischen Ministerialbürokratie beunruhigt. In einem internen Vermerk der Staatskanzlei wurde betont, daß „unter allen Umständen verhindert werden soll, daß der Ort zu einer Art nationalem Schrein gemacht wird"[13]. Der Vorschlag des amerikanischen Landeskommissars für Bayern, George N. Shuster, am Kehlstein „eine Art überkonfessionellen Tempel" zu errichten, fand zwar die Zustimmung der Kirchen, die – von Kardinal Faulhaber nicht nur für den Kehlstein, sondern auch für den Münchener Königsplatz angeregt – eine Sühnekirche bauen wollten, nicht jedoch die der zuständigen Landesbehörden.[14] Diese waren – nach Besprechungen mit den örtlichen Behörden – vielmehr der Meinung, „daß Erinnerungen obenerwähnter Art am ehesten verhindert werden, wenn der Adlerhorst kommerziellen Zwecken dienstbar gemacht wird"[15]. Zwar war dem Landkreis Berchtesgaden seit Juni 1951 das alleinige Nutzungsrecht an der Kehlsteinstraße übertragen worden – bis das Kehlsteinhaus der allgemeinen Nutzung tatsächlich zur Verfügung gestellt wurde, sollte es jedoch noch lange dauern. Nach langwierigen Diskussionen über die künftige Verwendung – in Erwägung gezogen wurde etwa die Einrichtung einer internationalen Jugendbegegnungsstätte – beschloß die Staatsregierung nach einem Lokaltermin im Sommer 1951, daß das Kehlsteinhaus dem allgemeinen Tourismus zugänglich gemacht, die anderen Hinterlassenschaften des Nationalsozialismus jedoch abgetragen werden sollten. Von zahlreichen Bewerbern aus ganz Deutschland erhielt die Sektion Berchtesgaden des *Deutschen Alpenvereins* den Zuschlag. Zum 1. April 1952 konnte sie das Haus „zur Verwendung zu touristischen Zwecken"[16] vom Freistaat Bayern pachten. Um die Entstehung einer „Wallfahrtsstätte auf dem Kehlstein"[17] – so Finanzminister Friedrich Zietsch – zu verhindern, wurde der Pächter vertraglich verpflichtet, neofaschistische Umtriebe jeglicher Art zu verhindern und alles zu unterlassen, was in irgendeiner Weise an das Dritte Reich erinnern könne. Dazu gehörte insbesondere das ausdrückliche Verbot, Gegenstände und Artikel jeglicher Art zu vertreiben, die sich auf die NS-Vergangenheit des Obersalzbergs bezogen.

Auf Anregung von Theodor Jacob wurde das im Berchtesgadener Land gelegene frühere NS-Vermögen 1960 in der *Berchtesgadener Landesstiftung* zusammengefaßt, um es gemeinnützigen Zwecken zuzuführen. Dazu gehörten auch der Nießbrauch an Kehlstein und Kehlsteinstraße. Nach Ablauf des zehnjährigen Pachtvertrags mit dem Alpenverein übernahm der *Fremdenverkehrsverband Berchtesgaden* 1962 das Kehlsteinhaus als Pächter; bis heute wird es durch Unterpächter bewirtschaftet.

13 BayHStA, StK 114105.
14 BayHStA, StK 114105.
15 BayHStA, StK 114105.
16 BayHStA, StK 114105.
17 BayHstA, StK 114105.

Das Kehlsteinhaus entwickelte sich rasch zum Anziehungspunkt für Besucher aus aller Welt. Was aber sollte mit den anderen „Schandmale[n] in sonst reiner Landschaft“[18] geschehen, wie Klaus Mann die Ruinen des Obersalzbergs nach einem Besuch nannte? Das Übereinkommen zwischen der Bayerischen Staatsregierung und dem amerikanischen Landeskommissar Shuster sah neben der Freigabe des Kehlsteinareals die Beseitigung des „Kampfhäusls“ und des Teehauses am Mooslahner Kopf sowie der Ruinen des Berghofs, der Häuser Görings und Bormanns, des Gewächshauses, der SS-Kaserne und des Platterhofs mit allen Nebengebäuden vor. Erst nach Erfüllung dieser Auflagen sollte der Freistaat die volle Verfügungsgewalt über das Gelände erhalten. Das Finanzministerium hatte seinen früheren Plan, den Berghof zu übernehmen und zu einer alpenwirtschaftlichen Lehranstalt auszubauen, längst aufgegeben, da er mit Besatzungsrecht nicht vereinbar war. Somit wurde am 30. April 1952, auf den Tag genau sieben Jahre nach Hitlers Selbstmord, sein Domizil als letztes der NS-Bauten am Obersalzberg gesprengt und das Gebiet anschließend aufgeforstet. Die Berchtesgadener betrachteten dies mit gemischten Gefühlen. Waren sie einerseits froh, daß mit den Sprengungen die Freigabe des Kehlsteins erkauft worden und, wie manche hofften, mit der Beseitigung der Trümmer auch ein Stein des Anstoßes beseitigt war, so bedauerten dennoch viele, daß Berchtesgaden „damit nachweislich einen Hauptanziehungspunkt für seinen Ausländerfremdenverkehr verloren“[19] habe.

Wenn die Verantwortlichen geglaubt hatten, mit den Gebäudesprengungen das Problem der Wallfahrer definitiv gelöst zu haben, so wurden sie dieser Illusion schnell beraubt. Im Gegenteil, die damit sinnfällig gewordene Tabuisierung der NS-Vergangenheit am Obersalzberg lockte erst recht Neugierige aus aller Welt an. Schon ein halbes Jahr später forderte der sozialdemokratische Landtagsabgeordnete Josef Kiene die Abtragung der übriggebliebenen Spuren des Berghofs, weil Neugierige in das Gelände eindrängen und dadurch die neuen Pflanzungen vernichten würden.[20] Geschäftemacher erkannten die Gunst der Stunde und befriedigten das vorhandene Interesse mit Hochglanzbroschüren und Devotionalien aller Art. 1954 wurde der „Bunker des Führers“ beim nahegelegenen Gasthof „Zum Türken“ der Öffentlichkeit zugänglich gemacht. Gegen Entgelt können seither Interessierte ein wenig von der „Aura des Diktators“ schnuppern.

Trotz aller Bemühungen – 1995 wurden die noch vorhandenen allerletzten Reste des unterkellerten Teils der Terrasse für viel Geld entfernt – verlor der Ort nicht seine magische Anziehungskraft für Voyeure, Nostalgiker und Neonazis. Selbst heute noch, über fünfzig Jahre nach dem Ende der Herrschaft Hitlers und über vierzig Jahre nach der Sprengung, suchen Neugierige nach Platten von Hitlers

[18] Mann, Wendepunkt, S. 550.

[19] *Berchtesgadener Anzeiger* Nr. 53 vom 5./6. Mai 1952, S. 4.

[20] BayHStA, ML-Forst 9428.

Terrasse und gedenken Ewiggestrige seiner mit Kerzen und Blumen – und das, obwohl dort inzwischen Wald gewachsen ist und kaum jemand sich noch vorstellen kann, daß an dieser Stelle einmal der pompöse Berghof stand.

Keine Rückgabe an die Alteigentümer

Zwei Gebäude wurden auf Veranlassung der Amerikaner dann doch nicht gesprengt – der Platterhof und das Hotel „Zum Türken", 1934–1945 das RSD-Quartier am Obersalzberg. Das Gebäude war an die Familie des inzwischen verstorbenen Türkenwirts Karl Schuster zurückgegeben und Weihnachten 1950 von seiner Tochter Therese Partner wiedereröffnet worden: Deutsche Gerichte hatten das frühzeitige NSDAP-Mitglied Schuster wegen der seinerzeitigen Umstände des Verkaufs mit Boykottandrohungen als politisch verfolgt im Sinne des Wiedergutmachungsgesetzes des Kontrollrats Nr. 59 anerkannt und die Rückgabe verfügt.

Dadurch fühlten sich auch die anderen ehemaligen Obersalzberger in ihren Ansprüchen bestätigt. In einer Resolution forderten sie bei einer Versammlung im Gasthof „Zum Türken" am 11. August 1951 den bayerischen Landtag auf, „die heimatliche Ordnung alsbald wieder herzustellen"[21], d. h. ihnen ihren alten Besitz wieder zurückzugeben. Dabei konnten sie sich der Unterstützung der örtlichen Parteien, vor allem der CSU, sicher sein, die sich auch im Landtag im Zusammenhang mit der Behandlung des Kehlstein-Abkommens die Anliegen der früheren Besitzer zu eigen machte. Erst nachdem Innenminister Hoegner vor dem Verfassungsausschuß des Landtags erklärt hatte, daß die Rückerstattungsansprüche der ehemaligen Besitzer von der Beseitigung der NS-Ruinen unberührt blieben, zog die Landtags-CSU ihren Antrag zurück.

Alle weiteren Bemühungen der ehemaligen Obersalzberger, ihren früheren Besitz zurückzuerhalten, scheiterten. Da sie mehr oder weniger freiwillig verkauft hatten, fielen sie nicht unter die Regelung des Wiedergutmachungsgesetzes für politisch Verfolgte, wie das *Bayerische Landesamt für Vermögensverwaltung und Wiedergutmachung* schon 1948 feststellte. Von sich aus war der Freistaat aus Sorge über die Vorgänge am Obersalzberg dazu auch nicht bereit. Er berief sich auf alliiertes Besatzungsrecht, aufgrund dessen er Eigentümer der NS-Liegenschaften geworden sei; aus freien Stücken könne und dürfe er das nicht ändern. Mehrere Klagen vor Zivilgerichten, die sich über Jahrzehnte durch mehrere Instanzen hinzogen, wurden abgewiesen. Die meisten Alteigentümer gaben aufgrund der langwierigen und zermürbenden juristischen Auseinandersetzung auf. Lediglich Otto Hölzl, der Sohn des Oberwurf-Bauern, blieb hartnäckig und konnte in der dritten Instanz einen Teilerfolg erzielen. In einem Vergleich

21 BayHStA, StK 114105.

vor dem *Bundesgerichtshof* wurde ihm eine Entschädigung von 120 000 DM zugesprochen, die Rückerstattung seines Besitzes jedoch abgelehnt.

Vom Platterhof zum Hotel General Walker

Auch Elisabeth von Ferro-Büchner, die Witwe des früheren Platterhof-Wirts Bruno Büchner, unterlag mit ihrer Forderung nach Rückerstattung oder Rückkauf. Nur wegen des bei Gerichten anhängigen Verfahrens entging der Platterhof damals dem Schicksal der anderen Obersalzberg-Bauten. Hatte die amerikanische Besatzungsmacht schon unmittelbar nach Kriegsende „schnellstens, noch vor Einbruch des Winters, die Wiedererrichtung und völlige Instandsetzung des Platterhofes“[22] gefordert, so verfiel das bombengeschädigte Gebäude dennoch zusehends und war zunächst Objekt zahlreicher Plünderer, die sich hier vor allem mit Bau- und Brennmaterial eindeckten. Inzwischen hatte man jedoch auf deutscher wie auf amerikanischer Seite umgedacht: Ein Antrag des Generalkonsuls a. D. Lahmann (früherer Besitzer des Sanatoriums „Weißer Hirsch“ in Dresden), in den Räumlichkeiten des Platterhofs ein Sanatorium einzurichten, fand die Zustimmung der Staatsregierung. Sie versicherte den Amerikanern ausdrücklich, „daß für den Fall einer Freigabe des Hotels Platterhof für private Zwecke die Bayerische Regierung den zukünftigen Eigentümer durch Vertragsklausel verpflichten würde, sich auf dem Platterhof-Gelände nicht neo-faschistisch zu betätigen“[23] – mit denselben Auflagen wie im Falle des Kehlsteinhauses.

Diese Pläne konnten jedoch nicht verwirklicht werden. Inzwischen hatten die Amerikaner den Obersalzberg als Erholungsgebiet für ihre Soldaten und deren Familien entdeckt. Neben Garmisch und Chiemsee richteten sie auf dem Berg und in Berchtesgaden ein drittes „Armed Forces Recreation Center“ in Bayern ein. Bis Ende Juni 1953 wurde der von Bomben zerstörte Platterhof für rund 3,5 Millionen DM als „General Walker Hotel“ wiederhergestellt, ebenso das Atelier und frühere Wohnhaus Albert Speers als Unterkunft für höhere Offiziere. Zur Erholung im Sommer wurden neben dem Hotel Tennisplätze und unmittelbar vor Bormanns Gutshof ein Golfplatz errichtet. Im Winter konnte man nach dem Bau eines Skiliftes auf dem früheren „Göring-Hügel“ (Eckerbichl) Ski fahren. Alle in den USA vertretenen Religionsgemeinschaften von Juden bis Mormonen, Pfadfindergruppen und Frauenorganisationen hielten das Jahr über Einkehrtage mit drei bis fünf Tagen Dauer für die ihnen angehörenden Soldaten ab. Nur über die Weihnachtszeit stand das Hotel General Walker Armeeangehörigen zur freien Verfügung.

Bis 1995 fanden mehr als fünf Millionen Soldaten mit ihren Familien am Obersalzberg Erholung. Im Zuge der Sparmaßnahmen und

[22] StA München, LRA 29715.
[23] BayHStA, StK 114105.

Reduzierung der Truppenstärke in Europa gaben die Amerikaner das „Armed Forces Recreation Center" im Berchtesgadener Land auf. Am 30. August 1995 verabschiedeten sie sich in einer Feierstunde im General Walker Hotel mit deutschen und amerikanischen Ehrengästen von Berchtesgaden und übergaben – nach vollständiger Räumung der Gebäude – am 2. Mai 1996 offiziell die Schlüssel. Seither ist der Freistaat Bayern nicht nur Eigentümer, sondern auch voll verfügungsberechtigter Besitzer fast des gesamten Obersalzbergs. Im Zuge der erneuten Umgestaltung des Obersalzbergs wurde der Platterhof im Jahr 2000 trotz massiver öffentlicher Proteste als nicht sanierbar schließlich doch abgerissen. Im Zusammenhang mit dem Rückzug aus der Region gab die US-Army im Juni 1996 auch die „kleine Reichskanzlei" in der Stanggaß (Gemeinde Bischofswiesen) zurück, bis zu diesem Zeitpunkt Sitz des General Manager des Recreation Center. Als ehemaliges Reichsvermögen fiel sie an die Bundesrepublik Deutschland.

Keine Entsorgung der Geschichte

Die Vorgänge am Obersalzberg nach 1945 machen deutlich, daß sich die Geschichte nicht einfach durch Beseitigung ihres materiellen Nachlasses entsorgen läßt. Im Umgang mit dem steinernen Erbe des Nationalsozialismus boten sich nach dem Krieg zwei Möglichkeiten an: Umfunktionierung und Weiternutzung oder Abriß mit dem Versuch, alle vorhandenen Spuren zu beseitigen. Viele NS-Gebäude in Deutschland wurden nach Entfernung der Hakenkreuze und anderer nationalsozialistischer Symbole weitergenutzt, beispielsweise die Olympia-Anlage in Garmisch oder das „Haus der Kunst" in München. Bei besonders symbolträchtigen Orten glaubte man durch Abriß oder Sprengung als einer „seltene[n], aber demonstrative[n] Geste der Sieger oder spätere[n] Verlegenheitslösung der Besiegten"[24] die Entstehung von „Wallfahrtsstätten" verhindern zu können – eine Lösung, die nicht nur am Obersalzberg versucht wurde. So verfügte beispielsweise General Eisenhower schon 1947 persönlich, die „Ehrentempel" am Münchener Königsplatz, Schauplatz der alljährlichen Gedenkfeiern zum 9. November, zu sprengen.

Die Auslöschung der Vergangenheit durch Spurenbeseitigung, Verschweigen oder Verdrängung gelang bei keiner architektonischen Hinterlassenschaft des Nationalsozialismus zufriedenstellend – in allen Fällen zeigte sich, daß nur eine offene und kritische Auseinandersetzung der Mythologisierung zu steuern vermag. Die Erfahrungen am Obersalzberg bestätigen, daß ein Abriß nur „das, was jetzt noch materiell untersucht und geprüft werden kann, zur NS-Legende machen"[25] würde. Allein Information und ehrlicher Umgang mit der Geschichte der „nachgelassenen Erinnerungsorte"[26] bieten die Chance, Mythenbildung zu verhindern und dem Spuk der Ewiggestrigen ein Ende zu bereiten.

24 Reichel, Politik mit der Erinnerung, S. 51.

25 Mittig, NS-Architektur, S. 245.

26 Reichel, Politik mit der Erinnerung, S. 31.

Vergangenheit, die bleiben wird. Der Obersalzberg nach 1945

Nach der Besetzung Berchtesgadens durch amerikanische Truppen wurde der Obersalzberg unter amerikanische Militärverwaltung gestellt. Die Amerikaner sperrten in den ersten Nachkriegsjahren den Zugang für Deutsche, um „Plünderer" und „politische Wallfahrer" abzuhalten. Dennoch kamen weiterhin zahlreiche Besucher auf das Gelände – aus historischer Neugierde oder um auf den „Spuren des Führers" zu wandeln. 1949 gelangte der Obersalzberg durch Verfügung der Alliierten in das Eigentum des Freistaats Bayern.

„Verdrängung und Vermarktung" prägten in der Folge den Umgang mit dem schwierigen historischen Erbe. Um dem Ort die Anzie-

Luftaufnahme des Obersalzbergs von einem Aufklärer der 7. US Air Force vom 15. Mai 1945: Der in der oberen Bildmitte gelegene Platterhof mit Gästehaus Hoher Göll (links, Standort der *Dokumentation Obersalzberg*) ist ebenso wie die Häuser Bormanns und Görings (links oben) zerstört; im Vordergrund das Lager Antenberg, rechts die Theaterhalle, rechts oben das sogenannte Kampfhäusl. ~ Archiv Ing.-Büro Dr. H. G. Carls, Würzburg-Estenfeld (436) ▼

hungskraft für NS-Nostalgiker zu nehmen, wurden 1952 alle Ruinen gesprengt und auch unversehrte Gebäude wie Hitlers Teehaus am Mooslahner Kopf und das „Kampfhäusl“ abgetragen. Im Gegenzug gab man Kehlsteinhaus und Kehlsteinstraße zur touristischen Nutzung frei. Seither gehören der Obersalzberg und das Kehlsteinhaus zu den beliebtesten touristischen Zielen in Bayern. Unmittelbare Folge war ein schwungvoller Handel mit zum Teil politisch bedenklichen Obersalzberg-Souvenirs und unkritischen Hochglanzbroschüren über die nationalsozialistische Zeit des Bergs.

Die Besucher des Obersalzbergs werden sowohl von der schönen Natur wie auch von der historischen Aura des Ortes angezogen. Aber nur sehr wenige sind „politische Wallfahrer“, die nach Reliquien graben und ihre Spuren hinterlassen: nazistische Graffiti, brennende Kerzen, sogar kleine „Hitler-Gedenkstätten“.

Über 40 Jahre, von 1953 bis 1996, nutzten die Amerikaner Teile des Obersalzbergs als „Armed Forces Recreation Center“. Sie legten Tennisplätze, Skilifte und einen Golfplatz an. Der ehemalige Platterhof wurde zum Hotel General Walker, das frühere Atelier und Wohnhaus Speers zum Quartier für höhere Offiziere. Im Zuge der Verringerung der US-Truppen in Europa nach dem Ende des Kalten Kriegs übergaben die Amerikaner den Obersalzberg 1996 zur Nutzung an den Freistaat Bayern.

Amerikanische Truppen auf dem Obersalzberg: vor dem zerstörten Berghof und bei den Trümmern der SS-Kaserne (Mai 1945). ~ National Archives, Washington (437, 438) ▼ ▶▼

◀ Postkarte., ~ Bayerische Staatsbibliothek/Fotoarchiv Hoffmann, München (439)

◀ Sprengung der Ruinen des Berghofs (30. April 1952). ~ Bayerische Staatsbibliothek/Fotoarchiv Hoffmann, München (440)

GIs im Hotel vor dem Bild von General Walker. ~ Christoph Püschner, Hiddenhausen (441) ▼◀

GIs bei der Führung im Bunker (Sommer 1994). ~ Christoph Püschner, Hiddenhausen (442) ▼

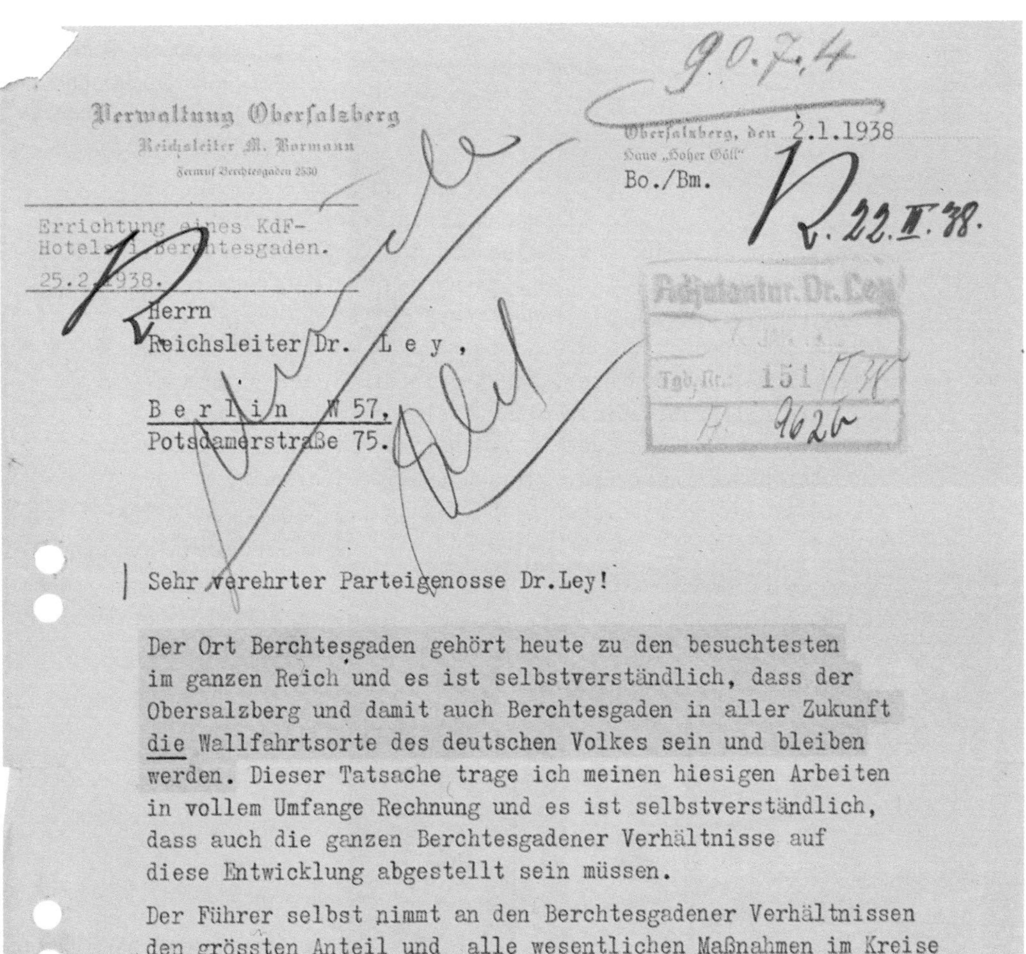

Verwaltung Obersalzberg
Reichsleiter M. Bormann
Fernruf Berchtesgaden 2530

Obersalzberg, den 2.1.1938
Haus „Hoher Göll"
Bo./Bm.

Errichtung eines KdF-Hotels in Berchtesgaden.
25.2.1938.

Herrn
Reichsleiter Dr. L e y ,

B e r l i n W 57,
Potsdamerstraße 75.

Adjutantur Dr. Ley
Tgb.Nr.: 151

Sehr verehrter Parteigenosse Dr.Ley!

Der Ort Berchtesgaden gehört heute zu den besuchtesten im ganzen Reich und es ist selbstverständlich, dass der Obersalzberg und damit auch Berchtesgaden in aller Zukunft die Wallfahrtsorte des deutschen Volkes sein und bleiben werden. Dieser Tatsache trage ich meinen hiesigen Arbeiten in vollem Umfange Rechnung und es ist selbstverständlich, dass auch die ganzen Berchtesgadener Verhältnisse auf diese Entwicklung abgestellt sein müssen.

Der Führer selbst nimmt an den Berchtesgadener Verhältnissen den grössten Anteil und alle wesentlichen Maßnahmen im Kreise Berchtesgaden werden ihm zur Entscheidung unterbreitet.

Der Führer hat bereits seit längerer Zeit bestimmt, dass Berchtesgaden eine grosse Versammlungshalle, ein neues Krankenhaus - das jetzige ist völlig veraltet und viel zu klein -, eine weitere Jugendherberge, ein Kreisleitungs-Haus und eine grosse Sportanlage mit Hallenbad und offenem Schwimmbad erhalten soll.

Zu den Sportanlagen und den Bädern sollen ferner Liegewiesen usw. usw. gehören. Der Führer wünscht nun, dass im Anschluss an diese Anlagen ein grosses KdF.-Hotel, für das in Berchtesgaden ja wirklich Bedarf besteht, gebaut wird; der Führer dachte an ein Hotel für 5oo - 1ooo Personen.

▲ Schreiben Martin Bormanns an Robert Ley. ~ Bundesarchiv, Berlin (443)

◀ Graffitis an der Bunkerwand (1996). ~ Privatbesitz Christoph Daxelmüller, Würzburg (444)

◀ Souvenirshop am Obersalzberg (August 1987) ~ Christoph Püschner, Hiddenhausen (445)

◀ Die Ruine des ehemaligen Gästehauses „Hoher Göll" vor dem Abriß (11. Juli 1996): Auf den Grundmauern wurde das Gebäude für die *Dokumentation Obersalzberg* errichtet; Teile der Fassade wurden in den Neubau integriert. ~ Privatbesitz Christoph Daxelmüller, Würzburg (446)

Neonazistische Schmierereien am Rohbau des Gebäudes der *Dokumentation Obersalzberg* ~ Privatbesitz Monika Schiller, München (447) ▶

„Gedenkstätte" für den „Führer": Arrangement von unbekannter Hand mit brennender Kerze, Blumen und Kreuz am Standort des ehemaligen Berghofs (Mitte Mai 1999). ~ Privatbesitz Fredric Müller-Romminger, Bad Reichenhall (448) ▶

CHRONIK 1919–1945

Redaktion: Peter Gohle

Die folgende Chronik zur Geschichte des Nationalsozialismus, des Dritten Reichs und des Zweiten Weltkriegs versucht einen möglichst dichten und aspektreichen Überblick über die Ereignisse der Jahre zwischen 1919 und 1945 zu vermitteln. Die grundsätzliche Gliederung in drei Teile folgt den zentralen historischen Zäsuren der Geschichte und Vorgeschichte des Dritten Reichs. Um dem Leser quer zur eigentlichen Chronologie einen thematischen Zugriff zu ermöglichen, wurde für die Jahre 1933–1945 eine Registerspalte mit sachlichen Kategorisierungen eingeführt, die sich soweit als möglich an der Sektionsgliederung der Dokumentation orientieren.

Teil I beginnt mit der Gründung der NSDAP in den Wirren der Revolutionstage 1918/19 in München; er dokumentiert unter besonderer Berücksichtigung organisatorischer und politischer Aspekte die sogenannte „Kampfzeit" und den Aufstieg der NSDAP bis zur „Machtergreifung" im Januar 1933. Teil II umfaßt die Periode zwischen der Ernennung Hitlers zum Reichskanzler (30. Januar 1933) und der Entfesselung des Zweiten Weltkriegs (1. September 1939), Teil III die Zeit des Zweiten Weltkriegs.

In Teil II stehen zunächst die politische Gleichschaltung der gesellschaftlichen Institutionen und des Staates, sowie die Entwicklung des nationalsozialistischen Terrorapparats („Innenpolitik" <☻>) im Vordergrund, des weiteren aber auch die Durchdringung und soziale Transformierung der deutschen Gesellschaft („Volksgemeinschaft" <◎>) und nicht zuletzt die Entwicklung der Partei („NSDAP" <✋>). Hinzu kommt die ökonomische („Wirtschaft" <🏭>) und kulturelle („Kultur" <📖>) Umgestaltung im Sinne der nationalsozialistischen Ideologie. Daneben bzw. dagegen gilt es die Entwicklung des politischen Widerstands in Deutschland und aus dem Exil („Widerstand und Emigration" <☺>) nachzuzeichnen. Ein zentraler Aspekt ist die sukzessive juristische, institutionelle und soziale Implemetierung der nationalsozialistischen Rassenideologie in Staat und Gesellschaft (Teil II) sowie (Teil III) der Vollzug des rassistisch motivierten Völkermords während des Kriegs („Rassenpolitik und rassische Verfolgung" bzw. „Rassenpolitik, Vernichtung, Völkermord" <💀>). Ein letzter Schwerpunkt liegt bei der Verwirklichung der außenpolitischen Ziele des NS-Regimes: der militärischen und territorialen Revision der Versailler Friedensordnung, der Herstellung der deutschen Hegemonie in Europa und schließlich der Entfesselung eines Angriffskriegs vor allem zur Eroberung von „Lebensraum im Osten" („Außen- und Wehrpolitik" <❋>).

In Teil III (Zweiter Weltkrieg) wurde noch eine wichtige Modifizierung vorgenommen: Die Kategorie „Außen- und Wehrpolitik" (❋) wurde zur Erfassung der militärischen Kriegsereignisse, der Kriegsplanung der „Achsenmächte" und der Alliierten und der Geschehnisse auf dem internationalen diplomatischen Parkett durch die Kategorie „Kriegführung und Kriegsdiplomatie" <▦> ersetzt. Notwendig wurde ebenfalls die Einführung der zusätzlichen Variablen „NS-Besatzungsherrschaft"<◙>.

I. DER AUFSTIEG DER NSDAP UND IHR WEG ZUR MACHT 1919–1933

1919

05.01.	Gründung der *Deutschen Arbeiterpartei* (DAP) in München durch Anton Drexler und Mitglieder der völkischen *Thule-Gesellschaft*.
Sommer	Eintritt des Kreises um den völkischen Dichter Dietrich Eckart in die DAP.
12.09.	Beitritt Adolf Hitlers zur DAP.
1919	Erscheinen von Gottfried Feders „Manifest zur Brechung der Zinsknechtschaft des Geldes"; ideologische Basis für den linken Flügel der NSDAP.

1920

Februar	Umbenennung der DAP in *Nationalsozialistische Deutsche Arbeiterpartei* (NSDAP).
24.02.	Erste Großveranstaltung der NSDAP im Münchener Hofbräuhaus vor 2000 Besuchern; Verkündung des „25-Punkte-Programms".
13.03.–17.03.	Reaktionärer Kapp-Lüttwitz-Putsch in Berlin: Flucht der Regierung über Dresden nach Stuttgart; Zusammenbruch des Putsches nach Generalstreik und Verweigerung der Mitarbeit durch die Beamtenschaft.
17.12.	Erwerb des *Völkischen Beobachters* (ehemals *Thule-Gesellschaft*) für die NSDAP durch Dietrich Eckart unter finanzieller Mithilfe völkischer Kreise und aus der Reichswehr (u.a. Franz Ritter von Epp).
Im Jahr 1920	Insgesamt 46 öffentliche Veranstaltungen der NSDAP, davon zwei Drittel mit Hitler als Hauptredner.
Ende 1920	Mitgliederstand der NSDAP: rund 2000.

1921

03.02.	Massenversammlung der NSDAP im Circus Krone in München vor rund 6000 Zuhörern mit Dietrich Eckart.
29.07.	Nach ultimativer Drohung, die Partei zu verlassen, Wahl Hitlers zum Ersten Vorsitzenden mit besonderen Vollmachten; 25-Punkte-Programm als unabänderlich erklärt.
03.08.	Organisation des Saalschutzes der NSDAP als gesonderte *Sturm-Abteilung* (SA).
27.08.	Ermordung des ehemaligen Reichsfinanzministers Matthias Erzberger durch rechtsgerichtete Extremisten („Organisation Consul").

1922

29.–31.1.	Parteitag der NSDAP in München; Mitgliederstand: rund 6000.
24.06.	Ermordung des Reichsaußenministers Walter Rathenau durch die „Organisation Consul".
21.07.	„Gesetz zum Schutze der Republik": schwere Strafen für politische Mord- und Gewalttaten; Rechtsgrundlage für das Verbot extremistischer Organisationen.
24.6.–24.7.	Hitler wegen gewalttätiger Sprengung einer gegnerischen Versammlung (09.08.1921) in Haft.
11.08.	Dietrich Eckart Chefredakteur des *Völkischen Beobachters*.
16.08.	Großkundgebung der Vaterländischen Verbände und der Nationalsozialisten gegen das „Republikschutz-Gesetz" auf dem Münchener Königsplatz.
08.10.	Anschluß der *Deutschsozialistischen Partei* (DsP) Julius Streichers an die NSDAP.
15.11.	Verbot der NSDAP in Preußen.

1923

11.01.	Ablehnung des passiven Widerstands im Ruhrkampf durch Hitler; vorrangig: Kampf gegen die „November-Verbrecher".
27.–29.01.	Erster Reichsparteitag der NSDAP auf dem Münchener Marsfeld trotz Ausnahmezustand in Bayern (Mitgliederstand: rund 15 000).
Februar	Gründung der *Arbeitsgemeinschaft der Vaterländischen Kampfverbände* aus SA und anderen bayerischen Wehrverbänden auf Betreiben Ernst Röhms.
01.05.	Verhinderung eines geplanten bewaffneten Angriffs (Waffen z.T. von der Reichswehr) von SA und anderen völkischen Kampfverbänden auf die Maifeierlichkeiten der Arbeiterbewegung in München durch die Sicherheitsorgane.
Mai	Gründung des *Stoßtrupps Hitler* (Keimzelle der SS).
Sommer	Höhepunkt der Hyperinflation: de facto Enteignung von Sparern, Hypothekengläubigern und Inhabern öffentlicher Anleihen, Verelendung von Lohnabhängigen.
02.09.	Zusammenschluß der aktivsten bayerischen Wehrverbände zum *Deutschen Kampfbund* auf dem „Deutschen Tag" in Nürnberg.
September	Nach Abbruch des Ruhrkampfes Ausnahmezustand in Bayern: Gustav Ritter von Kahr Generalstaatskommissar mit diktatorischen Vollmachten (26.09.1923); Verfassungskonflikt zwischen Bayern und dem Reich wegen der Weigerung des bayerischen Wehrkreiskommandanten General Otto von Lossow, das reichsweite Verbot des *Völkischen Beobachters* zu vollziehen. Pläne für einen von den nationalistischen Kräften in der „Ordnungszelle Bayern" angeführten „Marsch auf Berlin" nach dem Muster von Mussolinis „Marsch auf Rom".
08./09.11.	„Hitler-Putsch" in München: nach dem Scheitern Verbot der NSDAP (rund 55 000 Mitglieder) und anderer völkischer Organisationen sowie der KPD durch den Oberbefehlshaber der Reichswehr General Hans von Seeckt (von Reichspräsident Friedrich Ebert vorübergehend mit der Wahrung der vollziehenden Gewalt im Reich beauftragt).

1924

Januar	Spaltung der NSDAP in zwei Gruppen: *Großdeutsche Volksgemeinschaft* (Alfred Rosenberg, Streicher, Hermann Esser) und *Nationalsozialistische Freiheitsbewegung* (Albrecht von Graefe, Erich Ludendorff, Gregor Straßer).
26.02.–01.04.	Hitler-Prozeß vor dem *Volksgericht* in München: Verschleierung der Verstrickung höchster Kreise der bayerischen Regierung und der Reichwehr in den Putsch durch Anklagebehörde und Gericht; Selbstdarstellung Hitlers als vaterländischer Held; Verurteilung wegen Hochverrats zu fünf Jahren „Festungshaft"; schon im Dezember 1924 Entlassung auf Bewährung aus der JVA Landsberg/Lech.
06.04.	Neuwahl des Bayerischen Landtags: 23 von 129 Landtagsmandaten für den *Völkischen Block* (bayerischer Ableger der *Nationalsozialistischen Freiheitsbewegung*).

1925

26.02.	Neugründung der NSDAP in München.
09.03.1925–05.03.1927	Auftrittsverbot für Hitler in Bayern; danach auch in anderen Ländern (Preußen bis September 1928).
26.04.	Wahl von Generalfeldmarschall Paul von Hindenburg zum Reichspräsidenten (knappe Mehrheit im zweiten Wahlgang).
18.07.	Erscheinen des ersten Bandes von Hitlers „Mein Kampf".
Oktober	Gregor Straßer *Reichspropagandaleiter*; Neuorganisation der NSDAP in Norddeutschland.
09.11.	Gründung der *Schutzstaffel* (SS).
Ende	Mitgiederstand der NSDAP: rund 27 000

1926

26.01.	Gründung des *Nationalsozialistischen Deutschen Studentenbunds* (NSDStB).
14.02.	Führer-Tagung in Bamberg: Zurückweisung der stärker sozialistisch orientierten Programmatik (Straßer, Joseph Goebbels u.a.) durch Hitler, dadurch jedoch keine Schwächung des „Straßer-Flügels".
22.05.	Einstimmige Wiederwahl Hitlers zum Vorsitzenden der NSDAP durch die Generalmitgliederversammlung.
03./04.07.	Zweiter NSDAP-Reichsparteitag in Weimar; Gründung der *Hitler-Jugend* (HJ).
01.11.	Goebbels Gauleiter von Berlin.

1927

05.05.1927	Verbot der NSDAP in Berlin und anderen preußischen Städten (bis 31.03.1928).
19.–21.08.	Dritter NSDAP-Reichsparteitag in Nürnberg.

1928

02.01.	Gregor Straßer NSDAP-*Reichsorganisationsleiter.*
20.05.	Reichstagswahl: NSDAP 2,6 %, 12 Mandate (u. a. Frick, Feder, Straßer, Goebbels, Göring).
11.10.	Gründung des *Bunds Nationalsozialistischer Deutscher Juristen* (BNSDJ).
16.11.	Erste Großkundgebung im Berliner Sportpalast mit Hitler als Redner.

1929

06.01.	Heinrich Himmler *Reichsführer SS.*
20.04.	Gründung des *Kampfbunds für Deutsche Kultur* (KfDK) (Alfred Rosenberg).
April	Gründung des *Nationalsozialistischen Lehrerbunds* (NSLB).
12.05.	Landtagswahl in Sachsen: NSDAP bei knapp 5 %.
23.6.	Stadtratswahl in Coburg: Listenverbindung der NSDAP mit den bürgerlichen Parteien, Franz Schwede (NSDAP) Bürgermeister.
09.07.	Bildung des *Reichsausschusses für das Volksbegehren gegen den Young-Plan* (durch den Young Plan Festlegung der Reparationssumme und des zeitlichen Tilgungsrahmens) mit Alfred Hugenberg (DNVP), Franz Seldte (*Stahlhelm*), Heinrich Claß (*Alldeutscher Verband*) und Adolf Hitler (NSDAP).
01.–04.08.	Vierter NSDAP-Reichsparteitag in Nürnberg; Gründung des *Nationalsozialistischen Deutschen Ärztebunds* (NSDÄB) (03.08.).
Herbst	Landtags-Wahlerfolge der NSDAP (Baden: ca. 7 %, Lübeck: 8,1 %, Thüringen: 11,3 %).
25.10.	Börsenkrach in New York („Schwarzer Freitag"): Beginn der Weltwirtschaftskrise; Folgen für Deutschland: Rückforderung langfristig angelegter amerikanischer Kredite, Banken- und Firmenzusammenbrüche, rapides Ansteigen der Arbeitslosigkeit.
22.12.	13,8 % Zustimmung beim Volksentscheid gegen den Young-Plan.

1930

23.01.	In Thüringen Koalitionsregierung von NSDAP, *Christlich-Nationaler Bauern- und Landvolkpartei*, DVP und *Reichspartei des deutschen Mittelstands* (*Wirtschaftspartei*): Wilhelm Frick als erstes nationalsozialistisches Regierungsmitglied thüringischer Innen- und Volksbildungsminister.

1930

Ende März	Rücktritt der Reichsregierung Hermann Müller (letzte parlamentarische Regierung der Weimarer Republik); Ernennung des Zentrumspolitikers Heinrich Brüning zum Kanzler einer Präsidialregierung ohne parlamentarische Mehrheit; Grundlage: Notverordnungskompetenz des Reichspräsidenten (Art. 48 der Weimarer Reichsverfassung).
01.06.	Gründung des *Agrarpolitischen Apparates* der NSDAP unter R. Walther Darré.
22.06.	Landtagswahl in Sachsen: NSDAP 14,4 %; Scheitern der Regierungsbeteiligung am Widerstand der sächsischen DDP.
30.06.	Spektakulärer Austritt von Otto Straßer (Bruder von Gregor Straßer, Leiter des *Kampf-Verlags*) aus der NSDAP nach programmatischen Differenzen mit Hitler („Die Sozialisten verlassen die NSDAP"); Gründung der *Kampfgemeinschaft revolutionärer Nationalsozialisten* (später *Schwarze Front*).
18.07.	Nach Ablehnung der Notverordnung des Reichspräsidenten zur Haushaltsdeckung durch SPD, KPD, DNVP und NSDAP Auflösung des Reichstags.
14.09.	Reichstagswahl: spektakulärer Wahlerfolg der NSDAP (18,3%, 107 Mandate).
25.09.	Im Leipziger Reichswehrprozeß wegen nationalsozialistischer Zellenbildung in der Reichswehr „Legalitätseid" durch Hitler: Zusicherung legalen Vorgehens, Abrechnung mit Gegnern erst nach Machtgewinnung.
September	Mitgliederstand der NSDAP: rund 130 000.
01.10.	Koalitionsregierung der bürgerlichen Parteien mit der NSDAP in Braunschweig.
05.10.	Erste Unterredung Brüning-Hitler.

1931

Januar	Ernst Röhm Stabschef der SA: Umgliederung und Erweiterung der SA (bis Ende 1932 von rund 100 000 auf rund 500 000 Mann); Untergliederungen u.a.: HJ und SS unter Heinrich Himmler.
15.01./08.03.	Gründung der Reichsbetriebszellenabteilung der NSDAP bzw. der *Nationalsozialistischen Betriebszellenorganisation* (NSBO).
07.02.	Scheitern eines nationalsozialistischen Mißtrauensvotums (unterstützt von DNVP und KPD) gegen die Regierung Brüning.
10.02./05.03.	Erklärungen bayerischer und rheinischer Bischöfe (Oberrheinische Kirchenprovinz) zur Abgrenzung gegenüber dem Nationalsozialismus.
28.03.	Notverordnung des Reichspräsidenten zur „Bekämpfung politischer Ausschreitungen".
01.04.	Rücktritt Fricks in Thüringen nach Mißtrauensvotum. Revolte des SA-Führers Walter Stennes in Berlin u.a. wegen des Legalitätskurses der NSDAP.
20.04.	Gründung des *Nationalsozialistischen Kraftfahr-Korps* (NSKK), Vorläufer: *Nationalsozialistisches Automobil-Korps* (NSAK).
17.05.	Landtagswahl in Oldenburg: NSDAP 37,2 %.
13.07.	Zusammenbruch der *Darmstädter und National Bank* (DANAT): weitere Banken- und Firmenpleiten, Höhepunkt der Wirtschaftskrise in Deutschland.
09.08.	Scheitern des vom *Stahlhelm* initiierten und von der NSDAP unterstützten Volksentscheids zur vorzeitigen Auflösung des Preußischen Landtags.
01.10.	Gründung der *Nationalsozialistischen Frauenschaft* (NSF) (ab 29.03.1935 angeschlossener Verband der NSDAP).
06.10.	Notverordnung „des Reichspräsidenten zur Sicherung von Wirtschaft und Finanzen und zur Bekämpfung politischer Ausschreitungen" mit einschneidenden Sparmaßnahmen.
10.10.	Erster Empfang Hitlers durch Hindenburg.

1931

11.10.	Tagung der „Nationalen Opposition“ in Bad Harzburg: Gründung der „Harzburger Front“ aus NSDAP, DNVP und *Stahlhelm*.
15.11.	Landtagswahl in Hessen: NSDAP 37,1 %; Scheitern der Koalitionsverhandlungen mit dem *Zentrum* (11.01.1932).
25.11.	„Boxheimer Dokumente“: Auffindung geheimer Mobilisierungspläne des hessischen NSDAP-Landtagsabgeordneten Werner Best für den Fall eines kommunistischen Aufstandes.
08.12.	Notverordnung „des Reichspräsidenten zur Sicherung von Wirtschaft und Finanzen und zum Schutz des inneren Friedens“.

1932

26.01.	Vortrag Hitlers vor dem Industrieklub in Düsseldorf.
22.02.	Nominierung Hitlers als Kandidat für die Reichspräsidentenwahl.
25.02.	Durch Ernennung zum Regierungsrat bei der Braunschweigischen Gesandtschaft in Berlin Einbürgerung Hitlers (vorher staatenlos).
Februar	Höhepunkt der Arbeitslosigkeit in Deutschland mit 6,128 Mio.
10.04.	Zweiter Wahlgang der Reichspräsidentenwahl (Hindenburg 53 %, Hitler 36,8 %, Thälmann 10,2 %).
13.04.	Verbot von SA und SS durch eine Notverordnung des Reichspräsidenten.
24.04.	Neuwahl der Landtage u.a. in Preußen, Bayern, Württemberg: in Preußen Niederlage der Koalitionsregierung unter Otto Braun (SPD) aus SPD, *Zentrum* und *Deutscher Staatspartei* (DStP Nachfolgeorganisation der DDP), mangels neuer Mehrheiten geschäftsführend im Amt bleibend; in Bayern geschäftsführende Minderheitsregierung unter Heinrich Held (BVP); der Nationalsozialist Alfred Freyberg in Anhalt Ministerpräsident.
April	Gründung der *Nationalsozialistischen Volkswohlfahrt* (NSV) (ab 08.05.1933 Organisation der NSDAP).
07.05.	Gespräche zwischen General Kurt von Schleicher und Hitler mit dem Ziel der Bildung einer von der NSDAP tolerierten Rechtsregierung.
09.–12.05.	Reichstagssitzung: Scharfe Kritik der Nationalsozialisten an Innen- und Reichswehrminister Groener (Rücktritt 12.05.); Ankündigung eines nationalsozialistischen Arbeitsbeschaffungsprogramms („Antikapitalistische Sehnsucht“) durch Gregor Straßer (10.05.).
28.05.	Besprechung Hitlers mit Franz von Papen vom äußersten rechten Flügel des *Zentrums* in Berlin: Tolerierung eines Kabinetts Papen durch die NSDAP, Voraussetzung: Aufhebung des SA-Verbots und Auflösung des Reichstags.
30.05.	Sturz Brünings aufgrund politischer Intrigen aus dem Umkreis Hindenburgs; äußerer Anlaß: Verweigerung der Zustimmung Hindenburgs für eine neue Notverordnung u.a. zur Enteignung und Besiedelung nicht mehr entschuldungsfähigen Großgrundbesitzes.
01.06.	Franz von Papen Kanzler eines Präsidialkabinetts (in der Folge Austritt Papens aus dem *Zentrum*).
04.06.	Auflösung des Reichstags.
17.06.	Aufhebung des SA-Verbots.
17.07.	„Altonaer Blutsonntag“ (18 Tote): Höhepunkt der gewaltsamen Auseinandersetzungen v.a. zwischen SA und KPD während des Wahlkampfes; Verbot aller Demonstrationen und Kundgebungen unter freiem Himmel (18.07.).
20.07.	„Preußenschlag“: Ernennung Papens zum *Reichskommissar für Preußen* auf der Basis von Art. 48 der Reichsverfassung; Verkündung des Ausnahmezustandes für Berlin und die Provinz Brandenburg; Anrufung des *Staatsgerichtshofs* wegen des Verfassungsbruchs durch die abgesetzte Regierung Otto Braun.
31.07.	Reichstagswahl: NSDAP (36,9 %) mit Abstand stärkste Partei.

1932

13.08.	Ablehnung des von Hindenburg angebotenen Vizekanzler-Postens durch Hitler, Forderung nach Führung der Regierung durch die NSDAP.
12.09.	Mißtrauensantrag gegen Papen angenommen.
01./02.10.	„Reichsjugendtag“ in Potsdam: Vorbeimarsch von mehreren Zehntausend Jugendlichen vor Hitler, „Durchbruch“ der HJ.
06.11.	Reichstagswahl: Rückgang des Stimmenanteils der NSDAP auf 33,5 %.
17.11.	Rücktritt Papens.
19.11.	Petition von Industriellen und Großagrariern an Hindenburg, Hitler zum Kanzler zu ernennen; Hindenburg dazu weiterhin nicht bereit.
02.12.	Ernennung des bisherigen Reichswehrminister Schleicher zum Kanzler durch Hindenburg.
08.12.	Im Zusammenhang mit der Weigerung Hitlers, in die Regierung Schleicher einzutreten, Rücktritt Gregor Straßers von allen Parteiämtern; Rudolf Heß Leiter der Politischen Zentralkommission der NSDAP, Robert Ley *Reichsorganisationsleiter.*

1933

04.01.	Besprechung Hitlers mit Papen im Hause des Bankiers Kurt von Schröder in Köln.
17.–28.01.	Geheimverhandlungen zwischen Hitler, Göring, Papen, Hugenberg und Seldte unter Vermittlung von Joachim von Ribbentrop und Hindenburgs Sohn Oskar: schließlich Zustimmung Hindenburgs zur Kanzlerschaft Hitlers.
28.01.	Rücktritt Schleichers.

II. HERRSCHAFTSSICHERUNG, SOZIALE TRANSFORMIERUNG, EXPANSIONSPOLITIK 1933–1939

Januar 1933

30.01.	Ernennung Hitlers zum Reichskanzler, Koalitionsregierung aus NSDAP, DNVP und *Stahlhelm*: Vizekanzler und Reichskommissar für Preußen: Franz von Papen (parteilos); Inneres: Wilhelm Frick (NSDAP); Wirtschaft, Ernährung und Landwirtschaft: Alfred Hugenberg (DNVP); Reichsminister ohne Geschäftsbereich, Reichskommissar für den Luftverkehr, mit der Wahrnehmung der Geschäfte des preußischen Innenministers beauftragt: Hermann Göring (NSDAP).
31.01.	Aufruf des SPD-Vorstands zur Bekämpfung der neuen Regierung auf dem „Boden der Verfassung“; vergeblicher Aufruf der KPD-Führung zur Einheitsfront aller Arbeiterorganisationen und zum Generalstreik; trotz SA-Terror und innerparteilicher Differenzen zunächst Festhalten von SPD und Eiserner Front am Legalitätskurs; bei KPD, sozialdemokratischen und linkssozialistischen Gruppen Beginn bzw. Verstärkung der Vorbereitungen auf die Arbeit im Untergrund.
Januar	Mitgliederstand der NSDAP: rund 850 000.

Februar 1933

01.02.	Auflösung des Reichstags, Neuwahlen zum 05.03.1933 (Ziel Hitlers: absolute Mehrheit, „legale" Abschaffung der Verfassung).
02.02.	Demonstrationsverbot für Kommunisten in Preußen.
02.02.	Änderung des Reichswahlgesetzes: z.T. Einbeziehung des „Auslandsdeutschtums", Verschärfung der Voraussetzungen für Wahlvorschläge.
03.02.	Geheimrede Hitlers vor den Befehlshabern der Reichswehr („Liebmann-Protokoll") über innere Gleichschaltung und Lebensraumgewinnung im Osten.
04.02.	Notverordnung des Reichspräsidenten „Zum Schutz des deutschen Volkes": Erweiterung der Möglichkeiten zum Eingriff in die Presse- und Versammlungsfreiheit.
06.02.	Beschluß zur Auflösung des preußischen Landtags.
08.02.	Erklärung Hitlers im Kabinett: Vorrang der Aufrüstung für die nächsten vier bis fünf Jahre.
15.02.	Austritt von Heinrich Mann und Käthe Kollwitz aus der Preußischen Akademie der Künste aus Protest gegen deren Gleichschaltung.
17.02.	„Schießerlaß" des preußischen Innenministers Hermann Göring: Straffreiheit für Waffengebrauch gegen „Staatsfeinde"; Sicherheitsorgane nicht mehr politisch neutral.
21.02.	Ersuchen Görings an die preußische Regierung: Ersetzung von SPD-Mitgliedern in den Polizeiverwaltungen durch „national" gesinnte Beamte.
22.02.	Aufstellung von ca. 50 000 Hilfspolizisten aus SA, SS und *Stahlhelm* in Preußen.
27./28.02.	Reichstagsbrand.
28.02.	Verordnung des Reichspräsidenten „Zum Schutz von Volk und Staat" („Reichstagsbrandverordnung"): Aussetzung der Grundrechte, Ermöglichung willkürlicher polizeilicher „Schutzhaft" ohne richterliche Kontrolle; Begründung des dauerhaften Ausnahmezustands; Ausschaltung der KPD und Verbot der SPD-Presse.
Februar/ März	Zahlreiche Gewaltakte von NSDAP-Mitgliedern und SA-Angehörigen gegen einzelne Juden und jüdische Geschäfte.

März 1933

01.03.	Vorläufiges Gesetz zur Gleichschaltung der Länder mit dem Reich.
03.03.	Verhaftung des untergetauchten KPD-Vorsitzenden Ernst Thälmann infolge Verrats aus den eigenen Reihen.
04.03.	Flucht des früheren preußischen Ministerpräsidenten Otto Braun (SPD) in die Schweiz.
05.03.	Reichstagswahl: trotz NS-Terror und verfassungswidriger Behinderung von KPD, SPD und *Zentrum* nur 43,9% für NSDAP, aber knappe absolute Mehrheit für die Regierungskoalition.
09.03.	Sturz der Regierung Held in Bayern durch die Nationalsozialisten: Ritter von Epp *Reichskommissar für Bayern*, Himmler kommissarischer Polizeipräsident in München.
11.03.	Besetzung der Zentrale des *Reichsbanners Schwarz-Rot-Gold* in Magdeburg durch die SA.
12.03.	Hakenkreuzfahne wird Reichsflagge.
13.03.	Joseph Goebbels Chef des neuen *Reichsministeriums für Volksaufklärung und Propaganda*.
16./17.03.	Hjalmar Schacht Reichsbankpräsident.
17.03.	Gründung der *SS-Leibstandarte Adolf Hitler*.

März 1933

März	Nach Ankündigung durch Frick (08.03.) Einrichtung der beiden ersten regulären KZ Dachau (20.03.) und Oranienburg (21.03.).	☠
20.03.	Politische Säuberung der Krankenkassen und anderer Sozialverbände: Stellensperre, direkte Unterstellung unter den Reichsarbeitsminister.	◎
21.03.	Erlaß der „Verordnung zur Abwehr heimtückischer Angriffe“ gegen die Regierung und Einrichtung von Sondergerichten (den Oberlandesgerichten zugeordnete Sonderstrafkammern für politische Delikte): starke Einschränkung der Rechte der Beklagten, keine Rechtsmittel möglich.	
21.03.	„Tag von Potsdam“: Staatsakt in der Potsdamer Garnisonkirche, Eröffnung des neuen Reichstags mit Hindenburg und Hitler.	
22.03.	Bildung des Referats „Rassenhygiene“ im Reichsinnenministerium.	☠
24.03.	„Gesetz zur Behebung der Not von Volk und Staat“ („Ermächtigungsgesetz“): Ermächtigung der Regierung als Gesetzgeber tätig zu werden; de facto Abschaffung der parlamentarischen Demokratie; Zustimmung der Reichstagsfraktionen von DNVP, Zentrum, BVP, DVP und DStP; nach der Aberkennung der Reichstagsmandate der KPD SPD einzige dagegen stimmende Reichstagsfraktion.	❍
28.03.	Bedingte Rücknahme früherer Warnungen vor dem Nationalsozialismus in Hirtenbriefen durch die deutschen katholischen Bischöfe.	◎
28.03.	Austritt Japans aus dem Völkerbund.	✻

April 1933

01.04.	Ernennung Himmlers zum *Politischen Polizeikommandeur Bayerns.*	
01.04.	Fritz Reinhardt Staatssekretär im Finanzministerium; Konstantin Hierl Staatssekretär für den freiwilligen Arbeitsdienst im Reichsarbeitsministerium.	◎
01.04.	Gründung des *Außenpolitischen Amtes* (APA) der NSDAP durch Alfred Rosenberg.	✻
01.–03.04.	Reichsweiter Boykott jüdischer Geschäfte.	☠
04.04.	„Gesetz zur Abwehr politischer Gewalttaten“: Verschärfung der strafrechtlichen Bestimmungen hinsichtlich politisch motivierter Gewalt, Zuständigkeit der Sondergerichte.	
04.04.	Reichstagung der „Deutschen Christen“ (DC) in Berlin.	◎
04.04.	Darré *Reichsbauernführer.*	◎
04.04.	Gleichschaltung der Bauernverbände zu einer „einheitlichen Standesvertretung“.	◎
04.04.	Gesetzentwurf zur Neuordnung des Arbeitsdienstes: Ablösung von den Landesarbeitsämtern, Einteilung in 13 Arbeitsdienstbezirke.	◎
07.04.	„Gesetz zur Wiederherstellung des Berufsbeamtentums“: Entlassung oder Zwangspensionierung politisch „unzuverlässiger Elemente“ und von Beamten jüdischer Herkunft; in der Folge analoge Regelungen für Arbeiter und Angestellte im öffentlichen Dienst (04.05.).	☠
07.04.	„Zweites Gesetz zur Gleichschaltung der Länder mit dem Reich“: Einsetzung von Reichsstatthaltern; Rücktritt Papens als *Reichskommissar für Preußen.*	
09.04.	Tagung des *NS-Lehrerbundes* (NSLB): grundsätzliche Bereitschaft anderer Lehrerverbände zur Gleichschaltung („Erziehungsgemeinschaft“).	◎
10.04.	Zusammenschluß der Rundfunkhörerverbände.	◎
11.04.	Göring Stellvertreter Hitlers als *Reichsstatthalter von Preußen* und gleichzeitig preußischer Ministerpräsident.	
13.04.	Deutsch-englisches Handelsabkommen.	✻

April 1933

19.04.	Empfehlung der Führung der „Freien Gewerkschaften" (*Allgemeiner Deutscher Gewerkschaftsbund*-ADGB) zur Beteiligung an den staatlichen Feiern zum 1. Mai.
21.04.	Rudolf Heß *Stellvertreter des Führers* (in der NSDAP).
24./26.04.	Bildung des *Geheimen Staatspolizeiamts* (Gestapa) in Preußen.
25.04.	Hans Frank *Reichskommissar für die Gleichschaltung der Justiz in den Ländern und die Erneuerung der Rechtsordnung.*
25.04.	„Gesetz gegen die Überfüllung von deutschen Schulen und Hochschulen": Begrenzung des Anteils jüdischer Schüler und Studenten auf 1,5 %.
26.04.	SPD-Reichskonferenz billigt Legalitätskurs der Parteiführung.
27.04.	Gründung des *Reichsluftschutzbunds* (RLB).
28.04.	Göring Chef des neuen Reichsluftfahrtministeriums.
29.04.	Zustimmung des Bayerischen Landtags zum „Länder-Ermächtigungsgesetz" (Preußen 18.05., Sachsen 23.05., Württemberg 08.06., Baden 09.06.).
Ende April	Gründung der *Notgemeinschaft deutscher Wissenschaftler* (Fritz Demuth, Philipp Schwartz und Moritz Bonn) in Zürich (ab 1936 London); bis 1945 Unterstützung der Stellenvermittlung für etwa 2 000 emigrierte deutsche und österreichische Akademiker, vor allem in Großbritannien und den USA.
Ab April/Mai	Flucht zahlreicher Regimegegner und politisch Bedrohter ins Ausland.

Mai 1933

01.05.	NSDAP-Aufnahmesperre zur Abwehr von Opportunisten („Märzgefallene"); Mitgliederstand bei rund 2,5 Mio.
01.05.	Der 1. Mai als „Tag der nationalen Arbeit" gesetzlicher Feiertag.
02.05.	Zerschlagung der „Freien Gewerkschaften" (ADGB) und der Angestelltenverbände (Afa): Besetzung von Häusern und Betrieben sowie der Arbeiterbank durch SA und NSBO; führende Funktionäre in „Schutzhaft".
03./04.05.	Einführung von NS-Zwangskartellen als „Reichsständen" für Handwerk und Handel; Adrian von Renteln Führer des *Reichsstandes des Deutschen Handwerks.*
04.05.	Erste und einzige Vollsitzung des neugewählten SPD-Parteivorstands: Beschluß zur Bildung einer Auslandszentrale und Transfer von Teilen des Parteivermögens ins Ausland.
05.05.	Ratifizierung der Verlängerung des Berliner Vertrags mit der Sowjetunion von 1926.
10.05.	Gründung der *Deutschen Arbeitsfront* (DAF) als Auffangorganisation für die zerschlagenen Gewerkschaften.
10.05.	Bücherverbrennungen als Demonstration gegen „undeutschen Geist" in zahlreichen deutschen Universitätsstädten (organisiert durch die *Deutsche Studentenschaft*).
10.05.	Beschlagnahmung des verbliebenen Parteivermögens der SPD.
12.05.	Darré Präsident des *Deutschen Landschaftsrats* und Präsident des *Deutschen Landhandelsbundes* (20.05.).
16.05.	Gleichschaltung der Konsumvereine.
17.05.	„Friedensrede" Hitlers vor dem Reichstag.
17.05.	Zustimmung der verbliebenen Mitglieder der SPD-Reichstagsfraktion zur „Friedensrede" Hitlers entgegen der Aufforderung der emigrierten Mitglieder des PV, in der Folge scharfe innerparteiliche Konflikte.
19.05.	Gesetz über die „Treuhänder der Arbeit": Beseitigung der Tarifautonomie.

Mai 1933

19.05.	„Gesetz zum Schutz der Nationalen Symbole“: Verbot „die Symbole der deutschen Geschichte, des deutschen Staates und der nationalen Erhebung öffentlich in einer Weise zu verwenden, die geeignet ist, das Empfinden von der Würde dieser Symbole zu verletzen“.
26.05.	„Gesetz über die Einziehung kommunistischen Vermögens“: nachträgliche Legalisierung der Beschlagnahmungen (u.a. Karl-Liebknecht-Haus der KPD in Berlin).
26.05.	„1000-RM-Sperre“ für deutsche Österreich-Touristen (Reisedevisen): Blockierung des österreichischen Fremdenverkehrs zur ökonomischen Aushöhlung und innenpolitischen Destabilisierung.
27.05.	Gründung des *Bunds Deutscher Osten* (BDO).
27.05.	Beginn des Kirchenkampfes in der evangelischen Kirche als Auseinandersetzung zwischen den DC und sich den politischen Beeinflussungsversuchen der NS-Führung widersetzenden Gläubigen.
31.05.	Zusammenfassung der bisherigen sechs kommunalen Spitzenverbände im *Deutschen Gemeindetag.*
Mai	Bildung des sozialdemokratischen Exilparteivorstands (*Sopade*) in Saarbrücken, ab Juni in Prag. Vorläufiges Hauptquartier der Auslandsleitung der KPD Paris.

Juni 1933

01.06.	Bildung der *Deutschen Rechtsfront* (ab 16.05.1935 *NS-Rechtswahrerbund*) als Standesorganisation aller im juristischen Bereich Tätigen.
01.06.	„Gesetz zur Minderung der Arbeitslosigkeit“ („Reinhardt-Programm“).
02.06.	Gründung eines *Sachverständigenbeirats für Bevölkerungs- und Rassenpolitik* im Reichsinnenministerium.
10.06.	Gründung des *Reichsverbands deutscher Schriftsteller* als nationalsozialistisch geführte Nachfolgeorganisation des *Schutzverbands deutscher Schriftsteller.*
10.06.	Gründung des *Reichskolonialbunds* (Vorläufer: *Koloniale Reicharbeitsgemeinschaft*).
17.06.	Baldur von Schirach *Jugendführer des Deutschen Reichs.*
19.06.	Bildung des *Reichsstands der Deutschen Industrie.*
22.06.	Verbot der SPD.
22.06.	Bildung des *Deutschen Jugendführerrates*; Auflösung und Verbot der meisten Jugendbünde.
23.06.	„Gesetz über den Bau von Reichsautobahnen“.
26.06.	Gründung der *Akademie für Deutsches Recht.*
27.06.	Freiwillige Auflösung der DNVP; nach Rücktritt Hugenbergs Darré *Reichsminister für Ernährung und Landwirtschaft,* Kurt Schmitt *Reichswirtschaftsminister* (29.06.).

Juli 1933

01./02.07.	Eingliederung des *Stahlhelm* (Franz von Seldte) in die SA.
03.07.	Gründung der *Nationalsozialistischen Kriegsopferversorgung* (NSKOV).
04./05.07.	Selbstauflösung von DVP, BVP und *Zentrum.*
06.07.	Reichsstatthalterkonferenz: Erklärung Hitlers zur Beendigung der „Revolution“ und Umsteuern auf „Evolution“; Grund: Lähmungserscheinungen in Verwaltung und Wirtschaft durch den SA-Terror.
08.07.	Ernennung Epps zum Reichsleiter der NSDAP in seiner Funktion als Leiter des *Wehrpolitischen Amts.*

Juli 1933

14.07.	„Gesetz gegen die Neubildung von Parteien“: Legalisierung des NSDAP-Monopols und Vollendung der Gleichschaltung der Parlamente.
14.07.	„Gesetz über die Einziehung volks- und staatsfeindlichen Vermögens“: nachträgliche Legalisierung der Enteignung der SPD und der Gewerkschaften.
14.07.	„Gesetz über eine vorläufige Reichsfilmkammer“ (RFK); RFK Vorläufer der Reichskulturkammer (RKK).
14.07.	„Gesetz über den Widerruf von Einbürgerungen und die Aberkennung der deutschen Staatsangehörigkeit“: gerichtet u.a. gegen die „Ostjuden“ (jüdische Einwanderer v. a. aus Rußland und Polen). Ausbürgerungen von prominenten Emigranten aus Politik, Wissenschaft und Kultur; rasche Steigerung der Ausbürgerungs-Frequenz in den folgenden Jahren (bis 1945 insgesamt 39 006 Ausbürgerungen).
14.07.	„Gesetz zur Verhütung erbkranken Nachwuchses“: Ermöglichung von Sterilisierungen; bis 1945 Zwangssterilisierung von über 350 000 Personen.
15.07.	Berufung eines *Generalrats der Wirtschaft* aus führenden Industriellen, Bankiers und Wirtschaftssachverständigen.
15.07.	Unterzeichnung des Viererpaktes zwischen Deutschland, Großbritannien, Frankreich und Italien in Rom.
Mitte Juli	Gründung des *Kulturbunds Deutscher Juden* in Preußen.
20.07.	Abschluß des Konkordats zwischen dem Deutschen Reich und dem Vatikan: Sicherung von Bestand und Tätigkeit der katholischen Organisationen durch den Staat, Verbot jeder parteipolitischen Betätigung von Priestern durch den Vatikan.
23.07.	Kirchenwahlen in der evangelischen Kirche: starke Mehrheiten für die DC.
25.07.	Erster Grundsatzbefehl Görings als *Reichsminister der Luftfahrt*: getarnter Aufbau der Luftwaffe.

August 1933

07.08.	Aufgehen des *NS-Kampfbunds für den gewerblichen Mittelstand* in der neugegründeten *Nationalsozialistischen Handwerks-, Handels- und Gewerbe-Organisation* (NS-Hago).
15.08.	Auflösung der Hilfspolizei in Preußen.
24.08.	„Adolf-Hitler-Spende der deutschen Wirtschaft“: jährliche Spende von 10 Promille der Lohn- und Gehaltssumme zugunsten der NSDAP.

September 1933

31.08.–03.09.	NSDAP-„Reichsparteitag des Sieges“ in Nürnberg.
05.09.	Einführung des „Arierparagraphen“ für Pfarrer durch die Generalsynode („braune Synode“) der evangelischen Kirchen der Altpreußischen Union.
11./21.09. 1933	Gründung des evangelischen „Pfarrernotbundes“ durch Pfarrer Martin Niemöller als Reaktion auf die „braune Synode“: Beginn der Formierung der „Bekennenden Kirche“ (BK) gegen die von den DC dominierten evangelischen Amtskirchen.
12.09.	Eröffnungsveranstaltung des *Winterhilfswerks*.
13.09.	„Gesetz über den vorläufigen Aufbau des Reichsnährstands“: Regelung der landwirtschaftlichen Märkte und Preise.
17.09.	Gründung der *Reichsvertretung der deutschen Juden* (Präsident: Leo Baeck; Geschäftsführer: Otto Hirsch)

September 1933

21.09.	Reichstagsbrandprozeß vor dem Reichsgericht; angeklagt: u.a. der Holländer Marinus van der Lubbe, Ernst Torgler (Vorsitzender der ehemaligen KPD-Reichstagsfraktion) und Georgi Dimitroff (Mitglied des *Exekutivkomitees der Komintern*); auf Betreiben Willi Münzenbergs internationaler Gegenprozeß in London; weltweites Aufsehen durch die im „Braunbuch über Reichstagsbrand und Hitler-Terror" vertretene These einer Brandstiftung durch Nationalsozialisten.
22.09.	Bildung der *Reichskulturkammer* (Präsident Joseph Goebbels, Vizepräsident Walther Funk) als berufsständische Zwangsorganisation mit sieben Fachkammern: *Reichsschrifttumskammer*: Präsident Hans Friedrich Blunck; *Reichspressekammer*: Max Amann; *Reichsrundfunkkammer*: Horst Dreßler-Andreß, *Reichstheaterkammer*: Otto Laubinger; *Reichsmusikkammer*: Richard Strauss; *Reichskammer der bildenden Künste*: Eugen Hönig; *Reichsfilmkammer*: Fritz Scheuermann (bereits seit 14.07.).
28.09.	Gleichschaltung der deutschen Frauenverbände im *Deutschen Frauenwerk* (von der NSDAP betreuter Verband).
29.09.	„Reichserbhofgesetz": Bauern müssen „deutsche Staatsbürger, deutschen oder stammesgleichen Blutes und ehrbar" sein; Verbot der Erbteilung bei Höfen von 7,5 bis 125 Hektar.

Oktober 1933

04.10.	Schriftleitergesetz: Regelung von Ausbildung und Zulassung zu Presseberufen; Schriftleiter nicht mehr dem Verleger, sondern dem Staat verantwortlich; jüdische Journalisten nur noch in der gemeindlichen und überregionalen jüdischen Presse zugelassen.
13.10.	„Gesetz zur Gewährleistung des Rechtsfriedens": besonderer Schutz für SA, SS und Funktionsträger in Polizei und Justiz vor politischen Gewalttaten (Strafandrohung: Tod oder langjähriges Zuchthaus); unter Androhung schwerster Strafen Verbot der Herstellung „hochverräterischer Druckschriften" und deren Verteilung aus dem In- und Ausland.
14.10.	Austritt Deutschlands aus der Abrüstungskonferenz in Genf und aus dem Völkerbund.
15.10.	Grundsteinlegung zum „Haus der Deutschen Kunst" durch Hitler in München.

November 1933

09.11.	*Sicherheitsdienst* (SD) eigenes SS-Amt mit 10 „Oberabschnitten".
12.11.	Reichstagswahl mit NSDAP-Einheitsliste: Ja-Stimmen 92,2%, ungültige Stimmen 7,8%, Wahlbeteiligung 95,2%, sowie Volksabstimmung über Hitlers Innen- und Außenpolitik.
15.11.	Unterredung Hitlers mit dem neuen polnischen Gesandten Józef Lipski über einen deutschen Verzicht auf eine gewaltsame Lösung der Grenzfragen im Osten.
24.11.	Gesetz über Sicherheitsverwahrung nach Strafhaft für Rückfalltäter.
27.11.	Gründung der *NS-Gemeinschaft „Kraft durch Freude"* (KdF) als Unterorganisation der DAF.
28.11.	Übergabe des Entwurfs eines Nichtangriffspakts an den polnischen Staatschef Marschall Jósef Pilsudski durch den deutschen Gesandten in Warschau Hans Adolf von Moltke.
29.11.	Gesetzliche Einführung von Pflichtinnungen und Führerprinzip im Handwerk.
30.11.	Zweites „Gesetz über die Geheime Staatspolizei": Gestapo in Preußen selbständiger Zweig der inneren Verwaltung.
November	Zerschlagung der Widerstandsorganisation „Roter Stoßtrupp" in Berlin; Bildung illegaler Gewerkschaftsleitungen.

November 1933

November/Dezember	Unterstellung der politischen Polizei in Württemberg, Baden, Mecklenburg, Hessen, Anhalt, Thüringen, Lübeck, Bremen und Hamburg unter Himmler.

Dezember 1933

01.12.	Heß und Röhm Reichsminister ohne Geschäftsbereich.
01.12.	„Gesetz zur Sicherung der Einheit von Partei und Staat“: Begrenzung des Einflusses der Parteigliederungen der NSDAP in der öffentlichen Verwaltung.
01.12.	Aufgehen der bisherigen Lehrer- und Hochschullehrerverbände in der *Deutschen Erziehergemeinschaft*.
14.12.	Benzinvertrag zwischen Reichswirtschaftsministerium und IG Farben über den Ausbau der synthetischen Treibstoffherstellung mit staatlicher Hilfe
18.12.	Memorandum der Reichsregierung zur Abrüstung: Rüstungsstop, Forderung nach deutscher Aufrüstung auf 300 000 Mann.
19.12.	Eingliederung der evangelischen Jugend in die HJ.
23.12.	Reichstagsbrandprozeß: Todesurteil für van der Lubbe, für alle anderen Angeklagten Freispruch.
Dezember	Arbeitslosigkeit im Jahresdurchschnitt bei rund 4,8 Mio (26 %).

Januar 1934

01.01.	Gründung des *Reichsbunds der Deutschen Beamten* (RDB).
08.01.	„Prager Manifest“ (datiert zum 30.01.) der *Sopade* in Prag: Aufruf zum „revolutionären Sturz“ des Hitler-Regimes.
20.01.	„Gesetz zur Ordnung der nationalen Arbeit“: „Treuhänder der Arbeit“ werden Reichsbeamte, Unterstellung unter den Reichsarbeitsminister; Einführung des Führerprinzips und der wirtschaftsfriedlichen „Betriebsgemeinschaft“ in den Betrieben der gewerblichen Wirtschaft; de facto Beschränkung des Einflusses der DAF.
22.01.	Warnung Heß´ an Röhm auf der SA-Führertagung in Berlin vor militärisch-revolutionären Ambitionen der SA.
26.01.	Nichtangriffspakt zwischen Deutschland und Polen auf zehn Jahre.
30.01.	„Gesetz über den Neuaufbau des Reiches“: Aufhebung der Länderparlamente und der Hoheitsrechte der Länder; Länderregierungen werden zu Mittelbehörden des Reichs.

Februar 1934

05.02.	Prüfungsordnung für Ärzte und Zahnärzte: Ausschluß jüdischer Studenten vom Examen.
12.–15.02.	„Schutzbund-Aufstand“ in Österreich als Reaktion der Arbeiterbewegung auf die sukzessive Aushöhlung der republikanischen Verfassung durch die Regierung unter Engelbert Dollfuß: Niederschlagung durch Militär und Polizei, Standrecht-Justiz, Illegalisierung der Arbeiterbewegung, Flucht zahlreicher Funktionäre und Mitglieder vor allem in die ČSR.
16.02.	„Erstes Gesetz zur Überleitung der Rechtspflege auf das Reich“.
16.02.	„Lichtspielgesetz“: Verschärfung und Formalisierung der Filmzensur (Prüfstelle Reichsfilmdramaturg).
16.02.	Indizierung von Alfred Rosenbergs „Mythus des 20. Jahrhunderts“ durch die katholische Kirche.
27.02.	„Gesetz zur Vorbereitung des organischen Aufbaus der deutschen Wirtschaft“: Einführung des Führerprinzips im Verbandswesen der Wirtschaft; Ermächtigung der Reichsregierung zur Errichtung und Auflösung von Wirtschaftsverbänden sowie zu Satzungsänderungen.

Februar 1934

28.02.	Treffen Hitlers mit SA- und Reichswehrführung: Absage Hitlers an Röhms Miliz-Konzept für die SA, Kriegspläne nur mit der Reichswehr durchführbar (allgemeine Wehrpflicht).

März 1934

07.03.	Wirtschaftsvertrag zwischen Deutschland und Polen: offizielle Beendigung des jahrelangen Wirtschaftskriegs.
12.03.	Übertragung des „Arierparagraphen“ aus dem „Gesetz zur Wiederherstellung des Berufsbeamtentums“ auf die Reichswehr.
März	Ausschaltung der trotzkistischen Gruppe „Funke“ in Berlin, zahlreiche Verhaftungen.
März/April	„Vertrauensräte“-Wahlen in den Betrieben: nahezu die Hälfte der Arbeiter gegen die nationalsozialistische Einheitsliste, nach erneutem Mißerfolg 1935 keine weiteren Vertrauensräte-Wahlen.

April 1934

01.04.	Gottfried Feder *Reichskommissar für das Siedlungswesen.*
17.04.	Errichtung der *Parteiamtlichen Prüfungskommission zum Schutze des nationalsozialistischen Schrifttums* (PPK) im *Stab Stellvertreter des Führers.*
20.04.	Ernennung Himmlers zum stellvertretenden Chef und Inspekteur der *Geheimen Staatspolizei* in Preußen.
22.04.	Reinhard Heydrich Leiter des *Gestapa.*
22.04.	Erster gemeinsamer Auftritt der Mitglieder der „Bekennenden Kirche“ aus ganz Deutschland in Ulm.
23.04.	Joachim von Ribbentrop *Beauftragter für Abrüstungsfragen.*
24.04.	Errichtung des *Volksgerichtshofs* (VGH) für Delikte des Hoch- und Landesverrats (Reaktion auf die Freisprüche im Reichstagsbrandprozeß).

Mai 1934

01.05.	Proklamation der „Verfassung 1934“ in Österreich durch die Regierung Dollfuß; verfassungsrechtliche Implementierung des autoritären „christlichen Ständestaats“ (Austrofaschismus).
01.05.	Ernennung des *Preußischen Ministers für Wissenschaft, Kunst und Volksbildung* Bernhard Rust zum Chef des neuen *Reichsministeriums für Wissenschaft, Erziehung und Volksbildung* (RMfWEuV).
01.05.	Handelsvertrag zwischen Deutschland und Jugoslawien.
11.05.	Propagandakampagne „gegen Miesmacher und Kritikaster“.
29.–31.05.	Erste Bekenntnissynode der „Bekennenden Kirche“ (Barmer Synode): Beschluß des „Barmer Bekenntnisses“, Ablehnung des weltanschaulichen Führungsanspruchs des NS-Staates im Bereich der evangelischen Kirche, Verkündung des „Notrechts“ gegen Kirchenleitungen der DC.
Mai 1934	Emigration Heinrich Brünings aus Deutschland.

Juni 1934

02.06.	Errichtung der *Reichsschrifttumsstelle* im *Reichsministerium für Volksaufklärung und Propaganda* zur „Pflege und Förderung deutschen Schrifttums“.
03.06.	Gründung des *Nationalsozialistischen Bunds Deutscher Technik* (NSBDT).

Juni 1934

06.06.	Verschmelzung des *Kampfbunds für Deutsche Kultur* und des *Reichsverbands Deutsche Bühne* zur *NS-Kulturgemeinde.*
07.06.	Gemeinsamer Hirtenbrief der katholischen Bischöfe gegen die „Irrtümer der Zeit".
14./15.06.	Erstes Zusammentreffen Hitler-Mussolini in Venedig (beiderseitige Beziehungen, Österreichfrage, Abrüstung, Deutschlands Rückkehr in Völkerbund).
17.06.	Rede von Vizekanzler Papen in Marburg (Verfasser: Edgar Jung) mit scharfer Kritik aus konservativer Rechtsauffassung an „Staatstotalismus" und Einparteienherrschaft.
20.06.	Unterstellung aller KZ unter den *Reichsführer SS* Himmler.
30.06.–02.07.	Entmachtung und Ermordung der SA-Spitze um Ernst Röhm und Mordaktion an konservativen Regimekritikern („Röhm-Putsch") ; Viktor Lutze neuer *Stabschef der SA*.
Juni	Ablehnung des Vorschlags des französischen Außenministers Louis Barthou zu einem kollektiven Nichtangriffspakt der osteuropäischen Staaten einschließlich Deutschlands mit französischer Garantie und Anlehnung an Völkerbund („Ost-Locarno") durch Hitler.
Juni	Konstituierung des *Deutschen PEN-Clubs* im Exil (Präsident: Heinrich Mann).

Juli 1934

03.07.	Nachträgliche gesetzliche Legalisierung der „Röhm-Putsch-Mordaktion" als „Staatsnotwehr" durch den Reichstag.
04.07.	Theodor Eicke Inspekteur der KZ und Führer der SS-Wachverbände.
04.07.	Kompetenzabgrenzung von SD (Gegnerermittlung) und *Gestapo* (Gegnerbekämpfung).
06.07.	Konstantin Hierl *Reichskommissar für den RAD.*
20.07.	SS „selbständige Gliederung der NSDAP", der RFSS Hitler „persönlich und unmittelbar" unterstellt.
22.07.	Prüfungsordnung für Juristen: Ausschluß jüdischer Studenten vom Examen.
25.07.	Mißglückter nationalsozialistischer Putsch in Österreich: Ermordung von Bundeskanzler Engelbert Dollfuß; Nachfolger Kurt von Schuschnigg.
26.07.	Papen von Hitler mit Sondermission in Wien beauftragt, Ernennung zum Gesandten (08.08.); Amtsenthebung des Landesinspekteurs der NSDAP in Wien Theodor Habicht durch Hitler.
31.07.	Reichsbankpräsident Schacht kommissarischer Reichswirtschaftsminister.

August 1934

01.08.	„Gesetz über das Oberhaupt des Deutschen Reiches": Vereinigung der Ämter des Reichspräsidenten und des Reichskanzlers.
02.08.	Tod Hindenburgs; Hitler „Führer und Reichskanzler": fortan Vereidigung von Beamten und der Reichswehr (19.08.) auf Hitler persönlich.
10.08.	Verordnung über Arbeitkräfteverteilung: Beschränkung der freien Arbeitsplatzwahl.
19.08.	Volksabstimmung über die Zusammenlegung der Ämter des Reichspräsidenten und des Reichskanzlers: 89,9% Ja- und 10,1% Nein-Stimmen; Wahlbeteiligung: 95,7%; ungültige Stimmen 2%.

September 1934

05.–10.09.	NSDAP-Reichsparteitag „Triumph des Willens" in Nürnberg.
30.09.	Erntedankfest auf dem Bückeberg: Rede Hitlers vor 700 000 Bauern.

Oktober 1934

16.10.	Vereidigung des Kabinetts auf Hitler.
19./20.10.	Zweite Bekenntnissynode der „Bekennenden Kirche“ in Berlin-Dahlem: Bekräftigung des „kirchliche Notrechts“ und Festigung der Organisation.
24.10.	Verordnung Hitlers über „Wesen und Ziel der Deutschen Arbeitsfront“: Festlegung des Charakters der DAF als Einheitsorganisation aller früheren Gewerkschaften und Arbeitgeberverbände.
Oktober	Ausschaltung der sozialistischen Rechberg-Gruppe (Emil Henk) in Südwestdeutschland.
Herbst 1934	Zerschlagung des „Technik-Apparats“ der KPD und vieler illegaler Bezirksleitungen durch die Gestapo.

November 1934

01.11.	Unterzeichnung eines deutsch-britischen Zahlungsabkommens; Einrichtung der *Dienststelle Wirtschafts- und Waffenwesen im Wehrmachtamt des Reichswehrministeriums* (ab Okt. 1935 *Wehrwirtschaftsstab*, ab 22.11.1939 *Wehrwirtschafts- und Rüstungsamt*).
11.–18.11.	Auf dem zweiten Reichsbauerntag in Goslar Aufruf zur „Erzeugungsschlacht“.
22.11.	Gründung der vorläufigen Kirchenleitung der „Bekennenden Kirche“.

Dezember 1934

01.12.	Neuordnung der Organisationen der gewerblichen Wirtschaft mit der Gründung der *Reichswirtschaftskammer* (sechs Reichsgruppen).
05.12.	Gesetz über das Kreditwesen: Unterstellung der Großbanken unter den Reichsbankpräsidenten.
08.12.	Prüfungsordnung für Pharmakologen: Ausschluß jüdischer Studenten vom Examen.
13.12.	„Gesetz gegen heimtückische Angriffe auf Staat und Partei und zum Schutze der Parteiuniform“: Erweiterung der Möglichkeiten zur strafrechtlichen Verfolgung politischer Unbotmäßigkeit in erheblichem Umfang.
13.12.	Einführung der „freiwilligen“ Vorlage aller Drehbücher beim Reichsfilmdramaturgen.
19.12.	Hans Frank (Gründer der *Akademie für Deutsches Recht* und Leiter der *Deutschen Rechtsfront*) Reichsminister ohne Geschäftsbereich.
Dezember	Arbeitslosigkeit im Jahresdurchschnitt bei 2,7 Mio. (15 %).

Januar 1935

13.01.	Saarabstimmung unter dem Schutz des Völkerbunds: 90,76 % für die Rückkehr zum Reich, 8,84 % für die Beibehaltung des status quo und 0,4 % für den Anschluß an Frankreich; im Vorfeld intensive aber im wesenlichen wirkungslose Kampagne von KPD (Herbert Wehner) und Saar-SPD (Max Braun) unter Beteiligung emigrierter Oppositioneller für die Beibehaltung des status quo.
26.01.	Erlaß von Richtlinien für rassenpolitische Erziehung in den Schulen.
27.–31.01.	Besuch Görings in Polen: massive Agitation gegen die Sowjetunion.
30.01.	„Reichsstatthaltergesetz“: endgültige Beseitigung der Länderhoheit.
30.01.	„Deutsche Gemeindeordnung“: grundsätzliche Wahrung der kommunalen Selbstverwaltung, aber Abschaffung der Gemeindewahlen; Bestimmung der Bürgermeister durch die NSDAP, dadurch enge Verschränkung von Gemeindeverwaltung und Parteiorganisation.
30.01.	Bildung der SS-Hauptämter: *SS-Sicherheitshauptamt (SD-Hauptamt)* unter Heydrich zuständig für Gegnerbeobachtung, Spionage- und Sabotageabwehr.
Januar	Beginn der systematischen „Entjudung“ der Verbände der RKK.

Februar 1935

01.02.	Ernennung und Entlassung von Reichs- und Landesbeamten vom Regierungsrat aufwärts sowie die Ausübung des Gnadenrechts künftig in Hitlers persönlicher Zuständigkeit.
11.02.	Josef Bürckel *Reichskommissar für die Rückgliederung des Saarlands.*
15.02.	Eröffnung des fortan jährlich stattfindenden Reichsberufswettkampfs.
17.–21.02.	Erste Reichstagung der *Nationalsozialistischen Volkswohlfahrt* (NSV).
26.02.	„Gesetz über die Einführung des Arbeitsbuchs“: Kontrolle über Arbeitsverhältnisse und -kräfte.

März 1935

01.03.	Wiedereingliederung des Saargebiets in das Deutsche Reich; Emigration von rund 5 000 NS-Gegnern.
04./05.03.	Bekenntnissynode der evangelischen Kirchen der Altpreußischen Union: Beschluß der Kanzelverkündigung gegen „Neuheidentum“ und NS-Rassenideologie; Verhaftung zahlreicher evangelischer Pfarrer.
09./14.03.	Unterrichtung der ausländischen Regierungen über den Aufbau der Luftwaffe; Luftwaffe durch Erlaß Hitlers selbständiger Wehrmachtteil.
10.03.	Erste Fahrt von KdF-Schiffen nach Madeira.
16.03.	„Gesetz über den Aufbau der Wehrmacht“: Wiedereinführung der allgemeinen Wehrpflicht und Aufhebung der militärischen Bestimmungen des Versailler Vertrags durch Hitler (Planung: Ausbau der Reichswehr bis 1939 auf 36 Divisionen mit 580 000 Mann).
22.03.	Eröffnung des ersten regelmäßigen deutschen Fernseh(probe)betriebs durch Reichssendeleiter Eugen Hadamowsky; kostenloser Empfang der ausgestrahlten Programme an 15 „öffentlichen Fernsehstellen“ in Berlin und Potsdam.
25./26.03.	Besuch des britischen Außenministers John Simon und des Lordsiegelbewahrers Anthony Eden in Berlin zur Vorbereitung des deutsch-britischen Flottenabkommens.
Ende März	Verhaftung der letzten KPD-Inlandsleitung in Berlin.

April 1935

Ab 01.04.	Verordnung der Reichsführung der *Deutschen Studentenschaft* (05.03.): Arbeitsdienst für Studenten niedriger Semester und Abiturienten Voraussetzung des Studiums.
01.04.	Verbot der Organisation der „Zeugen Jehovas“; zahlreiche Verhaftungen.
09.04.	Deutsch-sowjetische Wirtschaftsvereinbarung über einen deutschen Kredit von 200 Mio. Reichsmark für fünf Jahre.
11./14.04.	Als Reaktion auf die Wiedereinführung der allgemeinen Wehrpflicht in Deutschland Konferenz der Regierungschefs von England, Frankreich und Italien in Stresa: Verurteilung des deutschen Vorgehens und Widerstand gegen jede einseitige Aufkündigung von Verträgen („Stresa-Front“).
15.04.	Gesetz über die Befreiung des Grundbesitzes der NSDAP von der Gebäudesteuer.
20./21.04.	Konferenz illegaler und emigrierter Gewerkschafter aus dem Transportbereich in Roskilde/Dänemark.
25.04.	Anordnung des Präsidenten der *Reichsschrifttumskammer* über „schädliches und unerwünschtes Schrifttum“: Ermöglichung nachträglicher Buchverbote.

Mai 1935

02.05.	Unterzeichnung des französisch-sowjetischen Beistandspakts auf fünf Jahre.	✵
07.05.	Vereinheitlichung der Strafrechtspflege im Reich.	
16.05.	Unterzeichnung eines tschechoslowakisch-sowjetischen Beistandspakts: Kopplung von sowjetischer Hilfeleistung für die Tschechoslowakei an militärischen Beistand durch Frankreich.	✵
17.05.	Beginn einer Welle von 60 Prozessen gegen Klosterangehörige wegen „Devisenvergehen".	◎
21.05.	Schacht *Generalbevollmächtigter für die Kriegswirtschaft.*	✵
21.05.	Außenpolitische Reichstagsrede Hitlers: Betonung der Bereitschaft zum Frieden; neues Wehrgesetz; gleichzeitig geheimes „Reichsverteidigungsgesetz": Verpflichtung der Wirtschaft zur Rüstungsproduktion. Grundsätzlicher Ausschluß von Juden vom Wehrdienst; keinesfalls Dienst als Vorgesetzte; am 25.07. „Verordnung über die Zulassung von Nichtariern zum aktiven Wehrdienst": definitiver Ausschluß von Voll- und Dreiviertel-Juden aus den Streitkräften.	✵☠
24.05.	Deutsch-rumänisches Clearing-Abkommen.	✵
Mai/Juni	Zerschlagung des Germania-Kreises (größte sozialdemokratische Widerstandsgruppe am Niederrhein); kleinere Zirkel in Amsterdam weiterhin tätig.	✪
Mai-August	Verstärkte Boykott-Propaganda gegen Juden; vielfältige Gewaltakte von Partei- und SA-Trupps gegen Juden und jüdische Geschäfte.	☠

Juni 1935

01.06.	Joachim von Ribbentrop *Außerordentlicher Bevollmächtigter Botschafter des Deutschen Reichs in besonderer Mission* (für Flottenverhandlungen mit London); Ausbau der *Dienststelle Ribbentrop* („Nebenaußenministerium" der Partei in Konkurrenz zu Rosenbergs *Außenpolitischem Amt* der NSDAP).	✵
04.–06.06.	Dritte Bekenntnissynode der „Bekennenden Kirche" in Augsburg.	✪
13.06.	Errichtung der *Reichsarbeitskammer* und der *Bezirksarbeitskammern.*	◎
18.06.	Deutsch-britisches Flottenabkommen (Stärkeverhältnis beider Flotten 1:3,5 bei Parität der U-Bootrüstung).	✵
19.06.	Anordnung über den Aufbau des *Reichs-Arbeits- und Wirtschaftsrates.*	◎
26.06.	Einführung der Arbeitsdienstpflicht im staatlichen *Reichsarbeitsdienst* (RAD), vorläufig nur für Männer.	◎
26.06.	Reichsluftschutzgesetz.	✵
28.06.	„Gesetz zur Änderung des Strafgesetzbuches": Umgestaltung und Instrumentalisierung der Rechtspflege im Sinne der nationalsozialistischen Ideologie.	

Juli 1935

08.07.	Einführung des „Ariernachweises" für die Aufnahme in die *Deutsche Studentenschaft* bzw. *Deutsche Fachschulschaft.*	☠
09.07.	„Verbot der Hetze gegen das Gesetz zur Verhütung erbkranken Nachwuchses": u.a. Strafandrohung gegen kirchliches Auftreten gegen die Sterilisierung Behinderter.	✪
13.07.	Rücktritt des Präsidenten der *Reichsmusikkammer* Richard Strauss; personelles Revirement in der *Reichskulturkammer.*	
20.07.	Einschränkung der Tätigkeit katholischer Jugendorganisationen durch Erlaß.	◎
24.07.	Gründung des *Nationalsozialistischen Deutschen Dozentenbunds* (NSDDB).	
25.07.–20.08.	VII. Weltkongreß der *Komintern*: Volks- und Einheitsfrontpolitik gegen den Faschismus, Korrektur der „Sozialfaschismustheorie".	✪

Juli 1935

26.07.	Runderlaß des Reichsinnenministeriums für Standesbeamte zur Zurückstellung von „Rassenmischehen" bis zur erwarteten gesetzlichen Neuregelung; im Vorfeld immer wieder Weigerungen von Standesbeamten, z.T. auch gerichtlich legitimiert, Mischehen zu vollziehen.
26./27.07.	Konferenz von Reichenberg: Gründung einer *Auslandsvertretung der deutschen Gewerkschaften* (ADG) in Komotau unter Heinrich Schliestedt (ab August 1938 unter Fritz Tarnow in Kopenhagen).
27.07.	Hans Hinkel „Sonderbeauftragter" des Reichspropagandaministers für die Überwachung der „Nichtarier" auf kulturellem Gebiet (ab 1938 Abteilung IIA des Propagandaministeriums; ab 1939 „Besondere Kulturaufgaben").

August 1935

02.08.	Hitler erklärt München zur „Hauptstadt der Bewegung".
06.08.	Anordnung der RKK zur Gründung des *Reichsverbands jüdischer Kulturbünde* (RJK) (seit Ende März in Vorbereitung) bis zum 31.08. (Kurt Singer, Werner Levi).
17.08.	Verbot aller noch bestehenden Freimaurerlogen.
20.08.	Hirtenbrief der katholischen Bischöfe gegen „Neuheidentum" und die Verdrängung christlicher Elemente aus der Öffentlichkeit.
31.08.	Erste Sitzung der *Reichsarbeitskammer* in Berlin.

September 1935

03.09.	Möglichkeit des Hochschulstudiums für „bewährte HJ- und Arbeitsdienstführer mit Volksschulabschluß".
10.–16.09.	NSDAP-„Reichsparteitag der Freiheit" in Nürnberg.
15.09.	„Nürnberger Gesetze": „Reichsflaggengesetz" (u.a. Einführung der Hakenkreuzflagge als Reichs- und Nationalflagge), „Reichsbürgergesetz" (formalrechtliche Grundlage für den sukzessiven Entzug der staatsbürgerlichen Rechte der Juden durch Verordnungen), „Gesetz zum Schutz des deutschen Blutes und der deutschen Ehre" (Strafbarkeit von Eheschließungen und außerehelichen sexuellen Beziehungen zwischen Juden und sogenannten Deutschblütigen).
24.09.	„Gesetz zur Sicherung der „deutschen evangelischen Kirche": Ermächtigung des neu ernannten Reichskirchenministers Hans Kerrl zur „Wiederherstellung geordneter Zustände".
26.09.	Treffen von Emigranten unterschiedlichster politischer Richtungen im Hotel Lutetia in Paris zur Vorbereitung einer deutschen Volksfront.
Herbst	Einbruch der Gestapo in die Berliner Organisation von *Neu Beginnen*; zahlreiche Verhaftungen bis Frühjahr 1936.

Oktober 1935

03.10.	Beginn des italienischen Abessinienfeldzugs.
05.10.	Regelung der Zusammenarbeit von DAF und *Reichsnährstand*.
06.10.	Auflösung der *Deutschen Burschenschaft* und teilweise Überführung in den *Nationalsozialistischen Deutschen Studentenbund* (NSDStB).
07.10.	Verhängung von Sanktionen durch den Völkerbundsrat gegen Italien nach Angriff auf Abessinien (Waffenembargo, Kredit- und Rohstoffsperre); Unterstützung Italiens durch deutsche Rohstofflieferungen (v.a. Kohle).
12.10.	„Verbot des Nigger-Jazz" im deutschen Rundfunk durch Reichssendeleiter Hadamovsky.

Oktober 1935

18.10.	„Gesetz zum Schutze der Erbgesundheit des deutschen Volkes" (Ehegesundheitsgesetz): Verbot der Verehelichung von Behinderten und „Erbkranken"; verstärkte Propaganda gegen „lebensunwertes Leben".
Oktober	Gründung der *Volksdeutschen Mittelstelle* (VOMI) zur Zentralisierung der Volkstumspolitik
Oktober	KPD-Konferenz bei Moskau („Brüsseler" Konferenz): Beschluß der Taktik der Einheits- und Volksfront; später weitgehendes Scheitern dieser Bestrebungen in der Emigration; wegen der disparaten Situation des kommunistischen Widerstands im Reich kaum Tiefenwirkung dieser programmatischen Wendung.

November 1935

01.11.	Verbot der *Anthroposophischen Gesellschaft.*
03.11.	Richtfest für Parteibauten am Königsplatz in München.
04.11.	Deutsch-polnischer Wirtschaftsvertrag.
06.11.	Erlaß über die Vereinheitlichung der Gemeindepolizei (Amtsbezeichnungen, Dienstaufsicht).
07.11.	Öffentliche Vereidigung des ersten Rekrutenjahrgangs auf Hitler.
14.11.	Erste Verordnung zum „Reichsbürgergesetz": Entlassung von Juden im Sinne des „Reichsbürgergesetzes" aus dem Staatsdienst und allen sonstigen öffentlichen Ämtern.

Dezember 1935

13.12.	Gründung des SS-„Lebensborn e.V." zur Förderung des Kinderreichtums von SS-Männern; Heime für uneheliche Kinder von SS-Angehörigen; ab 1941 Mitwirkung bei der Eindeutschung „rassisch wertvoller" Kinder aus den besetzten Gebieten.
Dezember	Arbeitslosigkeit im Jahresdurchschnitt bei 2,15 Mio (11,5 %).

Januar 1936

03.01.	Erlaß Fricks: Einbeziehung von Sinti und Roma sowie Farbiger in das „Blutschutzgesetz".
06.01.	Äußerungen Mussolinis gegenüber dem deutschen Botschafter Ulrich von Hassell: keine Einwände gegen politische Abhängigkeit Österreichs von Deutschland; Gegenleistung: deutsche Unterstützung der italienischen Abessinien-Politik.

Februar 1936

02.02.	Verabschiedung einer gemeinsamen „Kundgebung an das deutsche Volk" durch KPD-, SPD-, linkssozialistische und bürgerliche Exilpolitiker (federführend: Heinrich Mann) im Hotel Lutetia in Paris.
06.–16.02.	IV. Olympische Winterspiele in Garmisch-Partenkirchen.
10.02.	„Drittes Preußisches Gesetz über die Geheime Staatspolizei": Festschreibung der organisatorischen Selbständigkeit der Gestapo; alleinige Zuständigkeit der Gestapo für politische Delikte, Beobachtung und Verfolgung von „Staatsfeinden" (u.a. „Schutzhaft").
17.–22.02.	Vierte Bekenntnissynode der „Bekennenden Kirche" in Bad Oeynhausen: Spaltung in eine gemäßigte und radikale Richtung angesichts der versuchten Zusammenarbeit der Gemäßigten mit Reichskirchenminister Kerrl.

März 1936

07.03.	Einmarsch deutscher Truppen in das durch den Versailler Vertrag entmilitarisierte Rheinland; einseitige Aufkündigung des Vertrags von Locarno; deutsches Memorandum an die Signatarmächte von Locarno mit einem Sieben-Punkte-Programm zur „europäischen Friedensordnung"; Verurteilung durch den Völkerbund (19.03.) ohne Konsequenzen.

März 1936

10.03.	Beginn der Beratungen der Locarno-Mächte erst in Paris, dann in London (unüberbrückbarer englisch-französischer Gegensatz).
12.03.	Wahl der zweiten vorläufigen Kirchenleitung der „Bekennenden Kirche“ durch den „Reichsbruderrat“.
24.03.	Keine Beihilfen mehr für kinderreiche jüdische Familien.
26.03.	Berufsverbot für jüdische Apothekenpächter bzw. Leiter.
29.03.	Reichstagswahl: Plebiszit für Hitlers Politik mit 99% Ja-Stimmen.
29.03.	Umbenennung der „SS-Wachverbände“ in „SS-Totenkopf-Verbände“ (3 500 Mann).

April 1936

01.04.	Überreichung eines deutschen Friedensplans in London durch Botschafter Ribbentrop.
04.04.	Göring Beauftragter für alle Rohstoff- und Devisenfragen: Intensivierung der Autarkiepolitik und der innerdeutschen Erzeugung zur „Wehrhaftmachung“ der deutschen Wirtschaft.
18.04.	Gesetzliche Verankerung des *Volksgerichtshofs* (VGH) als ordentliches Gericht; Gleichstellung mit dem *Reichsgericht* als oberster Strafgerichtshof.
20.04.	SA-„Dankopfer der Nation“: Spendengelder zu Hitlers Verfügung.
20.04.	Ministerrang für Oberbefehlshaber von Heer und Marine.
24.04.	Einweihung von „Ordensburgen“ zur Ausbildung von NS-Kadern in Vogelsang, Crössinsee und Sonthofen.
Ab April	RKK verlangt von Mitgliedern Nachweis „arischer“ Abstammung; Beginn der systematischen Überprüfung der Mitglieder.

Mai 1936

23./24.05.	Konferenz von Vertrauensleuten der illegalen Bergarbeiter-Gewerkschaft in Paris, Gründung des „Arbeitsausschusses freigewerkschaftlicher Bergarbeiter“.
26.05.	Erneute Propagandakampagne gegen katholische Geistliche und Klöster: Anklageerhebung gegen rund 300 Geistliche wegen angeblicher Devisen- und Sittlichkeitsvergehen.
28.05.	Pfingst-Denkschrift der zweiten vorläufigen Leitung der „Bekennenden Kirche“ gegen staatliche Unrechtsmaßnahmen und NS-Rassenpolitik; Übergabe an die Reichskanzlei am 04.06.; daraufhin Verhaftung zahlreicher evangelischer Geistlicher.

Juni 1936

10.–19.06.	Donau- und Balkanreise Schachts (Belgrad, Athen, Sofia, Budapest).
17.06.	„Erlaß über die Einsetzung eines Chefs der Deutschen Polizei im Reichsministeriums des Inneren“: Ernennung Himmlers zum *Reichsführer SS und Chef der deutschen Polizei*“; „einheitliche Zusammenfassung der polizeilichen Aufgaben im Reich“, Errichtung der *Hauptämter Sicherheitspolizei* (Heydrich) und *Ordnungspolizei* (Kurt Daluege).

Juli 1936

01.07.	Kinderbeihilfe an kinderreiche Familien mit geringem Einkommen.
11.07.	Deutsch-österreichisches Abkommen über die Wiederherstellung freundschaftlicher Beziehungen („Juliabkommen“): außenpolitische Abhängigkeit Österreichs von Deutschland.

Juli 1936

12.07.	Einrichtung des KZ Sachsenhausen (Brandenburg).
17.07.	Beginn des Spanischen Bürgerkriegs.
25./26.07.	Beschluß Hitlers zur militärischen Unterstützung General Francos; Aufstellung der „Legion Condor": bis 06.06.1939 Einsatz von 16 000 deutschen Soldaten auf der Seite Francos im Spanischen Bürgerkrieg.
Sommer	„Fettkrise" durch Außenhandelsdefizite und Devisenknappheit.
Ab Sommer	Etwa 5 000 deutsche NS-Gegner im Spanischen Bürgerkrieg auf republikanischer Seite in den „Internationalen Brigaden".

August 1936

01.08.	Eröffnung der XI. Olympischen Sommerspiele in Berlin durch Hitler.
11.08.	Ribbentrop deutscher Botschafter in London.
24.08.	Einführung der zweijährigen Dienstzeit in der Wehrmacht.
August	Weitgehende Zerschlagung der größten norddeutschen Widerstandsgruppe „Sozialistische Front" in Hannover.
Ende August	Geheime Denkschrift Hitlers zum Vierjahresplan.
August/September	Massenverhaftungen von „Zeugen Jehovas".

September 1936

04.–07.09.	Mitteleuropäischer Kongreß der „Zeugen Jehovas" in Luzern: Proteste gegen nationalsozialistische Verfolgungsmaßnahmen.
08.–14.09.	NSDAP-"Reichsparteitag der Ehre" in Nürnberg.
09.09.	Verkündung des Vierjahresplans durch Hitler auf dem Reichsparteitag.
10.09.	Arbeitsdienst-Führer Konstantin Hierl Reichsleiter der NSDAP.

Oktober 1936

03.10.	Stapellauf des Schlachtschiffs „Scharnhorst"; Beginn der Flottenaufrüstung.
14.10.	Fünf Erlasse zur Vereinheitlichung der Sicherheitspolizei und zur Aufhebung örtlicher Zuständigkeitsbeschränkungen.
15.10.	Verbot des Privatunterrichts für „Deutschblütige" durch jüdische Lehrer.
18.10.	Göring *Beauftragter für den Vierjahresplan.*
25.10.	Deutsch-italienischer Vertrag über Zusammenarbeit.
29.10.	Forderung Görings nach Lohnstop und Arbeitsfrieden im Rahmen des Vierjahresplangesetzes.

November 1936

01.11.	Verkündung der „Achse Berlin-Rom" durch Mussolini in Mailand.
10.11.	Hirtenbrief der katholischen Bischöfe: Forderung nach Schutz der Bekenntnisschule.
20.11.	Verkündung des Einsatzes „aller Kräfte" gegen den „Bolschewismus" durch die evangelische Kirchenleitung (DC).
25.11.	„Antikomintern-Pakt" zwischen Deutschland und Japan.
26.11.	Verbot der „Kunstkritik" in der Presse durch Goebbels; nur noch „Kunstbetrachtung und Kunstbeschreibung" zulässig.

November 1936

26.11.	Verleihung des Friedensnobelpreises an Carl von Ossietzky (seit 1933 im KZ).
November	Verbot Hitlers zur Annahme von Nobelpreisen durch „Reichsbürger“.
Ab November	Weitgehende Zerschlagung der Widerstandsgruppe „Rote Kämpfer“.

Dezember 1936

01.12.	HJ „Staatsjugend“: Gesetz aber erst 1939 wirksam.
01.12.	*Winterhilfswerk* rechtsfähige Stiftung.
12.12.	Exakt terminierte zeitgleiche Verteilung eines auf dem Luzerner Kongreß verabschiedeten Protestflugblatts der „Zeugen Jehovas“ in einer Auflage von wohl 200 000 im ganzen Reichsgebiet.
Dezember	Arbeitslosigkeit im Jahresdurchschnitt bei 1,6 Mio (8,3 %); Mangel an Facharbeitern.
Ende 1936	Erstes offenes Auftreten von Thomas Mann aus dem Exil gegen den NS-Staat: Ausbürgerung, Entzug der Ehrendoktorwürde der Universität Bonn.

Januar 1937

15.01.	Genehmigung Hitlers für den Aufbau von „Adolf-Hitler-Schulen“ zur Heranbildung des Führernachwuchses.
26.01.	Beamtengesetz: Forderung nach besonderer Treue der Beamtenschaft zu „Führer und Reich.“
27.01.	SS-Obergruppenführer Werner Lorenz Leiter der VOMI.
30.01.	Verlängerung des „Ermächtigungsgesetzes“ um weitere vier Jahre.
30.01.	Widerruf der deutschen Unterschrift unter die Kriegsschulderklärung im Versailler Vertrag durch Hitler.

Februar 1937

10.02.	Reichsbank und Reichsbahn durch Gesetz der Reichsregierung unterstellt.
Februar	Zerschlagung der illegalen Organisation der KPO, der illegalen Eisenbahner in Westdeutschland sowie der Metallarbeiter in Sachsen und Berlin.

März 1937

09.03.	Schlagartige Verhaftung mehrerer Tausend Vorbestrafter („Gewohnheitsverbrecher“) durch die Kripo zur Einweisung ins KZ.
21.03.	Kanzelverkündigung der Enzyklika „Mit brennender Sorge“ (Ausstellungsdatum 14.03.) und Verteilung in den katholischen Kirchen: scharfe Verurteilung der nationalsozialistischen Kirchenpolitik, aber auch der politischen Verhältnisse in Deutschland durch Papst Pius XI; Verhaftung zahlreicher katholischer Geistlicher; Beschlagnahmungsaktionen in kirchlichen Druckereien, verbunden mit zahlreichen Enteignungen.
23.03.	Propagierung der Autarkiebestrebungen auf dem Gebiet der Nahrungsmittelerzeugung durch Göring und Darré.
März	Zerschlagung der nationalbolschewistischen „Widerstands-Kreise“ (Ernst Niekisch, Joseph Drexel) in Berlin, Nürnberg und anderen Städten.

April 1937

15.04.	Ausschluß von Juden vom Promotionsverfahren.
17.04.	Gründung des *Nationalsozialistischen Fliegerkorps* (NSFK).

April 1937

19.04.	Eröffnung der ersten „Adolf-Hitler-Schule“ der HJ auf der Ordensburg Crössinsee.
20.04.	Gründung der „Adolf-Hitler-Dank-Stiftung“ für notleidende „alte Kämpfer“.
26.04.	Zerstörung der baskischen Stadt Guernica durch deutsche Flugzeuge im Spanischen Bürgerkrieg.
Frühjahr	Bei Auslandsaufenthalten Versuche des ehemaligen Leipziger Oberbürgermeisters Carl Goerdeler zu Kontaktaufnahme mit ausländischen Regierungskreisen. Neue Massenverhaftungen von „Zeugen Jehovas“. Zerschlagung der illegalen Organisationen der Anarchosyndikalisten (FAUD).

Mai 1937

01.05.	Vorübergehende und beschränkte (am 01.05.1939 endgültige) Aufhebung der NSDAP-Mitgliedersperre.
01.05.	Proklamation des „Leistungskampfs deutscher Betriebe“ durch Ley.
03.05.	Grundsteinlegung für 543 HJ-Heime durch Schirach.

Juni 1937

12.06.	Geheimerlaß des Chefs der Sicherheitspolizei Heydrich: Einweisung „jüdischer Rasseschänder“ und jüdischer Partnerinnen in „rasseschänderischen“ Beziehungen in ein KZ nach Verbüßung ihrer Haftstrafe.
18.06.	Verbot der Doppelmitgliedschaft in HJ und kirchlicher Jugend.
20.06.	Schlagartige Verteilung von rund 70 000 Protestflugblättern der „Zeugen Jehovas“ in zahlreichen Städten.
24.06.	Geheime Weisung von Kriegsminister Werner von Blomberg: Tschechoslowakei mögliches Kriegsziel.

Juli 1937

01.07.	Verhaftung von Pastor Martin Niemöller (KZ-Haft bis 1945).
04.07.	Öffentlicher Protest von Kardinal Faulhaber gegen die Verhaftung katholischer Geistlicher und die Willkür der Gestapo in München.
15.07.	Einrichtung des KZ Buchenwald bei Weimar.
18.07.	Festzug und „Große Deutsche Kunstausstellung“ im neuen „Haus der Deutschen Kunst“ in München; Ausstellung „Entartete Kunst“.
Sommer	Eskalation des Kirchenkampfes gegen die „Bekennende Kirche“, Verhaftung von etwa 800 Geistlichen.

August 1937

03.08.	Erlaß Görings zur Säuberung der Kunstsammlungen in Preußen.

September 1937

06.–13.09.	NSDAP-„Reichsparteitag der Arbeit“ in Nürnberg.
08.09.	Entzug der kassenärztlichen Zulassung für jüdische Ärzte.
20.–26.09.	Wehrmachtsmanöver in Pommern zur Erprobung der Blitzkriegstrategie.
25.–29.09.	Staatsbesuch Mussolinis in Deutschland: Bekräftigung der „Achse Berlin–Rom“.

Oktober 1937

04.10.	Rahmengesetzgebung zur Stadtneugestaltung in Berlin, München, Stuttgart, Nürnberg, Hamburg.

November 1937

04.11.	Verbot der Benutzung des „Deutschen Grußes" („Heil Hitler") durch Juden.
05.11.	Geheimrede Hitlers vor dem Reichsaußenminister und den Oberbefehlshabern der Wehrmachtteile über seine außenpolitischen Ziele („Hoßbach-Niederschrift").
06.11.	Beitritt Italiens zum „Antikomintern-Pakt".
08.11.	Eröffnung der Ausstellung „Der Ewige Jude" durch Goebbels in München.
12.11.	Stellungnahme des Generalstabschefs des Heeres Ludwig Beck gegen Hitlers Kriegspläne.
13.11.	Einsetzung „Höherer SS- und Polizeiführer" (HSSPF) für den Mobilmachungsfall.
25.11.	Verabschiedung des Reichsheimstättengesetzes (Bau weiterer Kleinsiedlungen).
26.11.	Rücktritt Schachts von seiner Funktion als kommissarischer Reichswirtschaftsminister aus Protest gegen Hitlers Kriegs-Wirtschaftspolitik. 

37

Dezember 1937

21.12.	Neufassung des „Falles Grün" für einen möglichen Angriffskrieg gegen die Tschechoslowakei durch das Reichskriegsministerium.
Dezember	Beginn einer bis Sommer 1938 anhaltenden Verhaftungswelle gegen illegale Gruppen des ISK in vielen Großstädten. Ebenfalls weitgehende Ausschaltung der illegalen Organisationen von SAP und KPO.
Dezember	Arbeitslosigkeit im Jahresdurchschnitt bei 912 000 (8,3 %).

Januar 1938

13.01.	Gründung des *BDM-Werks „Glaube und Schönheit"* für junge Frauen zwischen 18 und 21 Jahren.
26.01.	Weisung Himmlers für die Aktion „Arbeitsscheu Reich" (Einweisung von „Asozialen" ins KZ).

Februar 1938

04.02.	Walther Funk Reichswirtschaftsminister und *Generalbevollmächtigter für die Kriegswirtschaft* (Amtseinführung 07.02.).
04.02.	Blomberg-Fritsch-Affäre: weitgehende Gleichschaltung der Wehrmacht; Revirement auch im *Auswärtigen Amt*: Ribbentrop neuer Außenminister, Botschafter Ulrich von Hassell entlassen.
12.02.	Abkommen zwischen Hitler und dem österreichischen Bundeskanzler Schuschnigg („Berchtesgadener Abkommen").
16.02.	Umbildung des österreichischen Kabinetts: Arthur Seyß-Inquart (NSDAP) wird Innen- und Sicherheitsminister, Guido Schmidt Außenminister.

März 1938

04.03.	Gründung des *Nationalsozialistischen Reichskriegerbunds* (hervorgegangen aus dem *Deutschen Reichskriegerbund „Kyffhäuser"*).
11.03.	Nach deutschem Protest Verschiebung der Volksbefragung in Österreich; Rücktritt Schuschniggs.
12.03.	Einmarsch deutscher Truppen in Österreich; Bildung einer NS-Regierung unter Seyß-Inquart.

März 1938

13.03.	„Gesetz über die Wiedervereinigung Österreichs mit dem Deutschen Reich". Seither offizieller Staatsname: Großdeutsches Reich.
Ab Mitte März	Beginn der Verfolgung politischer Gegner in der nun sogenannten „Ostmark"; Emigration von Vertretern der illegalen Arbeiterbewegung und der konservativen Träger des christlichen Ständestaats nach Großbritannen, Frankreich und Übersee; über Wochen hinweg offener Terror gegen die österreichische Juden, erzwungene „Arisierung" der jüdischen Betriebe, Vertreibung zahlreicher Juden in Nachbarländer.
28.03.	Entschluß Hitlers zur Lösung der tschechoslowakischen Frage „in nicht allzu langer Zeit".
März/April	Beginn der von Berlin gesteuerten gezielten Provokationspolitik der *Sudetendeutschen Partei* (SdP) unter Konrad Henlein in der ČSR.
Frühjahr	Im ganzen Reichsgebiet Einschüchterungs- und Terroraktionen von NSDAP und SA gegen Juden („Juden raus aus der Wirtschaft").

April 1938

10.04.	Reichstagswahl und Volksabstimmung über den Anschluß Österreichs (über 99% Ja-Stimmen).
20.04.	Treueid der evangelischen Pfarrer auf Hitler; Verweigerung nur durch eine kleine Minderheit aus der „radikalen" „Bekennenden Kirche".
23.04.	Josef Bürckel *Reichskommissar für die Wiedervereinigung Österreichs mit dem Deutschen Reich*.
24.04.	Forderung der SdP nach Autonomie für die sudetendeutschen Gebiete.
26.04.	Anmeldepflicht für alle jüdischen Vermögen über 5 000 RM; Ermächtigung des *Beauftragten für den Vierjahresplan* zur Verfügung eines „Einsatzes" der Vermögen im „Einklang mit den Belangen der deutschen Wirtschaft"; Beginn der systematischen „Arisierung" jüdischer Wirtschaftsbetriebe.
30.04.	„Gesetz über Kinderarbeit und Arbeitszeit der Jugendlichen": Bekräftigung des Verbots der Kinderarbeit, Arbeitszeitregelung für Jugendliche.

Mai 1938

03.05.	Einrichtung des KZ Flossenbürg (Oberpfalz).
03.–09.05.	Hitler bei Mussolini in Rom: Bekräftigung der „Einheit der Achse".
05.05.	Erste Denkschrift Becks gegen die Kriegsvorbereitung.
20.05.	Mobilmachung der Tschechoslowakei aus Anlaß deutscher Truppenkonzentrationen („Wochenendkrise").
20.05.	Einführung der „Nürnberger Gesetze" in Österreich.
25.05.	Ausstellung „Entartete Musik" in Düsseldorf.
30.05.	Weisung Hitlers an die Wehrmacht zur militärischen Zerschlagung der Tschechoslowakei „in absehbarer Zeit".
31.05.	Gesetz zur entschädigungslosen Einziehung aller „entarteten Kunst".
Ende Mai	Bildung der „Hilfsstelle" der „Bekennenden Kirche" für evangelische „Nichtarier": nach der „Reichskristallnacht" und während des Kriegs, Organisierung von Unterstützung und Hilfe für Protestanten jüdischer Herkunft, aber auch für nicht evangelisch getaufte Juden.

Juni 1938

03.06.	Zweite Denkschrift Becks gegen die Kriegsvorbereitung.
09.06.	Abbruch der Hauptsynagoge in München.

Juni 1938

13.–18.06.	Aktion „Arbeitsscheu Reich" („Juni- Aktion"): Verhaftung und KZ-Einweisung von Tausenden „Asozialen" und von etwa 1 500 Juden.
Ab 14.06.	Verordnung zum Eintrag jüdischer Wirtschaftsbetriebe in ein gesondertes, für jeden einsehbares Verzeichnis: keine Realisierung der vorgesehenen Kennzeichnungspflicht.
22.06.	„Verordnung zur Sicherstellung des Kräftebedarfs für Aufgaben von besonderer staatspolitischer Bedeutung": dadurch Dienstverpflichtung jedes Deutschen möglich.
Juni	Baubeginn des 630 Kilometer langen Westwalls durch den RAD und die neugegründete *Organisation Todt* (OT).

Juli 1938

Ab 06.07.	Verbot für Juden, Auskunfteien, Maklergeschäfte, Bewachungsbetriebe, Heiratsvermittlungen, Hausverwaltungen, Fremdenführungen und Wandergewerbe zu betreiben.
10.07.	Eröffnung der „Großen Deutschen Kunstaustellung" in München.
15./16.07.	Dritte Denkschrift von Beck gegen die Kriegsvorbereitung.
19.–29.07.	Vortrag von Beck beim Oberbefehlshaber des Heeres Walther von Brauchitsch: erfolglose Aufforderung zum kollektiven Rücktritt an die gesamte militärische Führung.
23.07.	Einführung besonderer Kennkarten für Juden.
25.07.	Allgemeines Berufsverbot für jüdische Ärzte; Zulassung lediglich noch als „Krankenbehandler" für jüdische Patienten.
Sommer	Zerschlagung der Vertriebsorganisation der volkssozialistischen „Deutschen Freiheitsbriefe" durch die Gestapo.

August 1938

03.08.	Erfolglose Vermittlungsmission des ehemaligen britischen Handelsministers Walter Runciman in Prag.
08.08.	Einrichtung des KZ Mauthausen (Niederösterreich).
10.08.	Abbruch der Synagoge in Nürnberg.
17.08.	Obligatorische Einführung zusätzlicher Vornamen („Sara" bzw. „Israel") für Juden.
17.08.	Verfassungsrechtliche Sonderstellung der bewaffneten SS (Verfügungstruppe, Totenkopf-Verbände) neben Wehrmacht und Polizei.
17.08.	Beschluß der Kriegssonderstrafrechtsverordnung (Veröffentlichung im *Reichsgesetzblatt* erst am 26.08.1939): drakonische Strafen für Vergehen und Verbrechen im Kriegsfall, Einführung des Straftatbestandes „Wehrkraftzersetzung".
18.08.	Rücktritt Becks aus Protest gegen Hitlers Kriegspläne, Ausbleiben der erhofften Signalwirkung.
19.08.	Hirtenbrief der katholischen Fuldaer Bischofskonferenz gegen Kirchenhetze und Sittlichkeitsprozesse gegen Geistliche und Ordensangehörige.
19.08.	Unterredung zwischen Winston Churchill und Ewald von Kleist in London im Auftrag der deutschen Opposition.
22.–27.08.	Besuch des ungarischen Reichsverwesers Nikolaus von Horthy in Deutschland.
24.08.	Bildung des „Hilfswerks" beim bischöflichen Ordinariat Berlin: nach der „Reichskristallnacht" und während des Kriegs Organisierung von Unterstützung und Hilfe für Katholiken jüdischer Herkunft, aber auch für nicht katholisch getaufte Juden.
August/September	Vorbereitung eines Staatsstreichsplanes durch hohe Offiziere um Hans Oster, Erwin von Witzleben und Paul von Hase im Zusammenhang mit der von Hitler beabsichtigten kriegerischen Lösung der Sudetenfrage („September-Verschwörung").

September 1938

05.–12.09.	NSDAP-„Reichsparteitag Großdeutschland“ in Nürnberg.	✋
07.09.	In vertraulichen Gesprächen mit britischen Regierungsbeamten Forderung des Legationsrats an der deutschen Botschaft in London Erich Kordt nach einer unzweideutigen britischen Stellungnahme gegen die Expansionspläne der deutschen Regierung.	⊙
15.09.	Proklamation Henleins: Sudetengebiete „Heim ins Reich“.	✱
15.09.	Unterredung des britischen Premiers Neville Chamberlain mit Hitler in Berchtesgaden zur Regelung der „Sudetenkrise“.	✱
22.–24.09.	Treffen Chamberlains mit Hitler in Bad Godesberg.	✱
26.09.	Rede Hitlers im Sportpalast in Berlin: Sudetenland letzte deutsche territoriale Revisionsforderung in Europa.	✱
27.09.	Berufsverbot für jüdische Rechtsanwälte: Erlaubnis der Tätigkeit für jüdische Klienten unter der Bezeichnung „Konsulenten“.	☠
29./30.09.	Münchener Konferenz (Hitler, Mussolini, Chamberlain, Edouard Daladier); Unterzeichnung des „Münchener Abkommens“, gemeinsame Erklärung Hitlers und Chamberlains: Anschluß des Sudetengebietes an das Deutsche Reich. Durch die Einigung der europäischen Großmächte mit Hitler Scheitern der Umsturzpläne der Opposition.	✱⊙

Oktober 1938

01.10.	Einmarsch deutscher Truppen in das Sudetengebiet.	✱
05.10.	Kennzeichnung der Reisepässe von Juden mit einem großen roten „J“.	☠
06./08.10.	Autonomie für die Slowakei und die Karpato-Ukraine.	✱
21.10.	Weisung Hitlers zur militärischen Vorbereitung der „Erledigung der Rest-Tschechei“.	✱
26.–28.10.	Ausweisung von 17 000 Juden polnischer Staatsangehörigkeit aus dem Deutschen Reich und Transport an die deutsch-polnische Grenze.	☠
Herbst	Flucht von rund 30 000 politisch gefährdeten Deutschen aus den Sudetengebieten in das verbliebene tschechische Staatsgebiet.	⊙
Herbst	Zerschlagung der sozialistischen *10-Punkte-Gruppe* und von *Neu Beginnen* in Berlin.	⊙

November 1938

04.11.	Übernahme der SdP in die NSDAP.	✋
07.11.	Attentat von Herschel Grynszpan (Grünspan) auf den Legationssekretär Ernst vom Rath in Paris aus Protest gegen die Ausweisungsaktion vom 26.–28.10.	☠
08.–13.11.	Zahlreiche judenfeindliche Übergriffe; auf Anordnung von Hitler und Goebbels in der Nacht vom 09./10.11. Ausweitung zu einem reichsweiten Pogrom („Reichskristallnacht“); Ermordung von über hundert Juden, Verschleppung von rund 26 000 Personen in KZ, Zerstörung bzw. Demolierung nahezu aller Synagogen und von über 7 000 jüdischen Geschäften.	☠
10.11.	Geheimrede Hitlers vor der deutschen Presse zur propagandistischen und psychologischen Vorbereitung der Deutschen auf den kommenden Krieg.	✱
10./23.11.	Verbot der gesamten jüdischen Presse; statt dessen Erscheinen des von Propagandaministerium und Gestapo kontrollierten *Jüdischen Nachrichtenblatts.*	☠
Ab 12.11.	Zwangsverpflichtung der deutschen Juden zu einer „Sühneleistung“ von einer Milliarde RM; Forcierung der „Ausschaltung der Juden aus der Wirtschaft“ (Zwangs-„Arisierung“ jüdischer Betriebe) und Konfiszierung jüdischen Vermögens (Wertpapiere etc.).	☠
21.11.	Annexion der sudetendeutschen Gebiete durch das „Wiedervereinigungsgesetz“	✱⊙

Dezember 1938

06.12.	Unterzeichnung einer gemeinsamen deutsch-französischen Erkärung durch Ribbentrop: keine offenen Grenzfragen zwischen beiden Ländern.
08.12.	Runderlaß Himmlers zur systematischen Erfassung und erkennungsdienstlichen Behandlung aller Sinti und Roma im Reichsgebiet.
16.12.	Stiftung des „Ehrenkreuzes der Deutschen Mutter“ (in Bronze für vier bis fünf, in Silber für sechs bis sieben und in Gold für acht und mehr Kinder).
Dezember	Protest des evangelischen Landesbischofs von Württemberg Theophil Wurm wegen der Übergriffe gegen Juden. Erste Zusammenkünfte im Freundeskreis um Peter Yorck von Wartenburg; Entstehung des „Kreisauer Kreises“ um Yorck und Moltke.
Dezember	Arbeitslosigkeit im Jahresdurchschnitt bei 429 000 (2,1 %).

Januar 1939

01.01.	Umwandlung des *Reichsverbands Jüdischer Kulturbünde* in den *Jüdischen Kulturbund in Deutschland e.V.*
06.–26.01.	Deutsche Versuche zur Einbindung Polens in die antisowjetische Politik: Angebot eines Beitritts zum „Antikominternpakt“.
20.01.	Entlassung Schachts als Reichsbankpräsident wegen Kritik an der Rüstungsfinanzierungspolitik.
24.01.	Anweisung Görings an Reichsinnenminister Frick zur Gründung einer *Reichszentrale für die jüdische Auswanderung*; Leiter: der Chef der Sicherheitspolizei Heydrich.
30.01.	Reichstagsrede Hitlers: Prophezeiung der „Vernichtung der jüdischen Rasse in Europa“ im Fall eines Weltkriegs.
30.01.–1.02.	„Berner“ Konferenz der KPD in Draveil bei Juvisy-sur-Seine südlich von Paris.
Ab Anfang 1939	Beginn der Flucht der reichsdeutschen, sudetendeutschen und österreichischen Emigration in der ČSR nach Großbritannien, Frankreich und Übersee.

Februar 1939

06.02.	Auflösung des *Katholischen Jungmännerverbandes* durch die Gestapo.
15.02.	Anordnung Goebbels’: Verleihung von Kunstpreisen nur mit seiner Zustimmung.

März 1939

14.03.	Von Berlin diktierte Unabhängigkeitserklärung der Slowakei und der Karpato-Ukraine.
15.03.	Einmarsch deutscher Truppen in Böhmen und Mähren.
Ab 15.03.	Flucht von rund 19 000 Juden aus der ehemaligen ČSR bis Ende 1939.
16.03.	Auf der Prager Burg Erlaß Hitlers über die Bildung des Protektorats Böhmen und Mähren, Konstantin von Neurath *Reichsprotektor*.
21.03.	Forderung Hitlers an Polen: Rückkehr Danzigs (bisher Völkerbundsverwaltung) zum Deutschen Reich, exterritoriale Auto- und Eisenbahnverbindung durch den Korridor sowie v.a. enge politische Anlehnung Polens an Deutschland mit antisowjetischer Spitze; Gegenleistung: langfristige Garantie der deutsch-polnischen Grenze; endgültige Ablehnung durch polnischen Außenminister Beck am 26.03.

März 1939

23.03.	Freiwillige Selbstauslieferung der Slowakei unter den „Schutz des Deutschen Reichs"; Einmarsch deutscher Truppen in das Memel-Gebiet. Deutsch-rumänischer Wirtschaftsvertrag („Wohlthat-Vertrag") zur weitgehenden Einfügung Rumäniens in ein deutsch geführtes mitteleuropäisches Wirtschaftssystem.	✻
Ab 23.03.	Nach der Besetzung des Memelgebiets Flucht der Mehrzahl der dort lebenden 9 000 Juden nach Litauen.	☠
25.03.	Gesetzliche Verpflichtung aller Jugendlichen zwischen 10 und 18 Jahren zum Dienst in HJ und BDM; unvollständige Durchsetzung erst während des Kriegs.	◎
27.03.	Beitritt Spaniens zum „Antikomintern-Pakt".	✻
31.03.	Britische und französische Garantieerklärung für die Unabhängigkeit Polens.	✻
Ab März	Kennzeichnung von Sinti und Roma in Ausweisen.	☠

April 1939

03.04.	Weisung Hitlers für den Angriff auf Polen („Fall Weiß").	✻
13.04.	Ausdehnung der britisch-französischen Garantie auf Rumänien und Griechenland.	✻
14.04.	Zusammenschluß der sudetendeutschen Gebiete im „Reichsgau Sudetenland" durch das „Sudetengaugesetz".	☻
15.04.	Aufforderung von US-Präsident Franklin D. Roosevelt an Hitler und Mussolini zum Verzicht auf weitere Gewaltaktionen; Vorschlag einer internationalen Konferenz.	✻
17.04.	Einleitung einer vorsichtigen Annäherung der Sowjetunion an Deutschland durch den sowjetischen Botschafter in Berlin.	✻
20.04.	Errichtung des *SS-Hauptamts für Verwaltung und Wirtschaft* unter Oswald Pohl (ab 01.02.1942 *SS-Wirtschafts-Verwaltungs-Hauptamt*).	☻🏭☠
26.04.	Einführung der allgemeinen Wehrpflicht in Großbritannien.	✻
28.04.	Aufkündigung des deutsch-polnischen Nichtangriffspakts und des deutsch-britischen Flottenabkommens sowie Ablehnung der Vorschläge Roosevelts vom 15.4 durch Hitler.	✻
30.04.	„Gesetz über Mietverhältnisse mit Juden": rechtliche Grundlage zur Auflösung von „Hausgemeinschaften mit Juden" und zur Unterbringung von Juden in „Judenhäusern".	☠

Mai 1939

06.05.	Konrad Henlein Reichsstatthalter im Sudetenland.	☻
15.05.	Einrichtung des Frauen-KZ Ravensbrück.	☻☠
22.05.	Militärbündnis zwischen Deutschland und Italien („Stahl-Pakt").	✻
23.05.	Hitlers Erläuterungen auf dem Obersalzberg über seine Angriffspläne gegen Polen vor der Generalität („Schmundt-Protokoll").	✻

Juni 1939

01.06.	Einrichtung des *Hauptamts SS-Gericht* und des *SS-Personalhauptamts*.	☻
07.06.	Verordnung über das „Rechtsetzungsrecht" des *Reichsprotektors für Böhmen und Mähren*.	☻
21.06.	Verordnung des *Reichsprotektors für Böhmen und Mähren* über das jüdische Vermögen: Anmeldepflicht; Verdrängung der Juden aus der Wirtschaft.	☠
23.06.	Treffen einer deutsch-italienischen Expertenkommission zur Lösung des Südtirol-Problems im *Geheimen Staatspolizeiamt* (Prinz-Albrecht-Str. 8) in Berlin; mündliche	

	Vereinbarung über die Aussiedlung der deutschsprachigen Bevölkerung Südtirols („Option"). In der Folge „Option" von rund 86 % der Südtiroler für eine Aussiedlung ins Großdeutsche Reich.	✻◎▦

Juli 1939

04.07.	Umbenennung der *Reichsvertretung der deutschen Juden* in *Reichsvereinigung der Juden in Deutschland.*	☠
Sommer	Zahlreiche Auslandskontakte deutscher Regimegegner wie Goerdeler, Adam von Trott zu Solz und Erich Kordt; in Berlin Bildung einer sich allmählich fester strukturierenden Gruppe aus verschiedenen Kreisen um Arvid Harnack und Harro Schulze-Boysen (Keimzelle der „Roten Kapelle").	❍

August 1939

18.08.	Verpflichtung für Ärzte zur Meldung mißgebildeter Kinder; Vorbereitung zu deren Ermordung.	☠
19.08.	Wirtschaftsvertrag zwischen Deutschland und der Sowjetunion.	✻
23.08.	Abschluß des deutsch-sowjetischen Nichtangriffspakts mit einem geheimen Zusatzprotokoll („Hitler-Stalin Pakt"): Aufteilung des polnischen Gebiets zwischen dem Deutschen Reich und der Sowjetunion; Estland und Lettland an die Sowjetunion; schwere Orientierungskrise für den – im Reich ohnehin nur noch marginal vorhandenen – kommunistischen Widerstand; schwere Hypothek für die Bündnisfähigkeit der Kommunisten in der Emigration.	✻❍
25.08.	Angebot Hitlers zu einer deutsch-britischen Zusammenarbeit nach der „Regelung der polnischen Frage"; Unterzeichnung eines britisch-polnischen Bündnisvertrags; Mitteilung Mussolinis: kein Kriegseintritt wegen mangelnder Kriegsbereitschaft; Hitlers Widerruf des für den 26.08. terminierten Angriffsbefehls auf Polen.	✻
26.08.	Absage des NSDAP-„Reichsparteitags des Friedens".	✋
26.08.	Veröffentlichung der bereits ein Jahr zuvor beschlossenen Kriegssonderstrafrechtsverordnung im *Reichsgesetzblatt.*	☻
27.08.	Lebensmittel-, später auch Konsumgüterrationierung mit Bezugsscheinen.	◎✻
28.08.	„Erlaß des Führers zur Vereinfachung der Verwaltung": Umstellung der Verwaltung auf Kriegsbedingungen.	☻
28.08.	Vermittlungsangebot Chamberlains über den britischen Botschafter in Berlin Nevile Henderson zu direkten deutsch-polnischen Verhandlungen.	✻
29./30.08.	Bekräftigung der Forderungen vom 21.03. gegenüber Polen durch Hitler; ultimative Forderung nach dem Besuch eines bevollmächtigten polnischen Verhandlungspartners in Berlin bis zum 30.08.; Ablauf des Ultimatums; endgültiger Abbruch der Verhandlungen durch Deutschland; Mobilmachung in Polen.	✻
31.08.	Vermittlungsversuch Görings über den schwedischen Industriellen Birger Dahlerus; Scheitern eines Vermittlungsversuch Mussolinis zur Einberufung einer neuen internationalen Konferenz.	✻
August	Verstärkte psychologische Einstellung der Bevölkerung auf den Krieg durch Gedenktage u.ä.	◎✻
August	Zerschlagung des monarchistischen Harnier-Kreises in München.	❍

III. DER ZWEITE WELTKRIEG 1939–1945

September 1939

01.09.	Deutscher Angriff auf Polen ohne Kriegserklärung nach fingiertem „polnischen Überfall“ auf den Sender Gleiwitz (Oberschlesien).
01.09.	„Verordnung über außerordentliche Rundfunkmaßnahmen“: Bedrohung des Abhörens ausländischer Sender mit harten Strafen, in besonders schweren Fällen mit Todesstrafe.
01.09.	Teilnahme von Einheiten der SS-Verfügungstruppe am Polenfeldzug; im Rücken der Front Einsatzgruppen der Sicherheitspolizei und des SD.
01.09.	Eingliederung der Freien Stadt Danzig in das Großdeutsche Reich.
02.09.	Einrichtung des SS-Sonderlagers Stutthof bei Danzig (ab Februar 1942 KZ).
03.09.	Beginn der systematischen Ermordung von Angehörigen der Intelligenz und von Juden durch Einsatzgruppen, den *Volksdeutschen Selbstschutz* und SS-Verbände sowie Erschießungen von Zivilisten durch die Wehrmacht; Niederschlagung einzelner kriegsgerichtlicher Verfahren gegen die Täter durch Hitler im Oktober.
03.09.	Kriegserklärung Großbritanniens und Frankreichs an das Deutsche Reich.
September	Geheimerlaß (03.09.) sowie drei Rundschreiben Heydrichs über „Grundsätze der inneren Staatssicherheit während des Kriegs“: Ermächtigung der Gestapo zu Exekutionen von „Gegnern“ und „Saboteuren“ ohne Gerichtsurteil („Sonderbehandlung“).
04./05.09.	Scharfe Strafverordnungen gegen Kriegswirtschaftsvergehen und Kriegskriminalität („Volksschädlingsverordnung“).
17.09.	Sowjetischer Einmarsch in Ostpolen.
18.09.	Ende der Kesselschlacht im großen Weichselbogen an der Bzura: 170 000 polnische Kriegsgefangene.
21.09.	Anordnung der „Konzentrierung“ aller polnischen Juden durch Erlaß Heydrichs.
22.09.	Erster Massenmord an Patienten der polnischen Psychatrie in Kocborowo (Conradstein).
27.09.	Zusammenfassung der Sicherheitspolizei (Gestapo und Kriminalpolizei) mit dem *Sicherheitsdienst des Reichsführers SS* (SD) zum *Reichssicherheitshauptamt* (RSHA) als Zentrale des Verfolgungs- und Vernichtungsapparats.
28.09.	Deutsch-sowjetischer Grenz- und Freundschaftsvertrag: Verlegung der deutsch-sowjetischen Demarkationslinie von der Weichsel an den Bug; Litauen jetzt sowjetisches Einflußgebiet.
28.09.	Kapitulation Warschaus nach massiven deutschen Luftangriffen.
30.09.	Bildung einer polnischen Exilregierung in Paris, ab 22.11. in Angers, Juni 1940 Übersiedlung nach London.
September	Sofortige Separierung und schlechtere Behandlung der rund 61 000 Juden unter den polnischen Kriegsgefangenen.
September	Vereinzelte Proteste führender Militärs (u.a. Generaloberst Kurt von Hammerstein) gegen die Ausrottungspolitik gegenüber Juden und Polen; Scheitern des Plans hoher deutscher Offiziere zur Festnahme und Ausschaltung Hitlers während eines Besuchs an der Westfront.
Ab September	Internierung von rund 20 000 deutschen und österreichischen Emigranten und Auslandsdeutschen in Frankreich.

Oktober 1939

06.10.	Abschluß der Kämpfe in Polen: insgesamt 694 000 polnische Kriegsgefangene in deutscher, 217 000 in sowjetischer Hand.
07.10.	RFSS Himmler *Reichskommisssar für die Festigung des deutschen Volkstums.*
08.10.	Eingliederung der westpolnischen Gebiete in das Großdeutsche Reich (Westpreußen, Posen, Süd-Ostpreußen, Danzig, Ost-Oberschlesien).
11.10.	Erste Denkschrift von General Wilhelm Ritter von Leeb gegen die geplante Westoffensive.
12.–17.10.	Erste Deportationen von Juden aus Österreich und dem Protektorat nach Polen.
14.10.	Einführung der Reichskleiderkarte.
14.10.	Versenkung des britischen Schlachtschiffs „Royal Oak" durch U 47 unter Kapitänleutnant Günther Prien in der Bucht von Scapa Flow.
17.10.	SS- und Polizeiangehörige nicht mehr dem normalen Strafrecht unterworfen, nun Zuständigkeit einer erheblich kulanteren Sondergerichtsbarkeit.
24.10.	Erstmalig unter der NS-Herrschaft Einführung des „Judensterns" in Wloclawec (Leslau).
25.10.	Beendigung der Militärverwaltung in Polen; Errichtung des Generalgouvernements; Hans Frank *Generalgouverneur.*
31.10.	Zweite Denkschrift des Generals Ritter von Leeb.
Oktober	Ermächtigungsschreiben Hitlers zum Beginn der „Euthanasieaktion" (rückdatiert auf 01.09.).
Oktober	Bildung der SS-Verfügungs-Division „Das Reich" und der SS-Division „Totenkopf"; ab Dezember 1939 Einführung der Bezeichnung „Waffen SS" im internen Schriftverkehr, ab März 1940 offiziell.
Oktober	Versuch Josef Müllers („Ochsensepp") zur Kontaktaufnahme mit der britischen Regierung mit Hilfe des Vatikans.
Oktober	Verhaftung der Mitglieder der kommunistischen Gruppe um Heinz Kapelle in Berlin.
Ca. Oktober	Erste Morde an behinderten Kindern im Rahmen der „Euthanasie"-Aktion.
Herbst	Gespräche von Trott zu Solz mit amerikanischen und britischen Politikern in den USA und Kanada.

November 1939

03.11.	Aufweichung des Neutralitätsgesetzes durch den amerikanischen Kongreß in Gestalt der „cash-and-carry"-Klausel (Handelserleichterungen) zugunsten der europäischen Westmächte; Basis für spätere Rüstungslieferungen an Großbritannien.
06.11.	„Sonderaktion Krakau": Verhaftung von 183 Krakauer Professoren, Einweisung ins KZ.
07.11.	Erste Verschiebung des Angriffstermins für die Westoffensive (insgesamt 29mal verschoben).
08.11.	Mißglücktes Attentat auf Hitler im Münchener Bürgerbräukeller durch den Einzeltäter Georg Elser.
18.11.	Scharfe Proteste von Generaloberst Johannes Blaskowitz (Oberbefehlshaber Ost) gegen die Mordaktionen in Polen.
27.11.	Kontaktaufnahme zwischen Wilhelm Leuschner, Jakob Kaiser, Goerdeler und Beck.
30.11.	Beginn des sowjetisch-finnischen Winterkriegs.
November	Vorbereitung eines Anschlags auf Hitler zur Verhinderung der Westoffensive durch eine Gruppe um Oster und Generalstabschef Franz Halder.

Dezember 1939

01.12.	Generelle Einführung des „Gelben Sterns" für die im Generalgouvernement lebenden Juden.
13.12.	Seegefecht in der Mündung des Rio de la Plata zwischen einem britischen Flottenverband und dem deutschen Panzerschiff „Admiral Graf Spee"; Selbstversenkung der „Graf Spee" am 17.12. vor Montevideo.
14.12.	Ausschluß der Sowjetunion aus dem Völkerbund wegen des Angriffs auf Finnland.
21.12.	Übernahme des Referats IV D 4 im RSHA (Auswanderung und Räumung) durch Adolf Eichmann; später Umbenennung des Referats in IV B 4 (Judenangelegenheiten und Räumung).
Dezember	Deportation von 87 000 Polen und Juden aus dem neuen Reichsgau Wartheland ins Generalgouvernement.
Dezember 1939/ Januar 1940	Erste „Probevergasung" im Rahmen der „Euthanasie"-Aktion in Brandenburg-Görden.

Januar 1940

24.01.	Verordnung Franks über Einziehung privaten Vermögens zu „gemeinnützigen Zwecken" im Generalgouvernement: juristische Grundlage für willkürliche Enteignungen.
Januar	Verfassungsprogramm von Goerdeler.
Januar	Beginn der systematischen „Euthanasie"-Morde („Aktion T 4") im Reich in Grafeneck (Württemberg).

Februar 1940

08.02.	Anordnung zur Errichtung des Ghettos in Lodz (später Litzmannstadt).
11.02.	Deutsch-sowjetisches Wirtschaftsabkommen: Sicherung umfangreicher Erdöl-, Chrom- und Getreidelieferungen an Deutschland.
15.02.	Erste Straßenrazzia in Warschau zur Deportation von Arbeitskräften ins Reich.
21.02.	„Verordnung über die Zuständigkeit der Strafgerichte, die Sondergerichte und sonstige strafverfahrensrechtliche Vorschriften": Erweiterung insbesondere der Zuständigkeit der Sondergerichte.
22./23.02.	Aussprache Hassells in Arosa mit James Lonsdale Bryans, Verbindungsmann zum britischen Außenminister Edward Halifax.

März 1940

02.03.	Amerikanischer Friedensemissär Sumner Welles bei Hitler.
12.03.	Friedensvertrag von Moskau; Ende des sowjetisch-finnischen Winterkriegs: u.a. Abtretung der karelischen Landenge nordöstlich von Leningrad an die Sowjetunion
17.03.	Fritz Todt *Reichsminister für Bewaffnung und Munition*: Beginn einer neuen Rüstungsorganisation im engen Einvernehmen mit der Wirtschaft.

April 1940

09.04.	Deutscher Überfall auf Dänemark und Norwegen („Unternehmen Weserübung")
14.04.	Aufteilung Österreichs in sieben Reichsgaue, Gauleiter gleichzeitig Reichsstatthalter.
14./15.04.	Erneute Besprechung Hassells mit Lonsdale Bryans in Arosa.
14./15.04.	Beginn der Landung britischer Truppen in Norwegen; Besetzung Narviks (28.05.); Wiederabzug am 07.06.

April 1940

24.04.	Josef Terboven *Reichskommissar für die besetzten norwegischen Gebiete.*
27.04.	Anordnung Himmlers zur Errichtung eines KZ bei Auschwitz.
30.04.	Bildung des Ghettos Lodz durch Abriegelung des jüdischen Wohnbezirks.

Mai 1940

Anfang Mai	Wirkungslose Versuche deutscher Regimegegner wie Oster und Oberst Wilhelm Staehle, die Westmächte durch heimliche Übermittlung der Angriffstermine im Westen zu warnen.
05.05.	Einrichtung einer norwegischen Exilregierung in London.
10.05.	Beginn der deutschen Offensive im Westen: Angriff auf breiter Front zwischen Nordsee und der Südgrenze Luxemburgs zur Umgehung der „Maginot-Linie“ unter Mißachtung der Neutralität der Niederlande, Belgiens und Luxemburgs.
10./11.05.	Britisches Kriegskabinett unter Winston Churchill und Vize-Premier Clement Attlee; „Blut-, Schweiß- und Tränen“-Rede Churchills im Unterhaus.
11./16./17.05.	Beschluß des britischen Kabinetts zum Beginn des britischen Lufkriegs gegen Deutschland; Angriffe auf Ziele in Westdeutschland, insbesondere im Ruhrgebiet.
13.05.	Überschreitung der Maas durch deutsche Panzerverbände.
14.05.	Deutscher Luftangriff auf Rotterdam.
15.05.	Kapitulation der niederländischen Armee.
18.05.	Wiedereingliederung der im Versailler Vertrag an Belgien abgetretenen Gebiete Eupen, Malmedy und Moresnet ins Reich.
19.05.	Seyß-Inquart *Reichskommissar für die besetzten niederländischen Gebiete.*
19.05.	Verordnung über die Bildung des Ghettos in Warschau.
20.05.	Deutsche Panzerspitzen an der Kanalküste.
20.05.	Einrichtung des KZ Auschwitz.
Ab 27.05.	Evakuierung alliierter Truppen aus Dünkirchen.
28.05.	Kapitulation der belgischen Streitkräfte.
Mai	Ermordung von 3 500 Angehörigen der polnischen Eliten („Außerordentliche Befriedungsaktion“); Verschleppung von 20 000 Personen in KZ.
Mai	Deportation von 2 330 Sinti und Roma aus Westdeutschland ins Generalgouvernement.

Juni 1940

08.06.	Besetzung Narviks durch deutsche Truppen (General Eduard Dietl).
10.06.	Kapitulation der norwegischen Streitkräfte.
10.06.	Kriegseintritt Italiens mit Kriegserklärung an Frankreich.
14.06.	Kampflose Besetzung von Paris.
15.–17.06.	Sowjetische Besetzung Litauens, Lettlands und Estlands.
18.06.	Treffen Hitlers und Mussolinis in München zu einer Aussprache über die Waffenstillstandsbedingungen gegenüber Frankreich; Aufruf Charles de Gaulles aus dem Londoner Exil zur Fortsetzung des Widerstands.
22.06.	Deutsch-französischer Waffenstillstandsvertrag in Compiègne.
28.06.	Sowjetische Besetzung Bessarabiens und der Nordbukowina.

Juni 1940

Juni	Beginn von Massenmorden an Juden im Reich: erste Opfer jüdische Psychiatriepatienten.
Juni–August	Planungen des *Auswärtigen Amts* und des RSHA zur Deportation der europäischen Juden nach Madagaskar.

Juli 1940

01.07.	Vichy Sitz der französischen Regierung unter Marschall Philippe Pétain.
02.07.	Bitte Rumäniens um deutsche Garantie seiner Grenzen und um Entsendung einer deutschen Militärmission (Eintreffen: 12.10.).
04.07.	Abbruch der diplomatischen Beziehungen zwischen Vichy-Frankreich und Großbritannien.
04.07.	Vorverlegung der deutsch-französischen Zollgrenze im Elsaß und in Lothringen auf die Reichsgrenze von 1918.
16.07.	Weisung Hitlers zur Vorbereitung einer Landung in England.
19.07.	„Friedensappell" Hitlers an England im Reichstag; Ablehnung durch den britischen Außenminister Lord Halifax in einer Rundfunkansprache (22.07.)
19.07.	Protest des evangelischen Landesbischofs Wurm bei Innenminister Frick gegen die Ermordung psychisch Kranker.
31.07.	Besprechung Hitlers mit den Spitzen der Wehrmacht auf dem Obersalzberg: Beginn der Planung des für Frühjahr 1941 vorgesehenen Angriffs auf die Sowjetunion.

August 1940

01.08.	Protest der katholischen Bischöfe bei Hitler gegen die Ermordung psychisch Kranker.
02.08.	Elsaß, Lothringen und Luxemburg unter Hitler unmittelbar verantwortlichen Zivilverwaltungen.
02.08.	Einrichtung des KZ Groß-Rosen (Niederschlesien).
13.08.	Beginn der Luftschlacht über England („Adlertag").
14.08.	Errichtung des *SS-Führungshauptamts* (Kommandozentrale der Waffen-SS und bis Frühjahr 1942 Inspektion der KZ).

September 1940

13.09.	Beginn des italienischen Angriffs auf Ägypten über die libysche Grenze.
15.09.	„Battle of Britain-Day": Höhepunkt der Luftschlacht über England.
17.09.	Verschiebung der Landung in England („Unternehmen Seelöwe") durch Hitler „bis auf weiteres", jedoch Fortsetzung der Planung.
27.09.	Dreimächtepakt zwischen Deutschland, Italien und Japan.
September/Oktober	In Frankreich Beginn der Verfolgung politischer Gegner, sowie Erfassung, Ausgrenzung und schließlich Verfolgung jüdischer Bürger.

Oktober 1940

22.–24.10.	Treffen Hitlers mit Franco sowie mit Pierre Laval und Marschall Pétain: vergeblicher Versuch einer antibritischen Blockbildung.
22.10.	Deportation von 7500 Juden aus dem Saargebiet, aus Baden, Elsaß-und Lothringen in das unbesetzte Frankreich, dort Internierung (Lager Gurs u.a.).
27.10.	Erlaß Hitlers zum „Anschluß" von Elsaß und Lothringen an das Großdeutsche Reich.

Oktober 1940

28.10.	Italienischer Angriff auf Griechenland.
Oktober	Beginn der monatlichen Rundfunkansprachen („Deutsche Hörer") Thomas Manns über BBC London.
Ab Herbst	Versuche Albrecht Haushofers (Professor für Geopolitik in Berlin und in Verbindung zu Regimegegnern vom *Auswärtigen Amt* bis hin zur „Roten Kapelle"), im Auftrag von Hitlers Stellvertreter Rudolf Heß Kontakt mit britischen Politikern aufzunehmen.

November 1940

12.–13.11.	Ergebnisloser Besuch des sowjetischen Außenministers Wjatscheslaw Molotow in Berlin zur Abklärung territorialer Interessensphären.
14.–20.11.	Schwere deutsche Luftangriffe auf die britischen Städte Coventry und Birmingham.
15.11.	Abriegelung des „jüdischen Wohnbezirks" (Ghetto) in Warschau nach kompletter Umsiedlung der jüdischen Einwohner; Konzentration von 400 000 Menschen auf engstem Raum.
30.11.	Zusammenschluß des NSDAP-Gaues Saarpfalz mit Lothringen zum „Gau Westmark".
November	Auflösung der „Euthanasie"-Anstalten Brandenburg und Grafeneck.

Dezember 1940

07.12.	Endgültige Ablehnung einer Kriegsbeteiligung Spaniens durch Franco.
09.12.	Beginn der britischen Gegenoffensive in Nordafrika; Zurückdrängung der Italiener bis weit nach Libyen.
18.12.	Unterzeichnung der „Weisung Nr. 21" durch Hitler: Vorbereitung des Angriffs auf die Sowjetunion („Fall Barbarossa") bis 15.05.1941.

Januar 1941

19./20.01.	Treffen Hitler-Mussolini: Ende des italienischen „Parallelkriegs" im Mittelmeerraum.
21.01.	Eroberung Tobruks durch die Briten.
29.01.	Beginn amerikanisch-britischer Geheimbesprechungen in Washington über gemeinsame Kriegführung für den Fall eines amerikanischen Kriegseintritts.
Januar	Ausarbeitung von Plänen zur Aushungerung der sowjetischen Bevölkerung; am 02.05. Billigung durch die zuständigen Staatssekretäre.
Januar	Auftrag Görings an Heydrich: Umsiedlung der europäischen Juden in ein „noch zu bestimmendes" Gebiet.
Januar	Einrichtung der „Euthanasie"-Anstalt Hadamar (Hessen).

Februar 1941

06.02.	Eroberung der Cyrenaika durch britische Truppen.
11.02.	Deutsche Truppen unter Erwin Rommel in Nordafrika (ab 18.02.: „Deutsches Afrika-Korps").
12.02.	Verbot sexueller Beziehungen deutscher Frauen zu Kriegsgefangenen durch Polizeiverordnung.
18.02.	Übertragung des Vermögens von Verbrauchsgenossenschaften auf die DAF „zur Anpassung an die kriegswirtschaftlichen Verhältnisse". ◎

März 1941

01.03.	Beitritt Bulgariens zum „Dreimächtepakt“.
11.03.	Leih- und Pachtgesetz („Lend-Lease-Act“) in den USA: Erleichterung der Lieferung kriegswichtiger Güter an Großbritannien.
15.03.	Abbruch des „Dritten Nahplans“ (Deportation von Polen aus den eingegliederten Gebieten ins Generalgouvernement); bisher Deportation von etwa 365 000 Personen.
19.03.	Bildung der *Union deutscher sozialistischer Organisationen in Großbritannien* aus *Sopade*, SAP, ISK, Auslandsbüro von *Neu Beginnen* und *Landesgruppe Deutscher Gewerkschafter.*
26.03.	Besprechung Görings mit Heydrich über geplante Exekutionen in der Sowjetunion; Absprache zwischen Heydrich und dem Generalquartiermeister Eduard Wagner über die Aufgaben der Einsatzgruppen.
26.03.	Gründung des *Instituts zur Erforschung der Judenfrage* in Frankfurt/Main unter Alfred Rosenberg.
27.03.	Staatsstreich in Belgrad zur Verhinderung des Beitritts Jugoslawiens zum „Dreimächtepakt“.
27.03.	Abschluß der amerikanisch-britischen Konsultationen mit dem „Germany first“-Konzept bei einem Zwei-Ozeane-Krieg gegen Deutschland und Japan.
30.03.	Rede Hitlers vor den Spitzen der Wehrmacht; Erläuterung der politischen Prinzipien der Kriegführung im Osten: Führung des Rußlandfeldzugs als „Vernichtungskampf“ mit barbarischer Härte.
31.03.	Beginn einer deutsch-italienischen Gegenoffensive in Afrika (Eroberung der Cyrenaika, Einschließung Tobruks 08.04., Vorstoß zur ägyptischen Grenze 13.04.).

April 1941

05.04.	Nichtangriffspakt zwischen der Sowjetunion und Jugoslawien.
06.04.	Deutscher Überfall auf Jugoslawien und Griechenland.
07./24.04.	Einrichtung der Ghettos in Radom und Lublin.
10.04.	Proklamierung des „Unabhängigen Staats Kroatien“ in Agram (Zagreb) als deutscher Satellitenstaat; Staatschef: Ante Pavelić, Führer der Ustascha-Bewegung.
13.04.	Japanisch-sowjetischer Neutralitätsvertrag.
15.04.	Reichsstatthalter und Gauleiter der Steiermark Siegfried Uiberreiter *Chef der Zivilverwaltung* im jugoslawischen Gebiet der Untersteiermark, der stellvertretende Gauleiter von Kärnten Franz Kutschera im Gebiet von Oberkrain.
16.04.	Beginn amerikanisch-japanischer Geheimverhandlungen über einen modus vivendi im pazifischen Raum.
17.04.	Kapitulation der jugoslawischen Armee.
21.04.	Angesichts von Versorgungsengpässen im Winter 1940/41 Bildung der *Reichsvereinigung Kohle.*
21.04.	Kapitulation der griechischen Armee (Wiederholung im Beisein der Italiener in Saloniki 24. 04.).
22.04.	Deutsche Militärverwaltung in Serbien (Regierung Milan Nedić).
April	Beginn der Mordaktionen an bestimmten Gruppen von KZ-Häftlingen in den „Euthanasie“-Anstalten („Aktion 14 f 13“).
April/Mai	Aufstellung der *Einsatzgruppen der Sicherheitspolizei und des SD.*

Mai 1941

01.05.	Bildung einer griechische Marionettenregierung unter General Georgios Tsolakoglu.
01.05.	Einrichtung des KZ Natzweiler-Struthof (Elsaß).
10.05.	Eigenmächtiger Flug des *Stellvertreters des Führers* Rudolf Heß nach England zur Erzielung einer politischen Übereinkunft vor dem Beginn des Rußlandfeldzugs; Internierung; Erklärung zum ‚Geistesgestörten" durch Hitler.
12.05.	Ersetzung von Heß durch Martin Bormann; Umbenennung des *Stabs Stellvertreter des Führers* in *Partei-Kanzlei.*
13.05.	Kriegsgerichtsbarkeitserlaß des OKW für die zu besetzenden sowjetischen Gebiete: Aufhebung des Strafverfolgungszwangs bei Verbrechen gegen sowjetische Zivilisten.
13.05.	Deutsch-Kroatischer Grenzvertrag: Angliederung der Untersteiermark an das Großdeutsche Reich.
Ab 13.05.	Oberst Draža Mihailović organisiert die national-serbische und monarchistische Partisanenarmee der „Tschetniks" (Četnici).
20.05.–01.06.	Eroberung Kretas durch deutsche Luftlandetruppen.
21.05.	Letzter großer deutscher Luftangriff auf London; Verlegung von großen Teilen der Luftwaffe an die Ostfront.
Mai	Verfolgung des deutschen Schlachtschiffs „Bismarck" durch britische Streitkräfte im Nordatlantik; Versenkung des britischen schweren Kreuzers „Hood" (24.05.); Versenkung der „Bismarck" am 27.05.
30.05.	Formulierung eines Friedensplans für Gespräche mit der britischen Regierung durch Goerdeler.
Mai/Juni	Aufteilung Griechenlands in deutsche und italienische Militärverwaltungs-Bereiche.

Juni 1941

06.06.	„Kommissarbefehl" des OKW zur Liquidierung politischer Kommissare der Roten Armee im bevorstehenden Ostfeldzug.
09.06	Beginn der „Aktion gegen Geheimlehren": Auf Weisung Hitlers Zerschlagung der (vorher von Rudolf Heß protegierten) esoterischen, „sektiererischen" und okkultistischen Szene; Zerstörung ihres Kommunikationsnetzes (Organisationen, Verlage, Buchhandlungen); vorübergehende Verhaftung prominenter Anthroposophen, Astrologen, Wahrsager, Pfarrer der anthroposophischen *Christengemeinschaft* u. a. Verbot der *Christengemeinschaft* (25.06.).
12.06.	Vereinbarung zwischen Hitler und Antonescu in München über die Mitwirkung Rumäniens am Ostkrieg.
22.06.	Deutscher Überfall auf die Sowjetunion.
24.06.	Massenerschießung von Juden in der litauischen Grenzstadt Garsden; Beginn der systematischen Ausrottung der europäischen Juden.
27.06.	Bildung des „Hauptstabs der Partisanenabteilung" unter Josip Broz, genannt „Tito" durch das ZK der jugoslawischen KP: Proklamation des „Volksaufstands" am 04.07.
29./30.06.	Ermordung Tausender Juden bei einem rumänischen Pogrom in Jassy.
Ende Juni	Bildung großer Kriegsgefangenenlager in Minsk mit zeitweise über 100 000 Insassen (30.06.)

Juli 1941

02.07.	Entgegen den deutschen Hoffnungen Beschluß des japanischen Kronrats zur Ablehnung eines Eintritts in den deutsch-sowjetischen Krieg; Fortsetzung der geplanten Expansion nach Südasien unter Inkaufnahme des Konflikts mit Großbritannien und den USA.

Juli 1941

07.07.	Erschießung von 4000 Juden und 400 „Partisanen“ in Brest-Litowsk durch das Polizeibataillon 307.	☠
09.07.	Abschluß der ersten Kesselschlacht bei Bialystok und Minsk: Gefangenahme von rund 320 000 sowjetischen Soldaten; Erbeutung oder Zerstörung von über 1800 Geschützen und rund 3300 Panzern.	▦
12.07.	Britisch-sowjetischer Vertrag über gemeinsames Vorgehen gegen Deutschland.	▦
14.07.	In Erwartung eines baldigen Siegs im Rußlandfeldzug Befehl Hitlers zur Verlagerung des Rüstungsschwerpunktes von der Heeres- zur Luft- und Marinerüstung.	▦
17.07.	Alfred Rosenberg *Reichsminister für die besetzten Ostgebiete*; Reichskommissariat Ostland unter Hinrich Lohse (Gauleiter von Schleswig-Holstein) mit vier Generalkommissariaten: Weißruthenien, Litauen, Lettland, Estland.	▣
18.07.	Forderung Stalins (Telegramm an Churchill) nach Errichtung einer zweiten Front.	▦
20./21.07.	Bei einem Besuch in Lublin Anordnung Himmlers zur Bildung eines deutschen Siedlungsgebiets um Zamość und eines großen KZ (Lublin-Majdanek).	▣☠
Ab 28.07.	Verhaftung der marxistisch/kommunistischen Gruppe um Hanno Günther und Alfred Schmidt-Sas in Berlin.	◎
30.07.	Aufnahme diplomatischer Beziehungen zwischen der Sowjetunion und der polnischen Exilregierung.	▦
30.07.	Angliederung des (bis 1939 polnischen, dann sowjetischen) Bezirks Bialystok an Ostpreußen.	▣
31.07.	Offizielles Ermächtigungsschreiben Görings für Heydrich zur Ausarbeitung einer „Gesamtlösung der Judenfrage“.	☠
Ab Juli	Im Warschauer Ghetto Sterberate monatlich bei 4000–5000 Menschen.	☠

August 1941

01.08.	Eingliederung Ostgaliziens (bis 1939 polnisch, dann sowjetisch) ins Generalgouvernement.	▣
03.08.	Predigt des katholischen Bischofs Clemens August von Galen in Münster gegen die Ermordung psychisch Kranker; zahlreiche Proteste Geistlicher beider Konfessionen.	◎
04.08.	Planungen im Hauptquartier der Heeresgruppe Mitte zur Festnahme Hitlers bei einem Truppenbesuch an der Ostfront.	◎
05.08.	Abschluß der Kesselschlacht bei Smolensk: Gefangennahme von rund 310 000 sowjetischen Soldaten; Erbeutung oder Zerstörung von rund 3100 Geschützen und 3200 Panzern.	▦
05.–08.08.	Ermordung von rund 7000 Juden in Pinsk durch die SS-Kavalleriebrigade.	☠
12./14.08.	Unterzeichnung und Verkündung der „Atlantik-Charta“ durch den US-Präsidenten Roosevelt und den britischen Premier Churchill.	▦
16.08.	Beginn der vollständigen Ausrottung der litauischen Juden zunächst in ländlichen Regionen, ab Anfang September auch in Wilna.	☠
24.08.	Offizielle Einstellung der „Euthanasie“-Morde, tatsächlich aber lediglich Unterbrechung und insgeheime Weiterführung.	☠
27.–29.08.	Ermordung von 23700 Juden in Kamenez-Podolsk (Ukraine) durch den Stab des HSSPF Rußland Süd (Friedrich Jeckeln) und das Polizeibataillon 320.	☠
30.08.	Vertrag von Tighina: Überlassung Transnistriens (Gebiet zwischen Dnjestr und Bug mit dem erst am 16.10. eroberten Odessa) an eine rumänische Zivilverwaltung.	▣▦

September 1941

01.09.	Errichtung des Reichskommissariats Ukraine unter Erich Koch (Gauleiter von Ostpreußen).
01.09.	Einführung des „Gelben Sterns" für Juden ab sechs Jahren auch im Reichsgebiet.
04.09.	Strafrechtsnovelle: Todesstrafe für „Gewohnheitsverbrecher" und Sittlichkeitsverbrecher, soweit es „der Schutz der Volksgemeinschaft erfordert"; Verschärfung der Strafvorschriften bei „Wucher".
05./06.09.	Erster Massenmord an 600 sowjetischen Kriegsgefangenen und 300 anderen Häftlingen mit dem Giftgas Zyklon B im KZ Auschwitz.
08.09.	Weitgehende Einschließung Leningrads durch deutsche Truppen: Unterbindung aller Landverbindungen; notdürftige Versorgung der Stadt über den Ladoga-See.
09.09.	Gründung der griechischen Widerstandsorganisation *National-Republikanischer Bund* (EDES); Rivalität mit der linken *Nationalen Befreiungsfront* (EAM; seit 27.09.).
11.09.	„Schießbefehl" Roosevelts gegen deutsche und italienische Kriegsschiffe in „für die amerikanische Landesverteidigung wichtigen" Seegebieten.
11.09.	Verbot des *Jüdischen Kulturbunds* durch die Gestapo.
16.09.	Befehl des OKW-Chefs Wilhelm Keitel: Erschießung von 50–100 Personen für jeden hinterrücks getöteten deutschen Soldaten.
ca. 17.09.	Entscheidung Hitlers zur Deportation der Juden aus dem Reich.
19.–26.09.	Eroberung Kiews durch deutsche Truppen, Abschluß der Kesselschlacht bei Kiew: Gefangenahme von rund 665 000 sowjetischen Soldaten, Erbeutung oder Zerstörung von rund 3 700 Geschützen und 884 Panzern.
26./27.09.	Besprechung zum Ausbau der KZ Auschwitz und Majdanek.
28.–30.09.	Massaker an über 33 000 Kiewer Juden in Babi Jar durch das Sonderkommando 4a und die Polizeibataillone 45 und 314.
September	Beginn großangelegter Selektionen unter sowjetischen Kriegsgefangenen, besonders von Juden, Politoffizieren und z.T. außereuropäischen Bevölkerungsgruppen; Isolierung und z.T. Ermordung.
September	Verhaftung einer Gruppe katholischer oppositioneller Jugendlicher um Josef Landgraf in Wien.

Oktober 1941

02.10.–05.12.	Offensive gegen Moskau: nach großen Raumgewinnen der deutschen Truppen Stocken der Operation Anfang Dezember aufgrund des Wintereinbruchs.
03.10.	Rede Hitlers bei der Eröffnung des *Winterhilfswerks*: Sowjetunion geschlagen.
07.10.	Verbot der Annahme einer Kapitulation Moskaus durch Hitler.
08.10.	Beginn der Errichtung des Vernichtungslagers Auschwitz (II)-Birkenau.
10.10.	Befehl des Befehlshabers der Heeresgruppe Süd Generalfeldmarschall Walther von Reichenau über das „Verhalten der Truppe im Ostraum": „Weltanschauungskrieg" gegen „jüdisches Untermenschentum".
12.10.	Beginn des Massenmords an Juden im Generalgouvernement: Ermordung von 12 000 Juden in Stanislau in Ostgalizien.
13.10.	Besprechung Himmlers mit dem Lubliner SS- und Polizeiführer Globocnik über die Errichtung von Vernichtungslagern im Raum Lublin.
13.10.	Ermordung von 11 000 Juden in Dnjepropetrowsk durch das Polizeibataillon 314.
20.10.	Abschluß der Doppelschlacht bei Wjasma und Brjansk: Gefangenahme von rund 673 000 sowjetischen Soldaten, Erbeutung oder Zerstörung von rund 5 400 Geschützen und 1 240 Panzern.

Oktober 1941

21.10.	Massenexekutionen der Wehrmacht in Jugoslawien als Repressalie gegen Partisanentätigkeit: Erschießung von 2 300 Menschen in Kragujevac und von 2 100 in Kraljevo.
23.10.	Ermordung von mindestens 19 000 Juden aus Odessa durch rumänische Einheiten.
23.10.	Verbot der Auswanderung von Juden aus dem deutschen Machtbereich.
Oktober	Einrichtung des KZ Lublin-Majdanek.
Ab Oktober/ November	Massensterben unter sowjetischen Kriegsgefangenen aufgrund von Hunger und Kälte: bis Februar 1942 über zwei Mio. Opfer.

November 1941

01.11.	Baubeginn des Vernichtungslagers Belzec.
05./06.11.	Ermordung von 15 000 Juden in Rowno (Ukraine) durch Sicherheitspolizei und die Polizeibataillone 96, 315 und 320.
16.11.	Eroberung der Krim durch deutsche Truppen (mit Ausnahme Sewastopols).
18.11.	Britische Gegenoffensive in Nordafrika.
24.11.	Eintreffen des ersten Arbeitskommandos in Theresienstadt (Böhmen), zur Errichtung eines „Reichsghettos" für bestimmte Gruppen von Juden aus dem Reich und dem Protektorat.
25.11.	Verschärfung der Strafandrohung bei verbotenem Handel mit Bezugsscheinen (Lebensmittelmarken etc.).
25./29.11.	Erste Massenerschießung von Juden aus dem Altreich: Ermordung von rund 5 000 Menschen in Kowno (Kaunas)/Litauen.
26.11.	Endgültiges Scheitern der amerikanisch-japanischen Verhandlungen über Interessensausgleich im pazifischen Raum.
29.11.–09.12.	Bis 01.12. bei Riga Erschießung von zunächst 14 000 lettischen und 1000 Berliner Juden, am 08./09.12. von 13 000 lettischen Juden.
November	Versuche der Gruppe um Goerdeler zur Kontaktaufnahme mit der amerikanischen Regierung.

Dezember 1941

04.12.	Erlaß des Sonderstrafrechts für Polen und Juden in den eingegliederten polnischen Gebieten.
05.12.	Beistandszusage Deutschlands an Japan.
05.12.	„Winterkrise" vor Moskau; Beginn der sowjetischen Gegenoffensive: Scheitern der deutschen Blitzkriegstrategie; unzureichende Vorbereitung des deutschen Ostheeres auf den Winterkrieg.
07.12.	Japanischer Angriff auf den Stützpunkt der US-Pazifikflotte Pearl Harbor.
07.12.	„Nacht-und-Nebel-Erlaß" für die besetzten nord- und westeuropäischen Länder (außer Dänemark): Bestrafung von Delikten gegen Deutsche durch heimliche Einweisung ins KZ bei voraussichtlichem Ausbleiben eines Todesurteils durch ein Wehrmachtsgericht.
08.12.	Befehl Hitlers zum Übergang zur Verteidigung an der gesamten Ostfront.
08.12.	Japanische Landung in Malaya, auf Borneo und den Philippinen.
08.12.	Beginn der Massenmorde an Juden im Vernichtungslager Kulmhof (Chelmno) mittels sogenannter Gaswagen.
09./10.12.	Protest des evangelischen Bischofs Wurm und des Breslauer Kardinals Bertram gegen die Morde an psychisch Kranken und die Beschneidung kirchlicher Rechte.
10.12.	Britischer Entsatz von Tobruk (Eroberung der Cyrenaika bis 12.01.1942).

Dezember 1941

11.12.	Kriegserklärung Deutschlands und Italiens an die USA.
13.–15.12.	Ermordung von 12 000 Juden in Simferopol (Krim) durch die Einsatzgruppe D; auf der Krim ebenso Ermordung der jüdischen Gruppe der Krimtschaken.
19.12.	Nach Ablösung Generalfeldmarschall Walther von Brauchitschs Hitler selbst Oberbefehlshaber des Heeres.
21.12.	Beginn der Ermordung von rund 70 000 Juden in den rumänischen Internierungslagern Bogdanovka (bis 09.02.) und Domanevka (10.02–19.03.) in Transnistrien durch rumänische Gendarmerie, volksdeutschen Selbstschutz und ukrainische Hilfspolizei.
22.12.1941–14.01.1942	Erste Washingtoner Konferenz zwischen Roosevelt und Churchill („Arcadia“).
Dezember	„Winterkrise“: Im Umkreis des Generalfeldmarschalls Erwin von Witzleben Überlegungen zu einem Umsturzversuch an der Westfront.

Januar 1942

01.01.	Pakt der 26 im Krieg mit Deutschland, Italien und Japan befindlichen „Vereinten Nationen“: kein Sonderfriede, Bekenntnis zur „Atlantik-Charta“.
10.01.	Rückverlegung des Schwerpunktes der deutschen Rüstung auf das Heer.
12.01.	Verordnung Rosenbergs über die Einführung von Standgerichten in den sowjetischen Gebieten unter Zivilverwaltung.
bis 13.01.	Ermordung von 12 000 Juden in Charkow durch das Sonderkommando 4a.
16.01.	Beginn der Deportationen aus dem Ghetto Lodz in das Vernichtungslager Kulmhof (Chelmno): zunächst Verschleppung und Ermordnung der burgenländischen Roma, ab 04.05. auch Juden aus dem Reich.
18.01.	Deutsch-italienisch-japanisches Militärabkommen: Abklärung (illusorischer) Interessenssphären in Afrika und Asien.
20.01.	Wannsee-Konferenz (Berlin): Besprechung von Parteifunktionären und Ministerialbeamten unter Heydrichs Leitung zur Koordinierung der Maßnahmen zur „Endlösung der Judenfrage“.
21.01.	Gegenangriff Rommels zur Rückeroberung der Cyrenaika (Steckenbleiben am 07.02. westlich El Gazala).
Ab Januar	Bildung einer Führung („Kretsen“) des norwegischen Widerstandes unter Paal Berg, Anerkennung als „Heimatfront“-Chef durch die Londoner Exilregierung.
Ab Januar	Nach dem Kriegseintritt der USA weitere Intensivierung des deutschen U-Boot-Kriegs im Atlantik.
Januar	Sowjetische Gegenoffensiven in den Bereichen der Heeresgruppen Mitte und Süd; Aufgabe der deutschen „Winterstellung“ vor Moskau.
Januar	Japanische Eroberung Manilas; Beginn des japanischen Angriffs auf Niederländisch-Indien und Burma; Bedrohung Australiens.
Januar	Versuch des Aufbaus einer neuen kommunistischen Inlandsleitung von Westdeutschland und Berlin aus durch Wilhelm Knöchel.
Ende Januar	Verhaftung einer Gruppe katholischer oppositioneller Jugendlicher um Walther Klingenbeck in München.

Februar 1942

01.02.	Bildung einer „Norwegischen National-Regierung“ unter Vidkun Quisling, de facto Unterstellung unter Reichskommissar Terboven.
07.02.	Verordnung zur Einschränkung der Bewegungsfreiheit von Juden im besetzten Frankreich (Ausgehbeschränkungen, Umzugsverbot).

Februar 1942

08.02.	Tödlicher Unfall Fritz Todts; Albert Speer Nachfolger als *Reichsminister für Bewaffnung und Munition*: Monopolisierung der Rüstungskompetenz, Ankurbelung der Rüstungswirtschaft.
12.02.	Durchbruch größerer deutscher Seeinheiten („Scharnhorst“, „Gneisenau“, „Prinz Eugen“) aus Brest durch den Kanal in die Nordsee.
14.02.	Zusammenfassung der nationalpolnischen Untergrundstreitkräfte zur „Heimatarmee“ (Armia Krajowa); Verbindung zur Londoner Exilregierung unter Wladyslaw Sikorski.
15.02.	Japanische Eroberung von Singapur.
Februar	Verhaftung der meisten Mitglieder der kommunistisch-nationalrevolutionären Widerstandsorganisation um Robert Uhrig und Beppo Römer in Berlin, 45 Todesurteile; Zerschlagung der kommunistischen „Vorbote“-Gruppe in Mannheim; Verhaftung einer Gruppe oppositioneller Jugendlicher (Mormonen) um Helmut Hübener in Hamburg.

März 1942

Anfang März	Auslaufen der sowjetischen Winteroffensive; durch die Schwächung der Heeresgruppe Mitte durch die Verluste des Winters und die darauf folgende Schlammperiode vorerst keine Rückgewinnung der Initiative.
Anfang März	Erste große Partisanen-Bekämpfungsaktion „Bamberg“ in Weißrußland: 3 500 Tote, meist unbeteiligte Zivilisten.
02.03.	Denkschrift von Landesbischof Wurm an Hitler gegen „ Kulturkampf“ der NSDAP.
16.03.	Eingliederung der Verwaltung der KZ in das am 01.02. gebildete *SS-Wirtschafts- und Verwaltungshauptamt.*
16.03.	Beginn der Deportationen im Generalgouvernement, zunächst aus Lemberg und Lublin nach Belzec, ab Mai auch nach Sobibor; ab Juli Einbeziehung des Vernichtungslagers Treblinka in die „Aktion Reinhardt“.
21.03.	Verordnung Hitlers: unbedingter Vorrang der Rüstungswirtschaft beim Arbeitskräfte-Einsatz und bei der Verteilung von Rohstoffen und Erzeugnissen; Ernennung von Fritz Sauckel zum *Generalbevollmächtigten für den Arbeitseinsatz* (GBA): weitgehende Vollmachten zum zwangsweisen Einsatz von Fremdarbeitern aus den besetzten Gebieten in Deutschland (bis Ende 1944 7,5 Mio.).
22.03.	Schaffung der „Zentralen Planung“ unter Speer als überministerieller Koordinations- und Lenkungsinstanz zur Verteilung von Rohstoffen und Energie zur Steigerung der Rüstungsproduktion.
22.03.	Hirtenwort der katholischen Bischöfe wider den „Kampf gegen Christentum und Kirche“.
24.03.	Erste Deportation mainfränkischer Juden (Würzburg) in den Raum Lublin, später ins Vernichtungslager Belzec.
26./27.03.	Erste Transporte mit deutsch-jüdischen Emigranten aus dem besetzten Westeuropa nach Auschwitz.
März	Deportation von 52 000 slowakischen Juden nach Auschwitz sowie nach Majdanek, Distrikt Lublin, und in andere Vernichtungslager.
Ende März	Beck zentrale Figur der Militärverschwörung.
März-Anfang Mai	Ermordung von 7 500 jüdischen Frauen und Kindern im Lager Semlin bei Belgrad durch Gaswagen.

April 1942

05.04.	Hitlers „Weisung Nr. 41“: Vortreiben der Südfront bis zum Don und zur Wolga; Vorstoß in den Kaukasus und zur türkischen und iranischen Grenze.
24.–27.04.	Britische Luftangriffe auf Rostock (204 Tote unter der deutschen Zivilbevölkerung); deutscher Vergeltungsangriff auf Bath (400 Tote).

April 1942

26.04.	Vollmacht für Hitler als „Oberster Gerichtsherr“ zur Mißachtung des „formalen Rechts“ bei „Pflichtverletzungen“; formale Sanktionierung durch den Reichstag.
29.04.	Einführung des „Judensterns“ in den Niederlanden.
April	Beginn der Massendeportation sowjetischer, vor allem ukrainischer Zivilisten als Zwangsarbeiter ins Reich.
April	Zerschlagung der von *Neu Beginnen* (Waldemar von Knoeringen) initiierten Widerstandsorganisation „Revolutionäre Sozialisten“ in Bayern und Österreich.
April	Treffen zwischen Goerdeler und dem schwedischen Bankier Jacob Wallenberg in Stockholm.

Mai 1942

Anfang Mai	Abschluß der japanischen Eroberung der Philippinen.
12.–18.05.	Erfolglose Offensive der Roten Armee in Richtung Charkow.
17.05.	Mutterschutzgesetz: Regelung der Beschäftigungbedingungen und Schutzfristen für Mütter (sechs Wochen vor und nach der Geburt).
Mitte Mai	Verhaftung der Mitglieder der linkssozialistisch/kommunistisch orientierten Herbert-Baum-Gruppe (jüdische Rüstungsarbeiter) nach dem Brandanschlag auf die antisowjetische Ausstellung „Das Sowjetparadies“ (18.05.) in Berlin.
24./25.05.	Erste Tagung des „Kreisauer Kreises“ um Helmuth James von Moltke; später Entwicklung zum, neben dem konservativ-deutschnationalen Kreis um Goerdeler und Beck, zentralen Forum der Bemühungen von Offizieren und Weimarer Politikern zu Entmachtung Hitlers und Kriegsbeendigung; Beteiligung führender Sozialdemokraten (Julius Leber, Carlo Mierendorff, Theodor Haubach, Adolf Reichwein) und Geistlicher beider Konfessionen (Alfred Delp, Lothar König, Harald Poelchau, Eugen Gerstenmaier).
26.05.	Britisch-sowjetischer Bündnispakt.
26.05.	Beginn der letzten deutsch-italienischen Offensive in Nordafrika (Eroberung von Tobruk 21.06.).
27.05.	Attentat zweier tschechischer, aus dem Exil eingeflogener Fallschirm-Agenten auf den stellvertretenden „Reichsprotektor“ Heydrich; Tod am 04.06.
29.05.	Subhas Chandra Bose (Führer der nationalindischen Befreiungsbewegung) bei Hitler.
30./31.05.	Erster britischer „1 000-Bomber-Angriff“ auf Köln: 475 Tote und rund 5 000 Verletzte unter der deutschen Zivilbevölkerung.
Mai	Beginn der Massenerschießung von Juden aus dem Reich bei Minsk in der Vernichtungsstätte Malyj Trostenez.
Ende Mai	Kontaktaufnahme der evangelischen Pfarrer Hans Schönfeld und Dietrich Bonhoeffer von der „Bekennenden Kirche“ mit dem Bischof von Chichester George K.A. Bell in Schweden.
Mai/Juni	Beginn der Auflösung der Ghettos und der endgültigen Ausrottung der Juden im Reichskommissariat Ukraine: bis November Ermordung von etwa 350 000 Menschen.

Juni 1942

03.–07.06.	See-Luft-Schlacht bei den Midway-Inseln im Pazifik; Wende im Pazifikkrieg.
07.06.–07.07.	Deutsche Truppen erobern Sewastopol (Krim).
10.06.	Wegen des Verdachtes der Beherbergung eines Heydrich-Attentäters Zerstörung des tschechischen Dorfs Lidice durch deutsche Polizei: Erschießung aller 192 Männer und von 7 Frauen, Verbringung der übrigen Frauen ins KZ Ravensbrück, Verschleppung der Kinder.

Juni 1942

12.06.	Billigung des „Generalplans Ost“ durch Himmler (Erarbeitung seit Ende 1941 durch das RSHA und beim *Reichskommissar für die Festigung deutschen Volkstums*): Ausrottung bzw. Vertreibung größerer Bevölkerungsteile in Osteuropa.	🏴☠
18.–26.06.	Zweite Washingtoner Konferenz zwischen Roosevelt und Churchill.	▦
22.06.	Erster Transport von Juden aus dem französischen Durchgangslager Drancy nach Auschwitz.	☠
28.06.	Beginn der deutschen Sommeroffensive im Raum östlich von Kursk und Charkow (Ukraine).	▦
30.06.	Deutsch-italienische Streitkräfte unter Rommel erreichen El-Alamein.	▦
Juni	Beginn der systematischen Massenmorde durch Giftgas an Juden im KZ Auschwitz-Birkenau; Deportationen aus dem Reichsgebiet in das „Altersghetto“ Theresienstadt.	☠
Sommer	Beginn der Flugblattaktionen Münchener Studenten um die bündisch-christlich orientierten Geschwister Hans und Sophie Scholl („Weiße Rose“).	⊙

Juli 1942

09.07.	Besprechung Himmlers mit hohen SS-Führern im Generalgouvernement (Friedrich-Wilhelm Krüger, Odilo Globocnik) über die Ermordung der Juden.	☠
12.07.	„Aufruf zum Ernteeinsatz der deutschen Beamtenschaft“.	◎🏭
15./16.07.	Erste Transporte holländischer Juden aus dem Durchgangslager Westerbork nach Auschwitz.	☠
16.–18.07.	Festnahme von 13 000 Juden in Paris durch die französische Polizei; Deportation von 9 000 Menschen, darunter 4 000 Kinder, über Drancy nach Auschwitz.	☠
19.07.	Anordnung Himmlers zur Ermordung aller „arbeitsunfähigen“ Juden im Generalgouvernement bis Jahresende.	☠
22./23.07.	Beginn der Massentransporte aus dem Warschauer Ghetto nach Treblinka.	☠
Juli/August 1942	Teilung der deutschen Offensive: Vorstoß nicht nacheinander, sondern gleichzeitig gegen Stalingrad und Kaukasusgebiet.	▦
30.07.	Beginn einer Entlastungsoffensive der Rote Armee an der mittleren Front.	▦
28.–30.07.	Erschießung von 10 000 weißrussischen und deutschen Juden bei Minsk.	☠
Juli 1942	Vergeblicher Versuch Goerdelers zur Gewinnung von Generalfeldmarschall Günther von Kluge für die Umsturzpläne.	⊙
Juli/August 1942	Beginn der großen „Bandenbekämpfungsaktionen“ in Weißrußland, in der Nordukraine, auf der Krim und im Mittelabschnitt der Ostfront; bis Mitte 1944 Ermordung von Hunderttausenden von Zivilisten.	🏴☠

August 1942

Anfang August	Beginn der Giftgasmorde im KZ Lublin-Majdanek.	☠
03.08.	Erster Transport von belgischen Juden aus dem Durchgangslager Mechelen (Malines) nach Auschwitz.	☠
07.08.	Landung der Amerikaner auf Guadalcanal.	▦
08.08.	Unterrichtung des US-State Departments und der britischen Regierung über den deutschen Plan zur Ausrottung aller europäischen Juden durch Gerhard Riegner vom *Jüdischen Weltkongress* („Riegner-Telegramm“).	☠
09.08.	Einnahme der Ölfelder von Maikop/Kaukasus; Hissung der deutschen Flagge auf dem Elbrus, dem höchsten Berg des Kaukasus (21.08.).	▦

August 1942

10.–23.08.	Deportation von 40 000 Juden aus Lemberg nach Belzec.
18.08.	Übertragung der Kompetenz für die Partisanenbekämpfung in den Gebieten unter Zivilverwaltung an Himmler.
19.08.	Befehl zum Angriff auf Stalingrad.
19.–23.08.	Erschießung von 14 700 Juden in Luzk (Westukraine).
20.08.	Roland Freisler Präsident des VGH, sein Vorgänger Otto Thierack neuer Reichsjustizminister.
22.08.–21.09.	Unternehmen „Sumpffieber" im gesamten *Generalkommisariat Weißruthenien* zur Bekämpfung von Partisanen: Ermordung von über 10 000 Menschen, davon 8 000 Juden.
27.08.	Bindung der für die Eroberung Leningrads bestimmten deutschen Truppen durch eine sowjetische Offensive bei Schlüsselburg.
August	Erster Höhepunkt des deutschen U-Boot-Kriegs gegen Geleitzüge im Atlantik.
Ende August	Anordnung Hitlers zur Rekrutierung von 400 000 bis 500 000 Frauen, vor allem Ukrainerinnen, als „Hausgehilfinnen" im Reich.
August/September	Höhepunkt der Massenmorde an Juden in Treblinka und Belzec.

September 1942

01.–03.09.	Erschießung von 13 500 Juden in Wladimir Wolynsk (Westukraine).
16.09.	Beginn der Kämpfe um Stalingrad.
18.09.	Vereinbarung zwischen Himmler und Justizminister Thierack zur Einweisung bestimmter Justizhäftlinge, vor allem Juden, Sinti und Ausländer, in KZ zur „Vernichtung durch Arbeit"; Ermordung der meisten der über 12 000 Häftlingen noch 1943.
20./22.09.	Ablehnung einer eigenen Rüstungsfertigung der SS durch Hitler auf Wunsch Speers.
24.09.	Ablösung des Generalstabschef des Heeres Franz Halder durch General Kurt Zeitzler.
29.09.	Befehl Himmlers, alle KZ in Deutschland und Österreich „judenfrei" zu machen.

Oktober 1942

15./16.10.	Liquidierung des Ghettos in Brest (Weißrußland), Erschießung von 19 000 Juden in Bronnaja Gora durch Polizeikräfte.
Mitte Oktober	Verhaftung der meisten Mitglieder der kommunistischen Widerstandsgruppe um Franz Jacob, Bernhard Bästlein und Robert Abshagen in Hamburg.
23.10.	Beginn der britischen Offensive bei El Alamein unter Bernard Montgomery (Durchbruch durch die deutsche Stellung 04.11.; Rückeroberung Tobruks durch die Engländer 13.11.).
28.10.	Liquidierung des Ghettos in Pinsk (Weißrußland), Erschießung von 18 000 Juden durch die Polizeibataillone 306 und 310.
Oktober	Zweite Kreisauer Tagung.
Herbst	Verhaftung der meisten Mitglieder der Widerstandsgruppe um Arvid Harnack und Harro Schulze-Boysen („Rote Kapelle").
Herbst	Verhaftung zahlreicher Angehöriger „wilder" Jugendgruppen im Rhein-Ruhr-Gebiet.

November 1942

01.11.	Beginn der Deportationen von Juden aus dem Bezirk Bialystok nach Treblinka.	☠
07./08.11.	Landung einer alliierten Invasionsarmee in Marokko und Algerien; Beginn des deutsch-italienischen Rückzugs aus Nordafrika; Bildung einer zweiten Front in Nordafrika.	▦
09.11.	Liquidierung des Ghettos in Lublin.	☠
09.11.	Besetzung des Flughafens von Tunis durch deutsche Einheiten zur Bildung eines deutsch-italienischen Brückenkopfs; auf deutschen Druck Einwilligung der französischen Regierung.	▦
11.11.	OKW-„Kampfanweisung für die Bandenbekämpfung im Osten".	⚑☠
11.11.	Deutsche Besetzung des bisher nicht besetzten Teils Frankreichs (außer Kriegshafen Toulon).	⚑
19.11.	Beginn der sowjetischen Großoffensive im Norden Stalingrads, ab dem 20.11. auch im Süden.	▦
19./20.11.	Deportation von etwa 10 000 Juden aus dem Ghetto von Lemberg ins Vernichtungslager Belzec.	☠
22.11.	Einkesselung der 6. deutschen Armee (rund 250 000 Mann) im Raum Stalingrad.	▦
24.11.	Beginn der Massendeportationen von Polen aus dem Raum Zamość, südlich Lublin, zur Ansiedlung Deutscher (am 10.07.1943 abgebrochen), Deportation oder Flucht von 110 000 Polen; daraufhin sprunghaftes Anwachsen der Partisanentätigkeit; Bekämpfung u.a. mit zahlreichen Massakern an der polnischen Zivilbevölkerung durch die deutschen Besatzer.	⚑☠
25./26.11.	Beginn der Deportationen von Juden aus Norwegen.	☠
26.11.	Tagung des *Antifaschistischen Rats für die Volksbefreiung Jugoslawiens* (AVNOJ) in Titos Hauptquartier in Bihać: provisorische Volksvertretung.	⚑
27.11.	Deutscher Handstreich gegen Hafen Toulon (Selbstversenkung der französischen Flotte).	⚑▦

Dezember 1942

09.12.	Letzter Transport ins Vernichtungslager Belzec; anschließend bis Mai 1943 Verbrennung der Leichen und Zerstörung des Lagergeländes.	☠
16.12.	Befehl Himmlers zur Deportation von Sinti und Roma nach Auschwitz.	☠
27.12.	Gründung des „Smolensker Komitees" unter dem in deutscher Gefangenschaft befindlichen russischen General Andrej Wlassow (Ende 1941 Kommandeur der 20. sowjetischen Armee).	⚑▦
28.12.	Beginn des Rückzugs der Heeresgruppe A aus dem Kaukasus.	▦
Ab Dezember	Leitung des Atombombenprogramms der USA durch die deutschen Emigranten Hans Bethe und Edward Teller (ab Mitte 1943 durch den Amerikaner Robert Oppenheimer).	○
Ab Dezember	Prozesse gegen Mitglieder der „Roten Kapelle", zahlreiche Hinrichtungen.	○
Dezember	Vergebliche Versuche Mussolinis und Cianos, einen Separatfrieden zwischen Deutschland und der Sowjetunion zu erreichen.	▦
Dezember	Zerschlagung der illegalen Berliner Organisation der „Zeugen Jehovas".	○
Ende 1942	Intensivierung der Zusammenarbeit der Gruppen um Goerdeler und Beck und der militärischen Opposition um Oberst Henning von Tresckow und den Chef des Allgemeinen Heeresamtes General Friedrich Olbricht.	○

Januar 1943

08.01.	Treffen zwischen dem „Kreisauer Kreis“ und der Gruppe um Goerdeler.
10.–18.1.	„Asozialenaktion“: Straßenrazzien in Warschau und anderen Großstädten des Generalgouvernements zur Zwangsarbeiterrekrutierung.
13.01.	Einrichtung des KZ Vught bei s'Hertogenbosch (Niederlande)
13.01.	Geheimer Führererlaß über umfassenden Einsatz von Männern und Frauen für Aufgaben der Reichsverteidigung zum Ausgleich der immensen Menschenverluste an der Ostfront.
14.–26.01.	Konferenz in Casablanca: Verkündung der Formel von der „bedingungslosen Kapitulation“ Deutschlands, Italiens und Japans als alliiertes Kriegsziel durch Roosevelt und Churchill.
20.01.	Beginn der Großoperationen „Weiss I“ und „Weiss II“ gegen jugoslawische Partisanen (bis März).
30./31.01.	Erfolgloser Versuch Churchills, die Türkei zum Bruch mit Deutschland zu veranlassen: Türkei bleibt neutral.
31.01/02.02.	Kapitulation der 6. dt. Armee in Stalingrad (150 000 Gefallene, 91 000 Kriegsgefangene); in der Folge Befreiung von Rostow, Charkow und Kursk durch die Rote Armee.
Januar	Versenkung von rund 218 000 BRT alliierten Schiffsraums durch deutsche U-Boote.
Januar	Zusammenfassung der „Légion Belge“ und anderer Widerstandsgruppen in der „Armée Secrète“ durch die belgische Exilregierung unter Hubert Pierlot.
Januar	Fünftes Flugbatt der „Weißen Rose“.
Januar/Februar	Zerschlagung der kommunistischen Knöchel-Organisation in Berlin und Westdeutschland.
Januar/Februar	Dienstverpflichtung von Schülern (ab Geburtsjahrgang 1926) als „Luftwaffenhelfer“.

Februar 1943

01.02.	Bildung einer Art beratenden niederländischen Kabinetts durch Anton Mussert, Führer der „Nationaal Socialistische Beweging“ (NSB), de facto Reichskommissar Seyß-Inquart untergeordnet.
10.–20.02.	Partisanen-Bekämpfungsaktion „Hornung“ in Weißrußland: 13 000 Tote, darunter 3 300 Juden.
18.02.	Rede von Goebbels im Sportpalast in Berlin („Wollt Ihr den Totalen Krieg?“): Höhepunkt einer groß angelegten Propagandaaktion zur Mobilisierung der letzten Kräfte durch den Stalingrad-Schock.
Mitte Febr.	Sechstes Flugblatt der „Weißen Rose“; ab dem 18.02. Verhaftung der Mitglieder der Gruppe (Hans und Sophie Scholl, Willi Graf, Alexander Schmorell, Christoph Probst, Kurt Huber u.a. in München), wenig später in Hamburg; zahlreiche Hinrichtungen.
ab 26.02.	Deportation von 23 000 Sinti und Roma nach Auschwitz ins sogenannte „Zigeunerlager“.
27.02.	Sprengstoffanschlag norwegischer Widerstandskämpfer und britischer Agenten auf Norsk Hydro-Werk (Erzeugung von für die Kernforschung wichtigen schweren Wassers) bei Rjukan.
27.02.–06.03.	Deportation jüdischer Zwangsarbeiter aus Berliner Rüstungsfirmen nach Auschwitz; nach tagelangen Protesten von z.T. mehreren hundert „arischen“ Ehefrauen in der Berliner Rosenstraße Freilassung der jüdischen Ehemänner.
Februar	Versenkung von rund 380 000 BRT alliierten Schiffsraums durch deutsche U-Boote; im März zunächst weiteres Ansteigen der Versenkungsziffern, anschließend jedoch rapides Zurückgehen; Ausgleich bzw. Überflügelung durch die gesteigerten Schiffsbaukapazitäten der Alliierten; nach der Entschlüsselung des deutschen Funkverkehrs und der Entwicklung des Unterwasserradars (ASDIC) Ansteigen der deutschen U-Boot-Verluste.

März 1943

Anfang März–Juli	Massendeportationen holländischer Juden nach Sobibor.	☠
Ab 04.03.	Festnahme der unter bulgarischer Besatzung lebenden thrakischen und makedonischen Juden; Deportation nach Treblinka.	☠
06.03.	Beginn einer deutschen Gegenoffensive westlich von Charkow; Steckenbleiben der Operation und Stabilisierung der sowjetischen Front Mitte März.	▦
13.03.	Vergeblicher Versuch eines Bombenanschlags auf Hitler durch Tresckow und Fabian von Schlabrendorff.	⊙
15.03.	Beginn der Deportation griechischer Juden nach Auschwitz.	☠
21.03.	Gescheiterter Attentatsversuch Rudolf von Gersdorffs auf Hitler im Berliner Zeughaus.	⊙
22.03.– 25.06.	Fertigstellung der großen Krematorien (II–V) mit Gaskammern in Auschwitz.	☠
26.03.	Geheime Denkschrift Goerdelers für die Wehrmachtsspitze, um einen Staatsstreich auszulösen.	⊙

April 1943

07.04.	Vorläufiges Ende der Massenmorde in Kulmhof (Chelmno); weitgehende Zerstörung der Anlagen.	☠
13.04.	Bei Katyn (nahe Smolensk) Entdeckung von Massengräbern mit über 4 000 im Frühjahr 1940 von der sowjetischen Geheimpolizei ermordeten polnischen Offizieren; propagandistische Auswertung durch Goebbels; daraufhin Abbruch der diplomatischen Beziehungen zwischen der Sowjetunion und der polnischen Exilregierung.	▦
15.04.	Exhumierung der ersten Massengräber von NS-Opfern in Jejsk und bei Woroschilowgrad durch die sowjetischen Behörden.	☠
19.04.	Aufstand im Warschauer Ghetto: nach Verschleppung von 300 000 Bewohnern ins Vernichtungslager Treblinka und bei der versuchten endgültigen Räumung erstmals bewaffneter Widerstand der im Ghetto verbliebenen ca. 60 000 Juden; bis 16.05. Niederschlagung durch SS- und Polizeiverbände des SSPF Warschau, SS-Brigadeführer Jürgen Stroop; Ermordung der überlebenden Ghetto-Kämpfer.	☠
25./26.04.	Münchener (protestantischer) Laienbrief: Verurteilung der Vernichtungsmaßnahmen gegen Juden.	⊙
27.04.	Grundlegender Befehl Hitlers zur Verschärfung der Partisanenbekämpfung.	
29.04–01.05.	Generalstreik in den Niederlanden wegen Hitlers Befehl zur Internierung der im Mai 1940 entlassenen 300 000 Kriegsgefangenen zwecks Abstellung zum Arbeitseinsatz im Reich.	
30.04.	Entzug der deutschen Staatsbürgerschaft für Juden.	☠
April	Umwandlung von Bergen-Belsen (bisher Internierungslager für Juden aus westalliierten Ländern) in ein KZ.	☠
April	Zerschlagung des „Abwehr"-Kreises; Verhaftung von Hans Oster, Dietrich Bonhoeffer, Hans von Dohnanyi, Josef Müller u.a.	⊙
Frühjahr	KPD-geführte „Freie deutsche Bewegungen" in Lateinamerika und Großbritannien, später in der Schweiz und Frankreich: Vorbereitung eines „Einheitsprogramms der deutschen Antifaschisten", mit politischer Zielrichtung bürgerliche liberale und konservative Emigration. Ausschaltung größerer illegaler Gruppen der „Zeugen Jehovas" im süd- und westdeutschen Raum.	⊙

Mai 1943

12.–25.05.	Dritte Washingtoner Konferenz zwischen Roosevelt und Churchill („Trident"): Beschluß einer Landung in Süditalien, Azoren als Stützpunkt im U-Boot-Krieg, Landung in Frankreich erst 1944.	▦

Mai 1943

12.05.	„Kriegsmaßnahmenverordnung" zur „Entlastung der bürgerlichen Rechtspflege von nichtkriegswichtigen Aufgaben".
12.05.	Kürzung der Lebensmittelzuteilungen; allgemeine Verschlechterung der Versorgungslage in Deutschland.
13.05.	Kapitulation der verbliebenen deutschen und italienischen Truppen in Tunesien.
15.05.	Auflösung der *Komintern*.
17.05.	Bitte Goerdelers an Olbricht zur Vorbereitung eines Staatsstreichs.
24.05.	Abbruch der „Schlacht im Atlantik" durch Großadmiral Karl Dönitz; Wende im U-Boot-Krieg.
27.05.	Zusammenschluß der verschiedenen französischen Widerstandsgruppen im „Conseil National de la Résistance" in Paris unter Jean Moulin.
Mai–August	„Unternehmen Cottbus" (insgesamt 13 500 Opfer) und „Hermann": größte „Bandenbekämpfungsaktionen" in Weißrußland; Erschießung von meist unbeteiligten Zivilisten.

Juni 1943

10.06.	Beginn der „Combined Bomber Offensive" gegen Deutschland: amerikanische Präzisionsangriffe am Tage, englische Flächenbombardierungen bei Nacht.
13./14.06.	Dritte Kreisauer Tagung.
21.06.	Befehl Himmlers zur Umwandlung der Ghettos im Baltikum in KZ, vorherige Erschießung „Arbeitsunfähiger".
26.06.	Speer-Ministerium übernimmt die Kontrolle der Marinerüstung: Lenkung der gesamten Rüstungsproduktion mit Ausnahme der Luftwaffenrüstung.
Juni	Einrichtung der ersten „Kommandos 1005" zur Exhumierung der Massengräber und Verbrennung der Leichen (Tilgung der Spuren des Völkermords).
Juni/Juli	Auflösung der letzten Ghettos und Lager für Juden in Ostgalizien.

Juli 1943

01.07.	Aufhebung jeglichen Rechtsschutzes für deutsche Juden durch die Justiz; Unterstellung unter Polizeirecht.
05.–13.07.	Scheitern der deutschen Operation „Zitadelle" zur Begradigung des Kursker Frontbogens; strategische Initiative an der Ostfront nun endgültig bei der Sowjetunion; große sowjetische Geländegewinne im südlichen Frontabschnitt.
10.07.	Alliierte Landung auf Sizilien.
12./13.07.	Gründung des *Nationalkomitees „Freies Deutschland"* in Krasnogorsk bei Moskau aus Vertretern der Exil-KPD (Erich Weinert, Walter Ulbricht) und deutschen Kriegsgefangenen.
24.–30.07.	Schwere alliierte Luftangriffe auf Hamburg: rund 30 000 Tote unter der deutschen Zivilbevölkerung.
25.07.	Umsturz in Italien: Verhaftung Mussolinis; neuer Regierungschef Marschall Pietro Badoglio.
30.07.	In Algier Bildung des als Exilregierung projektierten *Comité Français de Libération Nationale* durch Charles de Gaulle.
Juli	Verbot der *Reichsvereinigung der Juden in Deutschland*.
Juli	Einrichtung des KZ Riga-Kaiserwald.

August 1943

02.08.	Häftlingsaufstand im Vernichtungslager Treblinka.
03.08.	Erste Etappe der Operation „Schienenkrieg“ sowjetischer Partisanen zur Sprengung der Eisenbahnverbindungen (bis 15.09.).
09.08.	Letzter Reformentwurf aus dem „Kreisauer Kreis“.
14.–24.8.	Konferenz von Quebec zwischen Roosevelt und Churchill („Quadrant“): Entschluß zur Eröffnung der „zweiten Front“ im Mai 1944 in Frankreich, Diskussion der Lage in Italien.
16.–23.08.	Liquidierung des Ghettos in Bialystok: Deportation von 8 000 Juden aus dem Ghetto; jüdische Widerstandsaktionen.
17.08.	Ausnahmezustand in Norwegen: erneute Internierung der 1940 aus der Kriegsgefangenschaft entlassenen norwegischen Offiziere zur Deportation nach Deutschland.
19.08.	Hirtenbrief der katholischen Bischöfe gegen die Tötung unschuldigen Lebens.
24.08.	Himmler an Stelle Fricks Reichsinnenminister.
29.08.	Ausnahmezustand in Dänemark: Übernahme der vollziehenden Gewalt durch Wehrmachtbefehlshaber General Hermann von Hanneken; Internierung des dänischen Heeres; Bildung eines geheimen „Freiheitsrats“ (*Danmarks Frihedsraad*).
August	Einrichtung der KZ Dora-Mittelbau und Warschau.
Sommer	Erarbeitung der „Walküre-Planung“ durch General Olbricht im Zusammenhang mit der Entwicklung verschiedener Attentatsvorhaben; Gewinnung Stauffenbergs für die Umsturzplanungen. Formierung kommunistischer Widerstandsgruppen um Anton Saefkow, Franz Jacob, Theodor Neubauer und Georg Schumann in Berlin, Leipzig, Magdeburg und Thüringen.

September 1943

02.09.	Erlaß Hitlers zur Konzentration der Kriegswirtschaft: Speer jetzt *Reichsminister für Rüstung und Kriegsproduktion.*
03.09.	Waffenstillstand zwischen Italien und den Alliierten (zunächst geheim gehalten).
07.09.	Anordnung Himmlers und Görings zur totalen Zerstörung der Rückzugsgebiete in der Sowjetunion.
08.09.	Mit Bekanntwerden des Waffenstillstands in Italien Besetzung Norditaliens und Roms (10.09.) durch deutsche Truppen; Entwaffnung und Internierung der italienischen Streitkräfte; Waffen und Munition fallen teilweise an die Widerstandsbewegungen.
08.09.	Errichtung einer deutschen Militärverwaltung für ganz Griechenland.
09.09.	Amerikanische Landung bei Salerno; britische Landung in Tarent.
09.09.	Bildung des *Comitato di Liberazione Nazionale* (CLN) unter Ivanoe Bonomi gegen die deutsche Besatzung in Rom.
09.09.	Erste Massenerschießung von italienischen Zivilisten durch die Wehrmacht; bis Kriegsende Ermordung von 9 000 Zivilisten und 11 000 Soldaten.
10.09.	Unterstellung der oberitalienischen Provinzen und der (ehemals jugoslawischen) Provinz Laibach unter die Gauleiter von Tirol bzw. Kärnten.
11.–14.09.	Liquidierung des Ghettos in Minsk: Ermordung fast aller Einwohner.
11./12.09.	Gründung des *Bundes deutscher Offiziere* (BdO) in Lunjowo bei Moskau (Vorsitz: General Walther von Seydlitz-Kurzbach); Frühjahr 1945: 4 000 Mitglieder, darunter Generalfeldmarschall Friedrich Paulus (Oberbefehlshaber Stalingrad).
14./16.09.	Besetzung von Leros und Samos (Ägäis) durch britische Truppen.

September 1943

15.09.	Gründung der faschistischen Republik mit Sitz in Salò/Gardasee durch Mussolini, nach seiner Befreiung durch deutsche Fallschirmjäger auf dem Gran Sasso 12. 09.; de facto unter deutscher Militärverwaltung.
20.09.	Deutsche Räumung Sardiniens.
21.09.	Anordnung der Evakuierung von rund 900 000 Menschen aus dem Baltikum durch die Heeresgruppe Nord.
22.09.	Schwere Beschädigung des deutschen Schlachtschiffs „Tirpitz“ durch einen U-Boot-Angriff.
23./24.09.	Auflösung des Ghettos in Wilna; Deportationen nach Estland und Sobibor.
27.–30.9.	Resistenza-Aufstand in Neapel („quattro giornate“) vor Einmarsch der Alliierten.
September	Einrichtung der KZ Kauen, Vaivara und Klooga.

Oktober 1943

01.10.	Ausgabe des ersten „Richterbriefs“ durch Justizminister Thierack zur Lenkung der Rechtssprechung.
01./02.10.	Weitgehender Fehlschlag der nächtlichen Verhaftungsaktion gegen die dänischen Juden: vorgewarnte Bevölkerung kann rund 7 200 Personen verstecken und nach Schweden bringen.
02.10.	Einführung des Standrechts im Generalgouvernement, Erschießungen durch Polizeistandgerichte.
04./06.10.	Reden Himmlers vor höheren SS-Offizieren bzw. vor den Reichs- und Gauleitern in Posen, u.a. über die „Endlösung der Judenfrage“.
05.10.	Besetzung Korsikas durch freifranzösische Truppen.
10.10.	Beginn des Bürgerkriegs im besetzten Griechenland: kommunistische Widerstandsorganisation ELAS gegen national-republikanischen EDES; am 29. 02. 1944 vorläufiger Waffenstillstand auf Drängen der alliierten Militärmission.
13.10.	Kriegserklärung Italiens (Badoglio) an Deutschland.
14.10.	Wilhelm Frick an Stelle Neuraths *Reichsprotektor von Böhmen und Mähren.*
14.10.	Häftlingsaufstand im Vernichtungslager Sobibor.
16./17.10.	Verurteilung der Tötung von Menschen aus Alters-, Rasse- und Krankheitsgründen durch die Bekenntnissynode der evangelischen Kirchen der Altpreußischen Union.
19.10.	Abschluß der „Aktion Reinhardt“; zwischen März 1942 und Oktober 1943 Ermordung von über 1,6 Mio. Juden in den Lagern Belzec, Sobibor und Treblinka; Beschlagnahmung der Besitztümer der Ermordeten durch das *SS-Wirtschafts-Verwaltungs-Hauptamt* und Abführung an das Reich bzw. die *Reichsbank*, Verwendung u.a. zur Rüstungsfinanzierung.
19.–30.10.	Alliierte Außenministerkonferenz in Moskau: engere Abstimmung der Anti-Hitler-Koalition im Hinblick auf die Nachkriegsplanung; Gründung der *European Advisory Commission* (EAC) mit Sitz in London.
Oktober	Bildung der 15. amerikanischen Luftflotte (USAAF) in Süditalien zur Führung des strategischen Luftkriegs gegen Deutschland und gegen Ziele in Südosteuropa.
Oktober	Beginn der Zwangsevakuierung im Bereich der Heeresgruppe Mitte (bis März 1944 53 000 Personen).
Oktober/November	Deportation von rund 8 360 Juden aus Norditalien nach Auschwitz.
Oktober/November	Weitgehender Abschluß der Vorbereitungen für den Umsturzversuch durch Stauffenberg (Stabschef im Allgemeinen Heeresamt).

November 1943

02.11.	Endgültige Auflösung des Ghettos in Riga.
02./03.11.	„Aktion Erntefest“: Erschießung von 42 000 Juden in Lagern des Distrikts Lublin.
03.11.	Hitlers „Weisung Nr. 51“ zur Verstärkung der militärischen Kräfte im Westen zur Abwehr einer alliierten Invasion.
05./06.11.	Rückeroberung Kiews durch sowjetische Truppen.
12.–22.11.	Deutsche Gegenoffensive in der Ägäis.
18.11.–03.12.	Fünf britische Luftangriffe auf Berlin: 2 700 Tote unter der Zivilbevölkerung.
28.11–01.12.	Alliierte Kriegskonferenz in Teheran: Roosevelt, Stalin, Churchill trotz unterschiedlicher Pläne grundsätzlich über eine Aufteilung Deutschlands einig; Festlegung der sowjetisch-polnische Grenze auf der Curzon-Linie; nördliches Ostpreußen mit Königsberg an die Sowjetunion.
29.11.	Bildung des *Slowakischen Nationalrats* (SNR) einschließlich der illegalen kommunistischen Partei zur Vorbereitung eines Volksaufstands.
November	Vergebliche Planung eines Attentats auf Hitler anläßlich der Vorführung neuer Uniformen durch Axel von dem Bussche.

Dezember 1943

12.12.	Unterzeichnung eines „Freundschafts- und Beistandspakts“ zwischen der Sowjetunion und der tschechoslowakischen Exilregierung unter Edvard Beneš.
13.12.	Massaker der 117. Jägerdivision an Zivilisten in der Gegend um Kalavryta im Rahmen der Partisanenbekämpfung in Griechenland: rund 700 Tote.
15.–18.12.	Erster Kriegsverbrecherprozeß gegen Deutsche in Charkow (Ukraine).
22.12.	Befehl Hitlers zur Bildung eines NS-Führungsstabs beim OKW zur verstärkten ideologischen Indoktrination der Wehrmacht; bis Ende 1944 Einsatz von knapp 50 000 „Nationalsozialistischen Führungs-Offizieren“ (bisher „Offiziere für wehrgeistige Führung“).
24.12.	General Dwight D. Eisenhower Oberbefehlshaber der alliierten Invasionsstreitkräfte.
26.12.	Versenkung des deutschen Schlachtschiffs „Scharnhorst“ beim Angriff auf einen britischen Geleitzug.

Januar 1944

15.01.	Vorlage eines Entwurfs zur Aufteilung Deutschlands in Besatzungszonen durch die EAC.
21./22.01.–März	Deutsche Luftangriffe auf London („Little Blitz“).
22.01.	Amerikanische Landung hinter der deutschen Italienfront bei Anzio und Nettuno.
Januar	Verhaftung des Widerstandskreises um Hanna Solf.
Januar/Februar	Nach der Verhaftung von Moltke und Yorck von Wartenburg Zerschlagung des „Kreisauer Kreises“ durch die Gestapo.

Februar 1944

01.02.	Vereinigung des französischen militärischen Widerstands zu „Forces Françaises de l’Intérieur“ (FFI).
03.02.	Befehl des stellvertretenden Oberbefehlshaber West Generalfeldmarschall Hugo Sperrle zur rücksichtslosen Bekämpfung des französischen Widerstands: in Frankreich Ermordung von insgesamt fast 30 000 Geiseln.

Februar 1944

Februar	Endgültige Ausschaltung des Widerstandskreises innerhalb der Abwehr (11.02. Verhaftung von Admiral Wilhelm Canaris).
Februar	Scheitern eines geplanten Attentats auf Hitler während einer erneuten Uniformvorführung (Ewald Heinrich von Kleist).

März 1944

01.03.	Organisierung mehrtägiger Streiks in norditalienischen Großstädten durch den italienischen Widerstand.
Ab 04.03.	Beginn der sowjetischen Großoffensive an der ukrainischen Front; Durchbruch und weite Raumgewinne nach Westen und Süden.
13.03.	Anerkennung der neuen italienischen Regierung unter Badoglio durch die Sowjetunion.
17.03.	Amerikanischer Luftangriff auf Wien.
19.03.	Deutsche Besetzung Ungarns (Fall „Margarethe I“); Döme Sztojay, bisher Gesandter in Berlin, neuer Ministerpräsident (23. 03.).
30./31.03.	Schwerer britischer Luftangriff auf Nürnberg; hohe Verluste der *Royal Air Force*.
März	Gründung des *Council for a Democratic Germany* in New York (Paul Tillich, Reinhold Niebuhr).

April 1944

05.04.	Beginn der alliierten Luftoffensive gegen die rumänischen Ölfelder.
11.04.	Wiederaufnahme der Aktion „14 f 13“ zur Selektion von KZ-Häftlingen und ihrer Ermordung in ehemaligen „Euthanasie“-Anstalten.
13.04.	Amerikanischer Luftangiff auf Schweinfurt.
21.04.	Auf Druck der Alliierten Einstellung der türkischen Chromlieferungen an Deutschland.
24./25.04.	Schwerer britischer Luftangriff auf München.
April	Wiedereinrichtung des Vernichtungslagers Kulmhof (Chelmno); bis zur endgültigen Auflösung am 18.01.1945 Ermordung von rund 7 200 Juden.
Frühjahr	Zerschlagung der illegalen sowjetischen Kriegsgefangenen- und „Fremdarbeiter“-Organisation „Brüderliche Zusammenarbeit der Kriegsgefangenen“ (BSW) und der mit ihr zusammenarbeitenden „Antinazistischen Deutschen Volksfront“ in München.

Mai 1944

05.05.	Auf Druck der Alliierten Schließung des deutschen Generalkonsulats in Tanger und Einschränkung der spanischen Wolfram-Lieferungen an Deutschland.
05.05.	Britischer Vorschlag an die Sowjetunion zur Aufteilung Südosteuropas in Operationszonen.
08.05.	Abschluß eines Abkommens zwischen der tschechoslowakischen Exilregierung und der Sowjetunion über die Befreiung der ČSR.
12.05.	Beginn gezielter alliierter Luftangriffe auf Einrichtungen zur synthetischen Treibstoffherstellung in Deutschland.
12.05.	Beginn der alliierten Großoffensive in Italien.
15.05.–19.07.	Deportation von 438 000 Juden aus Ungarn nach Auschwitz, meist aus ländlichen Gebieten und von Ungarn annektierten Territorien; Ermordung des Großteils der Deportierten; nur wenige zum Arbeitseinsatz.

Mai 1944

18.05.	Einnahme von Monte Cassino durch die Alliierten.	▦
23.05.	Beginn des deutschen Rückzugs von der Adria bis zum Tyrrhenischen Meer.	▦
25.05.	Tito entkommt einem deutschen Luftlandeüberfall auf sein Hauptquartier bei Drvar/Bosnien.	☠
Mai	Erneute erfolglose Versuche der deutschen Opposition zur Kontaktaufnahme mit der britischen Regierung.	☺

Juni 1944

01.–05.06.	Vorbereitung der Invasion im Westen durch Luftangriffe auf wichtige Infrastruktur (Straßen, Eisenbahnlinien etc.) in Frankreich und Belgien.	▦
04.06.	Befreiungs Roms durch die Alliierten (Pisa 26.07.; Florenz 04.08.).	▦
06.06.	Beginn der Befreiung Westeuropas: Landung alliierter Truppen in der Normandie.	▦
Ab 06.06.	Angesichts der alliierten Invasion in der Normandie verstärkte Tätigkeit der französischen Résistance zur Unterbrechung deutscher Nachrichten- und Verkehrsverbindungen, im Massif Central z.T. offene Aufstände.	☠
10.06.	Zerstörung des französischen Dorfes Oradour-sur-Glane und Ermordung der Einwohner durch die Waffen-SS-Division „Das Reich" (Repressalie für Überfälle der Résistance).	☠
12./13.06.	Beginn des V1-Beschusses von London.	▦
14.06.	Amerikanische Landung auf Saipan/Marianen (Guam 21.07., Tinian 24.07.).	▦
20.06.	Lahmlegung des Eisenbahnnetzes hinter der deutschen Heeresgruppe Mitte durch die bisher größte Operation sowjetischer Partisanen (10 000 Sprengungen).	▦
22.06.	Beginn der sowjetischen Großoffensive gegen die Heeresgruppe Mitte; bis Juli völlige Vernichtung dieses Frontabschnitts (28 Divisionen, 350 000 Mann).	▦
23.06.–14.07.	Liquidierung des Ghetto Lodz: Transporte nach Kulmhof (Chelmno).	☠
30.06.	Organisierung eines mehrtägigen Generalstreiks durch den dänischen „Freiheitsrat": daraufhin Aufhebung der von der deutschen Besatzung verhängten Ausgangssperre in Kopenhagen.	☠
Ende Juni	Ermordung von 6 500 Insassen von Gefängnissen und Lagern in Minsk durch die Gestapo.	☠

Juli 1944

01.–22.07.	Konferenz von Bretton Woods über die fiskalischen und ökonomischen Fragen einer weltweiten Nachkriegsordnung.	▦ 🏭
01.07.	Ernennung Stauffenbergs zum Chef des Stabes beim Befehlshaber des Ersatzheeres; Stauffenberg damit Teilnehmer an den Lagebesprechungen im Führerhauptquartier.	☺
Anfang Juli	Zerschlagung der kommunistischen Widerstandsorganisationen in Berlin, Magdeburg, Leipzig und Thüringen.	☺
05.07.	Verhaftung von Leber und Reichwein.	☺
06./11./15.07.	Stauffenberg mit Sprengstoffpaketen bei Lagebesprechungen auf dem Obersalzberg bzw. im Führerhauptquartier „Wolfsschanze", jedoch Verschiebung des Attentats.	☺
08.07.	Auflösung des KZ Kaunas (Kauen)/Litauen, Evakuierung von 8 000 Juden, Erschießung von weiteren 2 000 Untergetauchten.	☠
08.–22.07.	Evakuierung des Ghettos von Siauliai (Schaulen)/Litauen.	☠
09.07.	Eröffnung einer sowjetischen Offensive gegen Finnland.	▦

Juli 1944

13.07. Josef Grohé, Gauleiter von Köln-Aachen, *Reichskommissar für die besetzten Gebiete von Belgien und Nordfrankreich*, Ablösung der Militärverwaltung.

Ab Mitte Juli Beginn der Evakuierung von Gefängnissen in Polen, in vielen Fällen Erschießung der Insassen (15.07. in Bialystok, 22.07. in Lublin, 17./18.01.1945 in Lodz).

15.07. In Erwartung der „Initialzündung" durch Stauffenberg Auslösung des „Plans Walküre" durch Olbricht in Berlin; Rücknahme nach erneuter Verschiebung des Attentats.

19.07. Ende der Deportationen aus Ungarn.

20.07. Scheitern des Attentats auf Hitler im „Führerhauptquartier Wolfsschanze" und des Umsturzversuchs durch Stauffenberg und seine Mitverschwörer in Berlin; in den frühen Nachtstunden standrechtliche Hinrichtung von Stauffenberg, Albrecht Mertz von Quirnheim, Olbricht und Werner von Haeften im Innenhof des Bendlerblocks auf Befehl von General Friedrich Fromm („Gnadenschuß" für Beck nach gescheitertem Selbstmordversuch).

21.07. Beginn umfassender Fahndungs- und Verhaftungsmaßnahmen gegen Beteiligte und Mitwisser an der Verschwörung des „20. Juli" und deren Angehörige.

23.07. Befreiung der letzten Häftlinge von Majdanek.

24.–29.07. Britische Luftangriffe auf Stuttgart: rund 900 Tote unter der deutschen Zivilbevölkerung.

25.07. Führer-Erlaß: Goebbels *Reichsbevollmächtigter für den totalen Kriegseinsatz*, Mobilisierung der letzten Reserven; Himmler Nachfolger des in den Putschversuch vom 20. Juli 1944 verwickelten Fromm als Befehlshaber des Ersatzheeres.

30.07. „Terror- und Sabotage-Erlaß" Hitlers: in den besetzten Gebieten keine Zuständigkeit der Wehrmachtgerichtsbarkeit mehr für Widerstandsdelikte; sofortige „Erledigung" der Opfer an Ort und Stelle oder Übergabe an die Sicherheitspolizei.

31.07. Durchbruch der Amerikaner bei Avranches, danach rasche Eroberung Frankreichs; geschlossene Absetzbewegung der deutschen Truppen.

31.07. Letzter Transport belgischer Juden aus Mechelen (Malines) nach Auschwitz.

Juli Beginn der Lager-Evakuierungen im Osten, anfangs meist noch in Zügen.

Juli Evakuierung des KZ Warschau.

Ende Juli Installierung des „Lubliner Komitees" als einzige Repräsentation Polens durch die Sowjetunion.

August 1944

01.08. Anordnung der Sippenhaft für Familienangehörige der Regimegegner aus den „alten Eliten"; Anfang August Ausschluß der Beschuldigten aus der Wehrmacht durch einen „Ehrenhof" unter Vorsitz von Generalfeldmarschall Gerd von Rundstedt zur Ermöglichung einer Aburteilung durch den *Volksgerichtshof.*

01.08.–02.10. Aufstand der polnischen „Heimatarmee" (Armia Krajowa) in Warschau unter General Tadeusz „Bór"-Komorowski; nach Ausbleiben der erwarteten sowjetischen Entlastungsoffensive Kapitulation der Aufständischen am 02. 10.; 15 000 Angehörige der AK in deutscher Kriegsgefangenschaft; Gesamtzahl der Opfer: rund 180 000 Polen (u.a. 16 000 militärische Opfer; 90 000 Zivilisten Opfer gezielter Massenexekutionen); fast völlige Zerstörung Warschaus auf Befehl Hitlers; zahlreiche Deportationen in KZ.

02.08. Abbruch der diplomatischen Beziehungen der Türkei zu Deutschland.

Ab 06.08. Evakuierung des KZ Riga-Kaiserwald.

07.–30.08. Deportation der letzten Juden aus Lodz nach Auschwitz.

August 1944

07.08.	Beginn der *Volksgerichtshof*-Verfahren gegen Beteiligte und Mitwisser an der Verschwörung des 20. Juli 1944 (bis Frühjahr 1945): überwiegend Todesurteile, Hinrichtungen in Berlin-Plötzensee.
12.08.	Verhaftung Goerdelers.
15.08.	Alliierte Landung in Südfrankreich.
Mitte August	„Aktion Gewitter“: Verhaftung von rund 5 000 „Gegnern“ aus den alten Weimarer Parteien und Verbänden durch die Gestapo.
19.08.	Aufstand der Résistance in Paris; Ablehnung von Hitlers Zerstörungsbefehl durch den Stadtkommandanten General Dietrich von Choltitz und Abschluß eines Waffenstillstand mit der Résistance.
21.08.–07.10.	Konferenz von Vertretern der USA, der Sowjetunion, Großbritanniens und Chinas in Dumbarton Oaks zur Gründung der „Vereinten Nationen“.
23.08.	Vergeblicher Versuch deutscher Truppen zur Verhinderung des Sturzes des rumänischen Staatschefs Antonescu; Nachfolger Constantin Sanatescu.
24.08.	Urlaubssperre und 60-Stunden-Woche als Maßnahmen des totalen Kriegseinsatzes.
25.08.	Rumänische Kriegserklärung an Deutschland nach deutschen Luftangriffen auf Bukarest.
25.08.	Einmarsch amerikanischer und französischer Truppen (unter de Gaulle) in Paris.
29.08.	Aufruf des *Slowakischen Nationalrats* zum Volksaufstand; Unterstützung durch Teile der Armee: schwere Kämpfe mit deutschen Truppen bei Neusohl (Banská Bystrica) und Sillein (Zilina), nach dem Scheitern der sowjetischen Offensive am Dukla-Paß am 29.10. Zusammenbruch des Aufstands; Fortsetzung als Partisanenkrieg.
29.08.	Anerkennung Marschall Titos als alleiniger Oberbefehlshaber des militärischen Widerstands in Jugoslawien durch König Peter II.
Ende August	Alliierte Luftangriffe auf Königsberg.
August–Dezember	Todesmarsch von 6 000 ungarisch-jüdischen Zwangsarbeitern von Bor in Serbien nach Györ in Ungarn (mehrere Tausend Opfer).

September 1944

01.09.	Illegale Einschleusung des ISK-Funktionärs Jupp Kappius nach Westdeutschland zur Reorganisation der ISK-Kader und zur Durchführung von Sabotageakten (nicht verwirklicht).
03.09.	Übernahme des Oberbefehls über die „Binnenlandse Strijdkrachten“ durch Prinz Bernhard der Niederlande, Zusammenschluß der Widerstandsgruppen „Orde Dienst“ (nationale Rechte), „Knokploegen“ (Katholiken und Calvinisten), „Rad van Verzet“ (nichtkommunistische Linke).
03.09.	Letzter Transport aus dem Lager Westerbork nach Auschwitz.
04.09.	Besetzung des Hafens von Antwerpen bis zum Eintreffen der Alliierten durch die belgische Untergrundarmee und die kommunistisch beeinflußte „Front de l'indépendance“.
04.09.	Erschießung von knapp 100 russischen Kriegsgefangenen und Fremdarbeitern der süddeutschen Widerstandsorganisation BSW im KZ Dachau.
05./06.09.	Befreiung des KZ Vught bei s´Hertogenbosch (Niederlande).
06.09.	Anweisung des Reichsinnenministeriums zur Einweisung kranker „Ostarbeiter“ in psychiatrische Anstalten; Ermordung des Großteils.
08.09.	Kriegserklärung Bulgariens an Deutschland nach sowjetischem Einmarsch.

September 1944

Ab 08.09.	Einsatz von V 2-Raketen gegen London und Antwerpen (Wirkung von der NS-Propaganda übertrieben); anders als bei V 1 (seit 12.06.) keine Abwehrmöglichkeit.
11.–16.09.	Konferenz von Quebec zwischen Roosevelt und Churchill: Unterzeichnung des ersten Zonenprotokolls, Einigung über die gemeinsame Verwaltung Groß-Berlins, vorläufige Billigung des „Morgenthau-Plans" zur Reagrarisierung Deutschlands (Rücknahme 22.9.).
12.09.	Vorlage des ersten Zonenplans zur Aufteilung Deutschlands in drei Besatzungszonen durch die EAC.
12.09.	Unterzeichnung des rumänisch-sowjetischen Waffenstillstandsabkommens.
Mitte September	Beginn der „Reeducation" als offizielles britisches Kriegsgefangenen-Programm unter Mithilfe von deutschen Emigranten.
16.09.	Streik in Dänemark: daraufhin Internierung der Polizei, Deportation der Offiziere ins Reich.
17.09.	Fehlschlag der alliierten Luftlandeoperation bei Arnheim (Niederlande).
19.09.	Sowjetisch-finnischer Waffenstillstand; deutsche Räumung Finnlands.
25.09.	Angesichts der unmittelbaren Bedrohung der deutschen Vorkriegsgrenzen im Osten und Westen Einberufung aller „waffenfähigen Männer zwischen 16 und 60 Jahren" zum *Deutschen Volkssturm.*
Ab September	Illegale Einschleusung von KPD-Funktionären nach Süddeutschland durch die Parteiabschnittsleitung Süd der KPD (Schweiz) und das *Comité Allemagne Libre pour l'Ouest* (CALPO) mit Hilfe des OSS zur Reorganisation des kommunistischen Widerstands, u.a. Ludwig Ficker (München).
Ab September	Streik der niederländischen Eisenbahner zur Unterstützung der alliierten Operationen bis zur Befreiung; daraufhin deutsches Lebensmittelembargo: „Hungerwinter" 1944/45 mit über 10 000 holländischen Opfern.
September	Nach der deutschen Besetzung der Slowakei Wiederaufnahme der Deportationen von Juden nach Auschwitz.

Oktober 1944

03.10.	Beginn der Räumung Griechenlands, Südalbaniens und Südmazedoniens (Athen 12.10.; Saloniki 30.10.; Skopje 13.11.).
06./07.10.	Revolte des Sonderkommandos (im Krematorium arbeitende Häftlinge) in Auschwitz.
09.–20.10.	Konferenz in Moskau zwischen Churchill und Stalin: Klärung der „Einflußsphären" in Südosteuropa; Ablehnung der Curzon-Linie als künftiger polnischer Ostgrenze durch Vertreter der polnischen Exilregierung.
13.10.	Räumung Rigas durch die deutsche Heeresgruppe Nord, Rückzug nach Kurland; dort abgeschnitten; Kapitulation bei Kriegsende.
15.10.	Präliminarwaffenstillstand zwischen Ungarn und der Sowjetunion.
16.10.	Staatstreich in Ungarn zugunsten des Führers der Pfeilkreuzler Férencz Szálasi: durch Handstreich eines SS-Kommandos erzwungene Abdankung des Reichsverwesers von Horthy; Widerrufung des Waffenstillstands mit der Sowjetunion.
16.10.	Erstes Vordringen der Roten Armee in Ostpreußen.
21.10.	Besetzung Aachens (erste eroberte deutsche Großstadt) durch amerikanische Truppen.
23.10.	Anerkennung der provisorischen Regierung de Gaulle durch die USA, die Sowjetunion und Großbritannien.

Oktober 1944

28.10.	Unterzeichnung eines Waffenstillstands zwischen den Alliierten und Bulgarien.	▦
30.10.	Letzter Transport nach Auschwitz (aus Theresienstadt): „Vergasung“ des größten Teils der Beteiligten.	☠

November 1944

07.11.	Vierte Wiederwahl Roosevelts zum Präsidenten der USA.	▦
08.11.	Beginn des Todesmarsches von 76 000 Juden aus Budapest nach Österreich und Bayern.	☠
10.11.	Anerkennung der neuen kommunistischen Regierung in Albanien unter Enver Hoxha durch die Alliierten.	▦
Herbst	Verhaftung der Kölner „Edelweißpiraten“; öffentliche Hinrichtung von 13 Mitgliedern der Gruppe in Köln-Ehrenfeld durch die Gestapo.	☉
14.11.	Unterzeichnung des zweiten Zonenprotokolls und des Kontrollabkommens zur Zoneneinteilung und Einrichtung des *Alliierten Kontrollrats* in Deutschland in der EAC.	▦
14.11.	Gründung des „Komitees zur Befreiung der Völker Rußlands“ (KONR) auf deutsches Betreiben in Prag: bis Januar 1945 Aufstellung von zwei Divisionen aus sowjetischen Kriegsgefangenen, Zivilarbeitern, Kosaken, Georgiern u.a. unter General Wlassow.	✱▦
November	Anordnung Himmlers zur Einstellung der Massenmorde durch Giftgas in Auschwitz; Demontage der Krematorien ab 25.11.	☠
November	Zerschlagung der Kölner Gruppe „Komitee Freies Deutschland“.	☉

Dezember 1944

03.12.	Aufstand der kommunistischen Widerstandsorganisation ELAS in Griechenland.	✱☉
04./05.	Alliierte Luftangriffe auf Karlsruhe und Heilbronn: in Heilbronn rund 7 000 Tote unter der Zivilbevölkerung.	▦
07.12.	Installierung einer kommunistischen Gegenregierung in Ungarn durch die Sowjets.	▦
07.12.	Beginn der amerikanischen Landung auf den Philippinen.	▦
08.12.	Veröffentlichung des Aufrufs „An Volk und Wehrmacht“ im Namen des NKFD durch 50 in der Sowjetunion kriegsgefangene Generäle mit Generalfeldmarschall Paulus an der Spitze.	☉
10.12.	Unterzeichnung des sowjetisch-französischen Bündnisvertrags.	▦
11.12.	Letzte Giftgasmorde in Hartheim an selektierten KZ-Häftlingen aus Mauthausen.	☠
15./17.12.	Rede Churchills im Unterhaus: Westverschiebung Polens und Umsiedlung der Deutschen aus den Ostgebieten; nun Zustimmung der polnischen Exilregierung.	▦
16.12.	Beginn der deutschen Ardennenoffensive: Scheitern nach anfänglichem Überraschungserfolg.	▦
17./18.12.	Alliierte Luftangriffe auf München und Ulm.	▦

Januar 1945

05.01.	Übersiedlung des „Lubliner Komitee“ nach Warschau als von der Sowjetunion gestützte provisorische Regierung Polens.	▦
12.01.	Beginn der sowjetischen Großoffensive gegen die deutsche Ostfront.	▦
Mitte Januar	Mit der sowjetischen Großoffensive Beginn der Todesmärsche aus den Lagern im Osten ins Innere des Reichs; unterwegs Erschöpfungstod bzw. Ermordung eines großen Teils der mehreren Hunderttausend „evakuierten“ Häftlinge.	☠

Januar 1945

17.01.	Beginn der Räumung von Auschwitz: Todesmarsch von 60 000 Häftlingen.	☠
20.01.	Waffenstillstand zwischen der Sowjetunion und der ungarischen Gegenregierung in Debrecen.	▦
25.01.	Beginn der Evakuierung des KZ Stutthof.	☠
27.01.	Befreiung der letzten 7 650 Häftlinge von Auschwitz.	☠
30.01.	Letzte Rundfunkrede Hitlers.	◉
30.01.	Uraufführung des Durchhaltefilms „Kolberg" in der „Atlantik-Festung" La Rochelle und in Berlin.	📖
30.01.	Sowjetische Truppen an der Oder: Bildung von Brückenköpfen nördlich und südlich Küstrin.	▦
30.01.	Nach dem Beginn der Evakuierung des KZ Stutthof Erschießung von etwa 6 000 Juden aus den Nebenlagern am Ostseestrand („Massaker von Palmnicken").	☠

Februar 1945

03.02.	Schwerer alliierter Luftangriff auf Berlin: rund 22 000 Tote unter der deutschen Zivilbevölkerung (unter ihnen der Präsident des VGH, Roland Freisler).	▦
04.–11.02.	Alliierte Kriegskonferenz in Jalta/Krim (Stalin, Roosevelt und Churchill): prinzipielle Einigung über die Aufteilung Deutschlands in vier allierte Besatzungszonen unter Hinzuziehung Frankreichs mit eigener Zone, Verwaltung Deutschlands durch einen Alliierten Kontrollrat, Reparationen, Westverschiebung Polens und Eintitt der Sowjetunion in den Krieg gegen Japan.	▦
08.02.	Beginn einer britisch-kanadischen Offensive südöstlich von Nijmegen.	▦
13./14.02.	Zerstörung Dresdens durch englische und amerikanische Luftangriffe: insgesamt rund 38 000 Tote unter der deutschen Zivilbevölkerung.	▦
15.02.	Einrichtung von Standgerichten in von den Alliierten bedrohten Reichsteilen zur Sicherung des Kampfeswillens: Vorsitz durch einen Strafrichter, Beisitzer: ein Parteifunktionär und ein Offizier der Wehrmacht, Waffen-SS oder Polizei; einziges Strafmaß: Todesstrafe.	◉
19.02.	Amerikanische Landung auf Io-Jima (Abschluß der Kämpfe 16.03.).	▦
23./24.02.	Britischer Luftangriff auf Pforzheim.	▦

März 1945

01.03.	Türkische Kriegserklärung an Deutschland.	▦
07.03.	Eroberung Kölns durch amerikanische Truppen und Überschreiten des Rheins bei Remagen (bei Oppenheim 22.03.).	▦
16./17.13.	Alliierter Luftangriff auf Würzburg.	
19.03.	Hitlers „Nero-Befehl": auch im Reichsgebiet beim Rückzug Zerstörung aller für den Feind nutzbarer Industrie- und Versorgungsanlagen; partielle Sabotierung der Umsetzung dieses Befehls – u.a. durch Speer.	▦◉
24.03.	Überschreiten des Niederrheins bei Wesel durch britische und amerikanische Truppen.	▦
März	Abschneidung Ostpreußens; fast völlige Aufreibung der 4. deutschen Armee.	▦

April 1945

Ab 01.04.	Bekanntmachungen im Rundfunk zur Aufstellung einer – tatsächlich kaum existenten – nationalsozialistischen Partisanenorganisation „Werwolf"; harte Reaktionen der Alliierten.
01.04.	Schließung des Ruhrkessels durch amerikanische Truppen; Kapitulation der eingeschlossenen deutschen Truppen bis zum 18.04.
05.04.	Sowjetische Aufkündigung des Neutralitätsvertrags mit Japan vom 13.04.1941.
07.–10.04.	Todesmarsch aus dem KZ Buchenwald: Ermordung von 12 500 der 40 000 Häftlinge.
09.04.	Kapitulation von Königsberg.
11.04.	Freundschaftsvertrag zwischen der Sowjetunion und Jugoslawien unter Tito.
11.04.	Befreiung des KZ Buchenwald durch amerikanische Truppen, Entwaffnung noch nicht geflohener Wachmannschaften durch Häftlinge.
12.04.	Nach dem Tod Roosevelts Harry S. Truman amerikanischer Präsident.
13.04.	Einnahme Wiens durch die Rote Armee.
14./15.04.	Alliierter Luftangriff auf Potsdam: rund 5 000 Tote unter der deutschen Zivilbevölkerung.
15.04.	Befreiung des KZ Bergen-Belsen durch britische Truppen; anschließend noch Tod von rund 14 000 Häftlingen an Unterernährung und Krankheit.
16.04.	Beginn der sowjetischen Großoffensive an Oder und Neiße zur Eroberung Berlins (Einschließung Berlins am 25.04.).
18.04.	Überschreitung des Oberrheins durch französische Truppen.
18.04.	Amerikanische Landung auf Okinawa (Abschluß der Kämpfe 22.06.).
18./19.04.	Vorstoß amerikanischer Truppen bis Magdeburg und Leipzig; letzter alliierter Luftangriff auf Berlin.
21.04.	Freundschaftsvertrag zwischen der provisorischen polnischen Regierung und der Sowjetunion.
21.–28.04.	Letzte Giftgasmorde an selektierten KZ-Häftlingen in Ravensbrück und Mauthausen.
22.04.	Einnahme Stuttgarts durch französische Truppen.
22.04.	Befreiung des KZ Sachsenhausen.
23.04.	Befreiung des KZ Flossenbürg.
24.04.	Aufstand der Resistenza in Mailand.
24.04.–26.06.	Konferenz von San Francisco (Unterzeichnung der UN-Charta 26.06.).
25.04.	Zusammentreffen amerikanischer und sowjetischer Truppen bei Torgau an der Elbe.
28.04.	Verhaftung Mussolinis am Comer See durch italienische Partisanen; Erschießung zusammen mit seiner Geliebten Clara Petacci.
29.04.	Kapitulation der deutschen Streitkräfte in Italien.
29.04.	Evakuierung des KZ Neuengamme.
29.04.	Befreiung des KZ Dachau.
30.04.	Selbstmord Hitlers im Bunker der Reichskanzlei in Berlin (Goebbels' am 01.05.); Nachfolger Hitlers als Staatsoberhaupt: Dönitz.
30.04.	Einnahme Münchens durch amerikanische Truppen.
30.04.	Befreiung des KZ Ravensbrück.
30.04.	Rückkehr der KPD-"Gruppe Ulbricht" aus dem Moskauer Exil: Übernahme von Verwaltungsaufgaben im Besatzungsgebiet der Roten Armee.

April 1945

April/Mai	Vor allem in Süddeutschland („Freiheitsaktion Bayern“) zahlreiche lokale und regionale Widerstandsaktionen gegen sinnlose Verteidigungsmaßnahmen und Zerstörungen; vielfach (so Ende April in Penzberg/Obb.) blutig niedergeschlagen.

Mai 1945

02.05.	Neue Reichsregierung unter „Reichspräsident“ Dönitz in Flensburg.
02.05.	Einnahme Berlins durch die Rote Armee.
02./03.05.	Abschluß des strategischen Luftkriegs gegen Deutschland mit einem britischen Angriff auf den Kieler Hafen; Bilanz des Bombenkriegs: bis Kriegsende rund 400 000 Tote und 900 000 Verletzte unter der deutschen Zivilbevölkerung; Zerstörung von rund 3,37 Mio. Wohnungen.
03.05.	Vereinigung der durch das Reichsgebiet und durch Italien vorgestoßenen amerikanischen Truppen am Brenner.
04.05.	Kapitulation deutscher Streitkräfte in Holland, Dänemark und Nordwest-Deutschland.
05.05.	Aufstand der tschechischen Widerstandsbewegung in Prag unter Führung des im April aus Widerstandsgruppen aller Richtungen gegründeten *Tschechischen Nationalrats* (ČNR); erbitterte Kämpfe mit SS-Einheiten bis zur allgemeinen Kapitulation; schwere Ausschreitungen gegen deutsche Zivilisten.
05.05.	Befreiung des KZ Mauthausen.
07.05.	Gesamtkapitulation der deutschen Wehrmacht im Hauptquartier General Eisenhowers in Reims.
07.05.	Befreiung des Lagers Theresienstadt.
08./09.05.	Wiederholung der Unterzeichnung der Gesamtkapitulation im sowjetischen Hauptquartier Berlin-Karlshorst.
10.05.	Übergabe der verbliebenen deutschen Enklaven in Frankreich (u.a. St. Nazaire, La Rochelle).
23.05.	Auflösung und Verhaftung der Mitglieder der von Dönitz ernannten geschäftsführenden Reichsregierung (Lutz Schwerin von Krosigk) durch die Alliierten in Flensburg-Mürwik.

Juni 1945

05.06.	„Berliner Deklaration“ der vier alliierten Militärbefehlshaber; Übernahme der obersten Regierungsgewalt in Deutschland.

Juli 1945

17.07.–02.08.	Konferenz von Potsdam zwischen Truman, Churchill (ab 28.07. Attlee) und Stalin: Demokratisierung und Demilitarisierung Deutschlands; Abtretung der Gebiete östlich von Oder und Neiße an Polen, Nordostpreußen an die Sowjetunion, Aussiedlung der dort verbliebenen deutschen Bevölkerung, Aussiedlung der Sudetendeutschen ins Reich; Einrichtung des *Alliierten Kontrollrats*, Behandlung Deutschlands als wirtschaftliche Einheit, Demontagen (Höhe der Reparationen weiterhin offen); Zurückstellung einer endgültigen Friedensregelung.
26.07.	„Potsdamer Deklaration“ mit ultimativer Aufforderung Japans zur bedingungslosen Kapitulation.

August 1945

06.08.	Abwurf der ersten Atombombe auf Hiroshima (gelungener Test in Los Alamos/New Mexico 16.07.) (90 000 Tote, 40 000 Verletzte).	▦
08.08.	Sowjetische Kriegserklärung an Japan.	▦
09.08.	Abwurf der zweiten Atombombe auf Nagasaki (40 000 Tote, 60 000 Verletzte). Sowjetischer Einmarsch in die Mandschurei.	▦

September 1945

02.09.	Unterzeichnung der Kapitulation Japans an Bord des amerikanischen Schlachtschiffes „Missouri" in der Tokio-Bucht (Befehl Kaiser Hirohitos zur Feuereinstellung 16.08.).	▦

Abkürzungen

ADAP	Akten zur deutschen auswärtigen Politik
ADGB	Allgemeiner Deutscher Gewerkschaftsbund
Adj.	Adjutant
ADV	Antinazistische Deutsche Volksfront
AEL	Arbeitserziehungslager
Afa	Allgemeiner Freier Angestelltenbund
APA	Außenpolitisches Amt
ASDIC	Allied Submarine Detecting Investigation Committee (Unterwasser-Ultraschall-Ortungsverfahren)
AVNOJ	Antifašistički Vijeće Narodnog Oslobodjenja Jugoslavije (Antifaschistischer Rat für die Volksbefreiung Jugoslawiens)
BayHStA	Bayerisches Hauptstaatsarchiv
BBC	British Broadcasting Corporation
BDM	Bund Deutscher Mädel
BdO	Bund deutscher Offiziere
BdO	Befehlshaber der Ordnungspolizei
BDO	Bund Deutscher Osten
BdS	Befehlshaber der Sicherheitspolizei und des SD
BK	Bekennende Kirche
BNSDJ	Bund Nationalsozialistischer Deutscher Juristen
BPP	Bayerische Politische Polizei
BSW	Bratskoe Sotrudnitschestwo Woennoplennych (Brüderliche Zusammenarbeit der Kriegsgefangenen)
BVP	Bayerische Volkspartei
CALPO	Comité Allemagne Libre pour l´Ouest
CDG	Council for a Democratic Germany
CFLN	Comité Français de Libération Nationale
CLN	Comitato di Liberazione Nazionale
ČNR	Česká Národní Rada (Tschechischer Nationalrat)
ČSR	Československá republika (Tschechoslowakische Republik)
CSU	Christlich-Soziale Union
DAF	Deutsche Arbeitsfront
DANAT	Darmstädter und National Bank
DAP	Deutsche Arbeiterpartei
DC	Deutsche Christen
DDP	Deutsche Demokratische Partei
DDR	Deutsche Demokratische Republik
DJ	Deutsches Jungvolk
DNVP	Deutschnationale Volkspartei
DRL	Deutscher Reichsbund für Leibesübungen
DsP	Deutschsozialistische Partei
DStP	Deutsche Staatspartei
Dulag	Durchgangslager
DVP	Deutsche Volks-Partei
EAC	European Advisory Commission
EAM	Ethniko Apelevtherotiko Metopo (Nationale Befreiungsfront)
EDES	Ethnikos Dimokratikos Ellinikos Stratos (Nationaler republikanischer griechischer Verband)
EKD	Evangelische Kirche Deutschlands
ELAS	Ellinikos Laikos Apelevtherotikos Stratos (Griechisches Volksbefreiungsheer)
FAUD	Freie Arbeiter-Union Deutschlands
FFI	Forces Françaises de l'Intérieur

GBA	Generalbevollmächtigter für den Arbeitseinsatz
Gestapa	Gemeimes Staatspolizeiamt
Gestapo	Geheime Staatspolizei
GWU	Geschichte in Wissenschaft und Unterricht
HA	Hauptamt
HJ	Hitler-Jugend
HSSPF	Höherer SS- und Polizeiführer
HZ	Historische Zeitschrift
IdO	Inspekteur der Ordnungspolizei
IdS	Inspekteur der Sicherheitspolizei (und des SD)
i. G.	im Generalstab
Ilag	Internierungslager
ISK	Internationaler Sozialistischer Kampfbund
JM	Jungmädel
Julag	Judenlager
JVA	Justizvollzugsanstalt
KdF	NS-Gemeinschaft „Kraft durch Freude“
KdO	Kommandeur der Ordnungspolizei
KfDK	Kampfbund für Deutsche Kultur
KL	Konzentrationslager
KONR	Komitet Oswoboschdenija Narodow Rossii (Komitee zur Befreiung der Völker Rußlands)
KPD	Kommunistische Partei Deutschlands
KP(D)O	Kommunistische Partei (Deutschlands)/Opposition
KPdSU	Kommunistische Partei der Sowjetunion
KPÖ	Kommunistische Partei Österreichs
Kripo	Kriminalpolizei
KZ	Konzentrationslager
Marlag	Marinelager
MdB	Mitglied des Bundestags
MdL	Mitglied des Landtags
MdR	Mitglied des Reichstags
MG	Maschinengewehr
MKKZ	Münchener Katholische Kirchenzeitung
NA	National Archives
NB	Neu Beginnen
NKFD	Nationalkomitee „Freies Deutschland“
NS	Nationalsozialismus, nationalsozialistisch
NSAK	Nationalsozialistisches Automobil-Korps
NSB	Nationaal Socialistische Beweging (in den Niederlanden)
NSBDT	Nationalsozialistischer Bund Deutscher Technik
NSBO	Nationalsozialistische Betriebszellenorganisation
NSDAP	Nationalsozialistische Deutsche Arbeiterpartei
NSDDB	Nationalsozialistischer Deutscher Dozentenbund
NSDStB	Nationalsozialistischer Deutscher Studentenbund
NSF	Nationalsozialistische Frauenschaft
NSFK	Nationalsozialistisches Fliegerkorps
NS-Hago	Nationalsozialistische Handwerks-, Handels- und Gewerbe-Organisation
NSKK	Nationalsozialistisches Kraftfahrkorps
NSKOV	Nationalsozialistische Kriegsopferversorgung
NSLB	Nationalsozialistischer Lehrerbund
NSRB	Nationalsozialistischer Rechtswahrerbund
NSRL	Nationalsozialistischer Reichsbund für Leibesübungen
NSV	Nationalsozialistische Volkswohlfahrt

Oflag	Offizierslager
OKH	Oberkommando des Heeres
OKW	Oberkommando der Wehrmacht
Orpo	Ordnungspolizei
OSS	Office of Strategic Services
OT	Organisation Todt
PEN	Poets, Playwrights, Editors, Essayists, Novelists
PV	Parteivorstand
RAB	Reichsautobahn
RAD	Reichsarbeitsdienst
RAF	Royal Air Force
RDB	Reichsbund der Deutschen Beamten
RDF	Reichsbund Deutsche Familie
RdK	Reichsbund der Kinderreichen
RFSS	Reichsführer SS
RJF	Reichsjugendführer der NSDAP
RjF	Reichsbund jüdischer Frontsoldaten
RKD	Reichsbund der Kinderreichen Deutschlands zum Schutze der Familie
RKK	Reichskulturkammer
RLB	Reichsluftschutzbund
RN	Reichsnährstand
ROA	Russkaja Oswoboditelnaja Armija (Russische Befreiungsarmee)
RPL	Reichspropagandaleitung
RSD	Reichssicherheitsdienst
RSD	Revolutionäre Sozialisten Deutschlands
RSHA	Reichssicherheitshauptamt
SA	Sturmabteilung der NSDAP
SAP(D)	Sozialistische Arbeiterpartei (Deutschlands)
SD	Sicherheitsdienst des Reichsführers SS
SdP	Sudetendeutsche Partei
SG	Sondergericht
SHF	Sudetendeutsche Heimatfront
Sipo	Sicherheitspolizei
SNR	Slovenská národá rada (Slowakischer Nationalrat)
Sopade	Sozialdemokratische Partei Deutschlands/Exilparteivorstand
SPD	Sozialdemokratische Partei Deutschlands
SS	Schutzstaffel(n) der NSDAP
SSPF	SS- und Polizeiführer
StA	Staatsarchiv
Stalag	Stammlager
T-4	Nach der „Tiergartenstraße 4" (*Kanzlei des Führers der NSDAP*) in Berlin benannte „Euthanasie"-Aktion
UdSSR	Union der Sozialistischen Sowjetrepubliken
UNO	United Nations Organisation
USAAF	United States Army Air Forces
UWZ	Umwandererzentralstelle
VGH	Volksgerichtshof
VOMI	Volksdeutsche Mittelstelle
VfZ	Vierteljahrshefte für Zeitgeschichte
VKL	Vorläufige Kirchenleitung
VNJ	Verband nationaldeutscher Juden
WHW	Winterhilfswerk
ZK	Zentralkomitee

Literatur

Grundlegende und einführende Literatur

Ämter, Abkürzungen, Aktionen. Handbuch für die Benutzung von Quellen des NS-Staats. Bearb. von Rolf Thommes, Heinz Boberach und Hermann Weiß. München 1997

Ainsztein, Reuben: Jüdischer Widerstand im deutschbesetzten Osteuropa während des Zweiten Weltkriegs. Oldenburg 1993

Aly, Götz: „Endlösung". Völkerverschiebung und der Mord an den europäischen Juden. Frankfurt a. M. [2]1998

Anatomie des SS-Staates. Gutachten des Instituts für Zeitgeschichte. 2 Bde. Freiburg 1965 (München [6]1994)

Die anderen Soldaten. Wehrkraftzersetzung, Gehorsamsverweigerung und Fahnenflucht im Zweiten Weltkrieg. Hrsg. von Norbert Haase und Gerhard Paul. Frankfurt a. M. 1995

Angermaier, Elisabeth/Ulrike Haerendel: Inszenierter Alltag. „Volksgemeinschaft" im nationalsozialistischen München 1933–1945. München 1993

Zur Arbeit gezwungen. Zwangsarbeit in Deutschland 1940-1945. Hrsg. von Romco Spanjer, Diete Oudesluijs und Johan Meijer. Bremen 1999

Aronson, Shlomo: Reinhard Heydrich und die Frühgeschichte von Gestapo und SD. Stuttgart 1971

Artzt, Heinz: Mörder in Uniform. Organisationen, die zu Vollstreckern nationalsozialistischer Verbrechen wurden. München 1979

Aufstand des Gewissens. Der militärische Widerstand gegen Hitler und das NS-Regime 1933–1945. Im Auftrag des Bundesministeriums der Verteidigung zur Wanderausstellung hrsg. vom Militärgeschichtlichen Forschungsamt. Herford [4]1994

Ausbeutung, Vernichtung, Öffentlichkeit. Neue Studien zur nationalsozialistischen Lagerpolitik. Hrsg. im Auftrag des Instituts für Zeitgeschichte von Norbert Frei u. a. (Darstellungen und Quellen zur Geschichte von Auschwitz, Bd. 4). München 2000

Auschwitz 1940–1945. Studien zur Geschichte des Konzentrations- und Vernichtungslagers Auschwitz. Bd. I–V. Hrsg. von Waclaw Dlugoborski und Franciszek Piper. Oswiecim 1999

Banach, Jens: Heydrichs Elite. Das Führerkorps der Sicherheitspolizei und des SD 1936–1945. Paderborn 1998

Barth, Reinhard/Friedemann Bedürftig: Taschenlexikon Zweiter Weltkrieg. München-Zürich 2000

Bayern in der NS-Zeit. Bd. I–VI. Hrsg. von Martin Broszat u. a. München 1977–1983

Bibliographie „Widerstand". Bearbeitet von Ulrich Cartarius. Hrsg. von der Forschungsgemeinschaft 20. Juli. München 1984

Biographisches Handbuch der deutschsprachigen Emigration nach 1933/International Biographical Dictionary of Central European Emigrés 1933–1945. Hrsg. von Werner Röder und Herbert A. Strauss. Bd. I-III. München 1980–1983

Biographisches Lexikon zum Dritten Reich. Hrsg. von Hermann Weiß. Frankfurt a. M. 1998

Birn, Ruth Bettina: Die Höheren SS- und Polizeiführer. Himmlers Vertreter im Reich und in den besetzten Gebieten. Düsseldorf 1986

Behrenbeck, Sabine: Der Kult um die toten Helden. Nationalsozialistische Mythen, Riten und Symbole. Vierow 1996

Bock, Gisela: Zwangssterilisation im Nationalsozialismus. Studien zur Rassenpolitik und Frauenpolitik. Opladen 1986

Bohn, Robert: Reichskommissariat Norwegen. „Nationalsozialistische Neuordnung" und Kriegswirtschaft. München 2000

Borodziej, Wlodzimierz: Terror und Politik. Die deutsche Polizei und die polnische Widerstandsbewegung im Generalgouvernement 1939–1944. Mainz 1999

Bracher, Karl Dietrich: Die deutsche Diktatur. Entstehung, Struktur, Folgen des Nationalsozialismus. Köln 1969

Bracher, Karl Dietrich: Zeitgeschichtliche Kontroversen. Um Faschismus, Totalitarismus, Demokratie. München 1976

Bracher, Karl Dietrich/Wolfgang Sauer/Gerhard Schulz: Die nationalsozialistische Machtergreifung. Studien zur Errichtung des totalitären Herrschaftssystems in Deutschland 1933/34. Köln 1960

Die braune Elite. Hrsg. von Ronald Smelser und Rainer Zitelmann. 2 Bde. Darmstadt 1999

Broszat, Martin: Die Machtergreifung. Der Aufstieg der NSDAP und die Zerstörung der Weimarer Republik. München [5]1984

Broszat, Martin: Nationalsozialistische Konzentrationslager 1933–1945. In: Anatomie des SS-Staates. Bd. 2, S. 9–160

Broszat, Martin: Der Staat Hitlers. Grundlegung und Entwicklung seiner inneren Verfassung. München [15]1995

Browning, Christopher R.: Ganz normale Männer. Das Reserve-Polizeibataillon 101 und die Endlösung in Polen. Reinbek 1993

Browning, Christopher R.: Der Weg zur „Endlösung". Entscheidungen und Täter. Bonn 1998
Buchheim, Hans: Die SS – Das Herrschaftsinstrument. In: Anatomie des SS-Staates. S. 15–212
Buchholz, Wolfhard: Die Nationalsozialistische Gemeinschaft „Kraft durch Freude". Freizeitgestaltung und Arbeiterschaft im Dritten Reich. Diss. phil. Erlangen 1976
Burleigh, Michael: Die Zeit des Nationalsozialismus. Eine Gesamtdarstellung. Frankfurt a. M. 2000

Carsten, Francis L.: Widerstand gegen Hitler. Die deutschen Arbeiter und die Nazis. Frankfurt a. M. 1996
Cartarius, Ulrich: Opposition gegen Hitler. Ein erzählender Bildband. Berlin 1984
Corni, Gustavo/Horst Gies: Brot – Butter – Kanonen. Die Ernährungswirtschaft in Deutschland unter der Diktatur Hitlers. Berlin 1996

Denzler, Georg/Volker Fabricius: Christen und Nationalsozialisten. Darstellung und Dokumente. Frankfurt a. M. 1984
Das Deutsche Reich und der Zweite Weltkrieg. Hrsg. vom Militärgeschichtlichen Forschungsamt. 6 Bde. Stuttgart 1979–1990 (wird fortgesetzt)
Der deutsche Widerstand gegen Hitler. Vier historisch-kritische Studien. Hrsg. von Walter Schmitthenner und Hans Buchheim. Köln 1966
Deutschland 1933–1945. Hrsg. von Karl Dietrich Bracher u. a. Düsseldorf 1992
Deutschland-Berichte der Sozialdemokratischen Partei Deutschlands (Sopade) 1934–1940. 7 Bde. Salzhausen-Frankfurt a. M. 1980
Der Dienstkalender Heinrich Himmlers 1941/42. Hrsg. von Peter Witte u. a. Hamburg 1999
Dimension des Völkermords. Die Zahl der jüdischen Opfer des Nationalsozialismus. Hrsg. von Wolfgang Benz. München 1991
Dörner, Bernward: „Heimtücke": Das Gesetz als Waffe. Kontrolle, Abschreckung und Verfolgung in Deutschland 1933–1945. Paderborn 1988
Domarus, Max: Hitler. Reden und Proklamationen 1932–1945, kommentiert von einem Zeitgenossen. 4 Bde. Leonberg [4]1988
Das Dritte Reich. Herrschaftsstruktur und Geschichte. Vorträge aus dem Institut für Zeitgeschichte. Hrsg. von Martin Broszat und Horst Möller. München 1983
Das Dritte Reich im Fest. Führermythos, Feierlaune und Verweigerung in Westfalen 1933–1945. Hrsg. von Werner Freitag unter Mitarbeit von Christina Pohl. Bielefeld 1994
Drobisch, Klaus/Günther Wieland: Das System der NS-Konzentrationslager 1933–1939. Berlin 1993
Dülffer, Jost: Deutsche Geschichte 1933–1945. Führerglaube und Vernichtungskrieg. Stuttgart 1992
Duhnke, Horst: Die KPD von 1933–1945. Köln 1972
„Durchschnittstäter". Handeln und Motivation (Beiträge zur Geschichte des Nationalsozialismus, Bd. 16). Hrsg. u. verantwortlicher Redakteur: Christian Gerlach. Berlin 2000

Die Einsatzgruppen in der besetzten Sowjetunion 1941/42. Die Tätigkeits- und Lageberichte des Chefs der Sicherheitspolizei und des SD. Hrsg. von Peter Klein. Berlin 1997
Ende des Dritten Reiches – Ende des Zweiten Weltkriegs. Eine perspektivische Rückschau. Hrsg. von Hans-Erich Volkmann. München-Zürich 1995
Enzyklopädie des Holocaust. Die Verfolgung und Ermordung der europäischen Juden. 3 Bde. Hauptherausgeber: Israel Gutman. Hrsg. von Eberhard Jäckel, Peter Longerich und Julius H. Schoeps. Berlin 1993
Enzyklopädie des Nationalsozialismus. Hrsg. von Wolfgang Benz, Hermann Graml und Hermann Weiß. München 1997
Die Ermordung der europäischen Juden. Hrsg. von Peter Longerich. München 1989
Europa unterm Hakenkreuz. Analysen, Quellen, Register. Hrsg. Von Werner Röhr. Heidelberg 1996

Falter, Jürgen W.: Hitlers Wähler. München 1991
Faszination und Gewalt. Zur politischen Ästhetik des Nationalsozialismus. Hrsg. Von Bernd Ogan und Wolfgang W. Weiß. Nürnberg 1992
Fest, Joachim C.: Speer. Eine Biographie. Berlin 1999
Fest, Joachim: Das Gesicht des Dritten Reiches: Profile einer totalitären Gesellschaft. München [5]1987
Fest, Joachim C.: Hitler. Eine Biographie, Frankfurt a. M. 1973
Fest, Joachim: Staatsstreich. Der lange Weg zum 20. Juli. Berlin 1994
Fischer, Alexander: Sowjetische Deutschlandpolitik im Zweiten Weltkrieg 1941–1945. Stuttgart 1975.
Foitzik, Jan: Zwischen den Fronten. Zur Politik, Organisation und Funktion linker politischer Kleinorganisationen im Widerstand 1933 bis 1939/40 unter besonderer Berücksichtigung des Exils. Bonn 1986
Foto-Feldpost. Geknipste Kriegserlebnisse. 1939–1945. Hrsg. von Peter Jahn und Ulrike Schmiegelt. Berlin 2000
Fraenkel, Ernst: Der Doppelstaat. Recht und Justiz im „Dritten Reich" Frankfurt a. M. 1984 (The Dual State, 1941)
Fraenkel, Heinrich/Roger Manvell: Himmler. Kleinbürger und Massenmörder. Frankfurt a. M. 1965
Frank, Anne. Tagebuch. Neuausgabe mit den bisher unveröffentlichten Textpassagen. Frankfurt a. M. 1999

Frei, Norbert: Der Führerstaat. Nationalsozialistische Herrschaft 1933–1945. München 1987
Friedländer, Saul: Das Dritte Reich und die Juden. Die Jahre der Verfolgung 1933–1939. München 1998
Führer befiehl ... Selbstzeugnisse aus der „Kampfzeit" der NSDAP. Dokumentation und Analyse. Hrsg. von Albrecht Tyrell. Düsseldorf 1969

Garbe, Detlef. Zwischen Widerstand und Martyrium. Die Zeugen Jehovas im „Dritten Reich". München [4]1999
Gellately, Robert: Die Gestapo und die deutsche Gesellschaft. Die Durchsetzung der Rassenpolitik 1933–1945. Paderborn 1993
Vom Generalplan Ost zum Generalsiedlungsplan. Hrsg. von Czeslaw Madajczyk. München 1994
Gerlach, Christian: Kalkulierte Morde: Die deutsche Wirtschafts- und Vernichtungspolitik in Weißrußland 1941 bis 1944. Studienausgabe Hamburg 2000 (Erstausgabe Hamburg 1999)
Gesichter der Juden in Auschwitz. Lili Meiers Album. Mit einer Einleitung von Peter Moses-Krause. Hrsg. von Hans-Jürgen Hahn. Berlin 1995
Die Gestapo im Zweiten Weltkrieg. „Heimatfront" und besetztes Europa. Hrsg. von Gerhard Paul und Klaus-Michael Mallmann. Darmstadt 2000
Die Gestapo. Mythos und Realität. Hrsg. von Gerhard Paul und Klaus Michael Mallmann. Darmstadt 1995
Goebbels, Joseph. Die Tagebücher von Joseph Goebbels. Sämtliche Fragmente. Hrsg. von Elke Fröhlich. 4 Bde. München 1987
Goebbels, Joseph. Die Tagebücher von Joseph Goebbels. Teil I: Aufzeichnungen 1923–1941. Im Auftrag des Instituts für Zeitgeschichte und mit Unterstützung des Staatlichen Archivdienstes Rußlands hrsg. von Elke Fröhlich. Bisher 7 Bde (3/2,4,5,6,7,8,9). München 1998ff.
Goebbels, Joseph. Die Tagebücher von Joseph Goebbels. Teil II: Diktate 1941–1945. Im Auftrag des Instituts für Zeitgeschichte und mit Unterstützung des Staatlichen Archivdienstes Rußlands hrsg. von Elke Fröhlich. Bd. 1–15. München 1993–1996
Graml, Hermann: Europas Weg in den Krieg. Hitler und die Mächte 1939. München 1990
Graml, Hermann: Reichskristallnacht. Antisemitismus und Judenverfolgung im Dritten Reich. München [3]1998
Gritschneder, Otto: Bewährungsfrist für den Terroristen Adolf H. Der Hitler-Putsch und die bayerische Justiz. München 1990
Groscurth, Helmuth. Tagebücher eines Abwehroffiziers 1938 bis 1940. Mit weiteren Dokumenten zur Militäropposition gegen Hitler. Hrsg. von Helmut Krausnick und Harold C. Deutsch. Stuttgart 1970
Der große Atlas zum 2. Weltkrieg. Hrsg. von Peter Young. Deutsche Bearbeitung Christian Zentner. München [2]1974
Das große Lexikon des Dritten Reiches. Hrsg. von Christian Zentner und Friedemann Bedürftig. München 1985
Gruchmann, Lothar: Justiz im Dritten Reich 1933–1940. Anpassung und Unterwerfung in der Ära Gürtner. München [2]1990
Gruchmann, Lothar: Totaler Krieg. Vom Blitzkrieg zur bedingungslosen Kapitulation. München 1991

Haar, Ingo: Historiker im Nationalsozialismus. Die deutsche Geschichtswissenschaft und der „Volkstumskampf" im Osten. Göttingen 2000
Hammersen, Nicolai: Politisches Denken im deutschen Widerstand. Ein Beitrag zur Wirkungsgeschichte neokonservativer Ideologien 1914–1944. Berlin 1993
Hanfstaengl, Ernst: 15 Jahre mit Hitler. Zwischen Weißem und Braunem Haus, München-Zürich [2]1980
Hartmann, Christian: Halder, Generalstabschef Hitlers 1938–1942. Paderborn 1991
Die Hassell-Tagebücher 1938–1944. Ulrich von Hassel: Aufzeichnungen vom andern Deutschland. Hrsg. von Friedrich Frhr. Hiller von Gaertringen. Berlin 1988
Hauner, Milan: Hitler. A Chronology of his Life and Time. London 1983
Haushofer, Albrecht. Moabiter Sonette. Hrsg. von Amelie von Graevenitz. Ebenhausen bei München o.J. [1999]
Hehl, Ulrich von: Nationalsozialistische Herrschaft. München 1996
Hellfeld, Matthias von/Arno Klönne: Die betrogene Generation. Jugend in Deutschland unter dem Faschismus. Köln 1985
Herbert, Ulrich: Best. Biographische Studien über Radikalismus, Weltanschauung und Vernunft 1903–1989. Bonn 1996
Herbert, Ulrich: Fremdarbeiter. Politik und Praxis des „Ausländer-Einsatzes" in der Kriegswirtschaft des Dritten Reiches. Berlin 1985 (Neuauflage Bonn 1999)
Herbst, Ludolf: Das nationalsozialistische Deutschland 1933–1945. Entfesselung der Gewalt, Rassismus und Krieg. Frankfurt a. M. 1996
Herz, Rudolf: Hoffmann & Hitler. Fotografie als Medium des Führer-Mythos. München 1994
Heydecker, Joe J.: Das Warschauer Ghetto. Foto-Dokumente eines deutschen Soldaten aus dem Jahr 1941. München 1999
Hilberg, Raul: Täter – Opfer – Zuschauer. Die Vernichtung der europäischen Juden 1933–1945. Frankfurt a. M. 1992
Hilberg, Raul: Die Vernichtung der europäischen Juden. Die Gesamtgeschichte des Holocaust. 3 Bde. Frankfurt a. M. 1990
Hildebrand, Klaus: Das Dritte Reich. München [5]1995

Hildebrand, Klaus: Das vergangene Reich. Deutsche Außenpolitik von Bismarck bis Hitler. Stuttgart 1995
Hilgemann, Werner: Atlas zur deutschen Zeitgeschichte 1918–1968. München-Zürich 1984
Hilger, Andreas: Deutsche Kriegsgefangene in der Sowjetunion 1941–1956. Kriegsgefangenenpolitik, Lageralltag und Erinnerung. Essen 2000
Hillgruber, Andreas/Gerhard Hümmelchen: Chronik des Zweiten Weltkrieges. Frankfurt a. M. 1966
Hillgruber, Andreas: Hitlers Strategie. Politik und Kriegführung 1940–1941. München ^{2}1982
Hillgruber, Andreas: Der Zweite Weltkrieg 1939–1945. Kriegsziele und Strategie der großen Mächte. Stuttgart ^{4}1985
Heinrich Himmler. Geheimreden 1933 bis 1945 und andere Ansprachen. Hrsg. von Bradley F. Smith und Agnes F. Peterson. Frankfurt a. M. 1974
The Historiography of the Holocaust Period. Hrsg. von Yisrael Gutman und Gideon Greif. Jerusalem 1988
Hitler, Adolf. Reden, Schriften, Anordnungen. Februar 1925 bis Januar 1933. Hrsg. vom Institut für Zeitgeschichte. Bd. I–V in 11 Teilbänden. München 1992–1998
Hitler, Deutschland und die Mächte. Materialien zur Außenpolitik des Dritten Reiches. Hrsg. von Manfred Funke. Düsseldorf 1978
Hitlers Lagebesprechungen. Die Protokollfragmente seiner militärischen Konferenzen 1942–1945. Hrsg. von Helmut Heiber. Stuttgart 1962
Hitlers Weisungen für die Kriegführung 1939–1945. Dokumente des Oberkommandos der Wehrmacht. Hrsg. von Walther Hubatsch. Erlangen ^{2}1999
Hofer, Walther: Die Entfesselung des Zweiten Weltkrieges. Eine Studie über die internationalen Beziehungen im Sommer 1939. Mit Dokumenten. Frankfurt a. M. ^{3}1964
Hoffmann, Peter: Claus Schenk Graf von Stauffenberg und seine Brüder. Stuttgart 1992
Hoffmann, Peter: Die Sicherheit des Diktators. Hitlers Leibwachen, Schutzmaßnahmen, Residenzen, Hauptquartiere. München 1975
Hoffmann, Peter: Widerstand – Staatsstreich – Attentat. Der Kampf der Opposition gegen Hitler. München ^{5}1985
Höhne, Heinz: Der Orden unter dem Totenkopf. Die Geschichte der SS. Gütersloh o.J. [1967]

Jäckel, Eberhard: Hitlers Weltanschauung. Entwurf einer Herrschaft. Erweiterte und überarbeitete Neuausgabe. Stuttgart 1981
Jacobsen, Hans-Adolf: Nationalsozialistische Außenpolitik 1933–1938. Frankfurt a. M. 1968
Jacobsen, Hans-Adolf: Der Weg zur Teilung der Welt. Politik und Strategie 1939–1945. Bonn 1977
Janka, Franz: Die braune Gesellschaft. Ein Volk wird formatiert. Stuttgart 1997
Die Juden in Deutschland 1933–1945. Leben unter nationalsozialistischer Herrschaft. Hrsg. von Wolfgang Benz. München ^{4}1996
Der Judenpogrom 1938. Von der „Reichskristallnacht" zum Völkermord. Hrsg. von Walter H. Pehle. Frankfurt a. M. 1988

Kaienburg, Hermann: „Vernichtung durch Arbeit". Der Fall Neuengamme. Die Wirtschaftsbestrebungen der SS und ihre Auswirkungen auf die Existenzbedingungen der KZ-Gefangenen. Bonn 1990
Kammer, Hilde/Elisabet Bartsch: Lexikon Nationalsozialismus. Begriffe, Organisationen und Institutionen. Reinbek bei Hamburg 1999
Karow, Yvonne: Deutsches Opfer. Kultische Selbstauslöschung auf den Reichsparteitagen der NSDAP. Berlin 1997
Kershaw, Ian: Hitler. 1889–1936. Stuttgart 1998
Kershaw, Ian: Hitler 1936–1945. Stuttgart 2000
Kershaw, Ian: Der Hitler-Mythos. Volksmeinung und Propaganda im Dritten Reich. München ^{2}1999
Kinder, Hermann/Werner Hilgemann: dtv-Atlas zur Weltgeschichte. Karten und chronologischer Abriß. Bd. 2: Von der Französischen Revolution bis zur Gegenwart. München ^{30}1996
Kissenkoetter, Udo: Gregor Straßer und die NSDAP. Stuttgart 1978
Klee, Ernst: Auschwitz, die NS-Medizin und ihre Opfer. Frankfurt a. M. 1997
Klee, Ernst: „Euthanasie" im NS-Staat. Die „Vernichtung lebensunwerten Lebens". Frankfurt a. M. 1983
Klemperer, Victor. Ich will Zeugnis ablegen bis zum letzten, Tagebücher 1933–1945. Hrsg. von Walter Nowojski unter Mitarbeit von Hadwig Klemperer. Taschenbuchausgabe Berlin 1999
Koehl, Robert Lewis: The Black Corps. The Structure and Power Struggle of the Nazi SS. Madison Wisc. 1983
Kogon, Eugen: Der SS-Staat. Das System der deutschen Konzentrationslager. München 1946
Kranig, Andreas: Lockung und Zwang. Zur Arbeitsverfassung im Dritten Reich. Stuttgart 1983
Krausnick, Helmut/Hans-Heinrich Wilhelm: Die Truppe des Weltanschauungskrieges. Die Einsatzgruppen der Sicherheitspolizei und des SD 1938–1942. Stuttgart 1981
Der Kreisauer Kreis. Porträt einer Widerstandsgruppe. Begleitband zu einer Ausstellung der Stiftung Preußischer Kulturbesitz. Bearb. von Wilhelm Ernst Winterhagen. Mainz 1985
Der Krieg gegen die Sowjetunion 1941–1945. Eine Dokumentation. Hrsg. von Reinhard Rürup. Berlin 1991
Kriegstagebuch des Oberkommandos der Wehrmacht (Wehrmachtführungsstab) 1940–1945. Geführt von Helmut Greiner und Percy Ernst Schramm. Im Auftrag des Arbeitskreises für Wehrforschung hrsg. von P. E. Schramm in Zusammenarbeit mit A. Hillgruber, W. Hubatsch und H.-A. Jacobsen. München ^{2}1982

Kriß, Rudolf: Im Zeichen des Ungeistes. München 1949 (Berchtesgaden ²1995)
Kroll, Frank-Lothar: Utopie als Ideologie. Geschichtsdenken und politisches Handeln im Dritten Reich. Paderborn 1998
Kube, Alfred: Pour le mérite und Hakenkreuz. Hermann Göring im Dritten Reich. München 1986

Lasker-Wallfisch, Anita: Ihr sollt die Wahrheit erben: Die Cellistin von Auschwitz. Erinnerungen. Mit einem Vorw. von Klaus Harpprecht. Reinbek bei Hamburg 2000
Lexikon des deutschen Widerstandes. Hrsg. von Wolfgang Benz und Walter H. Pehle. Frankfurt a. M. 1994
Lexikon des Widerstandes 1933–1945. Hrsg. von Peter Steinbach und Johannes Tuchel. München 1994
Lichtenstein, Heiner: Himmlers grüne Helfer. Die Schutz- und Ordnungspolizei im Dritten Reich. Köln 1990
Longerich, Peter: Die braunen Bataillone. Geschichte der SA. München 1989
Longerich, Peter: Hitlers Stellvertreter. Führung der Partei und Kontrolle des Staatsapparates durch den Stab Heß und die Partei-Kanzlei Bormanns. München 1992
Longerich, Peter: Politik der Vernichtung. Eine Gesamtdarstellung der nationalsozialistischen Judenverfolgung. München 1998
Lotfi, Gabriele: KZ der Gestapo. Arbeitserziehungslager im Dritten Reich. Stuttgart-München 2000

Maas, Liselotte: Handbuch der deutschen Exilpresse 1933–1945. 4 Bde. München 1976–1990
Madajczyk, Czeslaw: Die Okkupationspolitik Nazideutschlands in Polen 1939–1945. Köln 1987
Mallmann, Klaus-Michael/Gerhard Paul: Widerstand und Verweigerung im Saarland 1935–1945. 3 Bde. Bonn 1989–1995
Mannheimer, Max: Spätes Tagebuch. Theresienstadt – Auschwitz – Warschau – Dachau. Zürich-München ²2000
Maser, Werner: Adolf Hitler. Legende, Mythos, Wirklichkeit. München 1971
Massaquoi, Hans J.: „Neger, Neger, Schornsteinfeger!“ Meine Kindheit in Deutschland. Bern-München u. a. ³1999
M.d.R. Die Reichstagsabgeordneten der Weimarer Republik in der Zeit des Nationalsozialismus. Politische Verfolgung, Emigration und Ausbürgerung 1933–1945. Hrsg. von Martin Schumacher. Düsseldorf ³1994
Mehringer, Hartmut: Widerstand und Emigration. Das NS-Regime und seine Gegner. München 1997
Meinl, Susanne: Nationalsozialisten gegen Hitler. Die nationalrevolutionäre Opposition um Friedrich Wilhelm Heinz. Berlin 2000
Meldungen aus dem Reich. Die geheimen Lageberichte des Sicherheitsdienstes der SS 1938–1945. Hrsg. von Heinz Boberach. Bd. 1–17. Herrsching 1984
Meyer, Ahlrich: Die deutsche Besatzung in Frankreich 1940–1944. Widerstandsbekämpfung und Judenverfolgung. Darmstadt 2000
Die Militärelite des Dritten Reichs. 27 biographische Skizzen. Hrsg. von Ronald Smelser und Enrico Syring. Berlin 1995
Möller, Horst: Europa zwischen den Weltkriegen. München 1998
Möller, Horst: Exodus der Kultur. Schriftsteller, Wissenschaftler und Künstler in der Emigration nach 1933. München 1984
Möller, Horst: Weimar. Die unvollendete Demokratie. München ⁶1997
Mosse, George L.: Die Nationalisierung der Massen. Frankfurt a. M. 1975
Mosse, George L.: Der nationalsozialistische Alltag. So lebte man unter Hitler. Königstein/Ts. ²1978
Müller, Klaus-Jürgen: Das Heer und Hitler. Armee und Nationalsozialistisches Regime 1933–1940. Stuttgart 1969
München – „Hauptstadt der Bewegung“. München 1993
Mythen der Deutschen. Hrsg. von Erich Pätzold. Opladen 1994

Nationalsozialismus in der Region. Beiträge zur regionalen und lokalen Forschung und zum internationalen Vergleich. Hrsg. von Horst Möller, Andreas Wirsching, Walter Ziegler. München 1996
Der Nationalsozialismus vor Gericht. Die alliierten Prozesse gegen Kriegsverbrecher und Soldaten 1943–1953. Hrsg. von Gerd R. Ueberschär. Frankfurt a. M. 1999
Die nationalsozialistischen Konzentrationslager. Entwicklung und Struktur. Hrsg. von Ulrich Herbert, Karin Orth und Christoph Dieckmann. Göttingen 1998
Das nationalsozialistische Lagersystem (CCP). Hrsg. Von Martin Weinmann. Frankfurt a. M. 1990
Nationalsozialistische Vernichtungspolitik 1939–1945. Neue Forschungen und Kontroversen. Hrsg. von Ulrich Herbert. Frankfurt a. M. 1998
The Nazi Holocaust. Historical Articles on the Destruction of European Jews. Hrsg. von Michael R. Marrus. 15 Bde. London 1989
Neliba, Günter: Wilhelm Frick. Der Legalist des Unrechtsstaates. Eine politische Biographie. Paderborn 1992
Neufeldt, Hans-Joachim/Jürgen Huck/ Georg Tessin: Zur Geschichte der Ordnungspolizei. Koblenz 1957

Ogorreck, Ralf: Die Einsatzgruppen und die „Genesis der Endlösung“. Berlin 1996
Orth, Karin: Das System der nationalsozialistischen Konzentrationslager. Eine politische Organisationsgeschichte. Hamburg 1999
Orth, Karin: Die Konzentrationslager-SS. Sozialstrukturelle Analysen und biographische Studien. Göttingen 2000
Otto, Reinhard: Wehrmacht, Gestapo und sowjetische Kriegsgefangene im deutschen Reichsgebiet 1941/42. München 1998

Overmans, Rüdiger: Deutsche militärische Verluste im Zweiten Weltkrieg. (Beiträge zur Militärgeschichte, Bd. 46). München 1999
Overmans, Rüdiger: Soldaten hinter Stacheldraht. Deutsche Kriegsgefangene des Zweiten Weltkriegs. Berlin-München 2000

Padfield, Peter: Himmler. Reichsführer SS. New York 1991
Pätzold, Kurt/Manfred Weißbecker: Rudolf Heß. Der Mann an Hitlers Seite. Leipzig 1999
Paul, Gerhard: Aufstand der Bilder. Die NS-Propaganda vor 1933. Bonn 1990
Peukert, Detlev: Volksgenossen und Gemeinschaftsfremde. Anpassung, Ausmerze und Aufbegehren unter dem Nationalsozialismus. Köln 1982
Peukert, Detlev: Die Weimarer Republik. Krisenjahre der Klassischen Moderne. Frankfurt a. M. 1987
Peuschel, Harald: Die Männer um Hitler. Braune Biographien: Martin Bormann, Joseph Goebbels, Hermann Göring, Reinhard Heydrich, Heinrich Himmler und andere. Düsseldorf 1982
Picker, Henry: Hitlers Tischgespräche im Führerhauptquartier 1941–1942. Stuttgart 1963
Pingel, Falk: Häftlinge unter SS-Herrschaft. Widerstand, Selbstbehauptung und Vernichtung im Konzentrationslager. Hamburg 1978
Ploetz – Das Dritte Reich. Ursprünge, Ereignisse, Wirkungen. Hrsg. von Martin Broszat und Norbert Frei in Verbindung mit dem Institut für Zeitgeschichte. Freiburg i.Br. 1983
Pohl, Dieter: Nationalsozialistische Judenverfolgung in Ostgalizien 1941–1944. München 1996
Pohl, Dieter: Holocaust. Die Ursachen, das Geschehen, die Folgen. Freiburg-Basel-Wien 2000
Priester unter Hitlers Terror. Eine biographische und statistische Erhebung. Bearb. von Ulrich von Hehl und Christoph Kösters. Paderborn [4]1998
Präventivkrieg? Der deutsche Angriff auf die Sowjetunion. Hrsg. von Bianka Pietrow-Ennker. Frankfurt a. M. 2000
Psychiatrie im Nationalsozialismus. Die bayerischen Heil- und Pflegeanstalten zwischen 1933 und 1945. Hrsg. von Michael von Cranach u.a. München [u.a.] 1999

„Den Rauch hatten wir täglich vor Augen". Der nationalsozialistische Völkermord an den Sinti und Roma. Hrsg. von Romani Rose. Heidelberg 1999
Rebentisch, Dieter: Führerstaat und Verwaltung im Zweiten Weltkrieg. Verfassungsentwicklung und Verwaltungspolitik 1939–1945. Stuttgart 1989
Reichel, Peter: Der schöne Schein des Dritten Reiches. Faszination und Gewalt des Faschismus. München 1991
Die Reihen fast geschlossen: Beiträge zur Geschichte des Alltags unterm Nationalsozialismus. Hrsg. von Detlev Peukert und Jürgen Reulecke. Wuppertal 1981
Roon, Ger van: Neuordnung im Widerstand. Der Kreisauer Kreis innerhalb der deutschen Widerstandsbewegung. München 1967
Roon, Ger van: Widerstand im Dritten Reich. Ein Überblick. München [7]1998
Ruck, Michael: Bibliographie zum Nationalsozialismus. 2 Bände und 1 CD-ROM. Vollständig überarbeitete und wesentlich erweiterte Neuausgabe Darmstadt 2000
Die Rückseite des Hakenkreuzes. Hrsg. von Helmut Heiber. München 1993
Ruhl, Klaus-Jörg: Brauner Alltag 1933–1939 in Deutschland. Düsseldorf 1981

Safrian, Hans: Eichmann und seine Gehilfen. Frankfurt a. M. 1995
Schausberger, Norbert: Der Griff nach Österreich. Der Anschluß. Wien 1978
Schilde, Kurt: Im Schatten der „Weißen Rose". Jugendopposition gegen den Nationalsozialismus im Spiegel der Forschung (1945–1989). Frankfurt a. M. 1995
Schneider, Michael: Unterm Hakenkreuz. Arbeiter und Arbeiterbewegung 1933 bis 1939. Bonn 1999
Schoenbaum, David: Die braune Revolution. Eine Sozialgeschichte des Dritten Reiches. München 1980
„Schöne Zeiten". Judenmord aus der Sicht der Täter und Gaffer. Hrsg. von Ernst Klee, Willi Dreßen, Volker Rieß. Frankfurt a. M. 1988
Schreiber, Gerhard: Deutsche Kriegsverbrechen in Italien. Täter, Opfer, Strafverfolgung. München 1996
Schumann, Hans-Gerd: Nationalsozialismus und Gewerkschaftsbewegung. Die Vernichtung der deutschen Gewerkschaften und der Aufbau der „Deutschen Arbeitsfront". Hannover 1958
Seaton, Albert: Der russisch-deutsche Krieg 1941–1945. Hrsg. von Andreas Hillgruber. Frankfurt a. M. 1973
Smelser, Roland: Robert Ley. Hitlers Mann an der „Arbeitsfront". Eine Biographie. Paderborn 1989
Snyder, Louis L.: So sahen sie den Krieg. Augenzeugen aus sieben Nationen berichten über den Zweiten Weltkrieg. Stuttgart 1966
Sofsky, Wolfgang: Die Ordnung des Terrors: Das Konzentrationslager. Frankfurt a. M. 1993
Speer, Albert: Erinnerungen. Berlin 1969
„Spiegelbild einer Verschwörung". Die Opposition gegen Hitler und der Staatsstreich vom 20. Juli 1944 in der SD-Berichterstattung. Geheime Dokumente aus dem ehemaligen Reichssicherheitshauptamt. Hrsg. von Hans Adolf Jacobsen. 2 Bde. Stuttgart 1984

Die SS: Elite unter dem Totenkopf. 30 Lebensläufe. Hrsg. von Ronald Smelser und Enrico Syring. Paderborn 2000
Stampfer, Friedrich: Mit dem Gesicht nach Deutschland. Eine Dokumentation über die sozialdemokratische Emigration. Hrsg. von Erich Matthias, bearb. von Werner Link. Düsseldorf 1968
Standort- und Kommandanturbefehle des Konzentrationslagers Auschwitz 1940–1945. Hrsg. im Auftrag des Instituts für Zeitgeschichte von Norbert Frei u. a. (Darstellungen und Quellen zur Geschichte von Auschwitz, Bd. 1). München 2000
Steinbacher, Sybille: „Musterstadt" Auschwitz. Germanisierungspolitik und Judenmord in Ostoberschlesien. (Darstellungen und Quellen zur Geschichte von Auschwitz, Bd. 2). München 2000
Steinert, Marlis Gertrud: Hitlers Krieg und die Deutschen. Stimmung und Haltung der deutschen Bevölkerung im Zweiten Weltkrieg. Düsseldorf 1970
Streit, Christian: Keine Kameraden. Die Wehrmacht und die sowjetischen Kriegsgefangenen 1941–1945. Neuausgabe Bonn 1997
Symbole der Politik, Politik der Symbole. Hrsg. von Rüdiger Voigt. Opladen 1989

Teheran, Jalta, Potsdam. Die sowjetischen Protokolle der Kriegskonferenzen der „Großen Drei". Hrsg. von Alexander Fischer. Köln 1968.
Thamer, Hans-Ulrich: Verführung und Gewalt. Deutschland 1933–1945. Berlin 1986
Topographie des Terrors. Gestapo, SS und Reichssicherheitshauptamt auf dem „Prinz-Albrecht-Gelände". Hrsg. von Reinhard Rürup. Berlin [10]1995
Totalitarismus und politische Religionen. Konzepte des Diktaturvergleichs. Hrsg. von Hans Maier. Paderborn 1996
Tuchel, Johannes: Konzentrationslager. Organisationsgeschichte und Funktion der „Inspektion der Konzentrationslager" 1934–1938. Boppard 1991
Tuchel, Johannes/Reinhold Schattenfroh: Zentrale des Terrors. Prinz-Albrecht-Straße 8. Das Hauptquartier der Gestapo. Berlin 1987
Tyrell, Albrecht: Vom „Trommler" zum „Führer". Der Wandel von Hitlers Selbstverständnis zwischen 1919 und 1924 und die Entwicklung der NSDAP. München 1975

Ueberhorst, Horst: Feste, Fahnen, Feiern. Die Bedeutung politischer Symbole und Rituale im Nationalsozialismus. In: Symbole der Politik, S. 157–178
„Unser einziger Weg ist Arbeit". Das Getto in Lódz 1940–1944. Eine Ausstellung des Jüdischen Museums Frankfurt am Main in Zusammenarbeit mit Yad Vashem u. a. Redaktion: Hanno Loewy und Gerhard Schoenberner. Wien 1990

Verfolgung – Ausbeutung – Vernichtung. Die Lebens- und Arbeitsbedingungen der Häftlinge in deutschen Konzentrationslagern 1933–1945. Hrsg. von Ludwig Eiber. Hannover 1985
Vondung, Klaus: Magie und Manipulation. Ideologischer Kult und politische Religion des Nationalsozialismus. Göttingen 1971

Wagner, Bernd C.: IG Auschwitz. Zwangsarbeit und Vernichtung von Häftlingen des Lagers Monowitz 1941–1945. (Darstellungen und Quellen zur Geschichte von Auschwitz, Bd. 3). München 2000
Walter, Hans-Albert: Deutsche Exilliteratur 1933–1950 (bisher 3 Bde.). Stuttgart 1978–1988
Watt, Donald Cameron: How War Came. The Immediate Origin of the Second World War. 1938–1939. New York 1989
Wegner, Bernd: Hitlers Politische Soldaten: Die Waffen-SS 1933–1945. Paderborn [5]1995
Die Wehrmacht. Mythos und Realität. Hrsg. von Rolf-Dieter Müller und Hans-Erich Volkmann. München 1999
Wehrmacht und Vernichtungspolitik. Militär im nationalsozialistischen System. Hrsg. von Karl Heinrich Pohl. Göttingen 1999
Die Weimarer Republik 1918–1933. Politik, Wirtschaft, Gesellschaft. Hrsg. von Karl Dietrich Bracher, Manfred Funke, Hans-Adolf Jacobsen. Düsseldorf 1987
Weinberg, Gerhard L.: The Foreign Policy of Hitler's Germany, Bd. 1: Diplomatic Revolution in Europe 1933–1936. Bd. 2: Starting World War II 1937–1939. Chicago 1970, 1980
Weinberg, Gerhard L.: Eine Welt in Waffen. Die globale Geschichte des Zweiten Weltkriegs. Stuttgart 1995
Wendt, Bernd-Jürgen: Das „Dritte Reich". Handbuch zur Geschichte. Hannover 1995
Wendt, Bernd-Jürgen, Großdeutschland. Außenpolitik und Kriegsvorbereitung des Hitler-Regimes. München 1987
Wewelsburg 1933 bis 1945. Kult- und Terrorstätte der SS. Eine Dokumentation. Paderborn 1982
Widerstand als „Hochverrat" 1933–1945. Die Verfahren gegen deutsche Reichsangehörige vor dem Reichsgericht, dem Volksgerichtshof und dem Reichskriegsgericht. Bearb. von Jürgen Zarusky und Hartmut Mehringer. Mikofiche-Edition. München 1996 (Sammlung von rund 2 500 Verfahren mit ca. 80 000 Seiten auf 850 Fiches, erschlossen durch ein sechsgliedriges Register)
Widerstand gegen den Nationalsozialismus. Hrsg. von Peter Steinbach und Johannes Tuchel. Bonn 1994
Der Widerstand gegen den Nationalsozialismus. Die deutsche Gesellschaft und der Widerstand gegen Hitler. Hrsg. von Jürgen Schmädeke und Peter Steinbach. München-Zürich [2]1986

Widerstand im Dritten Reich. Probleme, Ereignisse, Gestalten. Hrsg. von Hermann Graml. Frankfurt a. M. 1994
Widerstand und Exil der deutschen Arbeiterbewegung 1933–1945. Texte und Materialien. Hrsg. von der Friedrich-Ebert-Stiftung. Bonn 1982
Wildt, Michael: Die Judenpolitik des SD 1935 bis 1938. München 1995
Wilhelm, Friedrich: Die Polizei im NS-Staat. Die Geschichte ihrer Organisation im Überblick. Paderborn 1997

Yahil, Leni: Die Shoah. Überlebenskampf und Vernichtung der europäischen Juden. München 1998

Zeidler, Manfred: Kriegsende im Osten. Die Rote Armee und die Besetzung Deutschlands östlich von Oder und Neiße 1944/45. München 1996
Zimmermann, Michael: Rassenutopie und Genozid. Die nationalsozialistische „Lösung der Zigeunerfrage". Hamburg 1996
Der 20. Juli 1944. Bewertung und Rezeption des deutschen Widerstands gegen das NS-Regime. Hrsg. von Gerd R. Ueberschär. Köln 1994
Zwei Wege nach Moskau. Vom Hitler-Stalin-Pakt zum Unternehmen Barbarossa. Hrsg. von Bernd Wegner. München 1991
Der Zweite Weltkrieg. Analysen, Grundzüge, Forschungsbilanz. Hrsg. von Wolfgang Michalka. München 1989

Literatur zum Obersalzberg

Albrecht, Dieter: Fürstpropstei Berchtesgaden. München 1954

Das Berchtesgadener Land im Wandel der Zeit. Ergänzungsband I zu dem 1929 erschienenen Werk von A. Helm. Hrsg. von Hellmut Schöner. Berchtesgaden 1982

Chaussy, Ulrich/Püschner, Christoph: Nachbar Hitler. Führerkult und Heimatzerstörung am Obersalzberg. Berlin Sonderausgabe 2001

Exner, Gunther: Hitlers zweite Reichskanzlei. Eine architektur-historische Dokumentation der „Reichskanzlei, Dienststelle Berchtesgaden". Köln 1999

Geiss, Josef: Obersalzberg. Die Geschichte eines Berges. Von Judith Platter bis heute. Berchtesgaden [19]1993
Geschichte von Berchtesgaden. Stift – Markt – Land. Hrsg. von Walter Brugger, Heinz Dopsch und Peter F. Kramml. Berchtesgaden. Bisher 4 Bde. 1991–1998 (wird fortgesetzt)

Hanisch, Ernst: Der Obersalzberg, das Kehlsteinhaus und Adolf Hitler. Berchtesgaden 1995
Hartmann, Max: Die Verwandlung eines Berges unter Martin Bormann (1936–1945). Ein Augenzeuge berichtet: „Meine 10 Jahre auf dem Obersalzberg". Berchtesgaden [2]1993
Hutter, Clemens M.: Hitlers Obersalzberg. Schauplatz der Weltgeschichte. Berchtesgaden 1996

Irlinger, Walter/Hans Roth: Die Zunft der Berchtesgadener Bergknappen. Geschichte, Brauchtum und Zunftgegenstände. Berchtesgaden 1996

Schöner Hellmut: Der alte Obersalzberg bis 1937. Dokumentation über die durch Zwangsverkauf und Abbruch zerstörte ursprüngliche Besiedlung. Berchtesgaden 1989
Schöner, Hellmut: Berchtesgadener Fremdenverkehrs-Chronik 1871–1922. Berchtesgaden 1971
Schöner, Hellmut: Berchtesgadener Fremdenverkehrs-Chronik 1923–1945. Berchtesgaden 1974

Die verhinderte Alpenfestung. Das Ende des Zweiten Weltkrieges im Raum Berchtesgaden, Bad Reichenhall, Salzburg. Hrsg. von Hellmut Schöner. Berchtesgaden 1996

Weiß, Wolfgang W.: Spurensuche am Obersalzberg. NS-Geschichte(n) zwischen Vermarktung und Verdrängung. In: Faszination und Gewalt. Zur politischen Ästhetik des Nationalsozialismus. Hrsg. von Bernd Ogan und Wolfgang W. Weiß. Nürnberg 1992, S. 267–282.

Zitierte Literatur

Titel, die bereits unter „Grundlegende und einführende Literatur" und „Literatur zum Obersalzberg" aufgeführt sind, werden hier nicht mehr genannt.

Abendroth, Hans-Henning: Hitler in der spanischen Arena. Die deutsch-spanischen Beziehungen im Spannungsfeld der europäischen Interessenpolitik vom Ausbruch des Bürgerkrieges bis zum Ausbruch des Weltkrieges (1936–1939). Paderborn 1973

Ahmann, Rolf: Der Hitler-Stalin-Pakt: Nichtangriffs- und Angriffsvertrag? In: Der Hitler-Stalin-Pakt 1939. Das Ende Ostmitteleuropas. Hrsg. von Erwin Oberländer. Frankfurt a. M. 1989, S. 26–42

Akten zur deutschen auswärtigen Politik (ADAP). Serie C, Bd. 1/1. Göttingen 1971; Serie D, Bde. 1, 2, 4, 6. Göttingen 1950–1956

Althaus, Hermann: Nationalsozialistische Volkswohlfahrt. In: Das Dritte Reich im Aufbau. Bd. 2. Berlin 1939, S. 9–59

Baird, Jay W.: To Die for Germany. Heroes in the Nazi Pantheon. Bloomington 1990

Broszat, Martin: Zur Einführung. In: Kershaw, Hitler-Mythos, S. 7–15

Die Brüsseler Konferenz der KPD [1935]. Frankfurt a. M. 1971 (Nachdruck)

Buddrus, Michael: „Die Kriegsjugend Adolf Hitlers – Nationalsozialistische Jugendarbeit 1939–1944/45". Kommentierte Edition der von der Reichsjugendführung verfaßten, aber nicht mehr veröffentlichten Geschichte der HJ im Krieg, verbunden mit Studien zur Geschichte der HJ und zur NS-Jugendpolitik (Ms.)

Ciano, Galeazzo. Tagebücher 1937/38. Hamburg 1949

Denkschrift Hitlers über die Aufgaben eines Vierjahresplans. Hrsg. von Wilhelm Treue. In: VfZ 3 (1955), S. 184–210

Das Dritte Reich im Aufbau. Übersichten und Leistungsberichte. Bd. 1–6. Berlin 1939–1942

Erdmann, Karl Dietrich: Zeitgeschichte im Ost-West-Dialog. In: GWU 29 (1958), S. 149–163

Der Faschismus in Deutschland. Moskau-Leningrad 1934

Fuchser, William Henry: Neville Chamberlain and Appeasement. A Study in the Politics of History. New York 1982

Gamm, Hans-Jochen: Der braune Kult. Das Dritte Reich und seine Ersatzreligion. Hamburg 1962

Gay, Peter: Die Republik der Außenseiter. Geist und Kultur in der Weimarer Zeit 1918–1933. Neuausgabe Frankfurt a. M. 1987

Geyer, Martin: Verkehrte Welt. Revolution, Inflation und Moderne – München 1914–1924. Göttingen 1998

Die große Kontroverse. Ein Briefwechsel um Deutschland. Hrsg. und bearbeitet von J.F.G. Grosser. Hamburg 1963

Halder, Franz: Kriegstagebuch. Tägliche Aufzeichnungen des Chefs des Generalstabs des Heeres. Hrsg. vom Arbeitskreis für Wehrforschung, bearbeitet von Hans Adolf Jacobsen in Verbindung mit Alfred Philippi. Bd 1: Vom Polenfeldzug bis zum Ende der Westoffensive, 14.8.1939–30.6.1940. Bd. 2: Von der geplanten Landung in England bis zum Beginn des Ostfeldzuges, 1.7.1940–21.6.1941. Stuttgart 1962, 1963

Hitler, Adolf: Mein Kampf. Erster Band: Eine Abrechnung. Zweiter Band: Die nationalsozialistische Bewegung. München [65]1933 (Erstauflage: Bd. 1 München 1925, Bd. 2 München 1927)

Jellonnek, Burkhard: Staatspolizeiliche Fahndungs- und Ermittlungsmethoden gegen Homosexuelle. In: Paul/Mallmann, Gestapo, S. 343–356

Jünger, Ernst: Strahlungen. Tübingen 1949

Kaufmann, Günter: Die Hitler-Jugend. Aufbau und Leistung der nationalsozialistischen Jugendbewegung. In: Das Dritte Reich im Aufbau. Bd. 3. Berlin 1939. S. 328–468

Kershaw, Ian: Führer und Hitlerkult, in: Enzyklopädie des Nationalsozialismus, S. 22–33

Klönne, Arno: Hitlerjugend. Die Jugend und ihre Organisation im Dritten Reich. Hannover-Frankfurt a. M. 1960

Klönne, Arno: Jugendprotest und Jugendopposition. Von der HJ-Erziehung zum Cliquenwesen der Kriegszeit. In: Bayern in der NS-Zeit VI, S. 527–620

Kohlhaas, Elisabeth: Die Mitarbeiter der regionalen Staatspolizeistellen. In: Paul/Mallmann, Gestapo, S. 219–235

Kordt, Erich: Wahn und Wirklichkeit. Stuttgart 1947
Kriegstagebuch des Oberkommandos der Wehrmacht. Bd. IV: 1. Januar 1944–22. Mai 1945. Eingeleitet und erläutert von Percy Ernst Schramm. Frankfurt a. M. 1961
Die „Kunststadt" München 1937. Hrsg. von Peter-Klaus Schuster. München 1987

Lepsius, M. Rainer: Das Modell der charismatischen Herrschaft und seine Anwendbarkeit auf den „Führerstaat" Adolf Hitlers. In: M. Rainer Lepsius: Demokratie in Deutschland. Göttingen 1993, S. 95–118

Manchester, William: Winston Churchill. Bd. 2: Allein gegen Hitler 1932–1940. München 1990
Mann, Klaus: Der Wendepunkt. Ein Lebensbericht. München 1976
Mehringer, Hartmut/Werner Röder: Gegner, Widerstand, Emigration. In: Ploetz – Das Dritte Reich. Hrsg. von Martin Broszat und Norbert Frei. Freiburg i. Br. 1983, S. 173–184
Mehringer, Hartmut: Der Pakt als grundlegende Weichenstellung für den deutschen Sozialismus. In: Der Hitler-Stalin-Pakt. Voraussetzungen, Hintergründe, Auswirkungen. Hrsg. von Gerhard Bisovsky, Hans Schafranek und Robert Streibel. Wien 1990, S. 119–129
Miller, Lee: Der Krieg ist aus. Berlin 1995
Mittig, Hans-Ernst: NS-Architektur für uns. In: Faszination und Gewalt. Zur politischen Ästhetik des Nationalsozialismus. Hrsg. von Bernd Ogan und Wolfgang W. Weiß. Nürnberg 1992, S. 245 – 266
Mommsen, Hans: Gesellschaftsbild und Verfassungspläne des deutschen Widerstandes. In: Schmitthenner/Buchheim, Der deutsche Widerstand, S. 73–167
Münkler, Herfried: Politische Mythen und nationale Identität. In: Mythen der Deutschen. Deutsche Befindlichkeiten zwischen Geschichten und Geschichte. Hrsg. von Wolfgang Frindte. Opladen 1994

Organisationsbuch der NSDAP. München ^{4}1937, ^{7}1943

Paul, Gerhard/Klaus-Michael, Mallmann: Auf dem Wege zu einer Sozialgeschichte des Terrors. In: Paul/Mallmann, Gestapo, S. 3–18

Reichel, Peter: Politik mit der Erinnerung. Gedächtnisorte im Streit um die nationalsozialistische Vergangenheit. München 1995
Ribbentrop, Joachim von: Zwischen London und Moskau. Erinnerungen und letzte Aufzeichnungen. Leoni 1963

Schmidt, Paul: Statist auf diplomatischer Bühne 1923–1945. Erlebnisse des Chefdolmetschers im Auswärtigen Amt mit den Staatsmännern Europas. Bonn 1949
Schreiber, Gerhard: Die Wehrmacht und der Partisanenkrieg in Italien: „... auch gegen Frauen und Kinder". In: Politischer Wandel, organisierte Gewalt und nationale Sicherheit. Beiträge zur neueren Geschichte Deutschlands und Frankreichs. Festschrift für Klaus-Jürgen Müller. Hrsg. von Ernst Willi Hansen, Gerhard Schreiber und Bernd Wegner. München 1995
Solchany, Jean: Vom Antimodernismus zum Antitotalitarismus. Konservative Interpretationen des Nationalsozialismus in Deutschland 1945–1949. In: VfZ 44 (1996), S. 373–394
Stalin und Hitler. Pakt gegen Europa. Hrsg. und eingeleitet von Johann W. Brügel. Wien 1973
Starcke, Gerhard: Die Deutsche Arbeitsfront. Berlin 1940

Vogelsang, Thilo: Neue Dokumente zur Geschichte der Reichswehr 1930–1933. In: VfZ 2 (1954), S. 397–436

Personenregister

(nicht aufgenommen: Hitler)

Geographisches Register

(nicht aufgenommen: Deutschland, Deutsches Reich, Großdeutsches Reich usw.)

Register der Organisationen, Institutionen, Zeitungen, Zeitschriften, Behörden, Firmen

Exponatnachweis

Zusammenstellung: Albert A. Feiber

Archive, Bibliotheken, Museen, Agenturen und private Leihgeber

Agentur Nowosti, Moskau
Archiv der KZ- Gedenkstätte Dachau
Archiv der sozialen Demokratie der Friedrich-Ebert-Stiftung, Bonn
Archiv der Wachturmgesellschaft, Selters/Taunus
Archiv des Erzbistums München und Freising, München
Archiv des Stadtgeschichtlichen Museums Spandau, Berlin
Archiv Ing.-Büro Dr. H. G. Carls, Würzburg-Estenfeld
Archiwum Okregowej Komisji Badania Zbrodni przeciwko Narodowi Polskiemu – Instytut Pamieci Narodowej w Lodzi (Bezirkskommission zur Untersuchung der Verbrechen am polnischen Volk – Institut des Nationalen Gedenkens – in Lodz)
Archiwum Zydowskiego Instytutu Historycznego, Warszawa (Archiv des Jüdischen Historischen Instituts, Warschau)
Bayerische Staatsbibliothek, München
Bayerische Staatsbibliothek/Fotoarchiv Hoffmann, München
Bayerisches Armeemuseum, Ingolstadt
Bayerisches Hauptstaatsarchiv, München
Bayerisches Landesvermessungsamt, München
Bayerisches Nationalmuseum, München
Bayerisches Staatsministerium der Finanzen, München
Berchtesgadener Handwerkskunst, Berchtesgaden
Verlag Berchtesgadener Anzeiger, Berchtesgaden
Bibliothek für Zeitgeschichte, Stuttgart
Bildarchiv Preußischer Kulturbesitz, Berlin
Bilderdienst Süddeutscher Verlag, München
BMW München, Historisches Archiv
Börsenverein des Deutschen Buchhandels, Frankfurt a. M.
Bundesarchiv, Berlin
Bundesarchiv/Berlin Document Center
Bundesarchiv, Koblenz
Bundesarchiv/Filmarchiv, Berlin
Bundesarchiv/Militärarchiv, Freiburg
Bundesbildstelle, Berlin
Centre de Documentation Juive Contemporaine, Paris
Ulrich Chaussy, München
Chronos-Film GmbH, Archiv, Kleinmachnow
Volker Dahm, München
Christoph Daxelmüller, Würzburg
Derschavnyj Archiv Lvivskoj Oblasti, Lviv (Staatliches Bezirksarchiv, Lemberg)
Deutsches Historisches Museum, Berlin
Dokumentations- und Kulturzentrum Deutscher Sinti und Roma, Heidelberg
Elefanten Press, Berlin/Hoffmann & Campe, Hamburg
Familie Engelmann, München
Evangelische Arbeitsgemeinschaft für Kirchliche Zeitgeschichte, München
Albert A. Feiber, München
Fortbildungsinstitut der Bayerischen Polizei, Ainring
Freistaat Bayern
Fremdenverkehrsverband Berchtesgaden
Gedenkstätte Bergen-Belsen
Gedenkstätte Buchenwald
Gedenkstätte Deutscher Widerstand, Berlin
Gedenkstätte Mauthausen
Gedenkstätte Mittelbau-Dora
Gedenkstätte Ravensbrück
Gemeindearchiv Schönau a. Königssee
Gosudarstwennyj Istoritscheskij Musej, Moskwa (Staatliches Historisches Museum, Moskau)
Erika Grube, München
H+Z Bildagentur, Hannover
Gerda Hadwiger, Murnau
Siegfried Hafner, Piding
Claus Hansmann, München
Haus der Geschichte der Bundesrepublik Deutschland, Bonn
Heimatmuseum Berchtesgaden
Heller-Film, Dresden – Berlin
Rudolf Herz, München
Hessisches Hauptstaatsarchiv, Wiesbaden
Werner Hilgemann, Bielefeld
Ernst Hirsch, Dresden
Imperial War Museum, London
Institut für Zeitgeschichte, München – Berlin
Instytut Pamieci Narodowej – Archiwum Glownej Komisji Badania Zbrodni przeciwko Narodowi Polskiemu, Warszawa (Institut des Nationalen Gedenkens – Archiv der Hauptkommission zur Untersuchung der Verbrechen am polnischen Volk, Warschau)
Jüdisches Museum, Frankfurt a. M.
Ernst Klee, Frankfurt a. M.
Walther Krafft, München
Landesmedienzentrum Hamburg
Landeswohlfahrtsverband Hessen/Archiv, Kassel

Lee Miller Archives, East Sussex
Kurt Lehnstaedt, Gröbenzell
Stephan Lehnstaedt, Gröbenzell
Lettisches Okkupationsmuseum, Riga
Marktarchiv Berchtesgaden
Alfred Mühlberger, Rosenheim
Fredric Müller-Romminger, Bad Reichenhall
Museum Berlin-Karlshorst
National Archives, Washington
Niedersächsische Landeszentrale für politische Bildung, Hannover
Panstwowe Muzeum w Oswiecimiu (Staatliches Museum in Auschwitz)
Josef Pantenburg, Leverkusen
Politisches Archiv des Auswärtigen Amts, Berlin
John Provan, Kelkheim
Christoph Püschner, Hiddenhausen
Stiftung Deutsches Rundfunkarchiv, Frankfurt a. M. - Berlin
Baumann-Schicht, Bad Reichenhall
Monika Schiller, München
Ulrich Schneider, München
Hellmuth Schöner, Berchtesgaden
Sekretariat Pater Rupert Mayer SJ, München
Der Spiegel, Hamburg
Spiegel-TV, Hamburg
Staatsanwaltschaft Hamburg
Staatsarchiv Landshut
Staatsarchiv Ludwigsburg
Staatsarchiv Luxemburg
Staatsarchiv München
Staatsarchiv Nürnberg
Staatsbibliothek zu Berlin – Preußischer Kulturbesitz, Berlin
Stadtarchiv Dortmund
Stadtarchiv Karlsruhe
Stadtarchiv München
Stadtarchiv Nürnberg
Stadtarchiv Nürnberg/Stürmer-Archiv
Stadtarchiv Penzberg
Stadtarchiv und Landesgeschichtliche Bibliothek Bielefeld
Stadtmuseum München
Karl Stehle, München
Stiftung Archiv der Parteien und Massenorganisationen der ehemaligen DDR im Bundesarchiv, Berlin
Wolfgang Jean Stock, München
Strähle Luftbild, Schorndorf
Stiftung „Topographie des Terrors", Berlin
Ullstein Bilderdienst, Berlin
United States Holocaust Memorial Museum, Washington
Volksbund Deutsche Kriegsgräberfürsorge, Kassel
Weiße Rose Stiftung, München
Henry Wiener, Affalterbach-Birkau
Peter Witte, Hemer
Yad Vashem, Jerusalem
Christian Zentner, München
Zentrale Stelle der Landesjustizverwaltungen, Ludwigsburg
Zero-Film-GmbH, Berlin

Einzelnachweis

Wenn nicht anders vermerkt, handelt es sich bei den Exponaten um Reproduktionen. Soweit möglich wurden die Signaturen der jeweiligen Archive angegeben. Die Abbildungsnummern beziehen sich auf die Abbildungen im Katalog.

A Prolog

Ausschnitt aus dem Bild „Es lebe Deutschland" von K. Stauber (undatiert, wahrscheinlich vor 1933); Bildgrundlage: Schwarzweiß-Postkarte aus der Sammlung Karl Stehle, München, digitale Kolorierung nach farbigen Abbildungen der unzugänglichen Plakatversion. [**Abb. 4**]
Foto: Hitler zujubelnde Menschenmassen (31.7.1938); Ausschnitt aus Szene beim Deutschen Turn- und Sportfest in Breslau; Foto: Scherl; leichte nachträgliche Kolorierung, rechte Seite gespiegelt ~ Bilderdienst Süddeutscher Verlag, München [**Abb. 5**]
Foto: Ruinen in Nürnberg (1945) ~ Stadtarchiv Nürnberg, 4415/S [**Abb. 9**]
Foto: KZ Bergen-Belsen/Niedersachsen nach der Befreiung (17.4.1945) ~ Imperial War Museum, London, BU 3769 [**Abb. 10**]
Foto: Deutscher Gefallener in Stalingrad (1943) ~ Bilderdienst Süddeutscher Verlag, München [**Abb. 8**]
Foto: Als Partisanen erhängte Zivilisten in Charkow/Ukraine (November 1941) ~ Claus Hansmann, München [**Abb. 7**]
Textexponat: „Extreme politische Konzeptionen..." ~ Karl Dietrich Bracher: Zeitgeschichtliche Kontroversen. Um Faschismus, Totalitarismus, Demokratie, München 1976, S. 100 [**Abb. 6**]

B Der Obersalzberg

B 1 Topographisches Modell

Modell des Obersalzbergs (Ausbauzustand 1944/45); Maßstab 1:500; Hersteller: Max Hoffmann Modellbau, Taufkirchen ~ Leihgabe Freistaat Bayern

B 2 Der Berg

Situationsplan Berchtesgadener Land (21.8.1794); Federzeichnung auf Papier von Joseph Utzschneider ~ Bayerisches Hauptstaatsarchiv, München, Plansammlung 1882
Erster Zunftbrief der Bergknappen (1.10.1617) ~ Bayerisches Hauptstaatsarchiv, München, KU Berchtesgaden 1189
Auszug aus der Einwohnerliste der Fürstpropstei Berchtesgaden, Gnotschaft Salzberg (1652) ~ Bayerisches Hauptstaatsarchiv, München, Fürstpropstei Berchtesgaden 800
Uraufnahme des Obersalzbergs (1817) ~ Bayerisches Landesvermessungsamt, München [**Abb. 12**]
Werbeprospekte des Verschönerungs-Vereins Berchtesgaden und des Fremdenverkehrs-Vereins Berchtesgaden-Land (1928, 1933/34, 1937, 1938, 1939/40); Originale ~ Leihgaben Marktarchiv Berchtesgaden, Az. 853/6
Traditionelle „Berchtesgadener Waar" (Spielzeug) (1999); Originale ~ Leihgaben Berchtesgadener Handwerkskunst, Berchtesgaden

B 3 Sommerfrische

Foto: Mauritia „Moritz" Mayer als 25jährige; Foto: F.G. Zeitz, Königssee ~ Sammlung Karl Stehle, München [**Abb. 13**]
Todesanzeige von Mauritia Mayer ~ *Berchtesgadener Anzeiger* vom 1.3.1897
Richard Voß, Zwei Menschen. Roman; Verlag J. Engelhorns Nachf. Adolf Spemann, Stuttgart 1911
Postkarte: Pension Moritz; Hersteller: Verlag Otto Wernhard, Berchtesgaden ~ Sammlung John Provan, Kelkheim [**Abb. 14**]
Gedenktafel Mauritia Mayer vom ehemaligen Platterhof; Original ~ Leihgabe Freistaat Bayern
Luftaufnahme des Obersalzbergs (5.9.1933) ~ Strähle Luftbild, Schorndorf, 19 868 [**Abb. 11**]
Foto: Alpengasthof Steiner ~ Marktarchiv Berchtesgaden, 1021 [**Abb. 15**]
Fotopostkarte: Gasthof zum Türken (ca. 1936); Foto: J. Schmid, Berchtesgaden ~ Privatbesitz Ulrich Chaussy, München
Foto: Waldpension Antenberg ~ Privatbesitz Hellmuth Schöner, Berchtesgaden
Foto: Clubheim/Dependance Moritz ~ Sammlung John Provan, Kelkheim [**Abb. 16**]
Foto: Pension Lindenhöhe ~ Privatbesitz Hellmuth Schöner, Berchtesgaden
Fotopostkarte: Kindersanatorium Seitz (1930) ~ Privatbesitz Ulrich Chaussy, München [**Abb. 17**]
Antrag auf Konzessionserteilung für ein Kindersanatorium (Dr. Richard Seitz) (28.5.1928) ~ Staatsarchiv München, LRA 30.072
Foto: Bahnhof Berchtesgaden (1930/31) ~ Marktarchiv Berchtesgaden, Photo-Karten 247
Foto: Carl von Linde mit Familie (ca. 1924) ~ Privatbesitz Hellmuth Schöner, Berchtesgaden
Foto: Haus Oberbaumgart ~ Privatbesitz Hellmuth Schöner, Berchtesgaden [**Abb. 18**]
Foto: Haus Mitterwurf ~ Privatbesitz Hellmuth Schöner, Berchtesgaden
Foto: Familie Eichengrün mit kleinen Gästen ~ Privatbesitz Ulrich Chaussy, München [**Abb. 19**]
Foto: Villa Bechstein ~ Sammlung John Provan, Kelkheim [**Abb. 20**]
Foto: Evang. Kirche Berchtesgaden ~ Privatbesitz Walther Krafft, München
Dankesschreiben Carl von Lindes an den Markt Berchtesgaden für die Verleihung der Ehrenbürgerschaft (23.8.1927) ~ Marktarchiv Berchtesgaden, Gemeindearchiv Salzberg A 2 023

B 4 „Adolf Hitlers Wahlheimat"

Foto: Dietrich Eckart ~ Bayerische Staatsbibliothek/Fotoarchiv Hoffmann, München, Eckart, Dietrich 3399 [**Abb. 21**]
Titelblatt der Wochenschrift *Auf gut deutsch* (2. Jg 1920, Heft 30/34); Hrsg.: Dietrich Eckart, Hoheneichen Verlag, München ~ Institut für Zeitgeschichte, München – Berlin, Bibliothek, Zq 98a
Zeitungsartikel mit der Ankündigung: „Adolf Hitler spricht" ~ *Berchtesgadener Anzeiger* vom 30.6.1923 [**Abb. 22**]
Foto: Hitler-Putsch (8.11.1923) ~ Bayerische Staatsbibliothek/Fotoarchiv Hoffmann, München, F.17/5347 [**Abb. 23**]

Postkarte: Festungshaftanstalt, Landsberg am Lech (Poststempel vom 13.6.1924) ~ Sammlung Karl Stehle, München
Foto: Hitler in Lederhose (1925/1926) ~ Bayerische Staatsbibliothek/Fotoarchiv Hoffmann, München, O.31/0032 [**Abb. 24**]
Foto: „Kampfhäusl“ (vermutlich nach 1945) ~ Sammlung John Provan, Kelkheim
Adolf Hitler, Mein Kampf, 2. Band. Die nationalsozialistische Bewegung; Verlag Franz Eher Nachfolger GmbH, München 1927
Auszug aus Protokollbuch der NSDAP-Ortsgruppe Berchtesgaden über den Besuch Adolf Hitlers (12.10.1926) ~ Institut für Zeitgeschichte, München – Berlin, Archiv, MA 1220
Foto: Haus Wachenfeld (ca. 1928) ~ Bayerische Staatsbibliothek/Fotoarchiv Hoffmann, München, F.52/4834 [**Abb. 25**]
Foto: Hitler im Liegestuhl (ca. 1928) ~ Bayerische Staatsbibliothek/Fotoarchiv Hoffmann, München, F.52/9502
Zeitungsmeldung über den „Großdeutschen Tag“ 1932 in Berchtesgaden ~ *Berchtesgadener Anzeiger* vom 12.7.1932
Foto: „Großdeutscher Tag in Berchtesgaden“ (10.7.1932) ~ Marktarchiv Berchtesgaden, Photo-Karten 424 [**Abb. 26**]
Plakette: „Großdeutscher Tag in Berchtesgaden“ (10.7.1932); Original ~ Leihgabe Gemeindearchiv Schönau a. Königssee

B 5 „Machtergreifung“

3 Zeitungs-Ausrisse zur Machtergreifung ~ *Berchtesgadener Anzeiger* vom 1.2.1933
Plakat: „Aufruf an das Deutsche Volk!“ (1933) ~ Bundesarchiv, Koblenz, Plakatsammlung, 3/1/27 [**Abb. 27**]
Foto: „Tag von Potsdam“ (21.3.1933) ~ Bayerische Staatsbibliothek/Fotoarchiv Hoffmann, München, G.26/3938 [**Abb. 28**]
Metallplakette „Fridericus Rex, von Bismarck, Adolf Hitler“ (1933; Abguß von 1999); Kunstguß der Firma Carl Gottbill Sol. Erben GmbH, Mariahütte, Kreis Trier ~ Original: Bayerisches Armeemuseum, Ingolstadt, Hausdepot 341/91; Replik: Leihgabe Freistaat Bayern

B 6 „Sie wollen den Führer sehen“. Wallfahrtsort Obersalzberg

Dankschreiben Hitlers an die Gemeinde Berchtesgaden nach Verleihung der Ehrenbürgerschaft (28.3.1933) ~ Marktarchiv Berchtesgaden, Gemeindearchiv Salzberg A 2023
Postkarte: Reichskanzler-Adolf-Hitler-Höhe (ca. 1933) ~ Marktarchiv Berchtesgaden, Ttl. 312/313
Plakat Himmlers über den Zugang zum Obersalzberg (29.7.1933) ~ Staatsarchiv München, LRA 29.817
Foto: Hitler zeigt sich jubelnden Anhängern vor Maschendrahtzaun (August/September 1934) ~ Bayerische Staatsbibliothek/Fotoarchiv Hoffmann, München, H.103/1001-8 [**Abb. 29**]
Zeitschriftenbericht: „Sie wollen den Führer sehen“ ~ *Illustrierter Beobachter* vom 8.9.1934
2 Fotos: Hitler und Bernile (Sommer 1933) ~ Institut für Zeitgeschichte, München – Berlin, Archiv, OSB 72a und 72b [**Abb. 31, 32**]
Foto: Obersalzberg-Wallfahrer (1935) ~ Stadtarchiv München, Historisches Bildarchiv, 86
Amtliche Fremdenliste „Fußwege zum Berghof“ (27.7.1937) ~ Verlag Berchtesgadener Anzeiger, Berchtesgaden
Fotopostkarte: „Hitlerjugend vor dem Haus des Führers“ (1934/35); Foto: Michael Lochner, Berchtesgaden ~ Sammlung Karl Stehle, München [**Abb. 30**]
Foto: Hitler inmitten einer BDM-Gruppe auf dem Berghof (Jahreswende 1937/38) ~ Bayerische Staatsbibliothek/Fotoarchiv Hoffmann, München, L.80/1172-29
Foto: Hitler empfängt eine Gruppe von NS-Jungbauern (1937) ~ Bilderdienst Süddeutscher Verlag, München [**Abb. 33**]
Rundschreiben Martin Bormanns an alle Reichs- und Gauleiter (5.10.1938) ~ Bundesarchiv, Berlin, R 43/II/957a, Bl. 39
Zeitschriften-Bericht: „Regensburger Domspatzen am Obersalzberg“ ~ *Illustrierter Beobachter* vom 25.8.1938
Fotoalbum von Internatsschülerinnen bei Hitler auf dem Obersalzberg (16.7.1936); Original ~ Leihgabe Institut für Zeitgeschichte, München – Berlin, Archiv, SB 124
Foto: Hitler begrüßt Lloyd George (4.9.1936) ~ Bayerische Staatsbibliothek/Fotoarchiv Hoffmann, München, K.100/3447/7800
Foto: Hitler begrüßt Prinzregent Paul von Jugoslawien auf dem Berghof (17.10.1936) ~ Bayerische Staatsbibliothek/Fotoarchiv Hoffmann, München, K.111/1317a-11 [**Abb. 34**]

Foto: Hitler begrüßt Lord Rothermere auf dem Berghof (7.1.1939) ~ Bayerische Staatsbibliothek/Fotoarchiv Hoffmann, München, L.2/6050
Foto: Hitler begrüßt Eduard VIII. mit Gemahlin auf dem Berghof (22.10.1937) ~ Bayerische Staatsbibliothek/Fotoarchiv Hoffmann, München, L.71/8852 [**Abb. 36**]
Dankestelegramm Edwards VIII. nach Besuch auf dem Berghof (23.10.1937) ~ Bayerische Staatsbibliothek/Fotoarchiv Hoffmann, München, L.71/4820
Foto: Hitler begrüßt Józef Beck auf dem Berghof (5.1.1939) ~ Bayerische Staatsbibliothek/Fotoarchiv Hoffmann, München, N.5/12036-3 [**Abb. 35**]
Foto: Khalid al Hud auf dem Obersalzberg (17.6.1936) ~ Bayerische Staatsbibliothek/Fotoarchiv Hoffmann, München, N.109/4505 [**Abb. 37**]
Foto: Ribbentrop begrüßt Admiral François Darlan (11.5.1941) ~ Bayerische Staatsbibliothek/Fotoarchiv Hoffmann, München, P.108/3385 [**Abb. 38**]
Foto: Hitler begrüßt Ante Pavelic (6.6.1941) ~ Bayerische Staatsbibliothek/Fotoarchiv Hoffmann, München, P.126/12232-19
Foto: Besuch Josef Tisos auf dem Berghof (12.5.1944) ~ Bayerische Staatsbibliothek/Fotoarchiv Hoffmann, München, S.104/12232-18
Foto: Hitler begrüßt König Boris III. von Bulgarien auf dem Berghof (3.4.1943) ~ Bayerische Staatsbibliothek/Fotoarchiv Hoffmann, München, R.111/5279-10 [**Abb. 39**]
Zeitschriften-Bericht über Besuch Italo Balbos auf dem Berghof ~ *Illustrierter Beobachter* vom 13.8.1938
Zeitschriften-Bericht über die Verabschiedung König Carols von Rumänien auf dem Obersalzberg ~ *Illustrierter Beobachter* vom 1.12.1938
Zeitschriften-Bericht: „Diplomatenempfänge bei Hitler auf dem Obersalzberg" ~ *Illustrierter Beobachter* vom 1.12.1938

B 7 „Hitler, wie ihn keiner kennt". Der Obersalzberg in der Propaganda

Lineolmodell von Haus Wachenfeld (Sachsen, um 1933); Original ~ Leihgabe Freistaat Bayern
Postkarte: Haus Wachenfeld als Streichholzmodell (ca. 1934/35); Foto: Josef Janner, Regensburg ~ Institut für Zeitgeschichte, München – Berlin, Archiv, OSB 97
Abschließbare Schmuckkassette (23.8.1934); Original ~ Leihgabe Freistaat Bayern
3 Panoramapostkarten von Berchtesgaden (1933, 1934, 1935) ~ Privatbesitz Fredric Müller-Romminger, Bad Reichenhall
2 Stocknägel (ca. 1937/39); Originale ~ Leihgaben Freistaat Bayern
Osterteller mit Haus Wachenfeld als Motiv (1934); Original; Hersteller: Rosenthal, Selb ~ Leihgabe Freistaat Bayern
Wandbild: Haus Wachenfeld; Aufkleber auf der Rückseite „Einsatz in Arbeitsschlacht 1934" (ca. 1934); Original; Aufkleber reproduziert ~ Leihgabe Freistaat Bayern [**Abb. 40, 41**]
Farbdruck: Der Berghof (nach 1936); Original ~ Leihgabe Freistaat Bayern
Fotopostkarte: Café Princess in München mit Gemälde von Hitler mit der Tochter des Obersalzberger Kunstmalers Michael Lochner; Hersteller: Verlag Preiss & Co., München ~ Sammlung Karl Stehle, München
Adolf Hitlers Wahlheimat. Zweiundzwanzig Zeichnungen von Karl Schuster-Winkelhof; Münchner Buchverlag, München 1933; Original ~ Leihgabe Freistaat Bayern [**Abb. 42**]
Foto: „Berchtesgadener Christbaum unseres Führers" ~ Heimatmuseum Berchtesgaden
Collage aus Titelblättern mit Obersalzberg-Motiven des *Illustrierten Beobachters* und der *Münchner Illustrierten Presse* ~ *Illustrierter Beobachter* vom 8.4.1933, 24.6.1933, 20.6.1935, 9.1.1936, 15.4.1937, 1.12.1938, 12.1.1939; *Münchner Illustrierte Presse* vom 9.4.1933
Heinrich Hoffmann: Hitler, wie ihn keiner kennt. 100 Bild-Dokumente aus dem Leben des Führers, Zeitgeschichte-Verlag und Vertriebs-Gesellschaft m.b.H., Berlin [1932]; Original ~ Leihgabe Institut für Zeitgeschichte, München – Berlin, Bibliothek, F 453 [**Abb. 44**]
Zigarettenbilderalbum: „Adolf Hitler. Bilder aus dem Leben des Führers"; hrsg. v. Cigaretten-Bilderdienst Altona-Bahrenfeld, Druck und Einband F.A. Brockhaus 1936; Original ~ Leihgabe Institut für Zeitgeschichte, München – Berlin, Archiv, SZ 29 [**Abb. 45**]
Zigarettenbilder; hrsg. v. Cigaretten-Bilderdienst Altona-Bahrenfeld Druck; Originale ~ Leihgaben Institut für Zeitgeschichte, München – Berlin, Archiv, SB 41b und 41e
Schreiben der Fa. Reemtsma an Julius Schaub (3.12.1936) ~ Bundesarchiv, Berlin, NS 10/222, Bl. 46
Heinrich Hoffmann: Hitler in seinen Bergen.100 Bilddokumente aus der Umgebung des Führers, Zeitgeschichte-Verlag, Berlin 1935; Original ~ Leihgabe Institut für Zeitgeschichte, München – Berlin, Bibliothek, F 447
Heinrich Hoffmann: Hitler abseits vom Alltag. 100 Bilddokumente aus der Umgebung des Führers; Zeitgeschichte-Verlag, Berlin 1937; Original ~ Leihgabe Institut für Zeitgeschichte, München – Berlin, Bibliothek, F 446 [**Abb. 43**]

B 8 Eine „merkwürdige Leere" hinter den Kulissen

Foto: Hitler und Eva Braun beim Essen (1940) ~ Bayerische Staatsbibliothek/Fotoarchiv Hoffmann, München, Braun, Eva.10/10366 [**Abb. 46**]
Foto: Hitler mit Lesebrille (Anfang 1939) ~ Bayerische Staatsbibliothek/Fotoarchiv Hoffmann, München, Hitler, Adolf.25a/9164 [**Abb. 47**]
Foto: Hitler bei Winterspaziergang mit Gefolge (Anfang Januar 1937) ~ Bayerische Staatsbibliothek/Fotoarchiv Hoffmann, München, L.1/11068 [**Abb. 48**]
Foto: Teehaus am Mooslahnerkopf (nach 1937) ~ Sammlung John Provan, Kelkheim
Foto: Kegelbahn (August 1936) ~ Bayerische Staatsbibliothek/Fotoarchiv Hoffmann, München, K.86/12232-17
Schreiben Bormanns betr. Bestellung von Spielfilmen (21.10.1937) ~ Bundesarchiv, Berlin, NS 10/48, Bl. 2
Foto: Hitler mit Familie Goebbels (23.10.1938) ~ Bayerische Staatsbibliothek/Fotoarchiv Hoffmann, München, M.131/12061
Foto: Hochzeit Fegelein, Festtafel im Kehlsteinhaus (3.6.1944) ~ Bayerische Staatsbibliothek/Fotoarchiv Hoffmann, München, S.108/7300-38a [**Abb. 49**]
Foto: Hochzeit Fegelein, Bar im Berghof (3.6.1944) ~ Bayerische Staatsbibliothek/Fotoarchiv Hoffmann, München, S.108/4585
Foto: Personal Berghof (Jahreswende 1937/38) ~ Bayerische Staatsbibliothek/Fotoarchiv Hoffmann, München, L.80/1090-29
2 Speisekarten des Berghofs (4.6.1943, 26.6.1943) ~ Bayerische Staatsbibliothek/Fotoarchiv Hoffmann, München, R.107/14591, 14592 [**Abb. 50**]
Anklageschrift wegen kritischer Äußerungen über die Eßgewohnheiten der NS-Prominenz im Raum Berchtesgaden (5.8.1941) ~ Staatsarchiv München, Staatsanwaltschaften 10.469
Anforderung von Lebensmittelbezugsscheinen für den Berghof (7.8.1940) ~ Bundesarchiv, Berlin, NS 10/506, Bl. 29

B 9 „Filiale von Berlin." Ein zweites Machtzentrum entsteht

Foto: Haus Wachenfeld nach dem Anbau der Garage (August 1933) ~ Bayerische Staatsbibliothek/Fotoarchiv Hoffmann, München, G.90/12232-16
Foto: Teleobjektiv-Aufnahme Haus Wachenfeld (Spätsommer 1934) ~ Bayerische Staatsbibliothek/Fotoarchiv Hoffmann, München, H.103/0010 [**Abb. 51**]
Foto: Teleobjektiv-Aufnahme des Berghofs (nach 1936) ~ Bayerische Staatsbibliothek/Fotoarchiv Hoffmann, München, K.85/20012a [**Abb. 1, 52**]
Modell Berghof (nach der letzten Ausbaustufe 1944/45); Maßstab 1:500; Hersteller: Leonardo-Anschauungsmodelle, München ~ Leihgabe Freistaat Bayern
Textexponat: „Der Tee wurde von einer SS-Ordonanz ... serviert..." ~ zitiert nach: Nikolaus von Horthy: Ein Leben für Ungarn, Bonn 1953, S. 180
Foto: Panoramafenster des Berghofs (August 1936) ~ Bayerische Staatsbibliothek/Fotoarchiv Hoffmann, München, K.86/C 206.4
Foto: Kartenzimmer (August 1936) ~ Bayerische Staatsbibliothek/Fotoarchiv Hoffmann, München, K.86/11110
Zeitungsanzeige: KZ-Androhung für Parteinahme in Sachen Türkenwirt ~ *Berchtesgadener Anzeiger* vom 27.1.1934 [**Abb. 53**]
Parteiausschluß des Gastwirts Bruno Büchner (22.7.1936) ~ Staatsarchiv München, LRA 31.476 [**Abb. 54**]
Gedenkkärtchen vom letzten Gottesdienst in der Kapelle Maria Hilf Obersalzberg (18.1.1937) ~ Privatbesitz Ulrich Chaussy, München
Foto: Abgedecktes Haus (März 1938) ~ Christoph Püschner, Hiddenhausen, Nachbar Hitler R 1 [**Abb. 55**]
Foto: Vertriebene beim Auszug ~ Christoph Püschner, Hiddenhausen, Nachbar Hitler R 6
Gesuch der Familie Brandner an Bormann wegen Freilassung von Johann Brandner aus dem KZ Dachau (29.4.1939) ~ Bundesarchiv, Berlin, NS 10/419, Bl. 10 [**Abb. 56**]
Verzeichnis der Gebäude auf dem Obersalzberg vor, während und nach dem Dritten Reich ~ nach Ernst Hanisch: Der Obersalzberg, das Kehlsteinhaus und Adolf Hitler, Berchtesgaden 1995, S. 40 f.
Foto: Haus Göring ~ Stadtarchiv München, Historisches Bildarchiv, 2 2886/IV/20A [**Abb. 57**]
Foto: Haus Bormann im Winter (Jahreswende 1939/1940) ~ Bayerische Staatsbibliothek/Fotoarchiv Hoffmann, München, N.231/12232-13 [**Abb. 58**]
Foto: Atelier Speer (ca. 1939) ~ Ullstein Bilderdienst, Berlin, 1 19 000050 420 – 1
Foto: SS-Kaserne (nach 1937) ~ Sammlung John Provan, Kelkheim [**Abb. 59**]
Foto: RSD-Wache (ehem. Gasthof zum Türken) ~ Privatbesitz Ulrich Chaussy, München [**Abb. 60**]
Foto: SS-Kaserne, unterirdischer Schießstand ~ Sammlung John Provan, Kelkheim

Berechtigungsausweis zum Betreten des Führersperrgebiets ~ Privatbesitz Ulrich Chaussy, München
Foto: Gutshof Obersalzberg (Juli 1938) ~ Christoph Püschner, Hiddenhausen, Nachbar Hitler R 2 [**Abb. 61**]
Schreiben der Reichsfachgruppe Ausstellungsgeflügelzüchter an Bormann (15.4.1939) ~ Bundesarchiv, Berlin, NS 10/470, Bl. 70
4 Postkarten: das Innere des umgebauten Platterhofs; Hersteller: Deutsche Kunst- und Verlagsanstalt, Dortmund ~ Institut für Zeitgeschichte, München – Berlin, Archiv, SB 211 [**Abb. 62-65**]
Postkarte: Die Zirbelstuben im Platterhof; Hersteller: Deutsche Kunst- und Verlagsanstalt, Dortmund ~ Privatbesitz Gerda Hadwiger, Murnau
Lagezeichnung der Gebäude auf dem Obersalzberg (1941); Tuschezeichnung auf Pergament von Franz Weiss ~ Institut für Zeitgeschichte, München – Berlin, Archiv, SB 165 [**Abb. 69**]
Modell Platterhof (nach Abschluß der Umbaumaßnahmen); Maßstab 1:500; Hersteller: Max Hoffmann Modellbau, Taufkirchen ~ Leihgabe Freistaat Bayern
2 Fotos: Bau der Kehlsteinstraße; Foto: Anton Hafner ~ Privatbesitz Siegfried Hafner, Piding [**Abb. 66, 67**]
Foto: Kehlsteinhaus ~ Bayerische Staatsbibliothek/Fotoarchiv Hoffmann, München, N.55/12 [**Abb. 68**]
Foto: Baracke der Bauarbeiter auf der Ligeret-Alm (ca. 1942-45) ~ Privatbesitz Gerda Hadwiger, Murnau [**Abb. 70**]
Sicherheitspolizeiliche Überprüfung der am Obersalzberg beschäftigten Arbeiter (19.10.1937) ~ Staatsarchiv München, LRA 29.556
Foto: Theater- und Kinohalle (Mai 1937) ~ Christoph Püschner, Hiddenhausen, Nachbar Hitler R 3
Auflagen für Prostituierte auf dem Obersalzberg (1942) ~ Staatsarchiv München, LRA 29.774 [**Abb. 71**]
2 Fotos: Reichskanzlei, Dienststelle Bischofswiesen (September 1937) ~ Bayerische Staatsbibliothek/Fotoarchiv Hoffmann, München, L.64/1116-8 und 1116-13 [**Abb. 72**]
Bauplan für ein „Hilfsgefängnis" bei der RSD-Kaserne in Bischofswiesen (12.5.1944) ~ Staatsarchiv München, Landbauämter 5742
Foto: Gebirgsjäger-Kaserne Berchtesgaden-Strub (ca. 1941); Aufnahme und Verlag: Michael Lochner, Berchtesgaden ~ Privatbesitz Fredric Müller-Romminger, Bad Reichenhall
Foto: Flugplatz Ainring; Foto: Verlag Photohaus Dietrich, Laufen-Freilassing ~ Privatbesitz Fredric Müller-Romminger, Bad Reichenhall [**Abb. 73**]
Zeitschriftenbericht über den Flugplatz Ainring und die Reichskanzlei in Bischofswiesen ~ *Illustrierter Beobachter* vom 25.4.1935
Foto: Villa Schneewinkel (um 1919) ~ Gemeindearchiv Schönau a. Königssee
Foto: Rudolf Berliner (1954) ~ Bayerisches Nationalmuseum, München
Foto: BDM-Sportschule; Foto: Luftbild und Verlag Bayerischer Flugdienst Hans Bertram, München ~ Privatbesitz Fredric Müller-Romminger, Bad Reichenhall [**Abb. 74**]
Bericht über eine Tagung vom 29.1.1938 bezüglich der Bauvorhaben in Berchtesgaden (9.2.1938) ~ Bundesarchiv, Berlin, NS 22/808

B 10 Videoraum

Video: „Obersalzberg – Vom Bergbauerndorf zum ‚Führersperrgebiet'. Zeitzeugen berichten" ~ *Drehbuch:* Ulrich Chaussy; *Wissenschaftliche Beratung*: Volker Dahm, Albert A. Feiber; *Herstellung*: Chronik Videoproduktion Georg Schmidbauer, München; *Historisches Filmmaterial*: Bundesarchiv/Filmarchiv, Berlin; Fremdenverkehrsverein Berchtesgaden; National Archives, Washington; Privatarchiv Familie Engelmann, München; *Historisches Bildmaterial*: Bundesarchiv, Berlin; Bundesarchiv/Berlin Document Center; Bundesarchiv, Koblenz; Privatbesitz Ulrich Chaussy, München; Christoph Püschner, Hiddenhausen; Hellmuth Schöner, Berchtesgaden; Bayerische Staatsbibliothek/Fotoarchiv Hoffmann, München; Lee Miller Archives, East Sussex

C Die nationalsozialistische Diktatur

C 1 Der „Führer"

Volksempfänger VE 301 W der Marke Nora (1933/34); Original ~ Leihgabe Freistaat Bayern [**Abb. 77**]
Tondokument: Rede Adolf Hitlers (1.5.1939) ~ Zuwendung Deutsches Rundfunkarchiv, Frankfurt a. M. – Berlin, DRA 2590335

Foto: Innenansicht Wohnzimmer Mustersiedlung München-Ramersdorf (ca. 1933/34) ~ Stadtarchiv München, Historisches Bildarchiv, R 2886/IV 19 A
Hochzeitsausgabe von „Mein Kampf"; Zentralverlag der NSDAP Franz Eher Nachfolger, München 1942; überrreicht vom Standesamt Berchtesgaden am 30.3.1944; Original ~ Leihgabe Freistaat Bayern
Foto: Adolf Hitler (20.4.1937) ~ Bundesarchiv, Koblenz, Bildarchiv, S 33 882 [**Abb. 76**]
Textexponat: Hermann Claudius, Deutscher Spruch (1943) ~ zitiert nach: Ernst Loewy: Literatur unterm Hakenkreuz. Das Dritte Reich und seine Dichtung, Frankfurt a. M. 1966, S. 302
Plakat: „Ganz Deutschland hört den Führer mit dem Volksempfänger" (1936) ~ Bundesarchiv, Koblenz, Plakatsammlung, 3/22/25 [**Abb. 78**]
Plakat: „Führer wir folgen Dir" (ca. 1934) ~ Stadtmuseum München, Plakatsammlung, C 14/64 [**Abb. 75, 79**]
Straßenschild „Adolf-Hitler-Straße"; Original ~ Leihgabe Fortbildungsinstitut der Bayerischen Polizei, Ainring

C 2 Akteure des Regimes

Foto: Heinrich Himmler ~ Bayerische Staatsbibliothek/Fotoarchiv Hoffmann, München, Himmler, Heinrich, 1015 b-11 [**Abb. 80**]
Foto: Hermann Göring ~ Bayerische Staatsbibliothek/Fotoarchiv Hoffmann, München, Göring, Hermann, 26 [**Abb. 82**]
Foto: Joseph Goebbels ~ Bayerische Staatsbibliothek/Fotoarchiv Hoffmann, München, Goebbels, Joseph, 12243 [**Abb. 81**]
Foto: Martin Bormann ~ Bayerische Staatsbibliothek/Fotoarchiv Hoffmann, München, Bormann, Martin, 10334 [**Abb. 83**]
Foto: Robert Ley ~ Bayerische Staatsbibliothek/Fotoarchiv Hoffmann, München, Ley, Robert, 21 [**Abb. 84**]
Foto: Baldur von Schirach ~ Bundesarchiv, Koblenz, Bildarchiv, 119/383 [**Abb. 85**]
Foto: Reinhard Heydrich ~ Bayerische Staatsbibliothek/Fotoarchiv Hoffmann, München, Heydrich, Reinhard, 20945 [**Abb. 86**]
Foto: Joachim von Ribbentrop ~ Bayerische Staatsbibliothek/Fotoarchiv Hoffmann, München, Ribbentrop, Joachim von, 4839 [**Abb. 87**]
Foto: Albert Speer ~ Bayerische Staatsbibliothek/Fotoarchiv Hoffmann, München, Speer, Albert, 7563 [**Abb. 89**]
Foto: Rudolf Hess ~ Bayerische Staatsbibliothek/Fotoarchiv Hoffmann, München, Hess, Rudolf, 12070-7 [**Abb. 88**]
Foto: Wilhelm Frick ~ Bayerische Staatsbibliothek/Fotoarchiv Hoffmann, München, Frick, Wilhelm, 27 [**Abb. 90**]
Foto: Wilhelm Keitel ~ Bayerische Staatsbibliothek/Fotoarchiv Hoffmann, München, Keitel, Wilhelm, 22 [**Abb. 91**]
Interaktiver PC: „Akteure des Regimes": 242 Biographien und Porträtfotos ~ *Fotos:* Bayerische Staatsbibliothek/ Fotoarchiv Hoffmann, München (143); Bundesarchiv, Koblenz (58); Bundesarchiv/Berlin Document Center (18); Ullstein Bilderdienst, Berlin (8); Bilderdienst Süddeutscher Verlag, München (4); Stiftung „Topographie des Terrors", Berlin (3); Institut für Zeitgeschichte, München – Berlin (2); Politisches Archiv des Auswärtigen Amts, Berlin (1); Privatarchiv Ernst Klee, Frankfurt a. M. (1); Privatsammlung Peter Witte, Hemer (1) ~ *Texte:* 214 Biographien aus: Hermann Weiß (Hrsg.), Biographisches Lexikon zum Dritten Reich, S. Fischer Verlag, Frankfurt a. M. 1998 ~ Zuwendung des S. Fischer Verlags, Frankfurt a. M.; 19 Biographien aus: Enzyklopädie des Holocaust. Die Verfolgung und Ermordung der europäischen Juden, Bd. 1-3. Hauptherausgeber: Israel Gutman. Herausgegeben von Eberhard Jäckel, Peter Longerich und Julius H. Schoeps, Argon Verlag, Berlin 1993 ~ Zuwendung des Argon Verlags, Berlin; 9 Biographien: Institut für Zeitgeschichte, München – Berlin; *Technik und Software:* The Best of Multimedia GmbH, München/Heidelberg

C 3 Die nationalsozialistische Volksgemeinschaft

Plakatserie der Deutschen Arbeitsfront zu den Vertrauensrätewahlen (5 Plakate) (1934) ~ Deutsches Historisches Museum, Berlin, Plakatsammlung, Mappe 43/1, P 62/1750, 1751, 1753, 1754, 1755 [**Abb. 92-96**]

C 3.1 Die Inszenierung der „Volksgemeinschaft"

Foto: Lichtdom auf dem Reichsparteitag in Nürnberg (11.9.1936) ~ Privatbesitz Rudolf Herz, München [**Abb. 97**]
Reichsparteitagsabzeichen (1934, 1936, 1939); Originale ~ Leihgaben Institut für Zeitgeschichte, München – Berlin, Archiv, SV 310 [**Abb. 98, 99**]

C 3.2 Soziale und politische Gleichschaltung

Textexponat: Goebbels über den Beschluß zur Zerschlagung der Gewerkschaften und die Einführung des 1. Mai (Tagebuch vom 17.4.1933) ~ zitiert nach: Joseph Goebbels, Vom Kaiserhof zur Reichskanzlei. Eine historische Darstellung in Tagebuchblättern, München [38]1942, S. 299
Foto: Besetzung des Gewerkschaftshauses in München, Pestalozzistr. 40 – 42 (9.3.1933) ~ Stadtarchiv München, Historisches Bildarchiv, 1180 (9412) [**Abb. 100**]

Postkarte zum 1. Mai (Poststempel Wien vom 20.4.1938); Hersteller: Photo-Hoffmann, München ~ Sammlung Karl Stehle, München [**Abb. 101**]
Zeitungsausriß: „Der Sieg der Volksgemeinschaft“ ~ *Berchtesgadener Anzeiger* vom 3.5.1933
Gesetz gegen die Neubildung von Parteien (14.7.1933) ~ RGBl I 1933, S. 479 [**Abb. 102**]
2 Stimmscheine für die Reichstagswahlen 1933 (5.3. bzw. 12.12.1933) ~ Stadtarchiv Nürnberg/Stürmer-Archiv, E 39, 1970-1. und 2. [**Abb. 103, 104**]

C 3.3 „Hüterin der Volksgemeinschaft“: Die NSDAP

Haustafel der NSDAP; Original ~ Leihgabe Fortbildungsinstitut der Bayerischen Polizei, Ainring [**Abb. 105**]
Plakat: „Die NSDAP sichert die Volksgemeinschaft“ ~ Bundesarchiv, Koblenz, Plakatsammlung, 3/2/46 [**Abb. 106**]
Parteiabzeichen der NSDAP: a) Normalabzeichen, b) Goldenes Parteiabzeichen; a) Original, b) Nachbildung der 1960er Jahre ~ Leihgaben Institut für Zeitgeschichte, München – Berlin, Archiv, SV 29
Mitgliedsbuch der NSDAP (ausgestellt am 30.4.1934); Original ~ Leihgabe Institut für Zeitgeschichte, München – Berlin, Archiv, SV 150
Übersicht über den Aufbau einer NSDAP-Ortsgruppe ~ entnommen aus: Organisationsbuch der NSDAP, München [4]1937, S. 125 [**Abb. 107**]
Politische Beurteilung von Rudolf Kriß (9.3.1938) ~ Bundesarchiv/Berlin Document Center/Kriß, Rudolf

C 3.4 Die „Blutsgemeinschaft“

Textexponat: „Über Klassen und Stände...„; Ausschnitt aus der Rede Adolf Hitlers am Heldengedenktag, 10.3.1940 ~ zitiert nach: Max Domarus: Hitler. Reden und Proklamationen 1932-1945, kommentiert von einem Zeitgenossen. Bd 3. Leonberg [4] 1988, S. 1479
„Das deutsche Volksgesicht“ ~ Auszug aus: *Schulungsbrief der NSDAP* vom Februar 1938 ~ Institut für Zeitgeschichte, München – Berlin, Archiv, OSB 201
Foto: Rassenkundlicher Unterricht im Schulungslager für Schulhelferinnen in Nürtingen (1943); Foto: Liselotte Orgel-Köhne ~ Deutsches Historisches Museum, Berlin, Bildarchiv, BA 6519 (Orgel-Köhne) [**Abb. 108**]
Ahnenpaß mit Ahnentafel (ca. 1940); Original ~ Leihgabe Institut für Zeitgeschichte, München – Berlin, Archiv, SV 20
Textexponat: Äußerung Hitlers über den „blutauffrischenden Einfluß“ der SS in Berchtesgaden (23.4.1942) ~ zitiert nach: Henry Picker: Hitlers Tischgespräche im Führerhauptquartier 1941-1942, Stuttgart 1963, S.288
Wandspruch „Deutscher Glaube“ von Busso Loewe, Tübingen ~ Freistaat Bayern (= Institut für Zeitgeschichte, München – Berlin, Archiv, OSB 205)
Plakat: Mitgliederwerbung für den Verein für das Deutschtum im Ausland ~ Bundesarchiv, Koblenz, Plakatsammlung, 3/8/6
NS-Frauenwarte (Heft 20/1938) ~ Institut für Zeitgeschichte, München – Berlin, Archiv, OSB 207
Ansteckabzeichen des Deutschen Frauenwerks; Original ~ Leihgabe Freistaat Bayern
Ansteckabzeichen der NS-Frauenschaft; Original ~ Leihgabe Institut für Zeitgeschichte, München – Berlin, Archiv, SV 29
Mutterkreuze in Gold, Silber und Bronze (16.12.1938); Originale ~ Leihgaben Institut für Zeitgeschichte, München – Berlin, Archiv, SV 312 [**Abb. 109-111**]
Verleihungs-Urkunde für das Mutterkreuz in Gold (1.10.1939) ~ Institut für Zeitgeschichte, München – Berlin, Archiv, SV 166
Bedarfsdeckungsschein über 100 Reichsmark für Ehestandsdarlehen ~ RGBl I 1933, S. 387

C 3.5 Die organisierte „Volksgemeinschaft“

Zeitgenössische Darstellung der Organisation und Tätigkeitsbereiche der Deutschen Arbeitsfront (DAF) ~ entnommen aus: Max Eichler: Du bist sofort im Bilde, Erfurt 1940, S. 124f. [**Abb. 112**]
Amtsschild der Deutschen Arbeitsfront; Original ~ Leihgabe Institut für Zeitgeschichte, München – Berlin, Archiv, SV 73
Foto: Robert Ley bei einer Ansprache (15.2.1940) ~ Bilderdienst Süddeutscher Verlag, München
Mitgliedsbuch DAF (1.11.1939) ~ Institut für Zeitgeschichte, München – Berlin, Archiv, SV 294
Textexponat: „Unser Glaube baut Häuser...“ ~ zitiert nach: Robert Ley: Soldaten der Arbeit, München 1938, S. 118
Foto: DAF-Siedlung in Rosenheim (1940); Hersteller: F./G. Fleischmann, Rosenheim ~ Privatbesitz Alfred Mühlberger, Rosenheim [**Abb. 113**]
Organigramm der Reichskulturkammer ~ entnommen aus: Handbuch der Reichskulturkammer, hrsg. v. Hans Hinkel, Berlin 1937, S. 15 [**Abb. 114**]
Foto: Goebbels auf Tagung von Reichskulturkammer und KdF (27.11.1936); Foto: Hoffmann ~ Bilderdienst Süddeutscher Verlag, München [**Abb. 115**]
Ausschluß des Schriftstellers Alfred Mombert aus der RSK (18.10.1935) ~ Bundesarchiv/Berlin Document Center/RKK/Mombert, Alfred [**Abb. 116**]

Mitgliedsausweis RKK/Reichstheaterkammer von Karl Heilig ~ Dokumentations- und Kulturzentrum Deutscher Sinti und Roma, Heidelberg
Ablehnung des Ausschlusses Anton Roses aus der Reichsfilmkammer durch die Reichsvereinigung Deutscher Lichtspielstellen e.V. (31.8.1934) ~ Dokumentations- und Kulturzentrum Deutscher Sinti und Roma, Heidelberg
RSK-Normalvertrag für Schriftsteller ~ *Börsenblatt des deutschen Buchhandels,* Nr. 142 vom 22.6.1935, S. 505
Titelblatt des Ausstellungsführers „Entartete Kunst" in München; Verlag für Kultur und Wirtschaftswerbung, Berlin 1937 ~ Deutsches Historisches Museum, Berlin, R 92/740
Titelblatt der Broschüre: „Entartete Musik. Eine Abrechnung von Staatsrat Dr. Hans Severus Ziegler"; Völkischer Verlag, Düsseldorf 1939 ~ Deutsches Historisches Museum, Berlin, R 92/715 [**Abb. 117**]
Gemälde „Blut und Boden" von Erich Erler ~ entnommen aus: Mortimer G. Davidson, Kunst in Deutschland 1933–1945, Malerei I, Tübingen 1991, Nr. 301 [**Abb. 118**]
Ehrenurkunde für ununterbrochene 5jährige Dienstzeit des Josef Doll beim Bauern Notz in Manneberg (1936) ~ Privatbesitz Volker Dahm, München
Foto: Erntedankfest (5.10.1936); Foto: Scherl Bilderdienst ~ Bilderdienst Süddeutscher Verlag, München [**Abb. 119**]
Foto: R. Walther Darré auf dem Reichsbauerntag in Goslar (27.11.1938) ~ Ullstein Bilderdienst, Berlin, 2 15 330 43 60 – 30 [**Abb. 120**]
R. Walther Darré, Das Schwein als Kriterium für nordische Völker und Semiten; J. F. Lehmans Verlag, München 1933
R. Walther Darré, Neuadel aus Blut und Boden; J. F. Lehmans Verlag, München 1930

C 3.6 „Kraft durch Freude". Stärkung des Arbeitswillens und der Leistungsfähigkeit

Textexponat: „Sorgen Sie mir dafür, daß das Volk seine Nerven behält..."; Auftrag Adolf Hitlers an Ley ~ zitiert nach: Anatol von Hübbenet: Die NS-Gemeinschaft „Kraft durch Freude". In: Das Dritte Reich im Aufbau. Bd. 6., Berlin 1942, S. 354-405, hier S. 254 [**Abb. 125**]
Titelblatt der DAF-Zeitschrift *Schönheit der Arbeit* (Jg. II, Heft 9, Berlin Januar 1938)
Foto: Wettkampf-Betriebssportgruppe (19.6.1941); Foto: Schwahn ~ Bilderdienst Süddeutscher Verlag, München [**Abb. 121**]
Plakat „Kraft durch Freude. Freude durch Reisen. Reisen durch Sparen." (nach 1933) ~ Bayerisches Hauptstaatsarchiv, München, Plakatsammlung, 14493 [**Abb. 122**]
Foto: Seereise mit KdF-Schiff „Der Deutsche" nach Norwegen (1937) ~ Stadtarchiv München, Historisches Bildarchiv, 292/1/20
Reisesparkarte ~ Freistaat Bayern (= Institut für Zeitgeschichte, München – Berlin, Archiv, OSB 238)
Reisegutscheinheft (1937) ~ Freistaat Bayern (= Institut für Zeitgeschichte, München – Berlin, Archiv, OSB 239)
KdF-Urlaubslied aus Reisegutscheinheft (1937) ~ Freistaat Bayern (= Institut für Zeitgeschichte, München – Berlin, Archiv, OSB 239a)
Plakat: „Mit KdF ins Theater des Volkes" (nach 1935); Entwurf: A. Drescher ~ Deutsches Historisches Museum, Berlin, Plakatsammlung, P 84/274 [**Abb. 123**]
Hörerkarte „Deutsches Volksbildungswerk" (1943) ~ Freistaat Bayern (= Institut für Zeitgeschichte, München – Berlin, Archiv, OSB 241)
Grafik: KdF-Statistik ~ © Institut für Zeitgeschichte, München – Berlin 1998 nach: Anatol von Hübbenet: Die NS-Gemeinschaft „Kraft durch Freude". In: Das Dritte Reich im Aufbau. Bd. 6. Berlin 1942, S. 354-405 [**Abb. 124**]
Werbeprospekt für KdF-Wagen (ca. 1935) ~ Institut für Zeitgeschichte, München – Berlin, Archiv, SB 61 [**Abb. 126**]
KdF-Wagen-Sparkarte (1940) ~ Sammlung Karl Stehle, München
DAF-Bestätigung für geklebte KdF-Wagen-Sparkarten (22.2.1940) ~ Freistaat Bayern (= Institut für Zeitgeschichte, München – Berlin, Archiv, OSB 244a)

C 3.7 „Gut und Blut für Volk und Vaterland". Die Nationalsozialistische Volkswohlfahrt

Werbeplakat der Nationalsozialistischen Volkswohlfahrt; Entwurf: Ludwig Hohlwein ~ Stadtmuseum München, Plakatsammlung, C 23/18 [**Abb. 128**]
Plakat: „Spendet für das Hilfswerk ‚Mutter und Kind'" (nach 1933); Entwurf: S. Vogel ~ Institut für Zeitgeschichte, München – Berlin, Archiv, Plakatsammlung, OSB 252 [**Abb. 130**]
Anstecknadel „Volkswohlfahrt"; Original ~ Leihgabe Freistaat Bayern
Foto: Erich Hilgenfeldt ~ Bayerische Staatsbibliothek/Fotoarchiv Hoffmann, München, Hilgenfeldt, Erich, 1015 c-11 [**Abb. 127**]
Foto: Eintopfsonntag auf dem Obersalzberg (Januar 1935) ~ Bayerische Staatsbibliothek/Fotoarchiv Hoffmann, München, J.9/4412 [**Abb. 129**]
Sammelbüchse WHW; Original ~ Leihgabe Freistaat Bayern
Anstecknadeln und Abzeichen des Winterhilfswerks; Originale ~ Leihgaben Institut für Zeitgeschichte, München – Berlin, Archiv, SV 28 u. 29
Foto: WHW Straßensammlung mit Zirkus-Krone-Elephant Assam (15.12.1935) ~ Stadtarchiv München, Historisches Bildarchiv, R 2886/III/18A [**Abb. 131**]

C 3.8 Erziehungsgemeinschaften

Graphik: „Der Weg des ‚gleichgeschalteten' Staatsbürgers" ~ © Elefanten Press, Berlin /Hoffmann & Campe, Hamburg [**Abb. 133**]
Textexponat: „... und sie werden nicht mehr frei ihr ganzes Leben..."; Ausschnitt aus der Rede Adolf Hitlers in Reichenberg am 2.12.1938 ~ Abschrift nach Tondokument der Deutsches Rundfunkarchivs, Frankfurt a. M. – Berlin, DRA 2590330 [**Abb. 132**]
Plakat: „Jugend dient dem Führer" (ca. 1940) ~ Deutsches Historisches Museum, Berlin, Plakatsammlung, P 63/809, Sign. 45-1 [**Abb. 137**]
Plakat „Jugend dient dem Führer" mit BDM-Mädel (ca. 1940) ~ Deutsches Historisches Museum, Berlin, Plakatsammlung, P 62/269 [**Abb. 136**]
Foto: Schirach und Axmann ~ Bundesarchiv, Koblenz, Bildarchiv, 183/1999/0412/501 [**Abb. 135**]
Foto HJ-Lagerromantik (1936) ~ Bildarchiv Preußischer Kulturbesitz, Berlin
Foto: HJ-Zeltlager (1939) ~ Bildarchiv Preußischer Kulturbesitz, Berlin [**Abb. 139**]
Foto: BDM-Maiden bei einem Aufmarsch (15.10.1933); Foto: Friedrich Seidenstücker ~ Bildarchiv Preußischer Kulturbesitz, Berlin [**Abb. 138**]
BDM-Führerinnenausweis (1942) ~ Institut für Zeitgeschichte, München – Berlin, Archiv, ED 444
Plakat: Lotterie für Jugendheim Berchtesgaden (1934) ~ Institut für Zeitgeschichte, München – Berlin, Archiv, Plakatsammlung, OSB 260 [**Abb. 134**]
Zeitschriften-Artikel: „Der Führer in der Adolf-Hitler-Jugendherberge in Berchtesgaden" ~ *Illustrierter Beobachter* vom 29.10.1936
Plakat: Anwerbung von Hitlerjungen für die Waffen-SS (nach 1939) ~ Deutsches Historisches Museum, Berlin, Plakatsammlung, P 62/1713 [**Abb. 140**]
Auszug aus einer Propagandabroschüre des Reichsarbeitsdiensts (29.3.1936) ~ Institut für Zeitgeschichte, München – Berlin, Archiv, ZX – OSB 263
Foto: Reichsarbeitsführer Konstantin Hierl mit Arbeitsmann ~ Bayerische Staatsbibliothek/Fotoarchiv Hoffmann, München, Hierl, Konstantin, 24 [**Abb. 142**]
Foto: RAD-Lager im Allgäu (14.5.1935) ~ Bilderdienst Süddeutscher Verlag, München
Foto: Morgenappell des RAD (1938) ~ Bilderdienst Süddeutscher Verlag, München [**Abb. 141**]
Der deutsche Frauenarbeitsdienst. Sonderausgabe der Zeitschrift *Deutscher Arbeitsdienst* (o.D. [ca. 1935]) ~ Institut für Zeitgeschichte, München – Berlin, Archiv, OSB 266
Arbeitsmänner zwischen Bug und Wolga. Erlebnisberichte und Bilder vom Einsatz des jüngsten Jahrgangs an der Ostfront. Ausgewählt und bearbeitet von Hans Looks und Hans Fischer, Zentralverlag der NSDAP Franz Eher Nachf., Berlin 1942 [**Abb. 143**]

C 3.9 Ausgestoßen, abgesondert, vernichtet. Die Opfer der Volksgemeinschaft

Scanneranimation: „Die Opfer der Volksgemeinschaft" ~ Technik und Software: The Best of Multimedia GmbH, München/Heidelberg

C 4 Der Terrorapparat

C 4.1 „Unsere Ehre heißt Treue". Aufstieg und Selbstverständnis der SS

Foto: „Stoßtrupp Hitler" (1923) ~ Ullstein Bilderdienst, Berlin, 2 15 320 36 80 – 2 [**Abb. 145**]
Foto: Vereidigung SS-Leibstandarte auf Hitler (9.11.1933) ~ Bayerische Staatsbibliothek/Fotoarchiv Hoffmann, München, L.74/C 38.3 [**Abb. 146**]
Schlagzeile nach dem „Röhmputsch" ~ *Völkischer Beobachter* vom 1.7.1934
Auszug aus der amtlichen Todesliste des „Röhmputsches" (1934) ~ Bundesarchiv, Berlin, NS 23/475, Bl. 458-464 [**Abb. 147**]
Foto: Parade der SS-Totenkopfverbände vor Hitler, Himmler und Göring (Reichsparteitag Nürnberg 1936) ~ Gedenkstätte Deutscher Widerstand, Berlin [**Abb. 148**]
Feindbild der SS: Collage aus Schlagzeilen und Karrikaturen aus *Dem Schwarzen Korps* ~ © Institut für Zeitgeschichte, München – Berlin 1999
Textexponat: Himmler über SS als nationalsozialistischer Orden ~ zitiert nach: Heinrich Himmler: Die Schutzstaffel als antibolschewistische Kampforganisation. München 1936, S. 31 [**Abb. 149**]

Fragebogen zur Erteilung einer Eheerlaubnis für SS-Mann (15.7.1937 bzw. 31.12.1937); Auszug ~ Bundesarchiv/Berlin Document Center/Rasse- und Siedlungshauptamt, BPC RS ärztl. Untersuchung S.5 und Fragebogen VS [**Abb. 150, 151**]
SS-Eid ~ entnommen aus: „Dich ruft die SS", hrsg. v. Reichsführer SS, Berlin – Leipzig o. J. [ca. 1942], S. 18 [**Abb. 152**]
SS-Dolch; Original ~ Leihgabe Institut für Zeitgeschichte, München – Berlin, Archiv, SV 311
SS-Totenkopfring mit Inschrift „Heinrich Himmler"; originalgetreue Nachkriegsfertigung ~ Leihgabe Freistaat Bayern
Foto: Vorgeschichtliche Schulung der SS ~ Bilderdienst Süddeutscher Verlag, München [**Abb. 153**]

C 4.2 Gestapo und SD

Foto: Göring übergibt in der Prinz-Albrecht-Straße 8 die Leitung der Gestapo an Himmler (20.4.1934) ~ Bundesarchiv, Koblenz, Bildarchiv, R 96954
Karte: „Die politische Polizei: Zuständigkeitsbereiche im März 1934" ~ © Institut für Zeitgeschichte, München – Berlin 1999; Herstellung: Kartographie Peckmann, Ramsau; Fotos: Göring (1934) Bilderdienst Süddeutscher Verlag, München; Himmler (1933) Ullstein Bilderdienst, Berlin, 1 08 000594 110 – 2 [**Abb. 155**]
Erlaß über die Einsetzung eines Chefs der Deutschen Polizei (17.6.1936) ~ RGBl I 1936, S. 487f. [**Abb. 154**]
Organigramm: Der Aufbau der Reichspolizei. Organisation auf Reichsebene (Entwicklungsstand 1937/38) ~ © Institut für Zeitgeschichte, München – Berlin 1999 [**Abb. 156**]
Dienstmarke der Gestapo; originalgetreue Nachkriegsfertigung ~ Leihgabe Freistaat Bayern [**Abb. 158**]
Gestapokarte: Festnahmen durch die Gestapo (im Juni 1937) ~ Deutsches Historisches Museum, Berlin, Dokumentensammlung, Do 58/257
Foto: Polizeiführerbesprechung im Münchener Bürgerbräukeller (9.11.1939) ~ Bayerische Staatsbibliothek/Fotoarchiv Hoffmann, München, N.216/4499 [**Abb. 157**]
Schutzhaftbefehl Gottlieb Branz (6.2.1939) ~ Archiv der KZ- Gedenkstätte Dachau [**Abb. 159**]
Auszüge aus Rundschreiben Heydrichs betr. „Sonderbehandlung" (15.9.1939) ~ Bundesarchiv, Berlin, R 58/243, Bl. 210, 213 m. Rs.
Tötungsbefehl Himmlers mit Vermerk über Hinrichtung (8.9.1939); entnommen aus: *Deutsche Volkszeitung*, Berlin vom 8.8.1945 ~ Staatsbibliothek zu Berlin – Preußischer Kulturbesitz, Berlin, 20 Ztg 5021 [**Abb. 160**]
Textexponat: Otto Ohlendorf über die Aufgaben des SD; umgewandelt in direkte Rede ~ zitiert nach: Felix Kersten: Totenkopf und Treue. Heinrich Himmler ohne Uniform. Hamburg 1952, S. 253
Meldungen aus dem Reich Nr. 75 (10.4.1940) ~ Bundesarchiv, Berlin, R 58/150, Bl. 74 [**Abb. 161**]
Sonderbericht: Die Lage in der protestantischen Kirche und in den verschiedenen Sekten (1935) ~ Institut für Zeitgeschichte, München – Berlin, Archiv, Dc 15.09

C 4.3 Konzentrationslager vor dem Krieg

Foto: Transport von Ludwig Marum und Adam Remmele in das „wilde" KZ Kisslau (16.5.1933) ~ Stadtarchiv Karlsruhe, 8/Alben 5 Bd. 1, S. 29 (2) [**Abb. 162**]
2 Häftlingspersonalkarten Dachau (8.5.1937 bzw. 17.4. 1943) ~ Archiv der KZ-Gedenkstätte Dachau
Foto: Wachpersonal im KZ Dachau (1933) ~ Archiv der KZ-Gedenkstätte Dachau
Foto: Gefangene im KZ Dachau (1933) ~ Archiv der KZ-Gedenkstätte Dachau
Foto: SPD-Funktionäre im KZ Dachau (1933) ~ Archiv der KZ-Gedenkstätte Dachau
Auszug aus der Disziplinar- und Strafordnung Theodor Eickes für das KZ Dachau (1.10.1933) ~ Archiv der KZ-Gedenkstätte Dachau [**Abb. 163**]
Foto: Häftlingsarbeit in Dachau (1937) ~ Bilderdienst Süddeutscher Verlag, München [**Abb. 164**]
Häftlingsbrief aus Dachau (12.11.1939) ~ Institut für Zeitgeschichte, München – Berlin, Archiv, ED 505/1
Foto: Hauptlagerstraße des KZ Dachau nach Umbau des Lagers (28.6.1938) ~ Bundesarchiv, Koblenz, Bildarchiv, 152/23/21 A [**Abb. 165**]
Foto: Theodor Eicke (ca. 1934) ~ Bilderdienst Süddeutscher Verlag, München [**Abb. 166**]
KZ-Häftlingsstatistik 1933–1939 ~ © Institut für Zeitgeschichte, München – Berlin 1999
Tafel mit Häftlingskennzeichen (Stand 1940/41) ~ Archiv der KZ-Gedenkstätte Dachau [**Abb. 144**]
Schutzhaftbericht des Bezirksamts Berchtesgaden (November 1936) ~ Staatsarchiv München, LRA 31.475
Schreiben der Schutzpolizei des Marktes Berchtesgaden: Erfassung von „Arbeitsscheuen" in Berchtesgaden (10.3.1938) ~ Staatsarchiv München, LRA 31.474
Polizeihaftbefehl des Bezirksamts Berchtesgaden für Sebastian Walch (12.3.1938) ~ Staatsarchiv München, LRA 31.474 [**Abb. 167**]

C 4.4 Politische Justiz

Zusammenstellung von Verfahren des Sondergerichts München gegen Berchtesgadener Bürger ~ © Institut für Zeitgeschichte, München – Berlin 1999
Verfahren mit Urteil und Vollstreckungsprozedur vor Sondergericht München gegen Jaroslav Rucicka u. a. (Mai – August 1943) ~ Staatsarchiv München, Staatsanwaltschaften 12.029 [**Abb. 169**]

Mitteilung über Todesurteil gegen Rudolf Kriß (3.10.1944) ~ Staatsarchiv Landshut, JVA Straubing A 787 Sta Landshut
Foto: Rudolf Kriß ~ Bayerisches Nationalmuseum, München
Häftlingspersonalkarte Rudolf Kriß ~ Staatsarchiv Landshut, JVA Straubing A 787 Sta Landshut
Foto: Roland Freisler ~ Bundesarchiv, Koblenz, Bildarchiv, 151/17/15 [**Abb. 168**]
Tondokumente: Aus den Prozessen gegen die „Verschwörer" des 20. Juli 1944 vor dem VGH; Prozeß gegen Ulrich Schwerin von Schwanenfeld (Aufnahmedatum: 7.9.1944); Prozeß gegen Carl Goerdeler, Ulrich von Hassel, Josef Wirmer, Wilhelm Leuschner, Paul Lejeune-Jung: Verhandlung gegen Josef Wirmer (7.9.1944); Urteil gegen Carl Goerdeler, Wilhelm Leuschner, Josef Wirmer und Ulrich von Hassel, Redner: Roland Freisler (8.9.1944) ~ Zuwendung Deutsches Rundfunkarchiv, Frankfurt a. M. – Berlin, DRA 73 U 3166/1 [**Abb. 298**]
Foto: Josef Wirmer vor dem VGH (8.9.1944) ~ Bayerische Staatsbibliothek/Fotoarchiv Hoffmann, München, XX.28/4633
VGH-Urteil gegen Ulrich Schwerin von Schwanenfeld (21.8.1944) ~ Bundesarchiv, Berlin, Ry 1 F 2/3/151, Bl. 114 m. Rs.
Foto: Ulrich Schwerin von Schwanenfeld vor dem VGH (7.9.1944) ~ Bayerische Staatsbibilothek/Fotoarchiv Hoffmann, München, XX.28/4653
Statistik der Todesurteile durch VGH und Sondergerichte 1933-1945 ~ © Institut für Zeitgeschichte, München – Berlin 1999 [**Abb. 170**]
Foto: Hinrichtungsstätte Plötzensee ~ Gedenkstätte Deutscher Widerstand, Berlin [**Abb. 171**]
Fernschreiben an Kaltenbrunner betr. Hinrichtungsfrequenz (6.9.1944) ~ Institut für Zeitgeschichte, München – Berlin, Archiv, ED 106/81 [**Abb. 172**]

C 4.5 SS und Polizei im Krieg

Organigramm: Die Organisation des Reichssicherheitshauptamts (RSHA) mit Gruppen- und Referatsgliederung des Amts IV (Gestapo) (Stand 1.1.1941) ~ © Institut für Zeitgeschichte, München – Berlin 1998; Quelle: Nürnberger Dokument 185-L, in: IMT, Bd. 38, S. 1-24: Geschäftsverteilungsplan des Reichssicherheitshauptamts vom 1.3.1941; Fotos: Bundesarchiv, Koblenz (4), Stiftung „Topographie des Terros", Berlin (2), Bilderdienst Süddeutscher Verlag, München (1), Bayerische Staatsbibliothek/Fotoarchiv Hoffmann, München (1), Institut für Zeitgeschichte, München – Berlin (1) [**Abb. 173**]
Foto: Hauptdienstgebäude des Reichssicherheitshauptamts in Berlin (um 1937) ~ Bildarchiv Preußischer Kulturbesitz, Berlin [**Abb. 174**]
Organigramm: SS und Polizei in den besetzten Gebieten ~ © Institut für Zeitgeschichte, München – Berlin 1998 [**Abb. 175**]

C 5 „Rassenpolitik", Judenverfolgung, Völkermord

C 5.1 Feindbild Rasse

Antisemitische Passage aus „Mein Kampf" ~ entnommen aus: Adolf Hitler: Mein Kampf. Erster Band: Eine Abrechnung, München 1925, S. 66
Textexponat: „Arierparagraph" in der Satzung des Leipziger Studentenverbandes (1912) ~ zitiert nach: Norbert Kampe: Studenten und „Judenfrage" im Deutschen Kaiserreich. Göttingen 1988, S. 181
Reichsbanknote RM 1.000,00 mit nachträglichem antisemitischen Aufdruck (ca. 1923/24) ~ Institut für Zeitgeschichte, München – Berlin, Archiv, SV 22
Foto: Die Anthropologin Sophie Erhardt bei der Anfertigung eines Gesichtsabdrucks eines Sinto ~ Bundesarchiv, Koblenz, Bildarchiv, 98/52/1 A [**Abb. 178**]
Karl Binding/Alfred Hoche, Die Freigabe der Vernichtung lebensunwerten Lebens. Ihr Maß und ihre Form, Verlag von Felix Meiner, Leipzig 1920
Plakat zum „Dokumentar"-Film „Der ewige Jude" (1940) ~ Bundesarchiv, Koblenz, Plakatsammlung, 3/20/30 [**Abb. 177**]
Schreiben des Bezirksschulrates in Weißenburg an den *Stürmer* (16.10.1941) ~ Stadtarchiv Nürnberg/Stürmer-Archiv, E 39/1409/7
Antisemitisches Kinderbuch: „Trau keinem Fuchs auf grüner Heid und keinem Jud bei seinem Eid!" von Elvira Bauer, Stürmer-Verlag, Nürnberg 1936 ~ Institut für Zeitgeschichte, München – Berlin, Bibliothek, N 200/2 [**Abb. 179**]

C 5.2 Ausgrenzung, Entrechtung und Enteignung der Juden, Sinti und Roma

Foto: Boykottposten vor jüdischem Geschäft in Berlin (April 1933); © A-B-C Berlin-Steglitz ~ Bundesarchiv, Koblenz, Bildarchiv, 70/41/54 (14471) [**Abb. 182**]
Foto: Der jüdische Rechtsanwalt Michael Siegel wird durch die Münchener Innenstadt getrieben (10.3.1933); Foto: Heinrich Sanden (Aufschrift „ich werde mich nie mehr bei der Polizei beschweren" nachträglich von unbekannter Hand retuschiert) ~ Bilderdienst Süddeutscher Verlag, München

Foto: Demütigung jüdischer Schüler vor ihrer Klasse (Wien 1938) ~ Yad Vashem, Jerusalem, 1652/9 [**Abb. 180**]
Foto: Bekanntmachung „... Juden binnen 24 Stunden ..aus den Bayer. Bergen zu verschwinden" (10.8.1935); Foto: Georg Geis ~ Stadtarchiv Nürnberg/Stürmer-Archiv, E 39/1125-20 [**Abb. 181**]
Foto: Omnibushaltestelle am Berchtesgadener Bahnhof mit antisemitischem Schild (ca. 1938) ~ Stadtarchiv Nürnberg/Stürmer-Archiv, E 39/2246-5
„Nürnberger Gesetze" (15.9.1935) ~ RGBl I 1935, S. 1146f.
Schematische Darstellung der Ehemöglichkeiten nach dem „Blutschutzgesetz" (16.9.1935) ~ Deutsches Historisches Museum, Berlin, Plakatsammlung, P 69 /10 2 [**Abb. 183**]
Anzeige eines „arisierten" Münchener Betriebs ~ *Münchner Neueste Nachrichten* Nr. 214/91. Jg. vom 2.8.1938
Denunziation der Vierteljüdin Bernile mit Zeitungsannonce von Heinrich Hoffmann (22.9.1933) ~ Staatsarchiv München, Pol.Dir. München 6.969
Textexponat: Zitat Göring „... mir wäre es lieber gewesen" ~ Aus: Stenographische Teilniederschrift der Besprechung über die Judenfrage unter Vorsitz von Hermann Göring im Reichsluftfahrtministerium am 12.11.1938, Nürnberger Dokument 1816-PS, S. 27 [**Abb. 184**]
2 Fotos: Brennende Synagoge und gaffende Zuschauer (Bielefeld, 9.11.1938); Foto: Hans Asemissen ~ H+Z Bildagentur, Hannover, 49217-0 [**Abb. 185, 186**]
Statistik über Auswanderung der Juden aus Deutschland ~ Nach: Yearbook of the Leo Baeck Institute, London 1980

C 5.3 Von der Sterilisierung zum Mord an Kranken

Erlaß des Reichsinnenministers zum Blutschutzgesetz: Heiratsverbot zwischen „Deutschblütigen" und „Zigeunern" (3.1.1936) ~ Bundesarchiv, Berlin, R 18/3514, Bl. 155 [**Abb. 187**]
Foto: Burgenländische Roma in Dachau (vermutlich Sommer 1939) ~ Archiv der KZ-Gedenkstätte Dachau [**Abb. 188**]
Sterilisierungs-Urteil des Erbgesundheitsgerichts beim Amtsgericht Rosenheim/Obb. (27.7.1939) ~ Staatsarchiv München, Erbgesundheitsheitsgerichte Nr. 41
Foto: „Rheinlandbastard"; © A-B-C Berlin Steglitz ~ Bundesarchiv, Koblenz, Bildarchiv, 102/15664 (15664) [**Abb. 189**]
Hitlers „Euthanasie"-Ermächtigung (1.9.1939 [rückdatiert]) ~ Bundesarchiv, Berlin, R 22/4209, Bl. 1 [**Abb. 190**]
2 Fotos geistig behinderter Kinder ~ Hessisches Hauptstaatsarchiv, Wiesbaden, Abt./Nr. 461/32442/14 [**Abb. 191, 192**]
Foto: Seziertes Gehirn ~ Privatbesitz Ernst Klee, Frankfurt a. M. [**Abb. 193**]
Karte mit Fotos der Gasmordanstalten der T4-Aktion ~ Landeswohlfahrtsverband Hessen/Archiv, Kassel [**Abb. 194**]
Foto: Friedrich Mennecke ~ Hessisches Hauptstaatsarchiv, Wiesbaden, Abt./Nr. 461/32442, Bd. 12 [**Abb. 195**]
Auszug aus Brief Menneckes an seine Frau (25.11.1941) ~ Hessisches Hauptstaatsarchiv, Wiesbaden, Abt./Nr. 631a/1652 [**Abb. 196**]

C 5.4 Die Ausbreitung der Verfolgung in Europa 1939 – 1941

Foto: Erschießung eines Priesters (1939) ~ Instytut Pamieci Narodowej – Archiwum Glownej Komisji Badania Zbrodni przeciwko Narodowi Polskiemu, Warszawa (Institut des Nationalen Gedenkens – Archiv der Hauptkommission zur Untersuchung der Verbrechen am polnischen Volk, Warschau), Bild-Nr. 592 [**Abb. 197**]
Foto: Deportation von Juden aus Bielefeld nach Riga (13.12.1941) ~ Stadtarchiv und Landesgeschichtliche Bibliothek Bielefeld
Foto: Polen-Jugendverwahrlager Litzmannstadt (Lodz) ~ Archiwum Okregowej Komisji Badania Zbrodni przeciwko Narodowi Polskiemu – Instytut Pamieci Narodowej w Lodzi (Bezirkskommission zur Untersuchung der Verbrechen am polnischen Volk – Institut des Nationalen Gedenkens – in Lodz)
Foto: Aufnahme in Polen-Jugendverwahrlager Litzmannstadt (Lodz) (14.9.1943) ~ Archiwum Okregowej Komisji Badania Zbrodni przeciwko Narodowi Polskiemu – Instytut Pamieci Narodowej w Lodzi (Bezirkskommission zur Untersuchung der Verbrechen am polnischen Volk – Institut des Nationalen Gedenkens in Lodz) [**Abb. 198**]
Foto: Ghetto Warschau, verhungertes Kind (1940) ~ Bundesarchiv, Koblenz, Bildarchiv, 134/778/38
Foto: Kinder im Ghetto Warschau (1940) ~ Bundesarchiv, Koblenz, Bildarchiv, 134/783/6A [**Abb. 199**]
Zeitgenössische Statistik über die Sterblichkeit im Ghetto Warschau (1941) ~ Archiwum Zydowskiego Instytutu Historycznego, Warszawa (Archiv des Jüdischen Historischen Instituts, Warschau)
Foto: Erhängung in Pančevo (22.4.1941); Foto: Gerhard Gronefeld ~ Deutsches Historisches Museum, Berlin, Bildarchiv, GG 338, Album 6 a/ICN 61 A (Pančevo) [**Abb. 200**]
„Walther-Bericht" (1.11.1941) ~ Bundesarchiv/Militärarchiv, Freiburg, NOKW 905 [**Abb. 201**]

C 5.5 Der Vernichtungskrieg in der Sowjetunion

Meldung der Panzergruppe 3 über Erschießung von Kommissaren (18.7.1941) ~ Institut für Zeitgeschichte, München – Berlin, Archiv, MA 1564/29 = NOKW 2283

Auszüge aus Schreiben Heydrichs betr. Erschießungskategorien (2.7.1941) ~ Institut für Zeitgeschichte, München – Berlin, Archiv, Fb 85/1

Karte: „Wege und Aktionsräume der Einsatzgruppen in der Sowjetunion" ~ © Institut für Zeitgeschichte, München – Berlin 1999; Herstellung: Kartographie Peckmann, Ramsau [**Abb. 204**]

Auszug aus der Meldung der Einsatzgruppe D über ihre Tätigkeit auf der Krim (22.12.1941) ~ Bundesarchiv, Berlin, R 58/219, Bl. 378 [**Abb. 202**]

Foto: Exekution sowjetischer Zivilisten (Juni bis September 1941) ~ United States Holocaust Memorial Museum, Washington, Desig. # 431.879/W/S # 89063 [**Abb. 203**]

Auszug aus dem „Jäger-Bericht" (1.12.1941) ~ Institut für Zeitgeschichte, München – Berlin, Archiv, Fb 101/29

Foto: Karl Jäger ~ Stiftung „Topographie des Terrors", Berlin

2 Fotos: Erschießung von Juden am Strand von Libau/Lettland (15.12.1941) ~ Yad Vashem, Jerusalem, Pictorial History 85D02 und 85E07 [**Abb. 205, 206**]

Tagesmeldung Polizeiregiment Süd über Massenerschießung von Juden (30.8.1941) ~ Bundesarchiv, Berlin, NS 33/22, Bl. 84 [**Abb. 207**]

Auszug aus einer Liste ermordeter Sinti und Roma (30.10.1942) ~ Dokumentations- und Kulturzentrum Deutscher Sinti und Roma, Heidelberg

Foto: Leichen sowjetischer Kriegsgefangener im Stammlager Bergen-Belsen (Herbst 1941) ~ National Archives, Washington, Record Group 338, File 000-50-27 [**Abb. 208**]

Einsatzbefehl Chef der Sicherheitspolizei und des SD Nr. 9 zur Aussonderung (21.7.1941) ~ Institut für Zeitgeschichte, München – Berlin, Archiv, OSB 378 [**Abb. 209**]

Merkpunkte der Konferenz von Orscha (13.11.1941) ~ Institut für Zeitgeschichte, München – Berlin, Archiv, MA 1564/20 = NOKW 1535 [**Abb. 210**]

Aktenvermerk des Wirtschafts- und Rüstungsamts der Wehrmacht betr. Behandlung und Arbeitseinsatz sowjet. Kriegsgefangener (20.2.1942) ~ Bundesarchiv/Militärarchiv, Freiburg, Wi/IF 5.3434

Auszug aus Abschlußmeldung der SS-Kavalleriebrigade über die „Durchkämmung" der Pripjetsümpfe (13.8.1941, Bl. 1, 12.8.1941, Bl. 4) ~ entnommen aus: Unsere Ehre heißt Treue. Kriegstagebuch des Kommandostabes Reichsführer SS. Tätigkeitsberichte der 1. und 2. SS-Inf.Brigade der 1. SS-Kav.-Brigade und von Sonderkommandos der SS, Wien 1965, S. 214, 220

Notiz des Wehrwirtschafts- und Rüstungsamts (2.5.1941) ~ National Archives, Washington, International Military Tribunal, Nuremberg, Record Group 238, USA 32, Filed 26. Nov. 1945, Box 2 (NM – 66, Entry 2 A) [**Abb. 211**]

Statistik: Hungertote in Charkow ~ © Institut für Zeitgeschichte, München – Berlin 1999 nach Raul Hilberg: Täter-Opfer-Zuschauer. Die Vernichtung der europäischen Juden 1933-1945. Frankfurt a. M. 1992, S. 223

Foto: Erschießung russischer Zivilisten bei Wjasma (Oktober 1941) ~ Bundesarchiv, Koblenz, Bildarchiv, 86/119/12A

Foto: Hinrich Lohse ~ Bayerische Staatsbibliothek/Fotoarchiv Hoffmann, München, Lohse, Hinrich, 7444

Bericht Hinrich Lohses an Alfred Rosenberg über das Antipartisanenunternehmen „Cottbus" (18.6.1943) ~ Institut für Zeitgeschichte, München – Berlin, Archiv, R 135 [**Abb. 213**]

Bericht Wilhelm Kubes an Alfred Rosenberg über das Antipartisanenunternehmen „Cottbus" (5.6.1943) ~ Institut für Zeitgeschichte, München – Berlin, Archiv, R 135 [**Abb. 215**]

Feldpostbrief über Wehrmacht-Mordaktionen (10.11.1941) ~ Institut für Zeitgeschichte, München – Berlin, Archiv, ED 532 [**Abb. 212**]

Foto: Erhängung russischer Zivilisten in Noworossijsk (Ende 1942) ~ Institut für Zeitgeschichte, München – Berlin, Archiv, OSB 386 [**Abb. 214**]

C 5.6 Das nationalsozialistische Lagersystem in Europa 1942-1945

Textexponat: „Allerorts und aller Art: ‚Das Lager als Lebensform des Nationalsozialismus'" ~ © Institut für Zeitgeschichte, München – Berlin 1999 [**Abb. 216**]

Statistik: Entwicklung der Zahl der registrierten Häftlinge in den Konzentrationslagern (ohne sofort Ermordete) ~ © Institut für Zeitgeschichte, München – Berlin 1999; Zahlen nach: Klaus Drobisch/Günther Wieland, Das System der NS-Konzentrationslager 1933 – 1939, Berlin 1993; Johannes Tuchel, Konzentrationslager. Organisationsgeschichte und Funktion der „Inspektion der Konzentrationslager" 1934 – 1938, Boppard 1991; Herbert Kaienburg, „Vernichtung durch Arbeit": Der Fall Neuengamme. Die Wirtschaftsbestrebungen der SS und ihre Auswirkungen auf die Existenzbedingungen der KZ-Gefangenen. Bonn 1991; Martin Broszat, Nationalsozialistische Konzentrationslager 1933-1945. In: Anatomie des SS-Staates, Gutachten des Instituts für Zeitgeschichte, Freiburg 1965 [**Abb. 220**]

Karte: „Das nationalsozialistische Lagersystem in Europa" ~ © Institut für Zeitgeschichte, München – Berlin 1999; Herstellung: Kartographie Peckmann, Ramsau [**Abb. 217**]

Interaktiver PC: „Das nationalsozialistische Lagersystem in Europa" ~ © Institut für Zeitgeschichte, München – Berlin 1999, *Technik und Software:* The Best of Multimedia GmbH, München/Heidelberg; *Fotos:* Instytut Pamieci Narodowej – Archiwum Glownej Komisji Badania Zbrodni przeciwko Narodowi Polskiemu, Warszawa (Institut des Nationalen Gedenkens – Archiv der Hauptkommission zur Untersuchung der Verbrechen am polnischen Volk, Warschau) (9); United States Holocaust Memorial Museum, Washington (8); Panstwowe Muzeum w Oswiecimiu (Staatliches Museum in Auschwitz) (5); Archiv der KZ-Gedenkstätte Dachau (3); Haus der Geschichte der Bundesrepublik Deutschland, Bonn (2); Gedenkstätte Bergen-Belsen (1); Gedenkstätte Buchenwald (1); Gedenkstätte Mauthausen (1); Gedenkstätte Mittelbau-Dora (1); Gedenkstätte Ravensbrück (1); Hauptstaatsarchiv Ludwigsburg (1); Lettisches Okkupationsmuseum, Riga (1); Archiv Ing.-Büro Dr. H. G. Carls, Würzburg-Estenfeld (1); Niedersächsische Landeszentrale für politische Bildung, Hannover (1); Staatsanwaltschaft Hamburg (1); Zentrale Stelle der Landesjustizverwaltungen, Ludwigsburg (1); alle anderen: Institut für Zeitgeschichte, München – Berlin, wobei die Rechte nicht in jedem Einzelfall geklärt werden konnten.

Karte: „Konzentrationslager, ihre Außenlager und -kommandos sowie Arbeitserziehungslager in Bayern" ~ © Institut für Zeitgeschichte, München – Berlin 1999; Herstellung: Kartographie Peckmann, Ramsau [**Abb. 218**]

Computerprogramm: „Deutschland – ein Denkmal. Datenbank zum nationalsozialistischen Lagersystem im Deutschen Reich" ~ © Sigrid Sigurdsson und Karl Ernst Osthaus-Museum der Stadt Hagen; *Konzept:* Sigrid Sigurdsson, *Herausgeber/Produktion:* Karl Ernst Osthaus-Museum der Stadt Hagen, *Kurator:* Michael Fehr, *Aufbau und wissenschaftliche Bearbeitung/Bildbearbeitung:* Bettina Heil, Holger Sarnes, *Programmierung:* Michael Schäfer, zeitec software gmbh, Hagen, *Mitarbeiter:* Cornelia Steinhauer, Michael Maass, *Übersetzungen ins Englische:* Brigitte Kalthoff. *Wissenschaftliche Beratung:* Institut für Zeitgeschichte, München – Berlin, Thomas Lutz, Stiftung „Topographie des Terrors", Berlin

Foto: Barackenstraße im KZ Lublin-Majdanek (Oktober 1941–Juli 1944) ~ United States Holocaust Memorial Museum, Washington, Photo Archives Desig # 160.1, W/S # 50487

Schreiben des Kommandeurs der Sicherheitspolizei und des SD für den Distrikt Radom (21.7.1944) ~ Institut für Zeitgeschichte, München – Berlin, Archiv, Nürnberger Dokument L 53

Foto: Evakuierungsmarsch von Häftlingen aus dem KZ Dachau (April 1945) ~ Archiv der KZ-Gedenkstätte Dachau [**Abb. 255**]

Foto: Häftlinge des KZ-Dachau bei Zwangsarbeit im BMW-Flugmotorenwerk Allach (während des Kriegs) ~ BMW München, Historisches Archiv, MÖ.I S./257 [**Abb. 219**]

C 5.7 Die „Endlösung der Judenfrage" in Europa

Tondokument: Auszug aus Rede Hitlers vor dem Reichstag am 30.1.1939 ~ Zuwendung Deutsches Rundfunkarchiv, Frankfurt a. M.– Berlin, DRA 2590333 [**Abb. 223**]

Tondokument: Geheimrede Himmlers auf SS-Gruppenführertagung in Posen am 4.10.1943 ~ Zuwendung Deutsches Rundfunkarchiv, Frankfurt a. M.– Berlin, DRA U 3374–76/1 [**Abb. 227**]

Textexponat: Auszug aus Himmler-Rede: „... in einem Jahr ... wandert keiner mehr." (9.6.1942) ~ zitiert nach: Heinrich Himmler. Geheimreden 1933 bis 1945 und andere Ansprachen, hrsg. v. Bradley F. Smith und Agnes F. Peterson, Frankfurt a. M./Berlin/Wien 1974, S. 159 [**Abb. 226**]

Foto: Ghetto Litzmannstadt (Lodz) ~ Jüdisches Museum, Frankfurt a. M., Dia Nr. 61 [**Abb. 176, 222**]

Foto: Besuch Himmlers im Ghetto Litzmannstadt (Lodz) (6.6.1941) ~ Jüdisches Museum, Frankfurt a. M., Dia Nr. 24 [**Abb. 221**]

Fotoserie (5 Fotos) von der Liquidierung des Ghettos Misotsch (Misocz)/Westukraine (14.10.1942); Fotos: Gustav Hille ~ Institut für Zeitgeschichte, München – Berlin, Archiv, Fb. 98 [**Abb. 228-232**]

Foto: Pogrom in Kaunas (27.6.1941); © Foto: Wilhelm Gunsilius, Blaubeuern ~ Institut für Zeitgeschichte, München – Berlin, OSB 389 b [**Abb. 225**]

Foto: Litauische Kollaborateure mit gefangenen Juden (Juni/Juli 1941) ~ Bundesarchiv, Koblenz, Bildarchiv, 183/B 12290 [**Abb. 224**]

Foto: Friedrich Jeckeln ~ Bundesarchiv, Koblenz, Bildarchiv, 183/93/66/4 [**Abb. 233**]

Foto: Babi Jar-Mulde bei Kiew (ca. 1944) ~ United States Holocaust Memorial Museum, Washington, Photo Archives Desig # 431.2727, W/S # 68544

Schreiben des Gestapo-Chefs Heinrich Müller: Auswanderungsverbot für Juden (23. 10. 1941) ~ Centre de Documentation Juive Contemporaine, Paris, Document XXVb-7

Foto: Haus der Wannsee-Konferenz ~ Bildarchiv Preußischer Kulturbesitz, Berlin

Goebbels über die „Aktion Reinhardt" (Tagebuch vom 27.3.1942) ~ Institut für Zeitgeschichte, München – Berlin, Akten der Goebbels-Edition bzw. Die Tagebücher von Joseph Goebbels. Im Auftrag des Instituts für Zeitgeschichte hrsg. von Elke Fröhlich, Teil II, Bd. 3, München 1994, S. 561 [**Abb. 234**]

Foto: Odilo Globocnik ~ Bayerische Staatsbibliothek/Fotoarchiv Hoffmann, München, Globocnik, Odilo, 9088 [**Abb. 235**]

Plakat der deutschen Zivilverwaltung zur Räumung des Ghettos Hrubieszow (22.10.1942) ~ Bundesarchiv, Koblenz, Plakatsammlung, (o. Sign.)

Foto: Verladung von Juden am Bahnhof Siedlce (23.8.1942); Foto: Hubert Pfoch ~ Institut für Zeitgeschichte, München – Berlin, Archiv, SB 79 [**Abb. 236**]

Vermerk über eine Besprechung der Distriktverwaltung Galizien (6.8.1942) ~ Derschavnyj Archiv Lvivskoj Oblasti (Staatliches Bezirksarchiv Lemberg), R 35-12-42

Fahrplananordnung der Generaldirektion der Ostbahn Nr. 587 (15.9.1942) ~ Zentrale Stelle der Landesjustizverwaltungen, Ludwigsburg, Ordner Nr. 162/Bl. 184 Polen [**Abb. 238**]

Schreiben Wolff an Ganzenmüller betr. „Aktion Reinhardt" (13.8.1942) ~ Bundesarchiv, Berlin, USA Bd.2, Bl. 255 (Nürnberger Dokument 2207 NO) [**Abb. 237**]

Beschwerde der Ortskommandantur Ostrow über Leichengeruch aus Treblinka (24.10.1942) ~ Bundesarchiv/ Militärarchiv, Freiburg, RH 53-23/80

Textexponat: „Laufende Informationen" der polnischen Untergrundbewgung über das Vernichtungslager Treblinka (Übersetzung aus dem Polnischen) (5.10.1942) ~ zitiert nach: Peter Longerich (Hrsg): Die Ermordung der europäischen Juden, München – Zürich 1989, S. 439 [**Abb. 239**]

Abschrift einer Postkarte aus dem Ghetto Kutno über Morde im Vernichtungslager Kulmhof (Chelmno) (27.1.1942) ~ Archiwum Zydowskiego Instytutu Historycznego, Warszawa, Ring I, nr. 573 (Archiv des Jüdischen Historischen Instituts, Warschau); entnommen aus: Archiwum Ringelbluma. Konspiracyjne Archiwum Getta Warszawy, hrsg. v. Ruta Sakowska, Warszawa 1997, S. 18

Seite aus dem sog. Stroop-Bericht (Juni 1943) ~ Institut für Zeitgeschichte, München – Berlin, Archiv, OSB 398a [**Abb. 240**]

Foto: SS-General Jürgen Stroop im Ghetto Warschau (April 1943) ~ Bundesarchiv, Koblenz, Bildarchiv, 183/R 99581 [**Abb. 241**]

Foto: Deportation mainfränkischer Juden (1942) ~ Bildarchiv Preußischer Kulturbesitz, Berlin [**Abb. 244**]

Foto: Deportation niederländischer Juden aus dem Durchgangslager Westerbork ~ Yad Vashem, Jerusalem, 20 A 09

Postkarte aus Theresienstadt (15.9.1944) ~ Institut für Zeitgeschichte, München – Berlin, Archiv, ED 228/6

Arbeits-Ausweis Nr. 1135 aus Theresienstadt von Gerty Spieß (1943) ~ Institut für Zeitgeschichte, München – Berlin, Archiv, ED 102/2

Foto: Straßenszene im Ghetto Theresienstadt (1944) ~ Yad Vashem, Jerusalem, 2517/20

Foto: Anne Frank ~ Bilderdienst Süddeutscher Verlag, München [**Abb. 245**]

Karte: „Alle Wege führen nach Auschwitz" ~ Institut für Zeitgeschichte, München – Berlin 1999 nach: M. Gilbert: Endlösung. Ein Atlas, 1982; Herstellung: Kartographie Peckmann, Ramsau [**Abb. 246**]

Foto: Eingangstor Auschwitz-Birkenau (1968) ~ Bundesarchiv, Koblenz, Bildarchiv, 175/4413

Foto: Selektion von karpatho-ukrainischen Juden an der Rampe von Auschwitz (Frühsommer 1944) ~ Yad Vashem, Jerusalem, 10 A05 [**Abb. 250**]

Foto: Gruppe jüdischer Frauen und Kinder nach der „Selektion" an der Rampe von Auschwitz-Birkenau (27.5.1944); Foto: E. Hoffmann und B. Walter ~ Yad Vashem, Jerusalem, 10 B 06 [**Abb. 251**]

Foto: Frauen und Kinder auf dem Weg zur Gaskammer (27.5.1944); Foto: E. Hoffmann und B. Walter ~ Yad Vashem, Jerusalem, FA 268/120 [**Abb. 252**]

Lili Meiers Album – Fotoalbum; Album: Yad Vashem, Jerusalem ~ Gesichter der Juden in Auschwitz, Lili Meiers Album, mit einer Einleitung von Peter Moses-Krause, hrsg. v. Hans-Jürgen Hahn, Verlag Das Arsenal, Berlin 1995

Goebbels über die „Endlösung der Judenfrage" (Tagebuch vom 7.10.1943) ~ Institut für Zeitgeschichte, München – Berlin, Akten der Goebbels-Edition bzw. Die Tagebücher von Joseph Goebbels. Im Auftrag des Instituts für Zeitgeschichte hrsg. von Elke Fröhlich, Teil II, Bd. 10, München 1994, S. 72 [**Abb. 249**]

Foto: Adolf Eichmann ~ Bayerische Staatsbibliothek/Fotoarchiv Hoffmann, München, Eichmann, Adolf, 8841 [**Abb. 242**]

Foto: Verhaftung von Juden in Budapest (1944) ~ Bundesarchiv, Koblenz, Bildarchiv, 680/8285A/25

Foto: Raoul Wallenberg (26.11.1944) ~ Bilderdienst Süddeutscher Verlag, München [**Abb. 243**]

Luftaufnahme der US-Luftwaffe: KZ Auschwitz I und II (26.6.1944); Deutsche Bilderläuterungen: Institut für Zeitgeschichte, München – Berlin 1999 auf der Grundlage der vom CIA nach entsprechenden Recherchen vorgenommenen Beschriftungen ~ Archiv Ing.-Büro Dr. H. G. Carls, Würzburg-Estenfeld/Central Intelligence Agency (CIA), Washington, D.C. [**Abb. 247**]

Luftaufnahme: Nahaufnahme Vernichtungslager Birkenau (25.8.1944); Deutsche Bilderläuterungen: Institut für Zeitgeschichte, München – Berlin 1999 auf der Grundlage der vom CIA nach entsprechenden Recherchen vorgenommenen Beschriftungen ~ Archiv Ing.-Büro Dr. H. G. Carls, Würzburg-Estenfeld/Central Intelligence Agency (CIA), Washington, D.C. [**Abb. 248**]

2 Fotos: Im Zigeunerlager Auschwitz ermordete Kinder ~ Dokumentations- und Kulturzentrum Deutscher Sinti und Roma, Heidelberg

Foto: Sinti-Zwillingspaare im Zigeunerlager Auschwitz ~ Bilderdienst Süddeutscher Verlag, München [**Abb. 253**]

Foto: Leichenverbrennung durch Sonderkommando Auschwitz (Sommer 1944) ~ Yad Vashem, Jerusalem, 20A08 [**Abb. 254**]

C 6 Das andere Deutschland. Widerstand und Emigration

C 6.1 „Hitler bedeutet Krieg!“ Widerstand und Exil 1933-1939

Foto: Fritz Gerlich ~ Bilderdienst Süddeutscher Verlag, München
Titelblatt *Der gerade Weg*, Nr. 15 vom 19.2.1933
Foto: Gerhart Seger ~ Gedenkstätte Deutscher Widerstand, Berlin [**Abb. 262**]
Foto: Hans Beimler ~ Gedenkstätte Deutscher Widerstand, Berlin [**Abb. 260**]
Gerhart Seger, Oranienburg. Erster authentischer Bericht eines aus dem Konzentrationslager Geflüchteten. Mit einem Geleitwort von Heinrich Mann; Verlagsanstalt Graphia, Karlsbad 1934 ~ Institut für Zeitgeschichte, München – Berlin, Bibliothek, Kk 220a [**Abb. 261**]
Hans Beimler, Im Mörderlager Dachau. Vier Wochen in den Händen der Braunen Banditen; Verlagsgenossenschaft Ausländischer Arbeiter in der UdSSR, Moskau – Leningrad 1933 ~ Bayerische Staatsbibliothek, München, REM III 163 [**Abb. 259**]
Zeitungsbericht über Beimlers Flucht ~ *Amperbote* vom 11.5.1933
Foto: Sopade-Mitglieder in Prag (1.10.1933) ~ Archiv der sozialen Demokratie der Friedrich-Ebert-Stiftung, Bonn, 6/FOTA010283 [**Abb. 257**]
Karte: Sozialdemokratische Grenzsekretariate 1933-1938/40 ~ © Institut für Zeitgeschichte, München – Berlin 1999; Herstellung: Kartographie Peckmann, Ramsau; Fotos: Archiv der sozialen Demokratie der Friedrich-Ebert-Stiftung, Bonn (9) sowie Archiv des Stadtgeschichtlichen Museums Spandau, Berlin [**Abb. 263**]
Foto: Waldemar von Knoeringen (1.1.1947) ~ Archiv der sozialen Demokratie der Friedrich-Ebert-Stiftung, Bonn, 6/FOTA007193 [**Abb. 258**]
Deutschland-Bericht der Sopade (1936) ~ Institut für Zeitgeschichte, München – Berlin, Archiv, OSB 422
Titelblatt *Sozialistische Aktion* mit „Prager Manifest“ (20.1.1934) ~ Archiv der sozialen Demokratie der Friedrich-Ebert-Stiftung, Bonn, Bestand SOPADE (Exilparteivorstand)
Die Kunst des Selbstrasierens. Neue Wege männlicher Kosmetik (1934); Tarnschrift des „Prager Manifests“ ~ Archiv der sozialen Demokratie der Friedrich-Ebert-Stiftung, Bonn, Bestand SOPADE (Exilparteivorstand) [**Abb. 264**]
Klebezettel (Agitationsmaterial) der illegalen SPD (1933/34) ~ Stadtarchiv Nürnberg/Stürmer-Archiv, E 39/1920/1
Flugzettel zur Reichstagswahl und Volksabstimmung vom 12.11.1933 ~ Institut für Zeitgeschichte, München – Berlin, Archiv, OSB 426
Foto: Deutsche KPD- und Kominternfunktionäre in Moskau (3.2.1936) ~ Stiftung Archiv der Parteien und Massenorganisationen der ehemaligen DDR im Bundesarchiv, Berlin [**Abb. 266**]
Titelblatt *Neue Zeitung* (München Anfang Juli 1933) ~ Staatsarchiv München, Staatsanwaltschaften beim OLG München, OJS 100/33
Foto: Lieselotte Hermann ~ Gedenkstätte Deutscher Widerstand, Berlin [**Abb. 265**]
Foto: Willy Brandt mit seiner ersten Frau und Kind (1944) ~ Archiv der sozialen Demokratie der Friedrich-Ebert-Stiftung, Bonn, 6/FOTA025775 [**Abb. 268**]
Foto: Ruth Oesterreich ~ Institut für Zeitgeschichte, München – Berlin, Archiv, ED 106/55
Foto: Karl Frank ~ Gedenkstätte Deutscher Widerstand, Berlin
Foto: Fritz Eberhard ~ Gedenkstätte Deutscher Widerstand, Berlin [**Abb. 267**]
ISK-Flugblatt „Persil bleibt Persil“ (Mai 1933) ~ Institut für Zeitgeschichte, München – Berlin, Archiv, ED 117/161
Foto: Heinrich Mann ~ Gedenkstätte Deutscher Widerstand, Berlin [**Abb. 270**]
Foto: Rudolf Breitscheid (1.1.1938) ~ Archiv der sozialen Demokratie der Friedrich-Ebert-Stiftung, Bonn, 6/FOTA031609 [**Abb. 269**]
Foto: Willi Münzenberg ~ Bundesarchiv, Koblenz, Bildarchiv, 183/N 0318/501
Gemeinsamer Aufruf zur Bildung einer deutschen Volksfront (21.12.1936) ~ Gedenkstätte Deutscher Widerstand, Berlin
Foto: Edgar Jung ~ Gedenkstätte Deutscher Widerstand, Berlin
Zeitungsbericht über „Marburger Rede“ Papens ~ *Die Deutsche Freiheit* vom 20.6.1934
Gestapo-Collage: Die Hauptbeschuldigten des Harnier-Kreises ~ Bundesarchiv, Berlin, NJ 1245/11 [**Abb. 271**]
Foto: Karl Ludwig von und zu Guttenberg ~ Gedenkstätte Deutscher Widerstand, Berlin
Geleitwort Guttenbergs zum 6. Jahrgang der *Weißen Blätter*; *Weiße Blätter* vom Januar 1937 ~ Gedenkstätte Deutscher Widerstand, Berlin
Polizeifoto: Illegales Schriftenlager der Zeugen Jehovas an der Implerstraße München ~ Staatsarchiv München, Staatsanwaltschaften 8474 [**Abb. 272**]
Foto: Elfriede Löhr ~ Archiv der Wachturmgesellschaft, Selters/Taunus [**Abb. 273**]
Illegales Flugblatt mit Protestresolution des Internationalen Kongresses der „Zeugen Jehovas“ (1936) ~ Gedenkstätte Deutscher Widerstand, Berlin
Foto: Ludwig Beck (1938) ~ Gedenkstätte Deutscher Widerstand, Berlin [**Abb. 275**]

Foto: Carl Friedrich Goerdeler ~ Gedenkstätte Deutscher Widerstand, Berlin [**Abb. 274**]
Foto: Hans Oster und Friedrich Wilhelm Heinz ~ Gedenkstätte Deutscher Widerstand, Berlin [**Abb. 276**]
Foto: Zerstörter Bürgerbräukeller München (9.9.1938) ~ Stadtarchiv München, Historisches Bildarchiv, 3466 [**Abb. 278**]
Foto: Johann Georg Elser – Verhör im RSHA (um den 20.11.1939) ~ Gedenkstätte Deutscher Widerstand, Berlin [**Abb. 277**]
Foto: Ansicht Bombe (November 1939) ~ Institut für Zeitgeschichte, München – Berlin, Archiv, ZS/A-17/5

C 6.2 „Hitler ist ‚Finis Germaniae'!" Widerstand im Krieg

Foto: Hanno Günther mit Freunden (Silvester 1940/41) ~ Gedenkstätte Deutscher Widerstand, Berlin
Bekanntmachung/Hinrichtungsmeldung Hanno Günther (3.12.1942) ~ Gedenkstätte Deutscher Widerstand, Berlin, IML/ZPA NJ 1705
Foto: Walter Klingenbeck ~ Institut für Zeitgeschichte, München – Berlin, Archiv, ED 106/52
Aktennotiz von Walter Tiessler für Goebbels zum Prozeß gegen Klingenbeck (9.10.1942) ~ Bundesarchiv, Berlin, NS 18557, Bl. 58
Foto: Hermann Frieb (vermutlich 1941) ~ Institut für Zeitgeschichte, München – Berlin, Archiv, ED 178 [**Abb. 279**]
Foto: Bebo Wager (München 1936) ~ Institut für Zeitgeschichte, München – Berlin, Archiv, ED 178 [**Abb. 280**]
Foto: Robert Uhrig mit Ehefrau Margarete (Berlin 1936) ~ Gedenkstätte Deutscher Widerstand, Berlin [**Abb. 281**]
Foto: Beppo Römer ~ Gedenkstätte Deutscher Widerstand, Berlin [**Abb. 282**]
Foto: Hans Hartwimmer ~ Archiv der KZ-Gedenkstätte Dachau
Foto: Wilhelm Olschewsky ~ Privatbesitz Erika Grube, München
Foto: Herbert Baum ~ Gedenkstätte Deutscher Widerstand, Berlin [**Abb. 285**]
Foto: Wilhelm Knöchel und Cilly Hansmann ~ Gedenkstätte Deutscher Widerstand, Berlin [**Abb. 283**]
Foto: Karl Zimmet ~ Deutsches Historisches Museum, Berlin, Bildarchiv, F 62/1354
2 Fotos: Hans und Emma Hutzelmann ~ Archiv der KZ-Gedenkstätte Dachau
Foto: Vervielfältigungsapparat und Schreibmaschine ~ Gedenkstätte Deutscher Widerstand, Berlin [**Abb. 284**]
Flugblatt der ADV nach Stalingrad (März 1943) ~ Gedenkstätte Deutscher Widerstand, Berlin, IML/ZPA 1434/Bd. 9
Foto: Harro Schulze-Boysen und seine spätere Frau Libertas (ca. 1935) ~ Gedenkstätte Deutscher Widerstand, Berlin [**Abb. 286**]
Foto: Arvid und Mildred Harnack ~ Gedenkstätte Deutscher Widerstand, Berlin [**Abb. 287**]
Textexponat: Die Toten der Schulze-Boysen/Harnack-Organisation; unvollständige Rekonstruktion ~ übernommen von der Gedenkstätte Deutscher Widerstand, Berlin
Sechstes Flugblatt der „Weißen Rose" (Februar 1943) ~ Institut für Zeitgeschichte, München – Berlin, Archiv, Fa 215/1 [**Abb. 289**]
Foto: Hans Scholl, Sophie Scholl, Christoph Probst (Ende 1942 am Münchner Ostbahnhof); © George J. Wittenstein, St. Barbara ~ Weiße Rose Stiftung, München [**Abb. 288**]
Hinrichtungsmeldung Hans und Sophie Scholl und Christoph Probst ~ Ausriß aus *Münchner Neueste Nachrichten* vom 23.2.1943
Foto: Alexander Schmorell ~ Weiße Rose Stiftung, München
Fahndungsmeldung Alexander Schmorell ~ Ausriß aus *Münchner Neueste Nachrichten* vom 24.2.1943
Foto: Willi Graf ~ Weiße Rose Stiftung, München
Foto: Kurt Huber ~ Weiße Rose Stiftung, München
Foto: Hellmuth von Moltke vor dem VGH (11.1.1945) ~ Gedenkstätte Deutscher Widerstand, Berlin [**Abb. 290**]
Foto: Peter Yorck von Wartenburg ~ Gedenkstätte Deutscher Widerstand, Berlin [**Abb. 291**]
Foto: Franz Sperr ~ Institut für Zeitgeschichte, München – Berlin, Archiv, ED 106/57 [**Abb. 292**]
Foto: Ernst Fugger von Glött vor dem VGH (Januar 1945) ~ Gedenkstätte Deutscher Widerstand, Berlin
VGH-Urteil gegen Moltke u. a. (Januar 1945) ~ Bundesarchiv/Berlin Document Center, VGH 7/510, Bl. 6 m. Rs., 7
Foto: Henning von Tresckow und Fabian von Schlabrendorff ~ Gedenkstätte Deutscher Widerstand, Berlin [**Abb. 293**]
Foto: Hitler-Besuch bei Heeresgruppe Mitte (13.3.1943) ~ Gedenkstätte Deutscher Widerstand, Berlin
Foto: Hitler vor Zeughaus in Berlin (21.3.1943) ~ Gedenkstätte Deutscher Widerstand, Berlin
Foto: Claus Schenk von Stauffenberg (1940) ~ Gedenkstätte Deutscher Widerstand, Berlin [**Abb. 294**]
Foto: Nach Attentat: Zerstörte Lage-Baracke im Führerhauptquartier Wolfsschanze (20.7.1944) ~ Gedenkstätte Deutscher Widerstand, Berlin [**Abb. 295**]
Foto: Ludwig Frhr. von Leonrod ~ Gedenkstätte Deutscher Widerstand, Berlin
Foto: Albrecht Haushofer ~ Gedenkstätte Deutscher Widerstand, Berlin [**Abb. 296**]
Textexponat: Albrecht Haushofer, Gefährten ~ zitiert nach: Albrecht Haushofer: Moabiter Sonette, Berlin 1946, S. 31 [**Abb. 297**]
Foto: Josef Müller („Ochsensepp") ~ Gedenkstätte Deutscher Widerstand, Berlin

Foto: Gründungsversammlung des Nationalkomitees Freies Deutschland (13.7.1943) ~ Gedenkstätte Deutscher Widerstand, Berlin [**Abb. 299**]
Foto: Gründungsversammlung des Bunds deutscher Offiziere (11./12.9.1943) ~ Gedenkstätte Deutscher Widerstand, Berlin [**Abb. 300**]
Manifest des Nationalkomitees Freies Deutschland; in: *Freies Deutschland*. Organ des Nationalkomitees „Freies Deutschland" Nr. 1 vom 19.7.1943 ~ Gedenkstätte Deutscher Widerstand, Berlin
Flugzettel des „Senders der Europäischen Revolution" (1942) ~ Institut für Zeitgeschichte, München – Berlin, Archiv, OSB 493
„Richtlinien" der Londoner Union (1941) ~ Archiv der sozialen Demokratie der Friedrich-Ebert-Stiftung, Bonn, Bestand SOPADE (Exilparteivorstand)
Foto: Hilda Monte ~ Gedenkstätte Deutscher Widerstand, Berlin [**Abb. 301**]
Foto: Wilhelm Hoegner ~ Privatbesitz Wolfgang Jean Stock, München [**Abb. 302**]
Vorläufige Vereinbarung über die künftige staatsrechtliche Stellung des Landes Bayern (Zürich 26.4.1945) ~ Institut für Zeitgeschichte, München – Berlin, Archiv, ED 120/20
Foto: Erhängte Edelweißpiraten Köln-Ehrenfeld (1945) ~ Stadtarchiv München, Historisches Bildarchiv, N 10022/II/37 [**Abb. 303**]
Foto: Robert Limpert ~ Gedenkstätte Deutscher Widerstand, Berlin
Flugblatt der „Freiheitsaktion Bayern" O.F.A. (1945) ~ Institut für Zeitgeschichte, München – Berlin, Archiv, ZS/A 4/1
Fotocollage „Die Opfer des Penzberger Aufstandes vom 28. April 1945" ~ © Institut für Zeitgeschichte, München – Berlin 1999 nach Vorlagen aus dem Stadtarchiv Penzberg und Georg Lorenz: „Die Penzberger Mordnacht vom 28. April 1945 vor dem Richter", Garmisch-Partenkirchen 1948 (Institut für Zeitgeschichte, München – Berlin, Bibliothek, U 285) [**Abb. 304**]

C 6.3 Opposition und Widerstehen der Kirchen

Textexponat: Adenauer über den Widerstand der Kirchen; Brief vom 23.2.1946 an Pastor Bernhard Custodis (Bonn) ~ zitiert nach: Konrad Adenauer, Briefe: 1945-47, Berlin 1983, S. 172 f. [**Abb. 305**]
Opposition und Widerstehen der katholischen Kirche. Eine Chronik. ~ © Institut für Zeitgeschichte, München – Berlin 1999 [**Abb. 309**]
Foto: Michael Höck ~ Archiv des Erzbistums München und Freising, München [**Abb. 308**]
Gedicht: „Wem gehörst du?" ~ Ausriß aus: *Münchner Katholische Kirchenzeitung*, Nr. 45 (1934)
Fotopostkarte: Pater Rupert Mayer SJ ~ Sekretariat Pater Rupert Mayer SJ, München
Foto: Bischof Konrad von Preysing (Fronleichnam 1937) ~ Gedenkstätte Deutscher Widerstand, Berlin [**Abb. 310**]
Enzyklika „Mit brennender Sorge" (14.3.1937) ~ Gedenkstätte Deutscher Widerstand, Berlin [**Abb. 311**]
Foto: Margarete Sommer ~ Gedenkstätte Deutscher Widerstand, Berlin
Foto: Gertrud Luckner ~ Gedenkstätte Deutscher Widerstand, Berlin
Foto: Bischof Clemens August von Galen ~ Gedenkstätte Deutscher Widerstand, Berlin [**Abb. 307**]
Foto: Bernhard Lichtenberg ~ Gedenkstätte Deutscher Widerstand, Berlin [**Abb. 306**]
Opposition und Widerstehen der evangelischen Kirche. Eine Chronik. ~ © Institut für Zeitgeschichte, München – Berlin 1999 [**Abb. 316**]
Foto: Martin Niemöller ~ Gedenkstätte Deutscher Widerstand, Berlin [**Abb. 315**]
Foto: Karl Barth ~ Gedenkstätte Deutscher Widerstand, Berlin
Rückseite eines Mitgliedsausweises der „Bekennenden Kirche" der Evangelischen Bekenntnisgemeinde Dortmund-Aplerbeck (2.10.1934) ~ Stadtarchiv Dortmund, Bestand WuVn 512
Foto: Dietrich Bonhoeffer ~ Gedenkstätte Deutscher Widerstand, Berlin [**Abb. 313**]
Dietrich Bonhoeffer: „Neujahr 1945". Gedicht aus dem Gefängnis (Ende Dezember 1944) ~ entnommen aus: Christoph U. Schminck-Gustavus, Der „Prozeß" gegen Dietrich Bonhoeffer und die Freilassung seiner Mörder, Berlin 1995, S. 26
Foto: Heinrich Grüber ~ Gedenkstätte Deutscher Widerstand, Berlin [**Abb. 314**]
Foto: Theophil Wurm ~ Gedenkstätte Deutscher Widerstand, Berlin [**Abb. 312**]
Fürbitten-Liste der Bekennenden Kirche (April 1941) ~ Gedenkstätte Deutscher Widerstand, Berlin
Münchener Laienbrief (Ostern 1943) ~ Evangelische Arbeitsgemeinschaft für Kirchliche Zeitgeschichte, München [**Abb. 317**]

C 7 Hitlers Außenpolitik

Tondokument: Ausschnitt aus Rede Adolf Hitlers vor Kreis- und Gauamtsleitern am 23.11.1937 in Sonthofen ~ Zuwendung Deutsches Rundfunkarchiv, Frankfurt a. M. – Berlin, DRA 2613006 [**Abb. 319**]
Tondokument: Ausschnitt aus Rede Adolf Hitlers vor Vertretern der deutschen Presse am 10.11.1938 in München ~ Zuwendung Deutsches Rundfunkarchiv, Frankfurt a. M. – Berlin, DRA 259226

C 7.1 „Germanisches Reich deutscher Nation". Ideologische Grundlagen der Außenpolitik

Hans Grimm: Volk ohne Raum; Original; Verlag Albert Langen, München 1932 ~ Leihgabe Freistaat Bayern [**Abb. 320**]
Textexponat: Zitate Adolf Hitlers zur Außenpolitik ~ zitiert nach Adolf Hitler: Mein Kampf. Erster Band: Eine Abrechnung, München 1925, S. 1; Zweiter Band: Die nationalsozialistische Bewegung. München 1927, S. 302 und 316f.
Manuskript „Außenpolitische Standortbestimmung" (1928); Auszug ~ Bundesarchiv, Berlin, N 1128 (Hitler) 31.21
„Liebmann-Protokoll" (3.2.1933); Auszug ~ Bundesarchiv/Militärarchiv, Freiburg, Msg 1/1667, Bl. 37 und 37 R [**Abb. 321**]

C 7.2 „Kampf gegen Versailles" . Die Zerstörung der Versailler Friedensordnung

Hans Draeger (Hrsg.), Der Vertrag von Versailles. Die Grundursache der deutschen Not. Heinrich Beenken Verlag „Der Türmer", Berlin 1933
Schulbuchkarte „Deutschlands Verstümmelung"; entnommen aus: Geopolitischer Geschichts-Atlas. Hrsg. und bearbeitet von Franz Braun und A. Hillen Ziegfeld. Verlag von L. Ehlermann, Dresden [2]1934, Nr. XXXIX ~ Staatsbibliothek zu Berlin – Preußischer Kulturbesitz, Berlin, 8° Kart U 552/2 [**Abb. 322**]
Plakat: „Was wir verlieren sollen!" (1919); Entwurf: Louis Oppenheim ~ Deutsches Historisches Museum, Berlin, Plakatsammlung, 1988/1942
Zeitungsanzeige der Fa. Asbach & Co Weinbrennerei bezüglich Art. 275 des Versailler Vertrags (Mitte April 1921) ~ Institut für Zeitgeschichte, München – Berlin, Archiv, OSB 545 [**Abb. 323**]
Karrikatur zum Auszug aus dem Völkerbund ~ Titelblatt *Die Brennessel* vom 31.10.1933, 3. Jg. Folge 44
Plakat: „Diese Fragen legt die Reichsregierung dem deutschen Volk vor" (12.11.1933) ~ Deutsches Historisches Museum, Berlin, Plakatsammlung, Mappe 46/1, P 56/202
Schlagzeile zur Wiedereinführung der allgemeinen Wehrpflicht ~ *Berchtesgadener Anzeiger* vom 18.3.1935
Schulheft „Die Nachkriegszeit 1918-1933" (1937-1939); aus einer Münchner Berufsschule ~ Institut für Zeitgeschichte, München – Berlin, Archiv, SV 306/3
Foto: Vereidigung der Rekruten am Königsplatz in München (Oktober 1936) ~ Stadtarchiv München, Historisches Bildarchiv, R 2886/IV/22 A [**Abb. 324**]
Wehrmachtseid ~ entnommen aus: Max Eichler, Du bist sofort im Bilde, Erfurt 1938, S. 99
Wehrpaß (1937) ~ Institut für Zeitgeschichte, München – Berlin, Archiv, SV 122
„Wehrmacht-Führerschein" (1935-1945) ~ Institut für Zeitgeschichte, München – Berlin, Archiv, SV 89
Zeitschriften-Bericht: „Luftschutzübung in der Reichshauptstadt" ~ *Illustrierter Beobachter* vom 28.3.1935
Foto: Luftschutz Gasmaske (Mai 1938) ~ Stadtarchiv München, Historisches Bildarchiv, 3591/II/23
Protokoll über eine Besprechung zum Thema „Luftschutz auf dem Obersalzberg" (21.9.1937) ~ Bundesarchiv, Berlin, R 43/4341, Bl. 25
Foto: Marsch über die Rheinbrücke bei Köln (7.3.1936) ~ Bilderdienst Süddeutscher Verlag, München [**Abb. 325**]

C 7.3 „Ein Volk – ein Reich – ein Führer". Territoriale Expansion in der Vorkriegszeit

Zeitschriften-Titelbild „Die Stimme des Blutes hat gesprochen" ~ *Illustrierter Beobachter* vom 26.1.1935
Foto: Einzug der *SS-Leibstandarte Adolf Hitler* in Saarbrücken (1.3.1935); Foto: Heinrich Hoffmann ~ Bildarchiv Preußischer Kulturbesitz, Berlin [**Abb. 318**]
Foto: Einzug Hitlers in Saarbrücken (1.3.1935) ~ Bildarchiv Preußischer Kulturbesitz, Berlin [**Abb. 326**]
Foto: Anschlußjubel in Saarbrücken (1.3.1935) ~ Bayerische Staatsbibliothek/Fotoarchiv Hoffmann, München, J.29/12032-25 [**Abb. 327**]
Volk will zu Volk – Österreichs deutsche Stunde; Original; Hrsg. von Heinrich Hansen, mit einem Geleitwort von Otto Dietrich, Westfalen-Verlag, Dortmund 1938 ~ Leihgabe Institut für Zeitgeschichte, München – Berlin, Archiv, OSB 561
„Berchtesgadener Abkommen" (12.2.1938) ~ Politisches Archiv des Auswärtigen Amts, Berlin
Foto: Einmarsch deutscher Truppen in Salzburg (12.3.1938) ~ Bildarchiv Preußischer Kulturbesitz, Berlin [**Abb. 328**]
Foto: Hitler spricht auf dem Wiener Heldenplatz (15.3.1938) ~ Bayerische Staatsbibliothek/Fotoarchiv Hoffmann, München, M.27/o. Nr.
Keramikmedaille: „Ein Volk – Ein Reich – Ein Führer" (1938); Original ~ Leihgabe Institut für Zeitgeschichte, München – Berlin, Archiv, SV 1
Postkarte zum Anschluß Österreichs (1938); Original; Verlag Heinrich Hoffmann, München ~ Leihgabe Volker Dahm, München
Anstecknadel zur Volksabstimmung (1938); Original ~ Leihgabe Fortbildungsinstitut der Bayerischen Polizei, Ainring
Österreich-Medaille (1938); Original ~ Leihgabe Freistaat Bayern
Plakat: „Großdeutschland. Ja! am 10. April" (1938) ~ Bundesarchiv, Koblenz, Plakatsammlung, 3/3/85 [**Abb. 329**]

Plakat der Sudetendeutschen Heimatfront: „Ein Volk – ein Wille – ein Ziel!" ~ Bundesarchiv, Koblenz, Plakatsammlung, 3/6/24 [**Abb. 331**]
Foto: Hitler und Henlein auf Terrasse des Berghofs (2.9.1938) ~ Bayerische Staatsbibliothek/Fotoarchiv Hoffmann, München, M.95/9180 [**Abb. 330**]
Foto: Chamberlain bei Hitler auf dem Berghof (15.9.1938) ~ Bayerische Staatsbibliothek/Fotoarchiv Hoffmann, München, M.109/6917
Foto: Unterzeichnung des „Münchner Abkommens" (29.9.1938) ~ Bayerische Staatsbibliothek/Fotoarchiv Hoffmann, München, M.114/13849a [**Abb. 332**]
„Münchner Abkommen" (29.9.1938) ~ Politisches Archiv des Auswärtigen Amts, Berlin
Foto: Deutsche Truppen überschreiten die tschechoslowakische Grenze ~ Bayerische Staatsbibliothek/Fotoarchiv Hoffmann, München, M.119/6165
Postkarte: „Wir danken unserm Führer" (1.5.1939) ~ Institut für Zeitgeschichte, München – Berlin, Archiv, SB 152
Foto: Hácha bei Hitler (15.3.1939) ~ Bayerische Staatsbibliothek/Fotoarchiv Hoffmann, München, N.45/4725 [**Abb. 333**]
Foto: Deutsche Truppen in Prag (15.3.1939) ~ Bayerische Staatsbibliothek/Fotoarchiv Hoffmann, München, N.46/4469 [**Abb. 334**]
Foto: Hitler u.a. auf dem Hradschin (16.3.1939) ~ Bayerische Staatsbibliothek/Fotoarchiv Hoffmann, München, N.47/4480a [**Abb. 335**]
Zeitungsbericht zum Einmarsch in die Tschechoslowakei ~ *Völkischer Beobachter* vom 16.3.1939
Heinrich Hoffmann, Hitler in Böhmen, Mähren und Memel. Mit einem Geleitwort von Joachim von Ribbentrop. Zeitgeschichte-Verlag, Berlin 1939; Original ~ Leihgabe Institut für Zeitgeschichte, München – Berlin, Bibliothek, F 448

C 7.4 Die „Achse Berlin – Rom". Das nationalsozialistische Bündnissystem vor dem Krieg

Feierliche Erklärungen Hitlers und Mussolinis aus Anlaß des Staatsbesuchs Hitlers in Italien ~ *Italien-Beobachter* vom Mai 1938
Foto: Graf Ciano wird von Hitler auf dem Berghof begrüßt (24.10.1936) ~ Bayerische Staatsbibliothek/Fotoarchiv Hoffmann, München, K.113/12232-28 [**Abb. 336**]
Bronzeplakette zum Staatsbesuch Hitlers in Italien (1938); Original ~ Leihgabe Institut für Zeitgeschichte, München – Berlin, Archiv, SV 13
Bronzeplakette zum Staatsbesuch Mussolinis in Berlin (1939); Original ~ Leihgabe Institut für Zeitgeschichte, München – Berlin, Archiv, SV 14
Foto: Staatsempfang auf dem Berghof am 2. Jahrestag der Unterzeichnung des deutsch-italienischen Freundschaftspakts (22.5.1941) ~ Bayerische Staatsbibliothek/Fotoarchiv Hoffmann, München, P.113/12059e-31
Foto: Hitler begrüßt Mussolini auf dem Berghof (19.1.1941) ~ Bayerische Staatsbibliothek/Fotoarchiv Hoffmann, München, P.17/7304-2
Plakat zu einer Münchener Veranstaltung des Vereins „Antikomintern" (1936) ~ Stadtmuseum München, Plakatsammlung, C 14/75 [**Abb. 337**]
Karte: „Das nationalsozialistische Bündnissystem 1939" ~ © Institut für Zeitgeschichte, München – Berlin 1999; Herstellung: Kartographie Peckmann, Ramsau [**Abb. 338**]

C 7.5 „Seit 5 Uhr 45 wird jetzt zurückgeschossen!" Die Entfesselung des Weltkriegs

Schlagzeile zum „Hitler-Stalin-Pakt" ~ *Berchtesgadener Anzeiger* vom 24.8.1939
Zusatzkarte zum Hitler-Stalin-Pakt mit Einzeichnung der Einflußsphären und den Unterschriften von Ribbentrop und Stalin (28.9.1939); Linien vom Institut für Zeitgeschichte nachgearbeitet ~ Politisches Archiv des Auswärtigen Amts, Berlin [**Abb. 339**]
Karikatur zum Hitler-Stalin-Pakt des Engländers David Low (1939) ~ Redaktionsbüro Christian Zentner, München
Tagebucheintrag von Major Helmuth Groscurth über eine Ansprache Hitlers vor Wehrmachtsvertretern am 22. August 1939 auf dem Obersalzberg (24.8.1939) ~ Bundesarchiv/Militärarchiv, Freiburg, RH 53-23/80
Foto: Sender Gleiwitz ~ Bilderdienst Süddeutscher Verlag, München [**Abb. 340**]

C 8 Der Zweite Weltkrieg

C 8.1 Das Ausgreifen der Achsenmächte: Die Blitzkriege

Zeitungs-Bericht zum Ausbruch des Zweiten Weltkriegs ~ *Berchtesgadener Anzeiger* vom 1.9.1939 [**Abb. 343**]
Foto: Ausbruch Zweiter Weltkrieg, Übertragung der Hitlerrede (1.9.1939) ~ Stadtarchiv München, Historisches Bildarchiv, 3799/III/20 A [**Abb. 342**]
Postkarte: „Danzig ist deutsch" (1939); Entwurf Gottfried Klein, München; Zentralverlag der NSDAP, Franz Eher Nachf., München ~ Privatbesitz Kurt Lehnstaedt, Gröbenzell

Tagebuch des Generaloberst Wilhelm Ritter von Leeb (3.10.1939); Auszug ~ Bayerisches Hauptstaatsarchiv, München, Abteilung IV/Kriegsarchiv, Nachlaß Wilhelm von Leeb Nr. 4
Foto: Wagenkolonne der deutschen Wehrmacht (1.9.1939) ~ Ullstein Bilderdienst, Berlin, 6 42593 – d3
Foto: Zerstörtes Warschau (September 1939); Foto: Grimm ~ Bildarchiv Preußischer Kulturbesitz, Berlin [**Abb. 344**]
Foto: Deutsche Soldaten in Oslo (April 1940) ~ Ullstein Bilderdienst, Berlin, 6 43384 – g2
Foto: Kopenhagen flaggt zur Geburt der dänischen Prinzessin (16.4.1940) ~ Bibliothek für Zeitgeschichte, Stuttgart, Sammlung DC: Dänemark: Kopenhagen, 513/20 [**Abb. 345**]
Postkarte: „Es kann nur einer siegen und das sind wir" (1939); Verlag Heinrich Hoffmann ~ Freistaat Bayern (= Institut für Zeitgeschichte, München – Berlin, Archiv, OSB 596)
Waffenhefte des deutschen Heeres: Schnelle Truppen, Teil II (o. O. u. J.) ~ Institut für Zeitgeschichte, München – Berlin, Archiv, Da 34
Propagandaplakat: „Aus der großen Entscheidungsschlacht im Westen!" (1940); Verlag Heinrich Hoffmann ~ Institut für Zeitgeschichte, München – Berlin, Archiv, Plakatsammlung, OSB 603
Foto: Evakuierung britischer Truppen aus Dünkirchen (Mai-Juni 1940) ~ Bildarchiv Preußischer Kulturbesitz, Berlin
Zeitungsbericht zur Blut-Schweiß-Tränen-Rede Churchills; Arrangement von Titelseite und Ausriß ~ *The Times* vom 13.5.1940
Foto: Churchill in zerbombtem Londoner Arbeiterviertel ~ Bilderdienst Süddeutscher Verlag, München [**Abb. 346**]
Foto: Deutsche Kradschützen in Paris (1940) ~ Bundesarchiv, Koblenz, Bildarchiv, 89/72/22
Dreimächtepakt Deutschland, Italien, Japan (27.9.1940) ~ Politisches Archiv des Auswärtigen Amts, Berlin
Plakat: „Werbung für die Gebirgstruppen der Waffen-SS" (1941) ~ Deutsches Historisches Museum, Berlin, Plakatsammlung, P 62/1715 [**Abb. 379**]
Foto: Luftlandung auf Kreta (Mai 1941) ~ Ullstein Bilderdienst, Berlin, 6 44850 – r2 [**Abb. 349**]
Foto: Stuka-Angriff auf eine britische Stellung im Wadi Auda bei Tobruk (1941) ~ Ullstein Bilderdienst, Berlin, 6 45697 – k3
Foto: Vormarsch deutscher Panzeraufklärer in der Libyschen Wüste (um den 13.6.1942); Foto: Moosmüller ~ Ullstein Bilderdienst, Berlin, 6 46053 – p2 [**Abb. 348**]
Foto: Deutsche Fallschirmjäger nach dem Einmarsch in Herakalion (Ende Mai 1941); Foto: Moosmüller ~ Ullstein Bilderdienst, Berlin, 6 44850 – o4
Weisung Nr. 21 (Barbarossa) (18.12.1940) ~ Bundesarchiv/Militärarchiv, Freiburg, OKW IV, 1. Bd. 1 (IMT XXV S. 47) [**Abb. 350**]
Protokoll der Besprechung Hitlers mit Rosenberg, Lammers, Keitel, Göring (16.7.1941); Protokollant: Martin Bormann ~ Staatsarchiv Nürnberg, Nürnberger Dokumente L-221/Bl. 379 – 381 [**Abb. 351**]
Karte: Die Utopie: Das „Großgermanische Reich deutscher Nation" ~ © Institut für Zeitgeschichte, München – Berlin 1999; Herstellung: Kartographie Peckmann, Ramsau [**Abb. 352**]
Titelblatt des „Generalplan Ost" (12.6.1942) ~ Bundesarchiv, Berlin, R 49/157a
„Dieser Krieg ist ein weltanschaulicher Krieg"; Broschüre des SS-Hauptamts/Umschlagseite o. O. u. J. (vermutlich 1942) ~ Institut für Zeitgeschichte, München – Berlin, Archiv, Dc 29.02 (a)
„Kennt Ihr den Feind?" (Juni 1941); Informationsblatt des Oberkommandos der Wehrmacht ~ Bundesarchiv/Militärarchiv, Freiburg, MSg. 1, Aktenbestand 1000 vor Seite 287
Foto: Leningrad nach deutschem Fliegerangriff (Herbst 1941) ~ Ullstein Bilderdienst, Berlin, 6 45756 – b5
Foto: Panzerspähwagen 100 km vor Moskau (11.11.1941); Foto: A. Grimm ~ Bildarchiv Preußischer Kulturbesitz, Berlin [**Abb. 354**]
Foto: Sowjetischer Offizier und Infanterist ~ Bilderdienst Süddeutscher Verlag, München
Foto: Sowjetische Kriegsgefangene nach der Schlacht von Charkow (24.10.1941) ~ Bundesarchiv, Koblenz, Bildarchiv, 78/6/29 A [**Abb. 353**]
Foto: Erstversorgung deutscher Verwundeter an der Ostfront (vermutlich September 1941) ~ Bundesarchiv, Koblenz, Bildarchiv, 212/211/14 A [**Abb. 357**]
Plakat: Aufruf zur Woll-, Pelz- und Wintersachen-Sammlung für die Front ~ Bundesarchiv, Koblenz, Plakatsammlung, 3/24/49 [**Abb. 356**]
Textexponat: Bertold Brecht „Was bekam des Soldaten Weib?" (1943) ~ zitiert nach: Bertold Brecht, Schweyk im Zweiten Weltkrieg, in: Gesammelte Werke, Bd. 5, Frankfurt a. M. 1967, S. 1920f.
Foto: Deutsches Unterseeboot im Atlantik (1943); Foto: L.G. Buchheim ~ Bildarchiv Preußischer Kulturbesitz, Berlin [**Abb. 341**]
Foto: Pearl Harbor nach japanischem Angriff (7.12.1941) ~ Bildarchiv Preußischer Kulturbesitz, Berlin [**Abb. 362**]
Karte: Der Zweite Weltkrieg in Ostasien ~ © Der Spiegel
Schlagzeile zum Kriegsbeginn zwischen Japan und den USA ~ *New Yorker Staats-Zeitung und Herold* vom 8.12.1941
Zeitungsbericht: Hitler-Rede über die alliierte Invasion in Nordafrika ~ *Völkischer Beobachter* vom 8.11.1942
Tondokument: Ringsendung des Großdeutschen Rundfunks (24.12.1942) ~ Zuwendung Deutsches Rundfunkarchiv, Frankfurt a. M. – Berlin, DRA 2570043

Foto: Soldaten auf dem Weg in die Gefangenschaft bei Stalingrad (2.2.1943) ~ Bilderdienst Süddeutscher Verlag, München
Foto: Deutscher MG-Posten in Stalingrad (Winter 1942/43) ~ Bundesarchiv, Koblenz, Bildarchiv, 538/347/18
Foto: Erfrorener deutscher Soldat in Stalingrad (Winter 1942/43) ~ Bundesarchiv, Koblenz, Bildarchiv, 536/138/4 A [**Abb. 359**]
Sowjetisches Front-Propaganda-Flugblatt an die in Stalingrad eingeschlossenen deutschen Soldaten ~ Sammlung Karl Stehle, München
Sowjetisches Front-Propaganda-Flugblatt „Lebensraum im Osten" ~ Sammlung Karl Stehle, München [**Abb. 360**]
Postkarte: „Führer befiehl wir folgen!" (Poststempel vom 27.4.1943) ~ Sammlung Karl Stehle, München [**Abb. 361**]
Foto: Deutsche Gefangene beim Abmarsch in Stalingrad (vermutlich Anfang Februar 1943) ~ Bilderdienst Süddeutscher Verlag, München
Foto: Deutsche Kriegsgefangene vor dem Getreidesilo in Stalingrad (vermutlich Anfang Februar 1943) ~ Bilderdienst Süddeutscher Verlag, München [**Abb. 358**]

C 8.2 Europa unter nationalsozialistischer Herrschaft

Plakat: Zweisprachiger Erlaß der Wehrmachtführung (Herbst 1939); mit Original-Unterschrift Walther von Brauchitsch ~ Institut für Zeitgeschichte, München – Berlin, Archiv, Plakatsammlung, OSB 629b
Volksschädling-Verordnung (5.9.1939) ~ RGBl I 1939, S. 1679 [**Abb. 365**]
Gesetz: Todesstrafe für Feindsender-Abhören (1.9.1939) ~ RGBl I 1939, S. 1683 [**Abb. 366**]
Foto: „Geschäft geschlossen wg. Kriegseinsatz bis zum Sieg" (1942/43); Foto: Joe Heydecker ~ Deutsches Historisches Museum, Berlin, Bildarchiv, PH003930
Foto: Eingang zu Schumachergeschäft in München (August 1941); Foto R.D.P. Hermann Schlott, München ~ Institut für Zeitgeschichte, München – Berlin, Archiv, Sammlung Rehse, OSB 629a2 [**Abb. 368**]
Foto: Eingang Hut-Breiter München (August 1941); Foto R.D.P. Hermann Schlott, München ~ Institut für Zeitgeschichte, München – Berlin, Archiv, Sammlung Rehse, OSB 629a3 [**Abb. 369**]
Foto: Eingang zu „Feurich-Keks" in München (Juli/August 1941); Foto R.D.P. Hermann Schlott, München ~ Institut für Zeitgeschichte, München – Berlin, Archiv, Sammlung Rehse, OSB 629a4 [**Abb. 370**]
2 Fotos: RAD-Arbeitsmaiden in der Rüstungsproduktion (1941/42) ~ Bundesarchiv, Koblenz, Bildarchiv, Diaserie [**Abb. 363, 364**]
2 Reichskleiderkarten (1940); Originale ~ Leihgaben Institut für Zeitgeschichte, München – Berlin, Archiv, SV 51
Verbraucherkarte zum Bezug von Kohle (1943); Original ~ Leihgabe Institut für Zeitgeschichte, München – Berlin, Archiv, SV 52
Lebensmittelkarten (1939-1943) ~ Stadtarchiv München, Ernährungsamt [**Abb. 367**]
Textexponat: Generaloberst Johannes Blaskowitz über das Wüten von SS und Polizei in Polen (6.2.1940); Notiz für einen Vortrag bei dem Besuch Walther von Brauchitsch im Hauptquartier Schloß Spala am 15. Februar 1940 ~ Institut für Zeitgeschichte, München – Berlin, Archiv, NO 3011
Foto: Deutsche BDM-Führerinnen und Führerinnen der norwegischen Quisling-Jugend im Jugendlager in Norwegen (Juli 1941) ~ Bilderdienst Süddeutscher Verlag, München [**Abb. 374**]
Auszug aus einer SS-Broschüre mit deutschen und europäischen SS-Angehörigen (vermutlich 1943) ~ Institut für Zeitgeschichte, München – Berlin, Archiv, Dc 50.05
Foto: Deutsche Besatzungssoldaten in Pariser Café (1940) ~ Bilderdienst Süddeutscher Verlag, München [**Abb. 376**]
Foto: Verhaftung eines französischen Zivilisten (Frankreich 1940/41) ~ Bundesarchiv, Koblenz, Bildarchiv, 247/788/21
Foto: Französischer Gendarm und deutscher Luftwaffenoffizier (31.1.1941); Foto: Sepp Jäger ~ Bundesarchiv, Koblenz, Bildarchiv, 146/78/53/30 [**Abb. 375**]
Titelblatt der *Deutschen Polarzeitung* (13.10.1943) ~ Institut für Zeitgeschichte, München – Berlin, Archiv, Z 80 [**Abb. 371**]
Foto: Erhängte sowjetische Zivilisten (1941) ~ Institut für Zeitgeschichte, München – Berlin, Archiv, OSB 637
Besatzungsbriefmarken (1940/41, 1943/44, 1945) ~ Privatsammlung Josef Pantenburg, Leverkusen
Foto: Erhängte sowjetische Zivilisten an Balkon in Charkow/Ukraine (November 1941) ~ Claus Hansmann, München
Plakat: Bekanntmachung des deutschen Militärbefehlhabers in Frankreich über Geiselerschießungen (23.10.1941) ~ Bayerisches Hauptstaatsarchiv, München, Plakatsammlung, 5612 [**Abb. 377**]
Foto: Abtransport von Ostarbeitern nach Deutschland ~ Deutsches Historisches Museum, Berlin, Bildarchiv, F 52/307 – ICN 45 M BA 106469 [**Abb. 392**]
Foto: Sowjetische Partisanen erschießen einen mutmaßlichen Kollaborateur ~ Gosudarstwennyj Istoritscheskij Musej, Moskwa (Staatliches Historisches Museum, Moskau)
Foto: Stalag X D (310) Wietzendorf/Niedersachsen (1941) ~ Staatsanwaltschaft Hamburg, Az. 147 JS 29/65 [**Abb. 355**]
Propagandafoto: Aus der Sowjetunion rekrutierte Zwangsarbeiter (Berlin, Juni 1943) ~ Bilderdienst Süddeutscher Verlag, München [**Abb. 393**]

Werbeplakat für die Russische Befreiungsarmee (Wlassow-Armee) ~ Staatsbibliothek zu Berlin – Preußischer Kulturbesitz, Berlin, Handschriftenabteilung, Einbl. 1939/45, 2686, 9720 RS [**Abb. 380**]
Werbeplakat für die Waffen-SS-Division „Wallonie" (um 1942) ~ Deutsches Historisches Museum, Berlin, Plakatsammlung, 1989/1511 [**Abb. 378**]

C 8.3 Die Antwort der Alliierten: Befreiung Europas und Besetzung Deutschlands

Bericht über die Verkündung der Atlantik-Charta (14.8.1941) ~ *Basler Nachrichten* vom 15.8.1941 [**Abb. 394**]
Foto: Panzerschlacht bei El Alamein (24.10.1942) ~ Imperial War Museum, London, E 18481
Foto: Deutsche und italienische Kriegsgefangene in Nordafrika (24.10.1942) ~ Imperial War Museum, London, E 18485 [**Abb. 395**]
Foto: Siegesfeier in Tunis mit General Eisenhower und Feldmarschall Alexander (20.5.1943) ~ Bildarchiv Preußischer Kulturbesitz, Berlin
Zeitungsbericht über Forderung nach „Unconditional surrender"; Arrangement von Titelseite und Ausriß ~ *The Times* vom 27.1.1943
Goebbels-Tagebuch: Stalin fordert die zweite Front (11.8.1943) ~ Institut für Zeitgeschichte, München – Berlin, Akten der Goebbels-Edition
Foto: Landung britischer und amerikanischer Truppen auf Sizilien (10.7.1943) ~ Bildarchiv Preußischer Kulturbesitz, Berlin [**Abb. 396**]
Zeitungsbericht: Politischer Umschwung in Italien ~ *Neue Zürcher Zeitung* vom 26.7.1943
Foto: Monte Cassino nach der Bombardierung (13.4.1944) ~ Ullstein Bilderdienst, Berlin, 6 54650 – b0 [**Abb. 397**]
Fotoserie: Abwurf alliierter Bomben ~ Bayerische Staatsbibliothek/Fotoarchiv Hoffmann, München, S.54/12232-32
Foto: Hannover in Trümmern (nach September 1944) ~ Bundesarchiv, Koblenz, Bildarchiv, 70/50/35 [**Abb. 400**]
Plakat: „Verhalten bei Fliegeralarm" (undatiert) ~ Institut für Zeitgeschichte, München – Berlin, Archiv, Plakatsammlung, OSB 661[**Abb. 398**]
Plakat: „Der Feind sieht Dein Licht! Verdunkeln!"; Entwurf: DPA Sander-Herweg ~ Bundesarchiv, Koblenz, Plakatsammlung, 3/26/17 [**Abb. 399**]
Meldung über Evakuierte in der Gemeinde Salzberg (20.11.1944) ~ Marktarchiv Berchtesgaden, Az. 460-1
Sowjetisches Flugblatt für Soldaten der Roten Armee; mit Anweisungen auf deutsch in kyrillischer Schrift ~ Institut für Zeitgeschichte, München – Berlin, Archiv, ED 325/9 /16
Foto: Sowjetischer Panzerangriff (Juli 1943) ~ Agentur Nowosti, Moskau [**Abb. 401**]
Foto: Sowjetisches Feldbegräbnis ~ Agentur Nowosti, Moskau
Foto: Deutsches Feldbegräbnis (Sommer 1941) ~ Bundesarchiv, Koblenz, Bildarchiv, 267/150/29 A
Propagandaplakat: „Die Alliierten zerreißen das Hakenkreuz" ~ Staatsarchiv Luxemburg, GM-330 [**Abb. 404**]
Foto: Anlandung amerikanischer Infanterie bei der Invasion in der Normandie (8.6.1944) ~ Bundesarchiv, Koblenz, Bildarchiv, 183/R 99148
Foto: Invasion in der Normandie, amerikanischer Landungsabschnitt (8.6.1944) ~ Bilderdienst Süddeutscher Verlag, München [**Abb. 402**]
Propagandaplakat der Alliierten: „United we will win" (1943) ~ Deutsches Historisches Museum, Berlin, Plakatsammlung, 1989/1914
Foto: De Gaulle und Churchill bei einer Parade unter dem Arc de Triomphe (11.11.1944) ~ Bilderdienst Süddeutscher Verlag, München
Amerikanische Propagandapostkarte: „Barbarism Against Civilization! Paganism Against Christianity!" (ca. 1940) ~ Institut für Zeitgeschichte, München – Berlin, Archiv, SB 148
Sowjetische Kriegskarikatur ~ entnommen aus: Nicholas Bethell, Der Angriff auf Russland, Time-Life International, Amsterdam 1980, S. 131
Plakat: „Um Freiheit und Leben. Volkssturm" (ca. 1944/45); hrsg. v. d. Reichspropagandaleitung der NSDAP ~ Institut für Zeitgeschichte, München – Berlin, Archiv, Plakatsammlung, OSB 673
Foto: Volkssturm-Übung („jung und alt") in der Nähe von Potsdam (Herbst 1944); Foto: Hilmar Pabel ~ Bildarchiv Preußischer Kulturbesitz, Berlin [**Abb. 406**]
Foto: Britische Infanteristen überschreiten die Reichsgrenze (9.2.1945) ~ Bilderdienst Süddeutscher Verlag, München [**Abb. 403**]
Foto: Hitler zeichnet im Garten der Reichskanzlei Hitlerjungen aus (Mitte März 1945) ~ Ullstein Bilderdienst, Berlin, 1 08 000004 980 – 2
Foto: Der 16jährige Luftwaffenhelfer Hans-Georg Henke (April/Mai 1945) ~ Bildarchiv Preußischer Kulturbesitz, Berlin [**Abb. 405**]
Volkssturmbefehl Batl. Befehl Nr. 15 aus Berchtesgaden (25.4.1945) ~ Marktarchiv Berchtesgaden, Gemeindearchiv Salzberg A 2050-1
Tondokument: Rede von Joseph Goebbels vor Soldaten an der Ostfront in Görlitz (11.3.1945) ~ Zuwendung Deutsches Rundfunkarchiv, Frankfurt a. M. – Berlin, DRA 2743212

Bilderduden für Soldaten deutsch-serbisch-griechisch (1941) ~ Institut für Zeitgeschichte, München – Berlin, Archiv, Da 33.18
Bilderduden für Soldaten deutsch-norwegisch-finnisch (1941) ~ Institut für Zeitgeschichte, München – Berlin, Archiv, Da 33.18 (a) [**Abb. 372**]
Deutsch-französisches Soldatenwörterbuch (1943) ~ Institut für Zeitgeschichte, München – Berlin, Archiv, Abk. 1
Deutsch-Russisches Soldatenwörterbuch (1944) ~ Institut für Zeitgeschichte, München – Berlin, Archiv, Abk. 6 [**Abb. 373**]
Der Soldat in Lybien – Taschenbuch für die Truppe (Februar 1941); Oberkommando des Heeres ~ Privatbesitz Stephan Lehnstaedt, Gröbenzell
Postkartensatz „Bilder aus der Ukraine“; Original; Entwurf: Hermann Stehr; hrsg. v. d. Propaganda-Kompanie einer Armee ~ Leihgabe Institut für Zeitgeschichte, München – Berlin, Archiv, SB 213
Deutsches Besatzungsgeld für die Ukraine (1942); Original ~ Leihgabe Museum Berlin–Karlshorst, KH 101751
Erkennungsmarke eines deutschen Soldaten; Original ~ Leihgabe Museum Berlin-Karlshorst, KH 202206 C
Fremdenpaß (12.10.1939); Original ~ Leihgabe Freistaat Bayern
Anhängeetikett: „Denke daran. Das Abhören ausländischer Sender ist ein Verbrechen ...“; Original ~ Leihgabe Institut für Zeitgeschichte, München – Berlin, Archiv, SV 257
Briefumschlag mit deutschen Briefmarken aus der Kriegszeit (1944); Original ~ Leihgabe Volker Dahm, München
Feldpostbriefe (1940-1944); Originale ~ Leihgaben Freistaat Bayern
Bombenpaß (6.1.1945); Original ~ Leihgabe Freistaat Bayern
Gasmaske mit Gebrauchsanweisung; Original ~ Leihgabe Freistaat Bayern
Ärmelabzeichen der Russischen Befreiungsarmee (ROA); Original ~ Leihgabe Ulrich Schneider, München
Kreuz des 5. Don-Kosaken-Reiterregiments; Original ~ Leihgabe Freistaat Bayern
Tapferkeits- und Verdienstauszeichnung für Angehörige der Ostvölker, 2. Klasse in Silber mit Schwertern (ca. 1942); Original ~ Leihgabe Ulrich Schneider, München
Verdienstmedaille für Angehörige der „Indischen Nationalarmee“ (undatiert, ca. 1942/44); Original ~ Leihgabe Ulrich Schneider, München [**Abb. 387**]
Tapferkeits- und Erinnerungsmedaille der spanischen „Blauen Division“ (ca.1941); Original ~ Leihgabe Freistaat Bayern
Ärmelabzeichen der „Arabischen Legion“ (ca. 1942/44); Original ~ Leihgabe Ulrich Schneider, München [**Abb. 383**]
Ärmelabzeichen der „Kroatischen Legion“ (ca. 1941); Original ~ Leihgabe Ulrich Schneider, München [**Abb. 382**]
2 Ärmelabzeichen der „Turkistanischen Legion“ (ca. 1942); Originale ~ Leihgaben Ulrich Schneider, München [**Abb. 385, 386**]
Ärmelabzeichen der „Albanischen Legion“ (undatiert); Original ~ Leihgabe Ulrich Schneider, München [**Abb. 381**]
Ärmelabzeichen der „Georgischen Legion“ (undatiert); Original ~ Leihgabe Ulrich Schneider, München [**Abb. 384**]
Medaille Winterschlacht im Osten (1941/42); Original ~ Leihgabe Kurt Lehnstaedt, Gröbenzell
Kriegsverdienstkreuz mit Schwertern in Bronze, 2. Klasse; Original ~ Leihgabe Kurt Lehnstaedt, Gröbenzell
Verwundetenabzeichen, schwarz; Original ~ Leihgabe Kurt Lehnstaedt, Gröbenzell
Verwundetenabzeichen, silbern; Original ~ Leihgabe Freistaat Bayern
Verwundetenabzeichen, golden; Original ~ Leihgabe Freistaat Bayern
Panzerärmelband; Original ~ Leihgabe Freistaat Bayern
Orden des Vaterländischen Kriegs (Sowjetunion) (1942); Original ~ Zuwendung Ulrich Schneider, München (Leihgabe Institut für Zeitgeschichte, München – Berlin, Archiv, OSB 697 (23))
Erdkampfabzeichen der Luftwaffe; Original ~ Leihgabe Kurt Lehnstaedt, Gröbenzell
Gardeabzeichen der Roten Armee (Sowjetunion); Original ~ Zuwendung Ulrich Schneider, München (Leihgabe Institut für Zeitgeschichte, München – Berlin, Archiv, OSB 697 (21))
Tätigkeitsabzeichen für Funker (Sowjetunion); Original ~ Leihgabe Freistaat Bayern
Ruhmesorden, 3. Klasse (Sowjetunion) (1943/45); Original ~ Leihgabe Freistaat Bayern
Panzerkampfabzeichen, silbern; Original ~ Leihgabe Ulrich Schneider, München
Orden des Vaterländischen Kriegs (Sowjetunion) (1942); Original ~ Zuwendung Ulrich Schneider, München (Leihgabe Institut für Zeitgeschichte, München – Berlin, Archiv, OSB 697 (19))
Nahkampfspange, bronzen; Original ~ Leihgabe Freistaat Bayern
Orden des Roten Sterns (Sowjetunion) (1940); Original ~ Zuwendung Ulrich Schneider, München (Leihgabe Institut für Zeitgeschichte, München – Berlin, Archiv, OSB 697 (25))
Eisernes Kreuz, 1. Klasse (1939); Original ~ Leihgabe Freistaat Bayern [**Abb. 390**]
Eisernes Kreuz, 2. Klasse; Original ~ Leihgabe Kurt Lehnstaedt, Gröbenzell
Verdienstmedaille für Infanteristen (Sowjetunion) (ca. 1941/45); Original ~ Leihgabe Freistaat Bayern [**Abb. 391**]
Infanterie-Sturmabzeichen, bronzen (1939); Original ~ Leihgabe Freistaat Bayern [**Abb. 388**]
Sturmabzeichen; Original ~ Leihgabe Kurt Lehnstaedt, Gröbenzell
Deutsch-italienische Erinnerungsmedaille für den Feldzug in Afrika; Original ~ Leihgabe Kurt Lehnstaedt, Gröbenzell

Kaukasus-Medaille (Sowjetunion) (1943); Original ~ Leihgabe Freistaat Bayern
Ärmelband „Afrika" (1943); Original ~ Leihgabe Kurt Lehnstaedt, Gröbenzell
Krimschild (1941/42); Original ~ Leihgabe Freistaat Bayern
Narvikschild (1940); Original ~ Leihgabe Freistaat Bayern [**Abb. 389**]
Demjanskschild; Original ~ Leihgabe Freistaat Bayern
Kubanschild (1943); Original ~ Leihgabe Stephan Lehnstaedt, Gröbenzell
Ärmelband „Kurland" (1945); Original ~ Leihgabe Ulrich Schneider, München
Luftaufnahme: Obersalzberg vor der Bombardierung (25.4.1945); Aufnahme: Royal Airforce ~ Imperial War Museum, London, C 5252
Luftaufnahme: Obersalzberg nach der Bombardierung (25.4.1945); Aufnahme: Royal Airforce ~ Imperial War Museum, London, C 5242 [**Abb. 407**]
Postkarte: Der zerstörte Obersalzberg (nach 1945) ~ Privatbesitz Fredric Müller-Romminger, Bad Reichenhall
Foto: Angehörige der 101st Airborne Division auf der Queralpenstraße von Innzell nach Schneizlreuth (5.5.1945) ~ Privatbesitz Fredric Müller-Romminger, Bad Reichenhall [**Abb. 408**]
Wappen der 101st US-Airborne Division ~ National Archives, Washington (http://www.nara.gov/exhall/people/europe.html)
Wandzeitung: „Der Führer ist gefallen" (*Hamburger Zeitung* vom 2.5.1945) ~ Institut für Zeitgeschichte, München – Berlin, Archiv, OSB 683 [**Abb. 409**]
Foto: Sowjetische Soldaten vor dem brennenden Reichstag (30. April 1945) ~ Bilderdienst Süddeutscher Verlag, München [**Abb. 410**]
Foto: Sowjetische Soldaten tanzen vor dem Brandenburger Tor (Anfang Mai 1945); Foto: Victor Grebnev ~ Bildarchiv Preußischer Kulturbesitz, Berlin
Kapitulationsurkunde der Wehrmacht (unterzeichnet in Berlin-Karlshorst am 8.5.1945); Auszug ~ Bundesarchiv/ Militärarchiv, Freiburg
Foto: Straßenumbenennung in Trier (12.5.1945) ~ Bilderdienst Süddeutscher Verlag, München [**Abb. 411**]
Foto: Abwurf der ersten Atombombe auf Hiroshima (6.8.1945) ~ Ullstein Bilderdienst, Berlin, 6 06058 – p0 [**Abb. 412**]
Foto: Der zerstörte Stadtkern von Hiroshima kurz nach der Explosion der Atombombe (1945) ~ Ullstein Bilderdienst, Berlin, 6 06058 – n0 [**Abb. 413**]

C 8.4 Der Krieg und seine Folgen

Statistik: „Die Toten des Zweiten Weltkriegs" ~ © Institut für Zeitgeschichte, München – Berlin 1999; Quelle: The Oxford Companion to the Second World War, ed. by Ian Dear, Oxford 1995, p. 290
Karte: Deutsche Soldatenfriedhöfe ~ © Institut für Zeitgeschichte, München – Berlin 1999 in Zusammenarbeit mit dem Volksbund Deutsche Kriegsgräberfürsorge, Kassel; Hersteller: Kartographie Huber, München [**Abb. 416**]
Sterbebild Johann Brandner ~ Christoph Püschner, Hiddenhausen, Nachbar Hitler R 4 [**Abb. 417**]
22 Sterbebilder gefallener Soldaten aus Berchtesgaden ~ Marktarchiv Berchtesgaden, Bildersammlung 495 [**Abb. 418**]
Foto: Kriegsgräberstätte Berchtesgaden-Schönau (August 1998) ~ Volksbund Deutsche Kriegsgräberfürsorge, Kassel
Auszug aus Gefallenenliste des Reichspropagandaministeriums und seiner nachgeordneten Dienststellen; in: *Nachrichtenblatt des Reichsministeriums für Volksaufklärung und Propaganda* Nr. 8 vom 16.4.1943 ~ Institut für Zeitgeschichte, München – Berlin, Archiv, Da 69.01
Foto: Deutscher Soldatenfriedhof in Lommel (Nordbelgien) (Mai 1966) ~ Volksbund Deutsche Kriegsgräberfürsorge, Kassel [**Abb. 420**]
Foto: Bruno Dahm (ca. 1933) ~ Privatbesitz Volker Dahm, München
Foto: Gefreiter Bruno Dahm (ca. 1941) ~ Privatbesitz Volker Dahm, München
Vermählungsanzeige Bruno Dahm – Irmgard Oesterlein (1943) ~ Privatbesitz Volker Dahm, München
Soldbuch Bruno Dahm (1941) ~ Privatbesitz Volker Dahm, München
Letzter Feldpostbrief Bruno Dahm (17.8.1944) ~ Privatbesitz Volker Dahm, München
Foto: Baby Volker Dahm (28.10.1944) ~ Privatbesitz Volker Dahm, München
Foto: Irmgard Dahm (1944) ~ Privatbesitz Volker Dahm, München
Todesnachricht Bruno Dahm (31.7.1950) ~ Privatbesitz Volker Dahm, München
Foto: Ostpreußischer Flüchtlingstreck auf dem Kurischen Haff (1945) ~ Bundesbildstelle, Berlin, 7543 [**Abb. 414**]
Foto: Flüchtlingsnotaufnahmelager in Bayern (1950) ~ Bundesbildstelle, Berlin, 1843 [**Abb. 415**]
Karte: Bevölkerungsverschiebungen nach dem Zweiten Welkrieg (1945-1950) ~ © Werner Hilgemann, Bielefeld
Karte: Flüchtlinge in Bayern (Stand: 1.10.1946) ~ entnommen aus: Beiträge zur Statistik Bayerns, Heft 142, hrsg. v. Bayerischen Statistischen Landesamt, München 1948, S. 6
Foto: Flüchtlinge im Berchtesgadener Land (1945) ~ Privatbesitz Fredric Müller-Romminger, Bad Reichenhall

Foto: „Suche nach Spätheimkehrern" im Lager Friedland (Oktober 1955) ~ Bildarchiv Preußischer Kulturbesitz, Berlin [**Abb. 421**]
Foto: Spätheimkehrer (Oktober 1955); Foto: Robert Lebeck ~ Bildarchiv Preußischer Kulturbesitz, Berlin [**Abb. 419**]
Foto: Konferenz von Jalta (11.2.1945) ~ Ullstein Bilderdienst, Berlin, 2 17 001 35 85 – 12 [**Abb. 422**]
Karte: „Alliierte Planungen für die Aufteilung Deutschlands in Besatzungszonen (1944)" ~ © Institut für Zeitgeschichte, München – Berlin 1999; Herstellung: Kartographie Peckmann, Ramsau [**Abb. 423**]
Bericht über den Beginn der Potsdamer Konferenz ~ *Stars and Stripes* vom 18.7.1945
Präambel der Charta der Vereinten Nationen (26.6.1945) ~ Politisches Archiv des Auswärtiges Amts, Berlin

C 8.5 Kartographische Darstellung des Zweiten Weltkriegs

7 Karten: Europa im Zweiten Weltkrieg. Kriegsverlauf 1939-1945 mit eigener Karte für jedes Kriegsjahr ~ © Institut für Zeitgeschichte, München – Berlin 1999; Herstellung: Kartographie Peckmann, Ramsau [**Abb. 424-430**]

D Die Bunkeranlage am Obersalzberg

Lageplan mit Grundriß der Bunkeranlage ~ Institut für Zeitgeschichte, München – Berlin, Gestaltung: Braun Engels Gestaltung, Ulm [**Abb. 432**]
Film: „Gewalt, Vernichtung, Tod. Szenen aus dem Zweiten Weltkrieg" ~ *Drehbuch:* Volker Dahm, München; *Herstellung:* Chronik Videoproduktion Georg Schmidbauer, München; *Historisches Filmmaterial:* Bundesarchiv/Filmarchiv, Berlin; Chronos-Film GmbH, Archiv, Kleinmachnow; Heller-Film, Dresden – Berlin; Ernst Hirsch, Dresden; Landesmedienzentrum Hamburg; National Archives, Washington; Spiegel-TV, Hamburg; Henry Wiener, Affalterbach-Birkau; Zero-Film-GmbH, Berlin; *Historische Luftaufnahmen:* Archiv Ing.-Büro Dr. H. G. Carls, Würzburg-Estenfeld; *Historische Landkarten:* Institut für Zeitgeschichte, München – Berlin
Hörraum: „Opfererfahrungen. Zwei jüdische Frauen berichten nach ihrer Befreiung über Auschwitz und Bergen-Belsen" (Aufnahmen von Mai 1945) ~ Zuwendung Deutsches Rundfunkarchiv, Frankfurt a. M. – Berlin, DRA 99-1072

E Vergangenheit, die bleiben wird. Der Obersalzberg nach 1945

Ansichtspostkarte: „Der Obersalzberg nach der Zerstörung" (nach 1945) ~ Bayerische Staatsbibliothek/Fotoarchiv Hoffmann, München, X.6/12232-35
Foto: Gaststätte „Zum Türken" mit Berghof; Foto: F.G. Zeitz ~ Bayerische Staatsbibliothek/Fotoarchiv Hoffmann, München, X.6/12232-31 [**Abb. 439**]
Foto: Amerikanische Truppen am Obersalzberg (Mai 1945) ~ National Archives, Washington
Foto: Amerikaner vor dem zerstörten Berghof (Mai 1945) ~ National Archives, Washington [**Abb. 437**]
Foto: Amerikaner bei der zerstörten SS-Kaserne (Mai 1945) ~ National Archives, Washington [**Abb. 438**]
Foto: „Kleine Rast beim Plündern" (Mai 1945); Foto: Lee Miller ~ Lee Miller Archives, East Sussex, 80/11 [**Abb. 435**]
Textexponat: Lee Miller über Plünderer am zerstörten Berghof (englisch/deutsch) (Mai 1945) ~ Englisches Zitat nach: Lee Miller's War – Photographers and correspondent with the allies in Europe, 1944-45, ed. By Anthony Penrose, London 1992, p. 200 – Deutsches Zitat nach: Lee Miller, Der Krieg ist aus, Berlin 1995, S. 83
Luftaufnahme: Der Obersalzberg nach der Bombardierung (15.5.1945); Foto: 7. US Air Force ~ Archiv Ing.-Büro Dr. H. G. Carls, Würzburg-Estenfeld, Schrägluftbild 0012 [**Abb. 436**]
Foto: Plünderung des abgebrannten Berghofs (Frühjahr 1945) ~ Sammlung John Provan, Kelkheim
Proklamation General Eisenhowers an das deutsche Volk (14.7.1945) ~ *Official-Gazette* Nr. 2 vom 4.8.1945
Bekanntmachung betr. Plünderer auf dem Obersalzberg ~ *Official Gazette* Nr. 15 vom 25.8.1945
Schreiben der *Arge Obersalzberg* betr. Rückgabe von widerrechtlich angeeigneten Objekten aus ehem. NSDAP-Besitz am Obersalzberg (20.6.1945) ~ Staatsarchiv München, LRA 29.715
Eingabe einer Gruppe von Alteigentümern an den Bayerischen Landtag (11.8.1951) ~ Bayerisches Hauptstaatsarchiv, München, StK 114105

Urteil des *Bayerischen Oberlandesgerichts München* (9.7.1970); Abschrift ~ Bayerisches Staatsministerium der Finanzen, München
Plakat „Golf AFRC-Berchtesgaden" ~ Institut für Zeitgeschichte, München – Berlin, Archiv, OSB 726
Foto: GIs im Hotel vor Bild des General Walker (August 1994) ~ Christoph Püschner, Hiddenhausen, Nachbar Hitler Nr. 19 [**Abb. 441**]
Getränkekarte „Bavarian Beer Garden – Post-Hotel Berchtesgaden" (1950er Jahre) ~ Privatbesitz Fredric Müller-Romminger, Bad Reichenhall
Foto: GIs bei Führung im Bunker (August 1994) ~ Christoph Püschner, Hiddenhausen, Nachbar Hitler Nr. 17 [**Abb. 442**]
Wegweiserschild für GIs zum Hotel General Walker und Gutshof („Walker Skytop"); Original ~ Leihgabe Freistaat Bayern
Geschirr aus Hotel General Walker (ca. 1960/70er Jahre); Original ~ Leihgabe Freistaat Bayern
Fotostory: „Propagandazelle Obersalzberg" ~ *Münchner Illustrierte* vom 14.7.1951
Schreiben Martin Bormanns an Robert Ley: „Obersalzberg auf immer Wallfahrtsstätte des deutschen Volkes" (2.1.1938) ~ Bundesarchiv, Berlin, NS 22/808 [**Abb. 443**]
Foto: Sprengung der Ruinen des Berghofs (30.4.1952) ~ Bayerische Staatsbibliothek/Fotoarchiv Hoffmann, München, X.48/11097 [**Abb. 440**]
Foto: Feier im Kehlsteinhaus anläßlich der Gründung der Berchtesgadener Landesstiftung (6.8.1960) ~ Fremdenverkehrsverband Berchtesgaden
Schreiben Finanzminister Friedrich Zietsch an Ministerpräsident Hans Ehard betr. Verpachtung Kehlsteinhaus (21.4.1952) ~ Bayerisches Hauptstaatsarchiv, München, StK 114105
3 Postkarten vom Obersalzberg (ca. 1960/75); Originale ~ Leihgaben Institut für Zeitgeschichte, München – Berlin, Archiv, SB 212
Tourismus-Prospekte (1999); Originale ~ Fremdenverkehrsverband Berchtesgaden
Zeitschriftenbericht zur Steigenberger Affäre ~ *Der Spiegel* 27/1964 vom 1.7.1964
Hochglanzbroschüren (Auswahl aus 1999); Originale; Verlag Fabritius, Berchtesgaden ~ Leihgaben Freistaat Bayern
2 Stocknägel (1999); Originale ~ Leihgaben Freistaat Bayern
Foto: Letzte Reste des Berghofs (August 1987) ~ Christoph Püschner, Hiddenhausen, Nachbar Hitler Nr. 20
Foto: Touristen graben in den Berghof-Ruinen (August 1994) ~ Christoph Püschner, Hiddenhausen, Nachbar Hitler Nr. 21
Foto: „Gedenkstätte" mit brennender Kerze und Blumen am Standort des ehemaligen Berghofs (18.5.1999) ~ Privatbesitz Fredric Müller-Romminger, Bad Reichenhall [**Abb. 448**]
Foto: Graffito „Adolf" (16.6.1998) ~ Privatbesitz Albert A. Feiber, München
Foto: Graffitis an der Bunkerwand (11.7.1996) ~ Privatbesitz Christoph Daxelmüller, Würzburg [**Abb. 444**]
Foto: Gästehaus „Hoher Göll" vor dem Abriß (11.7.1996) ~ Privatbesitz Christoph Daxelmüller, Würzburg [**Abb. 446**]
Foto: Gästehaus „Hoher Göll" vor dem Abriß – Innenaufnahme (11.7.1996) ~ Privatbesitz Christoph Daxelmüller, Würzburg
Foto: Neonazistische Schmierereien am Rohbau des Ausstellungsgebäudes (1998) ~ Privatbesitz Monika Schiller, München [**Abb. 447**]
EXIT-Schild aus General-Walker-Hotel (ca. 1960er/70er Jahre); Original ~ Leihgabe Freistaat Bayern

Bildnachweis

Agentur Nowosti, Moskau: 401
Archiv der KZ-Gedenkstätte Dachau: 144, 159, 163, 188, 255
Archiv der sozialen Demokratie der Friedrich-Ebert-Stiftung, Bonn: 257, 258, 263, 264, 268, 269
Archiv der Wachturmgesellschaft, Selters/Taunus: 273
Archiv des Erzbistums München und Freising, München: 308
Archiv des Stadtgeschichtlichen Museums Spandau, Berlin: 263
Archiv Ing.-Büro Dr. H. G. Carls, Würzburg-Estenfeld: 247, 248, 436
Archiwum Okregowej Komisji Badania Zbrodni przeciwko Narodowi Polskiemu – Instytut Pamieci Narodowej w Lodzi (Bezirkskommission zur Untersuchung der Verbrechen am polnischen Volk – Institut des Nationalen Gedenkens – in Lodz): 198
Bayerische Staatsbibliothek/Fotoarchiv Hoffmann, München: 1, 21, 23–25, 28, 29, 34–39, 46–52, 58, 68, 72, 80–84, 86–91, 127, 129, 142, 146, 157, 173, 235, 242, 327, 330, 332–336, 439, 440
Bayerische Staatsbibliothek, München: 259
Bayerisches Hauptstaatsarchiv, München: 122, 377
Bayerisches Landesvermessungsamt, München: 12
Bibliothek für Zeitgeschichte, Stuttgart: 345, 347

Bildarchiv Preußischer Kulturbesitz, Berlin: 138, 139, 174, 244, 318, 326, 328, 341, 344, 354, 362, 396, 405, 406, 419, 421
Bilderdienst Süddeutscher Verlag, München: 5, 8, 33, 115, 119, 121, 141, 153, 155, 164, 166, 173, 243, 245, 253, 325, 340, 346, 358, 374, 376, 393, 402, 403, 410, 411
BMW München, Historisches Archiv: 219
Bundesarchiv, Berlin: 56, 147, 161, 187, 190, 202, 207, 237, 271, 443
Bundesarchiv/Berlin Document Center: 116, 150, 151
Bundesarchiv, Koblenz: 27, 76, 78, 85, 106, 135, 165, 168, 173, 177, 178, 182, 189, 199, 224, 233, 241, 329, 331, 353, 356, 357, 359, 363, 364, 375, 399, 400
Bundesarchiv/Militärarchiv, Freiburg: 201, 321, 350
Bundesbildstelle, Berlin: 414, 415
Ulrich Chaussy, München: 17, 19, 60
Christoph Daxelmüller, Würzburg: 444, 446
Deutsches Historisches Museum, Berlin: 92–96, 108, 117, 123, 136, 137, 140, 183, 200, 378, 379, 392
Elefanten Press, Berlin/Hoffmann & Campe, Hamburg: 133
Evangelische Arbeitsgemeinschaft für Kirchliche Zeitgeschichte, München: 317
Gedenkstätte Deutscher Widerstand, Berlin: 148, 171, 256, 260, 262, 265, 267, 270, 274–277, 281–287, 290, 291, 293–296, 299–301, 306, 307, 310–315
Grabert-Verlag, Tübingen: 118
H+Z Bildagentur, Hannover: 185, 186
Gerda Hadwiger, Murnau: 70
Siegfried Hafner, Piding: 66, 67
Claus Hansmann, München: 7
Rudolf Herz, München: 97
Hessisches Hauptstaatsarchiv, Wiesbaden: 191, 192, 195
Imperial War Museum, London: 10, 395, 407
Institut für Zeitgeschichte, München – Berlin*: 2, 3, 31, 32, 40–45, 62–65, 69, 77, 98, 99, 105, 109–111, 126, 130, 134, 143, 152, 155, 156, 172, 173, 175, 179, 204, 209, 210, 212–215, 217, 218, 225, 228–232, 236, 240, 246, 261, 263, 279, 280, 289, 292, 304, 320, 322, 323, 338, 352, 368– 370, 372, 373, 381, 383–391, 398, 409, 416, 423–434
Instytut Pamieci Narodowej – Archiwum Glownej Komisji Badania Zbrodni przeciwko Narodowi Polskiemu, Warszawa (Institut des Nationalen Gedenkens – Archiv der Hauptkommission zur Untersuchung der Verbrechen am polnischen Volk, Warschau): 197
Jüdisches Museum, Frankfurt a. M.: 176, 221, 222
Ernst Klee, Frankfurt a. M.: 193
Landeswohlfahrtsverband Hessen/Archiv, Kassel: 194
Lee Miller Archives, East Sussex: 435
Marktarchiv Berchtesgaden: 15, 26, 418
Alfred Mühlberger, Rosenheim: 113
Fredric Müller Romminger, Bad Reichenhall: 73, 74, 408, 448
National Archives, Washington: 208, 211, 437, 438
Politisches Archiv des Auswärtigen Amts, Berlin: 339
John Provan, Kelkheim: 14, 16, 20, 59,
Christoph Püschner, Hiddenhausen: 55, 61, 417, 441, 442, 445
Monika Schiller, München: 447
Hellmuth Schöner, Berchtesgaden: 18
Staatsanwaltschaft Hamburg: 355
Staatsarchiv Luxemburg: 404
Staatsarchiv München: 54, 71, 167, 169, 272
Staatsarchiv Nürnberg: 351
Staatsbibliothek zu Berlin – Preußischer Kulturbesitz, Berlin: 380
Stadtarchiv Karlsruhe: 162
Stadtarchiv München: 57, 100, 131, 278, 303, 324, 342, 367
Stadtarchiv Nürnberg: 9
Stadtarchiv Nürnberg/Stürmer-Archiv: 103, 104, 181
Stadtarchiv Penzberg: 304
Stadtmuseum München: 75, 79, 128, 337
Karl Stehle, München: 4, 13, 30, 101, 360, 361
Stiftung Archiv der Parteien und Massenorganisationen der ehemaligen DDR im Bundesarchiv, Berlin: 266
Wolfgang Jean Stock, München: 302
Strähle Luftbild, Schorndorf: 11
Stiftung „Topographie des Terrors“, Berlin: 173
Ullstein Bilderdienst, Berlin: 120, 145, 155, 348, 349, 397, 412, 413, 422
United States Holocaust Memorial Museum, Washington: 203
Volksbund Deutsche Kriegsgräberfürsorge, Kassel: 416, 420
Weiße Rose Stiftung, München: 288
Yad Vashem, Jerusalem: 180, 205, 206, 250, 251, 252, 254
Zentrale Stelle der Landesjustizverwaltungen, Ludwigsburg: 238

* Inklusive Abbildungen von Original-Exponaten, bei denen das Institut für Zeitgeschichte nur über die Bildrechte verfügt.

Nicht in der Dokumentation enthaltene Katalogabbildungen

Foto: Pavillon der Dokumentation Obersalzberg von Süden mit Blick auf den Untersberg (September 1999) ~ Foto: Baumann-Schicht, Bad Reichenhall ~ Institut für Zeitgeschichte, München – Berlin/Berchtesgadener Landesstiftung, Ansichten der Dokumentation Obersalzberg Nr. OS 00100 [**Abb. 2**]
Foto: Blick auf den Verbindungsgang zwischen dem Ausstellungsgebäude und der Bunkeranlage (September 1999); Foto: Baumann-Schicht, Bad Reichenhall ~ Institut für Zeitgeschichte, München – Berlin/Berchtesgadener Landesstiftung, Ansichten der Dokumentation Obersalzberg Nr. OS 00200 [**Abb. 3**]
Foto: Ehrenhof des Bendlerblocks in Berlin ~ Gedenkstätte Deutscher Widerstand, Berlin [**Abb. 256**]
Foto: Deutsche Truppen in der Cyrenaika (1941) ~ Bibliothek für Zeitgeschichte, Stuttgart, DC Afrika, 179/39 [**Abb. 347**]
Foto: Innenaufnahme Bunker (Nachkriegszeit) ~ Institut für Zeitgeschichte, München – Berlin, Archiv, OSB K 431 [**Abb. 431**]
Foto: Bunkeranlage am Obersalzberg (ehemaliger Generatorenraum des OKW-Bunkers) (Aufnahme von 2000); Foto: Baumann-Schicht, Bad Reichenhall ~ Institut für Zeitgeschichte, München – Berlin/Berchtesgadener Landesstiftung, Ansichten der Dokumentation Obersalzberg Nr. OS 02700 [**Abb. 433**]
Foto: Bunkeranlage am Obersalzberg/ OKW-Bunker (Aufnahme von 2000); Foto: Baumann-Schicht, Bad Reichenhall ~ Institut für Zeitgeschichte, München – Berlin/Berchtesgadener Landesstiftung, Ansichten der Dokumentation Obersalzberg Nr. OS 02800 [**Abb. 434**]
Foto: Souvenirshop am Obersalzberg (August 1987) ~ Christoph Püschner, Hiddenhausen, Nachbar Hitler A 10 [**Abb. 445**]

Umschlag

Umschlaggestaltung: paper-back gbr, München
Verwendete Fotos: Berghof (August 1936) ~ Bayerische Staatsbibliothek/Fotoarchiv Hoffmann, München, K.85/20012a [vgl. Abb. 1, 52]; Als Partisanen erhängte Zivilisten in Charkow/Ukraine (November 1941) ~ Claus Hansmann, München [vgl. Abb. 7]; Zaun des KZ Auschwitz ~ Archiv der KZ- Gedenkstätte Dachau; Brennende Synagoge (Bielefeld, 9.11.1938)/ Foto: Hans Asemissen ~ H+Z Bildagentur, Hannover, 49217-0 [vgl. Abb. 185]; Ruinen in Nürnberg (1945) ~ Stadtarchiv Nürnberg, 4415/S [vgl. Abb. 9]; Häftlinge in Dachau (1945) ~ Institut für Zeitgeschichte, München – Berlin; Sowjetischer Panzerangriff (Juli 1943) ~ Agentur Nowosti, Moskau [vgl. Abb. 401]; Deutscher Soldatenfriedhof in Lommel (Nordbelgien) (Mai 1966) ~ Volksbund Deutsche Kriegsgräberfürsorge, Kassel [vgl. Abb. 420]

Autoren und Herausgeber

Dahm, Volker, Dr. phil., wissenschaftlicher Mitarbeiter am Institut für Zeitgeschichte, München

Feiber, Albert A., M.A., wissenschaftlicher Mitarbeiter am Institut für Zeitgeschichte, München

Hartmann, Christian, Dr. phil., wissenschaftlicher Mitarbeiter am Institut für Zeitgeschichte, München

Hockerts, Hans Günter, Dr. phil., ordentlicher Professor am Historischen Seminar an der Ludwig-Maximilians-Universität München

Lankheit, Klaus A., Dr. phil., wissenschaftlicher Mitarbeiter am Institut für Zeitgeschichte, München

Mehringer, Hartmut, Dr. phil. habil., wissenschaftlicher Mitarbeiter am Institut für Zeitgeschichte, München

Möller, Horst, Prof. Dr. phil. Dr. h.c., Direktor des Instituts für Zeitgeschichte, München – Berlin sowie ordentlicher Professor am Historischen Seminar an der Ludwig-Maximilians-Universität München

Pohl, Dieter, Dr. phil., wissenschaftlicher Mitarbeiter am Institut für Zeitgeschichte, München

Studt, Christoph, Dr. phil., wissenschaftlicher Mitarbeiter am Historischen Seminar der Friedrich-Wilhelms-Universität Bonn

Das Institut für Zeitgeschichte (IfZ)

Das Institut für Zeitgeschichte (IfZ) München mit zwei Forschungsstellen in Berlin wurde im Jahre 1949 zur Erforschung der Zeit des Nationalsozialismus gegründet.

Es hat die deutsche und internationale zeitgeschichtliche Forschung der letzten 50 Jahre maßgebend geprägt. Untersuchungen zur nationalsozialistischen Diktatur, zu ihrer Vorgeschichte (Weimarer Republik) und ihren unmittelbaren Folgen (Besatzungszeit) bilden nach wie vor einen Schwerpunkt seiner Tätigkeit.

Weitere Forschungsfelder sind die Geschichte der Bundesrepublik Deutschland und der DDR, der Diktaturvergleich und vergleichende Untersuchungen zu den europäischen Demokratien der Zwischenkriegszeit.

Bis zum heutigen Tag hat das IfZ ca. 450 Bücher publiziert. Seit 1953 gibt es die renommierten „Vierteljahrshefte für Zeitgeschichte“ mit inzwischen mehr als 200 Heften heraus.

Das IfZ unterhält eine ca. 170 000 Bände umfassende Fachbibliothek und ein Archiv mit Nachlässen, Akten, Zeugenschrifttum, Zeitungen und Amtsdrucksachen. Bibliothek und Archiv sind allgemein zugänglich.

Institut für Zeitgeschichte
Direktor:
Prof. Dr. Dr. h.c. Horst Möller
Leonrodstraße 46b
D-80636 München
Tel. ++49 (0)89-126880
Fax ++49 (0)89-1231727
E-mail ifz@ifz-muenchen.de
http://www.ifz-muenchen.de

Außenstelle Berlin:
Finckensteinallee 85-87
12205 Berlin

Außenstelle im
Auswärtigen Amt, Berlin:
c/o Auswärtiges Amt
Referat 117 an IfZ-AAPD
11013 Berlin

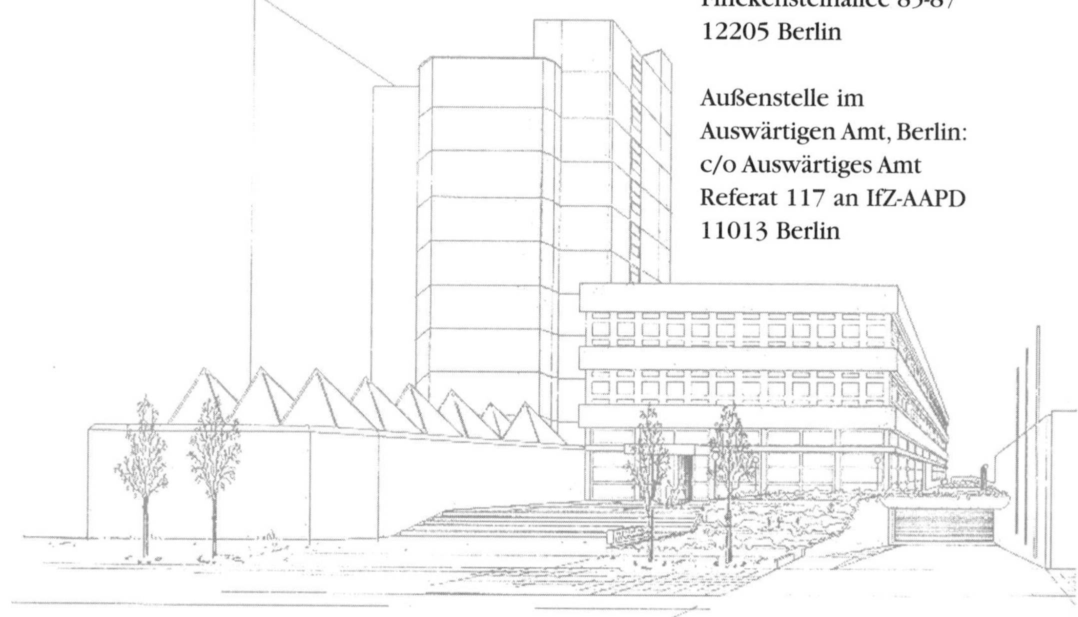